現代税法入門塾〔第12版〕・追録
（2025年3月1日現在）

2025年度税制改正のあらまし

作成担当　石村 耕治・阿部 德幸

1　基本的考え方

◎物価上昇局面における税負担の調整および就業調整対策の観点から、次のような改正をします。
・所得税の基礎控除の控除額および給与所得控除の最低保障額の引上げ
・大学生年代の子等に係る新たな控除の創設
◎老後に向けた資産形成を促進する観点から、次のような改正をします。
・確定拠出年金（企業型DCおよびiDeCo）の拠出限度額等の引上げ
◎成長意欲の高い中小企業の設備投資を促進し地域経済に好循環を生み出すために、次のような改正をします。
・中小企業経営強化税制の拡充
◎国際環境の変化等に対応するため、次のような改正をします。
・外国人旅行者向け消費税免税制度の見直し
・防衛力強化に係る財源確保のための税制措置
・グローバル・ミニマム課税の法制化

　以上のような税制改正や措置は、「賃上げと投資が牽引する成長型経済」への移行を実現し、経済社会の構造変化等に対応するためとしています。

2　2025年度税制改正の具体的内容

1　個人所得課税

(1)　給与所得控除額の引上げ

　給与所得控除額について、最低保障額が10万円引き上げられます（現行55万円→65万円）。
　なお、この引上げは2025（令和7）年分以後の所得税、2026（令和8）年度分以後の住民税から適用されます。

(2) 各種所得控除額の拡充

① 基礎控除について、合計所得金額 2,350 万円以下の控除額が 10 万円引き上げられます（現行 48 万円→58 万円）。この結果、改正後の基礎控除は以下のとおりとなります。

合 計 所 得 金 額	基 礎 控 除 額
2,350 万円以下	58 万円
2,350 万円超 2,400 万円以下	48 万円
2,400 万円超 2,450 万円以下	32 万円
2,450 万円超 2,500 万円以下	16 万円

② 「特定親族特別控除」（仮称）が創設されます。居住者に一定の親族等がいる場合、その居住者の総所得金額から以下の区分に応じた金額が控除されます。なお、一定の親族等とは、以下の要件のすべてを満たす親族等をいいます。

・生計を一にしている者
・配偶者・青色事業専従者等でない者
・合計所得金額が 123 万円以下の者
・19 歳以上 23 歳未満の者
・控除対象扶養親族でない者

親族等の合計所得金額	控 除 額
58 万円超 85 万円以下	63 万円
85 万円超 90 万円以下	61 万円
90 万円超 95 万円以下	51 万円
95 万円超 100 万円以下	41 万円
100 万円超 105 万円以下	31 万円
105 万円超 110 万円以下	21 万円
110 万円超 115 万円以下	11 万円
115 万円超 120 万円以下	6 万円
120 万円超 123 万円以下	3 万円

（注）住民税の場合、控除額が異なります。

③ 上記②の創設に伴い、配偶者控除および扶養控除の対象者の合計所得金額要件がそれぞれ 10 万円引き上げられます。また、ひとり親控除や勤労学生控除などについても同様の措置が講じら

れます。具体的には、以下のとおりです。

　イ. 同一生計配偶者および扶養親族の合計所得金額要件が 58 万円以下（現行：48 万円以下）に引き上げられます。

　ロ. ひとり親の生計を一にする子の総所得金額等の合計額の要件が 58 万円以下（現行：48 万円以下）に引き上げられます。

　ハ. 勤労学生の合計所得金額要件が 85 万円以下（現行：75 万円以下）に引き上げられます。

　ニ. 家内労働者等の事業所得等の所得計算の特例について、必要経費に算入する金額の最低保障額が 65 万円（現行：55 万円）に引き上げられます。

　※①～③の改正については、2025(令和 7)年分以後の所得税から適用されます。また、住民税は②および③について 2026(令和 8)年度分以後から適用されます。

④　生命保険料控除の拡充策として、一般生命保険料控除について、23 歳未満の扶養親族を有する場合には、控除額が最大 2 万円増加し最大 6 万円となります。ただし、生命保険料控除額の合計適用限度額 12 万円について、変更はありません。

　※この改正は、2026(令和 8)年分の所得税に限り適用されます。

(3)　住宅ローン控除の特例

　特例の対象となる個人が、2025 年(令和 7 年)中に、認定住宅、ZEH 水準省エネ住宅、省エネ基準適合住宅を取得等した場合には、以下に掲げる区分に応じた借入限度額で「住宅借入金等を有する場合の所得税額の特別控除」（いわゆる「住宅ローン控除」）を適用することができます。

住 宅 の 区 分	借 入 限 度 額	控 除 限 度 額
認定住宅	5,000 万円	35 万円
ZEH 水準省エネ住宅	4,500 万円	31.5 万円
省エネ基準適合住宅	4,000 万円	28 万円

(4)　個人型確定拠出年金（iDeCo）等の拠出限度額の拡充

　個人型確定拠出年金（iDeCo）の拠出限度額が、次のように改正されます。

区　　　分	金　　　額
第一号被保険者	月額 7.5 万円（現行 6.8 万円）
企業年金加入者	月額 6.2 万円から企業年金の掛金額を控除した額（現行 2 万円）
企業年金未加入者	月額 6.2 万円（現行 2.3 万円）

なお、企業型確定拠出年金の拠出限度額についても同様に、月額6.2万円（現行5.5万円）に改正されます。また、国民年金基金の掛金額の上限が、月額7.5万円（現行6.8万円）になります。

(5) 退職所得控除額の計算における勤続期間等の重複排除の特例に関する改正

老齢一時金（確定拠出年金法の老齢給付金として支給される一時金）を除く退職手当等の支払いを受ける年の前年以前9年以内に老齢一時金の支払いを受けている場合には、その老齢一時金等について、退職所得控除額の計算における勤続期間等の重複排除の特例の対象になります。また、老齢一時金に係る「退職所得の受給に関する申告書」の保存期間が10年（現行7年）になります。さらに、退職手当等の支払いをする者は、退職手当等を受け取る「すべての居住者」に係る「退職所得の源泉徴収票」を税務署長に提出しないといけなくなります（現行：居住者である法人の役員）。

なお、この改正は、2026年（令和8年）1月1日以後に支払いを受けるべき退職手当等に適用されます。

2 資産課税

(1) 非上場株式等に係る贈与税の納税猶予の特例制度における役員就任要件の緩和

非上場株式等に係る贈与税の納税猶予の特例制度における役員就任要件は、現行では、贈与の直前において贈与の日まで引き続き3年以上特例認定贈与承継会社の役員等であることです。改正案では、贈与の直前において特例認定贈与承継会社の役員等であればよいことに緩和されます。

この改正は、2025年（令和7年）1月1日以後の贈与から適用されます。

(2) 結婚・子育て資金の一括贈与を受けた場合の贈与税の非課税措置の延長

直系尊属から結婚・子育て資金の一括贈与を受けた場合の贈与税の非課税措置の適用期限が2027年（令和9年）3月31日まで2年延長されます。

3 法人課税

(1) 中小企業者等の法人税の軽減税率の特例

中小企業者等の所得の金額のうち、年800万円以下の部分に適用される法人税の軽減税率15%（本則：19%）の適用時期が2年間延長されます。この結果、2027年（令和9年）3月31日までに開始する事業年度まで適用されます。

ただし、以下の見直しが行われます。

① 所得金額が年10億円を超える事業年度については、軽減税率が17%に引き上げられます。
② グループ通算制度の適用を受けている法人が適用から除外されます。

(2)　中小企業投資促進税制の延長

　中小企業投資促進税制については、その適用期限が２年間延長されます。この結果、2027年(令和９年)３月31日までの間に事業の用に供した資産について適用されます。

(3)　中小企業経営強化税制の見直しと延長

　特定経営力向上設備等に、その投資計画における年平均の投資利益率が７％以上となることが見込まれるものであること、および経営規模の拡大を行うものとして経済産業大臣が定める要件（売上高100億円を目指す等）に適合することにつき経済産業大臣の確認を受けた投資計画に記載された投資の目的を達成するために必要不可欠な設備（機械装置、工具、器具備品、建物およびその附属設備並びにソフトウエアで、一定の規模以上のもの）が追加されます。加えて、適用要件等の見直しを行ったうえで適用期限が2027年(令和９年)３月31日まで２年間延長されます。

(4)　地方創生応援税制（企業版ふるさと納税）の延長等

　地方創生応援税制（企業版ふるさと納税）の適用期限が2028年（令和10年）３月31日まで３年延長されます。ただし、関係法令等が改正され、寄附活用事業を実施した認定地方公共団体が寄附活用事業の完了の時および各会計年度終了の時に、寄附活用事業を適切に実施していることを確認した書面を内閣総理大臣に提出しなければならないこととする等の措置が講じられることが前提です。

４　消費課税

〇輸出物品販売場制度に関する改正

① 　リファンド方式への変更

　外国人旅行者向け消費税免税制度（輸出物品販売場制度）について、現行の販売時に免税価格で販売する方法から、「リファンド方式」に変更されます。具体的には、消費税相当額を含めた価格で販売し、出国時に持出しが確認された場合に輸出物品販売場を経営する事業者から免税購入対象者に対して消費税相当額を返金する形になります。

② 　免税対象物品の範囲の見直し

　免税対象物品の範囲が見直されます。具体的には、消耗品について免税購入対象者の同一店舗一日当たりの購入上限額(50万円)および特殊包装が廃止されるとともに、一般物品と消耗品の区分が廃止されます。また、免税販売の対象外とされている通常生活の用に供しないものの要件が廃止されます。さらに、金地金等の不正の目的で購入されるおそれの高い物品については、免税販売の対象外とされる物品として個別のルールが策定されます。

③ 　免税販売手続きの見直し

　税抜き100万円以上の免税対象物品については、免税対象物品を特定するための情報（シリア

ルナンバー等)を国税庁に提供しなければならなくなります。また、免税対象物品を免税店以外から海外に配送する「別送」を認める取扱いは廃止されます。ただし免税店から直接海外に配送する「直送制度」は引き続き認められます。

④ 改正・取扱いの適用開始時期

これらの改正は、2026年(令和8年)11月1日以後の免税対象物品の譲渡について適用されます。ただし、「別送」を認める取扱いは2025年(令和7年)3月31日をもって廃止されます。

5 国際課税

(1) グローバル・ミニマム課税への対応

2021年(令和3年)10月に、経済協力開発機構(OECD)加盟国を含む136か国・地域が合意(以下「2021国際課税合意」)し、多国籍企業による「税源浸食と利益移転」(BEPS)に対応するために、次の2つの国際課税ルールを決めました。

①「国際デジタル課税」ルール:既存の国際課税ルールの見直し
②「グローバル・ミニマム課税」ルール:新たな国際課税ルールの創設

①「国際デジタル課税」の実施に向けては、多数国間条約を結ぶ必要があります。調整を続けてきましたが、難航しています。署名期限を2024年6月としていましたが、目標達成に至っていません。2025年1月、アメリカではトランプ2.0政権が誕生し、グローバル・ミニマム課税交渉からの離脱を宣言し、先行きは不透明になっています。

一方、②「グローバル・ミニマム課税」とは、その所在地国にかかわらず最低15%以上の課税を確保する仕組みです。例えば、日本企業が海外で子会社を設立し、現地国で10%の納税をした場合、グローバル・ミニマム課税で求められる最低税率(実効税率)15%を下回っているため、残りの5%を日本にある親会社が納税するように求められます。

財務省は、「年間収入金額が7.5億ユーロ(約1,100億円)以上の多国籍企業を対象に、一定の適用除外を除く所得について各国ごとに最低税率(実効税率)15%以上の課税を確保する仕組み」がグローバル・ミニマム課税であると定義しています。

②グローバル・ミニマム課税には、具体的には❶「所得合算ルール(IIR=Income Inclusion Rule)」、❷「軽課税所得ルール(UTPR=Undertaxed Payments Rule)」、そして❸「国内ミニマム課税(QDMTT=Qualified Domestics Minimum Top-up Tax)」の3つからなります。

日本においては、2021国際課税合意に基づき、3つのうち、2023(令和5)年度の改正では、❶「所得合算ルール」のみが法定化されました(各対象会計年度の国際最低課税額に対する法人税等の創設/法税法4①、6の2、15の2、82～82の10等)。2025(令和7)年度の改正では、残りの❷「軽課税所得ルール」と❸「国内ミニマム課税」が法定化されます。ちなみに、アメリカのトランプ2.0政権は、軽課税所得ルール(UTPR)からの離脱を模索し、UTPR導入国企業への報復を狙いと

した「相互的課税」をする方向です。欧州のみならず、わが国も無関係ではいられません。

項　目	法制化時期	適　用　時　期	内　容
❶所得合算ルール （IIR）	2023 年（令和5年） 創設	2024 年（令和6年）4 月1日以後開始する 対象会計年度	海外子会社等の実効税率が15%未満の 場合に、15%となるまでの差額相当額を 日本親会社に追加して課税
❷軽課税所得ルール （UTPR）	2025 年（令和7年） 創設	2026 年（令和8年）4 月1日以後開始する 対象会計年度	海外親会社等の実効税率が15%未満の 場合に、15%となるまでの差額相当額を 日本子会社等に追加して課税 ※IIRが適用できない場合の補助的な課 税措置
❸国内ミニマム課税 （QDMTT）	2025 年（令和7年） 創設	2026 年（令和8年）4 月1日以後開始する 対象会計年度	日本法人の実効税率が 15%未満となっ た場合に、15%となるまでの差額相当額 を日本法人に追加して課税 ※他国からの IIR・UTPR の追加課税防 止のための措置

(2)　外国子会社合算税制等の見直し

　内国法人の外国関係会社に係る所得の課税の特例（外国子会社合算税制）等について、以下のように改正されます。

① 　内国法人に係る外国関係会社の各事業年度に係る課税対象金額等に相当する金額は、その内国法人の収益の額とみなして、その事業年度終了の日の翌日から4か月（現行：2か月）を経過する日を含むその内国法人の各事業年度の所得金額の計算上、益金の額に算入することとされます。

② 　申告書に添付または保存をすることとされている外国関係会社に関する書類の範囲から以下のものが除外されます。

イ. 株主資本等変動計算書および損益金の処分に関する計算書

ロ. 貸借対照表および損益計算書に係る勘定科目内訳明細書

※この改正は、内国法人の 2025 年（令和7年）4月1日以後に開始する事業年度に係る外国関係会社の課税対象金額等（その外国関係会社の同年 2月1日以後に終了する事業年度に係るものに限ります）について適用されます。ただし、早期適用が可能となる経過措置が設けられます。

6　防衛力強化に係る財源確保のための税制措置

　わが国の防衛力の抜本的強化を狙いに安定的な財源を確保するための税制措置が、2023 年（令和

5年)税制改正大綱等において示されていました。その具体策として、令和7年度改正では「防衛特別法人税」(仮称)が創設され、たばこ税について見直しが行われます。

(1)　防衛特別法人税(仮称)の創設

防衛特別法人税(仮称)は、法人税額に対し税率4％の新たな付加税として、2026 年(令和8年)4月1日以後に開始する事業年度から課されます。なお、中小法人に配慮するため、課税標準となる法人税額から 500 万円が控除されます。

【具体的計算方法】

防衛特別法人税(仮称) ＝ 基準法人税額(注1) － 基礎控除額(500 万円) × 4％－税額控除(注2)

(注1)所得税額控除、外国税額控除等適用前の金額

(注2)外国税額控除等

(注3)申告期限・納期限その他は法人税と同様

(2)　たばこ税

加熱式たばこの課税標準等の見直しとたばこ税の税率引上げが行われます。加熱式たばこの課税標準等の見直しは、2026 年(令和8年)4月1日と同年 10 月1日の2回に分けて行われます。これにより紙巻たばことたばこ税の足並みがそろうことになります。そのうえで、たばこ税の税率の引上げが 2027 年(令和9年)4月1日、2028 年(令和 10 年)4月1日、2029 年(令和 11 年)4月1日の3段階で行われます。

7　納税環境の整備

○電子帳簿等保存制度の見直し

電子取引の取引情報に係る電磁的記録保存制度が見直されます。具体的には、「電磁的記録に係る重加算税の加重措置」の対象から、国税庁長官が定める基準に適合するシステムを使用した上で一定の要件を満たして保存が行われている電子取引データが除外されます。

この改正にあわせ、所得税の青色申告特別控除 65 万円の適用要件も、優良な電子帳簿の保存または電子申告をしていることのほか、上記システムを使用した上で、上記電子取引データを保存している者にも適用されます。

なお、この改正は 2027 年(令和9年)1月1日以後に法定申告期限等が到来する国税について適用されます。ただし、所得税の青色申告特別控除の改正については、2027(令和9)年分以後の所得税から適用されます。

この追録の内容は、主に「令和7年度税制改正の大綱」および「所得税法等の一部を改正する法律案要綱」「所得税法等の一部を改正する法律案」によっています。

TaxLawPrimer

税金のすべてがわかる

―第12版―

現代税法入門塾

石村耕治

編

清文社

第12版の発刊にあたって

2022年に本書の10度目の改訂をしてから2年たちました。この2年間に、大幅な税法の改正がありました。また、教育や実務の現場で本書を活用している人たちからのさまざまな問いかけがありました。今回の改訂では、こうした改正や問いかけにもできるだけ対応するように努めました。

2004年4月から法科大学院（ロースクール）での専門職育成のための教育がはじまりました。新たに司法試験選択科目に租税法が加わりました。以前にも増して、税法関連のさまざまな書物が出版されてきています。しかし、税法の基礎知識が豊かでない人たちには、難しすぎるものが多い感じがします。

本書は、税法の基礎知識や税法のベーシックな仕組みを、できるだけこなれた言葉と図で解説することを基本方針につくられています。税の実務にたずさわっている人たちが執筆陣の中核をなしているのはこのためです。また、法令・通達などの条文を入れ、重要な裁決や裁判例、さらにはコラムやアドバンス文献などを盛り込んでいます。税法をもう少し掘り下げて勉強したいと思う人たちのことを考えてのことです。専門職コースでの入門書としても本書をおすすめします。

一般の人たち、大学学部、大学院の研究コースや専門職コースなどで学ぶ人たちなどが本書を親しめるように、たゆまない改善の努力が求められるところです。幅広い読者の方々からの有益なご指摘をいただいて、今後、読み手の目線で本書をさらに充実した内容にしたいと考えています。

このたび清文社のご好意により第12版を出すことができました。厚くお礼を申し上げます。

2024年4月

石村 耕治

はじめに～社会人、学生が主役の税法レクチャーをめざして

　本書は、わが国の税金や財政の法制度の基本について、できるだけわかりやすく書き上げたものです。社会人や学生が、納税者として学んでおくべきことがらを選んで、まとめあげました。本書を一つの出発点として、税法についての基本的な知識を得て、納税者としての自覚を高められることを期待しています。

　また、本書は、税務の専門家や大学院生などが、平易な税法学の専門書として使えるように、さまざまな機能をインプットし、書き上げました。具体的には、法令などの条文を入れ、国税不服審判所の裁決や裁判所の判例で重要なものを引用し、さらに深く研究する場合に参考にできる「アドバンス文献」をあげるように努めました。

　このところ、大学が大きな変革のなかにあります。大学教育の大衆化のなかで、「研究」に加え、「教育」のあり方が問われてきています。カリキュラムの見直し、少人数教育、学生による教員評価など、さまざまな試みが繰り返されてきています。

　一方で、「消費者意識」の薄い学生と「消費者サービス意識」の薄い教職員が大勢を占めるという、わが国の大学界に特有の構造問題があります。この問題は、まさに、さまざま試みられる改革の手法があまりよい成果につながらない原因のようにもみえます。

　いずれにせよ、学生が授業を理解できない、教科書が難しすぎるなど、教える側の「消費者サービス意識」の希薄さを指摘する声が日増しに強くなってきているのも、無視し得ない現実です。特に、新聞・雑誌は、内容が難しくとも、流れるように文章が読める。これに対して、大学の教科書は機能不全を起しているかのように、文章が流れない。こうした指摘を、深刻に受け止める必要があります。図解などを用い専門記事を極めて簡潔に紹介できるテレビの解説者の方が、大学教育の現場に適しているのではないかとの指摘もある始末です。

　税法は、くらしに身近な科目と思って履修したものの、使っている教科書は

読んでもよくわからない。こうした学生の悲鳴に真摯に応えることこそが、現代の学生のニーズに対する教員の最低限の任務ではないかと思います。こうした大学界の「教科書問題」に応えようというのが、本書を企画・出版した理由です。「税法」という非常に限られた分野ですが、真の大学改革の方向性にはマッチしているのではないか、と考えております。

　本書は共著ですが、執筆にあたっては、できるだけこなれた文体で書くことを心がけてもらいました。ただ、各執筆者の自主性の尊重と監修者の不注意・怠慢から、必ずしも「読み手が主役」となっていない文体も多々あるものと思われます。こうした点については、執筆者全員の責任で、今後絶えず検討を加えていきたいと思います。

　2002年５月

石村　耕治

目　　次

第12版の発刊にあたって
はじめに

PART 1　税法の基礎知識を学ぶ

| 1. 1 | 税法学をどう学べばよいのか | 2 |

1. 1. 1　税法学と税務会計論 ……………………………… 3
1. 1. 2　税法学と財政学、租税政策学 …………………… 5
1. 1. 3　税法学と隣接法学 ………………………………… 7

1. 2　租税・社会保障・納税者・税法の基礎知識 …… 10
1. 2. 1　租税体系の基礎 …………………………………… 10
1. 2. 2　国民負担率、課税ベース、タックス・ミックスとは …… 13
1. 2. 3　直接税と間接税 …………………………………… 15
1. 2. 4　租税と負担金の関係 ……………………………… 18
1. 2. 5　「所得」とは何か ………………………………… 23
1. 2. 6　「租税」の法的な定義とは ……………………… 26
1. 2. 7　税率、超過累進課税とは ………………………… 31
1. 2. 8　課税単位とは何か ………………………………… 35
1. 2. 9　二重課税とは何か ………………………………… 39
1. 2. 10　環境税とは ……………………………………… 47

1. 3　課税庁の仕組みと役割 ………………………… 51
1. 3. 1　課税庁とはどんなところか ……………………… 52
1. 3. 2　国の課税庁の仕組み ……………………………… 53
　　　　《Column　国税審議会とは》 56
1. 3. 3　地方の課税庁の仕組み …………………………… 57
　　　　《Column　「地方公共団体」、「地方自治体」、「地方団体」、
　　　　　　　　　「公共団体」、「指定都市」はどう違う》 58
1. 3. 4　課税庁保有情報の開示 …………………………… 60
1. 3. 5　課税庁職員の守秘義務 …………………………… 66
　　　　《Column　不要な調査をなくすための標準経費率/概算経
　　　　　　　　　費率の公開・公表》 74
1. 3. 6　課税庁の納税者サービス・スタンダード ……… 76
1. 3. 7　納税者番号制度、共通番号（マイナンバー）制度とは何か … 88

i

| 1. 3. 8 | 電子帳簿保存法とは ································ | 105 |

《Column 「提示または提出等の要求」と「ダウンロードの
求め」》 109

1. 4　私たちの負う納税義務 ································ 115

| 1. 4. 1 | 納税者とは法的にどのような存在なのか ················ | 115 |

《Column 「納税義務者」と「納税者」の違いは？》 117

| 1. 4. 2 | 租税法律主義と国税の納税義務 ···················· | 119 |

《Column 英米における租税法律主義》 122

| 1. 4. 3 | 税法の法源：租税に関する法律、政省令、通達などの構造 ··· | 123 |
| 1. 4. 4 | 租税立法プロセス、改正税法の公布、施行と適用 ·········· | 126 |

《Column 地方税条例制定の仕組み》 136

1. 4. 5	租税立法違憲訴訟と立法裁量論 ····················	137
1. 4. 6	税務通達とは何か ··························	143
1. 4. 7	租税条例主義と地方税の納税義務 ····················	157
1. 4. 8	地方税の概要とふるさと納税 ····················	162

《Column 都区財政調整制度とは》 171

| 1. 4. 9 | 実体税法（租税実体法）と手続税法（租税手続法）········· | 172 |

1. 5　租税法の基本原則 ································ 175

1. 5. 1	租税負担公平の原則とは何か ····················	175
1. 5. 2	実質課税の原則とは何か ························	177
1. 5. 3	税法上の信義誠実の原則とは何か ··················	179
1. 5. 4	不確定概念と課税要件明確主義 ····················	182
1. 5. 5	税法の固有概念と借用概念 ························	185

1. 6　税金の専門家（専門職） ································ 188

| 1. 6. 1 | 税理士制度とは ·························· | 188 |

《Column ドイツの税理士制度と税務援助》 195

| 1. 6. 2 | 税理士になるには ·························· | 196 |
| 1. 6. 3 | 税理士と税務援助 ·························· | 206 |

《Column 課税庁の税理士監理官とはどのような
仕事をする役職なのか》 219

| 1. 6. 4 | 公認会計士と税務の関係を知る ···················· | 220 |
| 1. 6. 5 | 弁護士と税務の関係を知る ························ | 230 |

PART 2　租税実体法（実体税法）を学ぶ

2. 1　　　会社などの税金：法人税法のあらまし ………………… 234
- 2. 1. 1　法人税が課される法人とは ………………………… 235
- 2. 1. 2　法人税の課される所得と事業年度 ………………… 242
　　《Column　「年度」、「年分」の違い》　245
- 2. 1. 3　法人税が課される所得はどう算定するのか ……… 247
- 2. 1. 4　「益金」、「損金」の範囲 …………………………… 252
- 2. 1. 5　減価償却と法人税 …………………………………… 257
　　《Column　LLP、LLCとは何か》　261
- 2. 1. 6　役員や使用人などに支給する給与の課税取扱い ……… 263
　　《Column　裁決・裁判例を勉強する際に求められる
　　　　　　　旧役員給与課税取扱いの基礎知識》　273
- 2. 1. 7　交際費・寄附金などの課税取扱いは ……………… 274
　　《Column　使途不明金・使途秘匿金と法人課税》　279
- 2. 1. 8　法人税の税率と税額控除 …………………………… 279
- 2. 1. 9　法人税の申告 ………………………………………… 282
- 2. 1. 10　赤字法人と法人税 …………………………………… 285
- 2. 1. 11　同族会社の課税の特例 ……………………………… 288
　　《Column　同族会社の行為計算否認規定と対応的調整》　302
- 2. 1. 12　租特透明化法とは …………………………………… 303

2. 2　　　消費税のあらまし ……………………………………… 306
- 2. 2. 1　消費税とはどんな仕組みの税金なのか …………… 307
- 2. 2. 2　消費税における様々な取引 ………………………… 310
　　《Column　「ゼロ税率」の賢い使い方》　317
- 2. 2. 3　消費税の納税義務者 ………………………………… 321
- 2. 2. 4　課税標準と税率 ……………………………………… 328
- 2. 2. 5　納付すべき税額の計算と申告・納付 ……………… 330
- 2. 2. 6　消費税の総額表示義務 ……………………………… 339
- 2. 2. 7　国境を越えた電子サービス取引に対する消費税課税 ……… 341
　　《Column　「国際観光旅客税」とは何か》　349
- 2. 2. 8　消費税の改正：軽減税率の導入、適格請求書等保存方式へ
　　　　の移行など ………………………………………… 350
- 2. 2. 9　デジタル（電子）インボイスとは何か …………… 352

iii

2. 2. 10	仕入税額控除の適用否認をめぐる主な論点 ……………… 362
2. 3	**相続・贈与の税金：相続税法のあらまし** ……………… 370
2. 3. 1	相続税法とはだれに、どう適用されるのか ……………… 370
2. 3. 2	相続税とはどんな税金か ………………………………… 375
2. 3. 3	財産の分け方 ……………………………………………… 380
	《Column　限定承認と相続税の関係》　384
2. 3. 4	相続税のかかる財産と、かからない財産 ……………… 384
2. 3. 5	相続財産はどう評価するのか …………………………… 389
2. 3. 6	事業承継税制のあらまし ………………………………… 393
2. 3. 7	相続税の計算の仕方 ……………………………………… 394
2. 3. 8	贈与税とはどんな税金か ………………………………… 403
2. 3. 9	贈与税の計算の仕方 ……………………………………… 405
	《Column　相続税の債務控除と保証債務の関係》　409
2. 3. 10	相続税、贈与税の申告・納付 …………………………… 409
2. 3. 11	相続時精算課税制度とは ………………………………… 413
2. 3. 12	相続税・贈与税の連帯納付とは ………………………… 416
2. 3. 13	保証債務をめぐる課税取扱い …………………………… 419

PART 3　くらしに身近な所得税法をくわしく学ぶ

3. 1	**所得税とはどのような税金か** ………………………… 426
3. 1. 1	所得税の基本 ……………………………………………… 427
3. 1. 2	所得税の納税義務者と所得税のかかる範囲 …………… 430
3. 1. 3	所得税のかからない所得とは …………………………… 433
3. 1. 4	所得が10種類に区分されているのはなぜか …………… 435
3. 1. 5	所得税の計算の基本的な仕組み ………………………… 438
3. 1. 6	所得の種類とその計算の仕方の基本 …………………… 442
	《Column　二元的所得税（DIT）とは》　444
3. 1. 7	所得税の課税方法：総合課税と分離課税の違い ……… 445
3. 2	**各所得の具体的な計算の仕方** ………………………… 449
3. 2. 1	給与所得とその計算の仕方 ……………………………… 449
3. 2. 2	事業所得とその計算の仕方 ……………………………… 454
	《Column　自営業者になると、所得税のほかにさまざまな 　　　　　税金がかかる》　456

《Column　クロヨン、トーゴーサンピンとは何か》　456

3. 2. 3　不動産所得とその計算の仕方 ………………………… 456

3. 2. 4　利子所得とその計算の仕方 …………………………… 458

3. 2. 5　配当所得とその計算の仕方 …………………………… 460

3. 2. 6　退職所得とその計算の仕方 …………………………… 465

3. 2. 7　山林所得とその計算の仕方 …………………………… 472

3. 2. 8. 1　譲渡所得とその計算の仕方 ……………………… 474

《Column　特定口座制度〜金融所得課税一体化に向けた
　　　　　確定申告不要制度》　479

《Column　投資活性化のための金融・証券優遇税制の推移》
　　　　　480

3. 2. 8. 2　みなし譲渡課税とは ………………………………… 481

3. 2. 9　一時所得とその計算の仕方 …………………………… 487

3. 2. 10　雑所得とその計算の仕方 …………………………… 492

3. 2. 11　青色申告と白色申告はどう違うのか ……………… 499

3. 2. 12　損益通算とは何か ……………………………………… 502

3. 2. 13　平均課税：変動所得、臨時所得とは何か ………… 505

3. 2. 14　収入金額とは何か ……………………………………… 507

3. 2. 15　必要経費とは何か ……………………………………… 511

3. 3　所得控除：所得から差し引ける金額 ………………… 517

3. 3. 1　所得控除とは何か ……………………………………… 517

《Column　所得税の課税最低限とは何か》　520

3. 3. 2　人的控除 …………………………………………………… 520

3. 3. 3　物的控除 …………………………………………………… 527

3. 3. 4　所得控除の順序 ………………………………………… 534

3. 4　税額控除：税額から差し引ける金額、所得税の確定申告書
………………………………………………………………… 535

3. 4. 1　税額控除とは何か、そしてその目的と種類は ……… 535

《Column　政治献金を例に、所得控除と税額控除の実際の
　　　　　税負担効果を探る》　537

3. 4. 2　所得税（および復興特別所得税）確定申告書 ……… 538

PART 4　非居住者課税を学ぶ

4	非居住者課税の基礎	546
4. 1	国際税法と非居住者課税の所在	547
4. 2	「恒久的施設（PE）なければ課税なし」のルール	560
4. 3	国内源泉所得とは何か	565
4. 4	わが国が締結した租税条約	571
4. 5	国境を越えた財産把握のための報告・書類保存制度	574

《Column　キャピタルフライト（資産の海外逃避)》　578

PART 5　租税手続法（手続税法）とは何か

5. 1	特別の税金の徴収・納付手続： 源泉徴収・特別徴収（税金の天引徴収）・年末調整とは何か	582
5. 1. 1	源泉徴収・特別徴収（徴収納付）とは何か	583
5. 1. 2	源泉徴収票、支払調書の仕組み	587
5. 1. 3	給与所得者の年末調整とは何か	592
5. 2	租税確定手続	597
5. 2. 1	税金により違う税額を決める方法	597
5. 2. 2	さまざまな税金の確定方式を探る	600

《Column　登録免許税は自動確定方式の税金か》　602

5. 3	租税確定手続の実際	603
5. 3. 1	確定申告とは何か	604
5. 3. 2	所得税の確定申告を必要とする人	607
5. 3. 3	予定納税・中間申告とは何か	610
5. 3. 4	税務調査はなぜ行われるのか	614

《Column　「マルサ」と「リョウチョウ」》　621

5. 3. 5	課税処分のための税務調査とその法的限界	622

《Column　「事前通知」と「調査通知」の違いは》　635
《Column　調査官による帳簿書類のスマホ撮影・写メに
　　　　　　向き合う作法》　643

5. 3. 6	更正、決定、再更正、更正の請求とは何か	644

5. 3. 7	質問応答記録書とは何か ……………………………………… 655
5. 3. 8	修正申告とは何か ………………………………………………… 669
5. 3. 9	推計課税とは何か ………………………………………………… 673

5. 4　滞納処分手続：税金を強制的に取り立てる方法 ……………… 677

| 5. 4. 1 | 税金を納付・徴収する方法 …………………………………… 678 |
| 5. 4. 2 | 滞納処分：税金の強制徴収とは何か ………………………… 685 |

　　　　　《Column　自力執行権・自力執行力と滞納処分の法的限界》
　　　　　　　　　　691

5. 4. 3	滞納処分の緩和とは ……………………………………………… 695
5. 4. 4	滞納処分で配当を受ける順位 ………………………………… 698
5. 4. 5	第二次納税義務とは何か ……………………………………… 701
5. 4. 6	連帯納付義務とは何か ………………………………………… 705

PART 6　租税救済法とは何か

6. 1　課税庁の処分に不満のある場合は税務争訟ができる ……… 712

　　　　　《Column　国税にかかる事実行為に関する不服申立て》 721
　　　　　《Column　納税者支援調整官とは》 722

**6. 2　課税庁と見解の相違がある場合には、再調査の請求が
　　　　できる** ………………………………………………………………… 723

**6. 3　再調査決定に不満なときは国税不服審判所に審査請求が
　　　　できる** ………………………………………………………………… 727

6. 4　地方税の不服申立ての仕組み ……………………………………… 731

6. 5　裁判所へ税務訴訟を起こす ………………………………………… 739

6. 6　主な税務訴訟のあらまし …………………………………………… 743

vii

PART 7　租税制裁法とは何か

7. 1	租税犯とは何か	··	758
7. 2	附帯税⑴：延滞税・利子税とは何か	································	761
7. 3	附帯税⑵：加算税とは何か	··	764
7. 4	透明になってきた加算税の取扱い	··································	776
7. 5	租税犯則調査・査察の仕組み	······································	780
7. 6	通告処分とは何か	··	796
	《Column　共謀罪（テロ等準備罪）と税理士/納税者》　798		

索　引

※本書の内容は2024（令和6）年3月1日現在の法令と、令和6年度改正については「令和6年度税制改正の大綱」（令和5年12月22日閣議決定）などに基づいています。

─────────── 凡　例 ───────────

●この本のなかで引用した判決などの略号は、例えば次のように表記しています。
　　・大判　　　大審院判決　　　　　　　・地判　　　地方裁判所判決
　　・最判（決）最高裁判所判決（決定）　・裁決　　　国税不服審判所裁決
　　・高判　　　高等裁判所判決

●この本のなかで引用した判例集などの略号は、例えば次のように表記しています。
　　・民集───最高裁判所民事判例集　　・国裁例集　国税不服審判所裁決事例集
　　・刑集───最高裁判所刑事判例集　　・タインズ　税理士情報ネットワークシス
　　・行集───行政事件裁判例集　　　　　　　　　　テム税法データベース・コー
　　・訟月───訟務月報　　　　　　　　　　　　　　ド番号
　　・税資───税務訴訟資料　　　　　　・判自───判例地方自治
　　・判時───判例時報　　　　　　　　・LEX/DB─LEX/DBインターネット
　　・判タ───判例タイムズ　　　　　　　　　　　　TKC法律情報データベース
　　・裁集───裁決事例集

〔掲載例１〕最高裁判所平成10年２月24日判決・税務訴訟資料230号684頁のケー
　　　　　　スでは最判平10.2.24・税資230号684頁と表記しています。
〔掲載例２〕神戸地方裁判所昭和55年４月18日判決・行政事件
　　　　　　裁判例集31巻４号905頁のケースは、神戸地判昭55.4.18・行集31巻４
　　　　　　号905頁と表記しています。
〔掲載例３〕東京高等裁判所平成11年５月31日判決〔判例集未登載〕しかしタイ
　　　　　　ンズで検索できるケースは、東京高判平11.5.31・タインズZ888-0318
　　　　　　と表記しています。
〔掲載例４〕京都地方裁判所平成９年７月16日判決・税務訴訟資料第228号74頁の
　　　　　　ように、判例集に登載され、タインズでも検索できるケースについ
　　　　　　ては、京都地判平9.7.16・税資228号74頁・タインズZ228-7953と表記
　　　　　　しています。
〔掲載例５〕国税不服審判所平成９年５月27日裁決・国税不服審判所裁決事例集第
　　　　　　53号49頁のケースのようにタインズでも検索できるケースについては、
　　　　　　裁決平9.5.27・裁集53集49頁・タインズJ53-1-02と表記しています。
〔掲載例６〕国税不服審判所平成11年３月25日裁決〔裁決集未登載〕のケースで、
　　　　　　タインズで検索できるケースについては、裁決平11.3.25・タインズ
　　　　　　F0-1-005と表記しています。

●この本のなかで引用した法令、通達などの略号（一部正規名称を含む）は、例えば次のように表記しています。

《租税・財政・会計関連法令》

・国通法——国税通則法
・国通令——国税通則法施行令
・国通規——国税通則法施行規則
・国通基通—国税通則法基本通達
・手続通達—国税通則法第７章の２（国税の調査）関係通達
・弁護法——弁護士法
・会計士法—公認会計士法
・独税理法—ドイツ税理士法
・税調令——税制調査会令
・審査請求基通—不服審査基本通達（国税庁関係）
・審組令——国税不服審判所組織令
・審組規——国税不服審判所組織規則
・徴収法——国税徴収法
・徴収令——国税徴収法施行令
・徴収規——国税徴収法施行規則
・徴収基通—国税徴収法基本通達
・調整法——滞納処分と強制執行等との手続等との調整に関する法律
・国犯法——国税犯則取締法
・国犯規——国税犯則取締法施行規則
・財設法——財務省設置法
・財組令——財務省組織令
・財組規——財務省組織規則
・国審令——国税審議会令
・金設法——金融庁設置法
・金組令——金融庁組織令
・税理法——税理士法

・税理令——税理士法施行令
・税理規——税理士施行規則
・税理基通—税理士法基本通達
・国外送金等調書法
　——内国税の適正な課税の確保を図るための国外送金等に係る調書の提出等に関する法律（平成９年法律第110号）
・国外送金等調書令
　——内国税の適正な課税の確保を図るための国外送金等に係る調書の提出等に関する法律施行令（平成９年政令第363号）
・国外送金等調書規則
　——内国税の適正な課税の確保を図るための国外送金等に係る調書の提出等に関する法律施行規則（平成９年大蔵省令第96号）
・国外財産調書・財産債務調書関係通達
　——「内国税の適正な課税の確保を図るための国外送金等に係る調書の提出等に関する法律（国外財産調書及び財産債務調書関係）の取扱いについて」（法令解釈通達）〔平成25年３月29日付課総8-1ほか３課共同〕
・日米租税条約
　——所得に対する租税に関する二重課税の回避及び脱税の防止のための日本国政府とアメリカ合衆国政府との間の条約
・所税法——所得税法

- 所税令──所得税法施行令
- 所税規──所得税法施行規則
- 所税基通─所得税基本通達
- 法税法──法人税法
- 法税令──法人税法施行令
- 法税規──法人税法施行規則
- 法税基通─法人税基本通達
- 特別法人事業税法
  ──特別法人事業税及び特別法人事業譲
  　与税に関する法律
- 保存法──電子帳簿保存法
- 相税法──相続税法
- 相税令──相続税法施行令
- 相税規──相続税法施行規則
- 相基通──相続税法基本通達
- 相税個通─相続税関係個別通達
- 評基通──財産評価基本通達
- 評個通──財産評価関係個別通達
- 相措通──相続・贈与税関係措置法通達
- 消税法──消費税法
- 消税令──消費税法施行令
- 消税規──消費税法施行規則
- 消税基通─消費税法基本通達
- 転嫁特措法
  ──消費税の円滑かつ適正な転嫁の確保
  　のための消費税の転嫁を阻害する行
  　為の是正等に関する特別措置法
- インボイス通達
  ──消費税の仕入税額控除制度における
  　適格請求書等保存方式に関する取扱
  　通達
- 旧物法──旧物品税法
- 酒税法──酒税法
- 酒税令──酒税法施行令

- 印税法──印紙税法
- 登税法──登録免許税法
- 自税法──自動車重量税法
- 揮税法──揮発油税法
- 地揮税法─地方揮発油税法
- 石ガ税法─石油ガス税法
- 航燃譲与税法─航空機燃料譲与税法
- 航燃税法─航空機燃料税法
- 石税法──石油石炭税法
- 電開税法─電源開発促進税法
- た税法──たばこ税法
- 電帳保存法─電子計算機を使用して作成
  　　　　　する国税関係帳簿書類の保
  　　　　　存方法等の特例に関する法律
- 電帳法規──電子計算機を使用して作成
  　　　　　する国税関係帳簿書類の保
  　　　　　存方法等の特例に関する法
  　　　　　律施行規則
- 電帳法通達─電子帳簿保存法取扱通達
- 平28税制改正法附則
  ──所得税法等の一部を改正する法律
  　（平成28年法律第15号）附則
- と税法──とん税法
- 特と税──特別とん税
- 措置法──租税特別措置法
- 措置令──租税特別措置法施行令
- 措置規──租税特別措置法施行規則
- 措置通──租税特別措置法関係通達
- 租特透明化法──租税特別措置の運用状況
  　　　　　　　の透明化等に関する法律
- 財政法──財政法
- 地税法──地方税法
- 滞調法──滞納処分と強制執行等との手
  　　　　続の調整に関する法律

- 地税令──地方税法施行令
- 地税規──地方税法施行規則
- 地税依通──地方税法依命通達
- 交付税法──地方交付税法
- 地財法──地方財政法
- 地方法人特別税法──地方法人特別税等に関する暫定措置法
- 関税法──関税法
- 関定法──関税定率法
- 災害減免法──災害被害者に対する租税の減免、徴収猶予等に関する法律

- 震災税特法──東日本大震災の被災者等に係る国税関係法律の臨時特例に関する法律
- 復興財源法──東日本大震災から復興のための施策を実施するために必要な財源の確保に関する特別措置法
- 共通番号法──行政手続における特定の個人を識別するための番号の利用等に関する法律
- 実施特例法──租税条約の実施に伴う所得税法、法人税法及び地方税法の特例等に関する法律

《一般法令》

- 憲法────日本国憲法
- 明治憲法──大日本帝国憲法
- 国会法──国会法
- 会計法──会計法
- 内設法──内閣設置法
- 行組法──国家行政組織法
- 独行法──独立行政法人法
- 行手法──行政手続法
- 公開法──情報公開法
- 個情法──個人情報保護法
- 国公法──国家公務員法
- 地公法──地方公務員法
- 行審法──行政不服審査法
- 行訴法──行政事件訴訟法
- 自治法──地方自治法
- 国賠法──国家賠償法
- 民法────民法
- 商法────商法

- 商規────商法施行規則
- 会社法──会社法
- 民訴法──民事訴訟法
- 民執法──民事執行法
- 刑法────刑法
- 刑訴法──刑事訴訟法
- 破産法──破産法
- 民再法──民事再生法
- ＮＰＯ法──特定非営利活動促進法
- ＮＰＯ令──特定非営利活動法人施行令
- 宗法────宗教法人法
- 嘆願法──嘆願法
- 信託法──信託法
- 投信法──投資信託及び投資法人に関する法律
- 資産流動化法──資産の流動化に関する法律

〔掲載例7〕 法人税法第22条第3項第1号のケースは、法税法22③一と表記しています。また、国税通則法第74条の6第1項第1号イのケースは、国通法74の6①一イと表記しています。

PART 1

税法の基礎知識を学ぶ

1.1　税法学をどう学べばよいのか

　税法学は、租税について法律学的な観点から学ぶ学問分野です。税法学は、財政学や租税政策学、さらには会計学や税務会計論などと密接に関連しています。また、行政法や民法、会社法などさまざまな法律分野の知識も必要となります。

　これまで、わが国の大学における法学教育では、学生全員が研究者になることを前提としたような内容で教えられてきたきらいがあります。税法学の教育現場でも、抽象的な法理論が重視され、そうした法理論に即した現実の税務や法制などを含む実定法についての基礎的な教育が後回しにされてきた感じがします。しかし、大学教育の大衆化とともに、もっと身近な内容での実学教育が求められるようになってきました。この傾向に拍車をかけたのが、ケースメソッド（事例研究）の教育を中心としたアメリカ型のロースクール（法科大学院・専門職大学院）の導入です。

　もちろん、ケースメソッド中心の法学教育には批判もあります。とくに、学部学生にいきなりケースメソッドでは、消化不良を起こしかねないからです。やはり、学部学生の場合は、税法の基本原則に加え、くらしに身近な所得税法（☛PART3）や相続税法（☛2.3）などを中心にそのベーシックな法制度をしっかり学ぶことが大事です。

　ただ、実学に大きく傾斜してきているわが国での税法学教育の進化を的確に読み取る必要があります。したがって、「税法学」教育では、税法令の解釈はもちろんのこと、税法に関する国税庁の出す通達や事務運営指針（☛1.4.6）、国税不服審判所の裁決（☛6.3）、裁判所の判決（☛6.5）などを幅広く学ぶ必要があります。とりわけ、新司法試験では、租税法の基本原則（☛PART1）、所得税法（☛PART3）、法人税法（☛2.1）、租税手続法（☛PART5）および租税救済法（☛PART6）の分野が重視されます。ロースクール（法科大学院）で学び、将来、税法務の専門職をめざす学生は、こうした点につい

2

ても留意して欲しいところです。また、研究大学院（法学研究科など）で学び、税理士など税務の専門職をめざす学生の場合は、税理士試験科目にかかる実定法の論文を仕上げる必要があります。税法学を学ぶ場合には、こうした点についても留意して欲しいところです。

1.1.1 税法学と税務会計論

ポイント

　企業会計理論の観点から税法を学ぼうとする「税務会計論」という学問があります。税務会計論は、一般に、会計学の観点から企業会計に影響を及ぼす、企業の課税所得の計算に関する税法の規定を研究する学問とされています。税務会計論とは何かについて、さまざまなとらえ方があります。

◎税法学を学ぶには税務会計論も重要

　企業は、おおまかにいうと大きく個人企業と法人企業に分けることができます。これら企業の財政状態や利益を把握するための計算原理や制度について研究する学問が会計学です。このうち、課税対象となる企業の利益、つまり課税所得の計算原理や制度を「税務会計」といいます。また、こうした税務会計について研究する学問を「税務会計論」といいます。

　税務会計あるいは税務会計論の研究対象は、限られています。さまざまある税法のなかでも、事業所得（●3.2.2）に関する所得税法の規定、さらには、とくに法人企業の活動から生じる企業利益、すなわち法人所得に課税する場合の法人税法上の計算規定（●2.1.2）が検討の対象とされます。

　企業の所得は、第一義的には、会計学上の企業会計原則に基づいて、その企業があげた利益をもとに計算されます。しかし、現実には、税法が定める課税所得の計算概念は、必ずしも企業会計の計算の仕方とは一致しません。この点、法人税法22条4項は、各事業年度の法人の益金および損金の額は、「別段の定め」

がある場合を除いて、「一般に公正妥当と認められる会計処理の基準」に基づいて計算することにしています。

　この定めからもわかるように、税法は、課税所得の計算にあたり、倫理的な観点やさまざまの租税政策（☞1.1.2）的な観点などから、「別段の定め」、つまり企業会計とは違う取扱いを定めていることが多いわけです。例えば、企業が負担することになった罰金は、企業会計論的にみれば、義務的な経費かもしれません。しかし、税法はそう取り扱っていません。罰金については、法人所得計算上は損金算入が認められませんし（法税法55④一）、事業所得計算上も必要経費に算入することが認められません（所税法45①六）。これは、税法が独自の観点から、倫理あるいは公序に反することが原因で生じた経費により、課税所得の減少につながるような会計処理を認めないとしているためです。

　このほか、企業会計の基準（準則）が不明瞭な場合には、法人税法などの税務会計に関する規定が利用される場合があります。また、税法が、企業に対してさまざまな租税優遇措置を講じ、企業会計の考え方と一致しない損金算入を認める場合には、企業会計も同一の取扱いをするように求められます（法税法74①）。

　こうした課税取扱いを考えると、企業会計に影響を及ぼす企業の課税所得の計算に関する税法の規定について、税務会計あるいは税務会計論の観点から勉強することが非常に大事になるわけです。

　ちなみに、税務会計は、企業会計に基礎をおいています。したがって、税務会計を理解するには、会計学や企業会計の知識が必要不可欠になってきます。

◎さまざまな意味でとらえられる税務会計論

　「税務会計論」については、これまでふれた意味以外に、いろいろな意味の研究をする学問としてとらえられています。

　1つは、税務会計論は、税務実務を研究する学問であるとするとらえ方です。

　現実の税務の実務は、税金の計算を含む、税法の解釈・適用が中心になっています。この場合、"税金の計算"という面を強調するとすれば、税務実務の課題は、税務会計論固有の課題と見てとれます。一方、"税法の解釈・適用"という面を強

PART1 税法の基礎知識を学ぶ

調するとすれば、税務実務の課題は税法学固有の課題と見てとれます。

わが国では、税金の実務をこなす専門職は、法律の専門家というより、会計の専門家と見る向きが強いわけです。こうした土壌のもとでは、税務実務を研究する固有の学問としての税務会計論の存在を認める意味は大きいといえます。また、税務会計論は、企業の節税を研究する学問であるとするとらえ方があります。

現実の企業課税においては、税法をどう解釈・適用し、課税対象となる企業の利益、すなわち課税所得をいかに少なく算定するかが重要な課題です。

税法の解釈・適用にあたっては、①節税（税法が予定しているところに従って税負担の軽減をはかる）行為なのか、②租税回避（税法が予定していない異常な法形式により税負担の軽減をはかる）行為なのか、あるいは違法な③脱税行為なのか、が問題になります。こうした問題の検討は、税務会計論と無関係とはいえませんが、むしろ税法学固有の課題といえます。

（石村 耕治）

1.1.2 税法学と財政学、租税政策学

ポイント

税法学は、伝統的には、租税に関する法律の適用・解釈、つまり "納税の義務" について勉強する学問とされてきました。しかし、今日では、税法学を学ぶには財政学の知識が必要不可欠となってきています。また、個々の税法をつくる際には、租税政策学の成果を活用することが多くなっています。したがって、税法学を深く学ぶには、法の適用・解釈だけに凝り固まることなく、租税政策学についても勉強することが大切です。

◎税法学を学ぶには財政学も重要

従来、税法学はもっぱら "納税の義務" に関する法律を勉強する学問とされてきました。つまり、定められた税法をどのように解釈・適用するかが最も重要視されてきたわけです。いいかえると、"税金の使い途" とはそれほど関係

5

のない学問とされてきました。

　この背景には、国家はその運営を支えるための課税権を有し、他方国民は当然に納税の義務を負う、という考え方が支配的であったことがあげられます。いわゆる「租税義務説」という伝統的な考え方が支配的であったことが原因といえます。例えば、ドイツの租税基本法では、租税とは「国または地方公共団体がその必要な経費に充てるために、国民から反対給付なしに強制的に徴収する金銭給付である」と定義しています。まさに、租税義務説を具体的に定めたものといえます。

　一方、租税義務説とは対照的な考え方があります。「租税対価説」です。この考え方では、租税とは、国民が国家から受ける利益・反対給付の対価であるとするものです。この考え方に従うと、国民は納税にあたり、国家からどのような利益・反対給付を期待できるのかが大きな問題になります。いいかえると、納税にあたっては、税金の使い途をあわせて考えることが重要になります。さらには、税金の使い途を知ること、使い途を決めることは納税者の大切な権利となってきます。

　今日、国民のなかには、租税対価説的な考え方が次第に浸透してきているように見えます。無駄な公共投資への反発、地方自治体の違法な支出などに対する住民監査請求（自治法242）や住民訴訟（自治法242の2）が多く見られるようになってきたことなどは、租税対価説の広がりと見てとることができます。

　租税対価説に従うと、税法学は、従来のように“納税の義務”についてだけ勉強するのでは不十分となってきます。予算の作成ルールや歳出の内容など、これまで税法学では学ぶ必要がないとされてきた「財政学」についてもあわせて勉強しなければならなくなってきます。

　また、財政学を勉強する場合には、将来の税負担につながるかもしれない公債発行の問題などについても学ぶことが大切になってきています。

PART1　税法の基礎知識を学ぶ

◎税法学を学ぶには租税政策学も重要

　さきにふれたように、従来の税法学では、税法の適用・解釈をすることに重点がおかれてきました。しかし、個々の税法をつくる際には、租税政策学の成果を活用していることが多いのです。

　片稼ぎ、専業主婦が当り前のような時代が久しく続きました。こうした時代には、配偶者控除（所税法83）や配偶者特別控除（所税法83の2）（☞3.3.2）は当たり前と考えられてきました。しかし、女性の社会進出がすすみ、共稼ぎがふつうになるなか、こうした控除が社会改革の足かせとなっているようにも見えてきました。むしろ、スウェーデンのように、この種の控除を廃止し、男女共同参画社会を実現すべきとの声が強まってきています。一方で、「夫は外で働き、妻は家庭を守るべきである」という考え方も根強くあるわけです。

　このように、複雑化した現代の経済社会では、さまざまな利害が交錯しています。したがって、そもそもその税法がどのような時代背景のもとでつくられたのか、現在でも合理的に存在しうるのか、そうでないとすればどう変えるべきか、常に点検を怠らないようにする必要があります。最適な公共政策の選択を行うために、租税政策学的な検討を行うことが重要になってきます。

　このように、税法を学ぶには、法の適用・解釈だけに凝り固まることなく、租税政策学についても勉強することが大事です。

（石村　耕治）

1.1.3 税法学と隣接法学

ポイント

　税法学は、憲法、行政法、刑法、国際法など公法学との関係、さらには民法や会社法、民事訴訟法など私法学との関係が深い学問です。

◎税法学と主な公法分野との関係

　租税に関する法律が税法です。このような税法を法律学的な観点から勉強す

7

る学問分野が税法学です。税法学は、わが国では比較的新しい学問分野です。そのため、ほかの法律分野での研究成果を活用している場合がきわめて多いのが実情です。

　そこで、まず税法学の勉強をしていくうえで、とくに関連が深い他の公法分野についてふれてみます。

憲　法	税金に関する立法および執行に関する基本的なルールは、すべて憲法のもとにあります。租税法律主義や租税負担公平原則などは憲法から引き出される典型的なルールです。また、憲法は、国会がつくった租税法規やその執行が憲法に適合する合理的なものかどうか、裁判所の審査を受ける際（憲法81）などにも、密接に関係してきます（☞1.4.5）。
行政法	わが国においては、伝統的に、税法は行政法の一部として論じられてきました。税法を、行政法から独立した法律学の分野として研究するようになってきたのは、第二次大戦後にいたってからです。その直接の契機は、アメリカの著名な財政学者シャウプ（C.S. Shoup）博士を団長とする税制調査団が、1949年9月に、わが国の税制について勧告を行った『シャウプ勧告』にあります。とくに、そのなかで、各大学の法学部に税法の講座を独立した課目として設けるべきだとしたことによります。税法は、大きく租税実体法（実体税法）と租税手続法（手続税法）とに分けられます（☞1.4.9）。このうち、とくに租税手続法（手続税法）、つまり、租税確定手続（☞5.2、☞5.3）、滞納処分（☞5.4）および租税救済（☞6.1）の法領域は、行政法固有の領域に深く関係しています。納税者が課税庁と争いになり法的救済を受けたいとします（☞6.1）。この場合、裁判所で司法救済を受けるルート（訴訟）（☞6.5）と、課税庁で行政救済を受けるルート（不服申立て）（☞6.2、6.3）があります。訴訟と不服申立てをあわせて「税務争訟」とよびます。税務争訟では、「不服申立前置主義」をとり、訴訟をする前にまず不服申立てをする仕組みになっています。不服申立てが重い役割を担うことになる一因です。不服申立手続では、行政不服審査法、国税通則法の知識が必要となります。とりわけ、地方税の不服申立手続では、地方税法に加え、行政不服審査法が全面的に適用になります（☞6.4）。
刑　法	租税実体法（実体税法）は、さまざまな義務違反に対して、制裁や罰則を定めています（☞7.1）。これらの制裁や罰則の解釈・適用にあたっては、刑法の理論や原則などの理解が必要不可欠になります。また、"脱税事件"など税法違反事件（犯則事件）においては、その事実確認や証拠集めなどをねらいに強制的な租税犯則調査ないし査察が行われます（☞7.5）。この場合には、課税庁は、刑事訴訟法によることなく、国税通則法の国税犯則調査規定ないし地方税法の総則規定に基づいて独自に調査ができることになっていますが、そのベースになっているのは刑事訴訟法です（☞7.5）。したがって、刑事訴訟法の理解が必要となります。

| | PART1　税法の基礎知識を学ぶ |

| 国際法 | 　経済や企業の活動がグローバル化するに従い、各国が持つ固有の課税権が競合することによる二重課税の発生（☞1.2.9）や、国際規模での租税回避や脱税行為が目立つようになってきています。このため、各国は、国内税法のみならず、条約や取決めなどによって、さまざまな対応・調整を行ってきています（☞PART4）。こうした二重課税防止条約や取決めなどの締結、解釈・適用にあたっては、国際法の理論や原則などの理解が必要不可欠になります。 |

◎税法学と主な私法分野との関係

　続いて税法学の勉強をしていく上で、とくに関連が深い私法分野についてふれてみます。

| 民法や会社法など | 　税法が課税の対象とする経済活動は、第一次的には民法や会社法などを中心とする民事法の適用を受けます。したがって、税法を理解するには、これら民事法についての理解が必要不可欠になります。また、税法の解釈・適用にあたり問題となる借用概念（☞1.5.5）の多くは、民事法から派生しています。こうした点でも、税法学の研究は民事法から離れては行えないといえます。 |
| 民事訴訟法 | 　税務訴訟は、行政事件訴訟の1つに分類されています。行政事件訴訟法は、民事訴訟の例を広く参考にするように求めています（行訴法7）。現実の税務訴訟においては、課税処分の取消しを求める訴訟が大部分を占めています（☞6.5）。この種の訴訟においては、民事訴訟の理論が参考にされることが多いのも現実です。また、近年、税理士が、税務訴訟に補佐人として関与することが認められました。こうした状況からもわかるように、税法学の研究や税の実務にとって、民事訴訟法は重要な法律といえます。 |

（石村　耕治）

9

1.2 租税・社会保障・納税者・税法の基礎知識

　ここでは、租税体系、課税ベース、タックス・ミックス、直接税と間接税の違い、租税と社会保障の関係、「所得」の定義、「租税」の法的定義、税率・超過累進税率、課税単位、二重課税などについて簡潔に分析しています。こうした知識は、税法をより深く学ぶ際のベースとなります。

1.2.1 租税体系の基礎

ポイント

　さまざまな種類の租税が設けられています。これらの租税が一体となった仕組みを租税体系といいます。わが国の租税体系は、国税と地方税に分かれています。現在、所得課税を体系の中心に据えながら、そのウエイトを少し消費課税に移しつつあります。加えて、富の再配分や租税負担の公平を確保するねらいから、資産課税を行っています。

◎租税体系

　わが国は、単一国家（unitary state）です。単一国家の租税体系は、一般に「国税」と「地方税」からなります。これに対して、アメリカのような連邦国家（federal state）では、租税体系は「連邦（federal）」、「州（state）」および「地方（local）」からなります。

◎わが国の租税体系：国税と地方税の体系

　わが国の租税体系は大きく、「国税」と「地方税」に分けられます。国税の体系では、所得税や法人税などの収益税を基幹税としています。これらに、相続税・贈与税などの財産税、消費税・酒税・揮発油税などの一般的な総称とし

10

ての消費税、復興特別所得税などの目的税、印紙税・登録免許税などの流通税が加わる体系になっています。

● わが国の租税体系

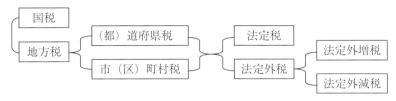

一方、地方税の体系は、「(都)道府県税」と「市(区)町村税」とに分かれています。また、地方税は、地方公共団体（自治体）が、国の定めた地方税法の枠内で設ける種類の税金（以下「法定税」といいます。）のほかに、国の同意を得て条例で定める独自の税金（以下「法定外税」）があります。

法定税の体系は、(都)道府県民税・市(区)町村民税（以下、通称で「住民税」といいます。）のような収益税、固定資産税・自動車税のような財産税に加え、各種消費税や流通税などからなっています。法定外税の体系は、実質的には住民の負担増を目的とした「法税外増税」と、住民の負担減を目的とした「法税外減税」とに分けられます。

法定外増税を行う場合には総務大臣の同意（地税法259以下・669以下）、一方、法定外減税を行う場合には総務大臣（政令市）ないし知事（政令市以外）の許可（地方財政法5の4④）が必要です*。増税の場合には"協議"、減税の場合には"許可"を要するとする国の法制については、バランスを失し、国の"重税国家政策"を優先し、憲法が保障する"地方自治"とぶつかるのではないかとの意見もあります。

● 国税・地方税の主な税目（2022年度）

| | | | 国　税 | 地方税 | |
				道府県税	市町村税
普通税	直接税	所得課税	所得税 復興特別所得税 法人税 地方法人特別税 地方法人税	道府県民税(個人均等割・ 法人均等割・所得割・ 法人税割・利子割・ 配当割・株式等譲渡所 得割) 事業税（個人・法人）	市町村民税(個人均等割・ 法人均等割・所得割・ 法人税割)
		消費課税		自動車税 鉱区税 狩猟税	軽自動車税 鉱産税
		資産課税	相続税 贈与税 地価税	不動産取得税 固定資産税（特例分）	固定資産税 特別土地保有税
	間接税	消費課税	**一般消費税**　消費税 **個別消費税** 酒税　たばこ税　たばこ特別税 航空機燃料税　揮発油税　石油石炭税 石油ガス税　とん税　自動車重量税 特別とん税　関税　地方揮発油税	地方消費税 道府県たばこ税 ゴルフ場利用税 軽油引取税	 市町村たばこ税
		資産課税	登録免許税 印紙税	自動車取得税	
目的税	直接税	資産課税	森林環境税	水利地益税 狩猟税	事業所税 都市計画税 水利地益税 宅地開発税 共同施設税 国民健康保険税
	間接税	消費課税	電源開発促進税 国際観光旅客税		入湯税

（注）1　法定外税は除きます。

　　　2　目的税には、税法以外で使途を定める特定財源を含めません。

　　　3　資産課税には、資産の権利移転に課す流通税（不動産取得税、印紙税、自動車取得税、登録免許税）を含みます。

＊名古屋市は、河村たかし市長主導のもと「市民税10％減税条例」を成立させ、2009（平成21）年度に実施しました。その後、市議会の市民税減税に反対する勢力との妥協を余儀なくされ、減税幅は５％に縮小されました。名古屋市が市民税10％／５％減税が可能になっ

たのは、2000（平成12）年の地方分権一括法（新法制）により、2006（平成18）年度から、いわゆる課税標準未満の地方団体であっても、許可（名古屋市のような政令市の場合には、総務大臣からの許可）が得られれば、起債（市債の発行）ができることになったのがきっかけです。すなわち、制度改正前までは、普通税について課税標準未満の税率を適用し（税率を引下げ）ている地方団体は、起債は絶対ダメの法制（旧法制）だったわけです。名古屋市は、普通地方税の不交付団体ですが、建設公債などは発行しています。したがって、旧法制化では、普通税である市民税を10％／5％減税は、事実上不可能だったわけです。これが、新法制化では、普通税である市民税を減税している地方団体でも、総務大臣ないし知事の"許可"があれば、起債ができることに変わったわけです（地方財政法5の4④）。

（石村　耕治）

〔アドバンス文献〕日本租税理論学会編『地方自治と税財政制度』（2006年、法律文化社）、石村耕治「名古屋市の市民税10％減税条例の成立：自治体の課税自主権をめぐる法的論点（上・下）」税務弘報58巻3号・4号

1.2.2　国民負担率、課税ベース、タックス・ミックスとは

ポイント

国民負担率とは、国民所得に対する国民全体の「租税負担」と「社会保障負担」の合計額の比率をさします。国民に租税負担を求める場合には、課税ベースを適切に組み合わせることが重要です。「課税ベース」とは「税金を課す対象」または「税金を負担する能力（担税力）を測る基準」をさします。主な課税ベースとしては、「所得」「消費」「資産」があります。こうした課税ベースを適切に組み合わせ、全体としてバランスのとれた租税体系を構築しようとする考え方を「タックス・ミックス」といいます。最適な租税原則を維持しながら、課税ベースをどう組み合わせて国民に租税負担を求めるべきかを検討する場合に、タックス・ミックス論は重要な役割を果たします。

◎国民負担率

　国民負担率とは、国民所得に対する国民全体の「租税負担」と「社会保障負担」の合計額の比率をさします。国民負担率は、国民の公的負担の程度を表わす指標として使われます。

● 国民負担率の国際比較

国別	日本	アメリカ	イギリス	ドイツ	スウェーデン	フランス
年度	2021	2018	2018	2018	2018	2018
租税	25.4	23.4	37.0	32.1	53.5	42.7
社会保障	18.9	8.4	10.8	22.8	5.3	25.6
国民負担率	44.3	31.8	47.8	54.9	58.8	68.3

＊財務省ホームページ資料を参考に作成

◎タックス・ミックスとは

　「タックス・ミックス（tax mix）」とは、バランスのとれた適切な租税体系を構築するためには、所得・消費・資産の各課税ベース（tax base）をどう組み合わせるかという方法論をさします（税制改革法2）。やさしくいえば、「課税ベースの適切な組み合わせ方」といったところでしょうか。

　税金をかける場合の望ましい条件を「課税原則」、「租税原則」、「税制原則」（以下、一括して「租税原則」）といいます。租税原則は、論者、時代、政権などにより大きく異なります。シャウプ勧告（1949年）や税制改革法3条（1988年）では「公平、中立、簡素」の租税原則を掲げています。最適とされる租税原則を掲げ、課税ベースをどう組み合わせて国民に租税負担を求めるべきかを検討する場合に、タックス・ミックス論は重要な役割を果たします。

PART1 税法の基礎知識を学ぶ

　所得課税や資産課税は、課税における垂直的公平に資する性質があります。これに対して、消費課税は、課税における垂直的公平を阻害する性格（逆進性）があります。このように、各課税ベースは長所ないし短所をもっています。このことから、税収を特定の課税ベースに依存しすぎると、不公平な課税や経済的中立性を妨げることになりかねません。バランスのとれた租税体系の構築にあたり、タックス・ミックスの考え方は重要です。

◎課税ベースとは何か

　「課税ベース」とは「税金を課す対象」または「担税力」（すなわち、税金を負担する能力）を測る基準」をさします。主な課税ベースとしては、「所得」「消費」「資産」があります。

●課税ベースの類型

①	所得	税金を負担する能力（担税力）を測る基準を「所得」に求めるものです。
②	消費	担税力を測る基準を物品やサービスの「消費」の求めるものです。
③	資産	担税力を測る基準を「資産」の取得や保有（権利移転・流通を含みます。）に求めるものです。

（石村　耕治）

〔アドバンス文献〕牛嶋正『租税原理：課税と改革』（2004年、有斐閣）、宮本憲一・鶴田廣巳・諸富徹編『現代租税の理論と思想』（2014年、有斐閣）

1.2.3 直接税と間接税

ポイント

　直接税とは、納税義務者と担税者が一致することを予定している税金をさします。一方、間接税とは、納税義務者と担税者が一致することを予定していない税金をさします。また、「直間比率」とは、直接税と間接税の税収比率をさします。

◎直接税と間接税の違い

　直接税、間接税は、税金を分類する方法の１つです。直接税と間接税との違いは、おおまかにいうと、次のとおりです。

●直接税と間接税の違い

①	直接税	直接税とは、国や自治体に税を納める人（納税義務者）と、実際に税を負担する人（担税者）が同じ人になる（一致する）税金をさします。
②	間接税	間接税は、納税義務者と担税者が同じ人のならない（一致しない）税金をさします（☜1.4.1）。つまり、間接税では、納税義務者は税を納付するものの、その税は商品やサービスの価格に転嫁され、最終的には担税者である消費者が負担することになります。

　もっとも、直接税であっても、賃貸住宅の大家（貸主）が納付する固定資産税のように、店子（借主）が支払う家賃に税金を上乗せすれば、転嫁が可能です。一方、間接税でとされる消費税であっても、価格競争が激しいなどで事業者が最終消費者に税を転嫁できない場合もあります。

　そこで、一般には、納税義務者と担税者とが同じくなり、税の転嫁を予定していない税が直接税、納税義務者である事業者が最終消費者である担税者に税の転嫁を予定している税が間接税であるとされます。

◎直間比率とは

　「直間比率」とは、税収における直接税と間接税の割合をさします。わが国の場合、国税の直間比率はおよそ直接税が６割、間接税が４割の構成になっています。同様に、地方税の場合はおよそ直接税が８割、間接税が２割の構成になっています。

●直間比率（国税＋地方税）の国際比較（2020年度）

国別	日本	アメリカ	イギリス	ドイツ	フランス
直間比率	65：35	77：23	58：42	55：45	55：45

＊財務省ホームページ資料を参考に作成

PART1　税法の基礎知識を学ぶ

◎間接消費課税と直接消費課税という区分

　税法は、消費課税について、「間接消費課税」と「直接消費課税」に区分しています。この区分およびそれぞれにあてはまる租税を図説すると、次のとおりです。

●間接消費課税と直接消費課税という区分と税目

間接消費課税	間接消費課税とは、最終消費行為以前に課された租税が課税価格に含められ、最終消費者への転嫁が予定されている課税形態をさします。この場合の納税義務者は、課税物品の製造者、販売者または引取者です。【国税の例】：消費税・酒税、揮発油税など、地方税の例：（都）道府県たばこ税（地税法74以下）など】
直接消費課税	直接消費課税とは、最終消費行為を直接の対象に課税する形態をさします。税法の構成としては、消費者が納税義務者とされ、消費行為の対価の金額を課税標準に、鉱泉浴場（旅館やホテルなど）を経営する人（温浴施設）が特別徴収する形になります。【地方税の例：ゴルフ場利用税（地税法75以下）、入湯税（地税法701以下）、軽油引取税（地税法144以下）など】

　身近な直接消費税の例としては、国税では、国際観光旅客税（国際観光旅客税法）があげられます（☛2.2.7 Column）。一方、地方税では、入湯税（地税法701以下）があげられます。入湯税は、市町村が、宿泊、日帰りを問わず温泉（鉱泉浴場）の入湯客（消費者）に対して課税します。ホテルなどの温浴施設が、市町村に代わって、宿泊した入湯客の場合1人1日につき150円を徴収（特別徴収）し、地元自治体に納めることになっています（地税法701の2、701の3）。

　入湯税は、目的税です。その税収は、環境衛生施設、鉱泉源の保護管理や観光の振興、その他消防活動に必要な施設の整備などを目的に使われることになっています（地税法701）。

　また、法定外税（☛1.2.1）で、憲法上の裁判例（京都地判昭59.3.30・行集35巻3号353頁）としてよく引き合いに出される京都市の古都保存協力税【1985（昭和60）年に市条例で施行され、1988（平成63）年に廃止されました。】も、直接消費税に分類されます。

（石村　耕治）

〔アドバンス文献〕「特集：消費税20年」税制研究55号（2009年）

17

1.2.4 租税と負担金の関係

ポイント

「租税」、「負担金)」という言葉は、財政学／租税論、税財政法学、税務会計論それぞれの分野で、さまざまな意味に使われています。また、現実の税財政政策では、「租税」にかえて「負担金」を幅広く活用する動きが目立ちます。

◎「租税」と「負担金」の違い

一般に、財源を確保したり、歳入を増やす手段としては、「租税（tax）」や「負担金（charge／fee）」が使われます。わが国において、「負担金」は、伝統的に、"特定の公共事業などを行う場合に、その経費にあてるため、その事業により特別な利益を受ける人から徴収する金銭" とされています。一般的経費充当を目的として課される「租税」（☛1.2.6）とは区別されています。また、「負担金」は、広義では、国または自治体（地方団体）の執行行政庁（各機関）が課すものと、そのほかの公的政策実施機関（例えば、日本年金機構など）が課すもの、さらには公共料金一般を含めてとらえられています。

「租税」や「負担金」をあらわす言葉としては、次のようなさまざまな言いまわしが使われています。

●「租税」と「負担金」の別の言いまわし

①	租税	「公租」
②	負担金	「公課」、「税外負担金」、「利用者負担金」、「受益者負担金」、「分担金」、「賦課金」、「公的保険料」、「社会保険料」、「課金」ないし「利用料」など（ここでは、これらのことばを広く「負担金」ないし「税外負担金」ととらえておきます。）

◎財政学／租税論、税財政法学、税務会計論からみた「租税」と「負担金」とは

国民負担率とは、国民所得に対する国民全体の「租税負担」と「社会保障負担」の合計額の比率をさします。国民負担率は、国民の公的負担の程度を表わ

す指標として使われます（☛1.2.2）。

　社会保障負担求める制度は、大きく公的扶助、社会福祉、公衆衛生、社会保険の４つからなっています。まず、公的扶助は、憲法にうたわれている健康で文化的な最低限度の生活（生存権）を保障するために制度です（憲法25条）。国の一般会計の社会保障関係費では、生活保護費として使われています。社会福祉は、児童、母子、老人、障害者などが社会生活を営むのに必要な能力を育成、補強、回復するため、一定の行政サービスを提供するものです。公衆衛生は、病気の予防や国民の栄養改善などが目的で、予算上は保健衛生対策費に計上されています。社会保険は、保険原理適合分野について、原則として保険の加入者の負担で給付が賄われています。ただし、給付額の一部は税金で賄われています。社会保険には、医療、年金、介護、雇用の４つがあります。

　介護保険のように、その種類によっては、負担は年々増加すれども、サービスは徐々に劣化する傾向が強くなっています。こうしたケースでは、負担と受益との間に関係などについて精査すべき課題も少なくありません。

　しかし、ここでの真の課題は、「社会保障負担」以外の税外負担金をどうとらえるかです。

● 税負担と税外負担

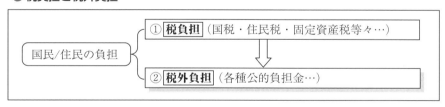

(1) 財政学／租税論からみた「負担金」とは

　すでにふれたように、「負担金」とは、伝統的に、"特別の利害関係者から事業経費を分担させる目的で収納する金員"とされています。一般的経費充当を目的として課される「租税」とは区別されています。公的負担金は、さまざまな法律や条例などに基づいて課されています。

　このように、理論的には「租税」と「負担金」とは異なります。しかし、国

民／住民に負担を求める場合に、政策的に「租税」とすべきなのか、あるいは「負担金」とすべきなのかは、さまざまな角度から検討を要します。

(2)　税法／税務会計論からみた「公租公課」とは

　税法ないし税務会計論からは、租税と負担金双方をまとめて「公租公課」という言い回しも使われています。「租税公課」という文言は、"経費（必要経費／損金）にできるものとできないものとに分け、経費にできるものについては、それらを租税公課という勘定科目で処理する"という意味で使われていることに注目する必要があります。

●税法／税務会計論からみた「租税公課」とは

　税務会計上、公租公課のうち、経費（必要経費／損金）として処理できる公租としては、事業用の自動車税・自動車取得税・自動車重量税（以下「自動車関連税」といいます。）、事業税、事業所税、印紙税、固定資産税、不動産取得税、登録免許税、都市計画税、利子税、納付済みの消費税（税込経理をしている場合）などがあります。

　一方、経費として処理できない公租としては、家事用の自動車関連税、所得税、法人税、地方法人税、住民税など所得に対して課される税金（所税法45①一・二・四／法税法38①・②）、相続税、贈与税、加算税・延滞税など租税に関する行政上の制裁（所税法45①三／法税法55③）、罰金・交通違反の反則金など社会秩序維持のための制裁（所税法45①六・②等／法税法55④）、所得税額・外国税額のような税額控除の対象となるもの（所税法46等／法税法40・41）があります。

　また、経費として処理できる公課としては、商工会議所、商工会、協同組合、同業者組合、商店会などの会費、組合費または賦課金などがあります。ただし、商店街や組合、協会などの負担金でも、例えば、アーケードや街燈、会館などの共同的施設の設置または改良のための負担金のようなもので、その支出の効果がその支出の日以後1年以上に及ぶものは、繰延資産となり（所得税法施行令7①／法税令14①）、その年分／事業年度の期間に対応する償却費が経費となります（所税法137①／法税令64①）。

　政策論的に、財源を確保する手段として、例えば、法人事業税や固定資産税の必要経費／損金算入の廃止を検討する動きもあります。しかし、応益課税などのルールに反するのではないかと懸念されることから慎重な検討が必要です。とりわけ、税務会計論の視角からの検討が必要不可欠です。

(3)　税財政法学からみた「負担金」とは

　わが国の租税と負担金に関する研究は、財政学／租税論の視角からの分析が多いのが実情です。税財政法理論ないし実定税法の視角から、「負担金」と「租

税」との法的区別や定義、「負担金」の法的定義、賦課原則、一般的な賦課要件や法的限界などについては必ずしも十分に精査されてきたとはいえません。負担金立法において、負担公平の原則、つまり、イコール・フッティング（equal footing／競争条件の均等化）原則をどう反映させるのかなどは重い課題です。

　また、「租税」と「負担金」の定義、双方を区別する明確なルールを形成するだけの豊富な裁判例の蓄積がありません。行政主導の政体において、お上に物申すことを避ける風潮が、この種の議論の展開を阻んできたことは否めません。しかし、「租税」と「負担金」との理論的な区別、それぞれの法定要件などを税財政法の視角から精査する必要性は増しています。

(4)　消費税の視角からみた「負担金」の所在

　例えば、わが国の高速道路料金は、「租税」ではなく、利用者「負担金」です。この料金には、10％の消費税がかかっていいます。これに対して、国民健康保険については、名称が「保険税」になっていようと、「保険料」になっていようと、10％の消費税はかかりません（消税法6①、別表第一六、●2.2.2）。「保険税」にすれば税には重ねて消費税はかからない一方、公的「保険料」にした場合には消費税の課税対象取引にあたるとしても、社会政策目的から非課税取引としていることから、消費税はかからないわけです。「租税」、「負担金」のいずれを選択するかにあたっては、生活者に重くのしかかる消費税の課否についても精査が必要です。

(5)　訴訟論的視角からみた「負担金」の所在

　国民／住民に対する負担を「租税」に求めた場合、租税法律主義／租税条例主義の適用があります。これに対して、税外「負担金」に求めた場合、負担金額の決定過程において、議会の承認や所管官庁の認可手続を踏むものとしたとしても、負担者の争訟上の権利は著しく後退してしまいます。

　つまり、「租税」であれば、適正な税額の負担をしない者に対して課税処分を行い、その処分に不服な人は、その処分の違法・取消を求めて争うことが比較的容易です。これに対して、「負担金」では、サービスの提供という事実に基づき当然発生する公法上の債権とされ、処分性は否定される可能性は強いわ

けです。裁判所は、訴訟（原告）適格自体を認めない、あるいは仮に原告適格を認めたとしても、救済には極めて消極的な姿勢が伺えます（例えば、高速道路利用料金をめぐる裁判例として、東京地判平4.8.27・地方裁判所インターネット判例参照）。

◎保険料を保険税で徴収することもあるが、法的には違いがある

　国民健康保険は、国民健康保険料（以下「保険料」といいます。）ではなく、国民健康保険税（以下「保険税」といいます。）の形で徴収することも認められています（国民健康保険法76①但書、地税法703の4）。保険者である市町村（特別区を含みます。）は、どちらによるかを条例で定めることになっています。

　地方税法では、保険税を市町村が目的税として課すことができると規定しています（地税法5⑥五）。その一方、保険税収入は、内閣が国会に行う地方財政の状況報告（地財法30の2）では、市町村税の収入とは取り扱われておらず、市町村の予算や決算においても異なる扱いを受けています。これは、国民健康保険法により、市町村は国民健康保険に関する特別会計の設置が義務付けられていることによるものです（10条）。この特別会計には、保険料収入のみならず、保険税収入も含まれます。こうしたことから、保険税と保険料との異同については議論のあるところです。

　国民健康保険は保険料で徴収するのが原則ですが、実際には保険税を選択する市町村の方が多いようです。この背景には、「税」を強調することにより、強制力を強め、徴収の実をあげようとする傾向が強いためです。

● 保険税と保険料との主な違い

	国民健康保険税	国民保険料
根拠法（条例）	地方税法（税条例）	国民健康保険法（条例）
賦課の期間	3年	2年
徴収・還付請求	5年	2年
不服申立て	市町村（審査請求）	都道府県国民健康保険審査会（審査請求）
料率の設定変更	知事との協議不要	知事との協議必要
滞納差押えの優先順位	住民税と同じ	住民税の次

PART1 税法の基礎知識を学ぶ

保険税の場合と同じく、保険料の場合にも、租税法律主義ないし地方税条例主義（これから派生する課税（賦課）要件法定主義や課税（賦課）要件明確主義など（☞1.4.2、1.4.7））が適用になるかどうかが争われています。

(石村　耕治)

〔アドバンス文献〕 市町村税務研究会編『新版　実務解説　国民健康保険税』（2012年、ぎょうせい）、西村健一郎『社会保障法入門〔第３版〕』（2017年、有斐閣）、碓井光明「財政法学の視点からみた国民健康保険料」法学教室309号、田中治「国民健康保険税と国民健康保険料との異同」税法学545号、和田英夫「負担金」〔田中二郎ほか編〕『行政法講座』６巻（1966年、有斐閣）、石村耕治「EVシフトと道路財源：自動車燃料税から自動車マイレージ税／課金への転換と人権」白鷗法学24巻３号、石村耕治「アメリカの「負担金」と「租税」の区別をめぐる法制と司法判断の分析」獨協法学107号

1.2.5 「所得」とは何か

ポイント

　「所得」とは何かについては、①「所得源泉説（制限的所得概念）」と②「純資産増加説（包括的所得概念）」の２つの考え方があります。わが国の所得税制では、②を基礎としています。

◎所得とは何か

　真の意味における所得は、財貨の利用によって得られる効用と人的役務（サービス）から得られる満足を意味するとされています。しかし、これらの効用や満足を定量化することは難しいので、これらを金銭的価値の形で表現したものが所得であるといわれています。

　所得を金銭的価値で表現する場合、その構成の仕方には、大別して消費型（支出型）所得概念と取得型（発生型）所得概念との２つの類型があります。

　消費型所得概念は、各人の収入のうち、効用ないし満足の源泉である財貨や人的役務の購入に充てられる部分のみを所得と観念し、蓄積に向けられる部分

23

を所得の範囲から除外する考え方です。すなわち、消費型所得概念は、人の1年間の消費の総額を所得としてとらえるものですから、実際の制度とするには問題も多く、どの国においても採用されていません。

　もう1つの取得型所得概念は、各人が収入等の形で新たに取得する経済的価値、すなわち、経済的利得を所得と観念する考え方です。これは、各国の租税制度において一般的に採用されているものです。取得型所得概念においては、所得の範囲をどのように構成するかについて、所得源泉説（制限的所得概念）と純資産増加説（包括的所得概念）と2つの捉え方があります。

◎所得源泉説（制限的所得概念）

　所得源泉説は、一定の期間内に、勤労、資産、事業から生ずる継続的収入からこれを得るために必要な経費を差し引いた残額を所得とするという捉え方です。したがって、勤労、資産、事業のような各種の所得源泉から生じたものでなければ所得としない立場に立ち、所得を発生面において把握しようとするものです。その結果、一時的、偶発的に生じる所得は、所得の範囲から除かれることになります。

◎純資産増加説（包括的所得概念）

　純資産増加説は、一定期間内における資産増加の総額からこの期間内における資産減少の総額を差し引いたものをこの期間内の所得とする捉え方です。したがって、資産の増加は、その原因の一切を問わないとし、一時的、偶発的、恩恵的な財産取得であっても、すべて所得とする立場に立ちます。いい換えれば、純資産増加説は、収入を生じた発生面を考慮しないで所得を帰属面において把握しようとするものです。

◎現行税法の所得概念

　現行税法は所得概念について明確な定義規定を設けていません。

　わが国においても、戦前までは、所得の範囲は所得源泉説の立場に立ち制限

的に構成されていました。戦後は、アメリカ法の影響のもとに、その範囲は純資産増加説の立場に立ち包括的に構成されています。したがって、基本的には純資産増加説によっているものと一般に理解されています。その根拠をあげると、次のとおりです。

●現行税法のもとでの「所得」のとらえ方

① 一時的、偶発的、恩恵的利得であっても、利得者の担税力を増加させるものである限り、課税の対象とすることが、公平負担の要請に合致する。
② すべての利得を課税の対象とし、累進税率の適用のもとにおくことが、所得税の再分配機能をより高めることとなる。
③ 所得の範囲を広く構成することによって、所得税制度のもつ景気調整機能を増加させる。

　現行税法は基本的に純資産増加説に立脚しています。しかし、必ずしもこの考え方に徹しているわけではありません。すなわち、純資産増加説によれば、所有資産の価値の増加益のような未実現の利得や自己の財産の利用および自家労働から得られる経済的利益のような帰属所得（インピューテッド・インカム）も課税されることになります。また、あらゆる資産損失も控除されなければなりません。しかし、資産の評価益やインピューテッド・インカムは一般に課税所得にはならないとされています。また、資産損失の控除も一定のもの以外は認められていません（所税法51）。

（森　稔樹）

〔アドバンス文献〕金子宏『所得概念の研究』（1995年、有斐閣）、金子宏『所得課税の法と政策』（1996年、有斐閣）、谷口勢津夫「市場所得説と所得概念の憲法的構成—パウル・キルヒホフの諸説を中心に」『公法学の法と政策〔上巻〕』（2000年、有斐閣）所収、八田達夫「所得税と支出税の収束」木下和夫編著『租税構造の理論と課題（21世紀を支える税制の論理第1巻）』〔改訂版〕（2011年、税務経理協会）所収、奥谷健『市場所得と応能負担原則—応能負担原則の二元的構成』（2018年、成文堂）、中里実・弘中聡造・渕圭吾・伊藤剛志・吉村政穂『租税法概説』〔第4版〕（2021年、有斐閣）、篠原正博編著『テキストブック租税論』（2020年、創成社）、林宏昭『日本の税制と財政』〔第2版〕（2023年、中央経済社）

1.2.6 「租税」の法的な定義とは

ポイント

租税は、国民（住民）を代表する国会（議会）の意思によって定められた法律（条例）に基づいて課されるルールになっています。ただ、わが国の税法には、「租税」とは何かについて定義した規定がありません。学問的には、租税とは、「国や地方団体が、さまざまな公共サービスを提供するために、必要な経費について、一方的に国民（住民）に金銭的な負担を求めるもの」と定義されています。また、租税とは、直接の反対給付を期待して納付するのではないものと定義されています。したがって、そうした期待をもって支払う手数料や負担金、保険料などとは区別してとらえられています。

◎「租税」の法的な定義

私たち国民（住民）は、憲法に従い、納税の義務を負っています（憲法30）。どのような納税の義務を負うのかについては、国民（住民）を代表する国会（議会）の意思によって定められた法律（条例）に基づいて決められるルールになっています（憲法84、地税法3①）。しかし、議会が定めた法律（条例）には、「租税」を法的に定義した規定は見あたりません。このため、これまでも、学問上、租税を法的に定義しようということで、さまざまな試みが行われています。

この点について、よく引き合いに出されるのが、ドイツ租税基本法（AO＝Abgabenordnung、租税通則法、公課法とも訳されています。）の規定です。ここでは、「租税とは、特別の給付に対する反対給付となるものではなく、かつ、公法上の団体が収入を得るために、法律が当該給付義務に結びつけている要件事実に該当する一切の者に対して課す金銭給付をいう。収入を得ることは、これを従たる目的とすることができる。関税および輸入課徴金は、この法律にいう租税とする。」と定めています（中川一郎編・日本税法学会運営委員会訳『77年AO法文集（邦訳）～租税基本法』〔1979年、税法研究所〕参照。また、最新のAO＝Abgerbenordnung の英訳（The

Fiscal Code of Germany, As on 25 May 2018）は、ドイツ連邦財務省のホームページにアクセスすれば、入手できます（https://www.bundesfinanzministerium.de/Content/EN/Gesetze/Laws/2017-01-01-fiscal-code.html）。

◎具体的な分析

　従来から、わが国において、学問上、租税の法的な定義にあたっては、このAOの規定が参考とされています。オーソドックスな定義では、租税とは、おおむね「①国または地方団体が、②収入を得る目的で、③法令に基づいて一方的な義務として課す、④反対給付を伴わない金銭給付である」とされます。裁判所も判決において、同じような定義をしています（最判大昭60.3.27・民集39巻2号247頁【大島サラリードワーカー課税違憲訴訟】・☛1.4.5、最判大平18.3.1・民集60巻2号587頁【旭川市国民健康保険料訴訟～後述】、東京地判18.9.5・タインズZ888-1180、東京地判平18.9.5・タインズZ888-1180、東京高判平3.9.17・判時1407号54頁、原審、東京地判昭63.6月.3・判時1294号13頁【いわゆる良心的軍事費納税拒否訴訟】。詳しくは、北野弘久『納税者基本権論の展開』（1992年、三省堂）20頁以下、石村耕治「信教の自由と平和基金指定納税制」〔石村耕治編著〕『宗教法人法制と税制のあり方』（2006年、法律文化社）」所収参照）。

　オーソドックスな「租税」の法的定義と再検討する際のポイントを若干かみくだいて図説をすると、次のとおりです。

●わが国でのオーソドックスな「租税」の法的定義と再検討のポイント

① 「国または地方団体が課すこと」の意義
租税は、国民（住民）を代表する国会（議会）の意思によって定められた法律（条例）に基づいて課されるルールになっています。地方団体も、憲法上の独立の統治団体とされています（憲法92以下）。したがって、国とともに、地方団体も固有の課税権（租税立法権）を有しており、国の法律によって授権されているものではないと解されます。 　ちなみに、2008（平成20）年度税制改正で導入された地方法人特別税は「都道府県が賦課徴収し国に払い込む国税」です（☛1.2.1）。"賦課徴収する主体"を基準に国税か地方税かの線引きをするのが難しくなってきているといえます。

②「収入を得る目的で課すこと」の意義

現代の国家（国・地方団体）において、租税は、単に公共サービスを提供するために必要な経費を賄う目的のみならず、景気調整や富の再配分などさまざまな機能を果たしています。しかし、その主なねらいは、公共サービスを提供するために必要な経費の調達にある事実には変わりありません。したがって、「租税は、収入を得ることを目的に課されるものをさす」といえます。裏返すと、収入を得ることを目的とせず、制裁としてかされる罰金、科料、過料などは租税にはあてはまらないといえます。また、保護関税のように、主たる目的が国内産業の保護にある場合であっても、従たる目的が収入にあるときには、租税にあたるとみてよいでしょう。

③「法令に基づいて一方的な義務として課すこと」の意義

租税は、国家が、国民（住民）の富の一部に対して貨幣形態による公権力を行使することをさします。したがって、国民（住民）の財産権を侵害する性格を有します。もちろん、国家が、国民（住民）に対し、租税の形で一方的な義務を課す場合には、法令に基づくように求められます。いわゆる、租税法律主義の原則です（憲法84・●1.4.2）。なお、ここにいう法令には、地方団体が制定する条例も含みます（租税条例主義・●1.4.7）。

ちなみに、2008（平成20）年の税制改正で、いわゆる「ふるさと納税」の仕組みが導入されました（●1.4.8）。この仕組みのもとでは、納税者が指定した地方団体に対し自分の住民税額の一部を分納するのではなく、指定した地方団体への寄附金を支出する形となっています。こうした任意の寄附金は、一方的な義務として支出するものでないことから、租税にはあたらないといえます。

④「反対給付を伴わない金銭給付（納付）であること」の意義

国家に給付（納付）する金銭が、租税であるためには、反対給付〔見返り〕を伴わない、（したがって一方的な義務を伴う）ものでなければならないとされます（いわゆる義務説・●1.1.2）。したがって、使用料（公営水道の料金など）、手数料（印鑑証明の手数料など）のような受益者負担金や、汚染負荷量賦課金（公害健康被害補償法52）のような原因者負担金は、一般に租税ではないと解されています。

租税を、公共サービスの利益の対価とみる、いわゆる「利益説」の考え方（●1.1.2）もあります。こうした考え方のもとでは、さまざまな負担金なども含めて、租税の法的概念を広く定義することも可能です。また、憲法の福祉国家理念のもと、租税は、幅広く福祉目的に使途されることを前提に課税徴収されるものである（歳出と歳入〔租税〕とを一体化して考えるべきである）との有力な見解もあります（北野弘久『新財政法学・自治体財政権』（1977年、勁草書房）参照）。

また、地方レベルでは、住民監査請求（自治法242）や住民訴訟（同242の２）が制度化されています（地方自治制度研究会編『改正住民訴訟制度逐条解説』（2002年、ぎょうせい）、伴義聖ほか『新版実務住民訴訟』（2018年、ぎょうせい）参照）。この制度は、住民が、直接納税者として、あるいは担税者として間接に支払った税金の使い途をただす手段として重い役割を担っています。とりわけ、住民訴訟は、アメリカの「納税者訴訟（taxpayers' suits）」にならったものであるとされますが（成田頼明「住民訴訟〜制度の回顧と展望」ジュリスト941号16頁参照）、歳出と歳入〔租税〕とを切り離しては考えら

れない仕組みです。いいかえると、租税の反対給付性を捨象しては、この仕組みは考えられないといえます。

　近年、働いても貧しい人たち（the working poor）のために、アメリカなどで導入されている「負の所得税（negative income）」の理論を実践した「給付（還付）つき税額控除」の仕組みを、わが国でも導入しようという動きがあります。この仕組みでは、福祉と税制が一体化されます。したがって、「反対給付の伴わないこと」を租税たる要件とする伝統的な考え方に大きなインパクトを及ぼさずにはおきません（石村耕治「給付（還付）つき税額控除をめぐる税財政法の課題」白鷗法学15巻1号参照）。

　また、近年、「ふるさと納税」（☞1.4.8）、つまり、使途選択納税制度（タックス・チェックオフ・プログラム）のように、納税者が、納税申告をする際に、国ないし地方団体が指定した特定の歳出プログラムの中から好ましいものに✓印をつけて選択（check-off）し、自分で納める税金の使い途（受配者）を指定して納税する仕組みも導入されました（石村耕治「日米におけるタックス・チェックオフの展開」白鷗法学12巻1号、同「使途選択納税制（タックス・チェックオフ）」『財政法の基本問題〔財政法講座1〕』〔2005年、勁草書房〕所収参照）。

　こうした動きを織り込んで考えると、租税が「反対給付を伴わない一方的な金銭納付である」という定義の仕方は、時代から隔絶している感じがします。

　ちなみに、租税は、かつては労役などの形でも存在しました。しかし、貨幣経済が発達した今日では、金銭的負担に限られます。ただし、例外的に、金銭（実質的に金銭であるものを含みます。）以外に、物による租税の納付（物納）も認められます（相税法41以下）。

◎問われる租税の法的定義

　租税の法的定義について注目されるのは、国民健康保険に関し、国民健康保険税（以下「保険税」といいます。）の形で徴収する場合と同じく、国民健康保険料（以下「保険料」といいます。）の形で徴収する場合にも、租税法律主義ないし地方税条例主義、さらには、これから派生する課税（賦課）要件法定主義や課税（賦課）要件明確主義（☞1.4.2、1.4.6）が適用になるのかどうかで争われています（田中治「国民健康保険税と国民健康保険料との異同」税法学545号）。

　最も至近のものは、旭川市国民健康保険料訴訟です（最判大平18.3.1〔上告棄却〕・民集60巻2号587頁、原審、旭川地判平10.4.21・判時1641号29頁、札幌高判平11.12.21・訟月47巻6号1479頁）。この訴訟の第1審で、地裁は、保険料も保険税と同じで、実質的に憲

法第84条にいう"租税"にあたり、租税法律（条例）主義が直接に適用されるとしました。これに対して、高裁や最高裁は、保険料と保険税とは性質が異なり、保険料には、原則として租税法律（条例）主義が直接には適用されないとしました。ただ、租税に類似する場合には、租税法律（条例）主義の趣旨がある程度適用されるとしました（碓井光明「財政法学の視点からみた国民健康保険料」法学教室309号、森稔樹「租税法律主義・地方税条例の射程距離（上）（下）」税務弘報54巻12号・14号）。

　高裁や最高裁の判断は、伝統的な租税の定義に従い、保険料は反対給付が伴うものとして徴収されており、反対給付が伴うことが予定されていない"租税"の形で徴収されているものとは異なる、との原則に立ったものです（朝倉洋子「課税要件法定主義〜旭川国民健康保険料事件」月刊税務事例39巻3号）。この最高裁の判断によると、保険料の形で徴収すれば、厳格な課税（賦課）要件法定主義や賦課要件明確主義などは求められず、具体的な保険料率や賦課額なども条例よりも下位の法規に委任することも許されることになります。こうした判断は合理的かどうか今一度掘り下げて考えてみる必要があります。ちなみに、この判断においては、保険税の場合にあたかも反対給付が伴うもののように徴収されるのは、保険税がある種の目的税に近い性格にあることによるためとみています。

（石村　耕治）

〔アドバンス文献〕　北野弘久『税法学原論〔第6版〕』（2007年、青林書院）、清永敬次『税法〔新装版〕』（2013年、ミネルヴァ書房）、金子宏『租税法〔第24版〕』（2021年、弘文堂）、石村耕治「使途選択納税と租税の法的概念」獨協法学80号

PART1 税法の基礎知識を学ぶ

1.2.7 税率、超過累進課税とは

ポイント

　税法に定められた「税率」は大きく、「百分比（％）」で表記する例と、「数量」を一単位にして一定金額を表記する例とに分けることができます。「税率」という言葉は、法律上、学問上ないし実務上、さまざまな意味に使われています。また、「累進税率」を採用する税金と「単一税率」（または「比例税率」）を採用する税金があります。「累進税率」という場合には、一般に「超過累進税率」をさします。例えば所得税や相続税、贈与税では、超過累進税率による課税（超過累進課税）が行われています。なお、所得税や個人住民税では、ある年に急激に大きな所得を得た人のためには、高い超過累進税率での課税を緩和する措置として「平均課税」の制度が設けられています。

◎税率とは

　「税率（tax rate）」とは、税額を具体的に計算する際に、所得、価格、数量などの課税標準に適用する比率をいいます。課税標準が金額ないし評価した価格で定められている税金の場合には、税率は「百分比（％）」で示されます。一方、課税標準が一定の数量でもって定められている税金の場合には、税率は、その数量の一単位につき一定の金額で示されます。双方を対比して図説すると、次のとおりです。

●税率を「百分比（％）」表記する例と「数量」を基に表記する例

（1）　税率を「百分比（％）」で表記する例
①　課税標準が「金額」で示されている税金　【例１】所得税：195万円以下の金額は百分の五（5％）、195万円を超え330万円以下の金額は百分の十（10％）（所得法89①） 【例２】法人税：普通法人〔中略〕の各事業年度の所得の金額に百分の二十三・二（23.2％）の税率を乗じて計算した金額とする（法税法66①）
②　課税標準が「価格」で示されている税金　〔例〕固定資産税：固定資産税の標準税率は、〔基準年度の価格の〕百分の一・四（1.4％）とする（地税法350①・②）

31

(2) 税率を「数量」を基に表記する例
【例１】 酒税、軽油引取税：「１キロリットルにつき○○円」（酒税法23、地税法144の10）
【例２】 たばこ税、道府県たばこ税、市町村たばこ税：「1000本につき○○円」（た税法 11、地税法74の５、地税法468）
【例３】 自動車税（種別割）、軽自動車税（種別割）：「１台について年額○○円」（地税法 177の７、地税法463の15）
【例４】 入湯税：「入湯客１人１日について○○円」（地税法701の２）

◎ 「税率」はさまざまな意味で使われている

　一般に「税率」といえば、「累進税率」や「比例税率」（または「単一税率」）といった言葉が浮かんでくるのではないかと思います。しかし、税法では、「税率」という言葉は、「限界税率」「平均税率」「実効税率」といったように、さまざまな意味でも使われています（加えて、学問上は、課税標準が大きくなるに従い税率の低下するような「逆進税率」もありえます。）。さまざまな意味での「税率」の使われ方をまとめて図説すると、次のとおりです。

● さまざまな意味での「税率」の使われ方

・累進税率（課税）
(a)　単純累進税率課税　「単純累進税率課税」とは、所得などの課税標準の大きさごとに定められている税率を単純に課税標準の全部に適用して課税する仕組みをさします。今日、所得課税に単純累進税率課税を採用する国はありません。
(b)　超過累進税率課税　「超過累進税率課税（progressive tax rate）」とは、所得などの課税標準をいくつかの段階に分け、各段階を超えた部分により高い税率を適用して課税する仕組みをさします。超過累進税率は、税の負担能力（担税力）に応じた課税に適します。【例　申告所得税、相続税や贈与税、法人事業税など】

・単一税率課税/比例税率課税　「単一税率課税／比例税率課税（flat tax rate）」とは、税額を算出する場合に、所得や付加価値などの課税標準の大きさに関係なく一定の比率を適用して課税する仕組みをさします。【例　法人税、固定資産税など】

・不均一課税　不均一課税は、一定の範囲の納税者に限って、条例により一般の税率と異なる税率で課税することをいいます。地方税にある制度です。地方税法６条２項においては、「地方団体は、公益上その他の事由に因り必要がある場合においては、不均一の課税をすることができる。」と規定し、地方団体は公益上その他の事由（理由）があるときは、独自の判断により条例で不均一の課税をすることを認めています。つまり、課税免除をするほどの事由はないものの、ある程度の特別措置を講ずる必要があるときに、不均一課税を行うことができるとされています。不均一課税は、地方団体が、地域振興などの見返りとして例外的に固定資産税を軽減したり、地方団体の公共投資や補助を使った投資で利便性が高まったときに固定資産税を加重したりする形で実施されています。

- **限界税率** 「限界税率（marginal tax rate）」とは、納税者が自分にとって最高税率が何％になるのかという意味です。

- **平均税率** 「平均税率（average tax rate）」とは、所得など課税標準に対する税額の割合をいいます。

- **表面税率** 「表面税率（nominal tax rate）」とは、課税所得にかける表面上の法定税率をいいます。

- **実効税率** 「実効税率（effective tax rate）」は、いくつかの意味で使われます。
【例1】納税者にさまざまな税制優遇措置（租税特別措置／租税歳出（☛2.1.12））などの適用がなかったと仮定した場合の所得など課税標準に対する実質的な税負担の割合をさす意味で使われます。
【例2】「法人に対する実効税率」という意味で使われます。この場合には、〔法人税率×（1＋住民税率）＋事業税率〕÷（1＋事業税率）の算式に基づいて計算される税率をさします。ちなみに、この算式によるのは、法人所得に対する法人税、法人事業税、法人住民税の税率を合算する場合、法人事業税が税法上費用（損金）となることを反映させる必要があるからです。このほかに、資本金1億円超の法人に対する「外形標準課税」による法人事業税があります。しかし、外形標準税は、利益に課税される税ではないので、この計算には入れません。

- **標準税率** 「標準税率（standard rate）」とは、いくつかの意味で使われます。
【例1】地方団体が各種地方税をかける場合に通常その税率によるべきものとして地方税法に定められている税率をさします。財政上その他の必要があるときは、標準税率によらなくてもよいとされています（地税法1①五）。ほかに、地方税において、「税率」の用語として、「一定税率」、「標準税率」、「制限税率」、「任意税率」などの形で使われています（☛1.4.7）。
【例2】「標準税率」の文言は、消費課税において、「軽減税率（reduced rate）」、「割増税率（increased rate）」、「ゼロ税率（zero rate）」、「非課税（exemption）」ないし「不課税（outside the scope）」などとの対比で使われます（☛2.2.2）。標準税率より低く抑えられた税率を「軽減税率」といいます。わが国の消費税にあたる付加価値税（VAT）をいち早く導入したヨーロッパ諸国では、食料品などに軽減税率ないしゼロ税率を設ける、あるいは非課税とし、消費者の税負担を軽くしています。その一方で、例えば社会保険診療サービスにかかる消費税が「非課税」になると、医師や医療機関などの事業者は医療機器の購入などで支払った消費税の仕入税額控除ができず、持ち出しとなります。こうした難点を克服するのに採用されるのが「ゼロ税率」です。ゼロ税率では、消費税は課税されるが、消費税の税率がゼロパーセントなので、課税標準額に対する消費税（ゼロ）から、当該課税期間中に国内において行った課税仕入れにかかる消費税額を控除することができることになります。現在わが国では、消費地課税原則／仕向地課税原則に基づき、「輸出免税」の名称で、輸出取引に限りゼロ税率（zero-rate for exporting）を適用しています。イギリスやオーストラリアなどでは、公共機関や公益機関が行う一定の課税対象取引（例えば、家庭用水道や新聞、子ども服など）や基礎的な飲食料品などの生活必需品やサービスにもゼロ税率（国内（生活用）ゼロ税率/domestic zero-rate）を適用しています（☛2.2.2 Column）。

◎超過累進課税とは

　超過累進課税では、所得などの課税標準いくつかを段階に分け、各段階を超えた部分により高い税率が適用して課税する仕組みになっています。しかし、このような仕組みをそのまま使って、税率段階ごとに積み上げて税額を計算していくのは煩雑です。そこで、ふつうは速算表を使って税額を計算します。

　例えば、所得税では、超過累進税率を採用し、具体的な税額は速算表を用いて計算することになっています (所税法89①) (☛3.1.7)。

　ちなみに、アメリカでは、連邦法人所得税 (法人税) は、法人実在説 (separate entity theory) (☛2.1.1) に従い、個人と法人とは別個の課税主体 (実体／entity) とみたうえで、法人の担税力応じて、連邦個人所得税と同様に、久しく超過累進税率 (15％〜39％／標準税率35％) で課税されてきました。また、具体的な税額は、速算表を用いて計算されてきました。しかし、2017年末、法人減税と中間富裕層個人減税を柱とするトランプ税制改革法 (TCJA＝Tax Cuts and Jobs Act of 2017／2017年減税・雇用法) が成立、2018年1月1日から 法人税率は21％ に引き下げられ、単一税率で課税されることになりました。

◎単一税率課税／比例税率課税とは

　単一税率課税ないし比例税率課税は、所得の多寡にかかわりなく、一定の税率を適用し課税する方法です。わが国の法人税などが単一税率／比例税率を用いて課税されます (☛2.1.8)。

◎所得の平準化と税率構造のあり方

　税額を算出するには、税金の種類に応じて上記のような超過累進税率や単一税率を適用して行うわけです。しかし、この税額計算について注目すべき制度として、変動所得や臨時所得に対する平均課税の制度があります。

　所得のなかには、漁獲から生ずる所得や著作権から生ずる所得のように、その年によって変動の著しいものがあります。これを「変動所得」といいます (所税法2①二十三)。また、専属契約にあたって支払を受ける契約金や特許権を長期

間使用させる場合に支払を受ける一時金のように、臨時に発生する所得もあります。これを「臨時所得」といいます（所税法2①二十四）。

　これら変動所得や臨時所得は、いずれも特定の年に集中する傾向があるため、これを平準化して、高い累進税率の適用を緩和する必要があります。これが「平均課税」の制度です（☞3.2.13）。

　この制度は、変動所得と臨時所得の合計額の5分の1だけを他の所得と総合課税し、その場合の平均税率で残りの5分の4も課税し、変動所得と臨時所得の金額を総合課税した場合と比べて税負担を軽減することによって、超過累進税率の適用の緩和をはかるものです。なお、平均課税は、原則として、確定申告書にその適用を受ける旨および計算に関する明細の記載がある場合に限り適用されます（所税法90④）。

　また、税率の構造を考える場合、超過累進税率については、最低税率や最高税率を何％にするか、また何％刻みで上げていくかについては種々の議論があります。一般に最高税率を高くしすぎると、①勤労意欲を減退させる、②脱税への誘惑を助長するともいわれます。また、単一税率でも、その引上げには強い反対が予想されます。

（石村　耕治・阿部　徳幸）

〔アドバンス文献〕日本税務研究センター編『税率の法理論』日税研論集49号、石村耕治『アメリカ連邦所得課税法の展開』（2017年、財経詳報社）

1.2.8 課税単位とは何か

ポイント

　所得税の税額を計算する人的単位を課税単位といいます。課税単位には、税法理論上、①個人を単位とする個人単位主義、②夫婦を単位とする夫婦単位主義、③家族を単位とする家族単位主義があります。わが国の所得税では、原則として、個人単位主義を採用しています。

◎課税単位とは

　所得税（個人住民税の場合も含みます。）の税額を計算する人的単位を課税単位といいます。課税単位には、税法理論上、①個人を単位とする個人単位主義、②夫婦を単位とする夫婦単位主義、③家族を単位とする家族単位主義があります。わが国の現行所得税法では、原則として、個人単位主義を採用しています。

　①個人単位主義のもとでは、家族の構成員の所得は、それぞれ個人別に課税されます。したがって、夫婦で共働きをしている場合には、夫と妻は別々に課税されます。これに対して、②夫婦単位主義のもとでは、夫婦の所得は合算して課税されます。一方、③家族単位主義のもとでは、夫婦に加え家族の構成員すべての所得が合算して課税されます。

◎それぞれの課税単位の長所と短所

　いずれの課税単位にも、長所と短所があります。例えば、夫婦ないし家族は、ふつう、"一つ屋根の下"でくらしています。このことから、夫婦単位主義ないし家族単位主義は、税金を負担する能力（担税力）を測る単位としては適切であり、税の公平負担の理念にも資するという意見があります。また、超過累進税率（☞1.2.7）を採用する所得税制のもとでは、税負担の回避・軽減をねらいとして所得を家族構成員の間で分割することの防止にも役立つという意見もあります。

　しかし、一方で、夫婦単位主義ないし家族単位主義は、既婚者と独身者との間、法律婚のカップルと事実婚の状態にあるカップルとの間に差別をつくり出すとの意見もあります。このことから、その採用の仕方によっては、「結婚懲罰税（marriage penalty tax）」にもなりうるとの批判もあります。また、婚姻に対する税制の中立性を考えれば、個人単位主義が無難であるという意見が強いのが実情です。もっとも、近年、「働いても貧しい人たち（the working poor）」向けに「給付（還付）つき税額控除」を導入しようという動きも活発です。この仕組みでは、所得の把握に夫婦ないし世帯の単位を考慮する必要が出てきます。

　ちなみに、市町村税である国民健康保険税は、原則として世帯の加入者（被保険者）全員の所得額を基準に税額が算定され、その世帯主に対して課税されます

（地税法703の４）。各自治体は、条例に基づき「所得割」や「均等割」、「平均割」、さらには「資産割」を選択したうえで課税します。国民健康保険には「扶養」という考え方はありません。世帯内の対象となる人全員が加入者の扱いです（☞1.2.4）。

◎課税単位の国際比較

こうしたいろいろな意見や批判があることから、実際に各国で採用する課税単位も一様ではありません。主要諸国が採用する課税単位の概要については、財務省が作成した資料（「所得税など（個人所得課税）に関する資料〔2015年１月現在〕」）があります。この資料によると、次のとおりです。

●課税単位の類型別に見た主要諸国の制度

類　　　　　型			考　　え　　方
個　人　単　位			稼得者個人を課税単位とし、稼得者ごとに税率表を適用する。 （実施国：日本、イギリス。アメリカ、ドイツは選択制）
夫婦単位 または 世帯単位	合算分割 課　　税	均等分割法 （２分２乗課税）	夫婦を課税単位として、夫婦の所得を合算し均等分割（２分２乗）課税を行う。具体的な課税方式としては、次のとおり ○独身者と夫婦に対して同一の税率表を適用する単一税率表制度（実施国：ドイツ） ○異なる税率表を適用する複数税率表制度（実施国：アメリカ（夫婦共同申告について夫婦個別申告の所得のブラケットを２倍にしたブラケットの税率表を適用した実質的な２分２乗制度））
		不均等分割法 （n分n乗課税）	夫婦および子供（家族）を課税単位とし、世帯員の所得を合算し、不均等分割（n分n乗）課税を行う。 （実施国：フランス（家族除数制度））
	合算非分割課税		夫婦を課税単位として、夫婦の所得を合算し非分割課税を行う。

（注）1　イギリスは、1990年４月６日以降、合算非分割課税から個人単位の課税に移行した。
　　　2　アメリカ、ドイツでは、夫婦単位と個人単位との選択制となっている。
　　　3　諸外国における民法上の私有財産制度について
　　　　(1)アメリカ：連邦としては統一的な財産制は存在せず、財産制は各州の定めるところに委ねており、多くの州では夫婦別産制を採用しているが、夫婦共有財産制を採用している州もある。
　　　　(2)イギリス：夫婦別産制。1870年および1882年の既婚女性財産法（Married Women's Property Act 1870,1882）により夫婦別産制の原則が明らかとなり、1935年の法律改革（既婚女性および不法行為者）法（Law Reform（Married Women and Tortfeasors）Act 1935）によって夫婦別産制が確立したとされる。
　　　　(3)ド　イ　ツ：原則別産制。財産管理は独立に行えるが、財産全体の処分には他方の同意が必要。
　　　　(4)フランス：財産に関する特段の契約なく婚姻するときは法定共通制（夫婦双方の共通財産と夫または妻の特有財産が併存する）。

2023年現在、OECD加盟国では、個人単位主義が主流で、38か国中34か国で採用しています。

◎わが国での課税単位の移り変わり

わが国の現行所得税法では、原則として個人単位主義を採用しています。ただ、わが国で実際に採用された課税単位は、時代とともに、次のように推移してきました。

●わが国での課税単位の推移

年代	採用した課税単位
第二次大戦前	「家族」
1950年～1967年	原則「個人」。ただし、 ① 事業から労務の対価を受ける生計を一にする親族がある場合の必要経費不算入特例 ② 資産合算制度（家族構成員の資産所得を主たる所得者の所得に合算して課税する制度）
1968年	② 資産所得合算課税制度（旧所税法96以下）の廃止
1968年以降（現在）	原則「個人」。ただし、事業から労務の対価を受ける生計を一にする親族がある場合の必要経費不算入特例（所税法56）

わが国の所得税では、超過累進税率を採用しています。したがって、個人、家族、いずれの課税単位を採るかによって、課税標準が変わることから税負担に大きな影響を及ぼします。こうしたことを考慮して、家族構成員の間で所得を分割することを防ぐために、個人単位主義の例外として、事業から労務の対価を受ける生計を一にする親族（家族従業員など）がある場合の必要経費不算入の特例（所税法56）を定めています。しかし、この特例は、青色事業専従者給与（所税法57①②、☛3.2.15）ないし"白色"事業専従者控除の特例（所税法57③④、☛3.2.11）、さらには法人成り（個人事業者が、法人形態に組織替えし、家族従業員への労務の対価の支払を費用化し、税負担の軽減をはかること）などにより、すっかり形骸化してしまっています。

所得税法56条の特例については、その適用の仕方によっては憲法違反ともい

えます（例えば、石村耕治「判例研究・弁護士夫が生計を一にする弁護士妻に支払った報酬の必要経費性」税務弘報2005年10月号137頁参照）。この点については、一応、合憲の判断が確定しています（最判平16.11.2・判時1883号43頁、最判平17.7.5・タインズZ888-1000）。ただ、近年、所得税法56条の適用にあたっては、親族間での具体的な契約・取引関係（実質的基準）をも加味して精査すべきであり、「生計を一にする」という事実認定（形式的基準）のみによって一律にこの特例を適用する課税庁の考え方に疑問が投げかける判決も出ています（東京地判平16.6.9・タインズZ888-0847）。こうした疑問を払拭し、個人単位主義を徹底する観点からは、所得税法56条を廃止するのも一案です。

（石村 耕治）

〔アドバンス文献〕金子宏『課税単位及び譲渡所得の研究』（1996年、有斐閣）、人見康子・木村弘之亮『家族と税制』（1998年、弘文堂）

1.2.9 二重課税とは何か

ポイント

> 「二重課税」とは、納税者が、ある期間内に、一の取引、所得ないし財産などに対し同じ種類の税金を重複して課される状態をさします。二重課税はどのような原因で発生するのか、そして二重課税が発生した際にはどのような対応的調整／排除策が使えるのかは、「国内二重課税」の場合と「国際二重課税」の場合とに分けて検討できます。また、学問上は、「法的二重課税」の場合と「経済的二重課税」の場合とに分けて論じられています。

◎二重課税とは何か

「二重課税（double taxation, tax on tax）」とは一般に、納税者が、一の課税期間において、一の課税要件事実、行為ないし課税物件に対し、同種の租税を二度以上課されることをさします。二重課税は大きく、もっぱら国内での課税原因により発生する「国内二重課税（domestic double taxation）」と、国内と

外国にまたがる課税原因により発生する「国際二重課税（international double taxation）」とに分けて検討することができます。また、学問上、二重課税は、同じ納税者へ重複して課税されることで発生する「法的二重課税（legal or juridical double taxation）」と、同じ所得などに重複して課税されることで発生する「経済的二重課税（economic double taxation）」に分けて論じられています。

◎二重課税の対応的調整／排除が必要な理由

　二重課税は、これを放置すると、納税者が担税力を超える税負担を強いられる、あるいは租税法律関係において納税者は公平に扱われなければならないとする憲法14条１項が要請する租税負担公平の原則（☜1.5.1）に反することになりかねません。また、納税者が行う取引（行為）などへの課税の中立性や経済効率性を歪めることにもなりかねません。

　二重課税により納税者の権利・利益が損なわれることのないように、課税庁には、必要な対応的調整をすることや二重課税につながるような課税処分等をしないように求められます。また、不服審査機関や裁判所には、違憲な二重課税を生む法制ないし違法な二重課税処分等を排除するための的確な判断が求められます。さらに、国会や議会には、二重課税を生む法制や課税実務等を常に精査し、かつ、それらを調整／排除するための積極的な立法的対応を行うように求められます。

◎国内二重課税の類型と対応的調整／排除策

　何をもって「国内二重課税」（以下「国内重複課税」を含みます。）にあたるのかを一義的に定義することは容易ではありません。一般に、国内二重課税は、一の納税者が、同一ないし複数の課税権者〔単一国家にあっては国／地方団体、一方、連邦国家にあっては連邦／州／地方団体〕から、同一の期間において、一の課税要件事実、行為ないし課税物件〔所得課税における個人や法人などの所得、固定資産税における土地・家屋などの特定種類の財産、消費税における資産の譲渡等（国内で事業者が事業として有償で行う商品の販売、資産の貸付け、サービスの提供など）〕に対し、租税を二度以上課されることから発生します。もっ

PART1　税法の基礎知識を学ぶ

とも、こうした要件を充たしているとしても、二重課税／重複課税にあたるのか、あたらないのかを判断するのが難しいことも少なくありません。また、立法的対応がとられていても、納税者が権利として二重課税の対応的調整／排除を請求できる旨を定めた規定なのか、あるいはそうではなくて、むしろ政策的／恩恵的な規定として置かれていると解される場合もあると考えられます。

　こうした問題があることを考えに入れたうえで、発生原因から国内二重課税／重複課税を類型化し、それらに対する具体的な対応的調整／排除策のある例やない例を図示すると、次のとおりです。

●発生原因から見た国内二重課税／重複課税の類型【例や対応策】

①　**国税内での二重課税／重複課税**　【例と対応策】相続または個人からの贈与による所得に対する相続税法と所得税法の二重課税については、所得税法上の非課税措置で対応的調整をしています（所税法9①十六）。【裁判例1】長崎地判平18.11.7・訟月54巻9号2110頁、福岡高判平19.10.25・訟月54巻9号2090頁、最判平22.7.6・判タ1324号78頁【裁判例2】東京地判平25.7.26・タインズ888－1776

②　**国税と地方税または地方税内での二重課税／重複課税**　【例1と対応策】地方税である法人事業税および地方法人特別税は国税である法人税の計算上、これを損金算入することで対応的調整をしています（法税法38②二）、【例2と対応策】地方団体が法定外税を導入する際の総務大臣との協議・同意を得る場合の「国税又は他の地方税と課税標準を同じくし、かつ、住民の負担が著しく過重となること」がないようにとの消極要件を設ける対応的調整をしています（地税法261一・671一・733一）。

③　**課税ベース別の二重課税／重複課税類型**

(a)　所得課税　【例1と対応策】法人税法上の二重課税への対応策しての受取配当等の益金不算入措置（法税法23、☞2.1.4）や所得税額控除（法税法68、☞2.1.8）で対応的調整をしています。【例2と対応策】個人が法人から受けた配当に対する所得税法上の税額控除で対応的調整をしています（所税法92、☞3.4.1）。【例3と対応策】相続税法と所得税法二重課税については、前記相続または個人からの贈与による所得への所得税非課税で対応的調整をしています（所税法9①十七）【例4と対応策】同族会社等の行為計算否認規定（法税法132、所税法157、相続法64など）の適用があった場合の税務署長の他の税目への対応的調整／反射的な計算処理をする権限付与による対応的調整をしています（例えば、法税法132③、所税法157③など、☞2.1.11 Column）。【例5と対応策】移転価格税制の適用があり、租税条約の基づく合意があった場合の更正の特例での対応的調整をしています（実施特例法7①、☞4.1.8）。【例6と対応策】相続時に、相続を受けた人（相続人）が相続開始前3年以内に被相続人（故人）から贈与された財産は、相続財産に加算〔相続開始前3年以内の贈与財産に加算（☞2.3.7）〕され、相続財産の課税対象となります。しかし、贈与税は相続税の補完税とされるこ

41

とから、財産の贈与があった時に、贈与税を支払っている場合には、その財産には、贈与税と相続税との二重課税になります。そこで、すでに支払った贈与税額分を相続税額から差し引く〔贈与税額控除〕することで対応的調整をしています（相続税19①）

(b) **消費課税【例１と対応策】**一般消費税（多段階型消費税／付加価値税）の枠内での重複課税に対しては前段階控除／仕入税額控除で対応的調整をしています（☞2.2.1）。最終消費者からの課税仕入れに対しては仕入税額控除の適用で（消税基通11－１－３）、またはタックスインボイス（税額票）方式を採る英豪などではマージン課税制度（VAT Margin Schemes／GST Margin Schemes）などで対応的調整をしています**【例２】**個別消費税と一般消費税の枠内での二重課税、例えばガソリン税〔揮発油税／地方揮発油税〕等への消費税の上乗せ課税、に対しても、対応的調整をとる必要があるとの意見があります。

(c) **資産課税【例１と対応策】**国民健康保険税の賦課課税にあたり、市町村によっては、所得割総額・資産割総額・被保険者均等割総額・世帯別平等割総額によって按分する方式（以下「４方式」といいます。）を採用し、資産割として土地家屋を所有する納税者に対して固定資産税額の100分の10の額を加算しますが（地税法703の４④）、重複課税との批判もあります。こうした批判に対応するため、介護保険などでは資産割の賦課がないことなども織り込んで、資産割の廃止をねらいに４方式から３方式または２方式に移行する市町村もあります。**【例２と対応策】**自動車税（地税法145以下）の課税対象である自動車や軽自動車税（地税法442以下）の課税対象である原動機付自転車、軽自動車、小型特殊自動車、二輪の小型自動車については、二重課税を避けるために固定資産税（償却資産）の課税対象から除外することで対応的調整をしています（地税法341四）。

(注) 所得税の課税物件は「所得」です。これに対して、相続税の課税物件は、「相続または遺贈によって取得した財産」です。二重課税とは"一の課税物件に対する重複課税"との理解に従うと、所得と相続税とは課税物件が異なることから、所得税法９条１項17号の趣旨は、納税者が権利として二重課税の対応的調整／排除を請求できる旨を定めた規定ではなく、政策的／恩恵的に置かれている規定と解することもできます。しかし、わが国の相続税は、遺産取得税方式（☞2.3.1）を採用しかつ所得税の補完税として構築されています。つまり、所得税と同様に相続税は実質的に所得にかかる租税であり、双方の課税物件は同一と見てよいといえます。このことから、所得税法９条１項16号は、納税者が権利として二重課税の対応的調整／排除を請求できる旨を定めた規定と解されます。

　多重に税金を課す「二重課税」ないし「重複課税」と、租税に加重する形で他の公課をかす「二重負担」ないし「重複賦課」を区別して、具体的な対応的調整／排除策の是非を論じることもできます。

PART1 税法の基礎知識を学ぶ

● 二重負担／重複賦課例と対応的調整／排除策の検討

①	租税と手数料／利用者負担金との二重負担／重複賦課
	【例】 租税（例えば、住民税や固定資産税など）の負担に加重するかたちで課される各種手数料／負担金（例えば、家庭ごみの有料化に伴う負担など）との二重負担／重複負担が問われています。

②	加算税と刑事制裁との重複
	【例と対応策】 加算税（金銭的不利益処分）と刑事罰との併科／重複については、憲法39条〔二重処罰等の禁止〕との抵触を問うことで対応するのも一案です。

◎法的二重課税と経済的二重課税とは

学問上、二重課税は、「法的二重課税」と「経済的二重課税」に分けて論じられています。

● 法的二重課税と経済的二重課税

①	法的二重課税
	同じ納税者に二度以上課税を行うことを「法的二重課税」といいます。法的二重課税は一般に、国境をまたぐ課税（国際課税）において発生し、そのグローバルな調整／排除策を中心に論じられています（☛PART4）。

②	経済的二重課税
	同じ課税物件（例えば、所得）に対して二度以上課税を行うことを「経済的二重課税」といいます。経済的二重課税は、国内課税および国際課税の双方において発生します。

経済的二重課税は一般に、法人課税のあり方、すなわち法人税の性格や課税の根拠〔法人擬制説(theory that treats the company as a legal fiction)か、法人実在説(separate taxable entity theory)か（☛2.1.1)〕、とも密接に関連しています。

例えば、個人が株式会社に投資し、その会社があげた所得（益金－損金）に対して法人税を課し、税引後の配当（所得）を受け取った個人株主に対して所得税を課すとします。この場合、法人擬制説に立つと、法人税は所得税の前取りであり、同じ所得（課税物件）に対して二度課税される（二重課税）ことになると見ることができます。したがって、二重課税の問題が生じ、対応的調整／排除策が必要とされます。

これに対して、法人実在説に立つと、法人税は法人が有する担税力に着眼して課される独自の租税であるとされます。このことから、二重課税の問題は生ぜず、原

43

則として対応的調整／排除策は必要がないとされます。

ところが、2017年末、法人減税と中間富裕層個人減税を柱とするトランプ税制改革法（TCJA＝Tax Cuts and Jobs Act of 2017／2017年減税・雇用法）が成立、2018年1月1日から 法人税率は21％ に引き下げられ、単一税率で課税されることになりました（☞1.2.7）。しかし、この税制改革が成立する前は、厳格な法人実在説の考え方にたって法人課税が行われていました。つまり、普通法人（C法人）の所得には超過累進税率（15〜39％／標準税率35％）で法人所得税を課す一方で、個人株主がC法人から受け取った配当所得にも超過累進税率（10〜35％）で個人所得税を総合課税していたわけです（☞1.2.7）。

● 普通法人（C法人）からの受取配当に対する個人／法人へのアメリカ連邦課税の構図

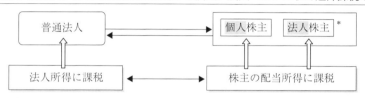

＊株主が 個人 の場合には、法人には超過累進税率（15％〜39％）で法人所得税がかかり、法人から税引後の所得（配当）を受け取った個人株主の受取配当には超過累進税率（10％〜35％）で個人所得税が課されていました。
一方、株主が法人 の場合には、その法人が他の法人から受け取った配当（intercorporate dividends）については、法人所得税の所得計算上、その株式保有比率に応じて、次の比率で受取配当控除（DRD＝Dividends received deduction）が適用になりました（内国歳入法典243）。

株式保有比率	受取配当控除（DRD）比率
・20％未満	70％
・20％以上80％未満	80％
・80％以上	100％

ちなみに、DRDは、三重課税（triple taxation）、つまり法人＋法人＋個人段階での課税を回避するための措置と説明されています。

なお、2017年末のトランプ税制改革法が成立により、2018年1月1日から法人税は21％の単一税率で課税されることになりましたが、個人株主が受け取った配当に対する課税取扱いや、法人株主が受け取った配当に対して受取配当控

除（DRD）がどのようになるのかは、今少し時間が必要です。

　この点、わが国における法人税の課税根拠は、法人擬制説に立ったり、法人実在説に立ったり、時代に応じて変わってきました。現行税法は、法人擬制説を基礎とした課税や二重課税の対応的調整／排除策を講じています。具体的には、法人税法上の二重課税への対応策としての受取配当等の益金不算入措置（法税法23、☞2.1.4）や所得税額控除措置（法税法68、☞2.1.8）、さらには、個人が法人から受けた配当に対する所得税法上の税額控除〔配当控除〕措置（所税法92、☞3.4.1）や少額配当への各種特例措置（☞3.2.5）などがあります。

◎国際二重課税の類型と対応的調整／排除策

　「国際二重課税」は一般に、同じ納税者が、複数の国から、同一の期間において、一の課税要件事実、行為ないし課税物件に対し、重複して租税を課されることから発生します。

　国際二重課税への対応的調整／排除策が必要とされる理由は、課税ベース配分における「国家間的公平（intercountry equity）」を確保するため、さらには国際取引（行為）や選択された進出方法などへの課税の中立性や経済効率性を歪めることがないようにするためです。

　一般に、国際二重課税への対応的調整／排除策としては、「所得課税」に関するものが注目されます。しかし、課税ベース別に見ると、次のように、「所得課税」に関するものに加え、「資産課税」や「消費課税」に関するものに分けて精査することができます（☞PART 4）。

● 課税ベース別の国際二重課税【例と対応的調整／排除策】

① 　所得課税／資産課税
【例と対応策】　源泉地国と居住地国との間での課税の調整〜国内税法による片務的対応 　　　　　　　または二国間租税条約による双務的対応が行われています。
② 　消費課税
【例と対応策】消費地（仕向地）課税主義（VAT destination principle）か、原産地課税 　　　　　　主義（VAT origin principle）の選択による対応が行われています。

国際二重課税への対応的調整／排除策は久しく、国境の存在を前提とした「現実空間（real space）」での課題として検討されてきました。しかし、インターネットを使った国境の存在を前提としない「ネット空間／デジタル空間／オンライン空間」での電子商取引(electronic commerce)や電子サービスの提供が飛躍的に拡大しています。このネット／デジタル空間／オンライン空間を通じたグローバルな電子サービス取引(電子書籍、音楽やパソコン応用ソフトなどの配信サービスなど)に対してどのような所得課税や消費課税をすべきか、さらに、二重課税への対応的調整／排除策を講ずべきかは、重い課題となっています。

　2015（平成27）年度税制改正では、国境を越えた特定の電子サービス取引（電子通信利用役務の提供）を消費税の課税対象とするために、国内取引にあてはまるかどうかの判定（内外判定基準）が、これまでの「サービス提供者の事務所等の所在地」から「サービスの提供を受ける者の住所等」に変更されました。また、特定電子サービス取引に対する公平な課税を行うために、①「リバースチャージ方式」と②「登録国外事業者（申告納税）制度」の新たな課税方式が導入されました（消税法2①四の二、消税法附則（平成27年）38条以下）。

　ところが、2023（令和5）年10月から適格請求書等保存方式（インボイス制度）が開始されたことに伴い、②登録国外事業者制度は廃止されました。2023（令和5）年9月1日時点で登録国外事業者だった者については、適格請求書発行事業者の登録を受けたものとみなされます（消税法附則（平成28年）45）。そして、インボイス制度導入後、国内登録国外事業者だった者は、事業者間で行われる課税仕入れと同様に取り扱われます（☛2.2.7）。

◎二重課税にあたる処分とその法的効果

　二重課税に対しては、対応的調整／排除策を講じている場合とそうでない場合があります。それぞれの場合において、二重課税にあたる処分が行われたとき、その法的効果については、次のように解することも可能です。

PART1 税法の基礎知識を学ぶ

● **二重課税にあたる処分とその法的効果についての見解**

① 税法等に二重課税に対応する実定規定がある場合

二重課税にあたる処分が行われると違法となり、それが著しく不公平・不合理となるときには違憲となる。

② 税法等に二重課税に対応する実定規定がない場合

(a) 二重課税にあたる処分が行われると違法となる、

(b) 二重課税にあたる処分が行われ、それが著しく不公平・不合理となるときには違憲となる。または、

(c) 二重課税にあたる処分が行われても、違法とならず、もっぱら政治責任（立法政策上の責任）を問われるかどうかにとどまる。

（石村 耕治）

〔アドバンス文献〕金子宏『租税法〔24版〕』（2021年、弘文堂）、木村弘之亮「二重課税の概念」法学研究72巻2号、石村耕治「二重課税とは何か」獨協法学94号、2020 U.S. Master Tax Guide（2020, Wolters Kluwer）、石村耕治『アメリカ連邦所得課税法の展開』（2017年、財経詳報社）

1.2.10 環境税とは

ポイント

環境税は、人間環境の保全をねらいに、所得、資産、消費、排出を課税ベースとして課される租税です。環境課税においては、環境汚染原因者負担原則（PPP）が基本になってきています。

◎環境保全のための規制手段の一選択としての環境税

環境問題は、年々深刻になってきています。また、特定の国や地域を越え、地球的な問題となってきています。いわゆる"環境問題のグローバル化"です。このため、単に一国だけの対応（片務的対応）だけでは不十分で、国際的対応（多数国間対応）が求められています。

人間環境を保全するためには、公共政策の選択の問題として、次のような規制手段の活用が考えられます。

47

● 環境保全策の選択

①　**直接的規制手段（direct control approach）の活用**
環境法(公害規制法)、行政指導・環境保全(公害防止)協定など
②　**市場経済手段（market-based approach）の活用**
排出権取引
③　**間接的規制手段（indirect control approach）の活用**
(イ)補助金～事業者などへの補助金、(ロ)課徴金～大気汚染、騒音などの原因者への課徴金、(ハ)租税～汚染原因物質への消費課税や全廃不可能物質(CO_2など)への排出課税など、(ニ)受益者負担金～ディポジット制、有料ごみ袋制など

　近年、③間接的規制手段の活用が目立ってきています。この場合、(ロ)課徴金や(ニ)受益者負担金を活用するとすると、「税外負担による "隠された増税" と実効租税負担率」との関連などを十分に検討する必要があります。また、(ハ)租税、つまり環境税を活用するとなると、「負担と環境保全（抑止）効果」との関連などを十分に検討する必要があります。こうした点が、よく検討されないままでの環境税の創設は、"最初に増税ありき"となってしまうおそれがあるからです。

◎環境汚染原因者負担原則（PPP）に基づく課税の広がり

　従来から、環境保全をねらいとした租税政策においては、租税優遇措置（タックス・インセンティブ）が広く活用されてきました。つまり、環境法上の責任問題とは一線を画して、汚染原因者である企業や消費者の環境保全設備投資（工場設備、低公害車など）に対し、税制を通じて補助（減税）するやり方がとられてきました。

　しかし、1972年にOECD（経済協力開発機構）が環境汚染原因者には、租税優遇措置ではなく、課税強化措置をとるべきとの原則（PPP=Polluter Pays Principle）を採択しました。つまり、タックス・ディスインセンティブ措置あるいはタックス・ペナルティ（懲罰税）措置を講じるように各国に訴えたわけです。このため、各国は、次第に環境汚染原因者負担原則（PPPルール）に基づいた環境対策税制を採用するようになってきています。

◎課税ベース面からみた環境対策税制の現状と課題

　税金をかけるベースを「課税ベース」といいます（☞1.2.2）。ふつう課税ベースは、大きく「所得」、「資産」および「消費」に分けて、とらえられています。ただ、環境対策税制の課題について検討する場合、これらに加え、「排出」を入れて考えるのがふつうです。以下の図は、課税ベース別に、環境対策税制上の課題についてまとめたものです。

---

① 「所得」課税面からの対応－タックス・インセンティブの活用と制限

（イ）「特定設備等の特別償却」（措置法43①）、（ロ）環境税額（負担した消費税額、排出税額など）、環境関連課徴金、原状回復費（健康回復費、環境回復事業費など）の控除・損金経理の是非

② 「資産」課税面からの対応－タックス・インセンティブの活用

（イ）固定資産税面　i）「特定設備等」への課税標準の特例（地税法附則15）、ii）自然環境、歴史的環境、都市緑地などの保全をねらいとした条例による減免、（ロ）相続税面　自然環境、歴史的環境、都市緑地などの保全をねらいとした課税除外措置創設の是非

③ 「消費」課税、「排出」課税面からの対応－タックス・ペナルティの活用

（イ）PPPルールに基づく消費課税、排出課税　i）全廃可能物質（特定フロン、農薬など）への消費課税、ii）全廃不可能物質（CO_2など）への排出課税、（ロ）環境汚染原因物質への個別消費課税　i）化石燃料（石油、石炭など）への課税、ii）製品ベース課税（低公害車への課税の減免、旧型車への割増課税）、iii）毒性廃棄物、農薬、化学肥料、新材パルプなどへの課税、（ハ）大気への排出物質に対する排出課税　i）排出税の創設、ii）地球環境保全対策としてのCO_2税、iii）排出税収の分配と保全効果

◎通貨取引税、金融取引税、トービン税などの地球環境税化の動き

　EU諸国を中心に、地球環境保全や途上国の貧困撲滅・生活環境改善対策の財源確保をねらいとした「通貨取引税（CTT＝currency transaction tax）」、「金融取引税（financial transaction taxes）」（以下「CTT」といいます。）の導入を提唱する動きが加速しています。CTTは、税収をグローバルに配分する仕組みとすることで「国際連帯税」にデザインすることも可能です。

　CTTは、米イェール大学教授でノーベル経済学賞を受賞したジェームズ・トービン（James Tobin: 1918年－2002年）が提唱したことから「トービン税（Tobin tax）」ともよばれます。投機的な短期の国際間の資金移動（具体的には通貨・

為替取引）の抑制をねらいとした新税構想です。（スポット現物取引だけでなく、デリバティブ、先物、オプションなどの取引も含むべきとの提案もあります。）税率は軽微（0.1〜0.05％）ですが、投機家が棚ぼた利益をねらいに短期取引を頻繁に繰り返すと、税負担が大きくなる仕組みです。流通税（☞1.2.1）の一種といえます。したがって、金融機関の事業活動に課税する事業税ないし消費者が税負担をする消費税とは異なります。

◎問われる森林環境税（国税）の導入

　民有林の間伐や林道整備など「森林保全」に使う特定財源を確保し自治体に配るために、国税として、森林環境税および森林環境譲与税が導入されました。森林環境税は、全国の市（区）町村が個人住民税に上乗せして徴収し、一度国の交付税および譲与税配付金特別会計に納めたうえで、森林環境譲与税として、民有林の面積などに応じて都道府県や市（区）町村に配る仕組みです。2024年度から課税し、年額1,000円の“人頭税”として徴収されます。

　この課税をしたら、本当に森林環境の改善につながるのか何の保証もないわけです。特定の目的を掲げて、次々と個人住民税に追加して庶民増税をする流れには強い異論があります。「道路特定財源」のように、使い道を限定した特定財源はこれまでも無駄遣いの温床として問題となっています。納税者へのていねいな説明が必要です。

（石村　耕治）

〔アドバンス文献〕石村耕治『地球環境保全と環境税法〔朝日大学国際取引法研究所・問題研究 2 号〕』（1991年、朝日大学）、石弘光編『環境税』（1993年、東洋経済新報社）、日本租税理論学会編『環境問題と租税〔租税理論研究叢書11〕』（2001年、法律文化社）、Iosias Jody, European Union Financial Transaction Tax (2011, Cred Press)

PART1 税法の基礎知識を学ぶ

1.3 課税庁の仕組みと役割

　国や地方（公共）団体において税金を担当する行政庁は、大きく税法の企画立案を行う組織と、税法の執行を行う組織とに分かれます。一般に、税法を執行し、税金を賦課徴収する組織は、課税庁（租税行政庁／税務行政庁）とよばれます。

　国の税法の企画立案をする組織は、財務省主税局です。他方、国の税法を執行し、税金を賦課徴収する組織（課税庁）には、国税庁・国税局・税務署があります。国税庁は、財務省の外局として位置付けられ、全国に11の国税局と沖縄国税事務所をかかえる組織です。そして、それぞれの管内に税務署（総数524署）をかかえています。

　一方、地方税については、地方税法の企画立案を行う国の組織は、総務省自治税務局です。ただ、国の法律である地方税法は枠法（標準法）です。実際の地方税の賦課徴収は、都道府県および市町村〔地方（公共）団体〕の議会がそれぞれ定めた税条例に基づいて行われます。したがって、地方税の場合、各地方（公共）団体の税務担当部課・税務事務所が、税条例の執行機関（課税庁）にあたります。

　これら国および地方（公共）団体の課税庁で働く職員は、税務公務員または税務職員とよばれます。税務職員は、国家公務員法または地方公務員法の適用を受け、守秘義務を負います。したがって、法的に許される場合を除き、みだりに納税者情報を公開・開示することは禁じられます。一方、課税庁は、国の情報公開法や地方自治体の情報公開条例などのもとで、納税者・住民の求めに応じ、自らが保有する税務行政情報を公開・開示する義務を負います。

51

1.3.1 課税庁とはどんなところか

ポイント

　課税庁の機構は、そして、その組織を定める法律はどうなっているのでしょうか。

◎税務行政機構を知る

　税務行政機構を知ることは、税制のあり方や税務行政のあり方を考えるうえでとても重要です。税務行政の運営を担う行政機関は、国税を扱う機関と地方税を扱う機関とに分けられます（☞1.2.1）。

　国税のうち内国税に関する事務は、財務省設置法に基づいて設置されている財務省が担当しています（財設法2・4①十六以下）。具体的には、内国税に関する制度の調査、企画、立案は財務省主税局が担当します（財組令5）。また、内国税の賦課・徴収は財務省の外局である国税庁（財設法18）とその下部機関である国税局（沖縄国税事務所）（財設法23）、税務署（財設法24）がそれぞれ担当しています。

　関税については、財務省本省の内部部局としての関税局が、関税に関する制度の調査、企画、立案の事務を担当しています（財組令6）。関税に関する行政事務を担当する財務省の地方支分部局として、税関（沖縄地区税関）（財設法12・16）、税関の支署、出張所および監視署（財設法17）が置かれ、関税の賦課・徴収を担当しています。

　地方税（☞1.4.8）を扱う行政機関は、国と都道府県・市町村等の各地方団体とに分けられます。国の行政機関は、総務省設置法に基づいて設置される総務省です（総設法2・4①五十三以下）。総務省には、その部局として自治税務局が設けられており、この自治税務局が地方税に関する制度の調査、企画、立案などを担当します（総務省組織令第2条・第9条・第62条以下）。各地方団体における地方税の行政部局としては、道府県税については、都道府県の総務局、総務部など（東京都においては主税局）においてその事務を行っています。そしてその下部機関として、おおむね、税務署単位に税務事務所などが置かれています。また、市

町村税については、市役所や町村役場の税務課などで税務事務を行います。

◎課税庁とは何か

　一般に、税務行政機構を総称して租税行政庁とか税務行政庁といいます（税務官庁ということもあります。）。そしてこれらのうち、租税の賦課・徴収の業務を行う機関を課税庁といいます。したがって、内国税については、国税庁、国税局、税務署が、関税については税関が課税庁とされます。また、地方税については、都道府県の場合では総務局・総務部（東京都においては主税局）の税務課が、市役所や町村役場ではその税務課が課税庁となります。

（森　稔樹）

〔アドバンス文献〕酒井克彦『クローズアップ租税行政法―税務調査・税務手続を理解する―〔第２版〕』（2016年、財経詳報社）

1.3.2 国の課税庁の仕組み

ポイント

　「国税庁」「国税局」「税務署」は、どんな仕事をしているのでしょうか*。

◎国税庁

　国税庁は、長官官房と課税部、徴収部、調査査察部で構成され、税務を執行するための企画、立案や税法解釈の統一をはかったり、国税局（沖縄国税事務所）と税務署の事務を指導監督します（財組令88以下）。

　国税庁のもとには、全国に11の国税局および沖縄国税事務所と524の税務署があります（財組規544・別表第九）。

◎国税局

　国税局と沖縄国税事務所は、国税庁とほぼ同様の機構を持ち、税務署の事務を指導監督するとともに、例えば、大規模納税者の調査、査察などの犯則の取締、また大口の滞納整理などの特定の事務については、税務署の管轄を越えた広い地域にわたって自ら賦課・徴収を行っています（財組規443の2以下、520以下を参照）。

◎税務署

　税務署は、内国税の賦課・徴収を行う第一線の行政機関です。その意味では、納税者と最も密接なつながりを持つ官庁といえます。各税務署は、それぞれが管轄する区域内で内国税の賦課・徴収の業務を行っています。

◎その他の機関

　以上のほかに、国税庁の施設等機関として、税務職員の教育機関である税務大学校があります。また、特別の機関として、納税者の不服申立ての審査にあたる国税不服審判所（財設法22）があります（☞6.3）。

　各国税局（国税事務所）の所在地には、税務大学校の地方研修所、国税不服審判所の支部が置かれています。

●財務省の機構

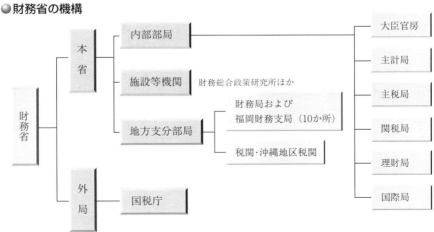

PART1　税法の基礎知識を学ぶ

● 国税庁の機構

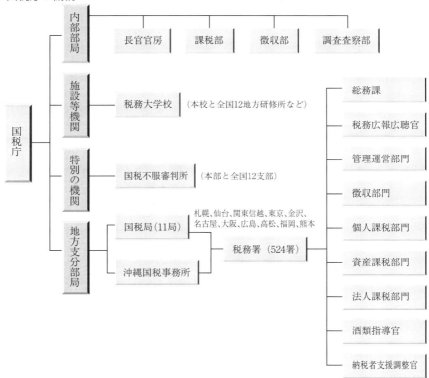

（注）税務署の規模により部門の種類や数が異なります。
（資料）財務省ホームページ・国税庁ホームページ

（森　稔樹）

＊財務省および国税庁の機構については、機構図を参照してください。

〔アドバンス文献〕『財務省の機構〔令和6年版〕』（2023年、大蔵財務協会）。

55

| Column | 国税審議会とは |

国税審議会は、1999（平成11）年に、それまであった国税庁の「国税審査会」、「税理士審査会」、「中央酒類審議会」を統合し、新たに国税庁内に設けられた諮問機関です（財務省設置法21）。国税審議会は、主に①「国税通則法」、②「税理士法」および③「酒類の保全及び酒類業組合に関する法律」に定められた事項を取り扱いますが、これらの他に④「エネルギーの使用の合理化等に関する法律」や⑤「資源の有効な利用の促進に関する法律」、⑥「容器包装に係る分別収集及び再商品化の促進等に関する法律」に定められた事項も取り扱うことになっています（国税審議会令1）。国税審議会には3つの分科会が設けられています。①の事務に関しては「国税審査分科会」、②の事務に関しては「税理士分科会」、③④⑤⑥などの事務に関しては「酒類分科会」の分科会が取り扱うことになっています（国税審議会令6）。これらのうち、国税審査分科会と税理士分科会が、税務専門職や税法研究者、税理士試験受験者や一部免除申請者などに関係が深いものです。

● 国税審査分科会と税理士分科会の主な任務

国税審査分科会が取り扱う事項	・国税不服審判所が通達と異なる裁決をする事案などにおいて、国税庁長官への申出（国通法99①）、同長官がその申出を容認しようとする際に、その事案が国税審査会に諮られた場合（同99②）
税理士分科会が取り扱う事項	・税理士試験の受験資格（税理法5）、試験科目の一部の免除等（同7・8）、合格の取消し等（同9）その他試験委員の推薦などに関し、国税審査会に諮られた場合 ・税理士の懲戒（税理法44以下）に関し、懲戒審査委員の推薦、税理士に対する懲戒手続（同47④）について国税審査会に諮られた場合

国税審議会は、20人以内の委員で組織されます（国税審議会令2①）。これら常任委員は、審議会本会に属するとともに分科会にも配属されます。複数の分科会での兼務も可能です。

これら常任委員にほかに、臨時委員をおくことができます（同2②）。また、税理士試験に関しては試験委員をおくことになっています（同2③）。さらに、税理士の懲戒処分審査に関しては懲戒審査委員をおくことになっています（同2④）。

常任委員および臨時委員は、財務大臣が任命します（国税審議会令3①）。試験委員は試験ごとに、また懲戒審査委員は必要に応じて、それぞれ実務および学識経験者のなかから、審議会の推薦に基づき、財務大臣が任命することになっています（同3②・③）。

任期について、常任委員は2年（再任可）です（国税審議会令4①）。臨時委員は特別事項の調査審議終了時までです（同4②）。そして、試験委員や懲戒審査委員はその任務の終了時までです（同4③）。委員は、いずれも非常勤です（同4⑤）。

国税審議会の会議は、会長が招集します（国税審議会議事規則1）。会議は非公開となっています（同5）。分科会への付託は、会長が決めることになっています（同3）。分科会の委員の数は、国税審査分科会が10人以内、税理士分科会が3人以内、酒類分科会

PART1 税法の基礎知識を学ぶ

が10人以内となっています（同6①）。また、税理士分科会に属する試験委員および懲戒審査委員の数は、税理士分科会の定めによることになっています（同6②、税理士分科会議事規則3・4）。2001（平成13）年2月に第1回の国税審査会が開かれ、現在にいたっています。

（石村 耕治）

（注）国税審議会について詳しくは、
https://www.nta.go.jp/about/council/shingikai/010216/shiryo/11.htm参照

1.3.3 地方の課税庁の仕組み

ポイント

都道府県税、市町村税を課す役所はどう組織されているのでしょうか。

◎地方税の税務行政機構

地方税についての行政機関には、国の機関と各地方団体の行政部局があります。国の機関である総務省自治税務局は、地方税に関する制度を企画・立案する事務を行います。このほか、地方団体の課税権の帰属、その他地方税法の規定の適用について関係地方団体の長が意見を異にする場合の決定・裁決等の事務や、固定資産の評価について固定資産評価基準を定め、あるいは技術的援助等を与えるなどの事務を行います（地税法388①④）。

総務省には、地方財政審議会が設置されています（総務省設置法8①・9①）。この審議会が有する権限は広く、たとえば、地方税法の規定する事項に関して、総務大臣に対して必要な勧告を行うこと、および、関係機関に対し、意見を述べることができます（同9②③）。また、総務大臣が固定資産評価基準を定める際には、地方財政審議会の意見を聴かなければなりません（地税法388②）。

57

◎都道府県・市町村の税務行政機構

　都道府県や市町村では、地方税の賦課・徴収のためにそれぞれの行政部局を設けています。例えば、東京都には、主税局に総務部、税制部、課税部、資産税部、徴収部という部局があります。また、各道府県では総務局財政部税制企画課、課税課、税務課、税務局、県税事務所、自動車税事務所などの部局を設け、各種地方税の賦課・徴収を行っています。市町村は、税務部や財政局といった部局を設け、その内部に市民税管理課、資産税管理課、収納対策課あるいは住民税係、資産税係、徴収係などの部局を設け、各種地方税の賦課・徴収を行っています＊。

　個人の道府県民税については、市町村においてその市町村民税と併せて賦課・徴収が行われます（地税法41①、319②）。また、他の道府県税についてその賦課・徴収に関する事務を市町村に委任することが認められています（地税法20の3①但書）。さらに、地方団体相互において徴収の便宜を有するものに徴収の嘱託をなすことが認められています（地税法20の4①）。

　地方税について賦課・徴収の処分をなす行政庁は各地方団体の長です。しかし、地方団体の長は、その権限の一部を、条例の定めるところにより、税務事務所等の長に委任することができます（地税法3の2）。不服申立機関として、とくに固定資産税について、固定資産課税台帳に登録された価格に関する不服を審査決定するために、市町村に固定資産評価審査委員会が設けられています（地税法423）。

＊ここに記した組織の名称は一例です。地方団体によって名称が異なることに注意する必要があります。詳細は、総務省のホームページ（「地方税制度」や「組織案内」）、各地方団体のホームページを参照してください。

（森　稔樹）

Column 「地方公共団体」、「地方自治体」、「地方団体」、「公共団体」、「指定都市」はどう違う

　憲法では、地方自治をになう政府を「地方公共団体」といっています（憲法92）。その具体的な種類については法律で決めるようにまかせています。そこで、地方自治法という法律では、図にすると、地方公共団体を次のように定めています（自治法1の3）。ちなみに、地方公共団体はどれも法人です（自治法2①）。

PART1　税法の基礎知識を学ぶ

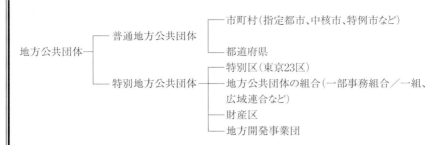

　憲法は「団体自治」と「住民自治」を制度的に保障し、かつ、地方公共団体の組織・運営に関する事項は法律で定めることにしています。この場合の地方公共団体とは、厳密には普通地方公共団体のことをさします。したがって、特別地方公共団体には、憲法の保障が及ばないとされます。ただし、特別区（東京23区）は別格で、市と同じような組織を持ち、かつ、業務をしていますから、一般には、特別区を含めて"自治体"ないし"地方自治体"とよんでいます。ちなみに、自治体のうち、行政区画として最小の単位である市町村または市区町村は、「基礎自治体」ともよばれます。ただし、後述の指定都市内にある行政区は基礎自治体に入りません。また、複数の基礎自治体からなる都道府県は「広域自治体」ともよばれます。
　一方、地方税法では、「地方団体」という言葉を使っており、「地方団体」とは「道府県又は市町村をいう」と定めています（地税法1①一）。
　こうした構図から、地方税法にいう"地方団体"と地方自治法にいう"普通地方公共団体"とを形式的に比べてみると、前者"地方団体"は都（東京都）以外のものということになります。
　それでは、なぜ地方税法が"地方団体"という独自の言葉を使っているのでしょうか。
　地方税法では、例えば、2011年に廃止されましたが、かつてあった全部事務組合は、地方自治法にいう特別地方公共団体であり、"自治権"を有していないとしても、地方税法では課税面において一町村（地方団体）とみなされ課税権を有していました（旧地税法1④）。また、都と特別区は、道府県と市町村に比べると課税関係において特殊な面があるので、地方税法では、まず道府県と市町村について定め、これらの規定を都と特別区に準用するかたちをとっています（地税法1②・734～737・739）。このように、地方税法は、とりわけ課税権を有する団体について定めたものであり、「地方団体」という言葉を使った方が合理的なためと説明されています。また、地方交付税法でも、「地方団体」という言葉を使っていますが、「都道府県及び市町村」と定義しています（交付税法2①二）。
　ちなみに、所得税法（別表１）、法人税法（別表１）など他の税法では、「地方公共団体」という言葉を使っています。また、地方揮発油税法では、「都道府県及び市町村（特別区を含む。）」（地揮税法1）という言い回しを用いています。さらに、国家賠償法では「国又は公共団体」という言葉を使っています（国賠法1①）。ここでいう「公共団体」には、地方公共団体のほか、公共組合や特殊法人、税理士会や弁護士会などが含まれます。

59

それから、「指定都市」という制度があります。指定都市とは、地方自治法252条の19第1項〔指定都市の権能〕の規定に基づき政令で指定する法定人口50万以上の市をさします。「政令指定都市」あるいは略称で「政令市」ともよばれます。警察法（46の2）や道路法（17①②）などの法律では「指定市」と記されています。わが国の大都市制度の一つです。2022（令和4）年10月末現在、さいたま市、名古屋市、大阪市をはじめとして全国に20市あります。指定都市は、条例で区を設けることとされています（自治法252の20①）。この区は、東京都の特別区などと区別して、通称で「行政区」とよばれます。指定都市は、例えば、条例で認定NPO法人に対する個人住民税の寄附金控除受入適格にかかるパブリック・サポート・テスト（PST）要件を独自に指定することができます（NPO法45①一ハ）。指定都市は、基本的に都道府県が行う事務のほとんどを独自に扱うことができ、都道府県と同格とされます。このため、二重行政問題を浮かび上がらせる制度ともいえます。また、この制度は、二重行政解消に向けた近年の大阪市と大阪府が一体化する大阪都構想や、名古屋市と愛知県が一体化する中京都構想の動きとも深いつながりがあります。

　研究大学院で論文を書こうとする人や司法試験など国家試験をねらう人は、用語の使い方や違いを頭の中にたたき込んでおいてください。

（石村　耕治）

〔アドバンス文献〕北村　亘『政令指定都市─100万都市から都構想へ〔中公新書〕』（2013年、中央公論新社）、柏原・西村・自治体問題研究所編『指定都市の区役所と住民自治』（2012年、自治体研究社）

1.3.4　課税庁保有情報の開示

ポイント

> 　課税庁保有情報は、大きく「税務行政情報」と「納税者情報」とにわけられます。税務行政情報は、情報公開法や情報（公文書）公開条例でみせてもらえます。一方、納税者情報は、個人情報保護法などや個人情報保護条例などでみせてもらうことができます。

◎課税庁保有情報の分類と開示根拠法

　課税庁は、さまざまな情報を大量に持っています。これらの情報は、大きく「税務行政情報」と「納税者情報」に分けることができます。もう少し細かく

いうと、それらは、次のように、（1）国の課税庁保有のものと、（2）地方の課税庁保有のものとに分けることができます。

　課税庁保有情報を分類し、それぞれの開示請求をする際に根拠となる法律などをあげると、次のとおりです。

● **課税庁保有情報の分類と開示根拠法**

情報保有主体	**（1）国の課税庁保有情報**	
情 報 の 区 分	《税務行政情報》	《納税者情報》
開示対象情報	財務省、国税庁、国税局、税務署、総務省自治財政局・自治税務局などが保有する各種の税務行政情報	a）個人納税者、b）法人納税者、c）破産財団など*
開 示 根 拠 法	情報公開法	個人情報保護法、国税通則法など
情報保有主体	**（2）地方の課税庁保有情報**	
情 報 の 区 分	《税務行政情報》	《納税者情報》
開示対象情報	都道府県、市区町村の税務担当部局が保有する各種の税務行政情報	a）個人納税者、b）法人納税者、c）破産財団など**
開示根拠条例	情報（公文書）公開条例***	個人情報保護条例、地方税条例など

* 　なお、現行法制のもとでは、個人納税者情報や納税証明目的での納税者情報の開示などの場合（☜1.3.5）を除き、課税庁保有の納税者情報開示制度は、整備されていません。

** 　なお、自治体にもよりますが、地方税上の納税者情報の開示は、固定資産税の評価・課税・納税証明書の交付などを含む納税証明目的での納税者情報の開示を除き、納税者情報開示制度は整備されていません。

◎税務行政情報の公開制度の仕組み

　課税庁が持つ情報を開示してもらうということは、2つの意味があります。1つは、「税務行政情報」を公開・開示してもらうことです。そしてもう1つは、「納税者情報」、つまり課税庁に納税者本人が自分についてどのような情報を持っているか見せてもらうことです。

　まず、「税務行政情報」の公開・開示制度について説明します。

　情報公開法（正式には、「行政機関の保有する情報の公開に関する法律」）が2001年4月1日から施行されました。これにより、国の課税庁が保有する税務行政情報を請求すれば、だれでもみせてもらえることになりました（公開法3）。請求された情報（行政文書）は、原則として開示されます。

また、文書閲覧窓口制度もあります。これは、「閲覧目録」に掲載されている文書を、閲覧請求し、みせてもらうものです（例えば、事前照会文書回答手続（☛1.4.6）における回答文書の閲覧）。情報公開制度は有料ですが、文書閲覧窓口制度は無料です。

◎国の税務行政情報開示請求の手順

　財務省、国税庁、国税局、税務署など国の課税庁が保有する情報（行政文書）は、それぞれの機関の情報公開窓口に開示請求書を提出する必要があります（公開法4）。なお、開示請求対象の行政文書に不開示情報がある場合には、その部分は開示されません（公開法6）。例えば、個人、法人などの権利利益や、国の安全、公共の利益などが関係する場合です（公開法5二・三）。

　開示請求から開示の実施までの手順は次のとおりです。

```
①開示請求書の提出（公開法4）
    │　（原則30日以内）
②開示（不開示）決定通知書等の通知（10）
    │　（30日以内）
③開示に実施方法等申出書の提出（14）
    │
④開示の実施
```

　課税庁に開示請求をしたが、不開示（決定）を受けたとします。あるいは、自分のことが書かれている情報（文書）を不開示にして欲しいのに開示（決定）されたとします。課税庁に開示請求をしたが、期限までに開示・不開示の決定がない（不作為）とします。こうした場合には、開示決定・不開示決定（開示決定等）の取消し・変更や開示決定等をするように、国税庁長官に審査請求をすることができます（公開法18）。審査請求は無料です。

　国税庁長官は、審査請求があった場合には、情報公開・個人情報保護審査会に諮問します。そして、審査会から諮問に対する答申を受けて、原則として、その答申に従って審査請求に対する裁決を行うことになっています（公開法19）。

●情報公開・個人情報保護審査会による納税者からの審査請求処理ルート

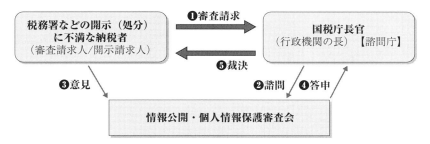

＊厳密にいうと、「公開」とは、情報をみせてもらえる人を、広く一般の国民ないしは住民を対象とする場合に使われます。一方、「開示」とは、本人という限定された人を対象とする場合に使われます。ただ、ふつう、双方の言葉はほとんど同じ意味で使われています。

◎開示された国の税務行政情報の例

情報公開法を使って、市民・納税者は、さまざまな情報を知ることができるようになりました。いくつかの例を示すと、次のとおりです。

- 国税不服審判所（☞6.3）の非公開裁決 （国税不服審判所の裁決で、1991（平成4）年1月以降の分についてはおおむね年4回、国税不服審判所のホームページ（HP）[https://www.kfs.go.jp/annai.html] に公表されており、「裁決事例全文の調べ方」を検索すれば、入手できます。しかし、1991（平成4）年1月以前の分の裁決事例全文は、HPにアップされていません。このことから、公表されていない裁決事例を調べるには、情報公開法に基づく開示請求を行う必要があります［行政機関の保有する情報の公開に関する法律に基づく処分に係る審査基準2005（平成17）年4月／最新改正2017（平成29）年8月 https://www.kfs.go.jp/other/pdf/disclosure.pdf］【公開法9①に基づく開示請求】
- 納税者支援調整官（☞6.1 Column）が整理した苦情処理事案整理票 【公開法9条1項による開示情報】
- 国税庁 納税者支援調整官の事務運営について（事務運営指針） ［改訂現行版：国税庁長官発出［2010（平成22）年6月15付官相3 官総8－12］【公開法9①に基づく開示請求】
- 国税庁 質問応答記録書作成（☞5.3.7）の手引（事務運営指針） ［改正版：国税庁課税総括課情報第7号［2017（平成29）年6月30日］【公開法9①に基づく開示請求】

◎国税上の納税者情報の開示請求

納税者は、個人情報保護法（個情法）＊に基づいて、自分の納税申告書その他課税庁が保有する自己情報の開示を求めることができます (76以下)。

税務著への質問応答記録書に関する情報開示請求手続や定型の申請フォームなどは、国税庁のホームページを見ればわかります。

[https://www.nta.go.jp/anout/disclosure/tetsuzuki-kojinjoho/03.htm]。

開示請求から開示の実施までの手順は次のとおりです。

---

①開示請求書の提出（個情法77）
　　　┃　　（原則30日以内）
②開示(不開示)決定通知書等の通知（83）
　　　┃　　（30日以内）
③開示の実施方法等申出書の提出（87）
　　　┃
④開示の実施

＊　　　2021年7月の法改正で、従来は、三本立であった個人情報保護法制は2022年4月1日から一本化されました。従来の「行政機関個人情報保護法」などは廃止統合されて、個人情報保護法になりました。

＊＊　　自己情報については、情報公開法（3①および4①）による開示請求も可能です。しかし、情報公開法による開示請求の場合、開示請求者本人の情報でも個人情報であれば原則不開示となります。したがって、情報公開法による開示請求は、理論的に可能であっても、実益はありません。

＊＊＊　なお、写し（コピー）の入手をはじめとした各種開示請求は、本人のほか、代理人（法定代理人のほか条件があえば任意代理人も）できます（個情法76①・②）。

● 納税者等による個人情報保護法上の開示手続

　個人情報保護法（個情法）に基づいて、個人が、自分の納税申告書その他課税庁が保有する本人情報の開示を求めたとします（76以下）。開示された情報の内容に誤りがあると思ったとします。この場合、開示した課税庁に対して内容の訂正を求めるができます（90以下）。また、課税庁に利用停止を求めることもできます（99以下）。利用停止・不利用停止の決定は、原則として30日以内に行われ、当該個人に通知されます。しかし課税庁の開示決定（開示内容や不開示）を不満に感じたとします。この場合は、行政不服審査法をもとに国税庁長官にクレーム（審査請求）をすることができます（行審法4）。国税庁長官は、審査請求があった場合には、情報公開・個人情報保護審査会に諮問します。そして、審査会から諮問に対する答申を受けて、原則として、その答申に従って審査請求に対する裁決を行うことになっています（105）。

[https://www.soumu.go.jp/main_content/000401133.pdf]。

当該個人は、不服申立ての手続を経ずに、行政事件訴訟法に基づき、決定があったことを知った日から、6か月以内に、国を被告として（訴訟において国を代表する者は法務大臣となります。）、裁判所に処分の取消しを求めて訴えを起こすことができます（なお、決定があったことを知った日から6か月以内であっても、決定の日から1年を経過した場合には、処分の取消しの訴えを起こすことができません。）(行訴法8、14)。

◎国税不服審判所の審査請求手続での閲覧請求

国税不服審判所での審査請求手続 (☛6.3) において、納税者の請求があれば、審判所は、第三者の利益を害するおそれなど正当な理由がない限り、課税庁から審判所に提出されている原処分の根拠資料を閲覧させなければならないことになっています (国通法96②)。この場合の閲覧請求も、広い意味での課税庁保有情報の開示制度の1つといえます。審査請求手続におけるこのような閲覧請求制度は、審査請求手続が書面審理を原則にしていることに起因します。

このように閲覧請求は拒否できないのが原則になっています。ただ、現実の運用には問題がないわけではありません。例えば、まず、課税庁（原処分庁）から原処分の根拠を示す資料が十分に審判所に提出されていないことがあります。また、審判所が職権で原処分庁から取り寄せた資料や独自に収集した資料は一般に、この閲覧請求の対象から外されていることです。むしろ、こうした資料でも開示（閲覧）を原則とし、第三者の利益保護など特段の必要があるときに限り、部分的な開示（閲覧）(例えば、大阪高判昭50.9.30・行集26巻9号1158頁、東京高判昭59.11.20・行集35巻11号1821頁) のような形で対応すべきです。

(石村 耕治)

〔アドバンス文献〕宇賀克也『情報公開法の逐条解説〔第8版〕』(2018年、有斐閣)

1.3.5 課税庁職員の守秘義務

ポイント

　課税庁職員は職務上の秘密について守秘義務を負っています。その内容はどのようなものなのでしょうか。それから、どういった場合に、守秘義務は解除あるいは免除されるのでしょうか。マスコミからの取材、国会や裁判所から証言などを求められた場合はどうなのでしょうか。さらに、「課税処分の根拠資料の開示」や「税務調査への第三者の立会い」の場合、守秘義務との関係はどうなるのでしょうか。

◎課税庁職員の守秘義務とは何か

　課税庁の職員は、職務上の秘密や職務上知ることができた納税者などの情報は、本人の同意ないしは法律で許されない限り、これを漏らしてはならないこととされています。これを税務職員の守秘義務といいます。なお、次のように、税法上の守秘義務は公務員法上のものよりも重くなっています。

●公務員法と税法上の守秘義務の比較

(1)公務員法上の守秘義務(国公法100①・109⑫、地公法34①・60②)	
①　国家公務員 　職員は、職務上知り得た秘密を漏らしてはならない。その職を退いたといえども同様とする。	違反は1年以下の懲役または50万円以下の罰金
②　地方公務員 　職員は、職務上知り得た秘密を漏らしてはならない。その職を退いた後も、また、同様とする。	違反は1年以下の懲役または3万円以下の罰金
(2)税法上の守秘義務(国通法127、地税法22など)	
①　国税 　「国税に関する調査(不服申立てにかかる事件の審理のための調査および[中略]犯則事件の調査を含む。)[中略]国税の徴収[中略]に関する事務に従事している者または従事していた者が、これらの事務に関して知ることのできた秘密を漏らし、または盗用し」てはならない。	違反は2年以下の懲役または100万円以下の罰金

② 地方税	違反は2年以下の懲役または
「地方税に関する調査（不服申立てにかかる事件の審理のための調査および地方税の犯則事件の調査を含む）もしくは実施特例法の規定に基づいて行う情報の提供のための調査に関する事務または地方税の徴収に関する事務に従事している者または従事していた者は、これらの事務に関して知り得た秘密を漏らし、または窃用」してはならない。	100万円以下の罰金

「職務上知ることのできた秘密」とは、「職務上の秘密」よりも広い概念です。職務の遂行に関して知り得たすべての「秘密」が含まれる、と解されています。したがって、ここでいう「秘密」には、税務職員が職務遂行上知り得た納税者の営業状態、家庭の事情なども入ります。また、この場合の「秘密」とは、一般に知られていない事実であって、それを一般に知られると一定の利益を損なうと認められるものを指します。以前は、職務上の上司が秘密に属すると認め、秘密扱いにすることを命じたものはすべて秘密とする、いわゆる「形式秘説」が有力でした。しかし、今日では、当該事項が「非公知」性と「秘匿の必要性」の２つの要件が実質的に備わっているときに守秘義務の対象となる「秘密」にあたるとする解釈、いわゆる「実質秘説」が通説・先例です（最判昭52.12.19・刑集31巻7号1053頁）。

次に、①公務員法上の守秘義務違反と②税法上の守秘義務違反の関係の違いについて考えてみます。例えば国税通則法127条は守秘義務を負う者について、「国税に関する調査〔中略〕に関する事務に従事している者」と規定しています。このように、②税法上の守秘義務違反については、税務行政の特性に着眼して、とりわけ「調査」に関して得られた納税者側の情報（金融プライバシー等）を保護することに力点を置き、保護を強めようとしています。その根底には、「納税者や第三者の信頼と協力を確保し、課税法律関係の基礎となる事実及び資料の開示、提供を促し、もって、円滑に所得税の適正かつ公平な賦課徴収を可能ならしめ、申告納税制度の下における税務行政の適正な執行を確保しようと」（東京高判平9.6.18・訟月45巻2号371頁）するねらいがあります。さらに、①公務員法上の守秘義務違反と②税法上の守秘義務違反との関係については、いわゆる観念

的競合〔１つの行為が複数の罪名にあてはまる場合をさし、観念的競合の処罰については、その最も重い刑により処断されます（刑法54条１項前段）。複数の行為である場合は併合罪となり刑が加重される（刑法45条〜48条）のと比べ、刑が軽くなります。〕にあたります。

　ちなみに、①公務員法上の守秘義務規定〔行政側の情報＋行政客体側の情報の双方を保護する規定〕と、②税法上の守秘義務規定〔調査で得た納税者側の情報・秘密を保護する規定〕はそれぞれ保護法益が異なり、観念的競合関係にないとする見解もあります（北野弘久『税法学原論〔第６版〕』(2007年、青林書院) 444頁参照）。

◎守秘義務が解除または免除される場合もある

　守秘義務があるために、課税庁職員は、相手が公務員であるか私人であるかを問わず、他の者に、職務上の秘密はもちろんのこと、職務上知ることができた納税者情報などを漏らしてはならないわけです。ただ、このような納税者情報開示禁止原則は、法令の定めなどがある場合には、例外的に適用にならないことがあります。この場合には、守秘義務が解除あるいは免除（違法阻却事由の拡大）され、納税者情報の開示が許されることになります。

●法令などにより守秘義務が解除・免除されるケース一覧

(1)納税者本人からの請求にもとづく開示
・国の課税庁が保有する個人納税者情報を、本人請求にもとづき開示する場合（個情法76）。 ・本人請求がある場合に納税証明目的での本人情報を開示するとき（国通法123、地税法20の10にもとづく自治体税条例・手数料条例）。なお、正式な委任状がある場合には、本人の家族や業務上の代理人（弁護士、税理士、司法書士など）からの請求にもとづいて開示があるときも可と解されます。

(2)上司・同僚への職務上必要な開示
・この場合の守秘義務の解除については、一般にあまり問題がないとされています。ただ、納税義務の確定のための税務調査（☛5.3.4）で入手された納税者情報を、滞納処分（強制徴収）（☛5.4.2）などに流用するのは、同じ課税庁内部であるとしても、法律を厳格に解釈すれば問題といえます（国通法126、地税法22など）。

(3)他の役所など(官公署等)からの協力要請にもとづく開示
・個別の税法に定める官公署等への協力要請による場合（国通法74の12、徴収法146の2、地税法20の11など）。ただ、課税庁内部、国の機関と自治体の機関との間では、行政の効率化などを理由に、納税者情報の交換・相互利用が一般化しています。

PART1　税法の基礎知識を学ぶ

(4) 他の個別法令にもとづく開示

・裁判所からの請求・照会・命令がある場合（民執法18②・57④、民訴法186・223①）、捜査などに関する照会（刑訴法197②・279・507）、公営住宅法（34）・生活保護法（29）・児童手当法（28）・児童扶養手当法（30）・職業安定法（11①二）・国民健康保険法（113の2）・国民年金法（108）・介護保険法（203）・税理士法（23）・道路交通法（51の5②）などにもとづく請求がある場合、弁護士法にもとづく報告の請求がある場合（法23の2）、刑事訴訟法による証言を求められた場合で一定の要件が整ったとき（法144）、国会が国政調査権の一環として証言を求めた場合（憲法62・国会法104）、地方自治法にもとづき地方議会の調査権行使・出頭証言・記録提出要請に応じる場合（法98・100）などです。

(5) マスコミ取材にもとづく公表

・悪質な脱税や滞納などに関する納税者情報を開示・報道することが公益目的や租税正義に資し、社会通念上相当と認められる場合（東京高判昭59.6.28・訟月30巻12号73頁）。なお、報道の自由（憲法21）を積極的にとらえ、一方で、公人などのプライバシーをより制限的にとらえようとする立場があります。こうした立場からは、正当な理由がある場合には、できるだけ広く守秘義務を免除すべきであるとする意見もあります。

◎守秘義務と課税処分の根拠資料の開示

　国税不服審判所での審査請求手続（☛6.3）において、納税者の求めがあれば、審判所は、第三者の利益を害するおそれなど正当な理由がない限り、課税庁から審判所に提出されている原処分の根拠資料を閲覧させなければならないことになっています（国通法96②）。この閲覧制度については、その運用面で問題が指摘されているのも事実です（☛1.3.4）。

　また、情報公開法の施行にともない民事訴訟法の一部が2001（平成13）年に改正され、裁判所に対する公務資料の文書提出義務が一般義務化されました（民訴法220四）。ただ、公務員の守秘義務が関係する文書でその提出が公益ないし公務の遂行に著しい支障をきたすおそれがあるものについては、例外として提出を拒むことができるとされています（民訴法220四ロ）。

　この例外の適用・不適用は、課税処分取消訴訟（☛6.5）での裁判所への文書提出義務に関して問題になります。①国税不服審判所での意思決定過程情報を記載した情報などにはこの例外が適用になるとしても、②裁決にかかる最終合議資料や③課税庁が推計課税（☛5.3.9）調査で入手・保有する税務行政情報は、この例外が適用にならないと解されます（ちなみに、東京地判平17.12.15・タインズZ888-1208では、この例外に、①に加え③も含まれると判断しています）。

69

課税庁職員の守秘義務と課税処分の根拠資料の開示との関係は、例えてみれば、1枚のコインの表と裏のようなものです。ですから、課税処分の根拠として使った資料であっても、課税庁職員には守秘義務があるからそれを提出する義務を負わないという考え方も成り立つかも知れません。しかし、こうした考え方をおしすすめていくと、税務争訟（☛6.3、6.5）において根拠（証拠）として開示できない資料を使った課税処分も広く正当と認められることにつながってきます。これは血の通っていない法解釈です。そもそも争訟は納税者の救済がねらいなわけですから、この趣旨にそった常識的な法解釈が求められます。

◎税務職員の守秘義務と税務調査への第三者の立会い

　現実の税務行政においては、税務調査（☛5.3.4・5.3.5）に、税理士以外の第三者が立ち会うことの是非がよく問題になります。通例、税務調査担当者は、第三者の立会いについては、税務調査を行っている公務員に課されている守秘義務に違反することになるといった抽象的な理由をあげて認めません。判決や裁決でも、守秘義務に抵触する（ぶつかる）とするとの理由で、第三者の立会いを認めない課税庁の税務執行を支持する傾向にあります（例えば、さいたま地判平15.9.17・税資253号順号9437・タインズZ253-9437、千葉地判平13.6.5・税資250号順号8916・タインズZ250-8916）。また、税理士法は、無償でも非税理士は税務代理をしてはならないと定めています（税理基通2－1・☛1.6.3）。これを根拠に、税理士以外の第三者の立会いは、税理士法にも違反すると説かれます（裁決平19.10.3・裁集74巻450頁・タインズJ74-5-25）。状況によっては、第三者に立会いを理由に即座に税務調査を打ち切り、推計（☛5.3.9）で税額を算定して課税（更正処分）をする、あるいは、消費税では仕入税額控除（☛2.2.1）を否認する課税処分が行われます。

　しかし、税務調査への税理士以外の第三者の立会いが、公務員法や税理士法違反になるとする考え方には疑問があります。主な理由をあげると、次のとおりです。

PART1　税法の基礎知識を学ぶ

●税務調査への第三者立会いが税務職員の守秘義務や税理士法と抵触しない理由

① 　第三者に立ち会ってもらうかどうかは、本来、調査を受ける納税者側（被調査者）の問題です。つまり、税務調査に第三者を立ち会わせるということは、被調査者である納税者が自己の情報（金融プライバシー等）を第三者に知られてもかまわないとしているわけです。

② 　一方、税務職員の守秘義務とは、税務職員が職務上知り得た納税者の情報（金融プライバシー等）を漏らすことを禁止することです。したがって、被調査者である納税者が第三者に金融プライバシー等を漏らすことと、税務職員の守秘義務とは、本来、別の次元の話です。ところが、税務職員側の問題にすり替えて議論が展開されているわけです。

③ 　仮に、立会いをした第三者が納税者の金融プライバシー等を漏らしたとします。この場合には、当該第三者と納税者との私的自治の問題として対処すればよいわけです。

④ 　第三者は、税務代理行為（納税者の代理人としての行為）を行うために税務調査に立ち会っているわけではありません。したがって、税理士法違反（税理士法2①一・☞1.6.1）の問題は生じないと解されます。

⑤ 　税務調査に第三者を立ち会わせることは、税務調査を可視化し、適正に導くための措置です。納税者に保障された憲法13条、同31条の「適正手続」の権利行使の一手段として認められるものと解されます。ちなみに、国税徴収法や国税通則法においては、捜索の際に、「成年に達した者二人以上」（徴収法144）「成年に達した者」（国通法142）を、一定の場合に立会人として立ち会わせることを規定しています（☞7.5）。これらの調査は、強制調査です。ごく一般的な課税処分のための調査は、間接強制の伴う任意調査です。このことを考え合わせれば、課税処分のための任意の税務調査に第三者を立ち会わせることは、納税者の手続上の権利として認められて然るべきです。そもそも、公務員の守秘義務違反とは、次元の異なる問題です。

⑥ 　税務調査では、反面調査等で得られた情報などとの突き合わせをしたりもします。課税処分のための税務調査に第三者を立ち会わせた場合、こうした反面調査等で得られた情報を第三者にも漏示することにもつながりかねず守秘義務とぶつかるとの主張があります。しかし、こうした職務上知り得た情報のすべてが、直ちに法律が保護の対象としている「非公知」かつ「秘匿の必要性」のある情報にあてはまるとは限りません。逆に、反面調査で得られた情報が「非公知」かつ「秘匿の必要性」のある情報にあたるとすれば、それを被調査者である納税者に開示・漏示すること自体が調査担当者の守秘義務とぶつかることになります。したがって、第三者が税務調査に立ち会うと、反面調査で得た情報が、守秘義務のない者に漏示されることにもなりかねないとの主張は論理的に整合性がないといえます。

⑦ 　青色申告（☞3.2.11）承認を受けている納税者が、税務調査に第三者を立ち会わせたとします。この場合、たとえその第三者が納税者の記帳補助者であっても、調査を打ち切り、青色申告承認を取り消したうえで推計課税をする税務執行が横行しています。ここでも、こうした税務執行の正当化に、第三者は法律上の守秘義務を負わないことから調査担当者の守秘義務違反を問われかねない、との抽象的な理由があげられます（例えば、京都地判平18.10.27・税資256号・296（順号10556）・タインズZ256-10556）。しかし、こうした調査担当者の一般的・抽象的な守秘義務のみを根拠に、納税者の現実的な私的利益を一方的に制限し、立会の排除に拘泥して調査を打ち切るやり方は、合理的とはいえません。「青色申告承認の取消は納税者に与えられた特典を剥奪するものであり、帳簿書類の単なる提示拒否が青色申告承認の取消事由とはされていないことなどにかんがみると、青色申告承認の取消事由の認定は慎重になされるべきであり、第三者の立会いの可否が調査担当者の合理的裁量に委ねられているとしても、調査の場面における被調査者と調査担当者の利害等が具体的に衡量される必要があるというべきである。」とし、青色申告承認取消処分および推計課税処分を取り消した判断もあります（松山地判平14.3.22・税資252号順号9091・タインズZ252-9091。ただし、高松高判平15.01.10・税資253号順号9256〔原判決取消〕、最決平15.06.12・税資Z253号9364〔上告不受理・棄却〕）。

71

わが国では、「税務調査の可視化（見える化）」が重い課題の１つです。アメリカやオーストラリアなどのように、税務行政の透明化に向けて、反面調査先を知る権利、第三者の立会権や録音権などを積極的に認める方向へ大きく転換できるのかどうかが問われています（☞5.3.5 Column）。この場合、課税庁側の一方的・抽象的な守秘義務の主張をいかに抑制できるかがカギとなります。つまり、租税手続の透明化と課税職員の守秘義務の適正化とは一体のものとして検討される必要があります。

◎内部通報者保護制度と公務員の守秘義務

課税庁職員が、内部での不正行為を公にする必要があると考えたとします。この場合、いわゆる「内部告発」をすることも可能です。現在、内部告発は、負のイメージを払拭するため「公益通報」、「公益通報者」と呼ばれ、2004年に制定された公益通報者保護法で保護されています。公益通報者保護法は、公益通報をした労働者(公務員を含みます。)を保護することも目的としています(法1)。

(1) 公務員による内部通報の特徴

国家公務員法や地方公務員法などでは、公務員に対して守秘義務を課しています。加えて、公益通報保護法は、公益通報した公務員については、原則として国家公務員法や地方公務員法（その他国会職員法、自衛隊法）などの定めにしたがうと定めており（法7）、私企業の労働者との違いが強調されています。

この背景には、公務員は「法律または人事院規則に定める事由による場合でなければ、その意に反して降任され、休職され、または免職されることがない。」(国公法75①、なお、地公法27①～③にも同様の規定があります。)と法律面でしっかりと身分保障されていることがあります。加えて、むしろ、公務員は、職務にあたり犯罪があると考えられる場合には、告発を行う義務が課されていることがあります。この点について、刑事訴訟法は、「官吏または公吏は、その職務を行うことにより犯罪があると思料するときは、告発しなければならない。」(法239②)と定めています。

また、公益通報者保護法では、一般職の国家公務員等の任命権者は、公益通報をしたことを理由に不利益な取扱いがされることにないように一定の配慮を

するように求めています（法7）。これを受けて、内閣府は、2005（平成17）年
7月に「国の行政機関の通報処理ガイドライン（内部の職員等からの通報）」
を発出し、その後2017（平成29）年3月〔最新改正・2022（令和4）年6月〕に「公益
通報者保護法を踏まえた国の行政機関の通報対応に関するガイドライン（内部
の職員等からの通報）」に改称・改正したガイドライン（以下「行政機関通報
対応ガイドライン」といいます。）を発出しています。

　一般に、主な通報先としては、機関内部の窓口、監督官庁、外部（マスコミ等
を含みます。）などが考えられます。行政機関通報対応ガイドラインでは、各行政
機関に対し、内部に通報窓口、外部に弁護士等は配置した窓口の設置に努める
ように推奨しています。

　国税庁は、この行政機関通報対応ガイドラインに準拠し、「国税庁の職員等
からの公益通報（内部通報）受付相談窓口」を設け、国税庁の職員などからの
公益通報や職務上の法令違反に関する通報を受け付けています。

　わが国は、いわゆる「内部通報前置主義」を採っていないので、直接外部へ
の通報・公表も可能と解されます。この点については、解釈が分かれます。外
部通報に先立って内部的な努力により問題の是正を試みるべきであるとする裁
判例があるので注意を要します（東京高判平14.4.17・労判831号65頁（群英学園（解雇）事件）、
東京地判平23.1.28・労経速2102号3頁（学校法人田中千代学園事件）参照）。

　ちなみに、嫌がらせ目的の通報や通報対象事実（法2③・法2関係別表）として
列挙されていない違法行為の通報、真実相当性のないマスコミへの通報などは
保護されません。

⑵　行政の透明化・国民の知る権利を後押しするための公益通報者保護法見直し

　密室行政の流れを変えよう、国民の知る権利を大事にしようということで、
国および自治体レベルで情報公開法や条例が制定されました。

　しかし、2017年に、私立学校（大学・小学校）の設置認可をめぐる不透明な行
政運営に、国会や国民の間に激震が走りました。旧態然とした財務省や文科省の
密室行政が露わになりました。さらに、元文科官僚による内部告発が政界を揺る
がし、当時の文科副大臣は、2017年6月30日に「告発内容が法令違反に該当しな

い場合、非公知の行政運営上のプロセスを上司の許可無く外部に流出されることは、国家公務員法（違反）になる可能性がある。」と述べました。しかし、不正を糾した人が護られない現行の公益通報者保護法は、その使命を果たしていないのではないかと大きな疑問符がつきました。公益通報者保護法制は、真に行政の透明化・国民の知る権利を後押しできる仕組みに見直しが必要です。

（石村　耕治）

〔アドバンス文献〕北野弘久『税法学原論〔第6版〕』（2007年、青林書院）第22章・24章、三木義一「税務調査における第三者立会と守秘義務」立命館法学271・272号、玉国文敏「徴税資料の秘匿と国家公務員法100条1項の『秘密』の意義」ジュリスト569号128頁、伊藤眞「証言拒否権の研究（1）～（3）」ジュリスト1051号～1053号、地方税事務研究会編著『事例解説　地方税務とプライバシー〔改訂版〕』（2013年、ぎょうせい）、石村耕治「行政の効率化のための納税者情報の利用と保護」税2004年10月号、東京弁護士会編『公益通報者保護法と課題と通報制度におけるノウハウ』（2015年）消費者庁消費者制度課編『逐条解説　公益通報者保護法』（2016年、商事法務）、牧本公明「公務員による公益通報の保護の現状と『表現の自由』」松山大学論集24巻6号（2013年）

Column　不要な調査をなくすための標準経費率/概算経費率の公開・公表

　各種税法は、概算経費率での課税ベースの算定を認めています。所得課税の面では、社会保険診療報酬の所得計算の特例（措置法26）、家内労働者等の事業所得等の所得計算の特例（措置法27条）、山林所得の概算経費控除（措置法30①）、給与所得控除（所税法28②・③）、退職所得控除（所税法30②・③）などの取扱いがあります。消費課税の面では、簡易課税（消税法37①）の取扱いがあります。

　こうした税法令で認められた概算経費率での課税取扱いとは別に、税務署内部に税務調査対象選定基準のようなかたちで概算経費率が存在しているのかどうかです。

　かつて、大阪国税局が事業所得者に対する課税事務を行う際の推計等の資料とするために作成した「営業庶業等所得標準率表」や「所得業種目別効率表」を、税務職員が外部者に漏らしたことについて、国家公務員法100条1項にいう「秘密」を洩らしたことにあたるとし守秘義務違反で刑事罰を受け、争われた事案があります。下級審はこの処罰を容認し、最高裁も原判決を正当であると容認する決定を下しています。最高裁は、これらの資料を「公表すると、青色申告を中心とする申告納税制度の健全な発展を阻害し、脱税を誘発するおそれがあるなど税務行政上弊害が生ずるので一般から秘匿されるべきものである」との理由をあげています（最決昭52.12.19・刑集31巻7号1053頁）。情報公開法が成立した現在では考えられないような司法判断が、かつては行われていたわけです。

PART1 税法の基礎知識を学ぶ

このように、かつてわが国の課税庁は、非公開の概算経費率、または学者の印税や原稿料は一律44％といった個別通達を発出して、申告や税務調査に利用していた事実があるわけです。しかし、現在の日本の税務実務において概算経費率はどう扱われているのでしょうか？

現金取引の多い事業者に関する概算経費率は現在、税実務においてもほとんど目にすることはありません。しかし各現金取引事業者の業種ごとの経費率に関する平均値などの資料は、国税局で把握しており、これをもとにして調査対象の選別が行われています。

同業、同規模の事業者に比較して売上原価が異常に高いとか、交際費などの額かなり大きいとかを、調査対象を選別する方法として使用しています。このような基準を使って税務調査対象を選定したうえで調査を実施し、課税庁は、客観的な事実関係を把握できた場合には更正処分を行います。しかし、充分な事実関係を把握できない場合は、修正申告の勧奨により処理をする場合が多いといえます。これは、概算経費率のようなアバウトな基準をもとにして更正処分を行うのは、その後の争訟リスクが高いためです。このことから、課税庁は、それぞれの事案を精査し、売上なり経費を推計して課税を行うのが一般的です。

情報公開法が制定された今日、国民・納税者からの開示請求リスクに対応するねらいもあり、課税庁には、内部通達のようなかたちでの「概算経費率は存在しない」建前にはなっています。しかし、実際には課税庁内に税務調査対象選定基準のような形で存在しているといえるのかも知れません。

この点、オーストラリアでは、従来から課税庁（ATO／豪国税庁）が、概算経費率／業種別標準率表を公開・公表してきています。ATOは、現金取引の多い業種の事業者に対して、それらを参考にして確定申告するように奨めています。また、ATOも税務調査対象を選定する際には、それらを使っています。そのねらいは、税務調査の機械化と極小化、人員とコストの徹底した削減・合理化です。

ATOは、納税者サービス改善の一環として、2008年11月に、小規模企業標準経費率（small business benchmarks）を導入しました。標準経費率導入は、小規模事業者が、所得税、法人税、消費税（GST）などの申告をする場合に、同業他者の業績、経費率などを積極的に参照できるようにすることがねらいです。つまり、小規模企業標準経費率の公開・公表は、申告する事業者の予測可能性を高め、税務調査を減らすことにより、自発的納税協力を仰ぐためのツールの提供が目的です。

わが国でも、小規模事業者が安心して所得課税や消費課税の申告ができ、かつ不要な税務調査を減らすために、課税庁が、「標準経費率」ないし「業種別標準率表」などを積極的に公開・公表する政策に転換する時期にきています。納税者サービスについての発想を転換し、納税者が申告しやすい環境を整備する必要があります。

(石村 耕治)

〔アドバンス文献〕ジャスティン・ダブナー「オーストラリア税制と税務手続の概要」国民
税制研究2号

1.3.6 課税庁の納税者サービス・スタンダード

ポイント

課税庁が納税者を「お客様」扱いするのは世界の常識です。わが国の課税庁も「納税者サービス・スタンダード」の確立が必要です。

◎先進各国における「納税者憲章」制定ラッシュ

欧米諸国では、公務員は、文字どおり"パブリックサーバント"、つまり"一般の人たちへの奉仕者"であるわけです。したがって、課税庁職員が、納税者をカスタマー（お客様・customers）として取り扱うことは常識になってきています。

近年、先進各国では、課税庁が、お客様である納税者に接する際の「納税者サービス・スタンダード」を明確にしてきています。そのため、「納税者憲章（Taxpayer's Charter）」や「納税者の権利宣言（Declaration of Taxpayers Rights）」などの制定、租税手続法改革のラッシュが続いています。わが国は、こうした流れに完全に遅れてしまっています*。

●主要諸国での納税者サービス・スタンダード確立の動き

・フランス	1975年	税務調査における憲章
	1981年	租税手続法典制定
・ドイツ	1977年	租税基本法（AO）改正
・カナダ	1985年	納税者の権利宣言、その後、2007年　納税者権利章典を制定
・イギリス	1986年	IR（内国歳入庁）納税者憲章
	1991年	IR新・納税者憲章
	2006年	HMRC（歳入関税庁）サービス公約
	2016年	HMRCあなたの憲章
	2020年	HMRC憲章
・ニュージーランド	1992年	IR（内国歳入庁・お客様(納税者)憲章（その後改定）
・アメリカ	1986年	アリゾナ州「納税者権利章典法」を制定。以降、各州で次々と同様の章典法律を制定
	1988年	IRS・納税者としてのあなたの権利（その後改定）
	1988年	連邦第1次納税者権利保障法（T1）制定
	1996年	第2次納税者権利保障法（T2）制定
	1998年	第3次納税者権利保障法（T3）制定
	2014年	第4次納税者権利保障法（T4）制定
	2019年	納税者ファースト法制定

・オーストラリア	1997年	納税者憲章（その後改定）
・大韓民国	1996年	国税基本法改正
	1997年	納税者憲章
・OECD	1990年	「納税者の権利と義務〜OECD各国の法制調査」発表

・その後、台湾、インド、南アフリカ、ルワンダなどのアップ・カミング諸国を含めて、納税者
サービス・スタンダードや納税者憲章を制定・アナウンスし、租税手続を整備する国が増加

◎納税者憲章制定の意味

　各国が、課税庁の納税者サービス・スタンダードを明確にしてきている背景にあるものは、ズバリ言って、「効率的な政府」の考え方です。イギリスを例にして、少し詳しく説明してみます。

⑴　イギリスにおける納税者憲章の展開

　イギリスの納税者憲章（Taxpayer's Charter）は、サッチャー政権時代に、「効率的な政府」実現の一環として、制定されました。「効率的な政府」をつくるための行政改革、構造改革には、大きく、"量的な改革" と "質的な改革" の2つの側面があるわけです。"量的な改革" とは、ともかく役所や公務員の数を減らすことです。そして、もう一方の "質的な改革" とは、行政サービスの効率化、カスタマー・ベースでのサービス徹底などが課題となるわけです。

　サッチャー政権は、徹底した民営化を進めました。これは、"量的な行政改革" の側面にあたるわけです。一方、"質的な行政改革" については、1991年に遡りますが、イギリス政府は「市民憲章（Citizen's Charter）」を公布しました。この憲章は、市民に対する中央政府の行政サービスの質を改善するためのQC（質的管理）基準を表したものです。つまり、市民憲章は、"質的な行政改革" の基準というわけです。市民憲章の公布後、主な行政機関では、それぞれ、サービス内容と質について詳しい点検が行われました。また、各機関は、サービス提供の基準を設定した憲章を公表しました。

　課税庁は、1986年にすでに「納税者憲章」を公表していましたが、市民憲章が出されたのと同じ1991年に、「新納税者憲章」を公表しました。その後も改定版を公表しています。つまり、納税者憲章は、課税庁の "質的な行政改革"をすすめるためのQC基準であるわけです。それまでの「役所が主役」という

意識を根本から改め、「市民・納税者が主役でお客様」という意識で仕事をすることの誓いであるわけです。課税庁は、納税者憲章が絵に描いた餅にならないように、毎年、お客さまサービスの努力目標値と達成率（例えば、還付申告、税務調査の終了通知など、納税者への対応を含むさまざまな業務処理についての具体的なQC標準作業日数・時間と実測値）などを公表しています。

イギリスの課税庁（2005年に内国歳入庁（Inland Revenue）と関税消費税庁（HM Customs and Excise）の両庁は合併し、現在は「歳入関税庁（HMRC=HM Revenue and Customs）に組織変更されています。合併後、2006年に、歳入関税庁サービス公約（HMRC Service Comment）～納税者憲章（Taxpayers Charter）～を公表しました。

ⓐ 2016年　HMRCあなたの憲章

その後、HMRCは、2009年に、財政法（Finance Act）92条に基づき、「あなたの憲章（Your Charter）」のタイトルで納税者憲章を発出しました。（2016年版は同年1月12日に発出）。

ちなみに、財政法92条は、次のように規定し、HMRCに対して「スタンダードと評価の憲章（Charter of standards and values）」を出すことを法的に義務づけています。

●HMRに憲章発出を法的に義務付ける規定（財政法92条）[仮訳]

> スタンダードと評価の憲章（Charter of standards and values）
> (1)　歳入関税庁長官（Commissioner）は、憲章を作成しなければならない。
> (2)　憲章には、歳入関税庁（HMRC）がその権能行使において国民と対応する際に目標とする行動スタンダード（基準）と評価を記載しなければならない。
> (3)　長官は、
> 　(a)　定期的に憲章をレビューし、かつ、
> 　(b)　必要と認めるときには、改訂または改訂版を発出しなければならない。
> (4)　長官は、少なくとも毎年1回憲章に記載された行動基準および評価を表わしたレビュー報告書を作成しなければならない。

参考までに、2016年のHMR：あなたの憲章～納税者憲章（以下「2016年版憲章」）を抄訳 [仮訳] すると、次のとおりです。

●2016年版HMRCあなたの憲章［抄訳］（2016年1月）

1　あなたの権利～あなた（納税者）が私たち（課税庁/HMRC）に対して期待できること
1.1　あなたを尊重し、あなたを誠実であると取り扱うこと
1.2　有用で効率的かつ実効的サービスを提供すること
1.3　専門知識をもつ者として誠実の行動すること
1.4　あなたの情報を保護し、かつ、あなたのプライバシーを尊重すること
1.5　他人があなたを代理するのを認めること
1.6　苦情に速やかかつ公平に対処すること
1.7　ルールを曲げる、あるいは破る人たちに取り組むこと
2　あなたの義務～私たち（課税庁/HMRC）があなたに期待すること
2.1　誠実に、そして敬意をもって私たち職員と接すること
2.2　税務事務がうまく運ぶように協力すること
2.3　あなたがすべきことを理解し、私たちに常に知らせること
2.4　正確な記録を保存し、自分の情報を保護すること
2.5　あなたの代理人が何を代理しているのかを知ること
2.6　期限内に対応すること
2.7　誤りを避けるために相当の注意を払うこと
3　HMRC（課税庁）についての情報

　問題は、1991年版憲章、2006年版憲章、そして2016年版憲章と内容が最新化されるに従い、納税者の権利（課税庁の義務）よりも、納税者の義務（課税庁の権限強化）項目が格段に増えていることです。イギリスの民間の税の専門職などからは、「納税者憲章」の保守化を危惧する声が高まっています。

(b)　2020年　HMRC憲章

　HMRCは、2020年11月5日に「あなたの憲章」を、「HMRC憲章（MHRC Charter）」に改称し発出しました。。

　参考までに、2023年版「HMRC憲章」（（2023年7月17日に発出）を邦訳［仮訳］すると、次のとおりです。

●2023年版HMRC憲章（2023年7月）

■あなたが租税上の権利が得られるように連携すること

　私たち関税歳入庁（HMRC）は、イギリス（UK）において公的サービスに使うための租税を徴収しています。

　私たちは、あなたが納税義務を果たせるように支援し、かつ、あなたが求めた給付、税額控除、還付その他の支援が得られるようにします。その一方で、私たちは、法律を回避したり、破ったりする一部の人たちに対しては厳しい対応をします。

■歳入関税庁（HMRC）のスタンダード（基準）

・正しく理解してもらうこと

私たちは、あなたに、正確、確実、かつ明瞭な情報を提供します。あなたは、義務を果たし、権利を理解し、かつ、私たちにどのようなことを求めることができるかを知るのに役立ててください。私たちがあなたに情報を求めるとします。その際に、私たちは、あなたが満足かつ正確、しかも決められた期間内に回答してくれるものと信じております。あなたが私たちの求めに同意できないとします。その場合、私たちは、あなたが選択できる対応についてお知らせします。あなたと一緒になって、簡潔かつ速やかに的確な結論に達せるように努めます。

・手間がかからないようにすること

私たちは、あなたの必要性、利便性、即応性、費用の最小化を織り込んで、業務にあたります。

・敏速に対応すること

あなたが私たちに連絡を取ったとします。その場合、的確な水準の専門性を持つ職員が対応します。私たちは、あなたの質問に答え、1回で、またはできるだけ速やかに解決するようにします。また、私たちは、その後のことや、あなたがいつまでに私たちからの回答を望めるか説明します。私たちが誤りをした場合には、できるだけ速やかにその誤りを正します。あなたが私たちの対応に不満があるとします。その場合、私たちは、あなたが、どのように苦情を申し出たらよいのかを説明します。

・あなたを公正に取り扱うこと

私たちは、法律に従い、誰もが正しい額の税を支払い、かつ、給付その他の公的保障が得られるように努めます。私たちは、あなたが真実を語っていると推定します。ただし、そうでないと信じる確かな理由があるときは別です。

・あなたの個人的な事情に配慮すること

私たちはあなたの心配事に耳を傾け、いかなる質問にも明確かつ分かりやすく回答します。私たちは、あなたの幅広い個人的事情を考慮し、必要に応じて特別な支援をします。

・だれかがあなたを代理することを認めること

私たちは、あなたに代わって、会計士、友人または親族のような、あなたを代理する人に、私たちと折衝にあたらせたいというあなたの考えを尊重します。私たちは、あなたが代理することを認めた人だけと折衝します。あなたを護るために、歳入関税庁は、あなたが納税義務を果たすためにあなたを支援する専門職の代理人に求められる基準を有する複数の専門職団体と連携しています。私たちは、こうした基準を遵守しない専門職の代理人とは話し合うのを断ることがあります。

・あなたの情報を安全に保護すること

私たちは、あなたに関して保有する情報を保護し、内密かつ部外秘として取り扱います。私たちは、情報の利用にあたっては、常に公正を期し、法律に従います。

・相互に尊重し合うこと

私たちは、いかなる威嚇、脅迫または迷惑行為も非常に重大なこととととらえています。こうした問題行為には適切な対応をします。私たちは、あなたと、常に、敬意、専門職精神や清廉性の価値観をもって向合います。関税歳入庁（HMRC）職員もまた国民であり、私たちはあなたにも同様な向き合い方を望みます。

イギリスにおける納税者憲章は改訂を重ねるに従い「納税者が主役」のスタンスが後退しています。近年の内向きの保守党政権下で、「課税庁が主役」のスタンスを色濃くしています。サッチャー政権時代にはじめて発出した納税者憲章のようなかつての自由主義的な活気を失っていることが伺えます。

PART1　税法の基礎知識を学ぶ

◎納税者保護のアプローチ

「納税者の保護」をはかろうとする場合には、大きく「古典的なアプローチ」と「現代的な2アプローチ」の2つがあります。

●「納税者の保護」の方法（アプローチ）

古典的なアプローチ《納税者への脅しを強める「ハード・アプローチ」》
執行中心のアプローチ（enforcement-focused approach）。つまり、税務調査の強化・罰則（附帯税等）の強化・一般的な租税回避規定の創設などです。"納税の義務"の遂行を強調し、いわゆる「自発的納税強制（voluntary tax compulsion）」により、税金徴収を図るやり方です。悪質な納税者を見せしめにする一方で、善良な納税者は保護するという姿勢のアプローチです。納税者の保護の制度化についても、裁決・判例・行政先例などが認めた範囲で、最小限の法典化・租税手続の整備をするやり方です。「課税庁が主役」のアプローチです。課税庁は、税務調査に専念し、有償・無償を問わず、税務支援を含む広範な納税者サービスは、税務の専門職団体などへアウトソーシングするという政策も、この種のアプローチの1つに分類されます。
現代的なアプローチ《納税者サービスの徹底を基本とした「ソフト・アプローチ」》
サービス主導のアプローチ（service-oriented approach）です。つまり、国民・納税者に「自発的納税協力（voluntary tax compliance）」を求めるために、「職員の服務ルールの改善やカスタマー・サービスの質的管理（QC）基準の強化を含む納税者サービスの徹底」＋「大胆な手続的権利の保障の仕組みを法制化」双方の面での改革をすすめます。これにより、抜本的な"納税者の保護"を図る方法です。「国民・納税者が主役」のアプローチです。 　こうしたアプローチを採用したのがアメリカで、1998年にIRS再編・改革法（RRA＝IRS Restructuring and Reform Act of 1998、通称「T3」）を施行しました。これに伴い、課税庁（IRS）が「すべての納税者に最高のサービスを提供する」方針をうたったIRSの使命宣言「納税者としてのあなたの権利（Your Rights as a Taxpayer）」を公表しました。従来の「クライアント・サービス」の手法から、民間の「カスタマー・サービス」手法の導入による納税者サービスの徹底、課税庁職員の服務ルールの適正化、租税手続の適正化・透明化を推進しました。さらには、税務支援制度の強化・多角化、大胆な市民ボランティアの活用をはじめとした「国民の国民による国民のため」の申告納税制づくりを推進しました。

◎サービス主導のアプローチ（ソフト・アプローチ）選択の理由

イギリスやアメリカ、オーストラリアなど、多くの先進諸国では、サービス主導のアプローチ（ソフト・アプローチ）を選択するようになっています。この背景には、次のような理由があります。

81

●なぜサービス主導のアプローチ（ソフト・アプローチ）を選択するのか

- ・申告納税制度の仕組み、自発的納税協力の理念を徹底する意味において、"罰則の強化＋課税庁職員の増員で、税務調査の回数を増加させる"といった古典的な手法は、時代遅れです。税務行政サービスの質的改革が問われている時代にはなじみにくいわけです。
- ・「自発的納税協力の教化・納税者サービスの徹底」対「税務調査・罰則の強化」でみた場合、前者の策の方がコスト・パフォーマンスがよいわけです。税務の民営化を含む、幅広い民の経営手法の導入・サービス化が時代の流れに沿う手法です。
- ・とりわけ、罰則の強化策は、調査・附帯税の対象となった納税者と、調査対象外で附帯税の対象とならなかった納税者との間での"不公平・不満"を拡大する懸念があります。申告納税制度への信頼を広げるためにも、ソフト・アプローチが適切です。

◎アメリカIRSの「納税者としてのあなたの権利」を読む

　アメリカでは、「納税者の保護」制度の整備については、①租税手続関連法律の改正と、②課税庁の運営方針（administrative initiative）の公表との二本立てで取り組んでいます。連邦課税庁（IRS＝Internal Revenue Service）は、納税者サービスの運営方針として、「納税者としてのあなたの権利（Your Rights as a Taxpayer）」を公表しています。この運営方針は、1988年にはじめて作成・公表されました。同年、連邦の第1次租税手続改革の典拠となった連邦の納税者権利保障法（TBOR＝Taxpayer Bill of Rights of 1988/T1）が成立したためです。この法律で保障されたものも織り込んで、「納税者の権利」をやさしい文体で、一般納税者向けにアナウンスしたものです。

　その後、第2次納税者権利保障法（T2）、第3次納税者権利保障法（T3）および第4次納税者権利保障法（T4）施行されました[*1]。その度に、「納税者としてのあなたの権利」も改訂されてきました。現在、2017年に新装されたものが公表されています。そこで、2017年版を仮訳・紹介してみます。

IRS納税者としてのあなたの権利（2017年改定）
納税者の権利保障

1．知らされる権利

　納税者は、税法を遵守するために何をすべきかを知る権利を有しています。納税者は、法律やIRS手続通達に関し、あらゆる納税様式、説明書、刊行物、通知および書簡において明瞭な説明を受ける権利を有しています。納税者は、自分の税額計算に関するIRSの決定を知らされ、かつ、結果についての明瞭な説明を受ける権利を有しています。

あなたは不服審査部に申し立てたくない、あるいは不服審査部の判断を受け入れないとします。この場合には、事案を、所轄となる連邦租税裁判所、連邦請求裁判所ないし連邦地方裁判所へもっていくこともできます。あなたが、事案を裁判所へもっていくとします。この場合で、あなたが、自身の租税債務を証明するに十分なだけの記録を保存し、かつ、IRSと協力的であるなど一定の条件を充たしているときには、IRSが事実を立証する責任を負います。裁判所が、事案のほとんどの争点について、あなたに同意し、かつ、わたしたちIRSの主張の大部分を不当であると判断したとします。この場合、あなたは、一定の行政費用や裁判費用の補償をうけることができます。ただし、あなたが、不服申立て制度を利用しその事案を行政的に解決しようとしていないときや事案の解決に必要な情報をわたしたちに提供していないときには、こうした費用の補償を受けることができません。

《徴収》

公刊物594〔IRS徴収手続〕は、連邦税の納付に関し、あなたの権利と義務について、次のように、説明をしています。

- 納付税額がある場合にあなたがすべきこと～この公刊物では、あなたが税金納付通知書を受け取った場合、さらには、その納付通知書に誤りがあると思う場合に、何をすべきかについて説明しています。また、分割納付、滞納処分、徴収猶予および滞納税額免除の申請（OIC）などにもふれています。
- IRSの滞納処分～この公刊物では、リーエン／先取特権、リーエン／先取特権の解除、金銭差押え、金銭差押えの解除、財産差押えと公売、財産差押えの解除などについてふれています。
- IRSが国務省へ重大な滞納税額がある旨を通知する場合には、原則として旅券申請が拒否されかつ旅券が無効になることがあります。

あなたの徴収手続に対する不服申立権については、公刊物1660〔徴収上の不服申立権〕に詳しく説明されています。

《善意の配偶者の救済》

一般に、夫婦合算申告書については、あなたとあなたの配偶者は各々、納期が来たすべての税額、利子税および加算税を支払う義務を負っています。しかし、あなたは、善意の配偶者の救済要件にあてはまる場合には、連帯債務の一部または全部を免除されます。この救済を求めるためには、あなたは、書式8857〔善意の配偶者の救済申請〕を、IRSがあなたから最初に税の徴収を試みた日から２年以内に、提出しなければなりません。〔訳注・以下翻訳中略〕善意の配偶者の救済について詳しくは、公刊物971〔善意の配偶者の救済〕および書式8857をみてください。

《第三者への接触可能性》

一般に、IRSは、あなたやあなたの正式に委任をうけた代理人と直接に折衝をします。しかし、わたしたちIRSは、あなたが提供できなかった情報を必要とする場合やわたしたちIRSが受け取った情報が正しいのかを確かめたい場合には、時おり、他の人たちと話し合いをもちます。例えば、隣人、銀行、雇用主もしくは従業員のような人たちとの接触です。この場合、通例、これらの人たちに、あなたの氏名のような、限られた情報を知らせる必要があります。法律は、わたしたちIRSが求めている情報やある情報の裏づけを取るに必要な範囲を超えてあなたの情報を開示することを禁じています。わたしたちIRSは、あなたの事案に動きがある限り、他の人たちへの接触を続ける必要があります。わたしたちIRSが他の人たちと接触している場合、あなたは、これら接触先の一覧を求める権利を有しています。

《還付》
　あなたは、税を納めすぎたと思う場合には、還付請求をすることができます。原則として、あなたは、最初の申告書を提出してから3年以内か、納税してから2年以内か、いずれか遅い方の期間内に還付請求をしなければなりません。申告書の提出日からか、あるいは還付請求の日から45日以内に還付が行われないとします。この場合、法律に従い、還付加算金が支払われる原則になっています。公刊物556〔申告書の調査、不服申立権、還付請求〕には、還付に関するもっと詳しい情報があります。
　還付期日が来ているのにもかかわらず、あなたが、申告書を提出していないとします。この場合、還付を求めるには、原則として、申告期限の日から3年（更新期間を含む）以内に還付申告書を提出しなければなりません。

《納税情報》
　IRSは、次のようなソースから、書式、公刊物その他の情報を提供しています。
● **タックス・クエッション**：無料の電話番号〔訳注・番号翻訳省略〕
● **書式・公刊物**：無料の電話番号〔訳注・番号翻訳省略〕
● **インターネット**：www.irs.gov

● **小規模企業オンブズマン**：小規模企業は、〔連邦小規模企業庁（U. S. Small Business Administration）の規制監視手続に参加し、同庁に設けられている連邦規制の公正な執行を監視するオンブズマンの〜訳注追加〕無料の電話番号〔訳注・番号翻訳省略〕に電話し、IRSの業務執行に対して意見を述べることができます。
● **財務省税務行政総監**：あなたは、無料の電話番号〔訳注・番号翻訳省略〕に電話し、IRS職員の不正行為、むだ遣い、虚偽もしくは職権濫用について、名前を公表しないかたちで報告することができます。あなたは、匿名でも報告ができます。

2．高い質のサービスを受ける権利

納税者は、IRSとの折衝において、迅速、丁寧かつ専門的な支援を受け、納税者が理解しやすい方法で話をし、IRSから明確で容易に理解できる通知を受け取り、かつ、不満のサービスについて上司と話合いをする権利を有しています。

3．適正な納税額以上の支払いをしない権利

納税者は、法的に期限のきた税額に利子税や加算税を加えた額のみを納付し、かつIRSに対してすべての納付額に適切に充当してもらう権利を有しています。

4．IRSの見解に反論し、意見を聴いてもらう権利

納税者は、公式なIRSの行為または予定される行為に応えて反論しかつ追加的な証拠資料を提供する権利を有しており、IRSは反論や証拠資料を迅速かつ公正に精査し、かつIRSが納税者の意見に同意しない場合にはその旨の回答を受け取る権利を有しています。

5．独立した紛争解決の場で、IRSの決定に不服申立てする権利

納税者は、加算税を含むほとんどのIRSの決定について公正かつ偏見のない行政不服審査を受ける権利を有し、かつ、不服審査部決定にかかる回答を文書で受け取る権利を有する。納税者は、原則として自己の事案を裁判所へ持って行く権利を有します。

6．最終決定を受ける権利

納税者は、その課税年においてIRSが調査を行うまたは租税債務を徴収する期間に加え、IRSの見解に不服を申し立てられる期間を知る権利を有します。納税者は、IRSがいつ調査を終了したのかを知る権利を有します。

7．プライバシーの権利

納税者は、IRSが行う質問、検査または執行行為においては、法律を遵守し、必要性を越えて侵害的であることはなく、かつ、捜索や差押における保護措置や滞納／徴収上の適正手続審理（CDP hearing）を含むあらゆる適正手続を受ける権利を尊重すると期待する権利を有しています

8．秘密を保護される権利

納税者は、自分がIRSに提供したいかなる情報も、自身または法律が認める場合を除き、開示されることはないと期待する権利を有しています。納税者は、職員、納税申告書作成者その他納税者の申告書情報を不正に使用または開示した者に対して適切な処置を講じると期待する権利があります。

9．代理人を依頼する権利

納税者は、IRSとの折衝において自身を代理するために、自身の選択で公認された代理人を依頼する権利を有します。納税者は、自身で代理人を依頼する資力に欠ける場合には、低所得納税者クリニック（LITC）から支援を受ける権利を有しています。

10．公正かつ正当な税制を期待する権利

納税者は、自身が負う債務、支払能力、適時に情報を提供する能力の影響を与える事実と環境を考慮すること税制に期待する権利を有しています。納税者は、自身が財政面で困難を抱えている場合、またはIRSが通常の経路を通じて適切かつ適時に自身の課税問題を解決していない場合には、納税者権利擁護官サービスから支援を受ける権利を有しています。

IRSの使命：アメリカの納税者に対し最高の質のサービスを提供することにより、すべての納税者が自らの納税義務を理解した上で果たせるように支援し、かつ、誠実・公平に税法を執行することです。

■調査、不服申立て、徴収および還付
《調査（検査）》

　ほとんどの納税者の申告は是認されます。わたしたちIRSが、あなたの申告書について照会をする、あるいは申告書を調査対象に選んだとしても、それはあなたが不誠実であるとみてのことではありません。照会ないし調査の結果、もっと税を負担することになるかも知れませんし、あるいはそうならないかも知れません。わたしたちは、何の更正もなくあなたの事案を終了させることになるかも知れません。あるいは、あなたは還付を受けることになるかも知れません。

　調査対象となる申告書の選定は、通例、次の2つ方法のいずれかで行われます。1つは、わたしたちは、コンピュータ・プログラムを使って、金額に誤りがあるとみられる申告書を発見する方法です。これらのプログラムでは、書式1099やW-2のような情報申告書、過去の調査結果の分析、あるいは納税協力度測定プロジェクトで発見された問題項目を基にチェックをします。もう1つは、わたしたちが、外部の情報源を使って、金額に誤りがあるとみられる申告書の確認を行う方法です。これらの情報源には、新聞、公的記録、さらには個人からのものなどがあります。わたしたちが、その情報が正確かつ信頼できると判断したとします。この場合には、その情報を調査対象となる申告書の選定に利用することになります。

　公刊物556〔申告書の調査、不服申立て権、還付請求〕は、わたしたちIRSが調査を実施する際にしたがうべき規則や手続について説明をしています。以下は、わたしたちがどのように調査を行っているかについての概要です。

《書簡による調査》

　わたしたちIRSは、書簡を使って数多くの調査や照会を行っています。わたしたちは、さらに情報を求める手紙、あるいは、わたしたちがあなたの申告書の更正を必要としている理由を記した手紙を送付することがあります。あなたは、書簡で応答するか、あるいは、調査官との個人面談を求めることができます。あなたが、わたしたちに求められた情報を送付する、あるいは説明をしたとします。この場合、わたしたちは、あなたに同意するか、しないかはわかりませんが、その際に、わたしたちは更正を必要とする理由を説明します。あなたに分からないことがあったら何でも遠慮なく手紙で質問をしてください。

《面談による調査》

　わたしたちIRSが個人面談によって調査を実施したい旨をあなたに通知する、あるいは、あなたがこうした面談を求めるとします。この場合、あなたは、あなたとIRS双方に都合のよい合理的な時間と場所で調査を受けられるように求める権利を有しています。IRSの調査官が、あなたの申告書の更正を提案する場合には、更正の理由を説明します。あなたが、そうした更正に応じたくないとします。この場合、あなたは、その調査官の上司と面会し話し合うことができます。

《再調査》

　わたしたちIRSが、過去2年間のいずれかの年にあなたの申告書の同じ事項について調査を行い、かつ、あなたの租税債務にいかなる更正の提案もしていなかったとします。この場合には、できるだけ速やかにわたしたちに連絡してください。そうすれば、わたしたちは、調査を打ち切るべきかどうかを検討することができます。

《不服申立て》

　あなたは調査官の示した更正案を受け入れないとします。この場合、あなたは、その更正案についてIRSの不服審査部で争うことができます。ほとんどの見解の相違は、費用と時間のかかる裁判所での審査を経ることなしに、解決することができます。あなたの不服申立て権については、公刊物5〔あなたの不服申立て権およびあなたが同意しない場合の申立書の作成の仕方〕と公刊物556〔申告書の調査、不服申立て権および還付請求〕に詳しく説明されています。

84

◎わが国で頓挫した納税者権利憲章の制定

　世界の名だたる国々では租税手続改革を実施し、納税者権利憲章を公にして、納税者の権利を尊重する税務行政に大きく舵を切っています。今の自公政権に交代する以前の民主党政権時代に、同政権は、こうした世界の趨勢に遅れまいとして、租税手続の透明化・適正化をねらいに政権マニフェストで「納税者権利憲章」の制定を打ち出しました。

　わが国の課税庁は強力な権限を有しているのにもかかわらず、納税者はそれに対峙できる十分な権利が保障されていないわけです。こうした状況を改善するために、国税通則法を改正し納税者に手続的権利を制度的に保障するとともに、その内容を納税者にわかりやすく説明するために「納税者権利憲章」、「納税者権利保障法」、「納税者権利宣言」など（以下「納税者権利憲章」）を制定・発布しようというのが民主党（当時）の方針でした。

　ところが、大震災後に誕生した民主党野田政権（当時）は、納税者権利憲章の制定を見送りました。しかし、国通法改正修正を含む平成23年度修正税制改正法のなかで、「政府は、国税に関する納税者の利益の保護に資するとともに、税務行政の適正かつ円滑な運営を確保する観点から、納税環境の整備に向け、引き続き検討を行うものとする。」(附則106条) と記しています。ここでも納税者の「権利」の文言が意図的に抜かれていると思われるものの、わが国において納税者の「権利・利益」を確固たるものにするための納税者権利憲章の制定が優先的な政治課題である状況には変わりがありません[2]。

＊1　トランプ前政権は、2019年6月に、「納税者ファースト法（Taxpayer First Act of 2019年）」を連邦議会に提出、連邦議会上下両院を通過し、7月1日に成立しました。納税者ファースト法は、おおむね納税者の権利保障を強化するために租税手続の適正化を推進する内容です。いわば、トランプ版「納税者権利保障法」といえます。

＊2　近年、わが国の国税庁は、『国税庁レポート』という冊子を発行するようになりました。インターネットで国税庁のホームページ(https://www.nta.go.jp/about/introduction/torikumi/report/report2021/index.htm)にアクセスすれば入手できます。この中で、「国税庁の任務と使命」という形で一種の納税者サービス・スタンダードを公表しています。ただ、ここでは、"課税庁が主役"の色合いの濃く、"納税の義務"遂行を支援するのが国税庁の使命であるとのスタンスをとっています。感覚が古いような気がします。財務省は、「国税庁の任務と使命」に沿った達成度をまとめた年次報告書「国税庁が達成すべき目標に対する実績の評価書」(https://www.mof.go.jp/about_mof/policy_evaluation/nta/index.html)を公表する方向にあり、政治の後押しで「課税庁の文化」を大きく変えることが期待されます(☛5.3.5 Column)。

（石村 耕治）

〔アドバンス文献〕 石村耕治『先進諸国の納税者権利憲章〔第2版〕』（1996年、中央経済社）、石村耕治『透明な租税立法のあり方』（2007年、東京税理士政治連盟）、石村耕治「アメリカの納税者権利章典を読む」TC フォーラム研究報告 2020年第 1 号、石村耕治「イギリスの納税者憲章を読む」TC フォーラム研究報告 2020 年第 2 号、石村耕治「アメリカの連邦納税者権利擁護官サービス(TAS)とは何か」TC フォーラム研究報告 2020 年 3 号、阿部徳幸「韓国における納税者権利保護の動向」租税理論研究叢書59号、相澤拓也「台湾の納税者権利保護法案」立命館法学326号、望月爾「納税者の権利保護の国際的展開」租税理論研究叢書33号、ダンカン・ベントレー/中村芳昭[監訳]『納税者の権利：理論・実務・モデル』（2023年、勁草書房）

1.3.7 納税者番号制度、共通番号（マイナンバー）制度とは何か

ポイント

　デジタル化（DX＝デジタルトランスフォーメーション）が急激に進んでいます。経済取引はもちろんのこと、国や自治体の税・社会保障業務が、従来の目に見える「現実空間（リアル空間）」から、目に見えない「ネット空間（デジタル空間/オンライン空間）」にまで大きく拡大しています。

　わが国は、2016（令和8）年1月から個人には「個人番号」（通称で「マイナンバー」）、法人等には「法人番号」を振り、2017（令和9）年11月から「共通番号（マイナンバー）制度」の運用をはじめました。共通番号（マイナンバー）制度は、リアルとデジタル双方にまたがるわが国の巨大な個人認証システム（社会インフラ）です。いわゆる「国民総背番号制」です。

　わが国の共通番号（マイナンバー）制度には大きく3つの狙いがあります。①国家が居住者全員に12ケタの個人番号を振り、現実空間での税・社会保障業務でのリアルID（本人確認）に使うこと、②ネット空間に展開される電子政府/電子自治体（e-Gov/マイナポータル/マイナプラットフォーム）における税・社会保障業務で、"電子番号"ともいえるICチップ（電子証明書の符号）を官製デジタルID（本人確認）に使うこと、③マイナンバーICカード

マイナICカード)、つまり、顔写真つきの国民登録証(公定身分証明書/国内パスポート)の携行を求めること。

「納税者番号制度(納番制)」とは、個人納税者やその家族、企業納税者などに重複しない個別の識別番号をつけて、課税が関係してくる雇用や人的な控除申請、その他さまざまな取引をする際に、その番号を目に見える形で相手方に提示/記載を義務付け、多様な納税者情報を課税庁がトータルに収集/整理(名寄せ)/チェックできる仕組みをさします。課税もれや不正申告を防ぐことが主な狙いです。わが国は、納税者番号として、共通番号(マイナンバー)を転用しています。こうした転用は、国家が各納税者の税と社会保障の情報(データ)をトータルに取集/管理するためです。これにより、税と社会保障の情報(データ)を各人の共通番号(マイナンバー)で効率的に連携/名寄せ(マッチング)しようというわけです。

共通番号(マイナンバー)制度には、データ監視国家化や国民/納税者のプライバシー侵害、さらには、番号を悪用した「なりすまし犯罪」社会化などの面から、強い異論があります。

◎共通番号(マイナンバー)制度の導入

2013(令和11)年5月に、共通番号制導入をねらいとした一連の法律〔行政手続における特定の個人を識別するための番号の利用等の関する法律(以下「共通番号法」)ほか〕が成立しました。

共通番号制は、税や社会保障を始めとした幅広い分野の各種個人情報を共通番号で紐付け、串刺しして政府ポータルサイト(ネット・デジタル政府/政府プラットフォーム)に分散集約管理/利用する「国民総背番号制度」です。通称は「マイナンバー(私の背番号)制」、「マイナポータル」です。

ネット政府を立ち上げたいということで、共通番号法に基づき、政府は2015(令和13)年10月から個人一人ひとりに見える化して使う原則生涯不変の12ケタの「個人番号」(通しの背番号)(共通番号法2章)を、通知カードで配付しまし

た（なお、通知カードはマイナICカードの取得を促すために、2020（令和2）年5月25日に廃止されました。）。一方、個人以外の法人等には13ケタの「法人番号」(共通番号法7章)を配付しました。

●共通番号制における付番の仕組み

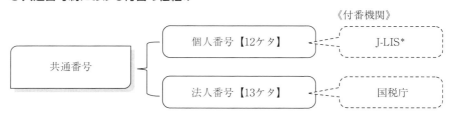

＊地方公共団体情報システム機構（J-LIS/ジェイリス）は、地方公共団体情報システム機構法に基づく総務省所管の特殊法人です。住基ネットや住民票コード、さらには個人番号（マイナンバー）の付番や個人番号から組成された連携用符号（暗号）で情報連携（データ照合）をする情報提供ネットワークシステムの管理運営を主な業務としています。J-LIS/ジェイリスは、発足以来、自治体共管の組織体とされてきました。しかし、政府は、2021年に、デジタル社会の形成を図るための関係法律の整備に関する法律を制定し、ジェイリス/J-LISを国の直轄、下請け機関にしました。理事長や幹部の任免に国の認可制度を敷き、国による統制を強化しました。これにより、ジェイリス/J-LISは、国の役人やデジタル庁が、自由に操れる組織になりました。

◎共通番号（マイナンバー）制度の狙い

共通番号（マイナンバー）制度には大きく、次のような3つの狙いがあります。

●共通番号（マイナンバー）制度の狙い

① 国家が、居住者全員に12ケタの個人番号を振り、マイナICカードを取得・提示させ、現実空間での税・社会保障業務サービスでの本人確認にリアルIDとして使わせること。これにより、税と社会保障の情報連携を強化すること。
② 税・社会保障業務サービスのオンラインでネット空間に展開される電子政府/電子自治体（e-Gov/マイナポータル/マイナプラットフォーム）へのログイン等の際に、マイナICカードの裏面に搭載された"電子番号"ともいえるICチップ（電子証明書の符号）・官製デジタルID（JPKI/公開鍵/電子証明書での本人確認）に使わせること。言い換えると、国や自治体の税・社会保障業務のオンラインサービスでは、官製デジタルID（JPKI）の利用が強制され、アメリカなどとは異なり民間のデジタルIDの利用は禁止されること。これにより、官製デジタルID（JPKI）による完璧な監視、税と社会保障のデータ照合を徹底すること。

PART1 税法の基礎知識を学ぶ

③ 顔写真つきの国民登録証（公定身分証明書／国内パスポート／電子通行手形）の携行を実質的に義務化すること。例えば、マイナICカード携行を実質義務化するために紙の健康保険証の廃止、「生体認証（顔パス）＋公開鍵（JPKI）式電子証明書搭載マイナICカード使用のオンライン健康保険資格確認システム（Mシステム）」導入による位置確認・電子データ収容所列島化。

● 分散集約管理型の共通番号（マイナンバー）制（政府プラットフォーム）のイメージ

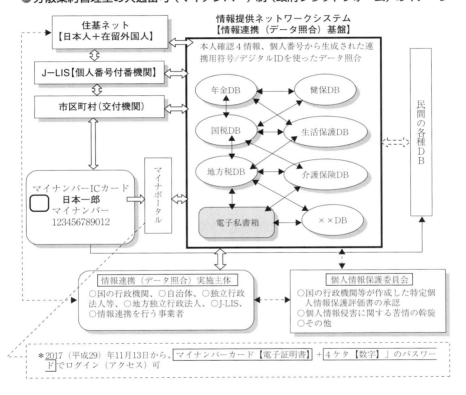

◎エスカレート利用を当然視した構想

共通番号のうち、法人番号については、公開し官民で自由に利用できることになっています。これに対して、個人番号／官製のデジタルIDは利用が制限されています。しかし、政府は、対面・オンライン双方の行政サービスや民間サービスで個人番号／官製のデジタルIDのエスカレート利用を想定しています。

91

●政府とビジネス界とがコラボで共通番号/官製のデジタルIDのエスカレート利用のイメージ

導入段階	限定利用	第二段階	全行政への拡大利用	第三段階	民間の自由な利用
社会保障/税/災害対策分野等 +自治体独自利用 +これらの分野限定の民間利用		あらゆる行政分野 + これらの分野関連の民間利用		各種民間サービスへの 自発的（自由な）利用	

◎デジタル監視国家体制の司令塔、デジタル庁

　政府は、2021年に、首相直轄の組織として「デジタル庁」を設けました。デジタル庁は、国民を個人番号（マイナンバー）とマイナンバーICカード/官製のデジタルIDを監視ツールに使って国民データを収集・ハイテク監視するための組織です。この組織に、マイナンバー制度に関するあらゆる権限が集約されます。

　デジタル庁の所在および役割は、おおまかに図説すると、次のとおりです。

●デジタル庁の所在

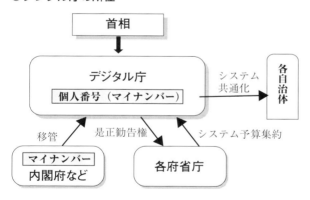

　デジタル監視国家体制づくりで、政府は、第204回国会（2021年1月18日〜6月16日）に、70本に近い数の改正法を次のような法案に束ねて提出し一気に成立させました。プライバシーをはじめとした人権問題はほとんど議論されませんでした。

PART1　税法の基礎知識を学ぶ

●第204回国会で成立したデジタル改革関連法一覧

①デジタル社会形成基本法（内閣官房）
②デジタル庁設置法（内閣官房）
③デジタル社会の形成を図るための関係法律の整備に関する法律（内閣官房・内閣府本府・総務・法務・財務・厚生労働・農林水産・経済産業・国土交通省）
④公的給付の支給等の迅速かつ確実な実施のための預貯金口座の登録等に関する法律（内閣府本府・金融庁・財務省）
⑤預貯金者の意思に基づく個人番号の利用による預貯金口座の管理等に関する法律（内閣府本府・金融庁・財務・厚生労働・農林水産・経済産業省）
⑥地方公共団体情報システムの標準化に関する法律（総務省・内閣官房）

◎証券口座への付番、公金受取口座の登録、預貯金口座への付番

　政治の世界では、不浄なカネが大手を振って行き来しています。これをしり目に、政府は、庶民の金融資産、金融プライバシーの個人番号（マイナンバー）監視を進めています。個人番号（マイナンバー）制度は、行政の効率化、電子政府、電子自治体サービス実現が主な目的のはずです。国民監視利用だけが進むのには大きな疑問符がつきます。

(1)　証券口座への付番～2019年度税制改正

　証券口座保有者からの証券会社などへの個人番号（マイナンバー）の提出が遅々として進みません。そこで、政府は、証券口座について、付番を促進する対策を講じています。2019年度税制改正（納税環境整備関係）で、顧客から協力が得られない場合には、最終的には、ほふり（証券保管振替機構）＋ジェイリス/J-LIS から顧客の個人番号（マイナンバー）を直接取得できるようにしました。

(2)　預貯金口座への付番

　今般の一連のデジタル改革関連法では、個人の預貯金口座の個人番号（マイナンバー）紐づけを進めます。次のような２つのあらたな制度を立ち上げました。

93

⒜ **マイナンバー付きの公金受取口座を国に登録する制度創設**
　　〜2021年デジタル改革関連法

　今般の一連のデジタ改革関連法のなかに、❹公的給付の支給等の迅速かつ確実な実施のための預貯金口座の登録等に関する法律があります。これは、あらたに個人番号（マイナンバー）付きの公金受取口座を国に登録する制度を設けることが狙いです。

　今般のコロナ対策の定額給付金支給の際に、自治体がその手続きに手間取りました。このことを口実に、国民1人1口座を原則に個人の預貯金口座に個人番号（マイナンバー）の付番を義務づけます。公金の受取を容易にするとのふれこみです。しかし、政府の本音は、国民一人ひとりのトータルな金融資産の国家のよる背番号監視です。

⒝ **政府の「任意付番」、「相続税サービス」とは何か**
　　〜2021年デジタル改革関連法

　2021年に成立した一連のデジタル改革関連法のなかには、もう一つ、❺預貯金者の意思に基づく個人番号の利用による預貯金口座の管理等に関する法律があります。これは、災害や相続の発生に備えて、あらかじめ本人の同意を得たうえで、「預金保険機構」が、本人のすでに個人番号（マイナンバー）が付番された口座以外の口座に付番するサービスしようというものです。通称で「相続税サービス」と呼ばれています。やさしく言えば、"国家が国民に代わり番号で金融口座を管理してやる"といった、余計なお世話の仕組みが「相続税サービス」といます。

PART1　税法の基礎知識を学ぶ

● 預貯金口座への付番について（イメージ）

◆ 相続時のサービス
・あらかじめ被相続人がマイナンバーを付番しておいた口座について、マイナンバーを利用し、預金保険機構が口座を探索できる仕組みをつくる。
・この仕組みにより、相続人は、被相続人の口座の所在を知ることができる。

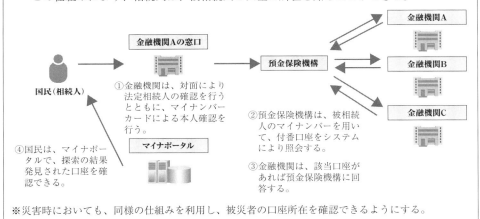

※災害時においても、同様の仕組みを利用し、被災者の口座所在を確認できるようにする。

【出典】内閣官房説明資料（預貯金口座口座へに付番等）（2020年11月10日）PowerPoint プレゼンテーション (kantei.go.jp)

　前記のイメージ図からわかるように、「預金保険機構」の機能を拡大して、金融機関やマイナポータル（政府ポータルサイト）に個人番号（マイナンバー）を登録すると、預金保険機構のデジタルプラットフォームを介してその他の金融機関の口座にも付番する仕組み【①～④】です。

　法律によると、相続時に金融機関で法定相続人の確認とマイナンバーカード／官製のデジタルIDによる本人確認をすると、預金保険機構のデジタルプラットフォームを使って各金融機関に金融口座があるかをデータ照合して、政府プラットフォーム／マイナポータルで回答することになっています。

　なお、今後の工程は、次のとおりです。

95

● 今後の工程

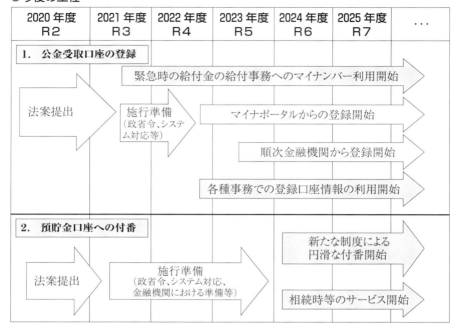

　現在、導入段階にあるのにもかかわらず、政府は、これまで各人に配付してきた紙製の通知カードの廃止、マイナンバーICカード/官製のデジタルIDの公務員身分証明書利用、戸籍事務のマイナンバー管理、マイナンバーICカード/官製のデジタルIDを介護・健康保険証に一体化し医療機関などでの診療開始時の本人確認と保険資格確認を口実とした患者（全国民）の顔認証データのマイナンバー管理計画など、次々と新たな提案をしてきています。

◎導入段階での個人番号/官製のデジタルIDの利用

今一度確認しますが、 導入段階 での個人番号/官製のデジタルIDの利用は、社会保障や税務など次の分野に限定されます。

● 導入段階 での個人番号/官製のデジタルIDの利用分野のあらまし

社会保障分野	年金分野	年金の資格取得・確認、給付を受ける際に利用
	労働分野	雇用保険等の資格取得・確認、給付を受ける際に利用。ハローワーク等の事務等に利用
	福祉・医療・その他の分野	医療保険等の保険料徴収等の医療保険者における手続、福祉分野の給付、生活保護の実施等低所得者対策の事務等に利用
税分野		国民が国/地方の税務当局に提出する確定申告書、届出書、調書等に記載。当局の内部事務等
災害防災分野		被災者生活再建支援金の支給に関する事務等に利用

その他自治体条例で定める（独自利用）事務の例

例えば、①子どもの医療費助成関係事務、②ひとり親等の医療費助成関係事務、③高齢者の医療費助成関係事務、④就学援助関係事務（小・中学校向け）、⑤幼稚園就園奨励費関係事務に利用

しかし、実際には、税分野に限ってみても、その利用範囲は、納税者が国/地方の税務当局に提出する確定申告書、届出書、調書などの各種法定資料など広範に及びます。個人番号を記して勤務先や取引先などを通じて課税庁に提出するように求められる各種法定資料のうち、ごく一般的なものをあげても、次のとおりです。

「給与所得者の扶養控除等（異動）申告書」（マル扶・☜5.1.3）、
「退職所得の源泉徴収票」、「報酬、料金、契約金及び賞金の支払調書」（☜5.1.2）、
「給与所得者の保険料控除申告書 兼 給与所得者の配偶者特別控除申告書」など

◎なぜ、民間企業が番号事務を取り扱うのか

すでにふれたように、共通番号（マイナンバー）制度の導入のために制定された基本的な法律の正式名称は、「行政手続における特定の個人を識別するための番号の利用等に関する法律」です。「行政手続」ということから、本来、民間企業（以下「民間事業者」、「事業者」ともいいます。）には関係がないよ

うにも見えます。

　しかし、民間企業は、税金の天引き徴収や支払調書の発行などの税務事務のみならず、健康保険・年金届出事務、雇用保険届出事務などで行政（手続）と関係を持ちます。マイナンバーの導入で、民間企業は、社員や役員（従業者等）、その扶養家族、さらにはその取引相手の個人番号（マイナンバー）をきいたうえで、税務署や市町村、ハローワーク、健保組合、日本年金機構などへ提出する書類や届出書に書いて出さなければならなくなったわけです。

⑴　民間企業が取り扱う個人番号の流れ

　日本年金機構が標的型メール【通常の連絡を装ったメールの添付ファイルを開くとパソコンがウイルス感染し情報が盗み取られるマルメール】の攻撃を受け、大量の個人情報が外部に流出しました。今後は、個人番号を取り扱う400万を超える民間企業が攻撃のターゲットとなることも想定されます。これら民間企業が、従業員等や取引先から提出を受けた個人番号が適正に管理できないと、ダダ漏れになることが危惧されるわけです。

● 民間企業が取り扱う個人番号（マイナンバー）の流れ

| 民 | 従業員等の個人番号 | ＋ | 従業者等の家族の個人番号 |

民間企業の人事／総務／会計部門など
個人番号と本人確認書類を照合し、個人番号を「収集（取得）」、「安全管理措置等」、「保管」、「利用」、「提供」、「開示・訂正・利用停止等」、「廃棄」の取扱プロセスに責任を負う。

ダダ漏れ？

税理士など外部に委託の場合、監督責任を負う。

個人番号記載した法定資料【特定個人情報】の提出先
税務署、市町村、日本年金機構、私学共済など

漏えい

⑵　「特定個人情報」とは何か

　2003（平成15）年に、個人情報を保護しようということで個人情報保護法が制定されました。今度は、ダダ漏れになったら危ない共通番号制を導入すると

いうことで、行政当局等に加え、会社や個人事業者など民間企業に厳しい安全管理義務が課すために共通番号法が制定されました。

　個人情報保護法と共通番号法は、前者が「一般法」、そして後者が「特別法」の関係にあります。特別法である共通番号法が優先して適用になります。共通番号法では、「マイナンバー付き個人情報」を「特定個人情報」といっています（共通番号法2⑧）。

● 個人情報と特定個人情報

(3) 特定個人情報を取り扱うことになる民間企業や税理士等の分類

　「特定個人情報」の利用範囲は、税と社会保障＋に限定されています。特定個人情報を取り扱う者は、その利用範囲を超えてはならず、厳正に取り扱うようにさまざまな義務を負います。共通番号法によると、義務を負う者は、次のように類型化されています（共通番号法2・9以下）。

● 特定個人情報取扱上の義務を負う者の類型図

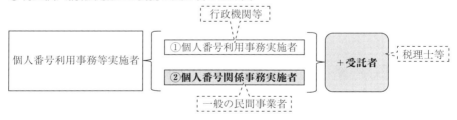

　特定個人情報の取扱いは、行政当局等のみならず、従業者等や取引先などにかかる税務や労務、社会保険などの業務を取り扱う民間企業やそうした業務に関与／受託する税理士などの専門職などとも深く関係してきます。

　共通番号法では、特定個人情報に厳しい管理義務を課すねらいから、取扱事業者を、次のように分けています。

● **特定個人情報の管理義務を負う者の分類**

①	個人番号利用事務実施者 （共通番号法2⑫）
	一般に行政事務処理者があてはまります。しかし、健保組合、企業年金などを扱う民間事業者も①にあてはまることがあります。
②	個人番号関係事務実施者 （同2⑬）
	従業者などの源泉徴収票など個人番号の入った法定資料の提出義務者があてはまります。
③	受託者 （同2⑫・2⑬）
	前記①/②の事務の一部または全部の委託を受けた税理士や税理士法人、社会保険労務士や司法書士、行政書士（以下、法人化した専門職を含みます。）などがあてはまります。

　民間企業やそこの税務や労務、社会保険などの事務に関与するまたはそうした事務を受託する税理士や社会保険労務士などは、特定個人情報管理の義務を負います。また、零細企業を含めて一般に、少なくとも②個人番号関係事務実施者として特定個人情報管理の義務を負います。さらに、税理士などは、自分の事務所の従業者などの②個人番号関係事務実施者になると同時に、関与先との関係では③受託者となります。

◎**民間事業者に課された厳しい管理義務**

　民間事業者（そこに関与する税理士などを含みます。）は、共通番号法令や個人情報保護委員会が出した「特定個人情報の適正な取扱いに関するガイドライン」（令和4年4月施行令）などに定められたルールを守り、安全管理処置を講じて、個人番号（マイナンバー）厳正に管理するように求められます。

● **民間事業者から見た特定個人情報等の取扱いプロセス**

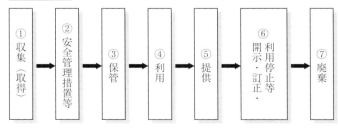

PART1 税法の基礎知識を学ぶ

(1) ワンワードでわかる民間事業者に課された厳しい管理義務

民間事業者が特定個人情報の取扱いについて、法令等で負う管理義務をワンワードで簡潔にいうと、次のとおりです。

● ワンワードでわかる民間事業者が負う特定個人情報取扱義務

①	**収集（取得）**：利用目的を通知して個人番号を収集。この場合、本人確認が必要
②	**安全管理措置等**：個人番号取扱いの基本方針と規程等を作成。事務取扱担当者を選任
③	**保管**：特定個人情報の法定期間内保管・システム管理・事務取扱区域を限定
④	**利用**：源泉徴収票/支払調書・社会保険の被保険者資格取得届などに限定して利用可
⑤	**提供**：部署間での個人番号の受渡しは可。一つの法人内を超え第三者への提供は不可
⑥	**開示・訂正・利用停止等**：本人からの申出があれば、対応が必要
⑦	**廃棄**：法令に定められた保存期間が過ぎれば、個人番号の削除/廃棄が必要

(2) 書類の法定保存期間と個人番号の削除/廃棄

民間事業者は、各所から収集し、税務・労務・社会保険事務関連の書類に記載した個人番号を、法定保存期間が過ぎれば、削除/廃棄する義務を負っています。主な保存期間は、次のとおりです。

● 税務・労務・社会保険事務関連書類の主な法定保存期間

分野別書類の種類【番号記載施行日】	保存期間	起算日
税務【2016（平成28）年1月1日以降提出分から】 ・源泉徴収票 ・給与所得者の扶養控除等（異動）申告書（マル扶） ・給与所得者の配偶者特別控除申告書（マル特 兼 マル保）	7年	属する年の翌年の1月10日の翌日
労務【2016（平成28）年1月1日以降提出分から】 ・雇用保険の被保険者関連書類（離職票、雇用保険被保険者資格取得確認通知書など）	4年	完結の日【退職日】
・労災保険関連書類	3年	完結の日
社会保険事務【2017（平成29）年1月1日以降提出分から】 ・健康保険・厚生年金関連書類（資格取得確認通知、資格喪失確認など）	2年	完結の日【退職等の日】

現在のように、勤め先の事業者に、本人や扶養家族の個人番号の脳天気に提出させる実務を強制する制度は再考を要します。法定利用期限が過ぎても「削除/廃棄」されずに膨大な数の個人番号が、年を重ねるに従い民間分野に「滞留」「沈殿」して行く可能性が高いからです。これら滞留/沈殿した番号は、何かをきっかけにネット空間に入り込み、悪用のみならず、なりすまし犯罪ツールになるはずです。

(3)　民間事業者が安全管理対策に必要となる取扱規程や書式リスト

　一般に、民間事業者は、組織として案全管理対策を講じるように求められます。そのためには、共通番号法令やガイドラインに沿って、次のような取扱規程や書式を作成しなければなりません。

●安全管理対策に必要となる主要な取扱規程や書式リスト

① 　特定個人情報等の適正な取扱いに関する基本方針
② 　特定個人情報取扱規程（通称では、マイナンバー取扱規程）
③ 　特定個人情報等の外部委託合意書《通常、税理士などとの間で締結》
④ 　特定個人情報等委託契約書《通常、税理士などとの間で締結》
⑤ 　個人番号利用目的通知書
⑥ 　委任状【個人番号提供権限関係/国民年金第３号被保険者（配偶者）関係届】
⑦ 　自己番号提供書
⑧ 　その他【例：個人番号（マイナンバー）提供のお願い、自己の個人番号提供書など】
⑨ 　就業規則改正

(4)　問題行為に対する罰則

　次に、個人番号利用事務等実施者である民間事業者や受託者であるその顧問税理士/税理士法人などが、特定個人情報を誤って漏らすなど問題行為をした場合に科される罰則をおおまかにまとめてみると、次のようになります。

●共通番号法に盛られた主な罰則

①　正当な理由なしに、特定個人情報ファイル等を提供した場合（共通番号法48）
【罰則】４年以下の懲役もしくは200万円以下の罰金または併科
②　不当な利益を得る目的で個人番号を提供または盗用した場合（同49）
【罰則】３年以下の懲役もしくは150万円以下の罰金または併科
③　詐欺、暴行、脅迫、窃盗、事務所などへの侵入、不正アクセスで個人番号を取得した場合（同50）
【罰則】３年以下の懲役もしくは150万円以下の罰金
④　法人（代表者の定めのある任意団体を含む）の役員や従業者が、その法人の業務に関して前記①、②、③等に違反した場合（同57）
【罰則】その行為者＋法人等も処罰（両罰規定）

　しかし、こうした罰則（処罰）は、意図的な漏えいや盗用などが対象です。事業者が、特定個人情報取扱規程に違反して個人番号を取り扱うのは、違法であるとしても、罰則はありません。被害者は、民事責任を問うより手段がありません。事業者向けの「マイナンバー保険」も売り出されています。

◎官製デジタルID搭載のマイナICカードの汎用は時代遅れ

　市民・納税者がオンライン（電子）申請・申告で、わが国の電子政府の接続ハブであるマイナポータルとつながった各種行政機関のWebサイトにログイン／アクセスする際に、デジタルIDとして、公開鍵（JPKI）式の電子証明書搭載のICカード（マイナICカード）の利用を強制されます。しかし、グローバルにみても、ICカードを使う電子政府モデル（政府ポータルサイト）は、すでにガラパゴス化（ガラ系化）、時代遅れ・陳腐化しています。なぜならば、このモデルでは、ICカード（マイナICカード）を取得しないと、国民は電子政府（政府ポータル）サイトにログイン（リモートアクセス）できないからです。

　スマートフォン（スマホ）やダブレットなどモバイル端末全盛の時代です。

モバイル端末には、ICカードやICカードリーダーは不向きです。仮に公開鍵（PKI）式の本人認証のためのICチップを使ったデジタルIDの採用を継続するにしても、ICカード搭載ではなく、スマホに直接搭載するのが世界の流れです。加えて、ICチップ（電子証明書）の有効期限が5年で、その都度ICカードを更新しないといけないのも、血税の無駄遣いです。利便性もよくありません。官製のデジタルID/マイナICカードの発行は止めないといけません。スマホに直接搭載し、スマホを持たない人には紙の通知カードをプッシュ型で交付することで十分なわけです。

　ちなみに、わが国の個人（所得税）の電子申告（e-Tax）では、国税庁のポータルサイト（ウエブサイト）にログインする際に、デジタルIDとして、JPKI（公開鍵・電子証明書）式に代えて、ID・パスワード式の選択ができます。

　官製のデジタルID（JPKI）を、税や社会保障のみならず、民間取引にまで自発的利用を広げようとする政策も、権威主義国家的な発想で解せません。市場主義を核とした民主制国家には似合いません。アメリカなどのように、民間活力ファーストで、市場で磨かれた簡素なデータセキュリティのしっかりしたID・パスワード方式の民間のデジタルIDの活用に舵を切るべきです。また、人権ファーストの視点から、カナダのように、共通番号が税・社会保障分野以外に不要に拡大しないように法的歯止め策を講じないといけません。国民・納税者は、共通番号（マイナンバー）制度を濫用したデジタルビッグブラザー（デジタル監視国家）を望んでいません。

（石村　耕治）

〔アドバンス文献〕　石村耕治『納税者番号制とは何か』（1994年、岩波ブックレット331）、白石・石村・水永編著『共通番号の危険な使われ方』（2015年、現代人文社）、石村耕治『納税者番号制とプライバシー』（1990年、中央経済社）、宇賀克也『マイナンバー法の逐条解説』（2022年、有斐閣）、荻原博子『マイナ保険証の罠』（2023年、文春新書）、石村耕治「マイナンバーパンデミック：人権が護られてはじめてデジタル化はゆるされる」『教育と情報とメディア』（2022年、学文社）、PIJ発行のCNNニュース各号参照（http://pij-web.net/）

PART1 税法の基礎知識を学ぶ

1.3.8 電子帳簿保存法とは

ポイント

　1998（平成10）年に制定された電子帳簿保存法（電帳法）は、各税法で原則として紙での保存が義務づけられる国税関係帳簿や国税関係書類（決算関係書類・取引関係書類）などについて、一定の要件を満たした場合には、電子データ（電磁的記録）による保存を認めることや、電子的に授受した取引情報の電子データ保存を求める（強制する）ことを定めた法律です。税務の電子化／デジタル化が急速に進むなかで、電帳法は、事業者・納税者や税理士など税務専門家にとっても、極めて重要な法律になってきています。

◎電子帳簿保存法（電帳法）とは何か

　国税関係帳簿や国税関係書類（決算関係書類・取引関係書類）などは、久しく紙（文書）での保存が基本でした。このため、事業者（個人企業や会社）は、電子データをわざわざ印刷して、紙で保存することを強いられていました。

　1998（平成10）年に制定された電子帳簿保存法（電帳法）は、各税法で原則として紙での保存が義務づけられている帳簿書類などについて、一定の要件を満たした場合には、電子データ（電磁的記録）による保存を認めることや、電子的に授受した取引情報の電子データ保存を義務づけることを定めた法律です。なお、電帳法1条において、「国税関係帳簿書類の保存等について、所得税法、法人税法その他の国税に関する法律の特例」とされていることから、税法の一部ということになります。正式名称は、「電子計算機を使用して作成する国税関係帳簿書類の保存方法等の特例に関する法律」です。また、この法律をもとに、「電子計算機を使用して作成する国税関係帳簿書類の保存方法等の特例に関する法律施行規則」（電帳法規）も発出されています。

　電帳法は、電子データ（電磁的記録）による保存方法を、大きく次の3つに区分して、それぞれの保存要件を定めています。

●電帳法上の保存区分とは

《事業者自身が電子的に作成する帳簿書類》
① 電子的に作成した**国税関係帳簿書類の電子保存** 税法上保存が義務付けられている紙の
❶帳簿（仕訳帳・総勘定元帳・補助元帳など）や❷書類（損益計算書・貸借対照表・契
約書・請求書・見積書など）について、一定の要件のもとでの電子データ保存すること（電
帳法4①・②）。

《事業者が相手方から受領する書類》
② 紙で授受した文書の**スキャナ保存** 紙で受領した書類を、一定の要件のもとでスキャン
したうえでの画像データで保存すること（電帳法4③）。
③ 電子取引で授受した**電子データの保存** 電子取引で授受した取引情報（注文書・契約書・
領収書など）を、一定の要件のもとで電子データ保存すること（電帳法7）。

　このように、電帳法は、3つの区分に基づいて電子データ保存を認めています。各区分の対象となる帳簿書類などを図説すると、次のとおりです。

●電帳法で電子保存対象となる帳簿・書類とは

❶ 電子的に作成した**帳簿書類の電子保存**	❷ 紙で授受した書類の**スキャナ保存**	❸ 電子取引で授受した**電子データの保存**
事業者自身が、会計ソフト等で電子的に作成した帳簿、電子的に作成した国税関係書類《システムで一貫して作成・電子保存》	取引先から紙で受け取る書類《スキャナで画像データ化し電子保存》	事業者や取引先が電子的に授受する書類《電子取引データの電子保存》(2024（令和6）年1月1日から義務化）*

電帳法4①	電帳法4②			電帳法4③	電帳法7
	国税関係書類				電子取引
		取引関係書類			電子メールWeb取引EDI取引
国税関係帳簿	決算関係書類	自己作成書類の写し等	相手方から受領した紙書類	電子授受書類	
出納帳仕訳帳総勘定元帳補助簿その他	貸借対照表損益計算書棚卸表他の決算書類	注文書（控）契約書（控）請求書（控）領収書（控）見積書（控）その他	注文書契約書請求書領収書見積書その他	注文書契約書請求書領収書見積書その他	
❶システムで一貫して電子保存		❷紙はスキャンして電子保存			
		❸電子授受したものは電子保存が義務			

＊ただし、文書保存の猶予措置あり（電帳法規4③）

PART1 税法の基礎知識を学ぶ

◎電帳法改正の経緯

　電帳法の成立当初は、法律の適用を受けるための要件が不透明でした。このため、導入に消極的な事業者も少なくありませんでした。しかし、その後、数次の改正を経て適用要件が整備されてきました。

●電帳法改正の簡単な経緯

・ 2005年
　紙の書類のスキャン保存を法認。これにより、次の3つの方法により、国税関係帳簿書類などの電子データ保存が可能に

❶ 電磁的記録（電子データ）保存　各種書類をパソコンで作成し、印刷せずサーバやDVD、CDなどに保存する方法

❷ COM保存　各種書類をパソコンで作成し、COM（電子計算機出力マイクロフィルム）に保存する方法

❸ スキャナ保存　紙の書類をスキャンしてデータに変換して保存する方法

・ 2005年〜2015年
　スキャナ保存には電子署名を必要とし、コピー機などのスキャナ機能を使って取り込んだもののみをスキャナ保存の対象として法認

・ 2016年・2018年
　スキャナ保存は電子署名を不要とし、スマートフォンなどで撮影したデータも保存の対象として法認

・ 2022年
　税務署長の事前承認制度の廃止など帳簿書類の電子保存やスキャナ保存の要件緩和や奨励に向けた抜本的な改正と、24年1月1日から電子取引で授受した電子データ保存の義務化

◎電子取引とは

　所得税（源泉所得税は除きます。）や法人税にかかる帳簿書類の保存義務者である事業者が、電子取引を行った場合、一定の要件のもと、その取引情報を電子データで保存しなければなりません（電帳法7）。それでは、どのようなものが電子取引にあたるのでしょうか。

　電帳法によれば、電子取引とは、取引情報（取引に関して受領し、または交付する注文書、契約書、送り状、領収書、見積書その他これらに準ずる書類に通常記載される事項の授受を電子データ方式により行う取引とされています（電帳法2五）。取引情報が電子データの授受によるのであれば、通信手段を問わず、すべて電子取引にあたります。（電帳取扱通達2−2）。

107

● 典型的な電子取引ケース

❶　いわゆるEDI取引
❷　インターネット等による取引
❸　電子メールにより取引情報を授受する取引（添付ファイルによる場合も含まれます。）
❹　インターネット上にサイトを設け、当該サイトを通じて取引情報を授受する取引

◎タイムスタンプとは何か

　「タイムスタンプ」とは、ある時刻にその電子データが存在していたことと、それ以降改ざんされていないことを証明する電子技術です。タイムスタンプに記載されている情報とオリジナルの電子データから得られる情報を比較することで、タイムスタンプの付された時刻から改ざんされていないことを確実かつ簡単に確認することができます。

　電帳法のもと保存義務者である事業者は、紙の文書の❷「スキャナ保存」する場合には、原則としてタイムスタンプ要件が課されます。　なお、電帳法でいうタイムスタンプは、総務大臣の認定を受けたものに限定されます。タイムスタンプは、個人事業者にはなじみが薄いと思います。しかし、個人事業主でも、電帳法に基づくスキャナ保存をするには、有料のタイムスタンプを購入しないといけません。中小・零細事業者にはかなりの負担になると思います。事業者が、❷「スキャナ保存」をする場合で、タイムスタンプ不要としたいときには、施行規則や基本通達では、「クラウドサービス・クラウド会計・クラウドサーバ保存」のような「訂正または削除を行った事実および内容を確認できるシステム」を代わりに使うように推奨しています。この代替案も、中小・零細事業者には金食い虫のようにみえます。

　❷「スキャナ保存」に加え、後述❸「電子取引のデータ保存」、つまり事業者が取引先から電子的に受け取った電子契約書や請求書のデータ保存についても、タイムスタンプを付す保存方法が推奨されています。しかし、❸「電子取引のデータ保存」では、タイムスタンプよりも、電子署名の方が重要になります。ちなみに、改正前の電帳法では、❷「スキャナ保存」の場合も、タイムスタンプと電子署名の双方が必要でしたが、改正後は、電子署名は必須ではありません。

PART1　税法の基礎知識を学ぶ

◎電子帳簿保存の関するシステム要件とは何か

　電帳法や電帳法施行規則は、国税関係帳簿書類などを電子データで保存するためのさまざまなシステム要件（ルール）を定めています（電帳法4①・4②・4③2、電帳法規旧3①・旧3②など）。これらのルールは、2022（令和4）年1月1日を起点に大きく変わりましたが、おおまかに一覧にしてみると、次のとおりです。

●電子データ保存に関するシステム要件のあらまし

❶ **訂正等履歴要件**　記録項目の訂正または削除等の履歴を保存できる（トレーサビリティある）システムであること。

❷ **相互関連性要件**　帳簿間での記録事項の相互関連性を確保できるシステムであること。

❸ **検索要件**　次について検索できるシステムであること。

> ・記録事項検索　取引年月日、勘定科目、取引金額その他のその帳簿の種類に応じて主要な記録事項のより検索できること。【2022年1月1日からは、取引年月日、取引金額、取引先に限定】
> ・日付または金額の範囲指定により検索できること。
> ・2つ以上の任意の記録事項の範囲指定により検索できること。

❹ **説明書等の備付け**　事業者は、既要説明書やマニュアルなどシステム開発関係書類等を備え付けること。

❺ **モニター等の備付け**　ディスプレイやプリンターでいつでも出力できるシステムであること。

❻ **ダウンロード要件**　電子データ化された国税関係帳簿書類を税務職員の求めに応じて提示または提出（ダウンロード）できるようにしておくこと（電帳法規2②三など）。なお、電帳法通達4-14では、「提示または提出等の要求」を「ダウンロードの求め」と言い換えています。

> **Column** 「提示または提出等の要求」と「ダウンロードの求め」
>
> 　国税関係帳簿書類などを電子データで保存するとします。この場合、税務調査において、調査担当官からのその電磁的記録の提示または提出の要求（これを「電磁的記録の提示等の要求」といいます。）に応じることができるようにしていることが求められます（電帳法規4①かっこ書き）。ただし、この税務調査における提示または提出の要求は、その「客観的必要性」がある場合に限り要求できる調査担当官の権限ととされています（国通法74の2①・☞5.3.5）。しかし電帳法通達4-14では、「提示または提出等の要求」を「ダウンロードの求め」と一括りにしたうえで言い換えています。そしてこの「ダウンロードの求め」とは、「実際にそのダウンロードの求めがあった場合には、その求めに応じることをいうのであり、『その要求に応じること』とは、当該職員の求めの全てに応じた場合をいうのであって、その求めに一部でも応じない場合はこれらの規定の適用は受けられない」としています。この通達からは保存義務者は当該職員の要求に無条件で応じなければならないようなニュアンスが感じ取れます。しかし、「電磁的記録の提示等の要求」、「ダウンロードの求め」にも、「客観的必要性」を前提としたものであり、一定の限界があるはずです。
>
> （阿部　徳幸）

2022（令和４）年１月１日以降のシステム要件（電帳法４①・４②・４③、電帳法規２など）では、下記の要件を満たせば、前記の❶ 訂正等履歴要件 、❷ 相互関連性要件 および❸ 検索要件 を満たさなくとも、一般的に電子データ保存は可能になりました（ただし、税法上の特典である「優良な電子帳簿」の届出をする場合を除きます。）。

● 改正された電子データ保存に関するシステム要件（2022年1月1日以降）

❶ 説明書等の備付け 事業者は、既要説明書やマニュアルなどシステム開発関係書類等を備え付けること（電帳法施行規則２②一）。
❷ モニター等の備付け ディスプレイやプリンターでいつでも出力できるシステムであること（電帳法施行規則２②二）。
❸ ダウンロード要件 電子データ化された国税関係帳簿書類を税務職員の求めに応じて提示または提出（ダウンロード）できるようにしておくこと（電帳法規２②三など）。取引日付、取引金額、取引先の３項目で検索できること。

◎電子帳簿等の保存区分ごとの改正点の解説

すでにふれたように、電帳法は、３つに区分して、保存義務者である事業者に対して具体的な保存要件を定めています。そこで、具体的要件をおおまかに図説と、次のとおりです。

● 区分❶帳簿書類の電子保存に関する改正ポイント

① 税務署長の事前承認制度の廃止

・ 国税関係帳簿書類の保存方法の特例［電子保存］の適用にあたり、これまでは税務署長からの事前承認が必要でした（旧電帳法４等）。しかし、この事前承認は、2021（令和３）年の改正で廃止されました（新電帳法４等）。
・ 事前承認廃止の適用開始は、次のとおりです。

● 税務署長の事前承認廃止の適用開始時期

　❶ 帳簿 2022年１月１日以降に開始する事業年度から
　❷ 書類 2022年１月１日以降に保存を開始するデータから

② 電子帳簿が「優良」と「その他（普通）」の2種類に

帳簿書類の電子保存のシステム要件は、次の❶と❷の２つの基準になり、最低限❶基準を満たせば、電子保存が可能になりました。また、２つの基準を満たせば「優良な電子帳簿」として租税特典が付与されます。

● 帳簿書類の電子保存のシステム要件

　❶説明書等の備付け＋モニター等の備付け
　❷検索機能＋訂正削除履歴の確保等

110

PART1 税法の基礎知識を学ぶ

(a) 「優良な電子帳簿」への税法上の特典の付与

国税関係帳簿書類の保存義務を負う者（保存義務者）が、一定の国税関係帳簿*について、前記❶と❷のシステム要件を満たす優良な電子帳簿として電子データによる備付けおよび保存を行っている場合に、あらかじめ所轄税務署長にその旨の届出をしているときには、優良な電子帳簿に記録された事項に関し申告漏れがあったとしても（ただし仮装または隠ぺいがあった場合を除きます。）、その申告漏れ等への過少申告加算税が５％軽減される措置が導入されました（電帳法８④、電帳法規５①・⑤）。

　＊　一定の国税関係帳簿とは、所得税法や法人税法に基づき青色申告者（青色申告法人）が保存するように求められる総勘定元帳、仕訳帳その他必要な帳簿または消費税法に基づき事業者が保存するように求められる帳簿をさし、具体的には以下の帳簿をいいます（電法規５①）

> ①仕訳帳
> ②総勘定元帳
> ③次に掲げる補助簿
> 　・手形帳（手形上の債権債務に関する事項）
> 　・売掛帳（売掛金その他債権に関する事項）
> 　・買掛帳（買掛金その他債務に関する事項）
> 　・有価証券受払い帳（有価証券に関する事項）
> 　・固定資産台帳（減価償却資産に関する事項）
> 　・繰延資産台帳（繰延資産に関する事項）
> 　・売上帳（売上げその他収入に関する事項）
> 　・仕入帳（仕入れその他経費又は費用に関する事項）
> 　　＊ただし、法人税に係る優良な電子帳簿にあっては、賃金、給料手当、
> 　　　法定福利費および厚生費は除かれます。

また、所得税における青色申告特別控除［控除額65万円］の適用要件も見直され、「優良な電子帳簿」の保存義務者であることの要件が追加されました（措置法25の２④一）。

●65万円の青色申告特別適用要件

控除額	要件
55万円	①正規の簿記の原則により記載 ②貸借対照表と損益計算書を添付 ③期限内申告
65万円	《改正前》 上記①・②・③に加え、以下のいずれかを行うこと。 ❶e-Taxによる申告を行うこと。 《改正後》 上記①・②・③に加え、以下のいずれかを行うこと。 ❶電子帳簿保存。ただし、電子帳簿保存について、仕訳簿および総勘定元帳につき「優良な電子帳簿」によっていること。 ❷e-Taxによる申告を行うこと。（☛3.2.11）

111

③ 「その他［普通］の電子保存」の創設

　事業者は、最低限、前記❶のシステム要件［説明書等の備付け＋モニター等の備付け］を満たせば、国税関係帳簿書類の電子保存ができることになりました。ただし、正規の簿記の原則（一般的には複式簿記）に従って記録されるものに限られます（電帳法規２①）。

　さらに事業者は、税務調査の際の電子データのダウンロードといった税務職員の提示または提出の要求に応じられるようにしておくことといった要件（電帳法規②三２）も満たさなければなりません。

●区分❷スキャナ保存に関する改正ポイント

① 税務署長の事前承認制度の廃止

　事業者が、取引先から紙で受け取る書類をスキャナで画像データ化し電子保存するについては、所轄税務署長から事前承認を受ける必要がありました。しかし、スキャナ保存にかかる事前承認制度は廃止されました。これは2022年１月１日以降にするスキャナ保存から適用されています。

② 各種システム要件の廃止・緩和

　スキャナ保存には、以下のような特有のシステム要件がありました。しかし、2021年改正で、これらの要件は廃止または緩和されました。

ⓐ タイムスタンプ要件の緩和

　スキャナのタイムスタンプの付与の日数制限の延長および要件の緩和がなされました。これまでは３日以内でしたが、最長で２か月プラス７営業日以内に延長されました。この期限に間に合わなかった場合は、紙の原本で保存することになります。また、会計ソフトなどのクラウドサービスへのアップロード、いわゆる「クラウド保存」も可能になりました。

ⓑ スキャン前の紙書類への自署署名要件の廃止、自署不要に

　これまでは、事業者である保存義務者が、国税関係書類を「紙」で受け取り、スキャナで読み取る際には、「紙」への自筆書面（自署／サイン）が必要でした。この自署要件は廃止され、「自署不要」となりました。

ⓒ 定期検査など適正事務処理要件の廃止

　これまでは、スキャナ保存の適正事務処理要件【相互牽制（２人以上での事務処理）、定期的な検査、再発防止策規程の整備など】がありました。しかし、これら適正事務処理要件は廃止されました。したがって、１人での運用が可能になりました。

ⓓ スキャン後に紙原本の即時廃棄可能に

　これまでは、適正事務処理要件（原本とデータの突合作業、検査実施など）までは原本廃棄は不可でした。この要件が廃止されたため、スキャナ後すぐに原本の破棄が可能になりました。

ⓔ 検索要件の記録事項の緩和

　検索要件の記録事項が、日付・金額・取引先の３つのみになりました。これに伴い税務調査の際の電子データのダウンロードといった税務職員の提示または提出要求に応じられるようにしておくこと］要件（電帳法規２②三）も緩和されました。

④ スキャナ保存された電子データに不正があった場合の重加算税の加重

　スキャナ保存と電子データの電子保存について、電子データに「仮装または隠ぺいがあり、重加算税が賦課された場合には、その申告漏れ等に10%加算措置が導入されました（電帳法８⑤・☛73）

PART1　税法の基礎知識を学ぶ

●区分❸電子取引のデータ保存に関する改正ポイント

事業者が取引先から電子的に受け取った請求書のデータ保存については、以下のように、システム要件が緩和されました（電帳法規4①）。

① **タイムスタンプや検索に関するシステム要件の緩和**

電子取引のデータ保存に関するシステム要件が緩和されました。改正点は以下のとおりです。

ⓐ **タイムスタンプ要件の緩和**

スキャナのタイムスタンプの付与の日数制限の延長およびや要件の緩和：これまでの3日以内が2か月と7営業日以内に延長されました。

ⓑ **検索要件の記録事項の緩和**

検索要件の記録事項が、日付・金額・取引先の3つのみになりました。これに伴い税務調査の際の電子データのダウンロード［提示または提出］要求に応じられるようにしておくこと］要件（電帳法規2②三）も緩和されました。

ⓒ **小規模事業者はすべての検索要件不要に**

売上高1,000万円以下の小規模事業者については、税務調査の際の電子データのダウンロード［提示または提出］要求に応じられるようにしておくこと］要件が満たされていれば、すべての検索要件が不要になりました。

② **電子取引の電子保存の義務化**

●電子取引の電子保存が義務化：電帳法規定新旧比較

> ❶ **新規定（2024年1月1日以降）**
>
> **電帳法7条（電子取引の取引情報に係る電磁的記録の保存）**
>
> 所得税（源泉徴収に係る所得税を除く。）及び法人税に係る保存義務者は、電子取引を行った場合には、財務省令で定めるところにより、当該電子取引の取引情報に係る電磁的記録を保存しなければならない。【当初、義務化は22年1月1日から施行とされていたが、2年間宥恕され、24年1月1日から「相当の理由」がある場合を条件とした新たな猶予措置が講じられた（電帳法規4③）。
>
> ❷ **旧規定**
>
> **電帳法10条（電子取引の取引情報に係る電磁的記録の保存）**
>
> 所得税（源泉徴収に係る所得税を除く。）及び法人税に係る保存義務者は、電子取引を行った場合には、財務省令で定めるところにより、当該電子取引の取引情報に係る電磁的記録を保存しなければならない。ただし、財務省令で定めるところにより、当該電磁的記録を出力することにより作成した書面又は電子計算機出力マイクロフィルムを保存する場合は、この限りでない。

③ **電子保存された電子データに不正があった場合の重加算税の加重**

スキャナ保存の場合と同様に、電子データの電子保存についても、電子データに「仮装または隠ぺいがあり、重加算税が賦課された場合には、その申告漏れ等に10％加算措置が導入されました（電帳法8⑤・☞7.3）。

113

企業規模を問わない形での電子取引の電子データ保存の義務化は、電子デー
タ保存をする企業と取引をする事業者にも、帳簿・書類などの電子化・デジタル
化は避けられない経営課題の１つにしています。消費税の仕入控除に適格請
求書等保存（インボイス/税額票）方式、とりわけ「電子インボイス」、の導入・
義務化も視野に入れて考えると、電子化・デジタル化の波は、中小・零細事業
者に及ぼす影響は極めて大きいといえます。

◎電帳法違反と税法上の帳簿書類の保存義務とのリンケージ

　国税関係帳簿書類や電子取引データの保存について、電帳法の要件を満たし
ていない場合には、各種税法上の保存義務を満たした帳簿書類として取り扱わ
れないことになります。事業者は、青色申告の承認の取消なども視野に入れて、
企業税務のデジタル化を検討していく必要があります。加えて、スキャナ保存
と電子データの電子保存について、電子データに「仮装または隠ぺいがあり、
重加算税（☞7.3）が賦課された場合には、その申告漏れ等に10％加算措置が導
入されたことにも注意する必要があります。（電帳法8⑤）。

（石村　耕治・阿部　徳幸）

〔**アドバンス文献**〕 国税庁　電子帳簿保存等制度特設サイト　https://www.nta.go.jp/law/joho-
zeikaishaku/sonota/jirei/tokusetsu/index.htm
石村耕治「アメリカ電報電子帳簿書類保存規制〜自発的納税協力と帳簿書
類等の電子化」国民税制研究8号（2022年）91頁

PART1 税法の基礎知識を学ぶ

1.4 私たちの負う納税義務

　私たち国民は憲法に基づいて納税義務を負っています。どのような納税義務を負うかについては、国会が定めた法律(租税法律主義)や各自治体が定めた条例(租税条例主義)によることになっています。しかし、現実には、数多くの問題があります。例えば、ほとんどの税法の企画立案が行政府の手に委ねられていることがあげられます。また、いったんつくられた税法に対しては、裁判所は違憲判断を下すのに極めて消極的なことがあげられます。

　さらに、税条例の制定が国の法律により強い規制を受けてあまり自由にならないこと、税金が法律や条例以外によっても幅広く課されていることなどの現実にも、注目する必要があります。

1.4.1 納税者とは法的にどのような存在なのか

ポイント

　納税者とはどのような存在なのでしょうか。そして法的にどう定義されているのでしょうか。納税者・納税義務者・担税者の区別はどうなのでしょうか。

◎納税者とは

　日常、納税者・納税義務者・担税者などという言葉がよく使われますが、同じ意味で使われているのでしょうか。税金に関する法実務や法令上、納税者・納税義務者・担税者という用語は、それぞれ区別して使われます。

　納税者については、国税通則法と国税徴収法で定義されています。これらの法律によると、納税者とは、国税に関する法律の規定により国税を納める義務がある者および源泉徴収による国税を徴収して国に納付しなければならない者とされています (国通法2五、国徴法2六)。国税に関する法律の規定により国税を納

115

める義務がある者とは、所得税法、法人税法、相続税法、消費税法などの各税法の規定において、納税義務者として定められている者です。

　また、源泉徴収による国税を徴収して国に納付しなければならない者とは、給与、利子、配当など所得税の源泉徴収の対象となる所得を支払う者で、その支払の際に所得税の源泉徴収を行い、徴収した所得税を国に納付する義務を負う者をいいます。このような義務を負う者を源泉徴収義務者といいます（☞5.1.1）。

　なお、各税法の規定による国税の納税義務者であっても、給与、利子、配当などの源泉徴収の対象となる所得の納税義務者（いわゆる「源泉納税義務者」）はここでの納税者の範囲から除外されています。したがって、確定申告を必要としない給与所得者などは納税者にあてはまらないことになります。

◎納税義務者とは

　納税義務者とは、所得税法5条、法人税法4条、相続税法1条の3および1条の4、消費税法5条などの各税法に納税義務があると定められている者で、納税義務の主体となる者をいいます。法文の形式としては、通常「……者は、この法律により、……税を納める義務がある。」という形で定められています。所得税や法人税などの直接国税の納税義務者については、住所等が国内にあるかどうかによって無制限納税義務者と制限納税義務者に区分されています（☞3.1.2）。

　なお、地方税の納税義務者は、地方税法で地方税の納税義務があると定められている者をいいます（☞1.4.7）。

◎担税者とは

　担税者とは、経済上租税を負担する者のことをいいます。所得税や法人税などの直接税およびゴルフ場利用税などの直接消費税の場合、納税義務者と担税者は一致します。これに対し、消費税や酒税などの間接消費税の場合は、徴税の便宜を考えて、担税者とは異なる者（事業者・製造者など）が納税義務者とされています（☞2.2.1）。

（森　稔樹）

〔アドバンス文献〕図子善信「国税通則法2条5号の『納税者』の意義」税法学549号、奥谷健「『納税者』の意義についての一考察」『納税者権利論の課題（北野弘久先生追悼論集）』（2012年、勁草書房）所収、志場喜徳郎・荒井勇・山下元利・茂串俊共編『国税通則法精解』〔令和4年改訂〕（2022年、大蔵財務協会）、水野忠恒『大系租税法』〔第4版〕（2023年、中央経済社）

Column 「納税義務者」と「納税者」の違いは？

　「納税者」という言葉は、国税通則法や国税徴収法では、納税義務者と源泉徴収義務者をさします（国通法2五、徴収法2六）。また、これらの規定では、「納税義務者」とは、「国税を納める義務がある者」と定めています。これを受けて、各税法ではそれぞれ、「納税義務者」について、いくつかの種類にわけて、別の言葉（名称）を使って具体的に定義しています。主な例をあげると、次のとおりです。

●**主な税法で規定する納税義務者の種類と名称**

- **所得税法**：居住者、非居住者、内国法人、外国法人（所税法5）
- **法人税法**：内国法人、公共法人、外国法人、個人（法税法4）
- **消費税法**：事業者、外国貨物引取者（消税法5）
- **相続税法**：相続・贈与等により財産を取得した個人（相税法1の3・1の4）

　このように、「納税義務者」に関し、各税法において数種類にわけて具体的に定義された言葉は、納税義務の範囲を知るうえで重い意味があります。

　所得税法では、例えば所得控除の適用について、「居住者」、「その者〔居住者〕と生計を一にする配偶者その他の親族」と規定し、その適用を絞っています（所税法72以下・●3.3.2）。このことから、同じ納税義務者であっても、非居住者にあたる場合には所得控除の適用がない原則になります。

　納税義務者の意味について、次のような注目すべき裁判例と税法改正があります。

【事例】納税義務者Xは、建築中のマンションの売買契約を締結した後、海外に2年間赴任しました。Xは、海外赴任中に完成したマンションの所有権保存登記を行い、Xの妻が入居しました。その後、Xは、租税特別措置法（措置法）41条1項に定める住宅借入金等特別税額控除（以下「住宅ローン控除」といいます）をしたうえで確定申告をしました。しかし、課税庁Yは、Xが所有権保存登記をした当時、海外勤務により国内に住所を有せず、非居住者であり、措置法の「居住者が…取得し」（旧41①）たとは認められず、住宅ローン控除の適用はないとして更正処分をしました。XはYの処分を裁判で争いましたが、敗訴しました（横浜地判平25.29.30・タインズZ263-12323〔棄却・控訴〕、東京地判平26.3.26・タインズZ264-12440〔棄却・上告〕、最決平26.8.26・タインズZ264-12519〔不受理・確定〕）。

2016（平成28）年度税制改正では、こうしたケースにも住宅ローン控除を適用できるように、措置法41条1項に定める「居住者」（旧41①）を「個人」（新41①）に改めました。この結果、日本国内に生活の本拠がある人だけでなく、それ以外の人が住宅を取得した場合にも住宅ローン控除の適用が可能になりました。具体的には、次のような場合が考えられます。

●「居住者」から「個人」に改正した結果、広がった特別控除の適用範囲

・すでに住宅ローン控除の適用を受けている人が海外に単身赴任し、生計を同じくする親族が引き続き国内の住居で生活する場合
・海外赴任を終えた人が、日本国内に戻ることになり、戻る前（居住者になる前）に日本国内で、これから住む居住用不動産を購入した場合
・海外赴任中の人が、日本国内で生活する生計を同じくする親族が住むための居住用不動産を購入した場合

　この改正は、所得税の納税義務者の種類に「個人」を加えたとみることができます。
　また、法人税法では、内国法人であっても、自治体、日本中央競馬会、NHK（日本放送協会）など「公共法人」（法税法2条関係別表第一）にあてはまるものは、「法人税を納める義務がない」と規定しています（法税法4②・☞2.1.1）。このことから、自治体が水道事業や会館事業などを営み利益（収益）を出したとしても、形式的には内国法人として納税義務者になるものの、納税義務はもともとないものとして取り扱われます。
　話は変わりますが、税の徴収現場などでは、税法に定める課税要件を満たし納税義務を負うことになる者を納税義務者とする一方で、納める税金が確定している者あるいは具体的に税金を納めることになる者を納税者としています。つまり、税法に基づいて税金を納める義務を負う納税義務者と、強制徴収（滞納処分）手続（☞5.4）などの対象となる納税者とを分けて取り扱っているわけです。いいかえると、納税申告書が提出されたり、納税通知書が送達されたりすることにより納税義務が確定してはじめて納税者になるとしています。

（石村　耕治）

PART1　税法の基礎知識を学ぶ

1.4.2 租税法律主義と国税の納税義務

ポイント

　国民は、国の税金について、国会のつくった法律に基づいて納税の義務を負います。これを「租税法律主義の原則」といいます。この原則は、国に対して国民が負う納税義務の法的限界を明確にするように求め、国民の権利利益を護る役割を果たしています。

◎国民の納税義務

　国民が国や地方（公共）団体に租税を納付する義務を納税義務といいます。納税義務は、教育の義務（憲法26②）、勤労の義務（憲法27①）と並んで憲法上の三大義務の１つです。

　憲法30条は「国民は、法律の定めるところにより、納税の義務を負ふ。」と定めています。この規定により、国民は国家に租税を納付する義務を負うこととなります。しかし、「法律の定めるところにより」という条件が付されていることにより、納税義務の限界についても明示されていると考えられます。したがって、法律の定めがなければ納税の義務を負うことはありません。

◎租税法律主義とは

　憲法には、上記の30条のほか、租税に関する直接的な規定があります。「あらたに租税を課し、又は現行の租税を変更するには、法律又は法律の定める条件によることを必要とする。」と定める84条です。これら両規定が租税法律主義の根拠になっています（最大判昭和60.3.27・民集39巻２号247頁）。

　租税法律主義とは、租税は公共サービスの資金を調達するために国民の財産の一部を国家の手に移すものであることから、租税の賦課・徴収は必ず法律の根拠に基づいて行われなければならないという原則です。つまり、国民の代表者で構成する国会で定められた法律の根拠に基づかなければ、国家は租税を賦課・徴収することはできず、国民は租税の納付を要求されることはない、ということです。

119

したがって、この租税法律主義の原則により、租税に関する重要な事項については、すべて法律で定めなければならないということになります。租税に関する重要な事項としては、納税義務者、課税物件、課税標準、税率など、納税義務が成立するための課税要件のほかに、租税の申告、納付、課税処分、滞納処分などの手続が含まれます。

◎租税法律主義の内容

　租税法律主義の内容としては、課税要件法定主義、課税要件明確主義、合法性の原則、手続的保障の原則、遡及立法の禁止および納税者の権利保護などをあげることができます。これらのルールによって納税者は租税法律関係における法的安定性と予測可能性*を確保することがねらいとされます。

(1)　課税要件法定主義

　課税要件法定主義は、課税の作用が国民の財産権への侵害であることから、課税要件のすべてと租税の賦課・徴収手続が法律によって定められなければならない、とする原則です。

　課税要件法定主義との関係で最も問題になるのは、命令への委任です。憲法73条6号は内閣が政令を制定する権限を有することを規定しています。このことから、課税要件や賦課・徴収手続に関する事項を法律が政令・省令に委任することは許されます。しかし、個別的・具体的な委任は許されますが、白紙委任のような一般的・包括的委任は憲法41条に反するので許されないと解されています（大阪高判昭43.6.28・行集19巻6号1130頁、東京高判平7.11.28・行集46巻10・11号1046頁、最判平17.4.14・民集59巻3号491頁、大阪高判平21.10.16・訟月57巻2号318頁を参照）。

(2)　課税要件明確主義

　課税要件明確主義は、法律またはその委任に基づく政令や省令において課税要件および租税の賦課・徴収の手続に関する定めをする場合に、その定めはできる限り一義的かつ明確でなければならない、とする原則です（仙台高秋田支判昭57.7.23・行集33巻7号1616頁）。課税要件明確主義との関係で最も問題となるのは、租税法律における不確定概念の使用です（☛1.5.4）。

⑶ 合法性の原則

合法性の原則は、租税法が強行法規であることから、課税要件が充足されている限り、租税行政庁には租税を減免する自由、さらに租税を徴収しない自由はなく、法律に定められたとおりの税額を徴収しなければならないとする原則です。

なお、合法性の原則に対しては、行政先例法の存在、平等取扱原則（☛1.5.1）、信義誠実の原則（☛1.5.3）の適用などの制約があると解されています。

⑷ 手続的保障原則

手続的保障原則は、租税の賦課・徴収が公権力の行使であるため、それが適正な手続で行われなければならず、またそれに対する争訟が公正な手続で解決されなければならない、とする原則です。

ちなみに、わが国の税法の領域における手続保障については、行政手続法の適用除外や税務調査手続規定の未整備など多くの問題が指摘されています（☛1.3.6）。

⑸ 遡及立法の禁止

遡及立法の禁止（租税法規不遡及）の原則は、租税法規が施行以後の事実や行為にのみ適用されなければならない、いいかえれば、租税法規が施行以前の事実や行為に遡及して適用されてはならない、とする原則です。この原則は、納税者の不利益を防止するためのものですから、過去の事実や取引から生ずる租税債務の変更を納税者の利益になるように変更することは許されると解されます。

⑹ 納税者の権利保護

納税者の権利保護は、とくに租税争訟（☛6.1）に関連して、違法な租税の確定または徴収が行われた場合に、納税者がそれを争い、権利保護を求めることが保障されていなければならない、ということです。

＊法的安定性・予測可能性（legal certainty and predictability）とは、納税者を保護するため、納税義務が生ずる要件や手続があらかじめ税法律に明確に定められ、理解できる形になっていることをいいます。また、学問上、「法的安定性の原則（principles of legal certainty（英米）、 *sécurité juridique*（仏）, *Rechtssicherheit*（独））」とは、予測可能性の原則（legitimate expectation doctrine）を包摂するものです。その意味は、「法律は、とりわけ納税義務が関係する場合には、明確なものでなければならず、法律の適用は、予測可能なものでなければならないとする（the law must be certain, in that it is clear and precise, and its legal implications foreseeable, especially when applied to financial obligations）」ものです。この原則は、「法の支配（rule of law）」の中核をなすものと解されています。

（森 稔樹・石村 耕治）

〔アドバンス文献〕高橋祐介「租税法律不遡及の原則についての一考察」総合税制研究11号、図子善信「抽象的納税義務の検討」久留米大学法学46号、北野弘久（黒川功補訂）『税法学原論〔第9版〕』（2022年、勁草書房）、佐藤英明「租税法律主義と租税公平主義」、金子宏編『租税法の基本問題』（2007年、有斐閣）、金子宏「ルール・オブ・ローと日本の租税法」税研31巻5号（2016年）、ピエール・ブリュネ/德永貴志訳「法的安定性の概念」慶應法学29号（2014年）所収、兼平裕子「『合法性の原則』の実務上の対応—租税法における要件裁量否定論および合意の拘束力—」税法学582号、酒井克彦『クローズアップ課税要件事実論—要件事実と主張・立証責任を理解する—〔第6版〕』（2023年、財経詳報社）、谷口勢津夫『税法の基礎理論—租税法律主義論の展開』（2021年、清文社）、中里実ほか編集『租税法律主義の総合的検討』（2021年、有斐閣）、田中治「租税法律主義の現代的意義」『田中治税法著作集第1巻』（2021年、清文社）所収

Column 英米における租税法律主義

英米における租税法律主義の源泉は、イギリスにおける1215年のマグナカルタ（Magna Carta）に求めることができます。マグナカルタは、封建領主や自由市民がスクラムを組み、当時のイングランドのジョン国王に課税権行使に先立っては議会（諸侯の会議）の承認を前提とするなど王権の制限を求めた文書です。マグナカルタでうたわれたスローガンである「*nullum tributum sine lege*」は、「法律なければ課税なし（no taxation without legislation/tax legality principle）」の意味です。加えて、1689年の権利章典（the Bill of Rights 1689）でも、「議会の同意なければ課税なし（no taxation without the consent of Parliament）」がうたわれました。

マグナカルタや権利章典などにうたわれたことを契機に展開を見た租税法律主義、すなわち「租税は議会法の産物である（taxation is a creature of acts of Parliament/statutes）」ことは、今日のイギリス税界では常識とされます。言い換えると、拡張した法解釈（裁判例）などを含む「制定法以外では課税ができないルール」が確立しています。

租税法律主義は、米語では、「代表なければ課税なし（No taxation without representation）」と言い慣わされています。本来、「代表なければ課税なし」の表記は、1763年～1776年の間に、大英帝国（the British Empire）の13のコロニー（植民地）が、イギリス議会に対して直接の参政権を求めた際に使ったスローガンに由来します。大英帝国のコロニーであったアメリカにおいても、1773年のボストンティパーティ事件では「代表なければ課税なし」のスローガンが使われました。

ちなみに、米語ではなく英語が使われるグローバルな法環境のもとでは、「租税法律主義」は、短縮形では「tax legality principle」、もう少しフォーマルには「the legality principle of taxes」といいます。

「日本国憲法が定める租税法律主義」は、「the legality principle of taxes in the constitution of Japan」と表記すれば、グローバルに伝わると思います。

（石村 耕治）

〔アドバンス文献〕Nicola Preston, "The Interpretation of Taxing Statutes: The English Perspective," Akron Tax Journal: Vol. 7, Article 2.（1990）.

PART1　税法の基礎知識を学ぶ

1.4.3 税法の法源：租税に関する法律、政省令、通達などの構造

ポイント

　租税を課すには法源性（法的拘束力）のある規範に基づかなければなりません。どのような規範が、国民に対して法的拘束力のある「税法の法源」となるのかが納税の義務を決める際の重要なポイントになります。

◎税法の法源とは

　「税法の法源」とは、税法の存在形式のことをいいます。つまり、租税を課す場合、いかなる形式の規範が国民に対して法的拘束力を持つものとして存在するかということです。租税法律主義の原則（☞1.4.2）の趣旨からして、どの範囲の規範にまで法源性を認めるかということは、納税の義務を決める際の重要なポイントになります。

(1)　憲　法

　憲法は、租税を課す法源性を有する規範です。日本国憲法において租税に関して最も重要な条項は、租税法律主義の原則を定める30条および84条の規定、さらに租税公平主義を根拠づける14条の規定です。これらの規定は、まず租税に関する立法の法的基準を示すものであるとともに、制定された税法の解釈適用において重要な法的基準を与えるものです。

(2)　法　律

　法律は、租税を課す法源性を有する規範です。法律は、日本国憲法の定める方式に従い、国会の議決を経て制定される国法の一形式で、その効力は、憲法および条約に次いで、政令、条例など他の法形式の上位にあるものです。税法の領域において、租税法律主義のもとでは、課税要件のすべてと租税の賦課・徴収の手続は、原則として法律で規定されなければならないわけですから、法律は、税法の法源のなかでも最も重要なものです。

　ちなみに、租税分野における法律は、大きく「本法」（所得税法、法人税法など）と「租税特別措置法」【経済政策、社会政策その他の理由に基づいて、

123

本法に盛られた課税原則の例外（税の減免、課税の繰延べ、増税などの措置〔租特〕）を定めた税法（☛2.1.12)】に分かれているのが特徴です。

(3) 政　令

　政令は、租税を課す法源性を有する規範です。政令は、内閣によって制定される命令をいいます。租税に関する個々の法律ごとに、政令が定められています。これらの政令は、一般に「施行令」とよばれ、国税通則法施行令、所得税法施行令、租税特別措置法施行令という形で規定されています。政令の規定のなかには、法律の規定を執行するためのものと、法律の特別の委任に基づくものとがあります。前者を執行命令とよび、後者を委任命令とよびます。

　わが国の税法では、基本的・一般的事項は法律で規定し、細則的事項は政令に委任することが多いため、政令のなかで多くの重要事項が規定されています。その意味で、政令は、租税法の法源として重要なものです。しかし、租税法律主義の趣旨から、それは具体的・個別的委任に限られ、一般的・白紙的委任は許されないと考えるべきです。そして、具体的・個別的委任かどうかは、委任の目的・内容および程度が委任する法律自体のなかで明確にされていなければならないとされます（大阪高判昭43.6.28・行集19巻6号1130頁、東京高判平7.11.28・行集46巻10・11号1046頁を参照）。

(4) 省　令

　省令は、租税を課す法源性を有する規範です。省令とは、各省大臣が主任の行政事務について法律もしくは政令を施行するため、または法律もしくは政令の特別の委任に基づいて発する命令です（行組法12①）。税法の領域において、これらの省令は、一般に「施行規則」とよばれ、国税通則法施行規則・所得税法施行規則、租税特別措置法施行規則という形で規定されています。省令も委任の範囲、内容および程度について政令と同様の問題を含みますが、税法の法源として重要なものです。また、省令には、法律の委任がなければ、罰則を設け、または義務を課し、もしくは国民の権利を制限する規定を設けることができないとされています（行組法12③）。

PART1 税法の基礎知識を学ぶ

◎その他の法源

　上にあげたもののほかに、告示、条例および規則、条約、行政先例法、裁決、判例などにも法源性があるとされます。

　各省大臣、各委員会および各庁の長官は、その機関の所掌事務について、公示を必要とする場合においては、告示を発することができるとされています（行組法14①）。税法においては、財務大臣の指定で、法律（またはその委任のもとに政令）の定める課税要件規定が補充されることが少なくありません。このことから、告示は、法規を定立する行為であり、税法の法源の１つとされます。

　条例は地方団体の議会が制定する規範であり（自治法14、96①一）、規則は地方団体の長が制定する規範です（自治法15）。地方税については、地方税法が詳細な定めをしていますが、地方税法は準則法ないし枠法とされていますから（☞1.4.8）、各地方団体とも地方税法の規定に依拠して、税条例および税規則を定めています。このような意味で条例や規則も地方税の法源として重要です。

　国際経済取引の発展に伴い、各国と租税条約を締結する例が多くあります。これらの租税条約（☞4.4）は、当事国の国民ないし居住者の納税義務について種々の定めをしていることから、税法の法源として重要です。

　税法は国民の財産権に対する侵害規範という性格があるため、納税者に不利益な内容の慣習法の成立を認める余地はないものの、納税者に有利な慣習法の成立は認めるべきとの考えがあります。また、慣習法としての行政先例法の成立を認め、課税庁もそれに拘束されるとして、法源性を認める考えがあります。

　裁判所の判決理由に示された法の解釈が合理的である場合に、それが先例として尊重されます。そして、やがて確立した解釈として一般に承認されるようになれば、そのような判例も税法の法源の一種になるという考えがあります。

◎通達は税法の法源なのか

　通達とは、上級行政機関が法令の解釈や行政の運用方針などについて、下級行政機関に対してなす命令ないし指令です（行組法14②）。税務行政においても、多数の通達が、国税庁長官によって発せられています。そのなかで納税者にとっ

125

て最も重要なのは、租税法の解釈に関する通達、すなわち法令解釈通達です。通達は、行政組織内部では拘束力を持ちますが、国民に対して拘束力を持つ法規ではなく、裁判所もそれに拘束されません。したがって、通達は税法の法源ではありません（最判昭38.12.24・訟月10巻2号381頁）（☞1.4.6）。

（森 稔樹）

〔アドバンス文献〕金子宏『租税法〔第24版〕』（2021年、弘文堂）、清永敬次『税法〔新装版〕』（2013年、ミネルヴァ書房）、木山泰嗣『入門課税要件論』（2020年、中央経済社）、北野弘久（黒川功補訂）『税法学原論〔第9版〕』（2022年、勁草書房）

1.4.4 租税立法プロセス、改正税法の公布、施行と適用

ポイント

　租税立法には、政府立法と議員立法があります。しかし、現実は、議員に代り、財務省など行政府が税金に関する法律をつくる政府立法一辺倒の状態です。そして、「唯一の立法機関」であるはずの国会には、こうした現実を当然視する風潮があります。

　租税立法プロセスに国民・納税者の声を反映させるための「法案PC手続」とは、どのような仕組みなのでしょうか。また、改正された税法令の公布、施行、適用の仕組みはどうなっているのでしょうか。

◎租税政府立法と租税議員立法

　憲法41条は、「国会は、国権の最高機関であつて、国の唯一の立法機関である。」と定めています。この規定を文字どおり読むと、国会議員が努力して法律をつくる、いわゆる"議員立法（国会単独立法）"が唯一のルートのようにみえます。ところが、わが国の立法手続には、"政府立法（内閣提出法案、いわゆる「閣法」）"という、もう1つのルートがあります。つまり、国の縦割り行政のルールに従い、その事務を所管する役所（省の担当局・課）が中心となって法律をつくるルートです。

PART1　税法の基礎知識を学ぶ

◎税金関連では政府立法一辺倒の実情

　税金は国民の代表者からなる国会が定めた法律に基づいて課さなければならないとする「租税法律主義」のルールがあるわけです（☛1.4.2）。つまり、租税立法の分野では、とくに立法に国会が積極的に関与するように求めているわけです。したがって、この分野では、議員立法が中心であるべきともいえます。しかし、現実は、議員立法は、税金関連では極めて低調です。

　この点について、2023（令和5）年第211回国会での立法状況を見てみましょう*。議員立法全般では、法律案の可決成立率は、衆議院で15％程度、参議院では0％の状況です。これに対して、政府立法（閣法）では、97％近くです。

　一方、税金関係法案の可決成立率は、議員立法では0％です。言い換えると、税金関係の議員立法は皆無です。これに対して、税金関係法案の政府立法（閣法）は4件提出してすべて可決成立です。言いかえると、可決成立率は100％です。

●第211回国会での立法状況

◎議員提出法案		
《衆議院》	**(計) 101** (内) 可決成立15、その他86	
	〔税金関係　**(計) 7**　(内) 可決成立0〕	
《参議院》	**(計) 15** (内) 成立0、その他15	
	〔税金関係　**(計) 1**　(内) 可決成立0〕	
◎政府提出法案		
《衆議院》	**(計) 61** (内) 可決成立59、その他2	
	〔税金関係　**(計) 4**　(内) 可決成立4〕	

＊参議院第211回国会（令和5年1月23日〜令和5年6月21日）議案の一覧を使って作成
https://www.sangiin.go.jp/japanese/joho1/kousei/gian/211/gian.htm

　こうした資料から、行政府が仕上げた法律案が、国会を闊歩している状況がよくわかるのではないでしょうか。最良の租税政策の選択・実現に向けて議員提出法案と政府提出法案とが競い合うという状態にはないわけです。まさに、"霞ヶ関頼み"で、形だけの立法府というわけです。

127

● 政府租税立法プロセス

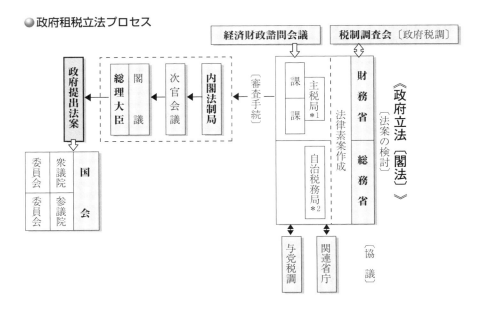

◎自公連立政権の政府租税立法プロセス

　2012（平成24）年12月末に、自民・公明両党連立政権（以下「自公連立政権」または「連立与党」といいます。）による第二次安倍内閣が発足しました。安倍内閣は、政府の税制改正の新たな枠組みを整備・明確にするために、2013（平成25）年１月29日に、前民主党政権が発した2009（平成21）年９月29日に閣議決定「税制調査会の設置について」を廃止しました。そして、新たな税制調査会を設置するための政令を出すために、閣議決定【「『税制調査会の設置について』の廃止について」及び新たな税制調査会を設置するための政令の閣議決定】（以下「新税調設置閣議決定」といいます。）をしました。

　前民主党政権下において、税制調査会〔政府税調〕は「企画委員会」（メンバーは財務・総務両省の政務３役など）と「専門委員会」（メンバーは学者など）からなる組織でした。これに対し、新たな政令【税制調査会令（2013（平成25）年政令25号）、以下「税調令」といいます。】では、税制調査会〔政府税調〕は、首相の諮問に応じて、もっぱら専門的・技術的・中長期的な税制上の課題について検討し、諮問を行う学識経験者や有識者からなる組織に衣替えしました。

128

これにより、各年度の税制改正や政策減税など重要事項については、与党の税制調査会が牛耳る、いわゆる「党高政低」【税制改正における 霞ヶ関 よりも 永田町 優位体制】が復活しました。

● 連立政権のもとでの税制改正〔政府租税立法／閣法制定〕プロセス

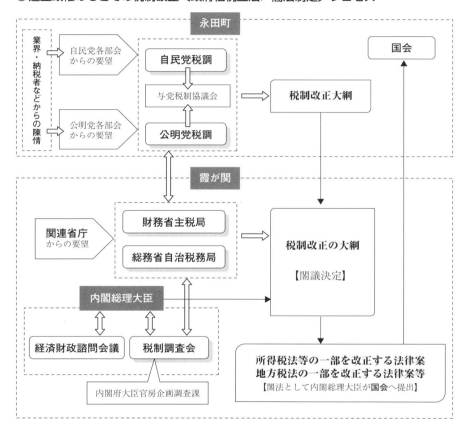

◎自公連立政権下の税制調査会〔政府税調〕

自公連立政権における税制調査会〔政府税調〕は、内閣総理大臣の諮問機関で、委員30人以内で組織されます（税調令1①）。税調は、特別委員（税調令1②）および専門委員（税調令1③）を置くことができます。委員や特別委員は、学識

経験者のうちから内閣総理大臣が任命します（税調令2①）。また、専門委員は、有識者のうちから内閣総理大臣が任命します（税調令2②）。委員は、任期は3年で、再任されることができます（税調令3①・②）。委員、特別委員および専門委員は非常勤です（税調令3⑤）。

　なお、税調の庶務は、財務省主税局総務課および総務省自治税務局企画課の協力を得て、内閣府大臣官房企画調査課が担当します（税調令9）。

◎租税議員立法が成立するまでのステップ

　政府立法と対峙する議員立法について見てみましょう。これは、文字どおり国会議員が"主役"となって、立法能力を駆使して法案を仕上げる方法です。

　租税議員立法案は、衆議院議員は衆議院に（以下「衆法」といいます。）、そして参議院議員は参議院に（以下「参法」といいます。）、それぞれ提出（発議）することになっています。ほかに、委員会提出の議員立法があります。この場合には、その委員会の委員長です。例えば、国税の改正法案については財務金融委員長（衆院）または財政・金融委員長（参院）、地方税法の改正案については、総務委員長（衆参双方）が法律案の提出者となります。

●議員立法プロセス

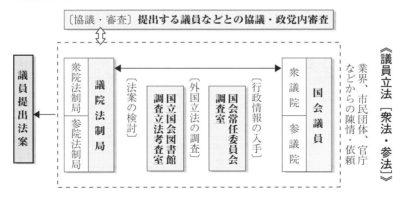

　租税議員立法のルートで税法改正案（法律案）が仕上がるまでのステップは、おおまかにいうと、次のとおりです。

PART1　税法の基礎知識を学ぶ

●租税議員立法成立までのステップ

《ステップ１》議院法制局での法案作成

　議員立法は、議員本人や議員を補佐する政策担当秘書、さらには政党の政策調査会のスタッフなどから出てきます。しかし、提案の背後には、業界や労働界、市民団体など各界から陳情や依頼がある場合が多いのが現実です。議員が考えた提案は法律にまとめあげられなければなりません。おおまかな提案は議院法制局に持ち込まれます。

　政府立法の場合、内閣法制局の任務は、各省の担当課（局）がつくってきた法律案の審査だけです。これに対して、議院法制局の職務は、政策の立案はもちろんのこと、具体的な条文化作業を行います。とはいっても、議院法制局のスタッフはあくまで提案者の提案した政策内容を忠実に法律案の形に表現する役割を担っているだけです。自らが政策を提唱する立場にはありません。

　法律案を作成する作業の過程で、外国の立法例を参照する必要がある場合もでてきます。この場合には、国立国会図書館の調査及び立法考査局（「立調」）に調査を依頼することができます。また、立法事実などに関する行政情報などが必要になる場合もでてきます。この場合には、各議院に置かれている調査室（衆議院には「調査室」、一方、参議院には「常任委員会調査室」と「特別調査室」）などに、その収集や助言を依頼できます。

　法律素案ができ上がれば、法制局内審査（部長、法制次長、法制局長）を経て、法律案となります。

《ステップ２》政党内審査

　法律案ができ上がると、提案者の所属政党の関係機関の了承を得る手続をとることになります。この手続は、基本的には政府提出法案の場合と同じです。

《ステップ３》法律案の提出要件

　政党内審査を経た後、法律案の発議（提出）は、所属の院の議長に対して行われます＊。ただし、提出にあたっては、一定の要件を満たす必要があります。具体的には、(a)政党内（会派）審査を経た旨を証明する機関の承認印、(b)一定の賛同者（衆院では、予算を伴う法律案のときには50人以上、それ以外のときには20人以上、参院ではそれぞれ、20人、10人）、(c)予算を伴う法律案のときには、経費算定文書の添付などです（国会法56）。

＊正式には、法案を内閣が出す場合には「提出」、議員が出す場合には「発議」とよびます。

◎国会での審議

　現在の国会法では委員会中心主義が採られています。法律案の実質的な審査（正式には、本会議では「審議」、委員会では「審査」といいます。）は、付託された委員会で行われます。

　国税の改正法案については、衆院では財務金融委員会、参院では、財政・金融委員会で審査されます。一方、地方税法の改正案については、衆院、参院ともに総務委員会で審査されます。審査後、本会議に付されます。可決されると、もう一方の議院に送られます。そこでも可決されると、改正法案は成立します。

◎税法（令）の一部改正の成立と改正税法（令）の公布、施行と適用

　税法（政令、省令）（☞1.4.3）の改正という場合、大きく「全部改正」と「一部改正」に分けられます。例えば、毎年行われる税法改正は、「一部改正」にあたります。一方、「全部改正」とは「○○税法の全部を改正する法律」ということになります。新たに税法を制定するのと同じことになります。ただ、税法分野では「全部改正」はあまり現実的とはいえません。

　このようなことから、ここでは「一部改正」、すなわち、例えば「所得税法等の一部を改正する法律」（なお、政令の場合には、例えば「所得税法施行令の一部を改正する政令」、省令の場合には、「所得税施行規則の一部を改正する省令」といいます。）についてふれます。

　国会で税法（令）の一部改正が成立したとします。この場合、「官報」に法令を載せて改正したことを広く国民・納税者に知らせ（周知す）ることになっています。これを「公布」といいます。ちなみに、「官報」とは、独立行政法人国立印刷局から毎日発刊される文書です。官報には、法令の制定や改正のみならず、税理士試験5科目合格者の受験番号・氏名の公表のような各種国家試験の結果、公務員の人事異動、破産者などの情報が掲載されます。

⑴　税法令は「本則」と「附則」からなる

　税法（令）は、他の法律一般と同じように、大きく「本則」と「附則」に分かれます。「本則」とは、国会で成立した法律の具体的な内容をさします（法律の目的や趣旨を定める規定に始まり、定義規定、制度の基本原則や実体を定める規定が続きます）。一方、「附則」とは、本則に付随して規定されるものです。具体的には、①その法令の施行期日や適用日に関する事項、②現在ある他の法令の廃止に関する事項、③その法令の施行に伴う経過措置に関する規定、④「○○年度までに必要な法制上の措置を講じる。」といった表記のように"将来の増税"を示唆する規定など、からなります。また、附則には、本則の暫定措置が盛られている場合もあります。

　附則は、とかく見過ごされがちです。しかし、税法の改正、新たな制度へのスムースな移行には必要不可欠です。なぜならば、罰則の改正や税率の変更な

PART1　税法の基礎知識を学ぶ

どがあれば、いつの時点からそれらが適用になるかは、納税者の権利に大きな
影響を及ぼす場合も少なくないからです。

(2)　改正税法の施行と適用

　附則を読むと、税法の一部について施行期日が異なっていることがあります。
具体的には、例えば「この法律は、公布の日から施行する。ただし、第○○条
の規定は、平成○○年4月1日から施行する。」といった書き方をしています。

　また、特定の人、地域、事項等についてだけ、法律の適用を先送りさせる場
合があります。この場合、「○○については、平成○○年○月○日までの間、
この法律第○○条の規定は、適用しない。」という適用除外を規定する形になっ
ています。一方、「この法律は、平成○○年4月1日から施行する。ただし、
この法律の第○○条の規定は、平成○○年1月1日以後に行う○○について適
用する。」と遡及適用を定めていることがあります。こうした遡及適用が納税
者に不利益になる場合には、租税法律主義の原則が禁止する遡及的不利益課税
にあたるのではないかが問題になります。

◎求められる法案PC手続の導入

　立法過程の透明化・適正化を図るためには、「法案PC（パブリックコンサル
テーション、パブリックコメント）制度」の導入も一案です。法案PC制度と
は、ひとことでいえば、法律原案に対する意見公募手続です。実際にイギリス
では、租税政府立法や租税行政立法に先だち、重要な素案に対しては、広く利害
関係人からの意見集約をねらいに意見公募を求める仕組みが整備されています。

(1)　わが国でのPC手続の展開

　わが国でも、政府は、1999（平成11）年3月に「パブリックコメント手続
（規制の設定または改廃に係る意見提出手続、以下「PC手続」といいます。）に
ついて」を閣議決定（1999（平成11）年3月23日閣議決定）しました。これにより、政府
の全省庁の統一ルールができ、国の制度としてPC手続を導入・実施しました。

　このPC手続は、各省庁が政策実施のためにさまざま規制を新設したり改廃
したりするための政省令・府令や指針などを定める際に、国民から広く意見を

133

集めようという趣旨で設けられたものです。

アメリカの行政手続法（APA＝Administrative Procedure Act）上の "通知と説明（notice and comment）" の制度にならったものです（アメリカAPA§551以下）。

PC手続（制度）には、大きく次の2つのねらいがあるとされます。

● パブリックコメント手続のねらい

①行政の意思決定過程の公正を確保し、透明性の向上をはかること。
②国民・事業者等（外国も含む）の多様な意見・情報を把握し、それらを考慮して行政が意思決定を行うこと。

ただ、この手続の特徴は、公示される案への賛否を投票するようなものではないことです。したがって、仮に同じような意見が提出されたとしても、その数によって行政の意思決定が左右されることはありません。また、仮に提出意見が一つしかなかったとしても、その意見が行政の意思決定になることもあり得るということです。

その後、2005（平成17）年に、行政手続法（1993〔平成5〕年法律88号）が改正され、「意見公募手続」（39条～43条）が法制化されました（2006年1月1日施行）。もっとも、ここでいうPC手続・制度は、行政（委任立法など）の政策決定過程を透明化することがねらいです。したがって、法律の立法過程の透明化をねらいとしたものではありません。また、このPC手続は、その手続が「納付すべき金銭」に関係する場合には適用がないことになっています（法39④二）。したがって、税法の施行令、施行規則などには原則として適用されないと解されます。

(2) 法案PC制度への展望

わが国において実のあるPC制度を考える場合、行政府が実質的に大半の法律案をつくっているという実情を織り込んで考える必要があります。こうした実情を直視したうえで、法案PC制度の構築にあたっては、"行政過程でつくられる法律（本法）案" も含めた形で議論を深める必要があるように思います。

財務省のホームページ（www.mof.go.jp/comment/itiran.htm）にも、パブリックコメント欄があります。そこに掲載されている項目は、もっぱら、政策実施のための規制の新設・改廃にかかる政省令・府令や指針などに対する意見公募です。

いいかえると、所得税法とか法人税法など税法（本法）レベルはおろか政令や省令レベルの法令の改廃にかかるパブリックコメントを求めるものでもありません。これは、さきにふれたように、納付すべき金銭にかかる政令や省令には現行のPC手続すら適用にならない構図になっているからです。

　仮に国税法案に対する大衆への諮問（評価）の仕組みとして法案PC手続・制度を導入するとします。この場合には、財務省主税局、つまり行政府が法律（本法）案を仕上げているわが国の現実を直視する必要があります。財務省による法案づくりの段階で、同省が争点を明確にし、説明責任を果たし、国民・納税者からコメントをくみ上げられる仕組みにデザインする必要があります。したがって、まず、法案PC手続を行政府に導入するべきか、あるいは立法府に導入するべきかをも含めて、もっと掘り下げて議論する必要があります。また、とくに足の速い租税法案の場合、こうした手続を限られた期間内に効率的にすすめられるかが重い課題です。

　ちなみに、わが国では、会社法の改正のときに法案PCを実施した例があります。また、民主党は、政権に就く前、影の内閣が新たな政策を出す場合に、党のホームページを使って法案に対するパブリックコメント（PC）を募集し、その結果を公表していました。ちなみに、民主党の場合、とくに党で定めた法案PCに関する内部規範はありませんでした。

　立法過程の透明化・適正化に向けて、法案PC制度を整備し、重要な租税政策課題については、必ず広くパブリックコメント（PC）を徴収する仕組みつくりを急ぐ必要があります。

＊1　主税局は、「総務課」、「調査課」、「税制第一課」、「税制第二課」および「税制第三課」の５課ならびに「参事官」２人からなっています（財組令30〜36）。主税局は、局長１人を入れて、100数人程度の規模です。なお、通常の税務行政事務は、国税庁（☛1.3.1）が担当しています。
＊2　地方税についての調査、企画立案を担当する国の組織は総務省自治税務局です。地方税の課税は、各地方自治体の税務担当部課が、国が定めた地方税法に沿って税条例を企画立案、さらには税務行政事務を行っています（☛1.3.3）。

（石村　耕治）

〔アドバンス文献〕 石村耕治「租税立法過程」〔日本財政法学会編〕『財政法の基本問題〔財政法講座１〕』（2005年、勁草書房）所収、石村耕治『透明な租税立法のあり方』（2007年、東京税理士政治連盟）、増山幹高「立法過程における国会再考」成蹊法学50号、泉 美之松『税法条文の読み方―条文解釈の手引〔平成版新訂版〕』（1992年、東京教育情報センター）、林 修三『法令用語の常識〔改訂版〕』（1975年、日本評論社）、西村美智子ほか『税法条文の読み方』（2013年、中央経済社）、橋本清治編『税法条文の見方・読み方』（2012年、清文社）

Column 地方税条例制定の仕組み

都道府県議会や市区町村議会（地方議会）は、執行部をチェックする機関です。同時に、条例をつくる立法機関でもあります。条例には、知事や市区町村長（首長）の提案によるもの（首長提案条例）と、議員の提案によるもの（議員提案条例）があります。また、条例は、その性格により大きく、住民のくらしに関する「政策条例」と、議員定数や議会規則などを定める「手続条例」に分けられます。大多数の政策条例は、従来から首長提案条例の形で定められてきています。議員提案条例の形のものは、全国規模で数％程度と見られています。

租税条例主義（憲法94）のもと、地方税の賦課・徴収は、各自治体の定めた税条例によることになっています。しかし、地方税の分野には、国が定めた地方税法という"枠法（準則法）"があります。各地方自治体は、ほとんどの税目を、この枠法の範囲内で定めています。こうした税目を「法定税」といいます。法定税の仕組みには、一部課税除外措置などを除けば、議員のアイディアを取り込む余地はほとんどありません。このため、自治体の税条例づくりの実務では、税務部署や議会事務局の職員が、総務省自治税務局がつくったひな形（例えば『市（町・村）税条例（準則）』（地方財務協会刊））などを参考に首長提案税条例をつくり、議会の承認を得ているのが実情です。

ただ、近年、地方自治体は、独自に税条例を定めて、国（総務大臣）と協議のうえ同意が得られれば、かなり特色のある「法定外税」を設けられるようになりました（☛1.4.8）。この協議では、国税や他の地方税と重複しないか、住民の負担が過重ではないかなどが点検されます。東京都杉並区の「すぎなみ環境目的税」（いわゆる「レジ袋税」）、静岡県熱海市の「別荘等所有税」など、話題になったケースも少なくありません。ただ、こうした法定外税を設ける税条例もほとんど首長提案条例です。議員提案条例の形のものはないようです。こうした現状では、地方議員は、口利きなどは求められても、立法能力はほとんど問われないわけです。この背景には、条例は原則として法律の枠内で制定することになっているとするドグマ（法律先占論）や、地方議員には秘書など立法スタッフがいない事情もあります。

横並びの増税条例づくりだけではなく、名古屋市の市民税10％〔5％〕減税条例に見られるように、地域主権・課税自主権の確立に向けて、議員の力量が期待されています。議会スタッフの充実などによって議員提案の政策条例づくりを活性化し、地方議員が今後一層、立法者の役割を担えるようにするのは急務です。最近、議会事務局に

議員の政策立案、立法活動を支援する専門職員を置く自治体が増えてきているのは、喜ばしい傾向です。

2008（平成20）年度の地方税法改正では、地方団体が条例で定めれば、その地域の実情に応じて住民の福祉の増進に寄与する公益団体・NPOを、個人住民税上の寄附金控除対象団体に認定できるようになりました。また、2012（平成23）住民税上の寄附金都道府県または政令指定都市（●1.3.3 Column）が、個人住民税の寄附金口から、象として条例（条例指定基準）により個別に指定したNPO法人については、所、の寄附金控除対象となる寄附受入適格に関する認定NPO法人のパブリック・サポート・テスト（PST）要件は満たしているものとされることになりました（NPO法45①一ハ）。ますます地方議会の租税立法能力が問われます。

（石村 耕治）

〔アドバンス文献〕 市民立法機構編『市民立法入門』（2001年、ぎょうせい）、松永邦男ほか『自治立法〔地方自治総合講座2〕』（2002年、ぎょうせい）

1.4.5 租税立法違憲訴訟と立法裁量論

ポイント

立法裁量論は、裁判所が、税法をはじめとし国会のつくった法律について憲法に違反していないかどうかについて判断（違憲判断）を求められたときに、違憲判断を避けるために広く使う理論です。

◎租税立法（税法令）違憲訴訟とは

納税者が、ある租税立法（税法令）が憲法に違反すると考え、裁判をするとします。裁判所に違憲判決を求める場合には、大きく2つの選択があります。1つは、いわゆる「法令違憲」（facial constitutional challenge）を求める争い方です。これは、法令の全部または一部について憲法違反の判断を求めるものです。もう1つは、いわゆる「適用違憲」（as-applied constitutional challenge）または「処分違憲」を求める争い方です。これは、法令自体は合憲であるが、執行者によるその法令の当事者に対する適用の仕方が人権侵害であることを理由に憲法違反の判断を求めるものです。

わが国では、最高裁判所に加え、下級裁判所（地方裁判所・高等裁判所）も、違憲立法審査権を行使できます。ただ、控訴・上告が認められているので、確定判決としての違憲……では、終審である最高裁判所が下すことになります（憲法81）。……所で違憲判決を下すには、15人の裁判官で構成される大法廷に……なくとも９人が出席し、少なくとも８人が違憲判決を支持する必要があります（最高裁判所裁判事務処理規則７、12）。

　ちなみに、憲法訴訟という独自の訴訟形式があるわけではありません。訴訟実務では、憲法上の争点が伴う行政訴訟、民事訴訟、刑事訴訟をさします。また、違憲審査制は、大きく、抽象的違憲審査制と付随的違憲審査制とに分けられます。「抽象的違憲審査制」とは、ドイツのように、通常の裁判所と区別した特別の憲法裁判所を設け、具体的な訴訟事件を離れて抽象的に法令その他の国家行為の違憲審査を行う権限が付与された制度をさします。これに対して、「付随的違憲審査制」とは、アメリカのように、通常の裁判所が、「事件性と争訟性（cases and controversies）」があるかどうかを基準に、原則としてその訴訟の解決に必要な限りにおいて付随的に違憲審査権を行使する司法裁判所型の制度をさします。憲法81条に定められた違憲審査制は、どちらなのでしょうか。一般には、付随的違憲審査制を採っていると解されていますが、批判もあります。

◎立法裁量論とは何か

　配偶者控除（●3.3.2）は専業主婦に当然の控除というのが大方の意見かもしれません。しかし、一方で、この種の控除は、専業主婦を優遇し過ぎ、また女性の就労という点からマイナスになっているという意見もあるわけです（例えば、全国婦人税理士連盟『配偶者控除なんかいらない？』（1994年、日本評論社）参照）。

　ある共稼ぎの納税者が、こうした控除を容認する税法令は専業主婦を優遇し過ぎると考え、憲法14条(法の下における平等)に違反するとして訴えたとします。そして、裁判所がこの訴えを取り上げたとします。どのような判決が予想されるでしょうか。

　この場合、司法府（裁判所）は、立法府（国会）のつくった税法（法律）が

PART1　税法の基礎知識を学ぶ

合憲か違憲かを判断することになります。たしかに、司法府には違憲立法審査権があります（憲法81）。ただ、裁判所は、三権分立（司法府、立法府、行政府の分立）の立場から、国会の政策的な判断に基づいてつくった法律を、むやみに憲法違反とはしません。それは、立法府には、どのような法律をつくるか、あるいはつくらないかを含め、自由に決めることができる裁量（立法裁量）があるとされるからです。

◎裁判所で税法の違憲性を問題にできるか

　これまで、さまざまな税法が合憲か違憲か裁判所で争われてきました。いくつか典型的なケースを見てみましょう。

(1)　サラリードワーカー課税を問題にしたケース

　大島サラリードワーカー課税違憲訴訟（●3.2.1）とは、自営業者は実額控除が受けられるのに対し、給与所得者（サラリードワーカー）には定額控除より認められないことを不公平であり、憲法14条違反であると訴えたケースです（最判昭60.3.27・民集39巻2号247頁）。このケースで、最高裁は、所得の種類の違いなどを理由とする税法上の取扱いの区別について、「その立法目的が正当なものであり、かつ、当該立法において具体的に採用された区分の態様が右目的との関連で著しく不合理であることが明らかでないかぎり、その合理性を否定することができない」とし、合憲としました。

(2)　所得税の課税最低限を問題にしたケース

　わが国で初めて所得税の課税最低限（●3.3.1・Column）のあり方を問題にしたのが、一般に池畑訴訟とよばれているケースです（最判平元.2.7・判時1312号69頁）。このケースでは、所得税の課税最低限が低すぎ、最低限の文化的な生活を保障した憲法25条に違反するとして争われました。

　最高裁は、「憲法25条の規定の趣旨にこたえて具体的にどのような立法措置を講ずるのかの選択は、立法府の広い裁量にゆだねられており、それが著しく合理性を欠き明らかに裁量の逸脱・濫用と見ざるを得ないような場合を除き、裁判所が審査判断するのに適しない事柄である」としました。つまり、争われた課税最低限を合憲であるとしたわけです。

(3)　公益寄附金控除（損金算入）を問題にしたケース

　所得税法は、国または自治体に対し、個人が出した寄附金については寄附金控除の限度額を定めています（所税法78②、●3.3.3）。一方、法人税法は、同じく国または自治体に対し、法人が出した寄附金に対しては損金算入限度額を定めていません（法税法37③一）。つまり、全額損金算入（●2.1.7）ができます。

　この点について、ある個人納税者が、個人についても全額控除されるべきであるとして争いました。訴えの理由は、個人に対する限度額は、個人と法人とを著しく差別し不合理であり、憲法14条1項や憲法84条(租税法律主義)（●1.4.2）にも反し無効というものでした（東京地判平3.2.26・判時1379号67頁（棄却）、東京高判平4.3.30（控訴棄却）・判タ803号74頁、最判平5.2.18（上告棄却）・判時1451号106頁）。

　納税者は、最高裁まで争いました。しかし、結局、地裁の判決が確定しました。地裁は、

139

「具体的な租税法規の立法については、（中略）立法府の政策的、技術的な判断にゆだねるほかなく、裁判所は、基本的には、その裁量的な判断を尊重せざるを得ない（中略）。国又は地方公共団体に対する寄附について、（中略）税法上異なった取扱いを（中略）する立法に正当な理由がある場合には、その区別の態様が（中略）立法理由との関連で著しく不合理なものであることが明らかであるといった特段の事情が認められる場合でない限り、その合理性を否定することはできない」としました。そして、寄附金税制における個人と法人との区別は、「それなりに正当な理由あるものと考えられる」とし、合憲としました。

(4) 納税義務者以外の第三者に対し無償で徴収納付義務を負わすことを問題としたケース

徴収納付義務者である事業者が、自分等に無償で源泉徴収義務を課す税法上の規定は憲法29条3項［財産権の侵害に当たっての正当な補償を求める権利］を侵害し、違憲であるとして争ったケースです。このケースで、最高裁は、源泉徴収義務者に強いられる経済的な負担は微々たるものであり、この程度の義務を負わすことは著しく不合理とはいえないとしました。したがって、源泉徴収制度を定める規定は、憲法29条3項に違反するものではない、と判断しました（最判昭37.2.28・刑集16巻2号212頁）。

(5) 社会保険診療報酬を非課税とし転嫁を認めない仕入税額控除の仕組みを問題としたケース

医療法人は課税取引を行う一般の事業者と同じく仕入税額を負担しています。にもかかわらず、消費税法は社会保険診療報酬を非課税とし、かつ健康保険法などで診療報酬を公定価格としています。このことから、仕入税額控除は認められず、かつ消費税相当分を価格に上乗せすることもできません。このような医療法人である納税義務者と一般の事業者である納税義務者との区別（転嫁方法の区別）取扱いをする消費税法の規定（6①・30①②など）は、憲法14条1項に違反するとして争われたケースです。このケースで、神戸地裁は、消費税法の当該規定は、仕入税額控除相当額を転嫁する権利または義務に関する規定を置いていないなどを理由とし、立法府の立法裁量として許容できないほどの不合理な差別的な取扱いに当たるとは解することはできず、憲法14条1項に違反しない、と判断しました（神戸地判平24.11.27・税資262号-247（順号12097））。

◎法令違憲訴訟の光と影

　司法府（裁判所）は、国民／納税者が「法令違憲」を問うた場合、とりわけ審査を求めた法令が税法令や刑事法など"公法"分野に関係する場合には、立法府に幅広い裁量を認める傾向がうかがえます。すなわち、立法府のつくった法律については、"著しく合理性を欠き、明らかに立法裁量の逸脱・濫用のある場合には憲法違反とします。しかし、たんに合理的ではないという理由では違憲としない。"という考え方（「合理性基準」）を採っているわけです。

　一方で、"公権力の行使"が余り関係してこない民法など"私法"分野については、「法令違憲」の訴えを認める傾向がうかがえます。近年、最高裁が下した、非嫡出子（婚外子）の相続分は、嫡出子の2分の1とする法定相続分の規定（民

法900条四号但書前半部分）は、憲法14条の「法の下の平等」に反し違憲であるとの決定（最決平25.9.4・民集67巻6号1320頁）が適例です。司法府（裁判所）は、法令審査権を使って、時代に合わなくなった法律の規定について立法府に法改正を促す程度の役割を演じていると見ることもできます。

前記ケース（1）【サラリードワーカー課税を問題としたケース】では、司法府（裁判所）は、給与所得者の定額控除（給与所得控除）と事業所得者の実額控除（必要経費控除）との間にある差異は、著しく不合理ではないとの理由で合憲と判断しました。しかし、その後、政府立法で、「特定支出控除」（所税法57の2②、所税令167の3以下）という"実額控除もどき"の制度をつくりました（☞3.2.1）。実際は使い勝手の悪い制度ですが、曲がりなりにも納税者の不満に応えました。見方によっては、納税者敗訴に終わったものの、この税法令違憲訴訟のアナウンス効果、プラス効果があったとみることもできます。

また、前記ケース（4）【納税義務者以外の第三者に対し無償で徴収納付義務を負わすことを問題としたケース】でも、"税法令において無償で徴収納付義務を負わすことは著しく不合理ではない"とし、合憲としました。しかし、この判決では、敗訴した訴訟当事者のみならず、国民/納税者一般に対して多大なマイナス効果を生みました。合憲判断の"お墨付き"を得た政府・課税庁は、これまでにも増して大手を振って無償の徴収納付義務を強化できることになったからです。こうした結果になるのなら、むしろ、合憲か違憲かあやふやにしておいた方がよかったのではないか、という考えも当然でてきます。

あるいは、司法府（裁判所）に法令違憲審査を求めないで、その代わりに、国民/納税者が立法府に働きかけ、議員立法で、徴収納付義務を負う者に見返り（補償）をする所得税法や地方税法などの改正を実現する途を選択する方が得策と見る向きもあるでしょう。

憲法は、三権分立の統治原則を採りながらも、司法の優位（judicial supremacy）を貫いています。憲法の番人である司法府（裁判所）は、立法府のつくった税法令の憲法適合性のみならず、租税負担公平を旗頭に行政府（課税庁）に税法令で付与された権限を越えた行為に対する憲法適合性の判断にお

いても積極的な役割を果たし、国民/納税者の期待に応えるべきです。

　ところが、すでにみてきたところからも分かるように、司法府（裁判所）、とりわけ最高裁は、立法裁量論や合理性基準を持ち出して、これまで国民/納税者が求めた税分野での法令違憲訴訟に対し肯定的に応えた確たる実績がありません（なお、地裁レベルでは、秋田市健康保険税条例違憲訴訟の地裁判決（秋田地判昭54.4.27・行集30巻4号891頁）や旭川市国民保険料条例違憲訴訟の地裁判決（旭川地判平10.4.21・民集60巻2号672頁）などの違憲判決があります。）。

　この理由として、わが国では、議員立法は少なく、大多数は政府提出立法（閣法）であり、これら閣法は内閣法制局の厳しい事前に違憲審査を経ていることから、司法府（裁判所）による事後の違憲審査を必要としていないことをあげる論者も少なくありません（例えば、園部逸夫「違憲審査の法理：日本の経験」法曹時報47巻11号29頁、長谷部恭男「民主主義の質の向上」ジュリスト1311号88頁、大石眞「わが国における合憲性統制の二重構造：合憲性統制機能の立法過程論的考察」『憲法訴訟の現状分析』（2012年、有斐閣）453頁参照）。すなわち、政府提出の国税立法を例にすれば、財務省主税局などがつくった法案（原案）を内閣法制局が厳正なチェックをしたうえで内閣（政府）を通じて国会に出す仕組みのもとにあり（☛1.4.4）、非の打ちどころがない仕上がりになっているから、司法府（裁判所）の出番がないという見方です。こうしたに見方に対しては、「裁判所による法令違憲審査不要論」の呼び水につながる可能性もあるとの厳しい批判もあります（浦田一郎「事前の違憲審査と事後の違憲審査の同質性と異質性：内閣法制局と最高裁判所の関係を中心にして」『現代立憲主義の諸相（上）』（2013年、有斐閣）387頁）参照）。

　ちなみに、裁判所が違憲判断を避けるために使う便法としては、「立法裁量論」のほかに「統治行為論」があります。「統治行為論」は、アメリカなどでは「ポリティカル・クエスチョン論（political question doctrine）」ともよばれます。これは、司法に問われた事柄が、「高度の政治性を有する場合には司法審査にはなじまない（political questions are nonjusticiable）」とするものです。つまり、三権分立のもと、司法は、もっぱら「法的問題（legal question）」を裁断する政府の部門であり、「政治問題（political question）」を裁断する部門ではない

というのが理屈です。わが国でも、自衛隊違憲訴訟判決などで、合憲・違憲の裁断を避けるために使われました（最判昭34.12.16・刑集13巻13号3225頁、札幌高判昭51.8.5・行集27巻8号1175頁）。

（石村　耕治）

〔アドバンス文献〕戸松秀典『憲法訴訟〔第2版〕』（2008年、有斐閣）、戸松秀典「立法裁量論」〔現代憲法学研究会編〕『現代国家と憲法の原理』（1983年、有斐閣）、宍戸常寿『憲法の解釈論の応用と展開』（2011年、日本評論社）、北野弘久『サラリーマン税金訴訟〔増補版〕』（1990年、税務経理協会）、石村耕治『租税立法（税法令）違憲訴訟と立法裁量論』国民税制研究4号、Nada Mourtada-Sabbah, The Political Question Doctrine and the Supreme Court of the United States（2007, Lexington Books）

1.4.6　税務通達とは何か

ポイント

　「税務通達」とは国税庁長官が国税局や税務署およびその職員に対して、法令の解釈や執行・運営指針などの示達・徹底のために出す文書で、本来、直接納税者を拘束するものではありません。しかし、課税庁職員はこの税務通達に従って仕事をするため、納税者は間接的に通達に拘束されるといえます。

　憲法では、税金は法律に基づいて課税する「租税法律主義」の原則を定めていることから、法令と同じような機能を有する通達によって納税の義務を課すことに対する是非が問われています。

◎税務通達とは

　「通達」とは、上級行政庁がその所轄行政の統一をはかるために、下級行政庁に対して法令の解釈や執行・運営指針などを示達・徹底するために出した文書をいいます。

　国の税務行政においては、上級行政庁である国税庁の長、すなわち国税庁長

143

官が下級行政庁である国税局や税務署、さらにはその職員に対して通達を出す仕組みになっています。この場合の通達は「国税庁通達」とよばれます。一方、地方税法の場合には、総務大臣などが地方（公共）団体に対して出すことから、「総務省通達」とよばれます。

　税務通達を出す法的根拠は、国家行政組織法14条2項の「各省大臣、各委員会及び各庁の長官は、その機関の所掌事務について、命令又は示達するため、所管の諸機関及び職員に対し、訓令又は通達を発することができる」とする定めにあります（国税に関する最新の税務通達について詳しくは国税庁のホームページにアクセスすれば参照できます。）。

◎通達の拘束力

　税務通達は、本来、国税局や税務署さらにはその職員に対しては拘束力を有しますが、国民・納税者を拘束する法令ではありません。したがって、法源性はありません（☛1.4.3）。この点について、各基本通達の前文において、その旨を確認する記載をしています。例えば、所得税基本通達においては、次のように述べています。

所得税基本通達の制定について

　この所得税基本通達〔中略〕の具体的な適用に当たっては、法令の規定の趣旨、制度の背景のみならず条理、社会通念をも勘案しつつ、個々の具体的事案に妥当する処理を図るよう努められたい。

　ただ、課税庁職員は税務通達に拘束され通達に従って仕事をしています。このため、税務通達は納税者を間接的に拘束する結果になります。また、納税者やその代理人（税理士など）も、実際の税務処理にあたっては、税務通達を参考にする場合も多く、無視できない存在となっています。

(1)　通達と税務争訟

　通達の拘束力について、税務争訟（不服申立て・裁判・☛6.1）面においては、次のようになります。

納税者が通達に示された解釈に異論があり、国税不服審判所に対して審査請求を行ったとします。この場合、国税不服審判所長は通達と異なる解釈に基づいて裁決することができます。ただし、裁決に先立ち、あらかじめその意見を国税庁長官に通知しないといけないことになっています（国通法99①）。

　これに対して裁判所の場合、法の解釈や適用について司法審査が求められたときには、通達は法源性を持たないことから、通達に拘束されることなくその裁断を下すことができます。

(2)　通達に反する課税処分の効力

　裁判所は、通達に反する課税庁の処分も、法令に適合している限り適法・有効との判断を下しています（東京地判昭45.7.29・訟月16巻11号361頁、横浜地判昭51.11.26・訟月22巻12号2912頁、東京高判昭53.12.19・訟月25巻4号1175頁など）。ちなみに、納税者が通達に反する課税処分を争った訴訟において、国側は、税務通達に法源性がないことを理由に反論することもあります。

◎通達と告示

　通達と似た行政行為に「告示」があります。告示を出す法的根拠は、国家行政組織法14条1項の「各省大臣、各委員会及び各庁の長官は、その機関の所掌事務について、公示を必要とする場合においては、告示を発することができる」とする定めにあります。一般に、この場合の「告示」は、法的性格を有するものと解されますから、法源性があるといえます。法源性がない通達とは異なります。

(1)　実体税法にかかる告示の例

　個人が、さまざまな市民団体、非営利団体に寄附したとしても、確定申告にあたり特定寄附金として控除はできません。同じように、会社（法人）が、こうした寄附をした場合も公益寄附金としては損金算入ができません。しかし、国や自治体、公益性の高い法人や団体に寄附金を支出した場合は、法定限度まで寄附金控除ないし損金算入ができます（所税法78、法税法37、法税令73以下・☛3.3.3・2.1.7）。とりわけ、公益社団法人、公益財団法人その他公益を目的とする事業を行う法人や団体に対する寄附金で、一定の要件を満たし財務大臣指定もの、つ

まり「指定寄附金」については、法定限度まで寄附金控除（所税法78②二、所税令215・216①）ないし全額損金算入ができます（法税法37③二、法税令77）。この指定は、財務大臣が「告示」で行うことになっています（所税令216②、法税法37③二）。

　例えば、東日本大震災関係の各種特定震災指定寄附金や、東京オリンピック・パラリンピック競技大会組織委員会「東京2020寄附金」法人税法第37条第3項第2号の指定寄付金および所得税法第78条第2項第2号の特定寄付金「平成29年（7月24日）財務省告示204号」などがあります。

　この場合、「告示」は、その性格上、法的性格を有するものと解されますから、法源性があるといえます。

(2)　固定資産評価基準と評価通達

　土地や建物など固定資産の所有者には、その固定資産の評価価格に基づいて固定資産税（☞1.4.8）が課されます。したがって、その資産がいくらなのか評価・計算しなければなりません。

　地方税法においては、固定資産税のかかる固定資産の価格は、「固定資産評価基準」によって決めることになっています（地税法403①）。

　この固定資産評価基準について、「総務大臣は、固定資産の評価の基準並びに評価の実施の方法及び手続（以下「固定資産評価基準」といいます。）を定め、これを告示しなければならない」と定めています（地税法388①）。

　また、固定資産評価基準の取扱いについては、総務事務次官の依命通達が出されています。地方税法の規定の仕方から見て、固定資産評価基準の告示は、法的な要件であり、実質的に課税権者である市町村長を拘束しています（例えば、千葉地判昭57.6.4・判時1050号37頁、大阪高判平13.2.2・訟月48巻8号1859頁、原審、大阪地判平11.2.26・訟月47巻5号977頁）。しかし、一般に、このことをもって、固定資産評価基準には直ちに法源性があるとは解されていません（最高小判平15.6.26・民集57巻6号723頁・タインズZ999-8072、原審、東京地判平8.9.11・判時1578号25頁・タインズZ999-8070、東京高判平10.5.27・判時1657号31頁・タインズZ999-8071）。なお、評価基準で決定した価格が賦課期日の時価を超えている場合には、超過部分は違法と解されます（前記最高小判平15.6.26）。

PART1　税法の基礎知識を学ぶ

(3)　相続税財産評価関係通達

　相続ないし遺贈により財産を取得した場合、当該財産の取得者には、相続税（☛2.3.1）がかかります。一方、贈与により財産を取得した場合、当該財産の取得者には、贈与税（☛2.3.8）がかかります。

　相続税ないし贈与税は、取得した財産の価格に基づいて税額が決まるので、まず、その財産がいくらなのか評価・計算しなければなりません。相続税法は、原則として「相続、遺贈又は贈与により取得した財産の価額は、当該財産の取得の時における時価によ」る、と定めています（相税法22）。

　このように、相続税ないし贈与税を計算する場合には、その財産を取得した時の「時価」、つまりその資産の取得時における価額（価値）を基に計算することになります。この場合、取得した資産が現金であれば、100万円は100万円ですから、一般に評価の問題は生じません。ところが、土地や建物など“評価性財産”の場合には、その財産の「時価」がいくらなのか決めなければなりません。

　相続税法においては、相続税ないし贈与税のかかる財産の価格は、国税庁長官が出した「財産評価基本通達（評基通）」および「財産評価関係個別通達（評個通）」（以下、双方を一括して「財産評価関係通達」といいます。☛2.3.5）をもとに計算することになっています。各国税局長は、国税庁長官が出したこれら財産評価関係通達をもとに、具体的には「評価基準（路線価等）」（相続税計算のための路線価、評価倍率など）を定めて公表しています。納税者は、こうした「評価基準（路線価等）」をもとに具体的な価額を計算することになります。

　最高裁は、課税庁が相続税財産評価基本通達に反する課税処分を行ったことが争われた事件で、実質的な税負担の公平をはかるために通達価額を上回る価額で評価することは、税法の一般原則としての平等原則に反しないと判断しています（最判令4.4.19・民集76巻4号411頁）。しかし、本来、税負担の平等原則は租税立法上の原則であり、平等原則を税法の解釈に持ち出すことは、租税法律主義の原則（☛1.4.2、☛1.5.1）を形骸化するおそれがあります。司法にも、行政追従ではなく、慎重な通達の適用・解釈が求められます。

　各国税局長が出す「評価基準（路線価等）」（告示）と、前述の総務大臣が出

147

す「固定資産評価基準」（通達）とは、実際の法的機能は同じと見てよいといえます。

◎通達と事務運営指針

　通達に似た文書として国税庁長官が出す「事務運営指針」があります。事務運営指針は、下級税務行政庁に対して法令の解釈や執行・運営方針などを示達・徹底するために出した文書として、広義には、通達と実質的に同じ性格を有するものといえます。ただ、通達に比べ、事務運営指針の場合には、具体的な法令の解釈などに加え、税務職員向けの職務執行上の指示・訓令の意味合いがより濃い文書と見てよいのではないかと思います。事務運営指針には、古くは「税務運営方針」（1976年）から、「加算税」（2000年・☛7.3）、「移転価格税制」（2002年）、「事前文書照会回答手続」（2002年、後述）など最近のものまで数多く出されています。なお、最新の事務運営指針について詳しくは、国税庁のホームページにアクセスすれば参照できます。

　各種の事務運営指針に盛られた事項のなかには、納税者の手続法上の権利利益とからむものも少なくありません。にもかかわらず、質問応答記録書（☛5.3.7）や納税者支援調整官（☛6.1 Column）のように、事務運営指針は非公開で、国民・納税者が情報公開法や個人情報保護法を使って開示請求（☛1.3.4）をしないとその仕組みや税務職員が作成した文書の内容を知ることができないケースもあります。密室税務行政と批判されても仕方ありません。加えて、憲法の租税法律主義や法律による行政のルールに反します（☛1.4.2）。したがって、そうした性格を持つ事項については、事務運営方針という法的拘束力の欠く課税庁の納税者サービス（☛1.3.6）の一環として位置づけるのではなく、法的根拠を持つ制度とすべきです。

◎国税庁FAQ、国税庁Q&Aとは

　近年、国税庁は、FAQ（以下「国税庁FAQ」）といいます。）やQ&A（以下「国税庁Q&A」）といいます。）を大量に発出しています。一部内部向けのもの

148

PART1 税法の基礎知識を学ぶ

を除けば、国税庁のホームページ（HP）にアクセスすれば、ほとんどのものを入手することができます。

(1) 国税庁FAQとは

「FAQ」とは、「Frequently Asked Question」の略称です。「よく尋ねられる質問」、「よくある質問」という意味です。「エフエーキュー」と読みます。

FAQでは、質問と回答が対になった形式となっています。課税取扱いなどについてもっとよく知りたい人がFAQをチェックすることで、わからない点をよく理解できるようにしようということで作成・公表されています。

国税庁FAQは、大きく①課税庁内部の職員を対象としたものと、②一般の納税者を対象としたもの、さらには③税理士を対象としたものに分けられます。①の例としては「質問応答記録書作成の手引」（☞5.3.7）があります。②の例としては「源泉所得税関係に関するFAQ」、「年末調整に関するFAQ」などがあります。さらに③の例としては「税務調査手続に関するFAQ（税理士向け）」があります。大半の国税庁FAQは、②類型のものです。

(2) 国税庁Q&Aとは

「Q&A」とは、「Question and Answer」の略称です。「質問と答え」という意味です。「キューアンドエー」または「キューエー」と読みます。FAQと同様に、質問と回答が対となった形式で、質問への解決策を示そうということで作成・公表されています。国税庁Q&Aには、「国税庁インボイス制度に関するQ&A」、「確定申告期に多いお問合せ事項Q&A」などがあります。

(3) 国税庁FAQや国税庁Q&Aの功罪

課税庁が、FAQやQ&A形式で、課税取扱いや税法の適用・解釈などの論点や争点を整理し公表することには利点があります。納税者は、それぞれの事例に応じた情報を見つけやすくなるからです。また、国税庁FAQや国税庁Q&Aの利用は、平易な表現を用いて簡潔な文書を作成・公表することにつながり、制定が待たれる納税者権利憲章（☞1.3.6）の呼び水になるようにもみえます。

一方で、国税庁FAQや国税庁Q&Aには厳しく問われていることもあります。1つは、その法的性格です。つまり、国税庁FAQや国税庁Q&Aの法源性（法

149

的拘束力）があいまいなのです。国税庁FAQや国税庁Q&Aを根拠（典拠）に争訟（☛6.1）ができるのかなど、納税者の手続的な権利保障の明確化が急がれます。

　加えて、国税庁FAQや国税庁Q&Aの発出にあたっては、速報性が重視されます。このため、基本通達などの発出の際に行われる意見公募（パブコメ）手続がとられません。無鑑定で、公正さ・妥当性を欠いた国税庁FAQや国税庁Q&Aの発出が心配されます。また、国税庁FAQや国税庁Q&Aを通じた一元化／画一化された公定の課税取扱いや税法の適用・解釈などの納税者への実質的な押付けも心配されます。憲法に定める租税法律主義の原則（☛1.4.2）のもと、納税者にはさまざまな税法の適用・解釈を選択する道が開かれているわけです。速報性にかまけずに、こうした納税者の選択権をしっかりと保障することは大事な課題です。

　さらに、国税庁FAQや国税庁Q&Aの濫発も問われています。本来、国会や政府は税制の簡素化に鋭意努力しないといけないわけです。ところが、そうした努力を怠り、複雑・怪奇な税制を放置し、税務通達のみならず、国税庁FAQや国税庁Q&Aの多用で対応しようとするのは本末転倒です。サステナブル（永続的）な申告納税制度は、納税者側の一方的なテマ・ヒマ（コンプライアンス負担）増では維持できません。国税庁FAQや国税庁Q&Aの多用には慎重さが求められます。

　いわゆる「通達課税」の課題は、国税庁FAQや国税庁Q&Aも含めて精査しないといけません。

◎税務通達の分類

　税務通達は、その性格、機能ないし存在形式などに応じて、いろいろな分類の仕方が可能です。

(1)　公開通達と内部通達

　税務通達は、一般に公開されている①「公開通達」と、外部には公開されず税務行政庁内部での命令に留まっている②「内部通達」、「秘通達」ないし「非

公開通達」とに分けることができます。

　国の情報公開法が制定された今日、内部通達が同法の開示請求対象となることは自明のところであり（☜1.3.4）、その存在は極めて消極的に認められるに過ぎないと解されます。

(2)　法令解釈通達と執行通達

　税務通達は、その機能に応じて、①「法令解釈通達」と②「執行通達」とに分けることができます。①法令解釈通達は、税法の解釈の統一をはかるために示達されるものです。これに対して、②執行通達は、税務行政庁内部での執行に関し示達されるものです。なお、通達のなかには、法令解釈と執行の双方の機能を持つものも少なくありません。

　とりわけ法令解釈通達は、国税庁FAQや国税庁Q&Aなどと同様に、課税庁が画一化した公定の課税取扱いや税法の適用・解釈などを納税者に対し実質的に押し付けることにつながります。憲法に定める租税法律主義の原則（☜1.4.2）のもとで、納税者にはさまざまな税法の適用・解釈の選択が許されます。こうした納税者の選択権をしっかりと保障することは大事な課題です。加えて、法令解釈通達は、行政庁である課税庁が、司法を司る機能を持つことあるいは納税者の裁判を受ける権利を制限する権限を持つことにつながりかねません。三権分立の原則の視点からも、法令解釈通達の多用（汎用）には慎重さが求められます。

　ちなみに、①法令解釈通達、②執行通達は、その機能において、それぞれ前記の公開通達、内部通達といった分類に相通じるところがあります。

(3)　基本通達と個別通達

　上記の法令解釈通達は、その存在形式に従い、税目ごとに示達される①「基本通達」と、それを補完するために示達される②「個別通達」とに分けることができます。税法を解釈する際に、一般に広く使われる分類の仕方です。

● 基本通達と個別通達

① 基本通達とは

「基本通達」とは、国税庁長官が示達したものをさします。例えば、国税通則法基本通達、不服審査基本通達、所得税基本通達、租税特別措置法（所得税関係）通達、法人税基本通達、租税特別措置法（法人税関係）通達、相続税法基本通達、租税特別措置法（相続税関係）通達、財産評価基本通達、消費税法基本通達、印紙税法基本通達、租税特別措置法（間接諸税関係）通達、国税徴収法基本通達、税理士法基本通達、電子帳簿保存法取扱通達などがあります。

＊網掛けした通達は法の文言が入っていないもの

② 個別通達とは

「個別通達」とは、国税局などが出した個別の事案について、その解釈や処理方法を明らかにしたものをさします。『実務税法六法〜通達』（新日本法規）のような商業出版された税務通達集では、所得税関係個別通達、法人税関係個別通達、相続税関係個別通達、国税徴収関係個別通達などの形で集成されています。

◎税務通達の読み方

税務実務において、通達という場合には、「基本通達」をさすのが一般的です。基本通達の読み方は以下のとおりです。

所得税法・相続税法・租税特別措置法の場合

法人税法・消費税法の場合

ちなみに、通例、例えば基本通達18−10の場合の「−」は「バー」と読みます。

◎通達課税と租税法律主義

"通達課税"つまり、「法令が予定している枠を超えて定められ、新たな法令と同じ機能を有する通達によって納税の義務を課すこと」の是非が問われます。なぜならば、憲法は「税金は"法律"に基づいて課税する」という租税法律主義の原則を定めており（☞1.4.2）、通達は法令が予定している枠内で定められな

152

ければならないからです。

　税務通達は、課税庁による複雑な租税法令の適用や税務運営に統一性を確保するうえで、税務の現場には欠かせないものです。しかし、税務通達の役割を広げ過ぎると、通達が国民・納税者までをも拘束するものとなり、法律により税金を課すという租税法律主義の原則が形骸化してしまいます。したがって、通達の内容は法令に抵触するものであってはなりません。また、本来、法令の求めるところを超えた納税の義務を納税者に課すものであってはなりません。さらに、法令上の根拠なしに、通達のみで納税義務を免除・軽減することも許されません。裁判所は、こうした限界を超え法令と同じような機能を有する内容の税務通達でもって課税を行う "通達課税" は許されないとする見解をとっています（最高判昭33.3.28・民集12巻4号624頁）。

　税法令の制定にあたっては、租税法律主義の課税要件法定主義や課税要件明確主義の原則にそくして、できるかぎり一義的かつ明確に定めるように求められます（☛1.4.2）。しかし、現行の通達のなかには、課税要件に関する重要な事項までをも定めるものが多々あります。例えば、財産評価基本通達や、雑所得（所税法35）に新たな区分である「業務に係る雑所得」を設ける所税基通35-2（☛3.2.10）が、その典型です。租税法律主義の原則からして、このような課税要件に関する重要な事項は、法令で定めるべきです。

　国税庁が出す法令解釈通達は、国税不服審判所の審査請求制度への足かせになります（国通法99）。また、裁判所を行政追従の消極司法に導きかねません。納税者の争訟権を弱め、三権分立の原則をあいまいにするのは問題です。納税者の権利利益を護る機関はその本来の役割を果たせなくなるからです。行政庁である国税庁は、法令解釈通達の多用（汎用）に慎重でないといけません。

◎事前照会文書回答（事務運営指針）とは

　すでにふれたように、国税庁は、基本通達に加え、個別通達の形で、税法令の解釈適用や課税取扱いを示しています。これに加え、特定の納税者からの税法の適用・解釈や課税取扱いに関する個別の照会に対して文書で回答をする仕

組みが、事前照会に対する文書回答手続（以下「事前照会文書回答手続」といいます。）です。こうした仕組みは、アメリカなどでは「アドバンス・ルーリング（advance ruling）」（詳しくは、石村耕治「内国歳入庁ルーリング」『アメリカ連邦税財政法の構造』(1995年、法律文化社) 69頁以下参照）、わが国では「事前確認制度」ともよばれています。

(1) 制度導入のいきさつ

わが国における事前照会文書回答手続は、従来は移転価格税制や関税法の「事前教示制度」（関税法7③）のような、国際課税分野の一部で導入されているに過ぎませんでした。課税分野一般に対する導入が検討されるにいたった契機は、2000（平成12）年に、当時の総務省行政監察局（現総務省行政評価局）が「税務行政監察結果報告書」を公表したことにあります。そのなかで「納税者が帳簿等の具体的な資料を提示してあらかじめ国税当局の見解を確認できる仕組みを整備するよう、その検討に着手すること」を勧告したことが、そのいきさつです（菅納敏恭「事前確認制度の整備・充実」税理44巻2号65頁参照）。

これを受けて国税庁は、2001年6月22日に事務運営指針「事前照会に対する文書回答の実施について」（課総1-19ほか8課共同）を定めて同年9月から運用をはじめました。その後、新たな事務運営指針「事前照会に対する文書回答の事務処理手続等について」が出され、現在にいたっています（https://www.nta.go.jp/law/jimu-unei/sonota/020628/01.htm）。この事務運営指針では、事前照会の範囲や事務処理手続、審査手続、回答・通知、公表・窓口閲覧などについて詳しく定めています。

(2) 手続のあらまし

事前照会に対する文書回答手続としては、課税庁は、照会文書を受付窓口で受け付けた日から原則おおむね3か月（審査に必要な追加的資料の提出や照会文書の補正に要した期間を除きます。）以内に、照会者に対して、それまでの検討状況からみた文書回答の可能性、処理の時期の見通し等を口頭での説明に努めることになっています。また、回答内容（事前照会者名は原則対象外です）の公表は、原則として、これを回答後60日以内に行うことになっています。ただし、事前照会者からの申出があり、経済上の機密保持などその申出に相当な

理由がある場合には、1年以内の期間、公表を延期できることになっています。

⑶　制度の意義

　事前照会文書回答手続は、「納税者サービスの一環として、個別の取引、事実等（以下「取引等」という）に係る税務上の取扱い等に関する事前照会に対する回答を文書により行うとともに、その内容を公表することにより、同様の取引等を行う他の納税者に対しても国税（関税、とん税及び特別とん税を除く。以下同じ）に関する法令の適用等について予測可能性を与えることを目的として実施している」（同事務運営指針）ものです。また、国税庁のホームページでは、事前照会回答などの要旨をまとめた文書回答事例が公表されています（https://www.nta.go.jp/law/bunshokaito/01.htm）。

　なお、国の各省庁は「ノーアクション・レター（法令解釈の照会公表制度）」として法令適用事前確認手続を導入しています。この制度では、「将来の行為」を含めて照会の対象としています（常岡孝好「ノーアクション・レター制度の導入と税務行政への影響」税理44巻10号2頁参照）。これに対して、事前照会文書回答手続では、当初、「将来の行為」を含めていませんでした。しかし、法改正が行われ、平成20年4月1日から「将来の行為」も対象になりました。ちなみに、財務省も法令適用事前確認手続を一部導入しています。ただ、その対象は取引や営業の許可関係の確認に限られており、税務については対象外です。

　事前照会文書回答手続で得られた回答は「処分」にはあたりません。しかし、この手続を踏んで得られた回答は、文書による公的見解の表明です。したがって、その回答にそった申告やそれに反する課税処分に対する信義則（信義誠実の原則）の適用（☞1.5.3）に大きな影響を及ぼします。この面での今後の論的整理・展開が待たれるところです。また、事前照会をする納税者は、原則としてその回答の公開に同意するように求められます。これは、一般納税者が課税取扱先例を知るうえでも有用です。また、税法の解釈適用や課税取扱いにおける納税者間での公平を確保するうえでも有用です。ただ、照会の対象となる範囲や条件が厳しすぎることが目につきます。また、申請の代理人は税理士に限る方向へ転換したことも（藤曲武美「税理士業務における文書回答手続の活用」税理47巻10号41頁）、

開かれた制度に逆行するやり方のようにみえます。今後、手続の整備次第で、納税者は税務判断を税務の専門職から事前照会へ依存する方向へ舵を切ることも予想されます。したがって、事前照会にかかる行政コストの応分の負担という点についても、もっと掘り下げて検討する必要がありそうです（酒井克彦「事前照会に対する文書回答手続の在り方」税大論叢44号〔2004年〕463頁参照）。

(4) 求められる法的根拠

この制度は、租税法律関係における法的安定性や予測可能性を高め、申告納税制度のもとでの納税者の自発的納税協力をすすめるためにも、きわめて重要な意味を持ちます。この制度を、国税庁が自らの納税者サービス（☛1.3.6）の一つとして位置づけるのはわかります。ただ、わが国では、この制度を、法律によるのではなく、国税庁の事務運営指針、いいかえると法源性を欠く「通達」によって実施しています。こうした納税者の権利利益と深くかかわる手続が、一片の通達で実施されてよいのかどうかについては再考の余地がありそうです。あくまでも、この制度を、課税庁の税務相談の一端と位置づけ、法的拘束力のない納税者サービスとして実施しているという色合いを濃く出そうということかも知れません。しかし、やはり、法的な根拠を持つ制度とすべきです。「法律による行政」のルールを尊重し、国会（立法府）の関与のもとで、この制度のさらなる進化が待たれます。

（石村 耕治）

〔アドバンス文献〕北野弘久「通達課税・通達行政」『判例研究・日本税法体系〔1巻〕』、（1978年、学陽書房）、石村耕治「通達制定過程の適正化」『先進諸国の納税者権利憲章〔第2版〕』（1996年、中央経済社）、岩崎政明「租税行政規制の外部効果〜特に解釈・事実認定に関する税務通達の拘束力について」横浜国際経済法学4巻2号、品川芳宣『租税法律主義と税務通達』（2003年、ぎょうせい）、渡辺淑夫『通達のこころ』（2019年、中央経済社）

PART1 税法の基礎知識を学ぶ

1.4.7 租税条例主義と地方税の納税義務

ポイント

各地方団体（自治体）は、税条例を定めて住民にさまざまな地方税を課しています。このルールを「租税条例主義」とよびます。住民は税条例に基づいて地方税の納税義務を負います。地方団体が課している税金は２つに大別できます。１つは、国の法律である地方税法の枠内で条例で課す税金です。一般に「法定税」とよばれます。もう１つは、国の同意を得て地方税法の枠外で独自に条例で課す税金です。一般に「法定外税」とよばれます。

◎地方税の納税義務

地方税とは、地方団体（自治体）が有する課税権に基づき賦課・徴収される租税をいいます。地方税法２条は「地方団体は、この法律の定めるところによつて、地方税を賦課徴収することができる。」と定め、地方税法が準則法（枠法）であることを示しています。

また、同３条１項は「地方団体は、その地方税の税目、課税客体、課税標準、税率その他賦課徴収について定をするには、当該地方団体の条例によらなければならない。」と定めています。地方団体は、これらの規定を受け、地方税法の定める枠内で、地方議会の議決に基づく条例の定めるところによって課税権を行使することになります。

国税の場合、納税義務は、納税義務者、課税物件、課税標準、税率などの課税要件を充足することによって成立します（☞1.4.2）。地方税の場合も、地方税法の枠内で各地方団体が定めた条例の中の課税要件が充足されることによって、納税義務が成立します。

◎租税条例主義とは

租税条例主義は、地方税条例主義ともよばれます。地方税法３条１項にうたわれているように、地方税の課税要件や賦課徴収等については、その地方団体

157

の住民の代表で構成される議会が定めた条例によらなければならないことになっています。つまり、地方団体は、住民に地方税を課す場合には、直接国の法律である地方税法によるのではなく、住民の代表機関である議会が定めた税条例に基づくように求められます。こうしたルールが租税条例主義です。内容的には国税における租税法律主義（☜1.4.2）に相応すると解されます。

◎自治体課税権の根拠

　憲法92条は「地方公共団体の組織及び運営に関する事項は、地方自治の本旨に基いて、法律でこれを定める。」と定めています。また、同94条は「地方公共団体は、その財産を管理し、事務を処理し、及び行政を執行する権能を有し、法律の範囲内で条例を制定することができる。」と定めています。これは、憲法が地方自治を保障し、地方団体に、その事務を、住民の民主的統制のもとに自らの責任で自主的に処理することを認めたためと理解されています。

　地方団体は、地方自治の本旨にそってその事務を処理するのに使う財源を自らで調達できる機能を必要とします。まさに、地方団体の課税権（自治体課税権）は、憲法92条や94条に基づきこうした機能を付与するものであり、地方団体の自治権の重要な部分をなすものです。

◎地方税法の意義

　地方団体は、憲法で認められた自治権の一環として課税権を持っています。しかし、地方団体ごとに税制が大きく異なったり、住民の税負担がはなはだしく不均衡になることのないように、地方団体の課税権について国の法律で全国統一的な準則や枠を設ける必要が生じます。そのような準則や一定の枠を設定した法律が、地方税法です（最判平成25・3・21・民集67巻3号438頁を参照）。

◎自治体の課税権と地方税法との関係

　地方税法は、地方団体が採用すべき地方税の税率について、一定の制限を加えています。大まかにまとめてみると、次のとおりです。

PART1 税法の基礎知識を学ぶ

●地方税法上、地方団体が課税の際に拠るべき税率制限の種類

① **一定税率**
　　地方税法において１つの税率しか定められていないものをいいます。したがって、地方団体が税条例においてこの税率と異なる税率を定めた場合には、該当する規定は違法かつ無効になると解されます（道府県住民税の利子割・配当割・株式等譲渡所得割、地方消費税など）。

② **標準税率**
　　通常拠るべき税率（個人住民税の所得割・均等割、法人事業税、個人事業税、固定資産税など）です。

③ **制限税率**
　　超過課税を行う場合でも、超えてはならない税率（法人事業税、個人事業税、都市計画税など）です。

④ **任意税率**
　　地方税法に税率の規定がなく、地方団体が任意に定めることのできる税率（水利地益税、共同施設税および宅地開発税）です。

(注) 実際には、法人住民税のように、標準税率と制限税率が組み合わさった例など多様です（☞1.2.7）。

　地方団体の自主的な課税権の尊重という趣旨からすれば、国の法律である地方税法で、地方税のすべてについて画一的に規定し尽くすのは望ましいとはいえません。また、地方団体の課税権への国の介入はできるだけ消極的であるべきといえます。

　例えば、地方団体は、財政上の特別の必要がある場合には標準税率によることを要しないとされています（地税法１①五）。地方税の税率は、各税目ごとに条例で定められるわけですが、地方税法では、多くの税目について標準税率と制限税率が定められています。標準税率は、地方団体が税率を定める場合に、通常拠るべきものとして地方税法に規定されている税率です。しかし、特別に財政上の必要がある場合には、地方団体の判断によって、標準税率とは異なる税率を条例で定めることができます。この場合、標準税率を超える税率を用いて課税することを「超過課税」といいます。しかし、税目によっては、超過課税をする場合の限度としての税率が地方税法で規定されています。これが「制限税率」です。この制限税率が定められている税目については、制限税率を超える税率を条例で定めることはできません。

　地方税法では超過課税を認めていますが、これは地方団体に自由裁量を認めた趣旨ではありません。しかし、地方団体の自主性を尊重するという趣旨から、その判断は十分に尊重されなければならないとされています。

159

◎地方分権一括法と法定外税

地方団体が課税する租税は、次のように分けることができます。

●地方団体が課税する租税の種類

① **法定税**：地方税法に個別税目として定められており、地方団体が条例で課す全国統一的な租税です。
(a) 法定普通税：法定税で、徴収した租税の使途が限定されていないものをさします。
(b) 法定目的税：法定税で、徴収した租税の使途が限定されているものをさします。
② **法定外税**：地方税法に個別税目として定められておらず、地方団体が独自に、総務大臣と協議をして同意を得た上で、条例で課す租税です。
(c) 法定外普通税：法定外税で、徴収した租税の使途が限定されていないものをさします。
(d) 法定外目的税：法定外税で、徴収した租税の使途が限定されているものをさします。

2000（平成12）年に施行された「地方分権一括法」（正式には「地方分権の推進を図るための関係法律の整備等に関する法律」。475本の法律を一括して改正する狙いの法律であったことから使われる略称です。）による地方税法の改正により、法定外普通税について総務大臣の許可制度の代わりに総務大臣の同意を要する協議制度が採用されました（地税法259以下・669以下）。

また、新たに法定外目的税が導入され、同じく総務大臣の同意を要する協議制度が採用される（地税法4⑥・5⑦・731以下）など、自治体の課税権、すなわち自主財政主義の推進をはかりました。

ちなみに、総務大臣は、法定外普通税および法定外目的税の新設・変更について、地方団体から協議の申出を受けたときは「国税又は他の地方税と課税標準を同じくし、かつ、住民の負担が著しく過重となること」、「地方団体間における物の流通に重大な障害を与えること」および「国の経済施策に照らして適当でないこと」の事由のいずれかがあると認める場合を除き、これに同意しなければならないとされています（地税法261・671・733）。

このような地方分権一括法による地方税法の改正により、地方団体では新しい税目が検討され、導入されています。その多くは核燃料や産業廃棄物に関する税目ですが、その他に、都道府県では「石油価格調整税」（沖縄県）、「宿泊税」（東京都、大阪府、福岡県）、「乗鞍環境保全税」（岐阜県）、「再生可能エネルギー地域共生促進税」（宮城県）があります。

PART1 税法の基礎知識を学ぶ

　また市町村では、「別荘等所有税」（静岡県熱海市）、「遊漁税」（山梨県富士河口湖町）、「開発事業等緑化負担税」（大阪府箕面市）、「空港連絡橋利用税」（大阪府泉佐野市）、「宿泊税」（京都市、金沢市、北海道倶知安町、福岡市、北九州市、長崎市）、宮島訪問税（広島県廿日市市）などが実施されています。さらに、東京都豊島区は「狭小住戸集合住宅税」を実施しています。

　一方、神奈川県の「臨時特例企業税条例」（2001年に導入、2009年3月に廃止）のように、その適法性を問われた法定外税もあります。この税は、県内に工場などを有する資本金5億円以上の法人で、当期利益を上げながら欠損金の繰越控除により法人事業税を納めなかったものを対象としていました。税率は、控除前の当期利益の2～3％でした。県は、この租税を導入後、廃止するまでに総額で約478億円を徴収しました。納税者である企業は、この条例が地方税法に違反しており、無効であるとして出訴しました。横浜地裁は、納税者勝訴の判断を下しました（横浜地判平20.3.19・判時2020号29頁）。しかし、東京高裁は地裁判決を取り消しました（東京高判平22.2.25・判時2074号32頁）。上告審で、最高裁は、高裁判決を破棄し、神奈川県の「臨時特例企業税条例」が法人事業税に関する地方税法の強行法規と矛盾・抵触するものであり、違法かつ無効であると判断しました（最判平25.3.21・民集67巻3号438頁）。

　なお、2000年の地方分権一括法（新法制）により、2006年度から、政令市の場合には総務大臣（政令市以外の場合は知事）からの許可が得られれば、普通税について課税標準未満の税率を適用（税率を引下げ）しても、起債（市債の発行）ができるようになりました（地方財政法5の4④）。新法制を活用し、名古屋市は、普通税である市民税を減税しています。名古屋市は、2006年度から2009年度まで普通地方交付税の不交付団体でしたが、建設公債などは発行していました。したがって、旧法制下では、普通税である市民税減税は事実上不可能だったわけです。これが、新法制下では、普通税である市民税を減税している地方団体でも、総務大臣ないし知事の"許可"があれば、起債ができることに変わったわけです（☞1.2.1）。

（森　稔樹・石村　耕治）

〔アドバンス文献〕碓井光明『要説地方税のしくみと法』（2001年、学陽書房）、新井隆一他『地方税の法的課題（日税研論集46号）』（2001年、日本税務研究センター）、斎藤武史『新税―法定外税―』（2003年、三重大学出版会）、日本財政法学会編『財政法講座3 地方財政の変貌と法』（2005年、勁草書房）、占部裕典『地方公共団体と自主課税権―自主課税権の法的限界と地方税制改革―』（2011年、慈学社）、山形富夫『税務の基礎からエッセンスまで 主要地方税ハンドブック』（2017年、清文社）、本庄資・岩元浩一・関口博久『現代地方財政論』〔七訂版〕（2022年、大蔵財務協会）、林宜嗣編『新・地方財政』（2021年、有斐閣）。なお、総務省のホームページで、全国自治体の「法定外税の実施状況」が公表されています。

1.4.8 地方税の概要とふるさと納税

ポイント

> 　地方税は、さまざまな種類の税金（税目）からなりたっています。地方税を、所得、資産、消費といった課税ベース（☛1.2.2）別に見てみると、とりわけ、所得課税では、住民税と事業税が重要です。資産課税では固定資産税が、そして消費課税では地方消費税が重要です。
>
> 　地方税をしっかり学ぶには、地方税法や各自治体の税条例の知識に加え、実は所得税、法人税、消費税法、さらには租税特別措置法などの知識も必要です。なぜならば、住民税を例にすると、その課税標準の計算には所得税や法人税などが密接に関係してくるからです。

◎住民税はどのような税金か

　「住民税」という言葉はよく耳にしますが、税法や税条例には、住民税という税目は存在しません。「道府県民税」と「市町村民税」を総称して住民税という言葉が使われているのです。しかし、ここでは一般的な呼び名である「住民税」という言葉を使うこととします。

　住民税を課税できる地方団体は、道府県と市町村、そして東京都です。道府県が課税する場合には「道府県民税」といい、市町村の場合には「市町村民税」といいます（地税法4②一・5②一）。そして東京都の場合には、道府県民税を「都民税」、東京都特別区では市町村民税を「特別区民税」と読み替えて課税され

ています（地税法1②）。このように住民税は、課税団体を基準として、「道府県民税」と「市町村民税」に分けることができます。

またこの住民税は、納税義務者が個人なのか法人なのかにより、個人住民税と法人住民税に区分されます。

●住民税の骨子

道府県民税と市町村民税は、①均等割、②所得割、そして③法人税割に分かれます。また、道府県民税には、④利子割（2016（平成28）年1月1日以後、個人のみ）、⑤配当割および⑥株式等譲渡所得割があります。①均等割とは均等の額によって課する住民税、②所得割とは所得に応じて課する住民税、③法人税割とは法人税額を課税標準として課する住民税、④利子割とは支払を受けるべき利子等の額に対して、⑤配当割とは一定の上場株式等の配当等、特定配当等の額に対して、また⑥株式等譲渡所得割とは源泉徴収口座に係る特定口座内保管上場株式等の譲渡益などの特定株式譲渡所得金額によって課する道府県民税とされています（地税法23・292）。

●個人住民税の概要

項　目	内　容
課税団体	賦課期日（その年の1月1日）現在の住所地の都道府県および市（区）町村（地税法39・318）
納税義務者	① 都道府県・市区町村内に住所を有する個人…均等割・所得割 ② 都道府県・市区町村内に事務所等を有する個人（①を除く）…均等割 （地税法24①・294①）
課税方式	賦課課税方式
課税標準	所得割…前年中の所得金額（地税法32・313）
税　率	所得割（総合課税分・標準税率）*1（地税法35・314の3） 　都道府県…4％　市町村…6％、 均等割（標準税率・年額）*2 　都道府県…1,500円（地税法38）　市町村…3,500円（地税法310）

＊1　標準税率とは、道府県や市町村が税率を定める場合にモデルとすべき税率です。各自治体はこれを標準として、具体的な税率を条例で定めています。

＊2　東日本大震災からの復興を図ることを目的に復興特別地方税が創設され、2014（平成26）年度から2023（令和5）年度の10年間、道府県民税が1,500円、市町村民税が3,500円となっています（復興地税法（東日本大震災からの復興に関し地方公共団体が実施する防災のための施策に必要な財源の確保に係る地方税の臨時特例に関する法律）2）。

●個人住民税における普通徴収と特別徴収

個人住民税の確定手続は、市町村長（課税権者）が税額を計算し、納税者に課税通知書を交付して課税します。なお、一般的に市町村長が道府県民税とあわせて確定します（地税法41）。これを「賦課課税制度」（☜5.2.1）といいます。個人住民税の申告（課税標準等の申告）は、市町村長が税額を確定させる基礎資料を収集する性格のものです。したがって、納税者自身で税額を確定する所得税の申告とは性格が異なります（☜5.3.1）。

賦課期日において市町村内に住所のある人は、原則として、この申告書を提出しなければなりません（地税法45の3・317の2）。ただし、国税である所得税の確定申告書を提出した場合には、個人住民税の申告書は提出されたものとみなされます（地税法45の3・317の3）。また、給与所得者で年末調整（☜5.1.3）により課税が完了する人などは、住民税の申告書の提出はいりません。ただし、住民税と所得税とでは、各種の所得控除（☜3.3）や税額控除（☜3.4.1）の額が異なっていますから、寄附金控除や雑損控除（☜3.3.3）などを受ける場合には、申告書の提出が必要になります。

個人住民税の納付方法には、「普通徴収」と「特別徴収」とがあります（☜5.1.1）。給与所得者等の個人住民税は特別徴収が一般的です。ですからこれら以外の人は普通徴収となります。特別徴収とは、国税でいう源泉徴収に相当し、給与支払者が給与をもらう人（受給者）の給与等から住民税額を天引徴収し、納付することです（地税法321の3①）。そして普通徴収とは、市町村が、納税者から提出された申告書等をもとに税額を計算し、税額や納期などを記した納税通知書を納税者に交付して、納付させる方法です（地税法319の2①③）。ちなみに、所得税の確定申告をした場合は、給与所得以外の所得についての住民税は、普通徴収、特別徴収のいずれかを選択することができます（地税法321の3②）。

個人住民税の特別徴収と普通徴収の手順を図にすると、次のようになります。

PART1　税法の基礎知識を学ぶ

●個人住民税の特別徴収の手順

（特別徴収義務者）給与支払者
→①給与支払報告書（1月31日まで）
（1月1日現在）
←②特別徴収税の通知（5月31日まで）
（4月1日現在）
→④納入（翌月の10日まで）

市町村

↑③税額の徴収
（6月から翌年5月まで、毎月の給料支払日）

給与支払者

●個人住民税の普通徴収の手順

納税者
→①住民税申告書の提出
3月15日、所得税の確定申告をした場合は、住民税申告書が提出されたものとみなされます。
←②税額の通知（6月）
←③納　税
（6月、8月、10月、翌年1月）

市町村

●法人住民税の概要

項　目	内　　　容
課税団体	都道府県および市町村
納税義務者	都道府県および市町村に事務所等を有する法人（地税法24・294）
課税方式	申告納付（申告期限は、原則、事業年度終了の日の翌日から2か月以内）（地税法53①・321の8①）
課税標準	法人税額（地税法23の四・292①四）
税　率	法人税割（標準税率）（地税法51①・314の4①） 　都道府県…1.0%　市町村…6.0%、 均等割（年額） 　都道府県…資本金等の額に応じて2万円〜80万円（地税法52） 　市町村…資本金等の額・従業員数に応じて5万円〜300万円（地税法312）
分割基準	2以上の都道府県に事務所等を有する法人は、課税標準を従業員数により分割し、各都道府県または各市町村に申告・納付（地税法57・321の13）

●地方創生応援税制（企業版ふるさと納税）（☞2.1.8）

　2016（平成28）年度改正により、地方創生応援税制として「企業版ふるさと納税」が創設されました。青色申告法人が、2025（令和7）年3月31日までの間に、地方再生法の認定地域再生計画に記載された「まち・ひと・しごと創生寄附活用事業」に寄附金（「特定寄附金」といいます）を支出したとします。この場合には、法人税における損金算入措置に加え、法人住民税および法人事業税からそれぞれ税額控除できることとなりました。控除税額とその限度額を図説すると、次のとおりです（地税法附則8の2の2・9の2の2）

税　目	税 額 控 除 額	控 除 限 度 額
法人住民税	特定寄附金の合計額×40%	当期の法人住民税法人税割額×20%
法人事業税	特定寄附金の合計額×20%	当期の法人事業税額×20%

165

◎事業税はどのような税金か

　事業税は、都道府県が課税する普通税であり、企業活動に対する税金です。住民税と同様に個人事業税と法人事業税とがあります。現在の事業税は、事業から生ずる所得を課税標準としています。しかし、事業税が「事業に対する」税である（地税法72の2①③）とされていることから、課税物件は「事業」そのものです。応益課税の原則からみれば、他の項目を課税標準とすることも可能なわけです。それが外形標準課税の問題です。住民税とは別に、事業税が賦課課税される根拠としては、この応益課税の考えがあるといえます。

●個人事業税の概要

項　　目	内　　　　容
課税団体	都道府県
納税義務者	都道府県内に事務所等をもつ一定の事業を行っている個人（地税法72の2③）
課税方式	課税標準申告による賦課課税方式（申告期限は3月15日）（地税法72の49の18・72の55①）
課税標準	課税標準 = 事業の所得（所得税における事業所得、不動産所得）+ 事業専従者給与額と青色申告特別控除額 － 事業専従者控除額 － 損失の繰越控除額 － 事業主控除額（年額290万円）（地税法72の49の11・72の49の12・72の49の14）
税率 （標準税率）	①第一種事業（物品販売業・保険業・飲食店業など）　　　　　　　5％ ②第二種事業（畜産業・水産業など）　　　　　　　　　　　　　4％ ③第三種事業・（医業・弁護士業など）　　　　　　　　　　　　5％ 　　　　　　　・（あん摩等その他の医業に類する事業など）　　3％ （地税法72の49の17①）

●法人事業税の概要

項　　目	内　　　　容
課税団体	都道府県
納税義務者	都道府県に事務所等を設けて事業を行う法人（地税法72の2①）
課税客体	法人が行う事業（地税法72の2①） 非課税事業（地税法72の4・72の5） 　①林業、鉱物の掘採事業及び特定の農事組合法人が行う農業 　②国、地方公共団体等が行う事業 　③社会福祉法人、宗教法人、学校法人等の法人や人格のない社団等が行う事業で収益事業以外のもの
課税方式	申告納付（申告期限は、原則、事業年度終了の日から2か月以内）
分割基準	2以上の都道府県に事務所等を有する法人は、課税標準を従業者数等により分割し、各都道府県に申告・納付

PART1 税法の基礎知識を学ぶ

●法人事業税における法人区分に基づく課税標準と標準税率のあらまし

（地税法72の2・72の12、72の24の7）

法人区分			税　率
(a)　普通法人（原則として資本金1位円超）〔外形標準課税法人〕			2019.10.1〜
外形基準	①付加価値割	付加価値額（各事業年度）	1.2%
	②資本割	資本等の金額（同上）	0.5%
所得基準	③所得割	所得（同上）	0.4%〜1.0%
(b)　普通法人（資本金1位円以下）、公益法人等、人格のない社団等、その他			
	③所得割	所得（同上）	3.5%〜7.0%
(c)　特別法人（協同組合等、医療法人）			
	③所得割	所得（同上）	3.5%〜4.9%
(d)　電気供給業（小売電気事業等及び発電事業を除く）・生命保険業・担合保険業を営む法人			
	④収入割	収入金額（同上）	1.0%
(e)　電気供給業（小売電気事業及び発電事業等に限る）			
	④収入割	収入金額（同上）	0.75%
	③所得割	所得（同上）	1.85%
(f)　ガス供給業			
●特定ガス供給業			
	④収入割	収入金額（同上）	0.48%
	①付加価値割	付加価値額（同上）	0.77%
	②資本割	資本金等の金額（同上）	0.32%
●一般ガス供給業			
㈣資本金1億円超の普通法人			
	①付加価値割	付加価値額（同上）	1.2%
	②資本割	資本金等の金額（同上）	0.5%
	③所得割	所得（同上）	1.0%
㈪資本金1億円以下の普通法人等			
	③所得割	所得（同上）	3.5%〜7.0%
㈥特別法人			
	③所得割	所得（同上）	3.5%〜5.7%

●地方法人特別税の廃止と特別法人事業税の創設

特別法人事業税は、地方法人課税における税源の偏在を是正するため、法人事業税の一部を分離して導入されました。地方法人特別税廃止による法人事業税の所得割・収入割の標準税率を引き下げることによって法人事業税の一部を分離し、「国税」である特別法人事業税を創設し、これを各都道府県に再分配することで、地方間の税収偏在を是正するためのものです。なお、特別法人事業税の概要は、次のとおりです。

項　　目	内　　　容
納税義務者	法人事業税（所得割又は収入割）の納税義務者（特別法人事業税法4）
課税標準	法人事業税額（標準税率により計算した所得割額または収入割額）（特別法人事業税法6）
申告納付	都道府県に対して、法人事業税と併せて行う（特別法人事業税法9・10）

また、税率は次の法人の区分に応じて以下のとおりです（特別法人事業税法7）。

法 人 区 分	税 率（%）
外形標準課税法人	260
特別法人	34.5
外形標準課税法人・特別法人以外の法人	37
収入割額により法人の事業税を課される法人	30
収入割額、付加価値割額及び資本割額の合計額又は収入割額及び所得割額により事業税を課される法人	40

◎固定資産税の概要

固定資産税は、土地や家屋、有形償却資産にかかる税金です。その固定資産の所在する市町村（東京都23区は都税事務所）が課税する税金です。その概要は、次のとおりです。

項　　目	内　　　容
課税団体	市町村（東京都23区の場合は東京都が課税）（地税法342・734①）
課税客体	土地、家屋および償却資産（地税法341一）
納税義務者	賦課期日における土地、家屋または償却資産の所有者（地税法343）（土地、家屋は登記簿における所有者等を、償却資産は申告した所有者等を固定資産課税台帳に登録して課税）

課税標準	価格（適正な時価）（地税法341五） ＊土地及び家屋は３年ごとに評価替え（次回は2024年度） ＊償却資産は、取得価額を基礎として定率法により償却後の価格
税　率	1.4％（標準税率）（地税法350①）
免税点	土地：30万円、家屋：20万円、償却資産：150万円（地税法351）
賦課期日	当該年度の初日の属する年の１月１日（地税法359）

◎消費税と地方消費税の関係

　地方消費税は地方分権の推進、地域福祉の充実等のため地方財源充実を図る目的で、1994（平成６）年改正で創設されました。国の消費税（☞2.2）と課税対象は同じです。税額は、譲渡割（国内取引である商品販売やサービスの提供などを対象）または貨物割（輸入取引を対象）に区分され（地税法72の77）、税率は国の消費税率7.8％の22／78である2.2％です（なお、軽減税率として同様に6.24％の22／78で1.76％）（地税法72の83）。地方消費税と国の消費税をあわせると、負担額は課税物品やサービス等の価格の10％（同様に軽減税率８％）になります。

　申告納付は、国の消費税と一緒に国（税務署または税関）にします。その後に、国が各都道府県に払い込み、消費に関連する一定の統計に基づいて都道府県間で清算をします。

　地方消費税は国税である消費税と合体した税金です。地方税でありながら、自治体はまったく賦課徴収に関与しないという特異な税制です。しかし、地方税ですので、都道府県は地方消費税に関する条例を整備しなければなりません。条例なしに地方消費税を課税することは違法と見ることもできます。

　なお、都道府県間の清算を終えた地方消費税の２分の１相当額は、市町村に交付されます。

◎「ふるさと寄附金（納税）」とは

　個人は、納めるべき住民税の一部を法定限度まで、自分が支援したい都道府県、市町村を選んで寄附をする、いわゆる「ふるさと寄附金」を支出することができます。このふるさと寄附金は、一般的に「ふるさと納税」ともよばれます。制度的には「寄附金」ですが、実質的には「住民税収の自治体間振替」な

のです。

　現在、自分が支援したい都道府県、市町村に対して寄附をした場合、2,000円を超える金額について、所得税の寄附金控除のほか、住民税からの通常の寄附金控除に加え、住民税所得割額の20％を限度として特例控除額を控除できます（地税法37の2①括弧書き、同314の7①括弧書き）。この特例控除額（20％）については、道府県民税4割、市町村民税6割の比率で控除されます。

　なお、寄附をした者は、所得税・住民税から寄附金控除の適用を受けるためには、原則、確定申告（☞5.3.1）を行う必要があります。もっとも、所得税の確定申告書を提出した場合には、住民税の申告は不要です。また、申告にあたっては、寄附先の地方団体などが発行した領収書等を添付または提示（電子申告の場合は、添付または提示にかえて寄附者が5年間保存）する必要があります（所税法120③一、地税規2の2②）。

　このふるさと寄附金（納税）制度については、さまざまなメリットやデメリットが指摘されています。メリットとしては、納税者である寄附者が寄附先を選択することにより税の使い途に関与できる「使途選択納税制（☞1.2.6）」のさきがけとして評価できることです。一方、デメリットとしてあげられるのは、①例えば市町村に寄附した場合、寄附をしていない都道府県民税分も控除の対象となることです。また、②「寄附は見返りなし」のはずですが、寄附者に対する寄附を受け取った地方団体からの地産品などの贈呈競争を招いていることです。さらに、③寄附者の申告手続が煩雑であり、かつ、寄附者が住民登録する地方団体での税務事務経負担が軽くないことです。

　この寄附者の煩雑な手続を解消するため、いわゆる「ワンストップ特例制度」が設けられました。ふるさと納税をした後に確定申告をしなくても寄附金控除が受けられる仕組みです。①もともと確定申告をする必要のない給与所得者等であること、②1年間の寄附先が5自治体以内であること、③寄附金税額控除に係る申告特例申請書を寄附先の自治体の長に送付、この3つの要件を満たす場合、確定申告は不要です（地税法附則7）。なお、この申告特例を受けた場合、当分の間、地方団体に対する寄附金税額控除に加えて、所得税控除分相当額が、

その寄附をした者の住民税の所得割の額から控除されます(地税法附則7の2)。

(阿部 徳幸・石村 耕治)

〔アドバンス文献〕石橋 茂 編著『図解地方税〔令和5年度版〕』(2023年、大蔵財務協会)、総務省ホームページ・地方税制度（https://www.soumu.go.jp/main_sosiki/jichi_zeisei/czaisei/czais.html）

Column 都区財政調整制度とは

　東京都においては、都区制度という大都市制度が適用されています。この制度に財政的に対応するための特別の仕組みが「都区財政調整(特別区財政調整交付金)制度」（自治法282）です。分かりやすくいえば、都と区、区同士の間の財源配分を行う制度です。

● 都区財政調整制度と「調整3税」の所在

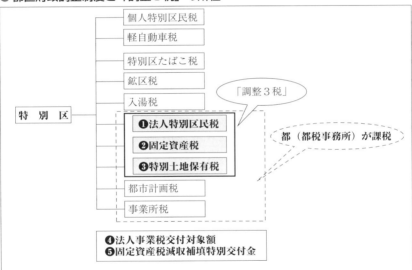

　ちなみに、2023（令和5）年度当初における財政調整算定額【①基準財政収入額（❶❷❸❹❺）および②普通交付金額（財政不足額）】は、次のとおりです。

・基準財政収入額　約1兆2,189億円
・普通交付金額　約9,194億円（財源不足額）　　調整税等

　渋谷区および港区（2不交付区）を除く、21の特別区（交付区）に交付されています。

〔出典〕東京都「令和5年度都区財政調整算定結果について」 都区財政調整算定結果（要旨）｜東京都（https://www.metro.tokyo.lg.jp/tosei/hodohappyo/press/2023/08/07/11.html）

この調整制度のもと、都（都税事務所）が賦課徴収する23特別区の❶法人特別区民税、❷固定資産税および❸特別土地保有税（以下「調整3税」といいます。）の収入額と、❹法人事業税交付対象額【20（令和2）年度以降】および❺固定資産税減収補塡特別交付金の合算額【21（令和3）年度から26（令和8）年度に限ります。】（以下、「調整税等」といいます。）の一定割合を、財源不足が生じている特別区に交付することを定めています。この制度は、「特別区がひとしくその行うべき事務を遂行することができるように」することがねらいとされます（自治法282②）。ただ、見方を変えると、調整3税について、特別区は、事実上課税自主権を制限される構図になっています。

　この仕組みは、東京都の「都と特別区及び特別区相互間の財政調整の特例に関する条例」（1968（昭和43）年3月30日 税条例15号）および同条例施行規則を典拠に運用されています。都は、この条例に基づき、収入額の55.1％を、特別区財政調整交付金の形で特別区に交付します。残りは、都が行う大都市事業の財源になります。交付金には、普通交付金と特別交付金があり、総額の交付割合は、前者95％、後者5％です。

(石村　耕治)

1.4.9 実体税法（租税実体法）と手続税法（租税手続法）

ポイント

　税法（租税法）は、大きく「実体税法（租税実体法）」と「手続税法（租税手続法）」に分けることができます。また、実体税法（租税実体法）と手続税法（租税手続法）は、国税上のものと地方税上のものに区分できます。

◎実体税法（租税実体法）とは何か

　税法はその内容からみて、実体税法、手続税法（☞PART 5）および租税処罰法（租税制裁法）（☞PART 7）という体系で構成されています。実体税法は、租税実体法ともいいます。実体税法は、①納税義務の主体である納税義務者、②納税義務の物的基礎をなす課税物件（課税対象）、③納税義務者と課税物件との結びつきを意味する帰属、④納付すべき税額算定の基礎をなす課税標準、⑤納付すべき税額算出のために課税標準に適用される税率というような、納税義務が成立するための要件に関する法を中心としています。さらに、納税義務の成

立時期、成立した納税義務の承継、消滅などに関する法も含みます。

　言い換えれば、実体税法は、どのような税を、誰が、いつ、どれほど負担することになるかを主として定めるものです。このような実体税法は、納税義務者が負担する租税債務の内容を規律するものですから、租税債務法ともいわれます。実体税法は、国税の場合についていえば、主として所得税法、法人税法、相続税法、消費税法などの個々の税法律およびその関係命令において定められており、一部については通則的な税法律のなかで定められています（国通法5〜9の3・15②③・72・73など）。

◎手続税法（租税手続法）とは何か

　手続税法は、租税手続法ともいいます。手続税法は、実体税法の定めるところにより成立した納税義務の確定、履行の過程に関する法です（☞5.3）。具体的には、成立した納税義務の納税義務者による申告、納付、納税義務者の申告がなかった場合または納税義務者の申告が正しくなかった場合など、課税庁による納税義務の確定のための課税処分、納税義務者による納税義務の履行がない場合等になされる課税庁による督促、滞納処分の手続に関する法を中心に構成されています（☞5.4）。課税庁の調査手続に関する法（☞5.3.4）もこのなかに含まれます。また、課税庁による課税処分、滞納処分などに対する不服申立て、訴訟といった税務争訟の手続に関する法（☞6.1）も、この手続税法に含めて考えることができます。このような手続税法は、国税の場合についていえば、一般法としての国税通則法および国税徴収法、訴訟に関する行政事件訴訟法において主として定められ、その一部について個々の税法律およびその関係政省令のなかで定められています。

◎地方税の手続税法（租税手続法）とは

　地方税に関しては、実体税法も手続税法も、すべて、原則として地方税法に規定されています。そして、各地方（公共）団体が地方税法の定めに沿って条例、規則において定めをなすことになります。ただし、手続税法中の滞納処分（☛5.4)、および犯則事件の調査については、地方税法の総則規定が適用されます。

（森　稔樹）

〔アドバンス文献〕酒井克彦『クローズアップ租税行政法─税務調査・税務手続を理解する─〔第2版〕』（2016年、財経詳報社）、水野忠恒『大系租税法〔第4版〕』（2023年、中央経済社）、品川芳宣『国税通則法の理論と実務』（2017年、ぎょうせい）

PART1　税法の基礎知識を学ぶ

1.5　租税法の基本原則

　租税法の全体を支配する基本原則としては、租税法律主義と租税公平主義の2つがあげられます。

　租税法律主義は、課税権行使の関する基本原則です（☛1.4.2）。これに対して、租税公平主義は、税負担の分配に関する基本原則です。租税負担公平の原則ともよばれます。これら2つの基本原則は、税法の適用や解釈に関する「実質課税の原則」や「実質所得者課税の原則」、「信義誠実の原則（禁反言の法理）」とも深く関係してきます。また、税法上の「不確定概念」、「税法の固有概念と借用概念」および「租税法律不遡及の法理」などとも深く関係してきます。

1.5.1　租税負担公平の原則とは何か

ポイント

　租税負担公平の原則は、税負担の分配に関する基本原則であり、「水平的な公平」と「垂直的な公平」からなります。

◎租税負担公平の原則とは

　租税公平主義は、主として税負担の分配に関する基本原則であり、「租税負担公平の原則」、「租税平等主義」ともよばれます。

　租税負担公平の原則は、租税は、国民各人の経済的な租税負担能力（担税力）に応じて公平に求められなければならず、租税法律関係においては平等に取り扱われなければならないという原則です。応能負担原則（ability to pay principle）ともよばれます。応益負担原則（benefit principle）と対峙するルールです。租税負担公平の原則は、近代法の基本原理である平等原則を租税の分

175

野に応用することであり、直接的には憲法14条1項の命ずるところです。

担税力を測る基準または税金を課す対象である課税ベースには、「所得」、「消費」および「資産」があります（☞1.2.2）。これらのうち所得および資産は、担税力の尺度としてよりすぐれています。すなわち、所得および資産を対象とする租税においては、累進課税が可能ですから、これらの租税は、公平な税負担および富の再分配の要請によりよく適合するといわれます。

また、この「公平」という意味には、水平的な公平と垂直的な公平があります。

◎水平的な公平とは

水平的な公平（horizontal equity）とは、等しい状況にある者は等しく扱うということです。すなわち、同じ額の所得を有する人は同じ額の租税を負担するということです。

◎垂直的な公平とは

垂直的な公平（vertical equity）とは、異なる状況にある者は異なる扱いをするということです。すなわち、高額の所得の人は低額の所得の人よりも多くの租税を負担すべきであるということです。所得税法や相続税法が超過累進課税（☞1.2.7）を採っているのは、この垂直的な公平の要請によるものです。

◎租税負担公平の原則は立法上の原理

租税負担公平の原則は税法の適用解釈上の原理であるとする考え方もあります。しかし、この原則は、租税立法に用いることのできる原理と考えるべきです（福岡地判平21.1.27・判タ1304号179頁、福岡高判平21.7.29・税資259号順号11251頁、最判平24.1.13・民集66巻1号1頁を参照）。租税負担公平の原則に基づいて租税法律が制定され、租税法律主義のもと、厳格な解釈適用が行われれば租税負担の公平は実現されるものと考えられます。

（森　稔樹）

PART1　税法の基礎知識を学ぶ

〔アドバンス文献〕金子宏『所得課税の法と政策』（1996年、有斐閣）、増井良啓「租税法における水平的公平の意義」『公法学の法と政策〔上巻〕』（2000年、有斐閣）所収、吉村典久「応能負担原則の歴史的展開」慶応法学研究63巻12号、首藤重幸ほか『公平・中立・簡素・公正の法理（日税研論集54号）』（2004年、日本税務研究センター）、木下和夫編『租税構造の理論と課題（21世紀を支える税制の論理第1巻）』〔改訂版〕（2011年、税務経理協会）、小西砂千夫『財政学』（2017年、日本評論社）、林宏昭・楊華編著『日本の税制論』（2019年、清文社）、増田英敏『リーガルマインド租税法』〔第5版〕（2019年、成文堂）、篠原正博編著『テキストブック租税論』（2020年、創成社）、林宏昭『日本の税制と財政』〔第2版〕（2023年、中央経済社）

1.5.2　実質課税の原則とは何か

ポイント

　実質課税の原則とはどういった原則なのでしょうか。そして、税法が定める実質所得者課税の原則とはどう違うのでしょうか。

◎実質課税の原則とは

　実質課税の原則は、課税における実質主義ともいわれ、ドイツにおける経済的観察法に相当するものとされています。この原則は、税法の領域においては形式的な事がらにとらわれないで、実質・実態に即して法の解釈適用を行うべきであるとする考え方です。

　しかし、どのような「形式」に対してどのような「実質」を基準とするかが明確ではないことから、この原則は、課税庁の恣意的課税を事実上正当化し、合法化するおそれがあるといわれます。

　実質課税の原則は、これまで主として借用概念の解釈、租税回避行為の否認、仮装行為および瑕疵ある法律行為に対する課税上の取扱い、違法所得の課税および帰属に関する問題に関連して議論されてきました。

◎経済的観察法とは

　経済的観察法は、ドイツにおいて展開されたもので、税法の解釈においては、その経済的意義を考慮すべきであるとする考え方です。これは、旧西ドイツ租

177

税調整法１条２項が「税法律の解釈に当たっては、国民観、税法律の目的および経済的意義、並びに諸事情の変転を考慮しなければならない。」と定めていたことに由来します。

また同条３項は「要件事実の認定についても、前項と同じとする。」と定めていました。これは、課税要件事実の認定の場合においても、税法律の経済的意義を考慮すべきであるとするものです。

これらの考え方が、わが国でいう実質課税の原則にほぼ相当するものと考えられています。

◎実質所得者課税の原則とは

実質所得者課税の原則は、所得の帰属に関しての実質課税の原則を宣明するものとされています。すなわち、法律上の帰属者と見られるものが単なる名義人であって、他に収益を享受する者がある場合には、その収益は誰に帰属するのかという所得の帰属の問題があります。

所得税法12条は「資産又は事業から生ずる収益の法律上帰属するとみられる者が単なる名義人であつて、その収益を享受せず、その者以外の者がその収益を享受する場合には、その収益は、これを享受する者に帰属するものとして、この法律を適用する。」と定めています。同様の定めが法人税法11条などにもあります。

この規定は、一見当然のことを規定しているようにも見えますが、その意味内容について、次の２つの考え方が対立しています。

(1) 法的実質主義

所得税法12条は、単なる名義人と法律上の真の所有者がいる場合に、法律上の真の所有者に課税することを定めたものと解する立場です。この考え方は、法律上の形式と法律上の実質とを区別し、真の法律上の所有者に注目するもので、一般に法的実質主義といわれます。

真の法律関係を明確にすべきことは、税法に限らずすべての法領域においても当然の要求ですから、この考え方によれば、実質所得者課税というのは税法

独自の原則ではなく、当然のことを規定した確認規定ということになります。

(2) 経済的実質主義

　所得税法12条は、法律上の所有権者と経済上「収益を享受する」者とがいる場合に、経済上「収益を享受する」者に課税することを定めたものと解する立場です。この考え方は、所得の法律上の帰属と経済上の帰属とを区別し、経済上の帰属という面に注目するもので、経済的実質主義といわれます。したがって、実質所得者課税の原則は、税法固有の原則であって、実質課税の原則の具体的内容の１つの例であるとするものです。

　所得税法12条の規定からすれば、いずれの解釈も可能となります。しかし、法的実質と経済的実質が異なる場合とは具体的にどのようなケースであるのか必ずしも明確ではありません。経済的実質主義が安易に用いられると納税者にとっての予測可能性と法的安定性が害されることにもなることから、法的実質主義の考え方が妥当といえます。

（森　稔樹）

〔アドバンス文献〕吉良実『実質課税論の展開』（1980年、中央経済社）、北野弘久（黒川功補訂）『税法学原論〔第９版〕』（2022年、勁草書房）、岡村忠生編著『租税回避研究の展開と課題』（2015年、ミネルヴァ書房）、首藤重幸ほか『租税法における法解釈の方法（日税研論集78）』（2020年、日本税務研究センター）、谷口勢津夫『税法基本講義』〔第７版〕（2021年、弘文堂）

1.5.3 　税法上の信義誠実の原則とは何か

ポイント

　信義誠実の原則あるいは禁反言の法理とはどういう原則なのでしょうか。そして、租税法律主義との関係はどうなっているのでしょうか。

◎信義誠実の原則と禁反言の法理

　信義誠実の原則とは、法律関係の当事者は相手方の正当な期待ないし信頼を裏切ってはならない、という原則です（民法1②）。これは信義則ともいわれます。また、禁反言の法理とは、人はいったんなした言動を、それが誤りであったこ

とを理由としてひるがえすことができないという原則です。

この信義誠実の原則と禁反言の法理は、ともに相手方の期待や信頼の保護を目的としている点で共通性があります。また、主として私法上の原則として発展してきたものですが、それが税法の領域にも適用されるものであることは、学説および判例において認められています。

税法において信義誠実の原則（ないし禁反言の法理）の適用が問題になるのは、課税庁のした表示、不表示、納税相談、申告指導などについてです。課税庁は、常日ごろ、納税者からの照会に対する回答をしたり、税務相談に応じたり、納税者にアドバイスをしたりしています。問題は、こうした課税庁の行った納税者への処分や行為などに誤りがあった場合です。つまり、「表示」を例にすると、本来、課税しなければならないのに、課税庁が納税者に非課税の通知をし、後で法令の解釈の誤りに気づき、遡って課税するケースが考えられます。また、「不表示」を例にすると、課税庁が、本来課税すべきところ、課税しないでずっと放置しておき、急に遡って課税するケースが考えられます。

これらのケースでは、課税庁がそうした遡及課税をしないとすると、租税法律主義が求める「法律に従って課税する」という合法性の原則に反することになります（☞1.4.2）。まさに、この点が、税法分野に信義誠実の原則の適用を認めることに消極的な意見の論拠です。

しかし、一方では、遡及課税を認めるとすると、課税庁の表示や不表示を信頼してきた納税者の立場を損なうことになります。納税者の信頼を保護し適正な税務行政を確保するには、やはり信義誠実の原則を税法分野にも適用する必要があります。

◎租税法律主義との関係

信義誠実の原則は、租税法律主義の内容の1つである合法性の要請と他の側面である法的安定性の要請との2つの相反する要請を具体的ケースのなかで調整する機能を果たすものです。したがって、上記の2つの要請の比較考量において、法的安定性の要請が合法性の要請を犠牲にせざるを得ないと認められる場合に

信義誠実の原則の適用が肯定されるものとなります（最判昭62.10.30・判時1262号91頁）。

　このように、信義誠実の原則の適用要件は画一的に定まるものではなく、具体的事情に則して決定されなければならないことになります。信義誠実の原則の適用が認められるケースとしては、一般に次のような要件にあてはまる必要があるとされています。

●信義誠実の原則のベーシックな適用要件

①　課税庁が納税者に対し信頼の対象となる公的見解を表示したこと。
②　納税者がその表示を信頼し、その信頼に基づいて行動したこと。
③　後になってその表示に反する課税処分が行われ、そのために納税者が経済的不利益を受けることになったこと。
④　納税者が課税庁のその表示を信頼し、その信頼に基づいて行動したことについて納税者の責めに帰すべき事由がないこと。

　このような要件をすべて満たすケースでは、たとえ課税庁が自らの誤りを正すために後からした処分ないし行為が税法上は適法であるとしても、信義誠実の原則に反することになり、違法・無効とされることになります。

　しかし、信義誠実の原則は、過去に遡る課税の取扱いに限って適用されます。したがって、課税庁が、将来に向かってその過誤を是正することは、納税者の信頼を著しく害することにはなりません。信義誠実の原則は、課税庁がいったんなした表示を将来に向かって改めることまでを否定するものではないからです。このことは、租税法律主義の原則からしても、当然のことといえます。

(森　稔樹)

〔アドバンス文献〕中川一郎『税法における信義誠実の原則 - RFH・BFHの判例発展史論』（1984年、税法研究所）、山名隆男「納税者保護の信義則論」税法学545号、首藤重幸「租税法における信義則」月刊税務事例創刊400号、水野忠恒「租税法における信義誠実の原則」金子宏編『租税法の基本問題』（2007年、有斐閣）所収、金子宏『租税法』〔第24版〕（2021年、弘文堂）

1.5.4 不確定概念と課税要件明確主義

ポイント

税法には「正当な理由」とか「相当期間」とか、一見しただけではその意味内容が明確にわからない言葉が使われています。こうした言葉を「不確定概念」といいます。憲法は、租税法律主義から導かれる原則として課税要件明確主義をうたっています。税法に不確定概念を使うことは、課税要件明確主義に反しないのでしょうか。

◎課税要件明確主義とは

課税要件明確主義は、租税法律主義の原則から導かれるルールです（☞1.4.2）。

租税法律主義の原則は、課税要件などを法律で定めるように求めています。しかも、課税要件などをただ法律で定めればよいというだけでなく、できるだけ具体的・一義的に定めるように求めています。これは、税法をいろいろな意味にとれるように、多義的・抽象的な定め方をしたのでは、課税庁の判断の入る余地を広げ、課税庁に対していわば白地委任をしたのと同じことになりかねないからです。

このように、課税要件明確主義のルールに従うと、租税に関する定めは、できるだけ一義的で、しかも明確でなければなりません。

◎不確定概念とは

法律を定める場合には、「相当の理由」とか「公益上必要があるとき」といったように、多義的、抽象的な言葉を用いることがあります。このような言葉を「不確定概念」といいます。すでにふれたように、税法の領域では、立法にあたっては課税要件明確主義のルールに従うように求められています。このため、税法の規定に不確定概念を用いることには慎重でなければなりません。

しかし、税法の規定を見てみると、さまざまな不確定概念が用いられています。これは、現実の税法の執行においては、具体的な事情を考慮し、公平な課税ができるようにするためです。いいかえると、税法の執行上、不確定概念は

ある程度必要不可欠な存在になっているわけです。

　例えば、同族会社について、税法は、ある行為または計算を容認した場合には「税の負担を不当に減少させる結果となると認められるものがあるとき」は、課税庁は、その行為または計算がなかったものとして税額を計算することができる旨を規定しています（所税法157①、法税法132・☛2.1.11）。これは、同族会社の場合は、所有と経営の分離している会社の場合と異なり、少数の株主のお手盛りによる税負担を減少させるような行為や計算を行うことが可能であり、また実際にもその例が多いことに対応しようというものです。このような規定には批判もあります。しかし、税負担の公平を維持するため、同族会社の経済的合理性を欠いた行為または計算について、何らかの不確定概念に基づいてその行為または計算を税務署長が否認することは、不合理とはいいきれないとする判例もあります（最判昭53.4.21・訟月24巻8号1694頁、東京高判平10.6.23・税資232号755頁）。

　その他にも、「不相当に高額」（法税法34②・36）、「不適当であると認められる」（所税法18）、「相当の理由」（所税法145二・150①三、法税法123二・127①三）、「必要があるとき」（国通法74の2①・74の3①など）、「正当な理由」（国通法65④一・66①・67①）など、不確定概念を用いて課税要件その他の法律要件を定めている例が少なくありません。

◎不確定概念と形式基準

　不確定概念に関して、通達などで数値を使って「形式基準」を定めている例が多々あります。

● 不確定概念と形式基準の例

不確定概念の例	形式基準の例
・相当期間（法税令30③）	3年を経過（法税基通5－2－13）
・著しく低い価額（所税法40①二）	おおむね70％（所税基通40－2）
・事業の用（所税法51①）	5棟10室（所税基通26－9）

　不確定概念について一定の数値を示しておくことは、ある意味では、納税者の便宜・予測可能性を高めることにつながるように見えます。また、税務執行上の便宜に資するようにも見えます、しかし、形式基準は、標準的な事実を基

に定められていることから、事実の異なる個別事例に、こうした形式基準が画一的に適用されることによる問題があります。納税者の不利益につながらないように運用される必要があります。形式基準は、一般に通達で示されていることから、通達課税（☞1.4.6）と共通する問題が横たわっているといえます。

◎問題点は何か

課税要件明確主義と不確定概念の問題は、租税法律関係における法的安定性ないし予測可能性の要請と税負担公平の要請をどのように両立させるかという点にあります。

不確定概念は大きく2つに分けることができます。1つは、その内容があまりに一般的ないし不明確であるため、解釈によってその意義を明確にすることが困難で、公権力の恣意や濫用をまねくおそれのあるものです。例えば「公益上必要のあるとき」とか「景気対策上必要があるとき」というような、終局目的ないし価値概念を内容とする不確定概念です。租税法規が、このような不確定概念を用いた場合には、その規定は課税要件明確主義に反して無効と解されます。

これに対して、一見不明確に見えても、法の趣旨・目的に照らせば、その意味内容を明確にできるような不確定概念があります。この種の不確定概念が具体的事例にどのように適用されるのかは、法の解釈の問題といえます。したがって、課税庁が自由にその意味内容を決められるわけではありません。究極的には争訟（不服申立てや裁判）手続を通じてその意味内容が明確にされることになります。この種の不確定概念は、合理的な必要性が認められる限りにおいて、課税要件明確主義に反するものではないと解されます。

（森　稔樹・石村　耕治）

〔アドバンス文献〕山本守之ほか著『検証・税法上の不確定概念〔新版〕』（2015年、中央経済社）、山本守之『税務形式基準と事実認定〔第3版〕』（2000年、中央経済社）、金子宏「租税法の基本原則」『租税法理論の形成と解明』（2010年、有斐閣）所収、兼平裕子「租税行政分野における判断余地の法理─不確定概念に対する司法審査─」税法学563号（2010年）、森稔樹「租税法における行政裁量」日税研論集65号（2014年）所収、髙橋秀至「不確定概念と租税回避否認規定」税法学580号、阿部泰隆「税法における『正当な理由』『偽りその他不正の行為』『やむを得ない事情』等、いわゆる松尾事件意見書』『租税法への提言・挑戦』（2023年、信山社）所収

PART1 税法の基礎知識を学ぶ

1.5.5 税法の固有概念と借用概念

ポイント

例えば「所得」のような税法の固有概念とは何なのでしょうか。そして、「相続」のような借用概念を税法はどのようにとらえているのでしょうか。

◎税法の解釈

法の意味や内容を明確にするために、解釈が必要となります。税法も法規範ですから、その解釈は、一般的な法の解釈と異なるものではありません。しかし、解釈する人の価値観の違いによって意味内容の認識に違いが生ずることは、税法の解釈においてもしばしばみられます。

課税は、国民の財産に対して貨幣形態によって公権力が行使されることを意味します。私人の租税負担は、公権力の行使による一方的な財産権の侵害を意味しうるのです。また、徴収手続には権力的要素が強く、私人の財産権はもちろん、人格権（名誉権）や人身の自由に対する侵害の危険性もありますから、租税法の解釈には厳格性が要請されます。したがって、税法の解釈は、原則として文理解釈によるべきであり、拡張解釈や縮小解釈、類推解釈を行うことは好ましくありません。文理解釈によって意味内容を明らかにすることが困難な場合は、法文の趣旨・目的に照らして解釈しなければなりません。

税法の領域においては、従来から解釈の問題の1つとして固有概念と借用概念の問題が論じられてきました。その理由は、税法が私的経済取引ないし経済現象を対象とすることにあります。こうした取引や現象の多くは私法の対象でもあり、税法でも私法上の用語ないし概念を用いて規定される場合が多いのです。このように、私法をはじめとする他の法分野において明確な意味内容を与えられている用語ないし概念を、借用概念といいます。相続、不動産、配偶者、親族などが、借用概念の例です。

185

◎税法の固有概念とは

「固有概念」は、借用概念と異なり、他の法分野において用いられず、租税法が独自に用いる用語ないし概念をいいます。

固有概念の解釈については2つの考え方があります。代表的な固有概念である「所得」を例にとって説明します。

第1の見解は、私法上有効な利得のみが課税の対象となる利得であり、横領による利得のように無効な利得は所得でないとする考え方です。これは、固有概念の解釈にあたって法的評価も重視しようとするものです。

第2の見解は、所得とはもともと経済上の利得を意味するのであるから、ある利得が所得であるかどうかは、その利得の原因をなす行為や事実の法的評価を離れ、実現した経済的結果に即して判断すべきであるとする考え方です。この見解によれば、不法な利得や無効な利得であっても、それが利得者の支配・管理の下に入っている限りで、所得として課税対象となります。

通説・先例は、所得税や法人税が、もともと所得を個人や法人の総合的担税力の標識としてとらえていること、不法な利得や無効な利得も人の担税力を増加させることを理由に、第2の見解を採っています。結局、固有概念については、法律の趣旨や目的に照らして意味や内容を確定すべきことになります。

◎借用概念の問題点

借用概念については、それを他の法領域で用いられているのと同じ意義に解すべきか、それとも、税務行政の便宜や税負担公平の観点から、他の法領域と異なる税法固有の意義に解すべきかが問題となります。

かつて、ドイツのナチス時代には、経済的観察法を根拠として、借用概念の解釈においては私法上の意義に固執すべきでなく、税法固有の意義に解されるべきであるという見解が支配的でした。しかし、今日では、法秩序の一体性、法的安定性および予測可能性の観点から、このような見解は受け入れられないと考えられます。

わが国でも、この意味での経済的観察法は一般に受け入れられていません。

通説・先例は、一般に租税法律関係における法的安定性および予測可能性の観点から、借用概念は、税法自体に他の法領域と異なる意味内容を付与する旨の明文の定めのある場合、または法理論的に異なる意味内容であることが明らかである場合を除いて、本来の法領域におけるのと同一の意義に解すべきである、という考え方をとっています（最判平3.10.17・訟月38巻5号911頁、最判平23.2.18・訟月59巻3号864頁参照）。

　例えば、相続によって財産を取得した者は相続税の納税義務を負う（相続法1）という場合の「相続」の概念は、民法の分野におけるのと同じ意義で解釈することになります。また、わが国の税法の規定形式（「みなし」規定をおいていること）からしても、借用概念の解釈については本来の法分野と同じ意義に解すると考えるのが妥当です。

（森　稔樹）

〔アドバンス文献〕中川一郎『税法の解釈と適用』（1961年、三晃社）、金子宏『租税法〔第24版〕』（2021年、弘文堂）、清永敬次『税法〔新装版〕』（2013年、ミネルヴァ書房）、谷口勢津夫『税法基本講義〔第7版〕』（2021年、弘文堂）、谷口勢津夫「借用概念と目的論的解釈」税法学539号、占部裕典『租税法における文理解釈と限界』（2013年、慈学社）、首藤重幸ほか『租税法における法解釈の方法（日税研論集78）』（2020年、日本税務研究センター）、木山泰嗣『入門課税要件論』（2020年、中央経済社）、田中治「租税回避否認の意義と要件」『田中治税法著作集第1巻』（2021年、清文社）所収、酒井克彦『レクチャー租税法解釈入門』〔第2版〕（2023年、弘文堂）

1.6 税金の専門家（専門職）

　わが国には、政府の規制のもとでつくられた民間における税務固有の専門家（専門職）として税理士制度があります。税理士は、税務代理、税務書類の作成、税務相談をはじめ、税務訴訟における補佐、陳述といった業務を独占的に行う専門家です。このほかにも多くの税理士は、財務書類の作成、会計帳簿の記帳代行といった財務に関する事務を業務としています。

　この税理士になるためには、税理士試験に合格するなどして、その資格を取得しなければなりません。また資格を取得していても、税理士名簿に登録され、税理士事務所を設置し、税理士会に加入しなければ税理士業務を行うことはできません。

1.6.1 税理士制度とは

ポイント

　わが国では、原則として税理士だけが、民間において業として税務事務（税務サービス業務/税理士業務）を行うことができます。税理士は、政府規制（保護）のもと、税理士法で、税務サービス業務/税理士業務の独占が認められています。しかし、どうして税理士以外の者がこうした業務をしてはならないのでしょうか？加えて、税理士は、税理士法以外の法律で、「地方公共団体の外部監査」や「株式会社の会計参与」などの業務も認められています。

◎なぜ税理士しか税理士業務ができないのか

　「税理士」は国の資格の1つです。税理士は国が認めた「税務に関する専門家」です（税理法1）。税理士に関する事がらは、税理士法に規定されています。

民間において業として行う税務事務（税務サービス業務）はさまざまです。税理士法は、税務サービス業務のうち、「税務代理」、「税務書類の作成」、そして「税務相談」（これを「税理士業務」といいます（税理法2②）。）を、税理士の独占業務と定めています。独占業務ということは、税理士以外の者はこの税理士業務を行うことができないということです。またこの独占の対象とされる税理士業務は、有償であるか無償であるかを問わないとされています（税理基通2－1）。つまり、原則として税理士でない者は、無償（ただ）であっても業として税理士業務はできないということです。「業として」とは、継続的・反復的に行うことをさします。税理士でない人が税理士業務をすれば、2年以下の懲役または100万円以下の罰金に処せられることがあります（税理法52・59四）。

　公認会計士と弁護士（弁護士法人を含みます。）も、税理士業務を行うことができます。ただし公認会計士の場合、税理士登録をしなければ税理士業務を行うことはできません（☛1.6.4）。弁護士は弁護士資格のまま税理士業務を行うことができます（通知弁護士（税理法51））（☛1.6.5）。ただし弁護士も税理士登録することができることから、弁護士が弁護士資格のまま税理士業務を行えるのは例外的措置ということになります。

　税理士業務は税理士の無償独占業務です。特定の業務領域を独占業務化することは、政府規制で排他的な職業（仕事）をつくることにもつながります。政府規制緩和・撤廃の観点からは慎重でなければなりません。

　税理士業務が無償独占業務となった理由を探るには、税理士の前身である税務代理士制度をみる必要があります。税務代理士法は戦時下の1942（昭和17）年に制定されました。膨大な軍事費を調達するため大増税が余儀なくされ、また税制も複雑なものとなってしまいました。このような時代背景のもと、税務を税務代理士の独占業務とすることにより、税務代理士を税務官庁の補助機関とするために税務代理士制度は生まれたのです。また政府の規制により税務業務を税務代理士に独占させることにより、税務官庁による税務代理士の監督を強化しようとするねらいもありました。

◎税理士業務と税理士の業務

　税理士法は、税理士が提供できる業務を「税理士業務」と「税理士の業務」に区分して、規定します。これらの違いを図説すると以下のようになります。

●税理士業務と税理士の業務の種類

税理士業務	①　税務代理 ②　税務書類の作成 ③　税務相談
税理士の業務	税理士業務のほか、 ④　税理士の名称を用いて、他人の求めに応じ、税理士業務に付随して行う財務書類の作成、会計帳簿の記帳代行といった財務に関する事務などの会計業務（ただし、他の法律において制限されている事項については、除かれます。）

　つまり、税理士法は、「税理士の業務」のうち、①税務代理、②税務書類の作成、そして③税務相談を、特に「税理士業務」として規定するのです。このような区分をしているのは、「税理士業務」が、税理士だけの無償独占業務だからです。

◎独占業務の意味

　一般的にみて専門家の業務独占は、(1)「無償独占」、(2)「有償独占」そして(3)「名称独占」に区分できます。それぞれの違いを税理士の業務を例にみてみます。

●独占業務の種類とその意味

(1)　無償独占
税理士以外の者（非税理士）は、ただ（無償・無料）であっても、他人の依頼を受けて、規制された税理士業務（税務代理、税務書類の作成、税務相談）を反復継続して、やってはならないということです（税理法基通2－1）。

(2)　有償独占
税理士以外の者（非税理士）は、ただ（無償・無料）であれば、他人の依頼を受けて、規制された税理士業務（税務代理、税務書類の作成、税務相談）を反復継続して、やってよいということです。

PART1 税法の基礎知識を学ぶ

(3) 名称独占

税理士は、税理士という名称（ブランド）を使って、報酬をもらって（有償・有料）、記帳代行といった業務をすることができます。しかし、税理士以外の者（非税理士）であっても、税理士の名称を使わなければ、報酬をもらって記帳代行といった業務をすることができるということです（税理法2②）。

◎税理士は納税義務者の味方なのか

税理士の前身である税務代理士は、税務官庁の補助機関としてのものでした。では税理士の立場も、税務代理士と同じなのでしょうか。税理士法第1条は「税理士の使命」として、次のように規定します。

税理士は、税務に関する専門家として、独立した公正な立場において、申告納税制度の理念にそつて、納税義務者の信頼にこたえ、租税に関する法令に規定された納税義務の適正な実現を図ることを使命とする。

この規定から、税理士は、次のようなスタンスでその業務にあたるように求められると解されます。

① 税務に関する専門家として、法律に則った納税義務の適正な実現を図ることを使命とすること。
② 「独立した公正な立場」でその業務にあたること：課税庁からも依頼者からも独立したプロフェッショナル（専門家）としてその業務にあたること。
③ 「申告納税制度の理念にそって」その業務にあたること：依頼者の立場に立ち、税制の根幹をなす申告納税制度の維持・発展を念頭にその業務にあたること。
④ 「納税義務者の信頼にこたえ」てその業務にあたること：法律の範囲内で納税義務の最小化、依頼者の最大の利益に誠実に応えるようその業務にあたること。

税理士は、かつての税務代理士とは異なり、税務官庁の補助機関ではありません。むしろ税理士は、依頼者である納税義務者に寄り添うかたちでその業務にあたることを税理士法は求めているのです。

◎税理士の使命とは

税理士法はその第1条で「税理士の使命」を規定します。ここでは税理士の行動指針ともいえるこの「税理士の使命」をもう少し深読みしてみます。

税理士法は、「租税に関する法令に規定された納税義務の適正な実現を図る

191

こと」を、税理士の使命としています。つまり税理士は、憲法の要請する租税法律主義（☞1.4.2）に基づき制定された税法の定めるところに従って、依頼者である納税義務者の適正な納税義務の実現のためのサービスを提供することがその使命なのです。また税理士はその使命を果たすため「独立した公正な立場」であることが求められます。税理士は「専門家」なのですから「公正な立場」でその業務にあたることはいうまでもありません。なお「独立した」とは、納税義務者からも課税庁からも独立した立場ということがいわれます。しかし、「申告納税制度の理念にそって」、「納税義務者の信頼にこたえ」とあることから、納税義務者から独立した立場と考える必要はないようにも思われます。ただしいずれの立場からしても、納税義務者からの違法な要求に応えることは論外です。税理士は専門家なのです。

　この第1条「税理士の使命」規定は、きわめて不明確な規定であるとの批判も多いところです。この点、他の士業や隣国の士業では、どのように規定されているのかを点検するために、例をあげると、次のとおりです。

●各種仕業の使命

> 【弁護士法】弁護士は、基本的人権を擁護し、社会正義を実現することを使命とする（1条）。
> 【司法書士法】司法書士は、この法律の定めるところによりその業務とする登記、供託、訴訟その他の法律事務の専門家として、国民の権利を擁護し、もつて自由かつ公正な社会の形成に寄与することを使命とする（1条）。
> 【韓国の税務士法】税務士は、公共性を持つ税務専門家として、納税者の権益を保護し、納税義務の誠実な履行に寄与することを使命とする（1条の2）。

　今日、税理士が提供する業務には、税務書類の作成や税務相談に加え、税務代理や訴訟における補佐人、その他税理士法に規定された税理士の業務以外の業務提供も求められています。同時に税理士は、依頼者に提供する業務内容に対する専門家としての説明責任を負うこと、その業務に関して起こり得る利益の抵触（利益相反行為）を避けるための十分な管理が必要です。「依頼者である納税義務者は消費者である」といったスタンスにたち税理士に対する信頼を強固にするために、税理士法第1条の見直しを含む「税理士サービス・スタンダート」（税理士行動基準）の構築が急がれるところです。

PART1 税法の基礎知識を学ぶ

◎税理士の提供する業務とは

　税理士とは、政府の規制（保護）によりつくられた民間の税務サービス業務を行う専門家ということができます。この税理士は、税理士法その他の法律により、納税義務者などより依頼を受け、税務をはじめ会計、監査など、次のような業務を独占的に行うことができます。

●税理士の業務と独占の意義

(1)　税務代理（税理法2①一）〈無償独占〉

　税務申告、申請、請求や国税不服審判所などへの審査請求、税務調査や処分に対しての主張、陳述、代理または代行行為

(2)　税務書類の作成（税理法2①二）〈無償独占〉

　申告書、申請書、請求書、不服申立書などの作成

(3)　税務相談（税理法2①三）〈無償独占〉

　税務申告や主張、陳述について、税額等の計算に関する事項の相談

(4)　付随業務（税理法2②）〈名称独占〉

　税理士の名称を用いて、税理士業務に付随して行われる財務書類の作成、会計帳簿の記帳代行その他財務に関する事務

(5)　訴訟の補佐・陳述（税理法2の2①）〈名称独占〉

　弁護士である訴訟代理人とともに、裁判所の許可を要することなく裁判所に出廷し、補佐人として租税に関する事項についての陳述（尋問は不可）。具体的には、申告・調査・処分に関する事項や国税債務不存在訴訟などといった「官対民」訴訟だけでなく、相続税争いに関連する訴訟や税理士損害賠償訴訟といった「民対民」訴訟にも及びます（ただし刑事関連訴訟は除かれます（刑事訴訟法42①）。）。

(6)　地方公共団体の外部監査（自治法252の28）〈無償独占〉

　地方公共団体の外部監査とは、地方公共団体が行っている事務を第三者が監査（チェック）することです。税理士（税理士となる資格を有する者を含みます。）は、弁護士、公認会計士、国・地方職員で監査等事務経験のある者と同様に、議会の決議を経て外部監査契約を締結できます。

(7)　株式会社の会計参与（会社法326・333①・374①など）〈無償独占〉

　会計参与とは、株式会社の債権者保護を目的に、株式総会により選任される株式会社の機関のことです。会計参与の資格者は公認会計士（監査法人を含みます。）または税理士（税理士法人を含みます。）に限定（会社法333①）されます。その職務は、会計の見識を有する専門家として、①計算関係書類の共同作成、②株主総会における計算関係書類の説明、③計算関係書類の備置き、④計算関係書類の株主および債権者への開示です。

193

(8) 政治資金監査 (政治資金規正法19の18) 〈無償独占〉

　国会議員関係政治団体は、総務省または都道府県の選挙管理委員会に収支報告書を提出する場合、あらかじめ登録政治資金監査人による政治資金監査を受けなければなりません。税理士は、弁護士、公認会計士とともに登録政治資金監査人となることができます。

　なお、税理士法において税理士の業務の対象となる租税（税目）は、原則として国税および地方税のすべてです。しかし税理士の援助があまり必要とされない、あるいは税理士の業務にあまりなじまない税目は除外されています。例えば、印紙税、登録免許税、関税などがこれにあたります（税理法2①但書）。加えて、税理士以外の者であって、当局からの許可を受けて臨時に税務書類の作成ができる（☞1.6.3）などの例外もあります（税理法50）。

◎税理士制度見直しの動き

　2022（令和4）年度税制改正では、税理士の業務改善や納税環境の電子化／デジタル化などに対応することをねらいとした税理士制度の見直しが行われました。その内容は、(1)税理士の業務における電磁的方法の利用等を通じた納税義務者の利便の向上等（税理法2の3）、(2)税理士に対する信頼の向上を図るための環境整備（税理法47の3・48・54の2・55・56他）、(3)その他、からなります。

（阿部　徳幸・石村　耕治）

〔アドバンス文献〕北野弘久『税理士制度の研究〔増補版〕』（1997年、税務経理協会）、坂田純一『実践税理士法〔新版〕』（2015年、中央経済社）、日本税理士会連合会編『税理士法逐条解説〔7訂版〕』（2023年、日本税理士共同組合連合会）、「オーストラリアの税務専門職制度」国民税制研究2号（2016年、石村耕治「開かれた税務支援制度のあり方を日米比較で検討する」税務弘報2007年5月号～10月号、池田昭義『地方自治監査質疑応答集～監査員監査と外部監査人監査』（2000年、学陽書房）、阿部徳幸「改正商法・会計参与制度」税制研究48号（2005年）、阿部徳幸「税理士の使命-新書面添付制度を題材に」北野弘久先生追悼論集刊行委員会編『納税者権利論の展開』（2012年、勁草書房）所収、日税連総合企画室税理士法改正分科会『改正税理士法実務への対応』（2023年、大蔵財務協会）

PART1　税法の基礎知識を学ぶ

Column ドイツの税理士制度と税務援助

　ドイツには、 わが国に似た税理士制度があります。 税理士法
(StBerG＝Steuerberatuungsgezetz) が根拠法です。ドイツ税理士法は、税理士
(Steuerberater, Steuerbevollmächtigte/tax advisor) および税理士法人
(Steuerberatungsgesellschaften/firms of tax advisors) (以下、双方を一括して「税理士」
といいます。) は、依頼者 (Auftraggeber/clients) に有償で税務援助業務
(Geschäftsmäßige Hilfeleistung)) を独占的に提供することを法認しています。(ちな
みに、規制対象となる業務を、わが国の税理士法は「税理士の業務」と定義しています。
これに対して、ドイツ税理士法では「税務援助業務」と定義しています。) ドイツでは、
税理士が「税務援助業務を無償独占」するのは、「公共の利益」を保護することが目的
とされます。「公共の利益」のために、憲法的な自由を犠牲にすることについては一定
のコンセンサスがあります。しかし、ドイツ憲法で保障される「職業選択の自由」(12
条1項) に違反するとする見解もあります。もっとも、ここでいう「税務援助業務の
無償独占」は、わが国で言うような「税理士の業務の独占」ではありません。独税理
士法は、「税務援助業務の無償独占」を、「無制限独占」と「限定独占」に分けて次の
ように規制をしています。

●ドイツ税理士法における税務援助業務の独占の意義

①**無制限独占** 国内の税理士、弁護士、公認会計士および専門職法人がその依頼
　　者がする税務援助 (独税理法3)
②**無制限独占** 外国人税理士および税理士法人がその依頼者にする税務援助 (独税
　　理法3a)
③**限定独占** 給与税援助協会がその会員にする税務援助 (独税理法4⑪・13〜31)
④**限定独占** 公証人・弁理士・公務員・事業者などがその本来の業務に関連して
　　依頼者/顧客にする税務援助 (独税理法①以下)

　①②税理士などの税務専門職による税務援助 (無制限独占)、③税務当局から認可を
得て給与所得者や年金所得者の税務援助をする非営利社団の給与税支援協会
(Lohnsteuerhilfevereine) による税務援助 (限定独占)、さらには、④多くの職種で事
業者がその業務上必要な顧客に対する税務援助 (限定独占)、に分けて法認しています。
③は、わが国にも、税理士法が法認する「臨税 (臨時の税務書類の作成等)」の仕組み
があります (50)。わが国の臨税は、期間限定型の税務援助制度です。これに対して、
ドイツの給与税援助協会は、入会費 (30〜50ユーロ) や年会費 (所得額に応じて年49ユー
ロから325ユーロ) を払って加入する非営利の会員制の社団です。全独に300団体ほど
あり、規模は大小さまざまです。これらの団体は、連邦給与税支援協会連合会 (BVL.e.V
＝Bundesverband Lohnsteuerhife e.V) に加盟しています。連合会の傘にもと、給与税
援助協会は総体で、全独に6,000か所を超える常設のオフィスを構え、約300万人の会員
を擁し、業務限定型の恒久的な税務援助サービスを提供しています。

195

わが国の場合は、専門家（専門職）、例えば税理士の共同化において、税理士法に基づく税理士法人の形態のみが法認されています。一般に西欧諸国では、税務サービス専門家の共同化において、株式会社、合名会社LLC（合同会社）、パートナーシップ、ビジネストラストなど各種の事業形態の自由選択が認められています。ドイツの場合も、他の西欧諸国と同様に、株式会社、有限会社、合資会社、合名会社などの事業形態の選択ができます（独税理法49）。

　ドイツの税理士は、地方税理士会（Steuerberaterkammer）に強制加入するように求められます。税理士会は、公法上の法人（KdoR）です。税理士会の設立・組織・活動については、税理士法（StBerG）73条以下に基づきます。全独には、21の単位税理士会（Steuerberaterkamme/ German Chamber of Tax Advisorsがあり、これらを束ねる中央組織として連邦税理士会があります。連邦税理士会は、約96,500の税理士と税理士法人［うち税理士が約9割］の会員がいます（2019年11月28日現在）。

　ドイツでは、1961年以降、それまで連邦（国）が持っていた税理士会会員の監督処分権を、各税理士会に移管しました（独税理法76①）。国と税理士会が重複する形で行使していた会員の監督処分権限を、規制緩和、税理士自治尊重の精神に立ち一本化したわけです。連邦税理士会は、21の税理士会にかかわる任務に限定されます（独税理法86②）。会員の監督処分権限を持っていません。税務専門家の監督処分権限を国から自治組織である税理士会に移管したことに伴い、税理士会の会員への問責権、調査権などが強化されました。

（石村　耕治）

【参考文献】　石村耕治「税務援助業務と税理士制度のあり方：ドイツの税理士法と税務援助業務」TCフォーラム研究報告2021年8号

1.6.2 税理士になるには

ポイント

　税理士になりたいので税理士試験を受けたいと思います。どのような試験なのでしょうか？この試験に合格すれば税理士になれるのでしょうか？

　税理士は税理士会という団体に加入しなければ税理士の業務を行うことができないといわれますが、税理士会とはどのような団体なのでしょうか？

　平均的な税理士像についても、教えてください。

◎税理士試験とはどのような試験なのか

(1) 税理士試験の受験資格

　税理士試験の受験資格を満たすには、次の学識、資格、職歴、認定のいずれか１つにあてはまらなければなりません（税理法5）。また、この受験資格には国籍や年齢の制限はありません。税理士試験の受験資格をそれぞれの区分ごとに図説すると、次のようになります。

●受験資格

	受　験　資　格
学識	・大学、短大または高等専門学校を卒業した者で、社会科学に属する科目を１科目以上履修した者 ・大学３年次以上の学生で社会科学に属する科目を１科目以上含む62単位以上を取得した者 ・専修学校の専門課程を修了した者等で、社会科学に属する科目を１科目以上履修した者 　＊なお、会計学に属する科目については、受験資格が撤廃され、誰でも制限なく受験できます。 ・司法試験に合格した者 ・公認会計士試験短答式試験合格者（2006（平成18）年度以降の合格者に限ります。） ・公認会計士試験短答式試験全科目免除者
資格	・日本商工会議所主催簿記検定試験１級合格者 ・公益社団法人全国経理教育協会主催簿記能力検定試験上級合格者（1983（昭和58）年度以降の合格者に限ります。） ・会計士補
職歴	次のいずれかの事務または業務に通算２年以上従事した者 ・弁理士・司法書士・行政書士・社会保険労務士・不動産鑑定士の業務 ・法人または事業を営む個人の会計に関する事務 ・税理士・弁護士・公認会計士等の業務の補助の事務 ・税務官公署における事務またはその他の官公署における国税若しくは地方税に関する事務 ・行政機関における会計検査等に関する事務 ・銀行等における貸付け等に関する事務
認定	国税審議会より受験資格に関して個別認定を受けた者 例えば、外国の大学を卒業した者等で、法律学または経済学に属する科目を１科目以上履修している者などがこれにあたります。

197

(2) 税理士試験はどこが実施し、試験科目はどうなっているのか

　税理士試験は、国税審議会（●1.3.2 Column）が行います（税理法12①）。税理士となるのに必要な学識およびその応用能力を有するかどうかを判定することを目的として、次に定める科目について、年1回実施されています（税理法6・12②）。

●試験科目

必須科目	会計学に属する科目の2科目（簿記論、財務諸表論）
選択必須科目	税法に属する科目の1科目（所得税法または法人税法のうち1科目）
選択科目	税法に属する科目の2科目（選択必須科目で選択しなかった所得税法または法人税法、その他、相続税法、消費税法、国税徴収法、酒税法、地方税法（事業税、固定資産税、住民税）より選択）

　前記リストの試験科目から5科目に合格する必要があります。受験回数に制限はありません。税理士試験は科目合格制をとっており、受験者は一度に5科目を受験する必要はなく、1科目ずつ受験してもよいことになっています（税理法7①）。つまり、科目ごとに合格を積み重ねることにより、必要な5科目に達すればよいので、受験しやすくなっています。

◎近年の税理士試験の状況

　合格基準点は各科目とも満点の60％です（税理令6）。合格科目が会計学に属する科目2科目および税法に属する科目3科目の合計5科目に達したときに合格者となります。国税庁が公表した2023（令和5）年度の税理士試験における科目別合格者は次のとおりです。なお、2023（令和5）年度の税理士試験の合格者（5科目到達者）は600人です。

●2023（令和5）年度税理士試験の状況と科目別合格者数

科目／区分	受験者数（人）	合格者数（人）	合格率（％）
簿記論	16,093	2,794	17.4
財務諸表論	13,260	3,726	28.1
所得税法	1,202	166	13.8
法人税法	3,550	497	14.0
相続税法	2,428	282	11.6
消費税法	6,758	802	11.9
酒税法	463	59	12.7
国税徴収法	1,646	228	13.9
住民税	462	68	14.7
事業税	250	41	16.4
固定資産税	846	146	17.3
合　計	46,958	8,809	18.8

◎どうすれば税理士になれるのか

　税理士をめざす学生や社会人も少なくありません。税理士になるには、税理士試験に合格する方法が最もよく知られています。しかし、税理士試験に合格する以外にもいくつかの方法があります。

　税理士法は、税理士になるには、次のいずれかの条件にあてはまる人でなければならないとしています（税理法3）。

●税理士となる資格を有する者

① 　税理士試験に合格した者
② 　税法（または会計学）により修士（または博士）の学位を取得した者で、国税審議会の認定を受けた者。ただし修士の学位を取得した者は、国税審議会への申請の前に、学位取得分野に属する税理士試験科目1科目に合格していることが必要です。
③ 　税理士試験を免除された者（大学の教授、准教授、講師ならびに一定期間の勤務を経た国税職員および地方税職員）
④ 　弁護士（弁護士となる資格を有する者を含みます。）
⑤ 　公認会計士（公認会計士となる資格を有する者を含みます）。なお、2017（平成29）年4月1日以後に公認会計士試験に合格した者は、国税審議会が指定する税法の研修を修了することが必要です。

　ただし、①から③にあてはまる者が税理士になるためには、租税または会計に関する事務に2年間従事した実務経験が必要です（税理法3①）。

　これらの要件を充たしたうえで、日本税理士会連合会（以下「日税連」とい

います。）の税理士名簿に登録され、税理士事務所を設置し、それぞれ地域の税理士会に入会（強制入会制）して初めて、税理士として税理士の業務を行うことができます（税理法18・19・40・49の6）。

◎税理士会とはどのような団体なのか

すでにふれたように、税理士となる資格を得たとしても、それぞれ地域の税理士会に加入して登録をしなければ税理士の業務を行うことはできません。税理士にとり、税理士会とは強制加入団体だということです。医師の任意加入である医師会などとは異なります。

税理士会の上部団体として日税連があります。税理士会の組織とこれに対応する監督官庁である課税庁の組織を対比すると、次のようになります。

●税理士会の組織と監督官庁

税理士会の組織	数		対応する監督官庁	数
日税連	1	⇔	国税庁	1
税理士会	15	⇔	国税局・国税事務所	12
支　部	494	⇔	税務署	524

税理士会の組織（日税連・税理士会・支部）の目的は、基本的に上部団体は下部団体を指導・連絡・監督し、それぞれ各組織は、税理士および税理士法人を指導・連絡・監督することにあります（税理法49⑥、49の3②、49の13②）。

また、税理士会の各組織に対応するかたちで監督官庁があり、税理士や税理士法人などに対する監督権は国税庁長官が持っています（財務省設置法4十八・20①一・23③一、税理法55）。これを受けて、各国税局の総務部には、税理士監理官（☛1.6.3 Column）が1人ずつ配置されています（財組規465①）。このほか、各税務署総務課は、税理士事務所に赴き、任意での税理士（事務所）に対する実態調査を行っています（財組規548五）。

このような構図から、税理士の「独占業務」、そして税理士会への「強制加入制」は、内部的な自治（自律）が期待される税理士会に集う税理士や税理士法人に対する監督官庁による上からの監督にあるといえます。

PART1　税法の基礎知識を学ぶ

◎税理士の登録区分

　税理士資格を取り、日税連の税理士名簿に登録され、各税理士会に所属してはじめて税理士となるわけです。この登録には３つの区分があります。それぞれの区分を図説すると、次のようになります（税理士法規則８①二）。

●税理士の登録区分

税 理 士 の 登 録 区 分
①　**社員税理士**　…税理士法人の社員としての登録
②　**所属税理士**＊…開業税理士または税理士法人の補助者として、その開業税理士の税理士事務所に勤務し、またはその税理士法人に所属し、税理士の業務に従事する税理士としての登録
③　**開業税理士**　…①、②以外の税理士としての登録

＊　所属税理士は、開業税理士または税理士法人の補助者としての登録ですから、原則として、単独で自ら依頼者の委嘱を受けて税理士の業務に携わることができません。単独で自ら依頼者の委嘱を受けて税理士の業務に携わるためには、その都度、あらかじめ、その使用者である税理士または税理士法人の書面による承諾を得なければなりません（税理士法規則１の２）。

◎税理士法人とは

　税理士法人とは、税理士業務を組織的に行うことを目的として、税理士が共同して設立した法人のことです（税理士法48の２、税理法５章の２）。

　税理士業務の共同化することにより、複雑化・多様化、高度化する納税者などの要請に対して、的確に応えることになります。また個人税理士にその職務を依頼している場合、例えばその税理士が死亡してしまうと、その税理士との契約は切れ、業務は停滞してしまいます。ことさら税務の場合には、納税申告期限というものがあり、また税理士以外税理士業務はできませんから、その税理士事務所職員がこれを行うわけにもいきません。依頼者・消費者とすればとても困った状態にさらされることにもなってしまします。しかし、税理士法人との間で税理士の業務についての契約があれば、依頼された業務の停滞ということにはなりません。このような依頼者・消費者利便の向上に資するため、これまで、税理士が個人で行うこととされていた税理士の業務を、新たに法人形態でもできるようにとのことで、2001（平成13）年の税理士法改正において創

201

設された制度です。

　ちなみに、わが国の場合は、専門家の共同化において、諸外国のような株式会社、LLC（合同会社）、パートナーシップ、ビジネストラストなど事業形態の自由選択はできません。税理士法に基づく税理士法人の形態のみが法認されています。

　税理士法人は、社員（出資者）の資格を個人の税理士に限定しており、商法上の合名会社に準ずる税理士法上の特別法人です（税理法48の21⑥）。税理士法人の業務範囲は、商法上の会社とは異なり、税理士法で特別に設立が認められた特別法人であることから、税理士法が定めた業務範囲に限定されています（税理法48の5）。

　税理士法人を設立するためには、社員が2人以上必要となります。社員は全員、各人が業務執行権や代表権を有し、社員それぞれに無限連帯責任が課されます。なお、社員の中から代表社員を定めることができます。税理士法人は、その名称に「税理士法人」の文字を使用しなければなりません（税理法48の3）。なお定款で定めれば、付随業務以外の業務を行うこともできます（税理法48の5、税理規21）。

◎平均的な税理士像とは

　2023（令和5）年11月末現在、税理士登録者の数は8万1,119人となっています。その内訳は、開業税理士5万5,684人、社員税理士1万3,131人、所属税理士は、1万2,304人です。また税理士法人の数は4,959事務所となっています。

　ところで平均的な税理士像は、どのようなものなのでしょうか。日税連がまとめた「令和4年度登録事務事績」よれば、2022（令和4）年度末現在の税理士名簿登録者数は、8万692人となっています。2021（令和3）年度からの純増数は592人であり、2020（令和2）年度の759人よりやや減少しています。

　女性の税理士登録者数は、2012（平成24）年に1万人を越え、現在は1万2,592人で、全体における比率は15.61％となっています。

　新規登録者数は、前年度より32人増の2,654人（うち女性439人）です。

税理士の年代別の割合を見てみますと、60歳代が全体の22.46％を占め、最大となっています。なお、30歳代は全体の6.49％、40歳代が全体の19.01％というのが状況です。

税理士となったルートを見てみますと、試験合格43.22％、国税等勤務による試験免除2.46％、学位による試験免除39.74％、公認会計士13.69％という比率になっています。

近年の登録者数の伸び率は緩やかになってきました。しかし、競争も激しく開業はなかなか難しい現状です。大手監査法人系の税理士法人へ税理士が集中したり、税理士界においても高齢の税理士から若い税理士への事業承継が多くみられるようになってきているのが実情です。

◎税理士の責任・懲戒

税理士（税理士法人を含みます。）は、税理士法により、税理士業務を独占業務にするなどの保護を受けています。その反面、税理士法は、税理士に対してさまざまな義務を負わせています。そして、義務違反があった場合には、秩序責任や刑事責任を科したり、財務大臣による懲戒処分で責任を問うています（税理法33・36〜39・40〜43ほか）。なお、財務大臣の懲戒処分には、「戒告」、「2年以内の税理士業務の停止」、そして「税理士業務の禁止」の3種類があります（税理法44〜47）。財務省は、「税理士・税理士法人に対する懲戒処分等の考え方」（平20.3.31財務省告示104号、改正令5.2.17）を公表するなど注意喚起をしています。

また、国税庁によれば、税理士・税理士法人に対する懲戒処分等件数は、次のようになっています。

●懲戒処分等の件数

会計年度	2018	2019	2020	2021	2022
処分等件数	51件	43件	22件	21件	13件
禁止	9件	14件	4件	5件	4件
停止	42件	29件	18件	16件	9件
戒告	0件	0件	0件	0件	0件

*　国税庁ホームページ参照（https://www.nta.go.jp/taxes/zeirishi/chokai/shobun/list.htm#name03）

◎税理士の損害賠償責任（民事責任）

　税理士（税理士法人を含みます。）は、すでにふれたように、税理士法に違反した場合、税理士法により秩序責任や刑事責任が問われることがあります。さらに、税理士は、故意または過失により依頼者に損害を与えた場合、民事責任を問われることもあります。民事責任には、債務不履行（契約不履行）による損害賠償責任と不法行為による損害賠償責任があります。

　納税者が税理士に税理士の業務などを依頼したとします。依頼を受けた税理士は、税務に関する専門家として高度の善良なる管理者としての注意を払って、その業務に当たる責任（債務）を負うことになります（民法644）。しかし、その税理士がこのような注意を払わず業務にあたり、依頼者が損害を被ったとします。この場合、その依頼者は税理士に対して、債務不履行の責任を問い、損害賠償を求めることができます。

　依頼者である納税者と税理士との間では、顧問契約を結ぶといった特殊な関係にあるのが一般的です。このような特殊な関係にある場合、依頼者は、税理士に対して債務不履行（契約不履行）による損害賠償責任を問います。一方、特殊関係（契約関係）にない場合、依頼者は、税理士に対して不法行為責任（民法709）による損賠賠償責任を問うことになります。

(1) 代表的な損害賠償事例

　税理士が損害賠償責任に問われた事例としては、次のようなものがあります。

●債務不履行が問われた事例

> 　税理士が相続税の申告手続を依頼された際に、物納申請の依頼を受けたのにもかかわらず、これをせず延納の手続をしたことなどが、委任契約上の債務不履行にあたり、税理士に対し約3億円の賠償を命じた事例（東京地判平7.11.27・判時1575号71頁・判タ925号214頁）
> 　（原告請求額424,930,920円：裁判所認容額280,862,056円）

> 　居住用財産の特別控除が同族会社への譲渡の場合には適用されないにもかかわらず、このことを知らずに、特別控除が受けられる旨の教示を行った税理士が、顧問契約上の債務不履行として損害賠償が認められた事例（東京地判平12.6.30・タインズZ999-0066）
> 　（原告請求額4,579,050円：裁判所認容額2,356,850円）

PART1　税法の基礎知識を学ぶ

> 受取配当金益金不算入の措置を講ぜず益金に計上し、同族会社の株式譲渡に関して顧問税理士が誤った助言をしたことにより、損害賠償が認められた事例（東京地判平12.6.23・タインズ Z 999-0067）
> （原告請求額40,718,790円：裁判所認容額39,462,278円）

●不法行為責任が問われた事例

> 税理士の作成した内容虚偽の確定申告書の記載を真実と信じて、融資をした金融機関が損害を受けたとして、税理士に対する損害賠償請求が認められた事例(仙台高判昭63.2.26・判時1269号86頁)
> （原告請求額20,000,000円：裁判所認容額10,000,000円）

(2) 税理士職業賠償保険とその状況

　税理士には、任意加入の税理士職業賠償保険があります。この保険は、例えば税理士がミスをし、納税者が本来の納税額よりも多額の税金を納付しなければならなくなった場合などが対象となります。

　この損害賠償保険が支払われた件数と金額を年度別にまとめると、次のとおりです。

●税理士職業賠償保険の支払金額

年　度	件　数	支払保険金額
2017年	527件	19億9,800万円
2018年	532件	17億7,600万円
2019年	511件	22億5,900万円
2020年	503件	22億5,600万円
2021年	581件	17億7,000万円
2022年	495件	18億 300万円

　また、2022（令和4）年度の税目別件数とその金額をまとめると、以下のとおりです。

205

●2022年度税理士職業賠償保険の税目別件数と支払金額

税　目	件　数	支払保険金額
消費税	241件（48.7%）	8億8,000万円（48.9%）
所得税	84件（17.0%）	2億7,500万円（15.2%）
法人税	114件（23.0%）	3億5,000万円（19.4%）
相続税	31件（6.2%）	2億 600万円（11.4%）
贈与税	11件（1.9%）	3,400万円（1.9%）
国定資産税	9件（2.0%）	1,900万円（1.1%）
その他	5件（1.0%）	3,900万円（2.1%）

　税目では消費税が件数・金額とも圧倒的に多いことがわかります。消費税は、簡素な税金といわれるものの、その仕組みはとても複雑なのです。今後、税法や税務手続がますます複雑化するに伴い税理士がしたミスに対処できるように、より充実した強制加入の税理士職業賠償保険の導入が求められるところです。

（阿部　徳幸・石村　耕治）

〔アドバンス文献〕喜屋武博一『税理士懲戒処分の考え方と予防策』（2021年、税務経理協会）、国税庁ホームページ（https://www.nta.go.jp/taxes/zeirishi/index.htm）、日本税理士会連合会ホームページ（https://www.nichizeiren.or.jp/）

1.6.3 税理士と税務援助

ポイント

　税務援助とは、無償で納税者の税金の申告などの手助けをする制度です。わが国では、税務援助をもっぱら税理士がやっていますが、なぜなのでしょうか。今後とも税理士だけでやるべきなのでしょうか。

◎税務援助とは何か

　税務援助（税務支援）は、所得税や消費税の確定申告（☞5.3.1）にあたり納税者を支援する目的で設けられている仕組みです。

　所得税や消費税など国の主要な税金は、申告納税制度を採用しています

（☛5.2.1）。申告納税制度は、納税者自らが自分の所得や税額を税務署に申告して確定させ、この確定した税額を自らが納付する仕組みです。自己賦課（self-assessment）ともよばれます。申告納税制度のもとで自分の所得や税額を税務署に確定申告するのが難しい納税者がたくさんいます。こうした納税者の確定申告を手助けするのが税務援助です。

税務援助は、本来、零細な事業者や年金受給者などを対象とした制度です。しかし、近年、非正規雇用の拡大や政府の働き方改革政策の一環としての副業のすすめなどもあり、税務援助への需要が拡大する傾向にあります。

正規雇用の給与所得者には、いわば雇用主が確定申告を代行・支援するような年末調整の仕組みがあります（☛5.1.3）。ところが、アルバイトやパートとよばれる非正規雇用の給与所得者には年末調整が適用にならず、確定申告で困難を抱えているケースも少なくありません。同じく、雇用類似の働き方をする人たち（ギグワーカー/名ばかり事業所得者）の多くも確定申告で困難を抱えています。

税務援助は、こうした確定申告で困難を抱えている納税者を助け、適正な申告をしてもらうことで申告納税制度を円滑に機能させる目的で設けられている制度です。

わが国の税務援助は、大きく（1）官（課税庁）が行うものと（2）民間（①税理士会や②税理士でない民間ボランティアなど）が行うものとに分けられます。

◎官（課税庁）が行う税務援助

官（課税庁）が行う無料の税務援助は、大きく、次の3つからなります。

---

① **タックスアンサー** 国税庁のホームページ（HP）において、よくある税金に関する質問と回答が、税金の種類ごとに分類して掲載されています。

② **電話による税務相談** 国税局の「電話相談センター」が一括して引き受け、納税者の相談に応じています。

③ **申告支援** 確定申告期に税務署は各所に特設会場を設け、面接による申告の相談と確定申告の受付を行うとともに、国税局は「確定申告電話相談センター」を設け、電話で相談を受け付けています。

◎民間が行う税務援助

民間が行う無料の税務援助は、（１）税理士会が行う税務支援と（２）臨時の税務書類作成（臨税）などからなります。

⑴　税理士会が行う税務支援

税理士会は、久しく小規模事業者に限定して無償の税務援助を行ってきました。その後、支援対象者の範囲を確定申告者にも拡大しました。現在、税理士会は、確定申告期に全国各地で無料相談を広く実施しています。同時に「国税当局が行う税務相談に関する委託事業など」に対応するために、支援事業の内容を、次のように３つに分け、税務支援を行っています。

> **税理士会が行う税務支援**　（税理法49の２、税理令14）この「税務支援」の内容は、税理士会会則において、次の３つが規定されています。
> ❶　独自事業［税理士会が主体的に実施］
> ❷　受託事業［国等が委託者になり税理士会等が受託した実施］
> ❸　協業派遣事業［税理士会が指定する団体と協議による実施］

❶税理士会が税理士（専門家）を募って行う税務支援では、対象となる納税者に対して、税務相談、記帳指導、税務書類の作成、電子申告などの援助を行います。毎年、全国の税理士が約130万人の納税者の援助を行っています。税理士の延べ従事者数は約10万5,700人に上ります（2021（令和３）年度実績）。

⑵　臨時の税務書類作成（臨税）

税理士法に基づいて、税理士でない者が、国税庁長官の許可*を受けて、確定申告期や災害時に限り、臨時に税務書類の作成などの税務援助を行うプログラムです。

*　国税庁長官「臨時の税務書類の作成等の許可申請の審査基準及び標準処理期間の公表手続について」（官総６−15、平成７年４月13日、改正　令和５年２月17日

> ⓑ　**臨時の税務書類作成（臨税）**　（税理法50、税理令14）　国税局長（地方税については、地方公共団体の長）が、申請に基づいて、税理士または税理士法人以外の者に対して許可して、確定申告時期に２か月の期間に限り、税金の種類を指定して、自治体の職員や、公益社団法人、公益財団法人、農協、漁協、事業協同組合、商工会などの役員や職員に、税務書類等の作成や相談に応じさせるものです。

本来、税務書類の作成業務や税務相談は税理士法により、税理士のみに認められる職務です（税理法2①二・三）。しかし臨税は、税理士法の例外として、国税庁長官の許可のもと認められた税務援助プログラムです。国税庁統計では、臨税（確定申告期）の2020（令和2）年度許可状況は、全国すべての国税局ベースで、申告所得税のみでは2,800人程度、申告所得税＋消費税では1,800〜1900人程度となっています。またこの人数を臨税の許可先別にみてみると、都道府県が4.3％、市町村83.3％、農協11.8％、漁協0.5％、事業協同組合・商工会0％となっています（国税庁「令和2年度　臨税の税務書類の作成等の許可状況」）。したがって、臨税は全国の市町村が主体となって行われているのが実態のようです。しかし、市町村も記載済みの所得税の確定申告書の預かりおよび税務署への回送（以下「仮収受」といいます。）のみを実施しており、申告内容などの記載指導までは実施していないようです。予算措置、日当などもまちまちで詳しい運営実態は公表もされておらず、きわめて不透明になっています。

近年、この「臨税」は次第に縮小される傾向にあります。しかし、年金受給者や働いても貧しいギグワーカー（名ばかり事業所得者）が急増し、また国が給与所得者に副業を奨励する時代です。確定申告をしなければならない納税者が急増しています。民間ボランティアを活用した税務援助拡大は待ったなしの課題です。むしろ「臨税」を拡大する必要があります。現状の運用実態などを明らかにしたうえで、「許可」条件の緩和に向けた見直しが求められます。

◎税務援助をなぜ税理士が行うのか

先進各国では、市民ボランティアが幅広く税務援助行っています。ところが、わが国では、市民ボランティアは税務援助をすることはできません。現在、わが国では、民間が行う税務援助をおおむね税理士が行っています。これは、税理士業務は、有償、無償を問わず、原則として、税理士以外の者が「他人の求めに応じて」行ってはならない（無償独占）とされているためです（税理法52、税理基通2-1）（☞1.6.1）。このため、納税者は、経済的な理由から税理士に依頼することのできない場合でも、税理士以外の者（「臨税」などを除いて）に税務

書類の作成や税務相談をすることは難しいのです。このように、税理士業務を無償独占とすることからくる義務として、税理士は税務援助をしなければならない、とされているわけです。

◎非税理士税務相談停止命令制度

　非税理士税務相談停止命令制度は、税理士または税理士法人（以下「税理士等」）でない者（以下「非税理士」）が反復して行う税務相談の停止や必要な措置を財務大臣が命令できるというものです。2023年度の税理士法改正で導入されました。

　違反者には税務大臣が税務相談停止命令（以下「停止命令」を発し、停止命令は官報の公告、また、おおむね3年間インターネットに公表します。加えて、違反者が、停止命令に従わない場合には警察規制の対象になります。起訴され、有罪となれば、1年以下の懲役または100万円以下の罰金の対象になります。

　この制度は、2024年4月1日から施行されました。次のような仕組みになっています。

●税理士等でない者に対する税務相談停止命令制度の構図

要　件
❶税理士等（税理士・税理士法人）でない者が
❷税務相談を行った場合で、
❸更に反復して税務相談が行われることにより、
❹不正に国税・地方税の賦課・徴収を免れさせる又は還付を受けさせることにより、納税義務の適正な実現に重大な影響を及ぼすことを防止するために、
❺財務大臣が緊急に措置を取る必要があると認めるときに、
❻国税庁長官が、❺のための調査する必要性があると認めるときは、相談を行った者への報告徴収、または国税庁・税務署職員による質問・検査を実施

▽

❼財務大臣が停止等必要な措置の命令（停止命令）
＋停止命令の官報による公告／インターネットへの公表
＋公告は相当と認める期間はおおむね3年間
＋停止命令違反は1年以下の懲役又は100万円以下の罰金
＋質問検査等拒否または虚偽答弁答は、30万円以下の罰金

停止命令制度導入以前から、税理士法は、税理士等でない者が、「他人の求めに応じて」、税務相談をはじめとした税理士業務を継続的・反復的に行えば、原則として、無償か有償かを問わず、処罰される可能性がある旨規定しています（税理法52・59④、税理基通2−1）。また、「税務相談」とは「租税の課税標準等の計算に関する事項の相談に応じること」（税理法2①三）と定義しています。

この制度をデザインした税務当局の担当者は、停止命令制度をつくるにいたった背景を、次のように説明します。「コンサルタントを名乗り、インターネット、SNS／交流サイトを使ったリモート（遠隔）やリアル（対面）の形でセミナーを開き、不特定多数に脱税や不正還付の方法を指南して手数料を取るなどの事例が散見されることから、納税義務の適正な実現に重大な影響を及ぼす相談活動を防止するための措置が必要である」と。

しかし、この説明（立法事由）には大きな疑問符がつきます。もし、そうであるならば、規制の対象を、税理士等でない者による「有償の税務相談」ないし「営利目的での税務相談」に限定することで足りるからです。弁護士法などにならい、税理士業務のうち、現在無償独占とされる「税務相談」や「税務書類の作成」を有償独占にする税理士法改正をすれば十分なわけです。ちなみに、弁護士法72条は「報酬を得る目的で」弁護士でない者（無資格者）等の法律事務（非弁行為）を業として行うことを禁止し、弁護士業務を有償独占としています。ところが、そうした法対応をしないで、税理士業務の無償独占を強化する形で、税務相談停止命令制度を導入したわけです。

税務相談停止命令制度は、行政の規制権限を強化し、その運用の仕方次第では、申告納税制度自体を根底から揺るがしかねません。なぜならば、停止命令は、助け合いの絆を大事にし、申告納税制度を無償／ボランティアで支え合おうとする税理士等でない個人や団体を標的に、かたよって出され、ひいては国民・納税者の権利利益をむしばみかねないからです。税金や税務申告について知見の豊かではない小規模企業者、自営業者や年金受給者その他雇用類似の働き方をする人たち（ギグワーカー）がたくさんいます。こうした社会的・経済的に立場の弱い人たちは、税金について常に学び合える場（フォーラム）を求

めています。こうした学び合いの場の確保は、自発的な納税協力・自主申告を進めるには必要不可欠です。

そもそも、税理士法（業法）は、本来、納税者の権利利益を護ってくれる税務専門職の集団を規律する法律でないといけません。税理士法（業法）を使って、行政に市民・納税者の自発的な納税協力・自主申告についての学び合いの場を脅すこともできるような強大な停止命令権限を付与すること自体、本末転倒です。著しく合理性を欠いています。

また、税務相談停止命令制度は、次の点からも問われます。

●問われる非税理士税務相談停止命令制度

①憲法31条が保障する罪刑法定主義とぶつかる

今日、罪刑法定主義（憲法31条）のもとでは、刑事処罰の伴う規定を置く場合には、少なくとも「明確性の原則」や「過度の広汎性禁止の原則」を満たすように求められます。新設された税務相談停止命令制度では、「税務相談を行った場合」とアバウトに規定し、処罰の対象とします。このことは、税務相談停止命令制度には、罪刑法定主義から派生する原則が保障されておらず、憲法31条とぶつかる可能性があります。

②著しく恣意的な規制対象の選定を可能にするつくり

税務相談停止命令制度では、税理士等でない者が行う税務相談のうち、停止命令を行うか否かは、「財務大臣が・・・更に反復してその税務相談が行われることにより、不正に国税若しくは地方税の賦課若しくは徴収を免れさせ、又は不正に国税若しくは地方税の還付を受けさせることによる納税義務の適正な実現に重大な影響を及ぼすことを防止するため緊急に措置をとる必要があると認める」（税理法54の2①）という要件になっています。加えて、「国税庁長官は・・・（財務大臣が）命令をすべきか否かを調査する必要があるときは、税務相談を行った者から報告を徴し、又は・・・（国税庁・税務署）職員をしてその者に質問…検査されることができる。」（税理法55③）という要件になっています。

このように、停止命令を出すかどうかの必要性の判断については、財務大臣や国税庁長官に極めて広い裁量を認めるつくりになっているわけです。とりわけ法文では「緊急に措置をとる必要があるとき」とせず、「（財務大臣が）・・緊急に措置をとる必要があると認めるとき」として、財務大臣の裁量（要件裁量）を許している。これは、「国税庁長官（が）・・・必要があると認められるとき」についても同じである。こうした法のつくりでは、すべては当局の判断次第であり、必要性が否定される場合は、実際に考えられません。

③「更に反復して」とは

税務相談停止命令を出す要件として、税理士法の法文では、「更に反復して」（税理法54の2①）という言葉が入っており、処罰の対象となる可能性が抑制されるようにも見

えます。しかし、外見と実質は異なります。なぜならば、新税理士法に盛られた税務相談停止命令制度は、ストーカー行為規制法（正式には「ストーカー行為等の規制等に関する法律」）に類似する規制方法を採用しているからです。ストーカー行為規制法5条において「更に反復して」を規制対象行為にすることとは、「反復」では1回でも「反復」となってしまうからです。このことから、「常習として」の言葉や「業として」の言葉と同様に、「反復して」も、具体的な程度は不確定な概念です。税法以外の分野でも、いまだ極めてあいまいに使われてきていることに注意する必要があります。また、ストーカー行為規制法では、「反復」と判断されれば、最初は停止命令等の間接罰ですが、命令等に違反する場合には、直接罰（懲役又は罰金）に処される構図にあります。税務相談停止命令制度導入で税理士法に盛られた規制の仕組みにおける「更に反復して」の言葉や処罰の仕組みも、基本的にはストーカー行為規制法と同じ構図にあると解されます。また、停止命令は、行政が担います。しかし、「直接罰（懲役又は罰金）」を科すための捜査や起訴/不起訴は、司法警察や検察が対応することになります。

④ネット公開と権利利益保護の仕組みの欠如

税務相談を行った税理士等でない者は、当局のターゲットとなれば、さまざまな不利益を受けます。停止命令の要否を判断するための報告徴収、質問・検査を受けることや、命令違反で刑罰を科されることでも不利益を被ります。

加えて、停止命令時点で、官報やインターネットへ公開されるということでも不利益を被ります（税理士法47条の4・54条の2②）。とりわけこの場合の不利益は甚大です。なぜならば、デジタル化（DX）時代におけるインターネット（とりわけSNS/交流サイト等）の持つ影響力は計り知れないからです。厳格な適正な手続の保障なしに、軽々にネット公開するやり方は容認できません。

さらに、財務大臣から停止命令を受けた事実は、個人ないし団体（税理士等でない者）の社会的なマイナス評価、信用失墜の引き金になります。すでにふれたように、今回の税理士法改正に盛られた停止命令自体が、当局（財務大臣や国税庁長官）の主観的な判断をもって恣意的になされる危険性が極めて大きいのです。事後的に「措置をとる必要」がなかったことになる可能性も高いのです。言いかえると、「時すでに遅し」で、取り返しがつかない事態を引き起こしかねない危険をはらんだ法のつくりになっています。

⑤DX時代に似合わないガラパゴス化した規制制度

アルゴリズム（情報処理手順）を駆使し、人間を超えた言語能力・知見を習得した生成AI［チャットジプティ（ChatGPT）、税務相談生成AI/ロボットなど］による税務相談も身近になるはずです。税務相談生成AIや税務AI/ロボットが興隆するなか、「税理士等でない者（非税理士）」に対する税務相談停止命令制度は、デジタル（DX）化時代に似合わないガラパゴス化した政府規制ツールのように見えます。

◎「他人の求めに応じて」とは

税理士でない人が「他人の求めに応じて」税理士業務を継続的・反復的に行えば（税理通達2-1）、無償であっても2年以下の懲役または100万円以下の罰

金に処せられる可能性があります（税理法52・59四）（☞1.6.1）。実際に税理士法違反を問われたケースもでています。しかし、そもそも、申告納税制度は、国民・納税者が一丸となって支えるべきです。憲法で国民に納税の義務（30）を課す国において、申告納税を円滑に機能させるために税務援助をしたということで、逮捕・起訴などあってはなりません。

　税理士法にいう「他人の求めに応じて」あるいは「非他人」は不確定な概念です（☞1.5.4）。国税庁は、税理士法基本通達（法令解釈通達）で、職員向けの解釈を示しています。しかし、解釈通達には法源性（納税者への直接的な法的拘束力）がありません（☞1.4.6）。なお、この基本通達では「他人の求めに応じて」という言葉については、解釈例を示していません。

　この言葉は広く解釈すれば、税理士法違反が問われるケースは増えてきます。逆に、この言葉を狭く解釈をすれば、税理士法違反が問われるケースは限定されます。例えば、共稼ぎの夫が毎年妻の確定申告書を作成したらどうでしょうか。企業の税務・経理部門で働いていて退職した人が、申告期に町内会で知り合ったお年寄りたちの確定申告書の作成を手伝ったらどうでしょうか。会社員で非税理士の夫が妻の一族の相続税申告書の作成を手伝ったらどうでしょうか。一方、企業の非税理士の従業者がその企業の確定申告書その他の税務書類の作成や他の従業者の年末調整をしても税理士法違反は問われません。税務署の職員も職務で納税者の税務相談にのったとしても税理士法違反を問われません。

◎税務援助活性化のための独占業務の見直し

　税務の専門家業界が、税務援助を含め、業務の独占化を拡大・強化しようとする主張に対して、私たち国民・納税者は慎重に向き合う必要があります。税務援助への政府規制の強化・規制大国化は、納税者・消費者に利益につながることばかりではないからです。むしろ円滑に機能する申告納税制度の確立に向けては、無償の税務援助の拡大、そのための税理士業務の無償独占から有償独占化を進める必要があります。罰則を背景にして税理士業務の無償独占化を維持・強化するのは時代遅れです。

現行の税理士法52条を、次のように改正すれば、無償であれば、一定の税理士業務（税務援助業務）を非税理士でも行うことが認められることになります。

（税理士業務の制限）
第52条　税理士又は税理士法人でない者は、この法律に別段の定めがある場合を除くほか、税務代理を行つてはならない。
二　税理士又は税理士法人でない者は、他人の求めに応じ報酬を得て、税務書類の作成又は税務相談を行ってはならない。ただし、この法律に別段の定めがある場合には、この限りではない。

この52条改正案に関しては、報酬を得なければ税務書類の作成や税務相談を行えるとの規定の仕方も選択できます。むしろ、こちらの方がわかりやすいかも知れません。しかし、これでは、無資格者が報酬を得てこれらの業務を行った場合には罰則が科されかねないので（税理法59①四）、このように裏から規定する方が好ましいといえます。

現行税理士法は、有資格者に脱税相談の禁止義務を課しています（税理法36）。しかし、無償の無資格者であるボランティアにまでこうした義務を課し、かつ罰則をかける必要はないものと考えられます。なぜならば、無資格者がこうした業務を行う場合には、有資格者に比べ知識が劣る場合も考えられ、相談に対する回答が脱税の指示にあたる可能性があるからです。こうした場合まで処罰の対象とするのは、新たな政府規制にもつながりかねず、ボランティア精神にも著しく反するといえます。ちなみに、アメリカでは、ボランティアの過失を免責する法律を制定し活動を促進しています（1997年ボランティア保護法／Volunteer Protection Act of 1997）。

また、現行税理士法では、有資格者には秘密を護る義務があります（税理法38）。しかも、この義務違反に対しては重い罰則があります（税理法59①二）。しかし、無償の非税理士であるボランティアにまでこうした義務を課し、かつ罰則を科す必要はないと考えられます。なぜならば、有償独占を基本としている弁護士業務、弁理士業務、公認会計士業務の分野では、無償でこれら規制された業務を行った場合にも、秘密を守る義務やその義務違反に対する罰則の規定が置かれていないからです。

◎先進各国の税務援助を比べてみる

わが国とオーストラリア、アメリカ、カナダ、イギリスの国税上の税務援助の仕組みを比べてみると、おおよそ次のとおりです。

●世界の税務援助を比べる

比較項目	日本	オーストラリア	アメリカ	カナダ	イギリス
プログラム/実施機関/援助者/期間/その他	①税理士会の税務支援/税理士/確定申告期無料相談②臨税/農協・漁協・商工会など(ただし国税局長の許可が必要)非税理士/確定申告期・災害時無料相談	①税務援助(Tax Help)プログラム/国税庁(ATO)/民間ボランティア/確定申告期無料相談や電子申告支援/毎年7月から10月②学生タックスクリニックプログラム(NTCP)/専門職の指導監督のもとにある大学生/確定申告期無料相談/申告支援/税務代理/毎年7月から10月	①ボランティア所得税援助(VITA)プログラム②高齢者向け税務相談(TCE)プログラム③学生タックスクリニック(STC)プログラム前記①②③について/内国歳入庁(IRS)/民間・学生ボランティア/確定申告期無料相談・申告支援④低所得納税者クリニック(LITC)プログラム⑤IRS納税者権利擁護官サービス(TAS)/恒常的な税務援助	コミュニティ・ボランティア所得税(CVIT)プログラム[なお、ケベック州では所得税援助ボランティア(ITAV)プログラム]/連邦歳入庁(RCA)/民間ボランティア/通年	①タックスエイド(TaxAid)プログラム/NPO[タックスエイドUK]/民間ボランティア/通年②高齢者税務援助(THOP=Tax Help for Older People)プログラム[THOP]/民間ボランティア/通年
従事者数/相談・処理件数	①延べ9万6千人/約122万件(20年度実績)②約2800人(確定申告時許可・20年度実績)/件数不明	①700/約3万件②2019年に導入で、利用実績は調査中	①②7万2千人弱/約250万件、③④調査中、⑤約20万件(20年度実績)	約2万人/46万件(19-20年度)	①約140人/約1万9千件(20年度実績)、②約450人/件数調査中
援助者への報酬/プログラム運営財源	①半日単位で実施、半日で1万円程度②実施主体により異なり、詳細は不明	①交通費など実費のみ支給/ATOがボランティアの訓練を実施②国税庁(ATO)が助成金を支給	①・②・④交通費など実費負担分は公益寄附金控除に対象/民間からの寄附/IRSがボランティアの訓練を実施③④IRSやTASが大学など実施機関に補助金を支給⑤TAS	なし。ただし、RCAが、ボランティアの訓練をし、実施機関に対して、IT設備やソフトを提供し、経費の1部を実費弁償	なし①巨大会計監査企業や専門職団体、民間からの寄附②巨大会計監査企業・専門職団体からの寄附や歳入関税庁(HMRC)からの助成金

対象者の所得制限	①原則300万円 ②実施主体により異なり、詳細は不明	6万ドル（約618万円）	①②5万7千ドル（約456万円）以下/世帯数、年齢などに基づく制限あり	申告資格による（例：単身2万5千ドル（約225万円）、カップル3万5千ドル））。一応の目安。	①週380ポンド（5万7千円）以下の収入または年収2万ポンド以下 ②年収2万ポンド（約300万円）以下。ただし自営業者を除く
対象・対象となる所得	①【所得税】事業所得、雑（年金）所得、還付申告など。ただし、譲渡所得、複雑なものは対象外【消費税】課税売上高3千万円以下の小規模事業者 ②申告所得税、消費税。詳細は不明	①給与所得、年金所得が対象。事業所得や譲渡所得、消費税（GST）などは対象外 ②税理士関与のない個人（自営業者やギグワーカーを含む）が対象。所得税に加え、消費税（GST）も含む	①VITA：低所得者、高齢者、障害者、移民 ②TCE：60歳以上の高齢者給与所得、年金所得など。プログラムによっては、事業所得も可。移民、勤労所得税額控除（EITC）などへの専門通訳・税務代理 ⑤税務全般にかかる苦情処理を含む。	給与所得者、年金所得者など［学生、移民、難民、障害者などを含む］	①60歳未満の低所得者および自営業者、②60歳以上の低所得者。ただし、自営業者、法人税、租税計画、カウンシル税や国際課税を除く
援助内容	①税務相談/申告書の書き方、電子申告指導 ②仮受受、税務相談/申告書の書き方指導など	①申告支援、電子申告指導 ②申告支援、電子申告指導、税務代理、滞納整理支援	①・②・③については、申告期支援が中心。④については申告後支援が中心、調査立会いやIRSとの争訟支援	税務相談、申告書の書き方指導	税務相談、申告書の書き方指導、滞納整理支援
援助（コンタクト）方法	①はがき通知、任意来所 ②不明	電話、対面（予約制）、ネット対応、郵便	電話、対面（予約制）、ネット対応、郵便	電話、対面（予約制）、ネット対応、郵便	電話、対面（予約制）、ネット対応、郵便
責任の所在	①不明、事実上は税務署 ②不明	国税庁（ATO）	①・②・③は内国歳入庁（IRS）④については実施主体	連邦歳入庁（CRA）	NPO［TaxAid UKとTHOP］
保険	損害賠償保険なし	損害賠償保険、労災保険	①・②・③・④損害賠償保険、労災保険	労災補償	調査中

* 邦貨換算は2021年12月現在。なお、ドイツの税務援助について「1.6.1 Column」を参照ください。

◎申告納税制度と開かれた税務援助のあり方

　税理士業務の無償独占を護るために税理士が税務援助（税務支援）を独占するのも1つの考え方です。しかし、この結果、例えば、市民団体や納税者団体が無償で税務援助を行うとか、証券会社の社員が一般の税理士などが不得手の証券税制について無償で顧客の相談に乗るなどをした場合には、税理士法違反

（税理法59①四）を問われかねないのです。政府規制によって税務という特定業務を過度に保護する結果、弊害が生じていることは明らかです。この点、例えば、ドイツ税理士法は、商業を営む非税理士の事業者が、その事業活動の一環としてその事業取引と直接に関連する範囲で顧客に対して行う税務援助（独税理法4⑤）を広く法認しています。

わが国の税務援助は、もっぱら税理士会と課税庁との護送船団方式で展開されてきました。本来主役であるはずの国民・納税者は不在でした。しかし、こうしたやり方は見直しの時期にきています。自発的納税協力（voluntary compliance）に基づく申告納税制度を円滑に機能させるには、諸外国にならい一般市民・ボランティア、非税理士による無償の税務援助を広く法認する必要があります。このためには、税務書類の作成や税務相談の有償独占化に加え、「臨税」（税理法50）を大幅に広げるのも一案です。これにより、税理士法を、税理士が主役の「業法」から、国民・納税者が主役の「税務援助業務法」に大きく転換する必要があります。「コモン（common）」の考え方をベースとした国民・納税者に開かれた税務援助の仕組みの構築を急がなければなりません。

（石村　耕治・阿部　徳幸）

〔アドバンス文献〕　石村耕治「税務支援の拡充と税理士の業務独占のあり方」白鷗法学13巻2号、浅田和茂「倉敷民商事件第一審判決の検討」立命館法学362号、岡田順太「倉敷民商事件控訴審判決（広島高岡山支判平成27年12月7日判例集未登載）」白鷗法学第23巻1号、オーストラリア／国税庁（ATO）のホームページ；勝又和彦・秋元照夫「オーストラリアの税務専門職制度」国民税制研究2号（2016年）所収http://jti-web.net/archives/736/2019 National Tax Clinic Project, Journal of Australian Taxation Vol. 22 (2) (2020)；アメリカ／内国歳入庁（IRS）, Data Book 2020 (Publication 55-B (Rev.6-2021)；カナダ／歳入庁（RCA）, Community Volunteer Income Tax Program A Guide for Community Organizations (RC266 (E) Rev. 11)；イギリス／TaxAid UK Annual Report (2020), THOP (Tax Help for Old People) のホームページ

PART1　税法の基礎知識を学ぶ

> **Column**　課税庁の税理士監理官とはどのような仕事をする役職なのか

　税理士法55条は、「国税庁長官は、税理士業務の適正な運営を確保するために必要があるときには、税理士から報告を徴し、又は当該職員をして税理士に質問し、若しくはその業務に関する帳簿書類を検査させることができる。」と定めています。この規定により、課税庁は、税理士に対する一般的な監督権限を与えられているわけです。

　こうした規定を受けて、札幌、仙台、関東信越、東京、金沢、名古屋、大阪、広島、高松、福岡、熊本の各国税局の総務部には、税理士監理官（以下「監理官」ともいいます。）が一人ずつ配置されています（財組規465①）。また、各税務署総務課は、税理士事務所に赴き、任意での税理士（事務所）に対する実態調査を行っています（財組規548五）。

　税理士監理官の仕事内容の不透明さが度々問題になっています。

　かつて東京税理士会が計画していた一般納税者向けの税務行政手続改革に関するパンフレット発行が、東京国税局の税理士監理官の意向を受けて、取りやめになったのではないかと、国会の委員会で問題になりました（第153回国会財務金融委員会2001年10月31日の質疑）。

　また、国税OB税理士の巨額脱税事件発覚に関して（朝日新聞2002年1月10日朝刊）、東京税理士会は、東京国税局長あてに退職税務職員の指導を要望しました。これについて、東京国税局税理士監理官から、東京税理士会あてに、この事件を遺憾とするコメントが寄せられました（東京税理士界541号3頁・2002年2月1日）。

　税理士監理官は、各地の税理士会理事会などで隣席し、行動を監督しているわけです。日税連（日本税理士会連合会）も例外ではありません。日税連理事会に隣席するのはともかくとして、その会合で税理士監理官が国税庁要望の税理士法改正案（政府立法案/閣法案）の説明を行うなどの不可解な行動も報告されています。理事会傍聴者などから監理官の行動は与えられた権限を越え不適切ではないか、と指摘する声が上がっています。

　こうしたケースからもわかるように、内部的な自治（自律）が期待されている税理士会と、監督権限を行使できる税理士監理官とは、微妙な力関係にあるわけです。自治団体への不透明な公権力の介入が厳に戒められるべきは当然です。にもかかわらず、現実には監理官の仕事の透明性、行動の公正さなども度々問われてきています。

　「弁護士自治」の言葉に慣れ親しんできた者からすると、相対する者が自分の懲戒権限を持つ法的環境で依頼者の権利利益を保護する仕事についている税理士の人権環境が心配になります。どこかの専制体制の国で頑張っている専門職の姿と重なってみえてしまいます。

　国税庁は、現行の監督権限を維持するにしても、行政の透明性が求められる時代にあった監理官の仕事の見える化を厳しく問われています。権限の範囲の明確化を含む税理士監理官に関する行動指針（行動倫理）を定めるとともに、事案の概要や処理に関する年次管理官報告書を作成・公表する「行政評価」の仕組みを構築する必要があります。これにより、監理官のコンプライアンス（法令遵守）を徹底し、かつ監理に関するガバナンスを確立し、アカウンタビリティ（説明責任）を果たせるような態勢づくりを急

がなければなりません。なお、行動指針（行動倫理）については、原案を公表し、広くパブリックコメントを求め、最終案を確定し、公表する手続を踏む必要があります。また、監理官による税理士（事務所）への質問検査権の行使についても、被調査者に対する適正な手続を保障するとともに、「法律による税務行政」を徹底しなければなりません。

　ちなみに、ドイツでは、1961年以降、それまで連邦（国）が持っていた税理士会会員の監督処分権を、各税理士会に移管しました（独税理法76①）。国と税理士会が重複する形で行使していた会員の監督処分権限を政府規制の緩和、税理士自治尊重の精神に立ち一本化したわけです（☞1.6.1. Column）。わが国でも、政府規制の緩和・税理士自治尊重の視点が求められています。弁護士についてみれば、わが国でも、弁護士および弁護士法人に対する懲戒権は弁護士会が持っています（弁護法56②）。

(石村　耕治)

1.6.4 公認会計士と税務の関係を知る

ポイント

　公認会計士は、財務書類の「監査業務」、「監査証明業務」などを独占的に行う専門家（専門職）です。株式会社など法人が作成した財務書類をチェックし、その内容が適正であるかどうかを第三者の立場から判断することなどを本来の業務としています。公認会計士になるには、公認会計士試験に合格し2年の実務経験などが必要となります。公認会計士は、税務に関する一定の研修を修了すれば税理士になる資格が認められています。このため、多くの公認会計士は、税理士登録をしたうえで、税理士としての業務を行っています。

◎公認会計士の本来の仕事とは

　公認会計士は、他人の求めに応じ報酬を得て、財務書類（財産目録、貸借対照表、損益計算書その他財務に関する書類、これらの電子データ）（会計士法1の3）の監査または証明をすることを業とする専門家です（会計士法2①）。財務書類の監査または証明とは、企業等が作成する貸借対照表（B/S）や損益計算書（P/L）などの財務書類が、その企業の財政状態や経営成績などを適正に表

示しているかどうかを独立した第三者的な立場でチェックし、意見を表明する一連の業務をさします。監査業務は、公認会計士だけができる独占業務です。

例えば、投資家がある会社の株式を購入し投資をするとします。また、金融機関が会社に融資をするとします。こうした場合、投資家、金融機関からすれば、その会社の正確な財務情報が必要となります。各会社は財務情報等を公開しています。しかし、企業の作成した財務情報等が適正なものかどうかについて、財務情報等を利用する利害関係者は直接調べることはできません。そこで、専門家である公認会計士が投資家などに代わって会社の公開している財務情報が正しいかどうかを独立した第三者的な立場で監査し、財務情報等に信頼性を付与しているのです。そして、その判断結果を意見として表明する作業を「監査証明業務」といいます。

公認会計士により財務書類その他の財務に関する情報の信頼性を付与することが、会社等の公正な事業活動、投資者および債権者の保護などにつながります。結果として、国民経済の健全な発展に寄与することにもつながります。

● **公認会計士・監査法人による監査業務とその役割**

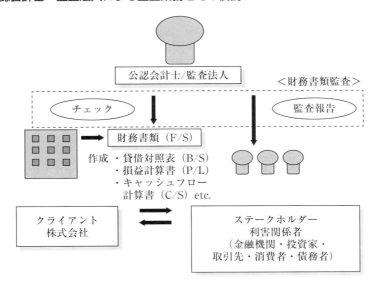

◎問われる監査法人

　しかし、現実には、わが国の公認会計士・監査法人による外部監査においては、厳格監査が敬遠される傾向にあり、依頼者（クライアント）企業との癒着がしばしば問題になります。また、クライアント企業が自分に都合の良い監査法人に切りかえる「オピニオン・ショッピング」（監査意見漁り）と呼ばれる行為も散見されます。こうした昔ながらのやりかたでは、クライアント企業の粉飾決算が見逃され、世界の投資家から信頼は得られません。

　公認会計士法は、１条の２を追加し、「公認会計士は、常に品位を保持し、その知識及び技能の修得に努め、独立した立場において公正かつ誠実にその業務を行わなければならない」と釘を刺しています。

◎監査法人のクライアント

　規模の大きい法人企業（大会社）【資本金5億円以上または負債200億円以上の株式会社（会社法2⑥）】、上場企業などは、会計監査人（公認会計士または公認会計士が集まってつくった監査法人）の監査を受ける必要があります（会社法328）。加えて、監査等委員会設置会社や指名委員会等設置会社も、会計監査人による監査を受ける必要があります（会社法327⑤）。

　この結果、監査業務に関し公認会計士または監査法人の依頼者（クライアント）は、多くの場合、上場企業か会社法上の大会社、その他上場を目指すベンチャー会社、私学助成法（私立学校振興助成法）に基づく監査（14③）を必要とする私立学校（学校法人）などになります。

◎公認会計士と税理士の違い

　公認会計士（監査法人を含みます。以下同じです。）は、財務書類の監査業務を独占的に行う専門家です（会計士法2①）。これに対して、税理士は、税理士の業務（☛1.6.1）を独占的に行う専門家です（税理法52）。原則として公認会計士は税理士の業務を行うことができませんし、一方、税理士は監査証明業務を行うことができません。

しかし、公認会計士（その資格を持つ人を含みます。）は、一定の研修を修了することを要件に税理士となる資格が認められます（税理法3①四）。したがって、公認会計士は、税理士登録をしたうえで税理士として税理士の業務を行うことが可能です（税理法52）。

なお、2017（平成29）年4月1日以後に公認会計士試験に合格した者で、税理士として税理士の業務を行うことを希望する場合、実務補習団体等が実施する研修のうち、税法に関する一定の研修を受講し修了することが必要になりました（税理法3③）。

近年、公認会計士試験制度の見直しが進み、試験が簡素化され合格者が大量に出るようになりました。法人企業活動の大規模化・国際化に伴い、組織的な監査が必要になり、公認会計士の需要は旺盛です。しかし、監査業務は監査法人に集約される傾向にあります。一人の公認会計士が事務員を雇って切り盛りしている小規模な事務所では、監査業務、監査証明業務は難しくなり、十分な仕事を確保できない傾向も強まっています。多くの公認会計士が、税理士登録をして税理士の業務に参入するようになってきました。このことから、双方の専門職間でのすみ分けが難しくなり、根深い職域論争が展開されています。

グローバルにみると、税務に固有の専門職制度がある国は、わが国（税理士）やドイツ（StB=Steuerberater）（☛1.6.1 Column）、アメリカ（EA＝enrolled agent）、オーストラリア（RTA=registered tax agent）、韓国（税務士）など少数です。これらの諸国では、税務業務を税務専門職の有償独占ないし名称独占（☛1.6.1）としているのが一般的です。わが国のように、税務業務の強い政府規制をかけ、無償独占（☛1.6.1）としている国は少数です。税務に固有の専門職制度がない国々では、税務業務を、公認会計士（CPA）や勅許会計士（CA）などの会計専門家や、弁護士などの法律専門家が、有償独占または名称独占の形で行っています。

◎公認会計士の業務

わが国の公認会計士制度は、1948（昭和23）年に制定された公認会計士法に基づいています。公認会計士法は、公認会計士の業務について規定しています（公認会計士法2）。

(1) 公認会計士業務の類型

公認会計士は、本来、監査証明業務を独占的に行う専門家です。しかし、公認会計士の業務は、今日、会計・税務・経営コンサルティングなど多様化しています。これらの業務を類型化すると、次のとおりです。

●公認会計士業務の類型

① 公認会計士業務のうちの監査証明業務（会計士法2①）
公認会計士法にいう「財務書類の監査または証明をすること」です。すなわち、財務書類（決算書等）が正確かつ適正に作成されていることを証明することが監査業務です。具体的には、財務書類監査や内部統制監査、四半期レビューといった保証業務です。

② 公認会計士業務のうちの非監査証明業務（会計士法2②）
公認会計士法に言う「財務書類の調整をし、財務に関する調査若しくは立案をし、または財務に関する相談に応ずること」です。すなわち、財務書類（決算書等）を作成すること、その相談等に応じることです。ちなみに、「財務書類の調製（コンピュレーション）」とは、監査とは異なりクライアントである会社から提供された資料をそのまま利用して財務書類を作成し、資料の正確性については検証を行いません（資料の元となる証憑類との突合などはしません）。公認会計士は、監査などの保証業務と異なり、財務書類の適正性の保証はしませんが、会計の専門家のより財務書類が作成されているので、相応の信頼性を保つことができます。

③ 非公認会計士業務
税務業務や各種コンサルティング、企業の海外進出、上場支援（株式公開）業務、企業買収（M&A）業務などのように、公認会計士業務でもなく、かつ保証を与える業務でもない業務を指します。

公認会計士業務は、①「監査業務」が本来の業務です。「監査業務」とは、株式会社など法人が作成した決算書が適正であるかどうかを第三者の立場から判断することなどです。

これに対して、税理士の業務（税理法2）の中心は、課税庁に提出する申告書の作成（税務書類の作成）（税理法2①二）や依頼者（クライアント）である納

税者の立場に立って税金のアドバイス（税務相談）を行う（税理法2①三）、さらには、税務調査の立会いなど税務代理（税理法2①一）などです（ちなみに、これら3つの業務を「税理士業務」といいます（税理士法2②）（☞1.6.1)）。いわゆる「クライアント（納税者）側」にたってする業務です。

(2)　公認会計士が同時に行うことのできない業務とは

　わが国の専門職（専門家）は、他の先進諸国と比べると、専門職倫理（professional ethics）や利益相反（conflict of interests）問題に対する認識がかなり低いのが実情です。グローバルにみると、一般に、例えば、会計専門職が、同じ依頼者（クライアント）に対し監査業務と税務業務を並行して行う場合、専門職倫理違反や利益相反を問われます。この問題は、職業賠償責任訴訟の高まりとともに、今後、専門職が一層注意しなければならないところです（公認会計士協会「倫理規則」（2022年7月25日）参照）。

　公認会計士は、財務情報等の作成者からも、財務情報等の利用者からも、独立の立場にいることが、監査実施の前提条件となります。このため、公認会計士が同時に行うことができない次のような業務があります。

●ケース分析：公認会計士が同時の行うことができない業務

【ケース1】　①公認会計士業務のうちの監査証明業務と税理士の業務のような③非公認会計士業務の同時提供は認められないものと解されます。なぜならば、この状態では、①の業務は、独立した第三者として提供されていると認められないからです。ただし、公認会計士または監査法人と直接支配関係にない提携関係にある税理士事務所ないし税理士法人が税理士の業務を提供することは、原則として認められるものと解されます。

【ケース2】　①公認会計士業務のうちの監査証明業務と②公認会計士業務のうちの非監査証明業務の同時提供は、原則として認められないものと解されます。なぜならば、②は、財務書類の調製（コンピュレーション）は、財務諸表の作成業務であり、自己が作成した財務諸表を同時に自己が監査して保証を与えることは認められないからです。

【ケース3】　②公認会計士業務のうちの非監査証明業務と③非公認会計士業務については、①公認会計士業務のうちの監査証明業務を提供していない限り、双方を同時提供することは認められるものと解されます。なぜならば、②および③はいずれも、第三者の立場から保証を与える業務ではないからです。

◎監査法人制度とは

監査業務については、法人企業活動の大規模化、国際化に対応するために、組織的な監査が求められています。1966（昭和41）年の公認会計士法の改正により、監査法人制度が設けられました。なお、監査法人とは、5人以上の公認会計士が社員（出資者）となり、内閣総理大臣の認可を受けて設立される公認会計士法上の特別法人をいいます（公認会計士法1の3③、同5章の2）。ちなみに、わが国の場合は、専門職の共同化において、諸外国のような株式会社、LLC（合同会社）、パートナーシップ、ビジネストラストなど事業形態の自由選択はできません。公認会計士法に基づく監査法人の形態のみが法認されています。

当初、監査法人は、社員全員が無限連帯責任を負う合名会社の仕組みをモデルとした無限責監査法人の制度でした（会計士法1の3⑤、同5章の2）。その後、2007（平成14）年の公認会計士法の改正により、社員全員が有限責任を負う仕組みの監査法人（有限責任監査法人）制度も設けられました（会計士法1の3④、同5章の2）。現在、ほとんどの監査法人が、この有限責任制を採っています。

わが国の4大監査法人（Big 4）の人員総数は、2023（令和5）年12月現在では、次のとおりです。

●わが国の4大監査法人（Big 4）の人員総数比較

監査法人名	【社員、専門職、事務職を含む人員】
・有限責任あずさ監査法人（KPMGと提携）	【6,735人】
・PwCあらた有限責任監査法人（プライスウォーターハウスクーパースと提携）	【3,380人】
・EY新日本有限責任監査法人（アーンスト・アンド・ヤングと提携）	【5,798人】
・有限責任監査法人トーマツ（デロイト トウシュ トーマツと提携）	【7,866人】

＊各監査法人のホームページなどを参照のうえ作成

◎公認会計士試験はどこが実施しているのか

公認会計士試験は、金融庁に設置された「公認会計士・監査委員会」（以下「審査会」といいます。）が実施しています（会計士法13、35②三）。

審査会は、公認会計士法に基づき、会長と委員（9人以内）で構成される合

議制の機関です。会長や委員は、両議院の同意を得て内閣総理大臣により任命され、独立してその職権を行使します。会長や委員の任期は3年です。審査会は、「公認会計士試験の実施」のほか、「監査事務所に対する審査および検査等」、「公認会計士等に対する懲戒処分等の調査審議」の業務を行っています。審査会には、その事務を処理するために事務局が置かれています。事務局は事務局長の下、総務試験室（14人）、審査検査室（42人）で構成されています。公認会計士試験は、総務試験室が担当しています（会計士法35～42）。

◎公認会計士試験とは

公認会計士試験は、18歳以上であれば、学歴等にかかわらず、誰でも受験できます。なお、この試験は、短答式試験と論文式試験からなります（公認会計士法8）。短答式試験は、年2回（12月と5月）実施されています。そのどちらかに合格すれば、8月に実施される論文式試験を受験することができます。11月の試験合格後、実務補習と2年以上の実務経験を経て、登録を行うことにより、公認会計士として公認会計士業務に就くことができます。

●公認会計士試験受験から資格取得までの流れ

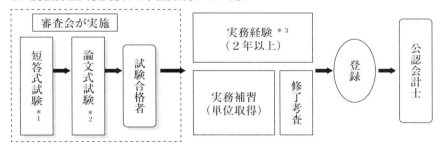

(1) 試験科目のあらまし

公認会計士の試験は、短答式試験と論文式試験からなりますが、それぞれの試験科目は、次のとおりです（会計士法8）。

●公認会計士試験のあらまし

(1)　短答式試験科目（会計士法8①）
①財務会計論（簿記＋財務諸表論等）、②管理会計論（原価計算等）、③監査論、④企業法（会社法等）
(2)　論文式試験科目（会計士法8②）
①会計学（財務会計論＋管理会計論）、②監査論、③企業法、④租税法（法人税法等）、⑤経営学、経済学、民法、統計学のうちから1科目

(2)　試験免除制度

　公認会計士試験には、さまざまな免除制度が設けられています。短答式試験では、一度合格するとその後2年間の短答式試験が免除されます。次に論文式試験においては、一部科目の試験免除が導入されています。論文式試験は、基本的には5科目の総合順位で合否が決まります。しかし、5科目の合計順位では合格水準に達しなかったとしても、一部の科目で相当の順位を獲得した場合には、2年間の科目免除を受けることができます。

　このような試験免除制度は、相当の実力があり、合格レベルにある人への救済措置という意味合いから導入されました。しかし，会計・監査・税務のルールは頻繁に改正されることもあり、あくまで「2年間」限定の免除であることに注意が必要です。税理士試験の場合の永久科目合格制度とは異なる点です。

　また、現行の公認会計士試験制度では、社会人を含めたさまざまな人たちが受験しやすい制度となるように、大学教授、博士学位取得者、司法試験合格者等のほか、一定の専門資格者（税理士）、一定の企業などにおける実務経験者、専門職大学院の修士（専門職）の学位修得者に対して、試験科目の一部を申請により免除することとしています。なお、免除にあたっては審査会が審査を行うことになっています。

◎公認会計士の資格取得のプロセス

　公認会計士、税理士ともに、資格を取得するためには、以下のように、筆記試験に加え、実務経験が必要とされている点で共通しています。

●公認会計士と税理士の資格取得プロセスを比べる

公認会計士の場合
①筆記試験⇒②監査法人や上場会社などでの監査実務2年（筆記試験前も含む）⇒③実務補習＋修了考査⇒④登録⇒⑤公認会計士

税理士の場合
①筆記試験⇒②税理士事務所などで実務経験2年（筆記試験前も含む）⇒③登録⇒④税理士

◎近年の公認会計士試験の状況

公認会計士試験は相対評価の試験です。上位○○位までの人が合格することになります。審査会が公表した近年の公認会計士試験の状況は、次のとおりです。

●近年の公認会計士試験の状況

年別	願書提出者 (A) 人	論文式受験者 (B) 人	合格者 (C) 人	合格率	
				(C) ／ (A) %	(C) ／ (B) %
2021年	14,192	3,992	1,360	9.6	34.0
2022年	18,789	4,067	1,456	7.7	35.8
2023年	20,317	4,192	1,544	7.6	35.8

＊　審査会ホームページ（参照https://www.fsa.go.jp/cpaaob/kouninkaikeishi-shiken/index.html）

（石村　耕治・阿部　德幸）

〔アドバンス文献〕羽藤秀男『公認会計士法─日本の公認会計士監査制度』（2009年、同文館）、坂田純一『新版 実践税理士法』（2015年、中央経済社）、日本公認会計士協会ホームページ（http://www.hp.jicpa.or.jp/）、金融庁 公認会計士・監査審査会ホームページ（http://www.fsa.go.jp/cpaaob/）

1.6.5 弁護士と税務の関係を知る

ポイント

　弁護士は、法務（法律事務）の専門職（専門家）です。弁護士は、税理士の資格/登録なしに税理士業務をすることができるのでしょうか？一方、税理士は、税務の争いが裁判になると、弁護士なしには法廷に立てません。弁護士の税務業務と税理士の法務業務とは、どのような関係なのでしょうか？

◎弁護士と税理士業務との関係

　税理士法は、「弁護士は、所属弁護士会を経て、国税局長に通知することにより、その国税局の管轄区域内において、随時、税理士業務を行うことができる。」と規定します（税理法51）。このような税理士業務を行う弁護士は、一般に「通知弁護士」とよばれます。一方、弁護士法は、「弁護士は、当然、弁理士及び税理士の事務を行うことができる。」と規定しています（弁護法3②）。この弁護士法の規定から、弁護士が税理士業務を行う場合、国税局へ通知の必要はないとも解されます。実際、多くの弁護士は通知をせずに税理士業務（とくに無償独占の「税務相談」）を行っているのが実情です。

　また税理士法は、弁護士を「税理士となる資格を有する」者としています（税理法3①三）。このことから、弁護士は税理士登録ができます。この税理士登録をした弁護士は、弁護士であるのと同時に税理士となります。ちなみに、税理士登録をした公認会計士も、税理士となる資格を有します（税理法3①四）。この税理士登録をした公認会計士は、公認会計士であると同時に税理士となります（☛1.6.4）。

　税理士登録をしている弁護士は、2022（令和4）年度末現在、718人と、弁護士全体の1.6％程度にすぎません。また、その多くが、税理士を雇って税理士の業務にあたっているようです。

PART1　税法の基礎知識を学ぶ

◎弁護士と税務業務

　近年、税務訴訟の数が飛躍的に伸びてきたことから、弁護士業務における租税法の重要性が増してきています。

　弁護士は、基本的人権を擁護し、社会正義を実現することを使命とします（弁護法1①）。法律事務（法務）の専門職で、具体的には、報酬を得る目的で、当事者などや官公署の委嘱を受けて、訴訟事件、非訟事件および行政庁に対する不服申立事件といった一般の法律事件について鑑定、代理、仲裁もしくは和解といった訴訟代理、その他法律相談や法律文書の作成といった法律事務を行うことを職務しています（弁護法3①・72）。一方、税理士は、税務の専門職です。

　税務実務の現場では、税務事件の依頼を受けた弁護士は、税理士と協働してその事件に対応したり、税務に関する法律相談などの依頼を受けた場合には、提携している税理士を紹介することも少なくありません。税理士も、税務訴訟事件などについては、弁護士と協働して処理するか、提携弁護士を紹介するなどの方法で対応しています。

　ただ、税理士と弁護士双方の専門職の間では業務分担で議論があります。税理士によるクライアント（依頼者）への相続税の遺産分割協議書の作成業務が一例です。一般に、税理士界では、弁護士法は法律文書の作成や法律相談を有償独占としているものと解し、税理士も無償（ただ）であれば遺産分割協議書の作成にかかわることができると解しています。

　1999（平成11）年から始まった司法制度改革により、2006（平成18）年度から司法試験も新しいものとなりました（新司法試験）。そして、新たな試験科目に租税法が加わりました。今後、租税法、税務を得意分野とする弁護士も多くなってくると思われます。

◎税理士の補佐人制度

　2001（平成13）年の税理士法改正により、新たに税理士の業務の1つとして、いわゆる「税理士の補佐人制度」が創設されました（☞1.6.1）。税理士法は、これについて、「税理士は、租税に関する事項について、裁判所において、補佐

231

人として、弁護士である訴訟代理人とともに出頭し、陳述をすることができる」と規定します（税理士法2の2）。

　税理士法改正前まで、税理士は、税務訴訟に関して補佐人となる場合、民事訴訟法上の補佐人制度（民訴法60）を活用するほか手段はありませんでした。しかしこの補佐人制度では、税理士は専門家としての補佐人ではなく、いわば介添役のような存在です。裁判所の許可も必要でした（京都地決平7.8.18・税資213号419頁）。税務訴訟で弁護士が、裁判所の税理士を補佐人として申請をしても、ほとんど認められませんでした。

　税理士の補佐人制度の創設により、税理士が、租税に関する事項について、裁判所の許可なく補佐人として出廷することができるようになりました。依頼者・消費者の利便性にかなったといえます。また、弁護士と税理士が税務訴訟において協働体制がとれることになり、税理士が補佐人となった訴訟において納税者勝訴の割合が増加してきたのも事実です。

◎税理士と弁護士の今後の関係

　弁護士と税理士がその得意分野を受け持つ協働体制は今後も続いていくと思います。しかし、司法制度改革により弁護士の数が急激に増加してきました。また、弁護士にも弁護士法人制度が認められました（弁護法30の2・同法4章の2）。今後、弁護士・弁護士法人は、税理士を雇用し、税務の分野にも積極的に参入してくることも想定されます。

（阿部　徳幸・石村　耕治）

〔アドバンス文献〕　日本弁護士連合会調査室編著『逐条弁護士法〔第5版〕』（2019年、弘文堂）、阿部徳幸「出廷陳述権と税理士の使命」税研146号（2009年）、日本弁護士連合会ホームページ（https://www.nichibenren.or.jp/）

PART 2

租税実体法（実体税法）を学ぶ

2.1 会社などの税金：法人税法のあらまし

　法人税は、法人の所得に課される国の税金です。広くとらえると、法人税は、所得にかかる税金の１つであることから、法人所得税ということもできます。

　法人税には、所得税と同じく申告納税制度がとられています。ただ、所得税は暦年（１月１日から12月31日）課税ですが、法人税は、事業年度課税（☛2.1.2）です。したがって、法人税では、それぞれの事業年度（例えば４月１日から３月31日）が終わったときに納税義務が成立します。

　法人税がかかる法人にはさまざまな種類があります。そのなかでも最もなじみ深いのが株式会社でしょう。私たちがよく見聞きするテレビ番組のスポンサーになっているような会社の多くは、証券市場に上場している規模の大きい会社です。株主が大勢おり、資本金が巨額なものも少なくありません。

　しかし、株式会社はこれだけではありません。株主・出資者や経営陣も社長やその一族で占められている株式会社もあります。むしろ、わが国では、こうした株式会社が全法人の95％を超えています。このような株式会社を同族会社（☛2.1.11）といいます。

　法人税法は、こうした同族会社に関する課税上のさまざまな制約を定めています。また、税務の現場では、同族会社をめぐる課税問題が非常に大きなウエイトを占めています。

234

PART2　租税実体法（実体税法）を学ぶ

2.1.1 　法人税が課される法人とは

ポイント

　私たちになじみ深い株式会社は「法人」の1つです。法人も、所得があれば法人税が課されます。法人といわれるものには、株式会社だけでなく、さまざまな種類のものがあります。法人の種類に応じて、法人税の課され方も違います。

◎法人とは

　法人とは、個人以外のもので、それ自身で権利能力を持つものをいいます。つまり、私たちになじみ深い法人の1つである株式会社を例にとると、株式会社は、株式会社として設立登記がすむと、法律によって「法人」という人格が与えられます（会社法49）。これにより、人間と同じような権利能力を持つ "法律上の人" として取り扱われることになるわけです。これに対して、同好会や市民団体など、登記所に法人として登記をしていないさまざまな団体もあります。これらは、「人格のない社団等（人格のない社団または財団）」、または俗に「任意団体」とよばれます（法税法2八）。人格のない社団等で代表者または管理人の定めのあるものも法人とみなされ、所得があれば法人税が課されます（法税法3）。

◎法人税課税についての考え方

　法人の利益とは、いったい誰のものなのでしょうか？法人を株主の集合体と考えるのであれば、法人の利益とは、最終的に株主のものということになります。この考え方を「法人擬制説」とよびます。この考え方によれば、法人の段階でいったん法人税が課税され、さらに株主に配当がなされると、この段階でまた所得税が課税されるという二重課税の問題が生じます。このため課税上、何らかの調整が必要となります。

　一方、法人の利益はその法人のものであるという考え方もあります。これを「法人実在説」とよびます。この考え方に従えば、二重課税の問題は生じません。

235

わが国の法人税法は、どちらかというと前者の考え方に沿う形で定められています（☞1.2.9）。

◎法人税法の基本的な骨格

　　法人税法を学ぶ場合、法人税法（1965（昭和40）年 法律34号）の基本的な骨格を知っておくことは、基礎知識として大事です。法人税法の基本的な骨格を図示すると、次のとおりです。

●法人税法の基本的な骨格【抜粋】

	編	タイトル	章・節・款・目のタイトル
本則	第1編	総則（1～6章）	①通則（法税法1～3）、②納税義務者（4）、②−2法人課税信託（4の2～4の4）、③−1課税所得等の範囲（5～9）、③−2課税所得の範囲の変更等（10）、④所得の帰属に関する通則（11、12）、⑤事業年度等（13～15）、⑥納税地（16～20）
	第2編	内国法人の法人税（1～4章）	①各事業年度の所得に対する法人税 （ⅰ）1節　課税標準及びその計算：・1款　課税標準（21）、・2款　各事業年度の所得の金額の計算の通則（22）、・3款　益金の額の計算〔1目　収益の額（22の2）・1目の2　受取配当等（23、24）、・2目　資産の評価益（25）、・3目　受贈益（25の2）、・4目　還付金等（26～28）〕、・4款　損金の額の計算〔・1目　資産の評価及び償却費（29～32）、・2目　資産の評価損（33）、・3目　役員の給与等（34～36）、・4目　寄附金（37）、・5目　租税公課等（38～41の2）、・6目　圧縮記帳（42～51）、・7目　貸倒引当金（52・53）、・7目の2　譲渡制限付株式を対価とする費用（54、54の2）、・7目の3　不正行為等に係る費用等（55、56）、・8目　繰越欠損金（57～59）、・9目　契約者配当等（60、60の2）、・10目　特定株主等によって支配された欠損等法人の資産の譲渡等損失額（60の3）〕・5款　利益の額又は損失の額の計算〔・1目　短期売買商品の譲渡損益及び時価評価損益（61）、・1目の2　有価証券の譲渡損益及び時価評価損益（61の2～61の4）、・2目　デリバティブ取引に係る利益相当額又は損失相当額（61の5）、・3目　ヘッジ処理による利益額又は損失額の計上時期等（61の6、61の7）、・4目　外貨建取引の換算等（61の8～61の10）、・6目　完全支配関係がある法人の間の取引の損益（61の11）〕、・6款　組織再編成に係る所得の金額の計算（62～62の9）、・7款　収益及び費用の帰属事業年度の特例（63、64）、・8款　リース取引（64の2）、・9款　法人課税信託に係る所得の金額の計算（64の3）、・10款　公益法人等が普通法人に移行する場合の所得の金額の計算（64の4）11款　完全支配関係がある法人の〔・1目　損益通算及び欠損金の通算（64の5～64の8）・2目　損益通算及び欠損金の通算のための承認（64の9・64の10）・3目　資産の時価評価等（64の11～64の14）〕・12款　各事業年度の所得の金額の計算の細目（65）

PART2　租税実体法（実体税法）を学ぶ

本則			（ⅱ）　2節　税額の計算：・1款　税率（66、67）、・2款　税額控除（68〜70の2）
			（ⅲ）　3節　申告、納付及び還付等：・1款　中間申告（71〜73）、・2款　確定申告（74〜75の3）、・2款の2　電子情報処理組織による申告の特例（75の4・75の5）、・3款　納付（76、77）、・4款　還付（78〜81）、・5款　更正の請求（80）、
			②　退職年金等積立金に対する法人税（83〜120）〔略〕
			③　青色申告（121〜128）
			④　更正及び決定（129〜137）
	第3編	外国法人の法人税（1〜5章）	①　国内源泉所得（法税法138〜140）
			②　各事業年度の所得に対する法人税（141〜145）〔略〕
			③　退職金等積立金に対する法人税（145の2〜145の5）〔略〕
			④　青色申告（146）
			⑤　恒久的施設に係る取引に係る文書化（146の2）
			⑥　更正及び決定（147〜147の4）
	第4編	雑則	（148〜158）
	第5編	罰則	（159〜163）
附則			

◎法人の分類

　法人税が課される法人は、さまざまな観点から分類することができます。

(1)　課税の範囲からみた場合

　法人税法によると、法人は、課税の範囲からみて、次の2つに分けることができます。

● 内国法人と外国法人の課税の範囲

課税の範囲	①	**内国法人**	国内に本店または主たる事務所を持つ法人（法税法2三）
		全世界所得	日本国内で得た所得プラス国外で得た所得が課税対象（法税法4①）
	②	**外国法人**	内国法人以外の法人（法税法2四）
		国内源泉所得	日本国内で得た所得だけが課税対象（法税法4③）

　100％外国資本による会社（100％外資保有子会社）でも、日本国内に本店がある場合には、内国法人にあたります。

(2)　法人の性格からみた場合

　さらに法人は、その性格から次のように分けることができます。

237

● 法人の性格からみた分類

① **公共法人**　公共目的で設立された団体のことです。例えば、地方公共団体、NHK、日本司法支援センターなどがあります（法税法２五・別表第一）。

法人税はまったく課されません（法税法４②）。

② **公益法人等**　公益活動を目的として設立され、かつ営利活動を本来の目的としない団体です。例えば、公益財団法人、公益社団法人、学校法人、宗教法人、社会福祉法人、更生保護法人などがあります（法税法２六・別表第二）。

収益事業から得た所得だけに課税されます（法税法４①・７・66③）。

(a) **公益財団法人・公益社団法人**　普通法人（資本金１億円以下のもの。以下同じです。）と同じ税率で課税されます（法税法７・66①・②）。

(b) **学校法人、宗教法人など**　普通法人に比べ低い税率で課税されます（法税法７・66③）。

③ **協同組合等（内国法人のみ）**　公共活動を目的とするものでもなく、営利活動を目的とするものでもない団体です。法人または個人が相互扶助の精神に基づき協同して行う事業のためにあります。特別法で法人と認められています。例えば、中小企業等協同組合、農業協同組合、漁業協同組合、信用金庫などがあります（法税法２七・別表第三）。外国法人の協同組合等は、普通法人に属するため存在しません。

(a) **単体の協同組合等**　普通法人と同じ税率で課税されます（法税法66①）。

(b) **特定の協同組合**　普通法人の税率で課税されますが、所得のうち年10億円超の部分には普通法人に比べ低い税率で課税されます（措置法68①・68の108①）。

④ **人格のない社団等**　代表者または管理人の定めのある法人格のない社団または財団のことです（法税法２八）。法人ではありませんが法人とみなして法人税を課します。「任意団体」ともよばれ、例えば、PTA、学会、町内会、同窓会などがあります。

収益事業から得た所得だけに普通法人の税率で課税されます（法税法４①・７・66①・②）。

⑤ **NPO法人**　特定の非営利活動を行うことを目的とする団体です（NPO法２）。NPO法に基づき、法人税法の特例として公益法人等の取扱を受けることになっています。例えば、国境なき医師団日本などがよく知られています。

収益事業から得た所得だけに普通法人の税率で課税されます（NPO法70①）。

⑥ **普通法人**　上記以外の法人です（法税法２九）。例えば、株式会社、合資会社、合名会社、合同会社、医療法人、証券取引所、日本銀行など、大多数の法人がこれにあてはまります。また、一般社団法人・一般財団法人（一般法人）もこれに含まれます。

すべての所得に普通法人の税率(*1.2.7、*2.1.8)で課税されます（法税法5・66①・②・99①）。ただし非営利型一般法人については、収益事業所得にのみ普通法人の税率で課税されます。

◎単体法人課税とグループ法人課税

　法人企業（会社）が組織再編を行いやすくするため、また、グループ内にある複数の法人企業（会社）が別個の法人（会社）となっている場合でも、経済的単位や経営が一体である場合には特有な企業法上ないし課税上の問題があります。こうした問題に対応するために、会社法では、「組織変更、合併、会社分割、株式交換及び株式移転」についての法制を整備しました（743条以下）。つづいて、法人税法でも、法人企業の組織再編を行いやすくし、また、グループ内にある複数の法人企業の一体的な経営に資する税制の確立に向けて、一連の法改正が行われました。

(1) 事業部門の分社化と100％完全子会社化

　わが国の法人企業は、事業部門の分社化で経営責任を明確にしたり、100％完全子会社化で効率化をめざす一方で、企業グループ全体としては一体的な経営を展開してきています。

● 事業部門の分社化

● 100％完全子会社化

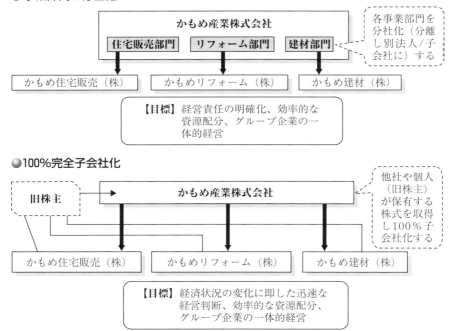

⑵　企業の組織再編税制やグループ法人税制などの概要

　法人企業の組織再編を行いやすくする、また、グループ法人企業の一体的な経営を支える課税取扱いをするために、法人税法が改正されました。この改正により導入された制度の概要は、次のとおりです。

●組織再編税制やグループ法人税制などの概要

改正年	導入された税制の概要
2001年	**「組織再編税制」の導入** ～従来の税制では、会社が、合併、分割、現物出資などの企業組織再編成を行った場合には、移転した資産・負債は原則として時価で譲渡したものとして譲渡損益を計上しなければなりませんでした。これが、適格組織再編成にあてはまるときには、この譲渡損益に対する課税を繰り延べることができる課税の特例です（法税法62以下）。
2002年	**「連結納税制度」の導入** ～親会社と子会社などの企業グループを一つの企業のようにみなして法人税を課税する制度です。グループ内企業の黒字と赤字とを通算できることから課税所得を圧縮する効果があります。従来から法人（会社）の支店等に生じた損失は本店の利益と通算できます。ところが、法的に人格の異なる子会社の損失と親会社の利益との通算は認められませんでした。この点、連結納税制度では、これを選択すれば、人格の異なる法人（別会社）であっても所得通算が可能となりました。つまり、親会社（連結親法人）と100％子会社（連結子法人）の所得を合算（どちらかが赤字の場合は通算）して課税するということです。ただ、連結対象は国内の100％出資会社のみで、内外の子会社を幅広く対象とする連結会計とは異なります。従来からある単体納税によるか連結納税によるかは選択できます（法税法4の2）。連結納税を選択する場合、親会社（連結親法人）と100％子会社（連結子法人）は、連結事業年度開始の日の3か月前の日までに連名で承認申請するように求められます（法税法4の3①）。ただ、連結納税を選ぶと100％子会社はすべて強制的に所得通算の対象となります。つまり企業グループとしては選択制ですが、すべての100％子会社が対象となる意味では強制です。また、いったん選択すると、継続的に適用するように求められます（法税法4の5③）。なお、事務負担軽減の観点から、親会社・子会社それぞれが申告・納税を行う「グループ通算制度」が採られるようになりました。
2010年	**「グループ法人税制（グループ法人単体課税制）」の導入** ～グループ法人税制とは、資本金に関係なく（会社の規模に関係なく）、100％完全支配関係にある法人同士を一体とみて課税を行う、という考え方に基づいて導入された税制です（法税法61の13）。強制適用になります。ここにいう「100％完全支配関係」とは、同一の者が法人の発行済株式等の全部を直接または間接に保有する関係をいい、同一の者には内国法人のみならず、外国法人や個人も含みます（法税法2十二の七の六）。この税制は、完全支配関係法人間で行った(a)資産譲渡損益（法税法61の13①・②）、(b)寄附金（法税法37②、25の2）、(c)現物分配（法税法62の5）、(d)受取配当等（法税法23①・④）、および(e)自己株式譲渡等（法税法61の2⑯）に対する課税取扱い、ならびに(f)大法人の100％子会社への中小法人向け特例措置の不適用（法税法66⑥三、67①）などからなります。つまり、完全支配関係法人間でなされたこれら一定の取引について、課税の中立や公平の視点から、一定の規制をしようとするものです。したがって、この制度の導入は、「資本に関係する取引等に関する改正」とよばれることもあります。

2020年	「グループ通算制度」の導入

〜連結納税制度は廃止されグループ通算制度へと移行しました。これまで連結納税制度については、その事務の煩雑さなどが問題視されてきました。

　そこで企業グループ間での損益通算を可能とするといった連結納税制度の基本的な枠組みは維持したまま、連結納税制度はグループ通算制度へと移行したのです。なお、2022（令和4）年4月1日以降開始する事業年度から適用されます。

　グループ通算制度とは、完全支配関係にある企業グループ内の各法人を納税単位として、各法人が個別に法人税額の計算・申告を行い（法税法74他）、その税額計算の過程で企業グループ間での損益通算等の調整を行う制度です（法税法64の5①・②）。税率も各法人の区分に応じた税率が適用されます（法税法66他）。また後日、企業グループ内のある企業に所得金額の修正等がなされた場合、原則として他の法人の税額計算に反映させない仕組みとなっています（法税法64の5⑤・64の7④）。また、組織再編税制と整合性から、グループ通算制度の開始・加入時の時価評価課税（法税法64の11・64の12）および欠損金の持込み（法税法64の6）。などについても認められています。グループ通算制度の適用を受けようとする場合には、「内国法人およびその内国法人との間にその内国法人による完全支配関係がある他の内国法人」のすべてが国税庁長官の承認を受けなければならないこととされています（法税法64の9②・⑦）。また、やむを得ない事情があるときは、国税庁長官の承認を受けてグループ通算制度の適用を受けることをやめることもできます（法税法64の10・127、法税令131の14②）。

　本書においては、法人税制をできるだけ簡潔に解説したいと思います。したがって、とくに断りがない限り、法人税の納税義務ないし納税義務者という場合には、単体法人に関するものに絞って説明をします。これは、法人税の課税対象（課税標準）、税率、その他の課税要件などについても同様です。

(阿部　徳幸・石村　耕治)

〔アドバンス文献〕渡辺淑夫『法人税法〔令和4年度版〕』(2023年、中央経済社)、岡村忠生『法人税法講義〔第3版〕』(2007年、成文堂)、中村慈美『図解 組織再編税制〔令和5年版〕』(2023年、大蔵財務協会)、中村慈美『図解 グループ法人課税〔令和5年版〕』(2023年、大蔵財務協会)、蝶名林守編『図解 法人税法〔令和5年版〕』(2023年、大蔵財務協会)

2.1.2 法人税の課される所得と事業年度

ポイント

　法人税法は、法人税の課される所得をいくつかの種類に分けて課税する仕組みになっています。これらのうち、もっとも重要なのは「各事業年度の所得金額」に対する法人税です。

◎法人税の課される所得の種類

　法人税は、法人が得た所得に課される税金です。法人税法は、法人税の課される所得を、次のように、いくつかの種類に分けて課税する仕組みになっています。

●法人税の課される所得の種類

① 　内国法人の各事業年度の所得の金額（法税法21）
② 　各事業年度の退職年金等積立金の額（法税法83）〔2020年4月1日から2026年3月31日開始事業年度は課税停止（措置法68の5）〕
③ 　外国法人の各事業年度の所得のうち外国法人の区分に応じた国内源泉所得にかかる所得の金額（法税法141）

　これらのうち重要なのは、①と③です。法人税が課される①「内国法人の各事業年度の所得」（法税法21）とは、日本国内で法人登記をしている数多くの株式会社などの法人が各事業年度に得た所得をさします。内国法人の場合は、国内外で得た全世界所得が法人税の課税対象となります。一方、③「外国法人の各事業年度の所得」（法税法141）とは、外国で法人登記している法人の在日支店などが各事業年度に得た所得をさします。外国法人の場合は、日本国内源泉所得だけが法人税の課税対象となります（☞2.1.1）。

◎法人の事業年度とは

　事業年度とは、その法人の課税所得を計算する一定の期間をいいます。株式会社をはじめとした法人は、財政状態や経営成績を明らかにする目的で、決算書を作成するための期間を定款等で定めるのが一般的です（これを「会計期間」

ないし「会計年度」といいます）。

　法人税法は、法人がこの会計期間等を定款等定めているとき、または法令で定められているときは、これを「事業年度」呼び、その期間ごとに課税所得を計算することとされています (法税法13①)。事業年度は、1年以内の期間を定めればよく、半年とすることもできます (法税法13①)。

　この事業年度は、定款等による場合は、いつから始まりいつ終わるかは自由に設定できます。事業年度は4月1日から翌年の3月31日までとするのが一般的です。また、会社を設立時に事業年度を決める場合は、設立日から事業年度最終日（決算日）までの期間を、ある程度長く設定しておかないと、設立後ただちに、決算・税務申告をすることになるので、注意が必要です。

　なお、この事業年度の最終日のことを決算日といいます。「3月末決算」といえば、事業年度は、4月1日から翌年の3月31日までとなります。

●法人の事業年度の例
　・4月1日から翌年の3月31日（決算月は翌年3月）
　・1月1日から12月31日（決算月は12月）

◎各事業年度の所得金額とは

　法人税の課される所得のうち、中心になるのは、「各事業年度の所得」です (法税法21)。「各事業年度の所得の金額」は、法人のその事業年度の益金の額から損金の額を差し引いて求めます (法税法22①)。

各事業年度の所得の金額　＝　その事業年度の益金の額　ー　その事業年度の損金の額

　ちなみに、各事業年度の所得計算の結果、マイナスになった場合、その金額を欠損金額といいます。いわゆる"赤字"です。

243

◎課税されない所得（非課税所得）とは

あらゆる法人のすべての所得に法人税が課されるわけではありません。法人や所得の性質によって課税か非課税か、また課税される場合でもその税率は違ってきます。法人税が課税されないものには、人的な性格によるもの（人的区分）と所得の性質によるもの（物的区分）があります。

● 非課税所得の区分

● 人的区分 法人そのものの性格から非課税となるものです。もっぱら公共を目的に設立された公共法人は、内国法人も外国法人も非課税です。また、外国法人も、外国で生じた所得は非課税です。

● 物的区分 所得の性質上または課税技術上課税されないものです。次のようなものがあります。

① 公益法人等が行う公益事業から生じた所得。ただし、公益法人等でも営利法人と同じ収益事業*を行った場合は、その部分について課税されます。
② 人格のない社団等の本来の団体活動による所得。ただし、収益事業を行った場合は、その部分に課税されます。
③ 外国船舶や航空機による所得。

＊収益事業とは、とくに課税対象になると法令に掲げられた普通法人などが営むと同じような業務をさします。物品販売業、不動産販売業、駐車場など34業種があげられています。公益法人等がこうした業務を継続的に事業場を設けて営むと、法人税が課されます(法税法2十三・4①、法税令5①、法税基通15−1−1以下)。

法人ごとに課税・非課税の範囲をおおまかにいうと次のようになります。

● 法人ごとの法人税の課税・非課税のあらまし

<table>
<tr><th colspan="2">種　類</th><th>各事業年度の所得</th></tr>
<tr><td rowspan="9">内国法人</td><td>公　共　法　人</td><td style="text-align:center">非　課　税</td></tr>
<tr><td rowspan="2">公　益　法　人　等</td><td>(a) 学校法人、宗教法人など
　　収益事業から生じた所得にのみ低率で課税されます。</td></tr>
<tr><td>(b) 公益社団法人、公益財団法人（公益認定法人）
　　収益事業から生じた所得にのみ普通税率で課税されます。</td></tr>
<tr><td>人格のない社団等</td><td>収益事業から生じた所得にのみ普通税率で課税されます。*</td></tr>
<tr><td>協　同　組　合　等</td><td>所得の全部に対し低率で課税されます。</td></tr>
<tr><td rowspan="2">一般社団法人、
一般財団法人
（一般法人）</td><td>(a) 非営利型一般法人は、区分経理などを条件に、収益事業から生じた所得にのみ普通税率で課税されます。</td></tr>
<tr><td>(b) 営利型一般法人は、全所得に普通税率で課税されます。*</td></tr>
<tr><td>Ｎ Ｐ Ｏ 法 人</td><td>収益事業から生じた所得にのみ普通税率で課税されます。*</td></tr>
<tr><td>普　通　法　人</td><td>すべての所得に対して普通税率で課税されます。</td></tr>
</table>

PART2　租税実体法（実体税法）を学ぶ

	公　共　法　人	非　課　税
外国法人	公　益　法　人　等	(a)　学校法人、宗教法人など 　　国内源泉の収益事業から生じた所得にのみ低率で課税されます。 (b)　公益社団法人、公益財団法人 　　国内源泉の収益事業から生じた所得にのみ普通税率で課税されます。*
	人格のない社団等	国内源泉の収益事業から生じた所得にのみ普通税率課税
	一般社団法人、 一般財団法人 （一般法人）	(a)　非営利型一般法人は、区分経理などを条件に、国内源泉の 　　収益事業から生じた所得にのみ普通税率で課税されます。* (b)　営利型一般法人は、国内源泉の全所得に普通税率で課税されます。
	普　通　法　人	国内源泉所得にのみ普通税率で課税されます。*

＊普通税率課税とは、普通法人（資本金1億円以下のもの）と同じ税率ということです。具体的には、その法人の所得のうち、年800万円までの部分は19％、年800万円を超える部分については23.2%の税率が適用されます。なお、2025（令和7）年3月31日までの間に開始する事業年度の場合、軽減税率として年800万円までの部分は15%となります。

（阿部　徳幸・石村　耕治）

Column 「年度」、「年分」の違い

　「年度」とは1年の区切りをさします。会社や学校、公官庁においては、1年の区切りを「4月1日から翌年3月31日」に設定されていることが多いようです。一方、○○「年分」という場合は、「令和○年の1月1日〜12月31日」または「20○○年の1月1日〜12月31日」のことを意味しています。「度」の1文字あるかないかによって、意味が違ってきますので、注意が必要です。

・令和5年度分　（令和5年4月1日〜令和6年3月31日まで）
・令和5年分　　（令和5年1月1日〜令和5年12月31日まで）

○法人の場合の「事業年度」と「年度」、「○年○月期決算」とは

　法人の場合、法人税法の定めにしたがい「事業年度」という言葉を使います。事業年度は1年以下と決めなければならないことになっています（法税法13①）。事業年度の終わりが決算期になります。法人としては、決算月の翌月以降に、手間のかかる決算作業を行うことになるので、繁忙期の月やその直前を決算月にすることを避ける傾向にあります。なお、この法人決算の場合、社内的には「年度」の言葉が使われます。しかし、社外の者からすると、法人によって決算期が異なっていて紛らわしいため、通常は「何年何月期決算」ともいいます。

〇個人の場合の課税期間や納付期間における「年分」、「年度」とは

　個人事業者（自営業者）の場合は、所得税や住民税などについて課税期間を自由に決ることはできません。税法で「〇〇年1月1日〜12月31日」までと決まっているからです（所税法22、36①、37①、地税法32①、313①）。しかし、税金の納付期間については、税務署や自治体など租税行政庁の事業年度「4月1日〜翌年3月31日」が使われています。このため、税金の種類により、「年分」または「年度」の言葉が使われ、納付期間や回数なども異なってくることから、注意が必要です。

● 個人事業者課税の場合の「年分」と「年度」の意味の違いの例

所得税

所得税については「年分」という呼び名が一般的です。例えば、「令和5年分の所得税を令和6年3月の確定申告で申告する。」といった場合、令和5年1月1日〜令和5年12月31日までの所得に対する所得税を、翌年の令和6年2月〜3月の確定申告で申告するという意味です。

住民税

住民税については、「年度」という呼び名が一般的です。住民税については、所得税と同じく、課税期間は「1月1日〜12月31日」までです。しかし、住民税の普通徴収の場合、原則として前年所得課税制度（地税法32①、313①）を採っていますから、納税者は、その年の4月から翌年3月までの市（区）町村の年度期間中に、第1期〜第4期など分割で納付ことになります。おおむね第1期は6月ごろで、翌年1月の第4期にかけて原則4回払いで納付することになります（ちなみに、会社員など給与所得者（☞3.2.1）の特別徴収（☞5.1.1）の場合は6月から翌年5月までの12回払いとなります。）。

　例えば、令和5年度の住民税といった場合、前年の令和4年分（令和4年1月1日〜令和4年12月31日まで）の所得に対する住民税を、令和5年6月から令和6年1月ごろにかけて分割で納付ことになります。このことから、令和4年の1月に大きな所得が発生した場合でも、それに対する住民税は、翌々年の令和6年1月まで納付が続きます。

国民健康保険税

国民健康保険税（☞1.2.4）については、「年度」という呼び名を使います（地税法703の4）。基本的には住民税と同じです。ただ、住民税は4回の分割納付なのに対して、国民健康保険税の納付は、各市（区）町村によりまちまちです。6月〜翌年3月までの間に8〜10回に分割して納付することになります。

（阿部 徳幸・石村 耕治）

PART2 租税実体法（実体税法）を学ぶ

2.1.3 法人税が課される所得はどう算定するのか

ポイント

　一般的に法人税は、「各事業年度の所得の金額」に課税されます（☛2.1.2）。この「各事業年度の所得の金額」は、企業会計のルールに基づいて計算した「収益」、「費用」に「税務調整」を行い、「益金」、「損金」と変更したうえで、この「益金」から「損金」を控除して算出します。

　法人税は、「各事業年度の所得の金額」に対して課されます。この「各事業年度の所得の金額」は、損益計算書で計算された「収益の額」・「費用の額」を基礎に、税務調整を施して「益金の額」・「損金の額」を求め、その差額として計算します。この流れを図説すると以下のとおりです。

◎確定決算原則とは

　株式会社の場合、決算は、株主総会の承認を得て確定します（会社法437・438）。ただし、会計監査人設置会社は、法務省令で定める要件にあてはまる場合には取締役会の承認で確定します（会社法439）。この株主総会の承認などを得た決算を「確定決算」といいます。株式会社など法人は、原則として、事業年度が終了した日の翌日から２か月以内に、確定した決算に基づき法人税の確定申告書を所轄の税務署長に提出するように求められます（☛2.1.10）。これを「確定決算原則」といいます（法税法74①）。

◎各事業年度の所得の金額の算出方法 （☛2.1.2）

　法人税の課税対象（課税標準）である「各事業年度の所得の金額」は、その事業年度の「益金の額」から「損金の額」を控除して求めます（法税法22①）（☛2.1.4）。

企業会計の利益　　当期利益（損失）＝（収益の額）－（原価・費用・損失の額）
法人税の所得　　　所得（欠損）金額＝（益金の額）－（損金の額）

247

●法人税法上の「各事業年度の所得の金額」の計算の仕組み

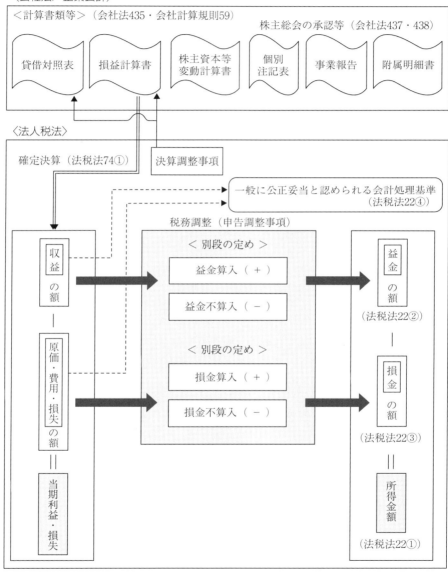

◎税務調整とは

　法人の企業会計における利益とは、「一般に公正妥当と認められる会計処理の基準」に基づき算出されます（会社法431）。したがって、法人税法も法人の会計処理が、この「一般に公正妥当と認められる会計処理の基準」によって算出されているならば、原則として、これを認める立場を採っています（法税法22④）。

　しかし、企業会計の目的は、主としてその企業の財政状態（貸借対照表）および経営成績（損益計算書）を正しく認識し、配当可能な財源である利益を表示することにあります。一方、法人税法は、課税の公平・適正な税負担を目的としています（法税法1）。さらには様々な経済政策も要請されます。このように両者の目的が異なることから、法人税法では「別段の定め」（法税法22の2以下）を設け、企業会計における「当期利益」を出発点とし、これに法人税法上の「別段の定め」を「加算」・「減算」し、誘導的に「所得金額」を算出するのです。

　この「当期利益」から「所得金額」を導く作業を「税務調整」（申告調整）といいます。具体的には、企業会計における「収益の額」に「別段の定め」をプラス（益金算入）・マイナス（益金不算入）するとともに、「原価・費用・損失の額」にプラス（損金算入）・マイナス（損金不算入）して「所得金額」に算出されます。なお、この計算は「別表四」という法人税申告書式において行います。

①	**益金算入**	企業会計上は収益として計上していない項目を、法人税計算上は益金として収益に加算することです。
②	**益金不算入**	企業会計上は収益として計上している項目を、法人税計算上は益金にならないものとして収益から控除することです。
③	**損金算入**	企業会計上は費用等として計上していない項目を、法人税計算上は損金になるものとして費用等に算入することです。
④	**損金不算入**	企業会計上は費用等として計上している項目を、法人税計算上は損金にならないものとして費用等から控除することです。

◎一般に公正妥当と認められる会計処理の基準とは

　すでにふれたように、法人税法は、その所得金額の計算において、「別段の定め」によって法人税独自の計算を求めるもの以外については、その法人が継続して「一般に公正妥当と認められる会計処理の基準」による会計処理を行っていれば、この会計処理によることを認めています（法税法22④）。

　ここでいう「一般に公正妥当と認められる会計処理の基準」とは、一般社会通念に照らして公正妥当であると評価されうる会計処理の基準（東京地判昭52.12.26・判時909号110頁）であり、客観的な規範性をもつ公正妥当な会計処理の基準（大阪高判平3.12.19・行裁令集42巻11＝12号1894頁）をいいます。もっとも、具体的な明文による基準があるわけではありません。したがって、企業会計原則等に留まらず、確立した会計慣行を広く含みます（神戸地判平14.9.12・月報50巻3号1096頁）。

◎決算から確定申告までのプロセス

　株式会社など法人は、決算から確定申告までのプロセスにおいて、税務調整（決算調整や申告調整）を行うように求められます。このプロセスを図にすると、次のとおりです（☛2.1.9）。

●**決算から確定申告までのプロセス**（事業年度が4月1日～翌年の3月31日の場合）

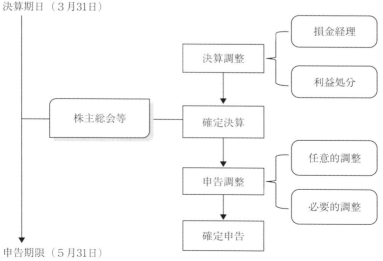

PART2　租税実体法（実体税法）を学ぶ

◎決算調整と申告調整

　税務調整には、「決算調整」と「申告調整」があります。「決算調整」とは、減価償却費の計上のように、株式会社など法人が決算を組む段階で行う経理処理/調整をさします（法税法31①）。決算調整は、細かく分けると「損金経理」、「損金経理または利益処分経理」および「利益処分以外の経理」からなります。

　一方、「申告調整」とは、交際費等の損金不算入のように、確定申告書を作成する段階で、申告書上で行う調整をさします。

(1)　決算調整

　株式会社など法人の経理処理は、その法人の自由に任されている事項があります。例えば、引当金を計上するかしないか、あるいは減価償却費（☛2.1.5）をその限度内でいくら損金に計上するかといった事項が典型です。確定決算でこれらを費用/損失として経理処理することを「損金経理」といいます。損金経理をした場合、株主総会等で承認を受けるように求められます。もう少し具体的にあげると、次のような項目が損金経理の対象となります。

＊ただし、会社法においては、引当金の計上、相当の償却が求められます（会社計算規則5②・6②一）。一方、法人税法では、たとえば貸倒引当金について、「損金経理により貸倒引当金勘定に繰り入れた金額については、当該繰り入れた金額のうち、貸倒引当金繰入限度額に達するまでの金額は、当該事業年度の所得の金額の計算上、損金の額に算入する」（傍点は筆者です。）と定めています（法税法52①）。この「繰り入れた金額」という言葉から、法人が限度額の範囲内で自由にその金額を定めることができるとされるのです。

●「損金経理」が必要な事項

①減価償却費、②繰延資産の償却費、③引当金/準備金の繰入、④圧縮損、⑤評価損、⑥その他

　法人税法は、「損金経理」とは、「法人が負担する費用のうちその確定した決算において費用または損失として経理すること」と定義しています（法税法2二十五）。この損金経理に代えて、「利益処分」による計上を行い、法人税申告書で減算する項目もあります。準備金の積立が一例です。

　すでにふれたように、株主総会等で承認を得た決算を「確定決算」といいます。法人税法は、確定決算に基づいて法人税額を計算するように求めています。言い換えると、法人の任意で処理できる事項については、株主総会等で損金経理の承認を受けないと、法人税法では損金として認めないということです。

251

(2) 申告調整

確定した決算による利益をもとに、法人税法上の課税所得を計算するプロセスを「申告調整」といいます。申告調整には「任意的調整」と「必要的（絶対的）調整」とに分けられます（法税法26、法税令25）。

① 任意的調整

「任意的調整」事項については、法人の意思で調整すれば認められます。いずれの場合も、当期利益から減算されます。

② 必要的（絶対的）調整

「必要的（絶対的）調整」事項とは、申告調整をしなければならず、これを怠ると必ず更正処分を受ける事項をさします。

（阿部 徳幸・石村 耕治）

〔アドバンス文献〕渡辺徹也『スタンダード法人税法〔第３版〕』（2023年、弘文堂）

2.1.4 「益金」、「損金」の範囲

ポイント

> 企業会計ルールによる収益が「益金」、費用が「損金」となるのが原則です。しかし、税法では「別段の定め」を設けて、収益でも益金不算入となるもの、また基準を超える交際費や福利厚生費、一定の役員給与などについては損金不算入、繰越欠損金、貸倒引当金などは損金算入としています。

◎益金の額に算入すべき金額とは

法人の財産を増やすすべての収益が、原則として益金となります。しかし、法人税法では「別段の定め」を設けて、受取配当金など一般的に収益となるものであっても益金に算入しないものもあります。法人税法22条によると益金の額に算入すべき要件は以下の３つです（法税法22②）。

① その事業年度の収益の額であること。
② 別段の定めがあるものは除くこと。
③ 資本等取引以外の取引にかかるものであること。

PART2　租税実体法（実体税法）を学ぶ

　また、法人税法は、収益が発生する場面の例示として、商品や製品を販売したり（資産の販売）、サービスを提供して利益を得たとき（有償による役務の提供など）や、ただで物を譲渡したり（無償による資産の譲渡）*、物をもらったりした場合（無償による資産の譲受け）等をあげています。

＊無償による資産の譲渡からなぜ収益が生ずるのでしょうか。ただで資産を譲渡するということは、一見損失が生じるように思われます。しかし、法人税法では、資産を譲渡した際、その資産の保有期間における保有益（キャピタル・ゲイン）を認識します。つまり、その資産のキャピタル・ゲインを収益に計上し、同時にその金額と同額の寄附金等による支出があったと考えるのです。

◎損金の額に算入すべき金額

　損金の額に算入すべき要件は以下の３つです（法税法22③）。

---

① 　当該事業年度の収益にかかる売上原価、完成工事原価その他これらに準ずる原価の額
② 　①のほか、当該事業年度の販売費・一般管理費その他の費用の額
③ 　当期の損失の額で資本等取引以外の取引にかかるもの

---

　①②③はそれぞれ原価、費用、損失を示しています。なお、損金の場合においても「別段の定め」のあるものや「資本等取引」によるものは損金不算入とされています。

◎資本等取引について

　企業会計のルールにおいては、資本の増加または減少を伴う取引から生じる剰余金を資本剰余金とよび、通常の収益と区分して取り扱います。法人税法においても、「資本等取引」（法税法22⑤）は、「益金の額」および「損金の額」から除外しています（法税法22②・③三）。したがって、法人税の課税対象外となります。資本等取引とは、次のものをさします（法税法2⑯・22②・③三・⑤、法税令8・9）。

---

① 　法人の資本等の金額の増加または減少を生ずる取引
② 　法人が行う利益または剰余金の分配
③ 　残余財産の分配または引渡し

253

①の資本等の金額とは、資本金額と資本積立金額を合わせたものです（法税令8）。②の「利益または剰余金の分配」が資本等取引とされるのは、そもそも「利益または剰余金の分配」とは、納付すべき税額を差し引いた残りを株主等へ分配することだからです。また、③の「残余財産の分配」とは、法人の清算により最終的に残った財産を株主等へ分配することです。さらに、「引渡し」とは、公益法人等が解散した場合、国や地方公共団体へ寄附される場合を想定しています。

◎益金に関する別段の定め

益金には次のような別段の定め（申告調整事項）があります。

任意的事項	益金不算入	受取配当等（法税法23）
必要的事項	益金不算入	法人税等の還付金（法税法26）
	益金算入	特定外国関係会社の課税対象金額（措置法66の6）

◎損金に関する別段の定め

損金には次のような別段の定め（申告調整事項）があります。

任意的事項	損金算入	会社更生等による債務免除があった場合の欠損金（法税法59） 協同組合等の事業分量配当等（法税法60の2） 貸倒引当金（法税法52） 繰越欠損金（法税法57、58）
必要的事項	損金不算入	寄附金（法税法37）、交際費等（措置法61の4）、 使途不明金（法税基通9-7-20） 法人税額等（法税法38）、 不正行為等にかかる費用等（法税法55）、 一定の役員給与（法税法34、36） 税額控除の場合の所得税（法税法40）・外国税額（法税法41）

PART2　租税実体法（実体税法）を学ぶ

◎益金、損金の計上基準

収益や費用は、どの段階で計上するのか、いわば益金や損金は「いつ」確定するのでしょうか。

(1)　益金の計上基準～権利確定主義

収益の計上基準として、企業会計は、実現主義を原則としています。例えば、商品などの売買のケースでは、その引渡の時に収益として計上します。

この実現主義については、法人税でもほぼ同じ考え方となっています（法税法22②）。そして、この実現があった時とは、収入すべき権利が確定したとき（最判平5.11.25・民集47巻9号5278頁）とされています（「権利確定主義」）。

ただ、実際には、取引の種類や業種によっていろいろな特徴があります。このため、基準は一様ではありません。おおまかにまとめてみると、次のとおりです。

●収益・益金の計上基準

①	**出荷基準**　商品等を出荷した時点で計上します。最も一般的です。
②	**受領日基準**　商品等を相手方に持ち込み、受領印をもらった時点で計上します。
③	**検収基準**　商品等を相手方が検査し受け入れた時点で計上とします。
④	**工事完成基準**　建物等のすべてを完成し、引き渡した時点で計上します。
⑤	**部分完成基準**　建物等が部分的に完成し、引き渡した時点で計上します。
⑥	**工事進行基準**　工事の進行具合に応じて計上します。

いずれの基準を採るにしても、商品の性質や業種に照らして最も妥当な基準を選ぶことが大切です。

(2)　収益の認識等についての法定化

法人税法は、これまで収益をいくらと計上するのか、いつ計上するのかという問題は、あくまでも企業会計のルールに委ねてきました。しかし、企業会計基準委員会による「収益認識に関する会計基準」（平成30年3月30日　企業会計基準29号）および「収益認識に関する会計基準の適用指針」（平成30年3月30日企業会計基準適用指針第30号）の公表を受け、法人税における収益認識等について法定化されることとなりました（法税法22の2）。なおこのルールは、2018（平成30）年4月1日以降開始する事業年度から適用されています。

255

●収益認識時の価額

・資産の販売・譲渡時の価額
　原則として、資産の引渡しの時における価額※
・役務の提供時の価額
　原則として、通常得るべき対価の額に相当する金額※

※貸倒れまたは買戻しの可能性がある場合においても、その可能性がないものとした場合
　の価額となります。また、なお、資産の販売・譲渡または役務の提供による収益の額を
　実質的な取引の単位に区分して計上できることとされました。さらに、値引きまたは割
　戻しについて、客観的に見積もられた金額を収益の額から控除することができます。

●収益認識の時期

・原則…目的物の引渡しまたは役務の提供の日の属する事業年度の益金の額に算入する。
・例外…一般に公正妥当と認められる会計処理の基準に従って、上記引渡し等の日に近
　　　　接する日の属する事業年度の収益の額として経理した場合、上記引渡し等の日
　　　　にかかわらず、原則として当該事業年度の益金の額に算入する。

(3)　損金の計上基準～債務確定主義

　　費用の計上は、原則としてそれに対応する収益と同じ事業年度に計上するこ
ととなっています（費用収益対応の原則・法税法22③）。しかし、損金の場合には、そ
の計上基準は、企業会計のルールよりも法律的な判断が必要となります。とく
に法律的には債務が確定しているかどうかが重要です。これを「債務確定主義」
とよびます。法律的に債務が確定したと認められるのは、次のようなケースを
さします（法基通2-2-12）。

①　期末までにその費用にかかる債務が成立している。
②　期末までに計上の原因となる事実が発生している。
③　期末までに金額を合理的に算定できる。

（阿部　徳幸）

PART2　租税実体法（実体税法）を学ぶ

2.1.5　減価償却と法人税

ポイント

　「減価償却」とは、法人資産の購入金額をその使用可能期間に応じて「費用配分」する仕組みのことです。減価償却費が多くなれば、その分、法人税の負担は少なくなることから、税法では「定率法」、「定額法」のような基準を定め、ルールを明らかにしています。一方、税制を使って政策の実現を図るため、さまざまな「特別償却」が設けられています。

◎減価償却と法人税

　企業会計は、適正な期間損益計算を目的とします。したがって1年以上の長期にわたり使用する目的で所有する固定資産については、その購入金額（取得価額）を一時の費用とせず、その使用可能期間に応じて配分していく必要があります。企業会計上の減価償却と法人税法上の減価償却は、本質的には異なるものではありません。法人税法は、企業会計で一般的に認められている減価償却費を損金の額に算入することを原則として認めています（法税法22③・④）（☞2.1.3）。しかし、減価償却費は、他の費用項目と異なり、現実に金銭の支出を伴いません。また、固定資産の取得価額を、法人内部の意思決定に基づき数年にわたり費用化するものであることから、減価償却費の計算を法人の自主性に任せた場合、税負担の公平が確保できないことになります。また、さまざまな政策目的などを達成するため、次の特色でみるように、企業会計などとは少し異なる取扱いをしています。

　なお、企業会計の指針である会社計算規則は、「償却すべき資産については、事業年度の末日において、相当の償却をしなければならない。」（会社計算規則5②）と規定するにとどまり、法人の自主性に任せた制度となっています。

●法人税法上の減価償却の特色

①　任意償却制度（損金経理が必要）であること

　企業会計の指針である会社計算規則は、「相当の償却をしなければならない」（会社計算規則5②）と規定し、毎期、償却費の計上を強制しています。一方、法人税法は、償却費として損金の額に算入する金額を「償却費として損金経理した金額」としています（法

257

税法31①）。償却費の計算は法人の自主性に任されたものです。法人税法では課税の公平の視点から、次にみるように損金の額に算入する金額に一定の限度額を設け、その範囲内で自主的な判断に任せることとしました。この自主的な判断、つまり意思決定が「償却費として損金経理した金額」ということになるのです。

　このことを逆説的にみれば、「損金経理」（☞2.1.3）をしなかった場合には、損金の額に算入することを認めないということになります。あくまで法人税法は、償却費の計算を一定の限度のもと、法人の自主性に任せているのです。したがって、償却費を損金経理しない、償却限度額に満たない金額しか損金経理しないということも認めているのです。このようなことから法人税法における減価償却は「任意償却制度」とよばれています。

　ちなみに、所得税法では、この償却費の必要経費算入は任意とされてはいません（所税法49①）。したがって、納税者が償却費を必要経費に算入しない所得計算は認められません（強制償却制度）。

② 償却方法を定型化し償却費の最高限度（償却限度額）を設けていること

　会社計算規則は、「相当の償却をしなければならない」と規定していました。つまり、償却費の金額は、毎期継続した規則的償却方法で計算した金額であるならば、会社が合理的な方法であるとして計算した金額で良いということになります。一方、法人税法は、課税の公平を確保する観点から法人の自主性に一定の制限を加えています。具体的には、「その取得をした日及びその種類の区分に応じ、償却費が毎年同一となる償却の方法、償却費が毎年一定の割合で逓減する償却の方法その他の政令で定める償却の方法の中からその内国法人が当該資産について選定した償却の方法」（法税法31①）と償却方法を定型化し、この資産の区分に応じた償却方法の選択という範囲内で法人の自主性に任せることとしました（法税令48・48の２）。さらに、これらの方法により計算した金額を「償却限度額」と定め、この限度額の範囲内で、損金経理のもと損金算入を認めているのです。なお、法人が償却方法を選定しなかった場合には、法定された償却方法によることとされています（法税令48・48の２）。このように償却方法などを法律で定めることは、課税の公平を視点からは重要ですが、必ずしも各法人の実情に即しているとは限りません。そこで、あらかじめ税務署長の承認を受けた場合には特別な償却方法を用いることができることとされています（法税令48の４、法税基通７-２-３）。さらに国税局長の承認を前提とした耐用年数の短縮（法税令57）、青色申告法人を前提とした取得価額の一定割合を償却する、普通償却額を割増しするなど、政策的な目的からさまざまな「特別償却」が認められています（措置法42の６・42の10・42の11・42の11の２・42の11の３・42の12の４・42の12の５の２・43〜44・44の２〜48）。

③ 耐用年数を法定化していること

　減価償却資産の取得価額は、減価償却という手法によりその使用可能期間に応じて費用として配分されます。この使用可能期間は、法人の実情・資産の実態等によって異なります。ただし法人税法は、法人の恣意的な使用可能期間の決定を防止し、課税の公平を図る視点から、この使用可能期間を「耐用年数」として「減価償却資産の耐用年数等に関する省令」において詳しく定めています。これを「法定耐用年数」といいます（法税令56）。

PART2 租税実体法（実体税法）を学ぶ

◎減価償却資産とは

法人税法では、この減価償却をすべき資産を「減価償却資産」といいます（法税法2二十三）。そしてこの「減価償却資産」には次のようなものがあります。

①	**有形減価償却資産**	建物およびその附属設備（冷暖房設備など）、構築物、機械および装置、船舶、車両および運搬具、航空機、工具・器具ならびに備品
②	**無形減価償却資産**	漁業権、ダム使用権、特許権、実用新案権、意匠権、商標権、ソフトウエア、営業権など
③	**生物**(a)	牛、馬、豚、やぎなどで、成育中以外のもの
	(b)	かんきつ樹、りんご樹、なし樹などの樹木

◎減価償却の方法

償却方法は、法律によって定められた方法のなかから法人が選択します。代表的な減価償却の方法には次のようなものがあります（法税法31、法税令48～53）。

①定額法　各期間の償却費が毎年同一額となるように計算する方法

$$\boxed{取得価額} \times \boxed{耐用年数に応じる償却率} = \boxed{毎期の償却額}$$

②定率法　減価償却費が毎期間一定の割合でてい減するように計算する方法

$$\boxed{帳簿価額} \times \boxed{耐用年数に応じる償却率} = \boxed{毎期の償却額}$$

③生産高比例法　生産高に応じて償却費を計上する方法

その他、取替法、算術級数法などがあります。なお、取得価額が10万円（青色申告法人で中小企業者等に該当するなどの場合は30万円（措置法67の5①））未満もしくは使用可能期間が1年未満の減価償却資産は、その全額を、事業のために使用した事業年度の損金の額に算入できます（法税令133）。

資産の種類によって次のような償却方法が選択できます。

①	有形固定資産～定額法、定率法（建物、建物附属設備および構築物は定額法）
②	無形固定資産～定額法
③	鉱業用減価償却資産～定額法、定率法、生産高比例法
④	鉱業用減価償却資産（建物、建物附属設備および構築物に限ります。）～定額法、生産高比例法
⑤	牛馬、果樹などの生物～定額法

259

◎繰延資産の償却とは

　繰延資産とは、すでに支払を完了し、それに対する役務の提供を受けているが、その効果が将来にわたって期待される費用のことをいいます（法税法2二四）。具体的には、①創立費、②開業費、③開発費、④株式交付費、⑤社債等発行費、⑥その他の繰延資産があります（法税法32、法税令14）。

　①〜⑤は、原則として随時償却（償却の実施とその金額は法人の任意によります。）ができます。⑥には以下のようなものがあります（法税令14①六）。

● その他の繰延資産

①　公共的施設、共同的施設の設置等の費用
②　資産を賃借し、または使用するための権利金、その他の費用
③　役務提供を受けるための費用
④　広告宣伝用資産の贈与のための費用
⑤　①〜④の費用のほか、自己が便益を受けるために支出する費用

　これらについては、法人税基本通達に定める償却期間に応じて費用として各事業年度に配分されます。なお、支出金額が20万円未満の繰延資産については、その全額を、支出した事業年度において損金の額に算入することができます（法税令134）。

◎資本的支出と修繕費

　法人が固定資産の修理、改良などのため支出した金額は、次の区分に応じて処理されます（法税令132）。

①　その支出が、その資産の使用可能期間を延長させる、またその資産の価額を増加させる場合（これを「資本的支出」とよびます。） 　…　新たに固定資産を取得したものとします。 ②　その支出が、その資産の通常の維持管理および原状回復のためなどの場合 　…　修繕費としてその事業年度の損金とします。

（注）実務上、この区別には様々な取扱いがあるので注意が必要です（法税基通7−8−1以下）。

（阿部　德幸）

〔アドバンス文献〕山本清次『無形固定資産・繰延資産』（2008年、中央経済社）、高田静治『固
定資産の減価償却〔第2版〕』（2012年、中央経済社）、河手博ほか『減価償
却資産の取得費・修繕費〔改訂8版〕』（2020年、税務経理協会）

Column LLP、LLCとは何か

　LLP（有限責任事業組合＝Limited Liability Partnership）はアメリカやイギリスな
どで幅広く利用されてきた事業形態です。わが国でも、2005（平成17）年に制定され
た「有限責任事業組合契約に関する法律」（LLP法）のもとで日本版LLPが、「有限責
任事業組合」のネーミングで導入されました。基本的には、わが国の民法上の組合（任
意組合）に似通った特徴をもっています。民法上の「任意組合」の場合、構成員に直
接課税されます。また、組合を構成する各構成員（投資家）は出資額を超えて無限責
任を負います。これに対して、日本版LLPの場合、構成員に直接課税される点は同じ
ですが、構成員である投資家は有限責任です（LLP法1）*。

　一方、LLC（＝Limited Liability Company）は、アメリカで幅広く使われている法
人（営利会社）形態です。各州法のもとで設立できます。わが国でも、2005（平成17）
年に施行された新会社法で、日本版LLCが、「合同会社」のネーミングで導入されまし
た（会社法575以下）。LLCは、LLPと同様に、有限責任であり、かつ、柔軟な運営が
可能です。反面、わが国のLLCは、法人であるという理由で、株式会社と同じように
損益は法人税の課税対象となります。一方、LLPの場合には、損益は直接構成員にパス・
スルー課税（構成員課税＝構成員が法人である場合には法人税の対象、個人である場
合には所得税の対象）が行われます。投資家からみれば、LLPの方が使い勝手がよいと
いえます。

　ちなみに、アメリカのLLCは法人です。また、LLCへの出資者は、有限責任です。
しかも、チェック・ザ・ボックス・ルール（Check-the-box rules）により一定の要件を
満たすことのできる納税者は、法人課税か、構成員（出資者）課税かを選ぶことがで
きます。出資者は、事業の失敗によりLLCに損失が生じた場合には、無限に責任を負
うことはありません。しかも、この場合、構成員課税を選択することにより、税金の
計算にあたってはその出資者の他の所得と損益通算ができます。一方、わが国のLLC（合
同会社）の場合、アメリカのLLCとは異なり、法人課税しか認められないので構成員
課税は選択できません。

● 日本版LLP、日本版LLC、任意組合、株式会社の特徴を比べてみる

日本版LLP （有限責任事業組合）	日本版LLC （合同会社）	任意組合 （民法上の組合）	株式会社
有限責任	有限責任	無限責任	有限責任
構成員課税	法人課税	構成員課税	法人課税
・損益や権限の配分 　は自由 ・監視機関は不要	・損益や権限の配分 　は自由 ・監視機関は不要	・損益や権限の配分 　は自由 ・監視機関は不要	・損益や権限の配分 　は出資割合に比例 ・取締役会などが必要

この点に関連して、わが国居住者が、アメリカのLLCやLPS/LLP/LP（Limited Partnership）の構成員になり投資したことから生じた損益を、日本国内での所得税申告において他の所得と損益通算（☞3.2.12）できるかどうかがしばしば争いになってきました。わが国の課税庁、さらには裁判所も概して、この種の事業体は、その構成員とは別途の独立した法的主体であり、わが国税法上は"任意組合"ではなく"法人（普通法人である外国法人）"にあたると判断しています。したがって、当該LLCやLPSの損益は、第一次的には当該事業体に帰属することになるとして、構成員課税、国内での損益通算を認めません（例えば、裁決平23.2.261・裁集61巻102頁、最判平27.7.17・タインズZ888-1930）。

　さまざまな事業形態が出現しています。事業体そのものを納税主体（納税義務者）とするのか、そうでなくて、そこから損益の分配を受けた人を納税主体とするのかは重い課題です。しかし、課税の根拠を、法人格の有無だけに求める考え方は限界にきているといえます。

＊ファンドは、個人や法人が組合員となって出資し、共同事業を営む合意でつくられます。共同事業で得られた利益は、ファンドには帰属せず、直接組合員に分配・帰属します。ファンドには、①民法上の「任意組合」や②会社法上の「匿名組合」のほかに、③「投資事業有限責任組合」（LPS）を利用したものがあります。この場合のLPSとは、「投資事業有限責任組合契約に関する法律」（通称「ファンド法」「LPS法」）のもとで組まれる事業体をさします。LPS法は、大企業にも使えるようにとの趣旨で定められたもので、2005年LLP法とは異なるものです。

（益子　良一・石村　耕治）

〔アドバンス文献〕パートナーズ国際会計事務所編『LLP・LLCの税務・会計ガイド』（2006年、中央経済社）、川田剛『日本版LLP・LLCの理論と税務』（2005年、財経詳報社）

PART2　租税実体法（実体税法）を学ぶ

2.1.6 役員や使用人などに支給する給与の課税取扱い

ポイント

　法人にとって、法人所得を計算する際に、支給する「給与」、「賞与」、「退職給与」などを損金に算入できるかできないかは重要です。税負担の増減につながるからです。法人税法は、その支給を受ける人が「役員」か、「使用人」か、さらには「使用人兼務役員」か、を判断材料に課税取扱いを決めています。また、支給する法人が同族会社かそうでないかなども判断材料としています。

　役員給与は、原則として損金不算入です。例外的に損金算入ができるのは、①「定期同額給与」、②「事前確定届出給与」、③「業績連動給与」④「使用人兼務役員の使用人としての職務に対して支給した分」、⑤「役員退職給与」です。ただし、損金算入できる役員給与であっても、不相当に高額な部分の金額、仮装経理により支給する給与の額は損金算入できません。一方、使用人の給与や賞与、退職給与などは、いわゆる「特殊関係使用人」にあたる場合を除き、原則としてすべて損金算入ができます。

◎損金算入・不算入の線引きの基準

　法人の代表格は会社（株式会社）です。会社には、株式を公開するなど経営規模の大きい会社もあれば、家族だけで小規模経営をしている同族会社もあります。このほかに私立学校など、さまざまなタイプの法人があります。

　こうした法人で従業員、職員として働いている人を、法律の世界では「使用人」とよびます。また、こうした法人で取締役、理事などを務めている人を「役員」とよびます。その他に、取締役などの役員であると同時に、使用人（従業員）としての職制上の地位（部長、課長、工場長など）を持っている人がいます。こうした人を、税法では「使用人兼務役員」とよびます（法税法34⑤）。

263

◎役員給与への課税取扱い

　法人所得の計算上、役員に支給した給与は、「損金不算入」が原則です（法税法34①）。したがって、損金算入ができるのは例外的な取扱いといえます。

　これまでインセンティブ報酬は、報酬類型によって損金算入の可否が異なっていましたが、2017（平成29）年度税制改正で、類型の違いによらず一定の要件を満たせば損金算入できるようになりました。また、これまで法人税法34条１項の枠組みに入っていなかったストックオプション（新株予約権：会社に対し株式の交付を受ける権利・会社法２二十一）や退職給与についても役員給与全体で総合的な税制になるよう整備されました。

　これにより、ストックオプションや退職給与（業績連動給与に該当しないものを除きます。）についても、法人税法34条１項２号又は３号に定められた一定の要件を満たした場合は損金算入することができます。

⑴　損金算入ができる役員給与

　法人所得の計算上、損金算入できる役員給与を種別に図説すると、次のとおりです（法税法34①一・二・三）。

●損金算入できる役員給与

①　定期同額給与〔定型的１号給与〕
１か月以下の一定期間ごとに毎回同じ金額が支給される給与（法税法34①一、法税令69①）
【適用要件など】ただし、(a)定時株主総会などの開催時期（期首から３か月以内＊）までにされた給与改定（法税令69①一イ）、(b)役員の職務内容の重大な変更、それに伴う職制上の地位変更による臨時の給与改定（法税令69①一ロ）、(c)経営状態の著しい悪化などに伴う臨時の給与改定（法税令69①一ハ）があり、その前後で毎月の支給額に差が出る場合は、定期同額給与として取り扱われます。また、継続的に供与される経済的利益（現物給与）の額が毎月おおむね一定である場合についても、定期同額給与にあたります（法税令69①二）。 　＊確定申告書の提出期限の延長の特例の指定を受けている法人は、その指定に係る月数に２を加えた月数を経過する日
②　事前確定届出給与〔定型的２号給与〕
税務署に事前に届出をし、所定の時期に（例えば、盆暮のように）あらかじめ決められた金額を支給する給与で、①定期同額給与や③利益連動給与にあたらないもの（法税法34①二、法税令69②～⑤）。いわゆる「特定月の増額支給給与」のことです。旧制度では、全額損金不算入となる「役員賞与」とされました（例えば、最判平14.6.13（棄却・不受理）・タインズZ252-9134、〔原審〕岐阜地判平12.12.21・タインズZ249-8805、名古屋高判平13.10.24・タインズZ251-9011）。

PART2　租税実体法（実体税法）を学ぶ

【適用要件など】 原則として、その役員がその職務執行をはじめる日と期首から4か月＊を経過する日のいずれか遅い日その他所定の期限まで、所轄の税務署長にその内容を届け出る必要があります（法税令69②〜⑤）。 　＊確定申告書の提出期限の延長の特例の指定を受けている法人は、その指定に係る月数に3を加えた月数を経過する日	
③　**業績連動給与** 　利益の状況を示す指標、株式の市場価格の状況を示す指標その他の内国法人またはその内国法人との間に支配関係がある法人の業績を示す指標を基礎として算定される額または数の金銭または株式もしくは新株予約権による給与および特定譲渡制限付株式もしくは承継譲渡制限付株式または特定新株予約権もしくは承継新株予約権による給与で無償で取得され、または消滅する株式または新株予約権の数が役務の提供期間以外の事由により変動するもの（法税法34⑤）	
④　**使用人兼務役員の使用人としての職務に対して支給した分** 　例えば、営業部長で取締役のような地位にある人へ給付する給与で、営業部長の職務分にあたる金額	
⑤　**役員退職給与** 　あらかじめ定めた退職給与規程によるものか否かを問わず、また、その支給名義を問わず、役員の退職に起因して支給される一切の給与（法税法34①⑤）	

(2)　インセンティブ報酬

　インセンティブ報酬について一定の要件を満たせば損金算入でき、またストックオプションや退職給与（業績連動給与に該当しないものを除く。）についても、法人税法34条1項2号又は3号に定められた一定の要件＊を満たせば損金算入ができます。

　なお退職給与で「業績連動給与」に該当しない場合は、法人税法34条1項の対象外となるので、同条2項の過大役員給与等にあてはまらない限り損金算入されます。

　整理すると次のようになります。

（役員給与税制全体）

各給与類型の整合性	○ストックオプションや株式報酬信託なども含め、類型の違いによらず、一定要件を満たせば損金算入 ○株式報酬も事前確定届出給与、業績連動給与の要件を満たせば損金算入
非居住者役員	特定譲渡制限付株式、ストックオプションにつき、非居住者である役員も損金算入

265

（事前確定届出給与）

グループ経営	株式報酬は完全子会社以外の子会社役員も付与対象

（業績連動給与）

（報酬プラン） (1)算定目標 (2)計測期間	利益の状況（営業利益、当期純利益、ROE等）または株価等の指標 複数年度の指標も対象
グループ経営	同族会社であっても非同族会社である親会社の完全子会社であれば対象

＊法人税法34条１項２号又は３号に定められた一定の要件

① 役員の職務につき所定の時期に、確定した額の金銭または確定した数の出資や株式若しくは新株予約権もしくは確定した額の金銭債権に係る特定譲渡制限付株式もしくは特定新株予約権を交付する旨の定めに基づいて支給する給与で、定期同額給与および業績連動給与のいずれにもあてはまらないもの（法税法34①二、法税令69④～⑧）

② 内国法人（同族会社にあっては、同族会社以外の法人との間に当該法人による完全支配関係があるもの）が、その業務執行役員に対して支給する業績連動給与（金銭以外の資産が交付されるものにあっては適格株式または適格新株予約権）で次に掲げる要件を満たすもの（法税法34①三、法税令69⑨～⑲）

イ）交付される金銭の額もしくは株式もしくは新株予約権の数または交付される新株予約権の数のうち無償で取得され、もしくは消滅する数の算定方法が、職務執行期間開始日以後に終了する事業年度の利益の状況を示す指標や株式の市場価格の状況を示す指標、売上高の状況を示す指標を基礎とした客観的なものであること。

ロ）給与の区分に応じて定められた要件

(3) 役員報酬の種類と損金算入

報酬の種類	報酬の内容	交付資産	損金算入
在任時			
特定譲渡制限付株式	一定期間の譲渡制限が付された株式を役員に交付。	株式	可能 （①類型）
株式交付信託	会社が金銭を信託に拠出し、信託が市場等から株式を取得。一定期間経過後に役員に株式を交付。	株式	可能 （①類型または②類型）
ストックオプション（SO）	自社の株式をあらかじめ定められた権利行使価格で購入する権利（新株予約権）を付与。	新株予約権	可能 （①類型または②類型）
パフォーマンス・シェア（PS）	中長期の業績目標の達成度合いに応じて、株式を役員に交付。	株式	可能 （②類型）

パフォーマンス・キャッシュ	中長期の業績目標の達成度合いに応じて、現金を役員に交付。	金銭	可能（②類型）
ファントム・ストック	株式を付与したと仮想して、株価相当の現金を役員に交付。	金銭	可能（②類型）
ストック・アプリシエーション・ライト（SAR）	対象株式の市場価格が予め定められた価格を上回っている場合に、その差額部分の現金を役員に交付。	金銭	可能（②類型）
退職時			
退職給与	退職時に給付する報酬	金銭・株式・新株予約権	可能（業績連動の場合は②類型の要件を満たすことが必要）

※　①類型…一定の時期に確定した金額または数を交付する役員報酬。原則として税務署への事前届出が必要（法税法34①二）。

②類型…業績（利益、売上高、株価等）に連動した金銭、株式等を交付する役員報酬。報酬諮問委員会への諮問や有価証券報告書での開示等の手続きが必要（法税法34①三）。

⑷　損金不算入となる役員給与

　法人所得の計算上、損金算入できない範囲の役員給与を図説すると、次のとおりです。

●損金不算入となる役員給与

① **定型的でない給与**

　定型的1号給与、定型的2号給与、定型的3号給与にあてはまらない非定型的役員給与（法税法34①本文）。ひとことでいえば損金不算入扱いになる、いわゆる「賞与」が、これにあたります。

② **不正支給の給与**

　事実を隠ぺいし、または仮装経理により役員に支給された給与で、金額の多寡は問われません（法税法34③）。

③ **不相当に高額部分の給与**

　定型的給与、使用人兼務役員の使用人部分給与、役員退職給与、ストックオプション給与は、いずれも基本的には損金算入ができます。しかし、不相当に高額であると認められるときには、不相当に高額な部分の金額は損金の額に算入されません（法税法34②）。【後記参照】。

④ **事前確定届出給与〔定型的2号給与〕を下回って支給された役員給与**

　損金算入の対象外であるとの判断に基づき課税庁の更正処分等を認めた判決があります（東京高判平25.3.14・タインズZ888-1791（棄却）、〔原審〕東京地判平24.10.9・タインズZ888-1760（棄却・控訴））。

◎法人税法にいう「役員」とは

　すでにふれたように、法人税法では、役員に支給される給与ついては、例外的に損金算入を認めながらも、それをさらに制限するさまざまな措置を講じています。ねらいは、同族経営の会社の利益操作を封じることにあります。「役員」の範囲についても、利益操作封じをねらいに、税法独自の立場から、会社法などよりも広く定義しています。このため、実際の経理処理においては、法人税法にいう「役員」とは、具体的にどういう人たちがあてはまるのかが問われてきます。

　通常、「役員」といえば、取締役、会計参与、監査役です（会社法329①）。学校法人などの公益法人等の場合には、理事や監事です。こうした役員を「法定の役員」とよびます。

　しかし、法人税法では、次のように定めています。

> 「法人の取締役、執行役、会計参与、監査役、理事、監事および清算人ならびにこれら以外の者で法人の経営に従事している者」（法税法２十五）

　このように、法人税法では、形式的な肩書だけでは判断せず、こうした肩書がなくとも、実質的に経営に携わっている人も含めて、幅広く「役員」にあたるとしています（法税法２十五、法税令７）。こうした役員を「みなし役員」とよびます。整理して図説すると、次のとおりです。

● 法定の役員とみなし役員の範囲

①	**法定の役員**：法人の取締役、執行役、会計参与、監査役、理事、監事および清算人
②	**みなし役員**
(a)	会社の役員でも使用人でもない人で、その会社の経営にたずさわっている人。例えば、相談役や顧問など（法税令７一、法税基通９－２－１）。
(b)	同族会社（☛2.1.11）の使用人のうち、一定の条件を満たす形でその会社の株式を所有し、かつ、その会社の経営にたずさわっている人（法税令７二）

◎法人税法にいう「使用人兼務役員」とは

　法人所得の計算上、「使用人兼務役員」については、その使用人としての職務に対する賞与を損金に算入できます。このことから、実際の経理処理では、法人税法にいう「使用人兼務役員」とは、具体的にどのような人たちがあては

PART2 租税実体法（実体税法）を学ぶ

まるのかが問われます。

　ちなみに、法人税法とは異なり、会社法では、使用人および役員という言葉はありますが、「使用人兼務役員」という言葉を一切使っていません。この背景には、「役員と会社の関係は委任契約」、「会社と使用人の関係は雇用契約」といった認識にあるからです。取締役（役員）が、代表取締役の指揮命令のもとにある使用人の地位を兼務していては、取締役の権限が形骸化してしまうおそれがあるとみているからです。

　法人税法では、「使用人兼務役員」について、次のように定めています。

> 「使用人としての職務を有する役員とは、役員（社長、理事長その他政令で定めるものを除く。）のうち、部長、課長その他法人の使用人としての職制上の地位を有し、かつ、常時使用人としての職務に従事するもの」（法税法34⑥）

(1) 「使用人としての職制上の地位」とは

　「使用人としての職制上の地位」とは、部長、課長、主任、支店長、工場長、などのように、会社の組織・機構に置かれた使用人としての職務上の地位をいいます。経理担当、営業担当のように、会社の特定の部門を統括することは「使用人としての職制上の地位」とはなりません。このことから、経理担当取締役のような形では使用人兼務役員にはあてはまりません（法税基通9－2－5）。ただ、小規模な会社で使用人の数が限られる場合で、会社の組織・機構に職制上の地位を置いていないときは、その限りではありません（法税基通9－2－6）。

(2) 「常時使用人としての職務に従事する」とは

　使用人兼務役員になるのは、「常時使用人としての職務に従事する」すること、いわゆる"常勤"が前提です。このことから、非常勤役員は、使用人兼務役員にあてはまりません。

(3) 使用人兼務が認められない役員

　法令により、使用人兼務が認められない役員がいます。こうした役員は、仮に使用人として職務に従事したとしても、使用人兼務役員にあてはまりません。使用人兼務役員として認められない人の範囲は、次のとおりです（法税令71）。

269

●使用人兼務が認められない役員の範囲

① 代表取締役、代表執行役、代表理事および清算人
② 副社長、専務、常務、その他これらに準ずる職制上の地位を有する役員
③ 合名会社、合資会社または合同会社の業務執行社員
④ 委員会設置会社の取締役、会計参与、監査役および監事
⑤ 同族会社の役員のうち一定の大株主（☞2.1.11）

◎不相当に高額部分の給与への課税取扱い

定型的給与、使用人兼務役員の使用人部分給与、役員退職給与、新株予約権（ストックオプション）給与が、「不相当に高額」であると判定されたとします。そのときは、不相当に高額な部分の金額は損金の額に算入されません（法税法34②）。その理由は、本来は利益の分配である「役員賞与」の性格をもつ給与が、損金の額に算入されるのを防ぐためです。

「不相当に高額」であるかどうかは、それぞれの役員給与のタイプに応じて、判定されます。図説すると、次のとおりです（法税令70）。

●タイプ別の「不相応に高額」判定基準

① **定型的役員給与の高額判定基準**
　　役員給与（法税法34①）の高額判定は、「形式基準」と(b)「実質基準」の2つで行います。いずれによっても不相当に高額な部分の金額が出てくるときには、その多い方の額が損金不算入となります（法税令70一）。

　(a) **形式基準**：役員給与の金額は、株主総会等の決議または会社定款の規定に従って定めている報酬限度内でなければなりません。これが形式基準です。この基準を超える役員給与が支払われているときには、超えた額は損金算入されません。

　(b) **実質基準**：役員給与の額が、役員の職務内容、会社の収益、使用人への給与の支給状況、事業規模が類似する同業他社の役員給与の支払状況等に照らして、相当であると認められなければなりません。これが実質基準です。

② **使用人兼務役員の使用人分賞与の高額判定基準**
　　使用人兼務役員の使用人分給与も、高額判定の対象となります。さらに、使用人分給与のうち賞与の損金算入については、他の使用人へ支給される賞与と同時期に支給されていなければなりません。したがって、異なる時期に支給された場合、その使用人分の賞与は、不相当に高額なものとみなされます（法税令70三）。

③ **退職給与の高額判定基準**
　　法人が役員へ支給した退職給与の額は、高額判定の対象となります（法税法34②）。役員の退職給与の額が不相当に高額かどうかの判定基準は、その役員の在職年数、その退職の事情、事業規模が類似する同業他社の役員退職給与の支払状況に照らして、相当であると認められなければなりません（法税令70二）。

PART2　租税実体法（実体税法）を学ぶ

◎経済的利益（現物給与）の形で給付される役員給与の課税取扱い

　役員に無利息で資金を提供しているとか、その役員個人の費用を会社が負担しているとか、こうした現金給付以外の便益の供与は、「経済的利益」あるいは「現物給与」とよばれます。経済的利益は、役員給与にあたります（法税法34④）。これらは、法人所得の計算上、支給のかたちなどから、定期同額給与にあてはまるものであれば、損金算入されることになります（法税令69①二）。しかし、経済的利益が臨時的に供与されたものと判定されると、特定月の増額支給給与（認定賞与）になり、損金算入されないのが原則です。支給を受けた役員個人には、所得税などがかかります。

◎使用人給与への課税取扱い

　法人が、そこで働く使用人（従業者）に給料、賞与、退職給与、現物給与（経済的利益）など（以下「使用人の給与」といいます。）を支給したとします。この場合、法人所得の計算上、使用人の給与は、原則としてすべて損金算入ができます。役員の給与が原則として損金不算入とされているのとは対照的です。

●使用人の給与の分類

給与	・**給料**：毎月、毎週のように、月以下の期間を単位に定期的に支給されるもの
	・**賞与**：臨時に支給される給与のうち、退職給与等給与以外のもの（法税令72の3）
	・**退職給与**：臨時的な給与のうち、退職時に支給されるもの
	・**現物給与**：現金以外で供与される経済的利益・給与外給付
	・**ストックオプション給与**：臨時に支給される給与のうち、会社が使用人に対し労務提供の対価として、現金にかえて、付与される新株予約権（ストックオプション＝会社に対し株式の交付を受ける権利・会社法2二十一）

(1)　特殊関係使用人の過大給与の損金不算入

　使用人の給与でも、次のような場合は、例外的に、法人所得の計算上、損金算入が認められません（法税法36）。

> 法人の役員の親族等で、役員と特殊な関係にある使用人（以下「特殊関係使用人」といいます。）に支給する給与額のうち、不相当に高額な部分。

271

特殊関係使用人に支給された過大給与を否認するのにはわけがあります。特殊関係使用人に支給する給与が無制限に損金算入できると、役員給与損金不算入原則の抜け穴として使われるおそれがあるからです。

なおこの場合の「給与」には、現物給与（経済的利益の供与）も含まれ、その課税上の取扱いは、役員の場合と同じです。

(2) 特殊関係使用人とは

次のような人をさします (法税令72)。

●特殊関係使用人

①	**役員の親族**：配偶者、6 親等までの血族、3 親等までの姻族
②	**役員と事実上婚姻関係と同様の関係にある人**：内縁の配偶者
③	**①と②にいう人以外の人で役員から生計支援を受けている人**：いわゆる「愛人」
④	**②と③にいう人と生計を一にするこれらの人の親族**：同居の有無にかかわらず、日常生活において生活を共にしている人

(3) 使用人給与の高額（過大）判定基準

使用人給与の高額（過大）判定にあたっては、前記役員給与の高額判定の際に使われる「実質基準」と同じ基準によることになっています。すなわち、使用人給与の額が、使用人の職務内容、会社の収益、他の使用人への給与の支給状況、事業規模が類似する同業他社の使用人給与の支払状況等に照らして、相当であるかどうかで判断します (法税令72の2)。

(4) 使用人賞与の損金算入時期

法人所得の計算上、使用人の賞与（使用人兼務役員の使用人分の賞与を含みます）については、損金算入ができます。使用人の賞与は、実際に支給した日の属する事業年度の損金の額とするのが原則です (法税令72の3三)。すなわち「現金主義」が原則です。

ただし、例えば、期末までに使用人に賞与の支給額を通知し、その後1か月以内に賞与を支給した場合、通知した事業年度に未払金として損金経理をしていれば、損金計上ができます (法税令72の3一・二)。

（石村　耕治・益子　良一）

PART2　租税実体法（実体税法）を学ぶ

〔アドバンス文献〕杉田宗久『役員給与の税務〔平成19年７月改訂〕』（2007年、清文社）、平山昇『役員給与〔第３版〕（法人税実務問題シリーズ）』（2010年、中央経済社）、税理士法人ＡＫＪパートナーズ編『ストック・オプションの活用と実務〔第４版〕』（2018年、中央経済社））、渡辺淑夫『法人税法〔令和３年度版〕』（2021年、中央経済社）、松尾弘・益子良一編著『新訂民法と税法の接点〔３版〕』（2010年、ぎょうせい）

Column 裁決・裁判例を勉強する際に求められる旧役員給与課税取扱いの基礎知識

　2006（平成18）年５月に新「会社法」が施行されました。これに伴い、役員給与課税が大幅に改正されました。この背景には、新会社法が、「取締役の報酬、賞与その他の職務執行の対価として株式会社から受ける財産上の利益…」（会社法361）と定めたことがあります。つまり、「役員報酬＋役員賞与＝職務執行の対価」とし、費用処理することにしたわけです。いいかえると、「役員報酬＝職務執行の対価（費用処理）」、「役員賞与＝利益の分配」（利益処分・商法旧283①）という商法時代の二分論を変更したのです。これを受けて、2006（平成18）年の法人税法改正で、役員報酬と役員賞与の区別を廃止する一方で、役員退職給与を含めて「役員給与」としました。司法試験の勉強や修士論文の執筆にあたっては、過去の裁決や裁判例の勉強が不可欠です。そこで、改正前の法人税法（旧法）にふれておきます。

　旧法では、まず、法人が支給する給与を「（役員）報酬・給与」、「（役員）賞与」、「退職給与」とに分けて、それを受け取る人が「役員」か、「使用人」か、さらには「使用人兼務役員」かによって、課税取扱いをしていました。そこでは、「役員報酬＝職務執行の対価である」との理解から、その処理方法を問わずに、法人所得の計算上、その額を損金算入できるのが原則でした。また、（役員）賞与は、法人の業績に応じた利益の分配（profitsharing）であり、利益処分としてその処理方法を問わず損金不算入とされてきました。旧給与課税取扱いの仕組みを図説すると、次のとおりです。

● 改正前の法人税法上の給与の課税取扱い

	使用人に支給分	使用人兼務役員に支給分	役員に支給分
・**報酬・給与**	全額損金算入	・支給額〜実質基準と形式基準のいずれか少ない金額を損金算入 ・超過分は損金不算入（法税法旧34、旧36の２）	
・**賞与**	利益処分以外は全額損金算入	・使用人相当額は、損金経理により損金算入（法税法旧35の２） ・過大部分は損金不算入（法税法旧36の３）	全額損金不算入（法税法旧35）
・**退職給与**	全額損金算入	・原則として確定した年度の損金経理によって損金算入 ・不相応に高額な過大部分は損金不算入（法税法旧36）	

273

なお、旧法下では、損金に算入できる役員報酬（業務執行の対価）か、損金不算入となる役員賞与（利益の分配）かの判断にあたっては、「定期」か「臨時」かという支給形態を重視する税法独自の基準の利用が法認されてきました（最判平5.9.28・タインズZ198-7201、原審、広島地判平3.3.27・タインズZ182-6682、広島高判平4.12.11・タインズZ193-7036）。これに対して、改正後の法人税法では、「定型的」か「非定型的」かの基準が重みを持つことになりました。　　　　　　　　　　　　　　（石村　耕治）

2.1.7　交際費・寄附金などの課税取扱いは

ポイント

　交際費や寄附金などは、企業会計における経理上は費用となります。しかし税法上は、一部分のみ損金算入ができるに過ぎません。

◎交際費とは

　取引先を接待する、あるいは取引先に贈り物をする、こうした支出が「交際費」です。交際費は、企業会計における経理上は費用になります。しかし、税法上交際費は、損金不算入が原則になっています。例外的に、一部損金算入が認められます。

(1)　中小法人に対する損金算入の特例とは

　法人が使った交際費のうち、1人当たり10,000円以下の飲食費（措置令37の5①）、通常要する会議費（措置令37の5②二）などを除き、資本金に応じて、一定額を超えた金額は損金に算入されません。なお、資本金が1億円を超える法人は、交際費の全額が損金不算入となります（措置法61の4①）。

資　本　金　額	交際費の損金不算入額
1億円以下	800万円超の全額
1億円超	全　　額

資本金1億円以下の法人には、交際費のうち800万円まで損金算入できる定額控除制度があります。ただし、この制度は、資本金の額若しくは出資金の額が5億円以上の法人または相互会社等の100％子会社には適用されません。

資本金1億円超の法人は、交際費等の額のうち、飲食のために支出する費用の額の50％を損金の額に算入できます。ただし、接待飲食費に係る損金算入の特例の対象法人からその資本金の額等が100億円を超える法人は除外されています。

なお、飲食のために支出する費用には、専らその法人の役員、従業員等に対する接待等のために支出する費用（いわゆる社内接待費）は含みません。1億円以下の中小法人については、800万円の定額控除制度を利用するか、飲食のために支出する費用の額の50％を損金に算入するか、選択適用することができます。

(2) 交際費となる範囲

税法では、交際費等として、「交際費、接待費、機密費その他の費用で、法人が、その得意先、仕入先その他事業に関係のある者等に対する接待、供応、慰安、贈答その他これらに類する行為のために支出するもの」としています (措置法61の4⑥)。

交際費に似た費用には、広告宣伝費、寄附金、売上割戻、福利厚生費、販売奨励金（リベート）、会議費などがあります (措置通61の4⑴−1〜24)。

実務では、支出した費用が交際費等にあたるのかどうかで、争われるところです。裁決・裁判例では、①支出の相手方が事業関係者などで、②支出の目的がそれら事業関係者と親睦を密にして取引関係をスムーズに進行させること、そして③接待・供応・慰安・贈答などの行為であること、の3つの条件にあえば、交際費とされます (いわゆる「萬有製薬事件」判決、東京高判平15.9.9・税資253号順号9426・タインズZ1253-9426)。

◎寄附金とは

　税法でいう寄附金は、一般にいわれるよりはかなり広く定義されています。寄附金は、企業会計における経理上は費用になります。しかし税法上寄附金は、一部損金算入が認められているに過ぎません。

(1)　寄附金となる範囲

　寄附金とは、事業と関係のない無償の支出、すなわち贈与です。法人税法では、寄附金とは、「寄附金、拠出金、見舞金、その他いずれの名義をもってするかを問わず、金銭その他の資産または経済的な利益の贈与または無償の供与をいい、広告宣伝および見本品の費用その他これに類する費用ならびに交際費・接待費および福利厚生費とされるべきものを除く」とされています (法税法37⑦)。

　なお、低額譲渡の場合の時価との差額や、低廉供与の場合の時価との差額も寄附金となります。

(2)　合理性の基準

①　子会社等の解散、経営権の譲渡等に伴い、その子会社等のために債務の引受けやその他の損失負担または債権放棄等をした場合

　その損失負担等をしなければ今後より大きな損失をこうむることになることが社会通念上明らかであると認められるためやむを得ずその損失負担等をするにいたった等、そのことについて相当な理由があると認められるときは、その損失負担等により供与する経済的利益は、寄附金にあたりません。

　その子会社等には、その法人と資本関係を有する者のほか、取引関係、人的関係、資金関係等において事業関連性を有する者が含まれます (法税基通9-4-1)。

②　法人がその子会社等に対して金銭の無償若しくは通常の利率よりも低い利率での貸付または債権の放棄等をした場合

　その無利息貸付等が、例えば業績不振の子会社等の倒産を防止するためにやむを得ず行われるもので合理的な再建計画に基づくものである等、その無利息貸付等をしたことについて相当な理由があると認められるときは、その無利息貸付等により供与する経済的利益は寄附金にあたりません。

　合理的な再建計画とは、支援額の合理性、支援者による再建管理の有無、支

援者の範囲の相当性および支援割合の合理性等について、個々の事例に応じ総合的に判断しますが、例えば、利害の対立する複数の支援者の合意により策定されたものと認められる再建計画は、原則として、合理的なものとして取り扱われます（法税基通9-4-2）。

(3) 寄附金の種類とそれぞれの損金算入限度額

　法人税法では、寄附金を、①一般寄附金と②その他の寄附金（いわゆる公益寄附金）に分けて、それぞれの損金算入限度額を定めています（法税法37）。そして、それぞれの限度額を超えて支出した寄附金（法税法37③）は、損金の額に算入できません（法税法37①）。また、寄附金は現金主義により計算することになっています。したがって、仮払金、未払金の経理をしたときには、支出したときに損金の額とされます（法税令78）。

● それぞれの寄附金の損金算入限度額のあらまし

一般寄附金	● **会社などの普通法人、協同組合等、人格のない社団等**　期末の資本金等の額の1000分の2.5と所得の金額の100分の2.5の合計額の4分の1（法税令73①一） ● **資本金などがない普通法人、協同組合等、人格のない社団等**　当期の所得金額の100分の1.25（法税令73①二） ● **みなし寄附金**　公益法人等のうち①公益社団法人または公益財団法人：当期の所得の金額の50%（法税法37⑤、法税令73①三イ）、②学校法人（専修学校及び各種学校を含みます）・社会福祉法人など：当期の所得の金額の50%または年200万円のうち多い方の額（法税令73①三ロ）、③公益法人等のうち①および②以外のもの：当期の所得の金額の100分の20に相当する金額（法税令73①三ハ）
公益寄附金	● **国や地方公共団体への寄附金**　全額損金算入（法税法37③一） ● **指定寄附金**　全額損金算入（法税法37③二） ● **特定公益増進法人（特増法人）などへの寄附金**　一般寄附金と別枠で損金算入限度額まで割増で損金算入（法税法37④、法税令73①一・二） ● **認定NPO（特定非営利活動）法人への寄附金**　特増法人への損金算入枠内で限度額まで損金算入（措置法66の11の3①、措置令39の23）

(4) 資本金等の額とは

　法人が株主等から出資を受けた金額として政令で定める金額をいいます（法税法2十六）。

　政令で定める金額は、法人の資本金の額に、その事業年度前の各事業年度の

277

(イ)に掲げる金額を加算し(ロ)に掲げる金額を減算した金額に、その法人の事業年度開始の日以後の(イ)に掲げる金額を加算し、(ロ)に掲げる金額を減算した金額との合計額とされています (法税令8)。

(イ) 加算項目 (抜粋)

> ① 株式の発行または自己株式の譲渡をした場合に払い込まれた金銭の額等のうち資本金として計上しなかった金額
> ② 新株予約権の行使によりその行使をした者に自己の株式を交付した場合のその行使に際して払い込まれた金額等のうち資本金として計上しなかった金額
> ③ 取得条項付新株予約権等について取得の対価として自己の株式を交付した場合のその取得の直前のその取得条項付新株予約権の帳簿価額のうち資本金として計上しなかった金額
> ④ 協同組合等が新たにその出資者となる者から徴収した加入金の額
> ⑤ 資本金の額または出資金の額を減少した場合のその減少した金額

(ロ) 減算項目 (抜粋)

> ① 準備金もしくは剰余金の額を減少して資本金または出資金を増加した場合のその増加した金額等
> ② 適格事後設立により資産の移転を受け、またはこれと併せて負債の移転を受けた場合の帳簿価額修正損
> ③ 資本の払戻し等にかかる減資資本金額
> ④ 自己株式の取得等により金銭その他の資産を交付した場合の取得資本金額
> ⑤ 自己株式の取得の対価の額または時価相当額等

なお、各法人の性格や個人の寄附金控除などについては、所得税や住民税の寄附金控除を参照してください。

(石村 耕治・益子 良一)

〔アドバンス文献〕 西巻茂『交際費課税のポイントと重要事例Q&A〔第6版〕』(2020年、税務研究会)、渡辺淑夫『法人税法〔令和3年度版〕』(2021年、中央経済社)、渡辺淑夫『寄附金課税の知識』(1989年、財経詳報社)

> **Column** 使途不明金・使途秘匿金と法人課税
>
> 　法人が、例えば交際費、機密費、接待費などの名目で支出した費用で、何らかの理由で、その使い途を課税庁に明らかにできないものを、税の実務では、「使途不明金」あるいは「費途不明金」とよびます。例えば、使途（相手方・目的・内容など）を明らかにすると、刑事法令に触れるとか、違法な政治献金やワイロ、契約外のリベートになってしまう場合などが考えられます。使途不明金は、損金に算入しないとされています（法税基通9－7－20）。ただし、支出の相手方が不明であっても、その費用性を立証できる場合には、損金算入ができると解されます（東京高判昭53.11.30・税資103号562頁、裁決昭57.1.14・タインズJ23-3-03、裁決平6.4.22・裁集47巻257頁・タインズJ47-3-22）。
>
> 　なお、使途不明金のうち、相当の理由もないのに相手方の氏名などを帳簿書類に記載していない支出を「使途秘匿金」とよびます。法人が支出した使途秘匿金には、赤字法人の場合を含め、その支出額に40％の法人税額が追加課税されます（措置法62①②、措置令38①②）。
>
> （石村　耕治・阿部　德幸）
>
> ---
>
> 〔アドバンス文献〕　首藤重幸「使途不明金の理論的検討」日税研論集1号所収、柿塚正膝『使途秘匿金〔改訂版〕』（1998年、税務経理協会）

2.1.8　法人税の税率と税額控除

ポイント

　わが国の法人税率は高いといわれています。グローバル企業の国際競争力を税が阻害しないためにということから、先進諸国は競うように法人税率の引き下げを行っています。わが国も「課税ベースを拡大しつつ税率を引き下げる」という考え方のもと、「法人実効税率20％台」を目標に法人税率の引き下げが行われました。

　また、実際の納付税額を算出するために、法的な二重課税（☛1.2.9）を避けるねらいなどから「源泉所得税の税額控除」や「外国税額控除」などが設けられています。

◎法人税の税率は

わが国の法人税率は次のようになっています（法税法66、措置法42の3の2・☛1.2.7）。

●法人税の税率表

区　　分	適用年度	法人税率	地方法人税加算後の税率[6]
普通法人[2] 資本金1億円以下	年800万円以下	15%[1]	16.545%
	年800万円超	23.2%	25.5896%
資本金1億円超及び相互会社		23.2%	25.5896%
協同組合等	年800万円以下	15%[1]	16.545%
	年800万円超	19%[3]	20.957%
公益法人等 公益社団法人及び公益財団法人並びに非営利型法人	年800万円以下	15%[1]	16.545%
	年800万円超	23.2%	25.5896%
一定の公益法人等[4]	年800万円以下	15%[1]	16.545%
	年800万円超	23.2%	25.5896%
上記以外の公益法人等[5]	年800万円以下	15%[1]	16.545%
	年800万円超	19%	20.957%
人格のない社団等	年800万円以下	15%[1]	16.545%
	年800万円超	23.2%	25.5896%
特定の医療法人	年800万円以下	15%[1]	16.545%
	年800万円超	19%[1]	20.957%

＊1　中小企業者等の法人税率の特例によるものです。年800万円以下の本則税率は19%です（法66②⑥、措法42の3の2①）。

＊2　非営利型の一般社団法人・一般財団法人（非営利型一般法人）、人格のない社団等を含みます。また、NPO法人は、NPO法（70①）で、法人税法上の公益法人等とみなされますが、収益事業所得には資本金1億円以下の普通法人に適用されるのと同じ税率で課税されます。

＊3　特定の協同組合等の場合には、年10億円を超える所得に対して22%の税率が課されます（措法42の3の2②・68）。

＊4　一定の公益法人等とは、認可地縁団体、管理組合法人及び団地管理組合法人、法人である政党等、防災街区整備事業組合、特定非営利活動法人並びにマンション建替組合をいいます（措令27の3の2）。

＊5　学校法人、宗教法人、社会福祉法人、更生保護法人などです。一方、公益社団法人・公益財団法人（公益認定法人）、非営利型一般法人には、その収益事業所得に対し資本金1億円以下の普通法人に適用されるのと同じ税率で課税されます。

＊6　さらに2014（平成26）年10月1日以後開始する事業年度から地方法人税が、通常の法人税に併せて納付するように求められています。現在、税率は原則として各年分の法人税額の10.3%です。

◎土地譲渡の特別税率

土地の譲渡がある場合には、次のような特別な税率で課税されます＊。

①　一般（長期所有）の土地等の譲渡利益金額の合計額に対しては5％の追加課税をする（措置法62の3）。

② 　所有期間が5年以下（短期所有）の土地等の譲渡益については、その譲

　　　渡利益金額の合計額に対して10%の追加課税をする（措置法63）。

＊ 一般の土地譲渡益への特別税率、②所有期間が5年以下の土地等譲渡益の特別税率はい
　ずれも2026年3月31日まで、それぞれ適用が停止されています（措置法62の3⑮、63⑧）。

◎地方法人税の創設

　地域間の税源の偏在性を是正し、財政力格差の縮小をはかる目的で地方交付
税の財源を確保するために地方法人税が創設されました。2014（平成26）年10
月1日以後開始する事業年度から適用されています。

　地方法人税額は、「各課税事業年度の課税基準法人税額」等を課税標準とし、
現在、税率は10.3%です（地方法人税法9・10）。この「各課税事業年度の課税基準
法人税額」とは、「各事業年度の所得に対する法人税の額（所得税額控除、外
国税額控除などを適用しないで計算）」をいいます（地方法人税法6一）。

◎所得税額控除

　内国法人が利子、配当等、給付補填金、利息、差益、利益の分配などを受け
取ったときは、所得税法によって源泉所得税（☛3.1.1）が天引徴収されます。こ
れは法人税の前払いにあたります。この源泉所得税は、法人税との二重誤税を
避けるために、その事業年度の法人税額が算出されればその法人税額から控除
されます（法税法68①）。控除しきれない金額があれば還付されます（法税法78①）。

◎外国税額控除

　外国税額控除とは、内国法人が各事業年度の法人税を納付する際に、その法
人が外国で課された税額をその法人税額から控除する制度です（法税法69）。日
本の会社は、海外に支店を置くなどして進出し、所得を得れば、その進出地国
の法人税が課されます。一方で、日本では海外で稼いだものも含めすべての所
得（全世界所得）に対して法人税が課されますので、放っておけば、二重課税
（☛1.2.9）になってしまいます。外国税額控除は、こうした国際的二重課税を排
除するための制度です（☛4.1）。

◎地方創生応援税制（企業版ふるさと納税）（☛1.4.8）

青色申告法人が、2025（令和7）年3月31日までの間、地方再生法の認定地域再生計画に記載された「まち・ひと・しごと創生寄附活用事業」に特定寄附金を支出した場合には、損金算入に加え、次の①・②のいずれか少ない金額を税額控除することができます。ただし、控除税額は、当期の法人税額の5％が限度となります（措置法42の12の2）。

---

① 特定寄附金の額の合計額×40％－この寄附金支出による法人住民税控除金額
② 特定寄附金の額の合計額×10％

（阿部　德幸）

2.1.9 法人税の申告

ポイント

決算書、法人税申告書などを作成し、原則として決算期末の翌日から2か月以内に申告、納税をしなければなりません。法人税申告書は、「決算調整」をして決算書をつくり、さらに「申告調整」をしてできあがります。

◎法人税の申告納税

法人税の申告は、所得税の場合とは違い、申告時期が一律に定まっていません。法人は、定款などで定めた事業年度ごとに決算を行うことになっているからです（☛2.1.2）。

決算期を迎えた法人は、決算書を作成し、株主総会で承認を得ます（会計監査人設置会社の場合、法務省令で定める要件に該当すれば取締役会の承認で確定します）（会社法439）。この決算書をもとに、その法人は、各事業年度の所得に対する法人税の納税申告書（これを「確定申告書」といいます。）をつくり、事業年度終了の日の翌日から原則として2か月以内に所轄税務署長に提出し、納税することになっています（法税法74①・77①）。また、事業年度が6か月を超

える法人は、原則として、前事業年度の税額を基にした予定申告、または仮決算による中間申告書（☞5.3.3）を提出、納税することが求められます（法税法71・76）。

◎中間申告とは

中間申告には、前年度実績による予定申告と仮決算による中間申告の2つがあります（法税法71・72）（☞5.3.3）。また、これらの申告が期限までに提出されなかったときは、前年度実績による中間申告（予定申告といいます。）があったものとみなされます（法税法73）。

◎確定申告書とは

法人税の確定申告書（☞5.3.1）は「別表」とよばれ、申告書（別表一）と各種明細書（別表二～十九）からなっています。

申告期限が休日にあたるときは翌日に延長されます。土曜日にあたる場合も、土曜日が金融機関の休日のため翌々日に延長されます。また、年末年始は、12月29日から1月3日に期限がある場合は、1月4日に延長されます（国通法10②・国通令2②）。

◎決算調整と申告調整

税務調整には「決算調整」と「申告調整」の2つがあります。「決算調整事項」というのは、企業が決算を行う際に、決められた経理をしなければこれを認めないとするものです。一方、「申告調整事項」とは、必ずしも決算において決められた経理をすることは求めないが、確定決算利益を申告書において調整する手続のことをいいます。申告調整事項は、「任意的調整事項」と「必要的（絶対的）調整事項」に分けられます（☞2.1.3）。

◎税務調整の流れ

実際の確定申告における決算調整、申告調整の位置づけは、次のようになります。確定申告は表の上から下へと順番に行われることになります。

283

試算表の作成	試算表は、原則として月ごとに作成します。
中間申告	上記のとおりです。
決算整理項目	現金、預金の残高確認 有価証券の評価 棚卸資産の数量確認と価額の決定 売掛金、買掛金の相手先との照合 仮払金、仮受金等の整理　　　　　　　　　　　　等々
決算調整	減価償却資産、繰延資産の償却 引当金、準備金の戻入れ、繰入れ 消費税の納付額計算　　　　　　　　　　　　　　等々
計算書類等の作成	○貸借対照表 ○損益計算書 ○株主資本等変動計算書 ○個別注記表 ○事業報告 ○附属明細書
株主総会	原則として株主総会において決算書類の承認を得ます。
申告調整	確定した決算における当期利益をもとに法人税の対象となる所得金額に調整します。
確定申告書の作成	法人税確定申告書とともに、消費税及び地方消費税確定申告書や法人事業税・法人住民税・地方法人特別税の確定申告書を同時に作成します。措置法の適用をうける場合、適用額明細書（☞2.1.12）が必要です。 計算書類、勘定科目内訳書、法人事業概況説明書を添付します。
税務署に提出	決算日の翌日から原則として2か月以内に確定申告書を提出して、申告税額を納付します。

（阿部　徳幸）

PART2 租税実体法（実体税法）を学ぶ

2.1.10 赤字法人と法人税

ポイント

法人税法上の赤字を「欠損金」といいます。欠損金は、繰越、繰戻ができます。ただし、繰戻については現在、原則停止されています。

◎欠損金の処理方法

ある事業年度において欠損金が生じたとき、それを他の事業年度の所得から控除することを認めないと、企業資本の維持を著しく阻害することになりかねません。そこで、法人税法では欠損金を繰り越し、翌年度以降の黒字から差し引くか（法税法57〜59）、または前年度に繰り戻して還付してもらうことのできる制度（法税法80 ※現在原則停止中、措置法66の12）を定めています。

繰越控除を受けるための条件は、①欠損金の生じた事業年度に青色申告書（☛3.2.11）を提出していること、②欠損金の生じた事業年度から繰越控除を受ける事業年度まで、連続して確定申告書（白色申告書でも可です。）を提出していること、③その欠損金が生じた事業年度の帳簿書類を保存していることです。

欠損金の繰越控除限度額は、次のようになります。

●欠損金の繰越控除

法人区分	制限	適用年度				
		2015年3月31日前開始前	2015年4月1日以後開始	2016年4月1日以後開始	2017年4月1日以後開始	2018年4月1日以後開始
大法人	所得制限	80%	65%	60%	55%	50%
	繰越期間	9年	9年	9年	9年	10年
中小法人等（注）	所得制限	100%	100%	100%	100%	100%
	繰越期間	9年	9年	9年	10年	10年

（注）① 普通法人のうち、資本金の額もしくは出資金の額が1億円以下であるもの（資本金の額が5億円以上の法人による完全支配関係がある法人等を除きます。）または資本もしくは出資を有しないもの（相互会社を除きます。）
② 公益法人等または協同組合等
③ 人格のない社団等

285

◎繰越控除の具体例（中小法人等の場合）

決算期	申告の種類	所得金額	提出年月
2020年3月	青　色	△300万円	2020年5月
2021年3月	休　業		無申告
2022年3月	白　色	△200万円	2022年5月
2023年3月	青　色	△100万円	2023年5月
2024年3月	青　色	400万円	2024年5月

　上のケースでは2021（令和3）年度に確定申告書を提出していないため、2020（令和2）年度の欠損金を繰越控除することはできません。また2021（令和3）年度は白色申告のため同じく算入できません。したがって、繰越控除を用いた2024（令和6）年度の課税対象額は、**400万円－100万円＝300万円**となります。

　2017（平成29）年4月1日以後に開始する事業年度において生じた欠損金の繰越期間は9年間ではなく10年間となり、欠損金にかかる更正期間や更正の請求期間、さらには帳簿保存期間も10年に延長されました。

⑵　災害損失金の繰越控除

　青色申告書を提出していない法人でも、棚卸資産、固定資産または特定の繰延資産について、震災や火災など災害によって生じた損失金があるときには、同じく10年間繰り越して控除することができます（法税法58）。

⑶　その他

　会社更生等による債務免除等があった場合などにも、一定の要件に達する金額までは欠損金の控除が認められています（法税法59）。

PART2 租税実体法（実体税法）を学ぶ

◎繰戻還付

　繰越控除の問題は、10年以内に業績が回復しなかった企業は救済できないことです。そこで、青色申告法人が欠損金の生じた事業年度の前1年間に法人税を納めていた場合には、その期に繰り戻して税金を還付してもらえるという制度を設けています（法税法80）。ただし、次に掲げる法人を除いて2024年3月31日までに終了する事業年度について、繰戻還付制度はその適用が停止されています（措置法66の12）。

● 繰戻還付制度を受けられる法人

①　普通法人のうち、事業年度終了の時において資本金の額や出資金の額が1億円以下の法人、または資本もしくは出資を有しないもの。ただし、保険業法に規定する相互会社および外国相互会社は除かれます。*
②　公益法人等または協同組合等
③　法人税法以外の法律によって公益法人等とみなされているもので一定の法人
④　人格のない社団等
⑤　法人の解散等の場合

*資本金の額または出資金の額が5億円以上である法人等（「大法人」といいます。）との間に完全支配関係のある普通法人および普通法人との間に完全支配関係のあるすべての大法人が有する株式等の全部をそのすべての大法人のうち一の法人が有するものとみなした場合において、そのいずれか一の法人とその普通法人との間にそのいずれか一の法人による完全支配関係があることとなるとき、その普通法人を除きます（法税法66⑤二、三、⑥）。

（益子　良一）

〔アドバンス文献〕「特集・欠損金の繰越し制度等の理論と実務」日税研論集59号（2009年、日本税務研究センター）

2.1.11 同族会社の課税の特例

ポイント

　会社とはいっても、わが国では家族経営のものが多くあります。これらの会社は税法にいう「同族会社」にあてはまる場合があります。同族会社には、行為計算の否認、みなし役員（役員の範囲）、留保金課税など、特別の課税が行われます。

◎わが国における同族会社の所在

　2021（令和3）年度分のわが国の法人数は286万4,386社（連結親法人1,836社、連結子法人1万5,868社を含みます。）です。これらの法人（株式会社・合名会社・合資会社・合同会社・その他）のうち、特定同族会社、同族会社、非同族会社の内訳は、次のとおりです。

●わが国における会社の同非区分とその割合

会社の同非区分	数（割合）
・特定同族会社（法税法67①以下）	【単体法人】3,161（0.1%）
	【連結親法人】428
・同族会社（法税法2十）	【単体法人】274万4,096（96.4%）
	【連結親法人】802
・非同族会社	【単体法人】9万9,425（3.5%）
	【連結親法人】606

＊国税庁企画課「会社標本調査」〔令和3（2021）年度分統計表〕調査結果（令和5（2024）年3月）参照
https://www.nta.go.jp/publication/statistics/kokuzeicho/kaishahyohon2021/pdf/11.pdf

　この統計から、法人税法にいう「特定同族会社」や「同族会社」の法人数に占める割合が極めて高いことがわかります。この統計は、個人事業が法人企業になる、いわゆる「法人成り」の現象を映し出しているといえます。

　こうした法人成りした企業は、一般に、1人または少数の株主に支配され、かつ家族構成員が法人役員または従業者でありことが多く、"所有と経営"が分離されていません。このように会社の経営権が同族関係者に独占されている

ことから、家族構成員である役員または従業者個人に報酬・給与を支払い、これによって所得分割をはかることが容易です。また、法人税を払った後の利益（税引後所得）を、高い所得の段階税率を回避することをねらいに、家族構成員である個人株主に配当をせずに法人に内部留保をすることも可能です。

法人税法は、一定の法的基準にあてはまるものを「同族会社」（法税法2十）、「特定同族会社」（法税法67①以下）とよび、これら以外の法人（非同族会社）とは、異なる特別の課税取扱いをしています。

◎同族会社とは

会社（投資法人を含みます。）の株主等（自己株株主等を除きます。）の3人以下ならびにこれらと特殊な関係にある個人および法人が、その会社の発行済株式（自己株式を除きます。）の総数の50%超を持っている会社を同族会社といいます（法税法2十）。

なお、同族関係者とは、次のように、個人と法人とでは異なります。

●特殊な関係にある個人（法税令4①）

①	株主等の親族
②	株主等と婚姻の届出をしていないが事実上婚姻関係と同様の事情にある者
③	株主等個人の使用人
④	①から③以外の者で、株主等から受ける金銭その他の資産によって生計を維持している者
⑤	②から④に掲げる者と生計を一にするこれらの者の親族

●特殊な関係にある法人（法税令4②）

①	株主等の1人（個人の場合は、特殊な関係にある個人を含みます。以下同じです。）が他の会社を支配している場合における他の会社
②	株主等の1人と①の会社が他の会社を支配している場合における他の会社
③	株主等の1人と①②の会社が他の会社を支配してる場合における他の会社

●他の会社を支配している場合 (法税令4③)

① 他の会社の発行済株式（自己株式は除きます。）の総数の100分の50を超える数または金額の株式を有する場合

② 他の会社の次に掲げる議決権のいずれかについて、その総数（議決権を行使できない株主等が有するその議決権の数を除きます。）の100分の50を超える数を有する場合

　　イ）事業の全部、重要な部分の譲渡、解散、継続、合併、分割、株式交換、株式移転、現物出資に関する決議にかかる議決権

　　ロ）役員の選任、解任に関する決議にかかる議決権

　　ハ）役員の報酬、賞与その他の職務執行の対価として会社が供与する財産上の利益に関する事項についての決議にかかる議決権

　　ニ）剰余金の配当または利益の配当に関する決議にかかる議決権

③ 他の会社の株主等（合名会社、合資会社、合同会社の社員〔他の会社が業務を執行する社員を定めた場合には業務を執行する社員〕に限ります。）の総数の半数を超える数を占める場合

　このような会社は、非同族会社に比べて税負担の減少をはかることが容易であるとされます。税法は、不公平をなくすためにいくつかの特別規定をおいています。

◎特定同族会社 (法税法67①)

　被支配会社で、被支配会社であることについての判定の基礎となった株主等のうちに被支配会社でない法人がある場合には、その法人をその判定の基礎となる株主等から除外して判定するものとした場合においても被支配会社となるもの（資本金が1億円以下であるものを除きます。）をいいます。

●被支配会社 (法税法67②)

　株主等の1人と特殊な関係にある個人および法人がその会社の発行済株式（自己株式を除きます。）の総数または総額の100分の50を超える数または金額の株式を有する会社をいいます。

◎行為計算の否認

　法人税法は、同族会社の行為・計算を否認できる規定をおいています(法税法132①一)。

　同族会社においては、経営権の同族支配のもと、株主に極端に安い値段で会

社保有の財産を譲渡したり、お手盛りで役員に極端に高い給与を支給したり、無償で債務を引き受けたりするなど、適法であっても経済的に合理性のないことが行われる可能性がないとはいえません。このような行為（取引）・計算（経理）により、不当に税負担が減らされている、租税負担が回避されていると認められる場合には、税務署長の認めるところにより、その行為（取引）・計算（経理）はなかったものとして税金を計算し直すことができるようにしたのが、同族会社の行為・計算否認規定をおく理由です。ちなみに、ここでの「否認」とは、民法や商法、会社法のような私法では有効な行為（取引）・計算（経理）・法形式（売買）・事実などに基づいた効果を、課税上はなかったものとしたうえで、課税処分することをさします。

　この場合、税務署長は、その会社の行為または計算にかかわらず、税務署長の認めるところにより、法人税の課税標準もしくは欠損金額または法人税額を計算し、その会社に対し更正または決定処分の通知をすることになります（法税法132○─一）。

　所得税法（157①─一）、相続税法（64）、地方税法（72の43①・②）などにも、法人税法と同様、同族会社の行為・計算否認の規定がおかれています。

(1)　同族会社の行為・計算否認規定をおく理由

　同族会社の行為・計算否認の規定は、「租税回避行為」の否認がねらいです。しかし「租税回避行為」とは、どのような行為をさすのか税法上明確な規定は設けられていません。そのため、法解釈に委ねられることになります。

　私的自治、契約自由の原則のもと、納税者は、ある経済目的を実現しようとする場合、複数の契約形態ないし法形式等（私法上の法律行為）の選択が可能であることが少なくありません。法人税の納税義務を負う会社は、さまざまな取引をする場合、その取引にかかる課税関係を検討し、できるだけ税負担を軽くするために、最も有利になる税法の適用・解釈を選択するのは当り前のことで、税法が予定している範囲内でその取引に関する税務処理を行うのであれば「節税」にあたります。

　租税回避行為とは、「納税者が経済的合理性を追求するために通常選択されてはいないが、私法上は有効な契約形態ないし法形式等を選択することにより、税法に定める課税要件の充足を免れ、これにより租税負担を不当に回避する行

為」という言い回しで定義されています。ちなみに、租税回避行為と認定され
その行為が否認されても、現実に行われた行為・計算の私法上の効力には影響
が及ばないと解されています（最判昭48.12.14・訟月20巻6号146頁）。つまり、取引（契
約）自体は有効とされます。

　租税回避行為を、節税行為ないし脱税（租税ほ脱）行為との対比において、
図説すると次のとおりです。

● 節税行為、租税回避行為、脱税（租税ほ脱）行為の違い

① **節税行為（tax saving）**
　「節税」とは、本来、税法が予定している通常の契約形態ないし法形式等を使うことにより
税負担の軽減をはかる行為をさします。

② **租税回避行為（tax avoidance）**
　「租税回避行為」とは、納税者が、私法上有効は契約形態ないし法形式等を選択することに
よって、税法に定める課税要件を充足する事実を回避する行為をさします。租税回避行為は、
租税法律主義を形式的に適用する限りでは許容されるとしても、公平な課税の観点から問題と
されるグレーゾーンに位置する行為とされます。租税回避行為は、否認されたとしても、青色
申告（☞3.2.11）の承認を取り消されたりすることはありません。

③ **脱税（租税ほ脱）行為（tax evasion）**
　「脱税（租税ほ脱行為）」とは、納税者が、税法に定める課税要件を充足する事実（例えば
収入があったことの事実）をいつわりあるいは隠ぺい、仮装し、税負担の軽減ないし免れる違
法な行為をさします。

　"節税行為と脱税（租税ほ脱）行為"との違いは一目瞭然です。これに対し
て"租税回避行為と節税行為"との境は微妙です。このように、グレーゾーン
にある租税回避行為の置かれている位置を、合法的な節税行為ないし違法な脱
税（租税ほ脱）行為との対比において確認すると、次のとおりです。

● 節税・租税回避行為・脱税の位置

① 節税行為	② 租税回避行為	③ 脱税行為
	タックスプランニング、タックスシェルター問題	
○合法	△グレーゾーン	×違法

⑵ 会社の行為・計算否認の法体系

　実定税法には、かなり一般化した形で法人の行為・計算を否認できる旨を定
めた規定が存在します。

PART2 租税実体法（実体税法）を学ぶ

●行為・計算否認の法体系

①	**同族会社の行為・計算の否認**
同族会社の行為または計算で、これを容認した場合に、法人税、所得税等の負担を不当に減少させる結果になると認められるときには、課税庁は、これを否認して更正または決定処分ができます（法税法132条、所税法157①、相税法64①、地税法72の43①など）。
②	**法人組織再編にかかる行為・計算の否認**
法人組織再編にかかる行為または計算で、これを容認した場合に、法人税、所得税等の負担を不当に減少させる結果になると認められるときには、課税庁は、これを否認して更正または決定処分ができます（法税法132の2、所税法157④、相税法64④、地税法72の43④など）。
③	**連結決算の行為・計算の否認**
連結決算の行為または計算で、これを容認した場合に、法人税の負担を不当に減少させる結果になると認められるときには、課税庁は、これを否認して更正または決定処分ができます（法税法132の3）。

①同族会社の行為・計算否認の規定（法税法132など）は、同族会社を対象とした否認規定です。これに対して、組織再編税制の創設に伴って設けられた②法人組織再編にかかる行為・計算否認の規定（法税法132の2など）や、連結納税制度のもとで設けられた③連結決算の行為・計算否認の規定（法税法132の2）は、同族・非同族を問わず適用される一般的・包括的な否認規定の外観を呈しています。

これら組織再編税制や連結納税制度における規定の仕方は概括的で、具体的にどのような事例が租税回避にあたるのか判定するための要件が不明確です。典型的な不確定概念・概括条項であり、租税法律主義の内在的要請である法的安定性・予測可能性に反するのではないかとの厳しい指摘があります（武田昌輔「組織再編税制における租税回避否認規定をめぐる諸問題」税理平成13年4月号56頁以下、大淵博義「組織再編成・連結納税制度における包括的租税回避否認規定の意義と問題点」税理平成14年4月号7頁以下参照）。

◎「税負担の不当減少」の判定基準

同族会社の行為・計算否認規定においては、「税負担の不当な減少」という不確定概念（☞1.5.4）を用いています。この点については、租税法律主義の派生的な原理の1つである課税要件明確主義に触れるのではないかとの指摘があります。最高裁は、この規定は課税要件明確主義に反しないと解しています（最判昭53.4.211・訟月24巻8号1694頁）。

293

「税負担の不当な減少」の判定基準について裁判例や学説を精査してみると、①同族・非同族対比説と②合理的基準説に分けられます。

●「税負担の不当減少」の判定基準

① **同族・非同族対比説**

　同族会社の行為・計算否認規定は、非同族会社では通常なし得ないような行為計算、いいかえると、同族会社がなした行為計算を、非同族会社ならば通常どのような行為計算をなし得るのか対比・点検することをねらいとした規定と解します（武田昌輔『立法趣旨・法人税法の解釈〔5訂版〕』(1993年、財経詳報社) 464頁、松岡章夫『ゼミナール相続税法〔令和3年補訂〕』(2021年、大蔵財務協会) 1402頁、東京地判昭40.5.12・税資49号596頁、東京地判昭26.4.23・行集2巻6号841頁[明治物産事件])。したがって、課税庁は、同族会社と非同族会社とを対比し、非同族会社がなし得る行為計算に引き直して課税するための規定であるとみることになります。

② **合理的基準説**

　同族会社の行為・計算否認規定は、同族会社の行為計算が、経済的・合理性を欠いていないかどうかを基準に精査する規定であると解します（金子宏『租税法〔第24版〕』(2021年、弘文堂) 544頁、東京高判昭26.12.20・行集2巻12号2196頁[明治物産事件]、東京地裁昭40.12.15・税資41号1188頁、東京高判昭48.3.14・24巻3号115頁、津地判平20.4.3・税資258号78頁)。この考え方によると、経済的・合理性を欠いた行為計算の結果、税負担の不当減少があれば、課税庁は、否認できることになります。いいかえると、同族会社か非同族会社かを問わず、経済的・合理性を欠いた行為計算の結果、税負担の不当減少があるとすれば否認できることにもつながります（非同族会社にも同族会社の行為計算の適用は可能とする考え方につながるおそれがあります。もっとも、同族会社の行為・計算否認規定を非同族会社に拡大して適用することは、立法趣旨から原則認められないと解すべきです（金子宏『租税法〔第24版〕』(2021年、弘文堂) 544頁)。

　また同族会社の行為計算否認規定について、「確認的規定」か「創設的規定」か議論のあるところです。この点について、合理的基準説は、"同族会社の行為計算否認規定は確認的規定"であるとの解釈を導き出す誘因にもなります。この否認規定のあるなしにかかわらず、同族か非同族かを問わず、不合理な行為計算は否定できるとの解釈につながります。この解釈を広げていくと、租税回避行為は、個別的・具体的な否認規定がなくとも課税庁は否認できることにもつながりかねません。租税法律主義から導き出される法的安定性・予測可能性の要請とぶつかることにもなりかねません（北野弘久『税法学原論〔第6版〕』(2007年、青林書院) 132頁)。

　もっとも、同族・非同族を問わず適用される一般的・概括的な否認規定が、2001（平成13）年の組織再編税制の創設に伴う「法人組織再編にかかる行為・計算否認の規定（法税法132の2など)」や、2002（平成14）年の連結納税制度の創設に伴う「連結決算の行為・計算否認の規定（法税法132の2)」の形で新設されました。このことは、同族会社の行為・計算否認規定は、同族会社への適用に特化した創設的規定であると考える論拠になるといえます。

　このように、同族会社の行為・計算を否認する規定は、同族会社に限定して適用することをねらいとした創設的な規定であるとします。もう一歩踏み込んで考えると、憲法上こうした不平等かつ差別的な課税取扱規定を創設することが許されるのかが問われ憲法14条に反するとの見解もあります（(北野弘久『税法学原論〔第6版〕』(2007年、青林書院) 132頁)。しかし憲法14条に反しないと解する司法判断もあります（東京高判昭53.11.30・訟月25巻4号1145頁)。

PART2 租税実体法（実体税法）を学ぶ

◎「税負担の不当な減少」とは何か

　同族会社の行為・計算否認事例の多くは、同族会社とその役員および同族関係者との取引（行為）に関するものです。典型的なものとしては、①低額譲渡や無償譲渡に関する事例、②使用人給与・賞与・退職給与に関する事例、③高価買入に関する事例をあげることができます。

　もっとも、度重なる税制改正により、主要な租税回避行為（取引）や計算（経理）分野をターゲットとした個別の対策規定が整備されてきています。例えば、「借地権設定に伴う所得の計算」（法税令137～139）、「過大な役員給与の損金不算入」（法税法34②）、「過大な使用人給与の損金不算入」（法税法36）、「無償譲渡等の損金算入」（法税法22②）、「寄附金の損金不算入」（法税法37⑧）などをあげることができます。こうした一連の個別対応規定の整備により、同族会社の行為・計算規定（法税法132①）の適用範囲は限定されてきています。

◎事前照会文書確認手続の適用除外

　事前照会文書確認手続とは、特定の納税者から税法の適用・解釈や課税取扱いに関する個別の照会に対して文書で回答する仕組みです。国税庁が、納税者サービスの一環として実施しているものです（☞1.4.6）。ただ、この事前照会文書確認手続は、同族会社の行為・計算の否認にかかる取引等、通常の経済取引として不合理と認められる事案、税の軽減を主要な目的とする事案をその対象から除外しています。そのねらいは手続の濫用防止にあります。しかし、わが国の法人の大半を同族会社が占める実情を考えると、納税者の税負担の予測可能性や法的安定性を確保する意味でも、同族会社の行為・計算の否認事案に対しては柔軟な対応が求められます。

◎同族会社の行為・計算の否認は、租税回避行為否認の一方法

　私法上は有効な行為（取引）で課税要件を充足しないことから、納税義務が発生しないとみられる場合であっても、租税回避行為としてその行為（取引）を否認するいくつかの方法があります。これまでみてきた実定税法上の個別規定による否認方法を加え次の4つに分けることができます。

295

●主な租税回避行為否認の方法

① **実定税法上の個別規定による否認方法**：同族会社の行為計算の否認規定（法税法132条、所税法157①、相税法64①、地税法72の43①など）、法人組織再編にかかる行為・計算否認の規定（法税法132の２など）、連結決算の行為・計算否認の規定（法税法132の２）によるのが一例です。

② **実質課税の原則による否認方法**：真に存在する私法上の法律関係はそのままにして、その関係から離れ、実定法に定められた法理ではなく、学説、税法理論上成り立つとされる課税の法理（実質課税の原則）を適用し、経済的実質にそくして課税要件事実を認定して課税しようとする考え方です（☞1.5.2）。

③ **税法の目的論的解釈による否認方法**：税法の規定について、その趣旨・目的にそくした解釈を行うことで、その適用を否認しようとする考え方です（例えば、【りそな銀行事件／最判平17.12.19・民集60巻１号252頁、原審：大阪地判平13.12.14・民集59巻10号2993頁、大阪高判平15.5.14・民集59巻10号3165頁】【UFJ銀行事件／最判平18.2.23・訟月53巻８号2447頁参照】）。

④ **課税要件事実認定段階での否認（「私法上の法律構成〔組替〕による否認」）の法理の適用**
：例えば、前記①のような税法上の個別規定が存在しない場合でも、租税回避をねらいになされた行為については、当事者が真に「意図」した私法上の法律関係による合意内容を精査し、それに基づき組み替えて課税要件事実の認定が行われるべきであるとする考え方です（例えば、大阪高判平12.1.18・訟月47巻12号3767頁）。課税要件事実認定段階での否認（私法上の法律構成〔組替〕による否認）の法理の具体的内容は、論者により異なります。

　ちなみに、この考え方のもとでは、立証過程において、租税回避目的があるかどうかは、副次的な役割を担う間接事実に過ぎないことになります。

　課税要件事実認定段階での否認は、厳密には、次の３つに分けることができます。

(a) 私法上の法律行為（契約等）が存在しない《契約等の成立の否認》ケース

(b) 私法上の法律行為（契約等）が虚偽表示により無効であると認定する《契約等の無効の主張・立証》ケース

(c) 当事者の選択した私法上の法律行為（契約等）を否認して、当事者が真に「意図」した私法上の法律行為（法律関係）を認定する《法律構成組替》ケース《課税庁が、納税者が主張する私法上の法律行為（法律関係）と別の私法上の法律行為（法律関係）が成立していると組み替えて、税法を適用する方法です。》
【適用したケース①：映画フイルムリース事件／大阪高判平12.1.18・訟月47巻12号3767頁、原審：大阪地判平10.10.16・訟月45巻６号1153頁】【適用したケース②：売買金額の認定事件／大阪高判平14.10.10・判タ1120号134頁、原審：神戸地判平12.2.8・判タ1089号152頁、最判平17.11.21・未登載】【適用を認めなかったケース：売買か交換かが争点の事件／東京高判平11.6.21・判時1685号33頁、原審：東京地判平10.5.13・判時1656号72頁、最判平15.6.13・税資253号順号9367】

税法学界の常識的な見解では、私法上の法律行為が租税回避にあたるのかどうかの判断においては、その行為の当事者たる納税者の租税回避の「意図」ないし「意思」は関係がない、とされてきました（例えば、清永敬次『租税法〔最新版第1版〕』（2013年、ミネルヴァ書房）44頁参照）。ところが、近年、課税庁や裁判所は、当事者である納税者が租税回避の「意図」をもって行った行為については、真正な意思に基づく行為ではないとして否認する傾向がみられます。

また、租税回避の「意図」がある場合には、当事者が真に「意図」した私法上の法律関係による合意内容に基づいた組み替えをして課税要件事実認定を行い、課税すべきとする考え方が台頭してきています（例えば、今村隆「租税回避行為の否認と契約解釈（1）〜（4）」税理42巻14号、同15号、43巻1号、同3号。中里実「タックスシェルターと租税回避否認」税研83号61頁）。

こうした課税庁の主張にそった結果となる課税理論は、行政庁勤務（課税庁や訟務検事など）から転身した実務法学者や行政庁寄りの研究者により支持されているように思われます（例えば、中尾巧・木山泰嗣『新・税務訴訟入門』（2023年、商事法務）405頁）。

◎租税回避行為否認規定に基づかない否認が認められるか

「私法上の法律構成〔組替〕による否認」の法理は、当事者が選択した契約形態ないし法形式等（私法上の法律行為）が通常用いられるものと異なる場合には、公平な税負担の見地から、行為計算否認規定のような税法上の根拠がなくても、通常用いられるものに引きなおして課税要件を充足するものと認定して課税しようとする考え方で、一般的な租税回避行為否認の法理を認めるに等しいといえます。

しかもこうした法理が司法上の判断基準として用いられることを想定していると思われます。こうした法理の発案者は、裁判所の判断基準と捉えていると解されます。しかし、「私法上の法律構成〔組替〕による否認」の法理を活用できる権限を課税庁に認める、あるいは、課税庁が裁判でこの法理を用いて納税者の行為計算等の否認を行うことを認めることは、課税庁の裁量を著しく広げることになるとともに、行政府や司法府が立法作用を担当することにもなりかねません。憲法が認める租税法律主義に抵触するおそれが出てきます（☞1.4.2）。

◎役員の認定・使用人兼務役員の制限

　同族会社においては、職務が明確に分かれていない場合があります。そこで、税法では同族会社の役員についてその範囲を拡大しています。これを「みなし役員」といい、次の条件をすべて満たす人で、その会社の経営に従事している者をいいます（法税令7、71①五）。

> ① 同族会社判定の際の持株割合が第3順位までのグループに属していること。ただし第1順位または第2順位までで50％超になるときは50％超になるまでのグループに属していること。
> ② その使用人の属するグループの持株割合が10％を超えていること。
> ③ その使用人（その配偶者及びこれらの者の持株割合が100分の50を超える場合における他の会社を含みます。）の持株割合が5％を超えていること。

◎留保金課税

(1) 留保金課税とは

　法人税法は、特定同族会社が一定額を超えて所得を内部留保する場合には、その超えた部分（留保金額）に対して、通常の法人税とは別に特別な税率で追加課税することになっています。これが、特定同族会社の「留保金課税」です。

　なおこの留保金課税は、特定の同族会社に対してのみ適用されます。

● 留保金課税の仕組み

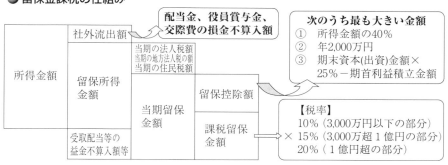

PART2　租税実体法（実体税法）を学ぶ

　特定同族会社の各事業年度の留保金額が留保控除額を超える場合には、その超える部分の留保金額に応じて法人税が上乗せされます（法税法67①）。

①	年3,000万円以下の金額…10%
②	年3,000万円を超え年1億円以下の金額…15%
③	年1億円を超える金額…20%

＊同族会社は3株主グループで判定されますが、留保金課税の対象となる特定同族会社は1株主グループで判定されます。

●留保金額（法税法67③）

　その事業年度の所得等の金額のうち留保した金額から、法人税の額とその法人税の額にかかる地方法人税ならびに道府県民税および市町村民税の額を控除した金額をいいます。

●留保控除額（法税法67⑤）

　次に掲げる金額のうち最も多い金額をいいます。

①	所得等の金額の40%
②	年2,000万
③	その事業年度終了の時における利益積立金額（所得等の金額にかかる部分の金額を除きます。）が、その時における資本金の額の25%に満たない場合におけるその満たない部分の金額

(2)　留保金課税のあり方

　法人税を支払った所得（税引後所得）を、株主に配当するか、あるいは、内部留保するかは、本来、私的自治の原則にしたがって株主総会で決めるべきことです。したがって、政府は課税の手段で介入すべきことではありません。ところが同族会社の場合は、議決権を持ったきわめて限られた株主で支配されています。配当し個人株主が高い所得税を払うよりも、社内へ内部留保して課税の繰延べをはかろうとします。所得を株主に配当せずに社内へ内部留保する案（利益処分案、決算案）を株主総会で通してしまいがちです。これでは、いつ

299

までたっても留保分に課税できません。また所得税の対象となる個人事業主の場合は、所得のすべてに超過累進税率（☛1.2.7）で課税されることから、この点でもアンバランスが出てきます。

　もっとも「内部留保」の定義は一様ではありません。法人税法上は、所得金額から「社外流出額」を差し引いた金額とされます。"利益剰余金"を内部留保ととらえる考え方もあります。内部留保は、企業体質強化に必要とされる一方で、"社内分配"、"余剰資金"ともよばれます。正規雇用の回避や過激なリストラ等で、過度な内部留保を蓄積している上場企業も少なくないといわれています。法人税率の引下げを議論する前提としては、この内部留保金に適正な課税をする必要があるとの意見もあります。一方で、こうした内部留保への課税は、二重課税になるとの意見もあります。

　半永久的な課税の繰延べを防ぐことをねらいに同族会社「一般」を対象に留保金課税をするのでは、非同族会社との対比において同族会社を不当に差別することにつながるおそれが強くなります。このことから、現行法人税法は、「特定」の同族会社に限って留保金課税を行っています。しかし、本来、留保金課税が必要なのは、554兆円(2022年度)もの巨額の内部留保（当期純利益－配当金）を蓄積している大法人ではないかとの声も強いところです＊。

＊財務省「2022（令和4）年度の法人企業統計調査」（2023年9月1日）
　https://www.mof.go.jp/pri/reference/ssc/results/r2.pdf

(3)　同族会社の留保金課税の合憲性

　同族会社に対していわゆる留保金課税を規定した法人税法67条は、合理的理由もなく同族会社に過重な税負担を強いるもので、非同族会社と比較して、同族会社を不当に不利益に扱うものであるから、課税負担公平の原則に反し、憲法14条1項に違反するという意見もあります。その理由は次のとおりです。

●同族会社の留保金課税への疑問点

① 法の定める同族会社と非同族会社との区別はきわめて形式的であり、個々の法人の実態をまったく考慮していないから、こうした基準による留保金課税は合理性を欠くものである。
② 法人の留保金は課税済所得であるところ、留保金課税は、同じ留保金に再度課税を行うものであるから、非同族会社と比較して同族会社を不当に差別するものである。
③ 留保金課税は、究極的には個々の株主に帰属すべき利益である留保金に対し課税を行うものであるから、源泉税は課税されても配当所得を取得する非同族会社の株主と比較して、同族会社の株主を不当に差別するものである。
④ 同族会社は、資本市場から資金を調達する手段を持てないので、経営基盤を強化するためには、利益を内部に留保する必要がある。それにもかかわらず、こうした留保金に課税することは、同族会社を弱体化させ、その存立を危うくさせるものであるから、同族会社を不当に差別するものである。

　以上のような理由に基づく同族会社留保金課税違憲訴訟において、大阪地裁は、留保金課税の対象とされる留保金は、本来配当等により利益処分すべきであったのにもかかわらず、過大に留保され、配当に対する所得税の課税を不当に免れていたものであるから、これに対して課税を行うことは何ら不合理ではなく、こうした留保金課税の適用のない非同族会社と比べ、同族会社を不当に差別するものでない。したがって、法人税法67条〔特定同族会社の特別税率〕は憲法14条1項〔法の下の平等〕に違反しないとしています。すなわち大阪地裁は、特定同族会社留保金課税は、非同族会社を著しく不合理に差別するものではなく、立法裁量（☞1.4.5）の範囲内にあるとし、合憲としています（大阪地判昭62.09.16・税資159号638頁・タインズＺ159-5972）。

（益子　良一・石村　耕治）

〔アドバンス文献〕辺見紀男ほか編『同族会社実務大全』（2015年、清文社）、よつば綜合事務所編『図解留保金課税の実務〔新版〕』（2007年、財経詳報社）、渡辺淑夫『法人税法〔令和4年度版〕』（2022年、中央経済社）、石村耕治「法人留保金課税制度の日米比較」白鷗大学法科大学院紀要7号（2013年）、石村耕治『アメリカ連邦所得課税法の展開』（2017年、財経詳報社）

Column 同族会社の行為計算否認規定と対応的調整

2006（平成18）年度の税制改正で、「同族会社等の行為又は計算の否認等」規定（法税法132、所税法157、相税法64、地価税法32）について一部改正が行われました。この結果、例えば、法人税法132条3項（カッコ書き省略）では、「第1項の規定は、同項に規定する更正又は決定をする場合において、同項各号に掲げる法人の行為又は計算につき、所得税法157条第1項若しくは相続税法第64条第1項又は地価税法第32条1項の適用があったときに準用する」と規定しています。

この改正は、同族会社の行為計算否認規定の適用により、他の税目が影響を受ける場合に、税務署長にそれを是正する（対応的調整・反射的な計算処理を行う）権限を与えることがねらいである、と説かれています（『平成18年度　改正税法のすべて』（2006年、日本税務協会）227頁、374頁）。しかし、この規定振りから、対応的調整による減額更正を行う権限を税務署長に付与したとするのは難しいとの見方もあります。

確かに、裁判所も、これまで〝同族会社の行為計算否認規定があったとしても、対応的調整の規定がないことを理由に、その相手方の税金について税務署長が減額更正をしないとしても違法とはいえない（例えば、東京地判平13.01.30・税資250号順号8828・タインズZ250-8828）〟と判示しています。この改正が、こうした硬直的な司法判断に変更を促し、納税者に更正の請求をする権利があることを確認的に定めたものと解することができるとすれば、その意味は重いといえます。ただ、納税者に対して、権利として減額更正を認めるには、この種の請求をする手続規定を整備する必要があります。広い意味での〝二重課税〟排除措置の必要性です（☞1.2.9）。

この点、移転価格税制の適用の事例では、国税通則法23条1項または2項に基づく納税者からの更正の請求に基づき、税務署長は、二国間で合意した内容に基づき、更正することができると定めています（実施特例法7①）。したがって、〝同族会社等の行為または計算の否認等の規定の適用があった場合で、納税者から国税通則法23条に基づく納税者からの更正の請求があったときには、税務署長は、その処分にかかる他の税目についての課税標準等または税額等を更正するものとする〟といった趣旨の規定を設けるにも一案です。今のままでは、行政事件訴訟法に設けられている「義務付け訴訟」（行訴法37の2）（☞6.6）を起こすなどの不確かな道を選択するよりありません。

ともあれ、「同族会社の行為計算否認」規定は、租税負担の公平の実現をねらいに、租税負担を「不当の減少」させる行為があればこれを否認できる権限を課税庁に与えるために設けられたものです。しかし、「不当の減少」というあいまいな表現からもわかるように、課税庁の気ままな課税をゆるすことにもつながります。このため、争いが絶えないところです。こうした概括的（アバウト）な規定は、憲法に定める租税法律主義とぶつかる、との批判も強いところです。

（石村　耕治）

〔アドバンス文献〕「同族関係者間における「対応的調整」の可否」税理2007年6月号所収の論文

PART2　租税実体法（実体税法）を学ぶ

2.1.12 租特透明化法とは

ポイント

　租特透明化法は、法人が決算の申告書を課税庁に提出する際に、何らかの租税特別措置（租特）の適用を受けていれば、「適用額明細書」を作成し、これを申告書に添付を求め、添付しなかった場合、その適用を認めないとするものです。

◎租特透明化法のねらい

　税法には、原則を定めた「本法（例えば、法人税法や消費税法）」と特例（租特＝租税特別措置）を定めた「租税特別措置法（措置法）」があります。措置法は、2～3年の時限立法です。ところが、ほとんどの措置法は自動的更新され、その役割を終えている、あるいは特定の業界や企業のみが恩恵を受けていることから、その存続に疑問のあるものもあります。そこで、租特適用の実態を明らかにし、その効果を検証できる仕組みを構築することをねらいに、「租特透明化法」（正式名称は「租税特別措置の適用状況の透明化等に関する法律」）が定められました。租特透明化法は、法人が決算の申告書を提出する際に、何らかの租特の適用を受けていれば、「適用額明細書」を作成し、これを申告書に添付するように求めています。また、添付しなかった場合にはその適用を認めないとしています。

◎適用額明細書とは

　「適用額明細書」とは、法人（普通法人のみならず、公益法人等やNPO法人、人格のない社団等を含みます。）が、法人税関係特別措置の適用を受ける場合に、その租税特別措置法の条項、適用額その他の事項を記載した一覧表です（租特透明化法2八）。この「適用額明細書」は、法人税申告書に添付し、提出しなければなりません。「適用額明細書」の添付がなかった場合または添付があったとしてもその内容が虚偽であった場合には、法人税関係特別措置の適用が受けられ

303

ません（租特透明化法3①）。したがって、添付がなかった場合またはその内容に誤りがあった場合には、誤りのない適用額明細書を提出しなければなりません。さらに、法人税関係特別措置の適用額が変更となる修正申告書を提出する場合には、変更後の「適用額明細書」の添付が必要となります。

◎法人税関係特別措置とは

「法人税関係特別措置」とは、例えば、中小企業者等の法人税額の特例（措置法42の3の2）、試験研究を行った場合の法人税額の特別控除（措置法42の4）、中小企業者等が機械等を取得した場合の特別償却（措置法42の6）、さらには認定NPO法人のみなし寄附金（措置法66の11の3）などといった法人税に関する租税特別措置のうち、税額または所得の金額を減少させるものをいいます。具体的には、租特透明化法施行令2条に掲げる各租税特別措置をさします。

◎租特を透明化する仕組み

租特透明化法は、租税特別措置に関し、その適用の状況の透明化を図るとともに、適宜、適切な見直しを推進し、もって国民が納得できる公平で透明性の高い税制の確立に寄与することを目的としています（租特透明化法1）。こうした目的を達成するために、財務大臣は、毎会計年度、適用実態調査の結果に関する報告書を作成することになっています。さらに、内閣は、この報告書を国会に提供しなければなりません（租特透明化法5）。租特を透明化する仕組みを図説すると、次のとおりです。

| 法人税関係特別措置のうち、所得または税額を減少させるものの適用を受ける法人 | | 適用額明細書を提出
（記載事項）
・適用を受けた租税特別措置法の条項
・適用金額など |

↓

財務大臣
① 適用額明細書に記載された以下の内容を調査（租特透明化法4）
　・適用法人数
　・適用額の総額
　・その他適用の実態など
② 毎会計年度、調査結果に関する報告書を作成

内閣
財務大臣が作成した報告書を国会へ提出
・適用状況の透明化
・適切な見直しを推進

↓

国民が納得できる公平で透明性の高い税制の確立

（阿部 徳幸）

〔アドバンス文献〕松尾公二「『租税特別措置の適用状況の透明化等に関する法律』の制定」税理53巻8号（2010年）、財務省「租税特別措置の適用実態調査の結果に関する報告書〔第211回国会提出〕」（2023年2月）

2.2 消費税のあらまし

消費税は、消費する行為に担税力（税金を負担する能力）を認めて課税しようとする税金です。たくさん消費すればその分税負担も増えます。ですから消費税は、消費する人の所得や財産の大小にかかわりなく、一律に課税されてしまいます。このように消費税は、所得の少ない人の負担割合が相対的に高くなる等といった逆進性が問題となる間接税の１つです。

また、消費税は、原則として、国内におけるすべての物品・サービスの販売・提供を課税対象とします。したがって、性格的には広く課税する"一般消費税"です。酒税、自動車税といった、特定の物品やサービスを課税対象とする"個別消費税"とは大きく異なります。

消費税の納税義務者は事業者ですが、事業者間では次から次へと転嫁され、最終的には消費者が税の負担者（担税者）になることが予定されている税金です。つまり、事業者に課される消費税は、コストとして物品・サービスの販売価格に織り込まれて転嫁され、最終的には消費者が負担することが予定されているわけです。税の累積を排除するために、事業者は課税売上げにかかる消費税額から課税仕入れ等にかかる消費税額を控除（仕入税額控除）し、その差額を納税する仕組みの税金です。

消費税法は、これまで、現実空間での取引を主な課税対象としてきました。しかし、近年、インターネットを使った国境を越えた電子書籍・音楽（デジタルコンテンツの提供）や広告の配信などの電子サービス取引／ネット取引／デジタル取引が急増してきました。そこで、この種の取引にうち「電気通信利用役務の提供」（特定の電子サービス取引）を対象に、適正な消費課税を行うための措置が講じられました。この種の取引を消費税の課税対象とするために、国内取引にあてはまるかどうかの判定（内外判定基準）が、これまでの「サービス提供者の事務所等の所在地」から「サービスの提供を受ける者の住所等」に変更されました。また、特定電子サービス取引に

PART2　租税実体法（実体税法）を学ぶ

対する公平な課税を行うために、新たな課税方式も導入されました。

　2019（令和元）年10月１日から、消費税の税率（標準税率）が10％に引上げられました。同時に、「軽減税率」（８％）が採用され、生活に深くかかわる特定の品目に適用されました。軽減税率の導入に伴い、仕入税額控除方式が、これまでの請求書等保存方式から「適格請求書等保存方式」（いわゆる「日本型タックスインボイス方式／税額票式」）に変更され、2023年10月１日から施行されています。同じ時期に、電子インボイスが導入されました。また、適格請求書を適正に管理するために、消費税を納める事業者を登録して番号をつける「適格請求書発行事業者登録制度」（いわゆる「事業者登録番号」）が導入されました。

2.2.1　消費税とはどんな仕組みの税金なのか

ポイント

　消費税は、原則として、すべての物品・サービスを課税対象としています。消費者が担税者、そして事業者が納税義務者となる税金です。また、消費税は、流通の各段階で課税されますが、転嫁されて、最終的には消費者が負担することが予定されることから一般的に間接税に分類されます。

◎消費に広く課税

　消費税は、国内における対価性のある経済取引全般を広く課税の対象にしています。したがって、非課税取引となるものを限定列挙（消費税を課税することになじまないもの、政策的に課税しないものからなります。）し、それ以外のすべてを課税対象とするという仕組みになっています。いいかえると、消費税は、課税対象とならない特定の物品・サービス取引だけを非課税取引として法令などに列挙する形をとっています。

307

◎消費税法の基本的な骨格

　消費税法を学ぶ場合、消費税法（1988（昭和63）年法律108号）の基本的な骨格を知っておくことは、基礎知識として大事です。消費税法の基本的な骨格を図示すると、次のとおりです。

●消費税法の基本的な骨格

	章	各章のタイトル
本則	第1章	総則（1〜27）
	第2章	課税標準及び税率（28、29）
	第3章	税額控除等（30〜41）
	第4章	申告、納付、還付等（42〜56）
	第5章	雑則（57〜63）
	第6章	罰則（64〜67）
附則		
	別表	（1〜3）

　加えて、消費税については、租税特別措置法6章1節や転嫁特措法等の他に施行令、施行規則、通達等々において詳細な規定が整備されています。また、地方消費税については、地方税法2章3節等に規定されています。

◎国内取引が課税の対象

　消費税は、あくまでも国内において消費される物品・サービスの販売、提供を課税対象とします。これは、各国の租税に関する主権を相互に尊重しようとする国際慣行からくるものです。こうした考え方を消費地課税主義あるいは仕向地課税主義といいます（☛2.2.2）。

◎仕入（前段階）税額控除で税の累積を排除し、最終的に税を消費者に転嫁する仕組みの税金

　消費税の納税義務者は事業者（消税法5①）です。消費税は、製造・生産、卸売、小売の各段階で課税されます。しかし、事業者間では次から次へと転嫁され、最終的には消費者が税の負担者（担税者）になることが予定されている間接税（☛1.2.3）です。つまり、事業者に課される消費税は、コストとして物品・サー

ビスの販売価格に織り込まれて転嫁され、最終的には消費者が負担することが予定されています。

　税が累積することなく事業者間で次々に転嫁され、最終的には消費者に税を負担させるためにあるのが、「仕入（前段階）税額控除」の仕組みです。この仕組みにより、事業者は課税資産の譲渡等に係る消費税額などの合計額から仕入（前段階）税額控除をし、その差額を申告納税することになります。

　この仕入（前段階）税額控除の仕組みについて、現実の経済取引を簡素化して図で示すと、次のようになります。

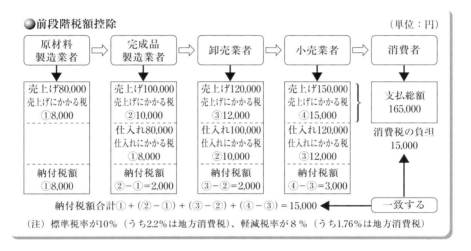

◎仕入（前段階）税額控除は帳簿等で確認

　わが国の消費税では、仕入（前段階）税額控除は、「帳簿及び請求書等」で行うことになっています（消税法30⑦）。

　これに対し、EU諸国をはじめとする多くの国々の付加価値税では、仕入（前段階）税額控除をインボイスで行っています。すなわち、取引内容、税率、税額、取引金額など法定事項が記載されたインボイス（税額交付票）が、納品書、請求書とは別個に事業者間取引でやりとりされています。

　そして、このインボイスを集計することによって、仕入税額控除などの納税

事務が行われます。逆にいえば、インボイスがない取引では、原則として、仕入税額控除が受けられないことになります。

　なお、2023（令和5）年10月1日以降、わが国もインボイス方式を導入しました（消税法30⑨）。ただし、わが国の場合、仕入税額控除を受けるためには「請求書等」の伝票（インボイス）に加え「帳簿」の保存も求められます（消税法30⑦）（☛2.2.5）（☛2.2.10）。

（阿部　徳幸）

〔アドバンス文献〕水野忠恒「消費税の構造〜インボイス型・仕入控除型・帳簿型付加価値税の比較」日税研論集30号、石村耕治『消費税の今後：複数税率化と仕入税額控除』白鷗大学法科大学院紀要8号

2.2.2 消費税における様々な取引

ポイント

　消費税の対象となる取引は国内取引と輸入取引です。そのほか消費税には、課税対象外取引、ゼロ税率取引（輸出免税）と非課税取引があります。ゼロ税率取引（輸出免税）とは、課税対象となる取引であっても、消費地（仕向地/輸入国）で課税すべきであるとの考え方にたって、物品の生産地・サービスの提供地（輸出国）では課税しないとするものです。また、非課税取引とは、本来は消費税の課税対象取引であるが、課税することになじまない、または社会政策的な配慮から課税することが適当でないとの理由で消費税を課さない取引をいいます。

◎消費税における様々な取引

　消費税では、事業者の行う取引をさまざまに区分し、それぞれの取引ごとにその取扱いを定めています。

　消費税における取引を図説すると次のとおりです。

●消費税の対象・対象外取引の類型

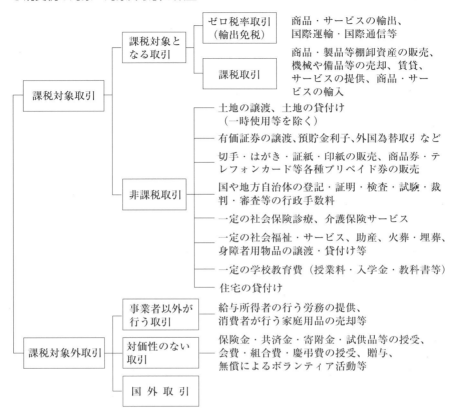

◎課税対象となる取引とは

　消費税は、国内取引と輸入取引を課税の対象としています。なお、国内取引は、さらに「資産の譲渡等」(特定資産の譲渡等を除きます。)と「特定仕入れ」に区分して、それぞれその取扱いを定めています(消税法4①・②)。

(1) 資産の譲渡等

　資産の譲渡等とは、事業として対価を得て行われる資産の譲渡および貸付けならびに役務の提供をいいます(消税法2①八・2②)。具体的には、次のすべての要件を満たす取引をいいます。

●資産の譲渡等とは

① 国内において行う取引（国内取引）であること。
② 事業者が事業として行うものであること。
③ 対価を得て行うものであること。
④ 資産の譲渡、貸付けおよび役務の提供であること。
⑤ 特定資産の譲渡等に該当しないこと。
＊なお、「特定資産の譲渡等」とは、「事業者向け電気通信利用役務の提供」と「特定役務の提供」をいいます（消税法２①八の二）。

① 国内において行う取引（国内取引）であること

そもそも消費税は、国内取引をその課税の対象としています。しかし、事業者が国内と国外にわたる取引を行っている場合もまま見受けられます。この場合、次の判定基準をもとに、国内取引であるか国外取引であるかを判定します。

【資産の譲渡または貸付けの場合】

資産の譲渡または貸付けが行われる場合に、その資産の所在する場所が国内であれば国内取引になります（消税法４③一）。したがって、その資産の所在する場所が国外であれば、消費税の課税対象外（不課税取引）となります。

なお、その譲渡または貸付けの対象となる資産が船舶、航空機、特許権などの場合には、これらの船舶などを登録した機関の所在地等が国内であれば国内取引になります（消税令６①）。

【役務の提供の場合】

役務の提供が行われた場所が国内であれば、国内取引になります（消税法４③二）。したがって、その役務の提供が行われた場所が国外であれば、消費税の課税対象外（不課税取引）となります。

なお、この場合も、運輸、通信など国内と国外の双方にわたって行われる役務の提供などの場合には、発送地や到着地等の場所が国内であれば国内取引とされます（消税令６②）。

【電気通信利用役務の提供の場合】

電気通信利用役務の提供を受ける者の住所もしくは居所または本展もしくは主たる事務所の所在地が国内であれば、その役務の提供を行う事業者の役務の提供に係る事務所等の所在地に関わらず、国内取引となります（消税法4③三、④）。

② 事業者が事業として行う取引

事業者とは、事業を行う個人事業者および法人のことをいいます（消税法２①四）。また、事業者が事業として行う取引は、その事業者が個人事業者なのか、法人なのかに分けて考える必要があります。法人の行う取引はすべて事業として行

PART2　租税実体法（実体税法）を学ぶ

われることになりますが、個人の場合、事業者としての立場とプライベートとしての立場があります。したがって、個人が、プライベートで使用する自動車などを売却した場合、「事業として」に該当せず、消費税の対象とはなりません。具体的に「事業として行う」とは、反復、継続、かつ独立して行うことをいいます（最決平16.6.10・税資254-159順号9666・タインズZ254-9666）。

③　対価を得て行うものであること

　対価を得て行うものであることとは、事業者が、資産の譲渡等として取引を行う際に、反対給付を受ける取引のことをいいます。したがって、単なる贈与や金銭などの反対給付を受けない無償取引は課税の対象になりません。なお、対価を得て行う取引には、①みなし譲渡（消税法4⑤）や②資産の譲渡等に類する行為（消税法2①八、消税令2①）が含まれます。

●対価を得て行う取引とみなされる場合の具体例

みなし譲渡 ・個人事業者が棚卸資産等の事業用の資産を家事消費または家事使用した場合（消税法4⑤一） ・法人がその役員に対して資産を贈与した場合（消税法4⑤二） **資産の譲渡等に類する行為** ・代物弁済による資産の譲渡（消税法2①八、民法482） ・負担付き贈与による資産の譲渡（消税令2①一、民法553） ・金銭以外の資産の出資（消税令2①二）

④　資産の譲渡、貸付けおよび役務の提供であること

【資産の譲渡】
資産の譲渡とは、売買や交換などの契約により、資産を加工や形状などを変化させずに、他人に移転することをいいます。資産には、たな卸資産、機械装置、土地、建物などに限らず、商標権や特許権なども含まれます。

【資産の貸付け】
資産の貸付けとは、賃貸借や消費貸借などの契約によって、資産を他の者に貸したり、使用させたりする一切の行為をいいます（消税法2②）。また、この資産の貸付けには、不動産や特許権等の無体財産権、その他の資産に地上権や利用権等の権利を設定する行為も含まれます。さらに、資産を使用させたりする一切の行為とは、具体的には、著作物の上演や映画化などをいいます。なお、土地の貸付け、利子を対価とする金銭の貸付けは、「非課税」となります（消税法6①、別表第一1号・3号）。

313

【役務の提供】

　役務の提供とは、請負契約、運送契約などにより、労務、便益、その他のサービスを提供することです。このほか、税理士や弁護士などによる専門知識や技能の提供も含まれます。また、ポイント交換サービスの提供によって得られる金銭は、役務の提供の「対価」であって、資産の譲渡等に含まれます（裁決平28.5.27・タインズFO-5-161・国税不服審判所ホームページ）。なお、給料は、役務の提供の対価となりますが、雇用契約に基づく労務の提供は、「事業」に該当しないことから、課税の対象とはなりません（不課税取引）。

(2)　特定仕入れ （☛2.2.7）

　特定仕入れとは、事業として他の者から受けた特定資産の譲渡等のことです（消税法2①八の二・2①八の四・2①八の五・4①）。さらに、特定資産の譲渡等とは、「事業者向け電気通信利用役務の提供」と「特定役務の提供」に分かれます（消税法2①八の二）。

【電気通信利用役務の提供】

　電機通信利用役務の提供とは、電気通信回線（インターネット）を介して行われる電子書籍・広告の配信などの役務提供のことです（消税法2①八の三）。また、国外事業者が行う電気通信利用役務の提供のうち、役務の提供を受ける者が通常事業者に限られるものを「事業者向け電気通信利用役務の提供」といいます（消税法2①八の四）。

　この場合の国内取引であるかどうかの判定は、提供を受ける者の住所等が国内にあれば、国内取引となります（消税法4③三・4④）。

　ただし、国内事業者の国外事業所等で受ける「事業者向け電気通信利用役務の提供」のうち、国内以外の地域において行う資産の譲渡等にのみ要するものは国外取引として、国外事業者の国内の恒久的施設で受ける「事業者向け電気通信利用役務の提供」のうち、国内において行う資産の譲渡等に要するものは国内取引として取り扱われます（消税法4③三）。

【特定役務の提供】

　特定役務の提供とは、国外事業者が行う、映画もしくは演劇の俳優、音楽家その他の芸能人または職業運動家の役務の提供を主たる内容とする事業として行う役務の提供のうち、その国外事業者が他の事業者に対して行うもののことです。ただし、不特定かつ多数の者に対して行う役務の提供は除かれます。なお、外国人タレント等が国内において行う役務の提供は、特定役務の提供となることから、この特定役務の提供を受ける者に納税義務が生じます（消税法2①八の二・八の五・4①・5①）。

◎不課税取引（課税対象外取引）

　消費税では、これまでのような課税対象となる取引のほか、課税の対象とならない取引もあります。これを「不課税取引」といいます。消費税の課税対象は、原則として、「資産の譲渡等」に該当する取引です。そして、この「資産の譲渡等」にあたるかどうかは、①国内において行う取引（国内取引）である

こと、②事業者が事業として行うものであること、③対価を得て行うものであること、そして、④資産の譲渡、貸付けおよび役務の提供であることの要件を満たす必要があります。したがって、この４つの要件のうち、１つでも欠く場合には、課税の対象とならない取引（一般に「不課税取引」とよびます。）となります。

◎課税の対象となる輸入取引

輸入取引については、「保税地域から引き取られる外国貨物」が課税対象です（消税法４②）。また、保税地域において外国貨物が消費され、または使用された場合には、その消費または使用した者がその消費または使用の時に外国貨物を保税地域から引き取るものとみなして課税されます（消税法４⑥）。なお、保税地域とは、輸出入手続きを行い、また、外国貨物を蔵置し、加工、製造、展示等をすることができる特定の場所をいいます（消税法２①二、関税法29）。一般的には「税関」ということになります。「外国貨物」とは、外国から国内に到着した貨物で、輸入が許可される前のものおよび輸出許可を受けた貨物のことをいいます（消税法２①十、関税法２①三）。

わが国の消費税法は、外国から輸入し国内で消費する資産等（外国貨物）には、国内取引とのバランスをとるために課税することとしています。これを消費地（仕向地／輸入国）課税主義といいます。課税の対象となる外国貨物には、事業者（免税事業者を含みます。）として輸入する場合や個人で輸入する場合、無償で輸入する場合が含まれます。

◎ゼロ税率取引（輸出免税）と非課税取引

(1) ゼロ税率取引・免税取引

わが国の消費税は、国内において消費される物品やサービスなど（課税資産の譲渡等）を課税対象としています。このため、輸出して外国で消費される物品や国際通信、国際輸送など輸出に類似する取引については、消費税が免除されます（消税法７・８）。このような消費税が免除される取引のことを「ゼロ税率

315

取引・免税取引（輸出免税）」といいます。つまり、商品やサービスなど（課税資産等）の消費に課される消費税は、商品やサービスが消費される国で課税することとして、輸出する商品やサービスなど（課税資産等）を生産する国（生産地／生産国）では、消費税を課さないことにしているわけです（消費地課税主義／仕向地課税主義）。

　免税取引は、大きく、①輸出免税（輸出に類似した取引を含みます。）（消税法7①）、②輸出物品販売場における輸出物品の譲渡にかかる免税（消税法8①）、③その他の免税（消費税法以外の法律に基づくもの）に分かれます。なお、③は、租税特別措置法などによって免税となるものです。①輸出免税については、納税者が行う取引がどのような内容・性質のものか、役務提供がもたらす便益が国境をまたぐのか否かが問題となります。

●免税取引となる主な具体例

① 輸出免税（輸出に類似した取引を含む）
・国内からの輸出として行われる資産の譲渡または貸付け（消税法7①一） ・外国貨物の譲渡または貸付け（消税法7①二） ・国内および国内以外の地域にわたって行われる旅客もしくは貨物の輸送または通信（消税法7①三） ・国内および国内以外の地域にわたって行われる郵便または信書便（消税令17②五）
② 輸出物品販売場における輸出物品の譲渡に係る免税
免税ショップを経営する事業者が、外国人旅行者などの非居住者に対して行う通常生活の用に供する物品の譲渡を行った場合、消費税が免除されます（消税法8・消税令18）。具体的には、①食品類、飲料類、薬品類、化粧品類その他の消耗品は、同一の店舗における1日の販売合計額が5,000円以上50万円以下、②消耗品以外のもの（一般物品）は、同様に5,000円以上の場合に免税となります。
③ その他の免税
・外航船等に積み込む物品の譲渡等（措置法85①） ・外国公館等に対する課税資産の譲渡等（措置法86①） ・海軍販売所等に対する物品の譲渡（措置法86の2①）

【免税の適用を受けるための証明】

　輸出免税の適用を受けるためには、輸出したことを証する所定の書類をそろえておく必要があります（消税法7②）。具体的には、輸出取引に関する書類または帳簿を整理し、これらの書類等を7年間保存しておく必要があります（消税規5）。

PART2 租税実体法（実体税法）を学ぶ

Column 「ゼロ税率」の賢い使い方

消費税/付加価値税（GST/VAT）は逆進性が強い税金です。逆進性解消策を講じるとします。この場合、大きく次の選択が可能です。

●消費税/付加価値税の逆進性解消策の選択

|選択|

> 消費税/付加価値税の枠内での対応策
>
> 消費税/付加価値税の枠外での対応策【現金給付、所得税への給付（還付）つき消費税額控除の導入など】

◎消費税/付加価値税の枠内での対応策とは

消費税/付加価値税の枠内での逆進性解消策には、次のようなものがあります。

●消費税の枠内での逆進性解消策

① 複数税率（標準税率および飲食料品など生活必需品等への軽減税率）の採用
② 飲食料品など生活必需品等への非課税の採用
③ 生活必需品/サービス（以下「生活必需品等」）へのゼロ税率の採用

(1) 非課税措置の所在

「非課税取引」～大きく①資本取引・金融取引と、②政策的配慮によるものに分かれます。②政策的配慮による非課税取引は、本来は消費税の課税対象取引になるものです。しかし、消費税の逆進対策や社会的福祉目的などに着眼し、政策的な配慮によって、例外的に非課税とされている取引です。

(2) 問われる非課税措置に伴う「損税」の発生

前段階控除型の消費税/付加価値税において、事業者は、本来、仕入税額を買手に転嫁することを予定しています。しかし、仕入税額を買手に転嫁できずに、事業者自身が負担しなければならないことを「損税」ともいいます。例えば、医療や学校教育が非課税取引となると、事業者である病院や学校は、仕入の際には仕入税額を負担しても、非課税サービス提供の際には当該サービスにかかる仕入税額を転嫁できなくなります。非課税取引にかかる「損税」が発生しているまたは転嫁が不十分な事業者は、全事業者の4割にも達しているともいわれます。課税売上高1,000万円以下の免税事業者には、「益税」が発生しているともいわれます。しかし、むしろ「損税」問題の方が深刻との見方もあります。いずれにしろ、逆進性解消策としての非課税措置の採用は事業者には重荷になっています。

317

(3) **事業者に不評な複数税率の採用**

　逆進性解消策としての消費税/付加価値税への複数税率（標準税率、軽減税率）の採用は、消費者たる担税者（生活者）には概して好評です。しかし、この租税の納税義務者たる事業者、さらにはこれら事業者の税務支援をする税の専門職には概して不評です。適用対象区分が難しく、事業者の事務負担も重くなるからです。

(4) **逆進性解消策、「損税」対策にゼロ税率を賢く使う**

　イギリスやオーストラリアをはじめとした旧英国領諸国のように、生活必需品等には、非課税や軽減税率ではなく、幅広くゼロ税率を採用する国もあります。

　逆進性解消策、「損税」対策としては、「軽減税率」の適用や「ゼロ税率」の採用も一案です。「非課税」では、課税仕入にかかる前段階の税額控除はできないからです。これに対して、ゼロ税率取引では、消費税/付加価値税は課税されるが、消費税の税率がゼロパーセントなので、課税標準額に対する消費税（0％）から、当該課税期間中に国内において行った課税仕入（前段階）にかかる消費税額を控除する（あるいは還付を受ける）ことができます。

　わが国の消費税法では、「輸出免税等」（消税法7以下）としてゼロ税率取引が制度化されています。

●免税取引/ゼロ税率取引と非課税/仕入課税取引

《標準税率取引》	《免税取引／ゼロ税率取引》	《非課税取引／仕入課税取引》
仕入　税率〔10％〕 金額（1,000）税額〔100〕	仕入　税率〔10％〕 　　　（1,000）　　〔100〕	仕入　税率〔10％課税〕 　　　（1,000）　　　〔100〕
売上　税率〔10％〕 金額（1,500）税額〔150〕	売上　税率〔0％〕 　　　（1,500）　　　〔0〕	売上　〔非課税〕 　　　（1,500）　　　〔Nil〕
消費税　申告税額　　　　50	消費税　還付税額　　　　100	消費税　仕入税額控除不可

◎生活用ゼロ税率とは

　諸外国の消費税制/付加価値税制をみると、「ゼロ税率（zero-rate, zero-rating）」は、大きく「輸出免税（zero-rate for exporting）」と「国内（生活用）ゼロ税率（domestic zero-rate）」の2つの形で活用されています。

●ゼロ税率の2つの使われ方

```
                    ┌─ 消費地（仕向地）課税原則の適用 ─┐
                    │                                    │
              ┌── 輸出免税【輸出取引に適用】
   ゼロ税率 ──┤
              └── 国内ゼロ税率【生活必需品等取引に適用】
                    │                                    │
                    └─ 逆進性解消策／損税対策として活用 ─┘
```

イギリス、オーストラリアやカナダなど旧英国領諸国では「損税」対策および逆進性解消対策として、軽減税率ではなく、国内（生活用）ゼロ税率（domestic zero-rate）を幅広く採用しています。わが国でも検討すべき「損税」対策および逆進性解消対策モデルといえます。

例えば、オーストラリアのGST（物品サービス税）は、10％の単一税率を採用しています。軽減税率は一切採用していません。逆進性解消策には、生活用ゼロ税率（「免税取引／ゼロ税率取引」）と非課税措置（「非課税取引／仕入課税取引」）を採用しています。

GST法上の逆進性解消策を、課税取引物品やサービス別に、アバウトに一覧にしてみると、次のとおりです。

● オーストラリアGST法上の逆進性解消策と対象取引一覧

標準税率	免税取引／ゼロ税率取引	非課税取引／仕入課税取引	軽減税率
10％	・輸出 ・医療 ・基礎的飲食料品 ・教育 ・国際運輸 ・非営利／公益活動 ・営農者間での農地取引	・金融取引 ・居住用住宅の貸付（ただし50年以上の長期貸付およびホテルのような事業用居住場所の貸付を除く。） ・居住用中古住宅取引 ・募金活動	なし

ちなみに、わが国の税制を牛耳っている財務当局は、生活必需品等へのゼロ税率の採用は大幅な税収減につながることから、強い拒否反応を示し、議論を封印しています。

(石村　耕治)

〔アドバンス文献〕石村耕治「消費税の今後：複数税率化と仕入税額控除」白鷗大学法科大学紀要 8 号、石村耕治「オーストラリアの物品サービス税（CST）法制の分析」白鷗法学22巻 2 号、ヴァン・リ「オーストラリアの物品サービス税（GST）」国民税制研究 2 号http://jti-web.net/archives/736

(2)　非課税取引

非課税取引とは、消費税を課さない取引のことです。消費税は、事業者が、国内において行われる資産の譲渡等や特定仕入れ、保税地域から引き取られる外国貨物が課税対象とします。しかし、これら取引の中には、①消費税を課することになじまないものや、②社会政策的な配慮の観点から課税することが適当でないものがあります。そこで消費税法は、このような取引を非課税取引としているのです（消税法 6 ①②、別表第二、第二の二）。

319

●非課税取引の内容

国内取引における非課税（消税法6①・別表第二）	
消費税を課税することになじまないもの	①　土地（土地の上に存する権利を含む。）の譲渡および貸付け（一時的に使用させる場合などは除かれます（消税令8））。 ②　有価証券その他これに類するものおよび支払手段の譲渡（ゴルフ会員券などの譲渡、収集品および販売用のものは除かれます（消税法別表2二、消税令9②・③）。なお、仮想通貨（暗号資産）は、支払手段に類するものとして非課税となります（消税法別表2二、消税令9④）。 ③　利子を対価とする貸付金その他の特定の資産の貸付け、信用の保証としての役務の提供など ④　イ．郵便切手、印紙などの譲渡 　　ロ．物品切手（商品券、プリペイドカードなど）の譲渡 ⑤　イ．国、地方公共団体が法令に基づき徴収する手数料等にかかる役務の提供 　　ロ．外国為替業務にかかる役務の提供
社会政策的な配慮の観点から課税することが適当でないもの	⑥　社会保険医療をはじめとした公的な医療保障制度による療養など ⑦　イ．介護保険による居宅サービスなど 　　ロ．社会福祉事業など ⑧　助産 ⑨　埋葬料、火葬料 ⑩　身体障害者用物品の譲渡、貸付けなど ⑪　授業料、入学検定料、入学金、施設設備費など ⑫　教科用図書の譲渡 ⑬　住宅の貸付け
輸入取引における非課税（消税法6②・別表第二の二）	
①有価証券等、②郵便切手類、③印紙、④証紙、⑤物品切手等、⑥身体障害者用物品、⑦教科用図書 ＊国内取引とのバランスを保つために非課税とされています。	

(5)　免税取引と非課税取引の違い

　免税取引とは、輸出して外国で消費されるものや国際通信、国際輸送など輸出に類似する取引について消費税が免除されるものをいいます（消税法7・8）。他方、非課税取引とは、消費税を課税することになじまないものや社会政策的な配慮の観点から課税することが適当でないことから消費税を課さないとされるものです。両者の違いは、仕入税額控除（☞2.2.5）ができるか否かという点にあります。

やさしく言えば、免税取引の場合は証明書の保存等を満たせば仕入税額控除ができますが、非課税取引の場合は、仕入税額控除ができないということになります。また、免税取引の場合は基準期間の課税売上高に免税取引の売上高が含まれますが、非課税取引の場合には含まれません。

区分	免税取引	非課税取引
仕入税額控除	できる	できない
適用要件	証明書の保存等	なし
基準期間の課税売上高	含まれる	含まれない
課税売上割合	分子・分母に算入	分母にのみ算入

(阿部 徳幸・本村 大輔)

〔アドバンス文献〕税大講本〔消費税法令和5年版〕、田中健二編『図解 消費税法〔令和5年版〕』(2023年、大蔵財務協会)

2.2.3 消費税の納税義務者

ポイント

　消費税の納税義務者には、個人事業者および法人(会社など)があります。また消費税は、事業者間で次々と転嫁されて、最終的には消費者が消費税を負担することが予定されています。つまり、消費税法は、納税義務者と消費税負担者が異なることを予定しているのです。このほか、消費税の納税義務が免除される事業者(免税事業者)もいます。

◎消費税における納税義務者とは

(1) 国内取引の納税義務者

　国内取引の納税義務者は、国内において課税資産の譲渡等および特定課税仕入れを行った事業者です(消税法5①)。この事業者は、個人事業者および法人です(消税法2①四)。

このほか、人格のない社団等も法人とみなされ納税義務者となります（消税法3）。さらに、国や地方公共団体・公共法人・公益法人等も納税義務者に含まれます（消税法60・別表三）。

(2) 輸入取引の納税義務者

輸入取引の納税義務者は、外国貨物を保税地域から引き取る者です（消税法5②）。国内取引では、事業者のみが納税義務者となります。しかし、輸入取引の場合、事業者のほか消費者個人も輸入者となり納税義務を負います。

◎免税事業者とは

免税事業者とは、小規模事業者の納税事務の負担に配慮する観点から、その課税期間の消費税の納税義務が免除される事業者のことをいいます。そしてこの免税事業者とは、その課税期間の基準期間および特定期間における課税売上高が1,000万円（税込）以下の事業者をいいます（消税法9①、9の2①）。つまり、納税義務が免除されるか否かは、課税期間の基準期間および特定期間における課税売上高が1,000万円（税込）以下か否かで判断されることになります。なお、この計算においては、免税事業者の課税売上高には、消費税が含まれていないので、免税事業者であった基準期間の課税売上高の計算は税込み金額（全額）で行います（消税基通1－4－5）。ただし、免税事業者に該当する場合でも、「消費税課税事業者選択届出書」（消税法9④、消税規11①）を提出した事業者、新設法人または特定新規設立法人に該当する場合には、免税事業者となることができません。

また、基準期間とは、①個人事業主の場合、その年の前々年をいい、②法人の場合は、その事業年度の前々事業年度をいいます（消税法2①十四）。なお、基準期間における課税売上高とは、以下の算式により計算します（消税法9②一、28①）。

●基準期間における課税売上高の計算方法

| 基準期間中の売上高 | = | 基準期間中に国内において行った課税資産の譲渡等の対価の額の合計額（税抜き） | － | 売上げの返品、値引き、割戻しの金額（税抜き） |

なお、免税事業者に該当する場合においても、「適格請求書等保存方式」（いわゆる「インボイス制度」）に基づく適格請求書発行事業者の登録申請書を提出し、適格請求書発行事業者として登録を受けた事業者は、課税事業者とされます（消税法9①）（☞2.2.5）。

◎課税事業者とは

免税事業者との対比で課税事業者という言葉も使われます。課税事業者とは、消費税の対象となる事業者で、次のいずれかにあてはまる事業者のことです。

① 基準期間の課税売上高が1,000万円を超える事業者（消税法9①）
② 特定期間における課税売上高が1,000万円を超える事業者（消税法9の2①）

　　※特定期間とは（消税法9の2④）
　　　個人事業者の場合…前年1月1日から6月30日までの期間
　　　法人の場合…前事業年度開始の日以後6か月の期間

③ 「消費税課税事業者選択届出書」（消税規11①）を提出した事業者（消税法9④）
④ 新設法人または特定新規設立法人に該当する事業者（消税法12の2①、12の3①）
⑤ 適格請求書発行事業者として登録を受けた事業者（消税法9①）（☞2.2.5）

●課税期間とは

課税期間とは、納付すべきまたは還付を受けるべき消費税額を計算する期間をいいます。この課税期間は、原則として、個人事業者の場合、その年の1月1日から12月31日までの期間（暦年）、法人の場合は、その事業年度（☞2.1.2）となります（消税法19①一、二）。

【納税義務の判定】

【特定期間における納税義務の判定】

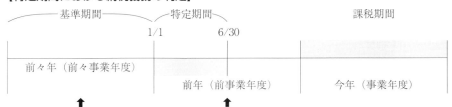

※ 3月決算法人の場合の特定期間は、前年4月1日から9月30日（前事業年度の最初の6か月の期間）までとなります。

◎新設法人または特定新規設立法人の場合

　新設法人の場合、そもそも事業年度の基準期間がありません。したがって、原則、納税義務は免除されます。ただし、新設法人でその事業年度開始の日における資本金の額または出資の額が1,000万円以上である法人（社会福祉法人を除きます。）については、その基準期間がない事業年度（課税期間）であっても納税義務は免除されません（消税法12の2①）。

　また、特定新規設立法人の場合も、新設法人と同様に納税義務は免除されません（消税法12の3①）。なお、特定新規設立法人とは、①ここでいう新設法人に該当し、②事業年度開始の日において、設立時に50％超の出資を受けた者（判定対象者）から直接または間接的に支配されている状態にあり（特定要件）、③この特定要件の判定対象者における基準期間相当期間の課税売上高が5億円を超えている（消税法12の3①・消税令25の2①）法人をいいます。

◎免税事業者要件の厳格化

　免税事業者制度は、小規模事業者の納税義務の負担に配慮する観点から設けられたものです。しかし、この制度を租税回避に利用するケースも散見されました。租税回避に対応するための免税事業者要件を厳格化するために、消費税法は、これまで次のように改正されてきました。

PART2　租税実体法（実体税法）を学ぶ

●免税事業者要件厳格化のための消費税法改正の経緯

① 2010（平成22）年度税制改正では、課税事業者選択届出書を提出して課税事業者となると**以後２年以内に調整対象固定資産**（消税法２①十六、棚卸資産以外の資産で税抜価額100万円以上のもの（消税令５））を取得した場合には（事業を廃止した場合を除きます。）、この調整対象固定資産を取得した課税期間の初日から３年を経過しなければ、課税事業者選択不適用届出書および簡易課税制度選択届出書を提出することができないこととされました（消税法９⑦）。また、**資本または出資の金額が1,000万円以上の新設法人**の場合、設立当初の２年間であっても、納税義務は免除されないこととされました（消税法12の２①）。

② 2011（平成23）年度税制改正では、従来の判定の要件のほかに「**特定期間**」による判定が追加されました。つまり、特定期間における課税売上高が1,000万円を越える場合には、その年またはその事業年度から免税事業者となることができなくなりました（消税法９の２①）。ここにいう、特定期間とは、個人事業者の場合には、前年１月１日から６月30日までの期間、法人の場合は、前事業年度開始の日以後６か月の期間とされています（消税法９の２④）。

③ 2013（平成25）年度税制改正では、2014（平成26年）年４月１日以後に設立される資本金1,000万円以下の新規設立法人であっても、課税売上高が５億円を超える者に支配されている法人（**特定新規設立法人**といいます。）は、基準期間がない事業年度において納税義務は免除されなくなりました（消税法12の３①、57②、消税令25の２・25の３）。

④ 2016（平成28）年度税制改正で、事業者が、事業者免税点制度や簡易課税制度の適用を受けない課税期間中に**高額特定資産を取得**した場合には、高額特定資産の仕入れ等の日の属する課税期間から翌期までは簡易課税制度選択届出書を提出することができなくなりました。また、高額資産の仕入れ等の日の属する課税期間から翌期・翌々期までは事業者免税制度の適用が制限されます（消税法12の４①一、37③三）。やさしくいえば、高額特定資産を取得すると、３年間は本則課税が強制されるということになります。なお、高額特定資産とは、棚卸資産及び調整対象固定資産で、一取引単位につき、支払対価の額が税抜1,000万円以上のものをいいます（消税令25の５①一）。さらに、自ら建設等をした資産（「調整対象自己建設高額特定資産」といいます。）については、建設等に要した費用の額が税抜1,000万円以上となった日の属する課税期間から当該建設等が完了した日の属する課税期間の初日以後３年を経過する日の属する課税期間までの各課税期間において、事業者免税点制度および簡易課税制度は適用しないこととされました（消税法12の４①二、37③四）。

⑤ 2020（令和２）年度税制改正で、居住用賃貸建物について、仕入税額控除の適用を認めないこととされました（消税法30⑩）。この居住用賃貸建物については、一定期間内に住宅の貸付け以外の貸付けや譲渡があった場合、この仕入税額控除が認められなかった金額について、その貸付けや譲渡の対価の額を基礎として計算した金額を３年を経過する日の属する課税期間又は譲渡をした日の属する課税期間の仕入控除税額に加算することにより調整されることとされました（消税法35の２①・②、消税令53の２①・②）。

⑥ 2023（令和５）年10月１日より適格請求書等保存方式、いわゆるインボイス制度がはじまり、免税事業者は事業実態に合わせてインボイス（適格請求書）発行事業者の登録をするかの判断が迫られています。なぜなら、買手は仕入税額控除の適用のために、原

則として売手から交付を受けたインボイスが必要だからです。一方、売手はインボイスを交付するには、事前にインボイス発行事業者の登録を受ける必要が出てきます。そして、登録を受けると、仮に基準期間の課税売上高が1,000万円以下であったとしても課税事業者として消費税の申告・納税が必要となります（消税法9①・45・49、インボイス通達2-5）。これに対しては、2023（令和5）年4月に消費税法等の一部が改正され、このインボイス制度に関して見直しが行われました。まず、（ア）インボイス制度の導入により、免税事業者から適格請求書発行事業者となるため課税事業者となった者ついては、仕入税額控除の金額を、特別控除税額（課税標準である金額の合計額に対する消費税額から売上げに係る対価の返還等の金額に係る消費税額の合計額を控除した残額の100分の80に相当する金額）とすることができます（いわゆる「2割特例」）（平28税制改正法附則51の2①・②）。（イ）インボイス制度の導入後は、免税事業者からの仕入れ等は仕入税額控除の適用外となります（消税法30⑦）。そのためこの免税事業者は、取引から排除されたり、値引きを強いられることも懸念されます。これに対応するため、2023（令和5）年10月1日から2029（令和11）年9月30日までの期間について、免税事業者等（最終消費者を含みます）から行った課税仕入れについても、仕入税額相当額に一定の割合を乗じて計算した金額を仕入税額として控除できる経過措置が設けられています（平28税制改正法附則52・53）。

　ただし、この期間を過ぎると、免税事業者等からの仕入税額控除は認められないことになります。免税事業者からの課税仕入れを仕入税額控除するためには、免税事業者が「適格請求書発行事業者」として登録し、課税事業者とならなければなりません（☞2.2.5）。

⑦　2024（令和6）年度税制改正では、国外事業者に係る消費税の納税義務の免除（いわゆる事業者免税点制度）の特例や簡易課税制度を利用した租税回避に対応するため、一部適用の見直しが行われました。（ア）基準期間における課税売上高が1,000万円以下であっても特定期間における「国内における課税売上高」、「給与（居住者分）の合計額」のいずれかが1,000万円を超える場合には納税義務が免除されません。ただし、特定期間における課税売上高が1,000万円超であり、非居住者への給与の支払額が1,000万円超の国外事業者の場合、消費税の納税義務が免除されることになります。そのため、国外事業者は、特定期間における消費税の納税義務の判定から給与支払額を除くことにしました。（イ）新設法人の場合、基準期間がなくとも資本金の額又は出資の金額が1,000万円以上の法人は納税義務が免除されません。ただし、本国での設立後2年以上経過した外国法人が日本に進出する場合、基準期間を有していることから、資本金の額又は出資の金額が1,000万円以上であって、基準期間を使った判定により消費税の納税義務が免除される場合があります。そのため、外国法人は基準期間を有する場合であっても、国内における事業開始時における資本金の額又は出資の金額により消費税の納税義務を判定することになります。（ウ）国内の課税売上高が5億円超の法人等が設立した資本金の額又は出資の金額が1,000万円未満の法人である場合は納税義務が免除されません。しかし、国外の収入金額が判定から除かれているため、国外で多額の収入を得ている大企業が設立した資本金の額又は出資の金額が1,000万円未満の法人であっても消費税の納税義務が免除されてしまいます。そこで、国外分を含む収入金額が50億円を超える事業者が設立した法人は消費税の納税義務が免除しないことにされます。（エ）そのほか免税事業者とは関係ないので

すが、国外事業者に係る事業者免税点制度の特例の適用の見直しの一環として、国内に恒久的施設（PE）を有しない国外事業者は、国内における課税仕入れ等が想定されないことから、みなし仕入率による仕入税額控除を適用することが適切ではないため、課税期間の初日において恒久的施設（PE）を有しない国外事業者は、簡易課税制度と2割特例（⑥（ア））の適用が認められなくなります。そしてこれらの改正は、2024（令和6）年10月1日以後に開始する課税期間から適用される予定です。

●高額特定資産を取得した場合の事業者免税点制度および簡易課税制度の不適用の構図

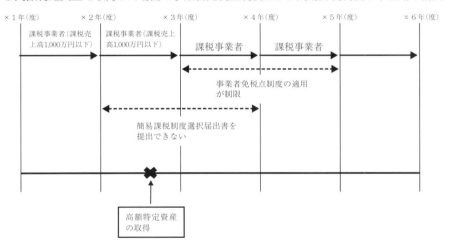

（阿部　徳幸・本村　大輔）

〔アドバンス文献〕山本守之『新法令・新通達による事例からみた消費税の実務〔増補版〕』（1997年 税務研究会）、田中治「消費税における免税事業者の判定基準－東京高裁平成12年1月13日判決を検討して」税理43巻6号15頁、朝倉洋子「免税事業者とその基準期間の課税売上高の算定」税務事例32巻2号8頁

2.2.4 課税標準と税率

ポイント

　消費税の課税標準は、①課税資産の譲渡等の対価の額、②特定課税仕入れの支払対価の額、③輸入取引の場合は、課税対象となる外国貨物の引取価額と、その取引形態により異なります。

　また消費税の税率は、標準税率として10%、軽減税率として8%（それぞれ地方消費税を含みます。）の複数税率が採られています（☞2.2.8）。

◎消費税における課税標準

　消費税における課税標準は、その取引形態に応じて以下のように区分されます。

●取引区分による消費税の課税標準

取 引 区 分	課 税 標 準
課税資産の譲渡等の場合	課税資産の譲渡等の対価の額（消税法28①）
特定課税仕入れの場合	特定課税仕入れの支払対価の額（消税法28②）
保税地域から引き取られる課税貨物（輸入取引）の場合	課税対象となる外国貨物の関税課税価格と個別消費税額と関税額の合計額（消税法28④）

(1) 課税資産の譲渡等の場合の課税標準

　課税資産の譲渡等の場合、その課税標準は「課税資産の譲渡等の対価の額」です（消税法28①）。課税資産の譲渡等とは、資産の譲渡等のうち、非課税取引以外の取引をいいます（消税法2①九）。つまり、消費税の課税対象となる資産の譲渡等ということであり、その金額の合計額が、この場合の課税標準である課税資産の譲渡等の対価の額となるのです。

　なお、この対価の額は、対価として収受するまたは収受すべき一切の金銭および金銭以外の物、もしくは権利その他経済的な利益の額をいいます（消税法28①）。さらにこの対価の額には、消費税および地方消費税（譲渡割）は含まれません（消税法28①）。ただし、酒税・たばこ税などの個別消費税は含まれます。

また例えば、法人が役員に対して資産を低額譲渡もしくは贈与を行った場合、個人事業者が棚卸資産等を家事消費等に利用した場合には、これらを「みなし譲渡」(消税法4⑤)として、課税資産の譲渡等に含めることとしています(☞3.2.8.2)。そして、この場合の課税標準とする金額は、それぞれの時における資産の価額に相当する金額となります(消税法28①・③)。

(2) 特定課税仕入れの場合の課税標準

特定課税仕入れの場合の課税標準は、特定課税仕入れの支払対価の額(消税法28②)です。

(3) 保税地域から引き取られる課税貨物(輸入取引)の場合の課税標準

輸入取引の場合の課税標準は、課税対象となる外国貨物の引取価額です。なお、この課税対象となる外国貨物の引取価額は、関税課税価格(C.I.F価格)と個別消費税額と関税額の合計額(消税法28④)として計算します。

◎消費税の税率

消費税の標準税率は7.8%です(消税法29)(☞1.2.7)。このほか地方消費税として、課税標準にこの税率を適用して計算した消費税額を課税標準として22/78(消費税率2.2%に相当します。)の税率で課税されます(地税法72の83)。したがって、消費税と地方消費税を合わせた税率は10%になります。また、低所得者に配慮する観点からの軽減税率(☞2.2.8)は、6.24%です(平28税制改正法附則34①)。そして同様に地方消費税は1.76%となり、合計8%となります。なお、地方消費税(譲渡割)は、国税である消費税と同時に、国(税務署)に申告・納付することが求められます(消税法45、49)。

◎軽減税率制度の導入

2019(令和元)年10月1日から、消費税の税率(標準税率)が10%(うち地方消費税率は2.2%です。)に引上げられました。税率引上げに伴う低所得者への影響を考慮し、逆進性対策として、生活に深くかかわる特定の品目を対象に、8%(うち地方消費税は1.76%です。)の「軽減税率」が適用されます。軽減税率の適用対象は、次のとおりです。

●**軽減税率の適用対象**（消費法２①九の二・平28税制改正法附則34①）

(1) 酒類と外食を除く飲食料品全般
・食品表示法に規定する飲食料品全般が適用対象となります。 ・ここでいう「飲料」には、酒税法に規定する酒類を含みません。 ・「食品」には外食サービスは含まれません。ここでいう「外食サービス」には、店内（イートインスペースを含みます。）やケータリング（出張料理）を含みますが、出前やテイクアウトは外食サービスにはあたりません。 ・飲食料品（８％）とそれ以外の商品（10％）が一体化した商品（例えば、おもちゃ付き菓子類）については、主たる部分のどちらが３分の２以上で構成されているかにより判定します。
(2) 定期購読の新聞
・政治・経済・社会・文化等に関する一般社会的事実を掲載し、かつ週２回以上発行する新聞で、定期購読契約に基づく購読料

（阿部 德幸・本村 大輔）

2.2.5 納付すべき税額の計算と申告・納付

ポイント

　納付すべき消費税額は、「課税標準額×税率－仕入控除税額」として計算します。消費税は、税の累積を排除するため、前段階で課された消費税を控除する必要があります。このための手段を「仕入税額控除」といいます。そして、この仕入税額控除により計算された金額を「仕入控除税額」といいます。この「仕入控除税額」の計算方法は、大きく①原則（本則）課税の場合と、②簡易課税による場合とがあります。

　なお、2023（令和５）年10月より、この仕入税額控除の方法に、いわゆるインボイス方式が導入されました。

　また、消費税の申告・納付期限は、個人事業者の場合は、翌年３月31日、法人の場合は課税期間（事業年度）終了から、原則として２か月以内です。

◎納付すべき税額の計算

　消費税は、以下の算式により、納付すべき税額を計算します。

　納付すべき消費税の額＝課税標準額×税率－仕入控除税額

PART2 租税実体法（実体税法）を学ぶ

◎仕入控除税額とは

わが国の消費税は、取引の都度、税が課される「多段階」方式の消費課税としての性格をもちあわせています。しかし、このままでは「税に対する税」が累積してしまいます。これを避けるために、前の取引段階で課税された消費税を控除する仕組みを取り入れています。この控除の仕組みを「仕入税額控除」とよびます。この仕組みを取り入れたわが国の消費税は、「累積排除型」ともよばれます。なお、この仕組みにより控除される税額を「仕入控除税額」とよびます（☛2.2.1）。

◎仕入控除税額の計算方法

仕入控除税額の計算方法には、原則（本則）課税と簡易課税の2種類があります。

(1) 原則（本則）課税の場合

① 仕入税額控除の計算方法（消税法30①・②）

ⓐ 課税売上高が5億円以下、かつ課税売上割合が95％以上の場合

課税仕入れ等の税額の全額が、仕入税額控除の対象となります。具体的には、次の算式により計算します。

仕入控除税額＝課税仕入れの対価の額（税込み）×7.8/110

ⓑ 課税売上高が5億円超または課税売上割合が95％未満の場合

この場合は、課税仕入れ等の税額の全額を控除することができません。課税売上げに対応する部分のみが控除されるのです。そしてこの場合、個別対応方式か、一括比例配分方式のいずれかにより、仕入控除税額が計算されることになります。なお、一括比例配分方式を選択した場合、2年間継続した後でなければ、個別対応方式に変更することはできません（消税法30⑤）。

【個別対応方式（消税法30②一）】

仕入控除税額＝ | 課税資産の譲渡等にのみ要する課税仕入れ等の税額 | ＋ | 課税資産の譲渡等とその他の資産の譲渡等に共通して要する課税仕入れ等の税額 | × | 課税売上割合

【一括比例配分方式（消税法30②二）】

仕入控除税額＝ | 課税期間中の課税仕入れ等にかかる消費税額 | × | 課税売上割合

331

●**課税売上割合とは**

課税売上割合とは、その課税期間中の総売上高に占める課税売上高の割合のことです（消税法30⑥）。具体的には、以下の方法によって計算します。

$$課税売上割合 = \frac{課税期間中の国内における課税資産の譲渡等の対価の額の合計額}{課税期間中の国内における資産の譲渡等の対価の額の合計額}$$

$$= \frac{課税売上（税抜き）＋免税売上}{課税売上（税抜き）＋非課税売上＋免税売上}$$

② 仕入控除税額の適用を受けるための要件として、原則として、課税仕入れ等の事実を記録した帳簿および請求書等の書類を、7年間保存するように求められます（消費税法30⑦、58、消税令71②）（☞2.2.1）。

③ 調整対象固定資産に係る仕入控除税額の調整（消税法33、34、35）

仕入控除税額は、課税仕入れ等の日の属する課税期間に控除することが原則です。しかし、固定資産など長期にわたり使用されるものについて、この原則のままだと、課税売上割合が大きく変動した場合やその用途を変更した場合に適切とはいえなくなります。そこで、課税売上割合が著しく変動した場合など特定の事情が生じた場合、固定資産などで一定の金額（100万円）以上のもの（これを「調整対象固定資産」といいます（消税法2十六、消税令5）。）について、3年間、仕入控除税額の調整をすることとしています。

⑵ **簡易課税を選択している場合**

消費税では、累積課税を排除するために前段階の取引において課された税額を過不足なく控除する必要があります。しかしながら小規模事業者の場合でも、その要件となる「帳簿及び請求書等の保存」に過重な負担と煩雑な事務処理が求められることになります。このため、一定規模以下の小規模事業者に対しては、次の算式で計算した金額を、仕入控除税額とみなして、その課税期間の課税標準額に対する消費税額から控除することができることとされています。これを「簡易課税制度」といいます（消税法37①）。

なお、多額の設備投資を行ったなどの場合、原則（本則）課税の場合には、消費税が還付される場合があります。しかし簡易課税制度を選択した場合には、その計算方法から、還付されないことになります。したがって、その選択には

PART2　租税実体法（実体税法）を学ぶ

注意が必要です。

① 適用要件

簡易課税制度の選択適用は、次の要件のすべてを満たす事業者に認められます。

●**簡易課税の選択適用要件**（消税法37①）

① 基準期間の課税売上高が5,000万円以下であること。
② 適用を受けようとする課税期間の初日の前日までに「消費税簡易課税制度選択届出書」を所轄税務署長に提出していること。

（注1） 簡易課税の適用を受けている場合でも、基準期間における課税売上高が5,000万円を超えてしまった課税期間については、簡易課税によることはできません。
（注2） 簡易課税をやめようとする場合には、「消費税簡易課税制度選択不適用届出書」の提出が求められます（消税法37⑤）。ただし、この届出書の提出は、この制度の適用を受けようとする課税期間の初日から2年を経過する日の属する課税期間の初日以降でなければ提出することはできません（消税法37⑥）。

② 簡易課税による仕入税額控除の計算方法

$$仕入控除税額 = \boxed{\begin{array}{c}課税資産の譲渡等\\に係る課税標準額\\に対する消費税額\end{array}} \times \boxed{みなし仕入率}$$

③ みなし仕入率

みなし仕入率は、以下の事業区分によりそれぞれ定められています（消税法37①・消税令57①、⑤、⑥）。

事業区分	みなし仕入率	該当する事業
第一種事業 （卸売業）	90%	卸売業（他の者から購入した商品をその性質および形状を変更しないで、他の事業者に販売する事業）
第二種事業 （小売業）	80%	小売業（他の者から購入した商品をその性質および形状を変更しないで、消費者に販売する事業）
第三種事業 （製造業等）	70%	農業、林業、漁業、鉱業、建設業、製造業（製造小売業を含む。）、電気業、ガス業、熱供給業および水道業で、第一種事業、第二種事業に該当するものおよび加工賃その他これに類する料金を対価とする役務の提供を除きます。
第四種事業 （飲食店等）	60%	第一種事業、第二種事業、第三種事業、第五種事業および第六種事業以外の事業で、飲食店等、また、事業用固定資産の譲渡等がここに含まれます。また、第三種事業から除かれる加工賃その他これに類する料金を対価とする役務の提供はここに含まれます。

333

| 第五種事業
（サービス業） | 50％ | 第一種事業から第三種事業までの事業以外の事業で、運輸通信業・金融業および保険業・サービス業（飲食店業に該当するものを除く。）が該当します。 |
| 第六種事業
（不動産業） | 40％ | 第一種事業、第二種事業、第三種事業および第五種事業以外の事業のうち、不動産業が該当します。 |

④　二以上の事業を行っている場合のみなし仕入率 （消税令57②）

　原則として、それぞれの事業区分ごとの課税売上高に係る消費税額に、それぞれの事業区分ごとのみなし仕入率を乗じたものの加重平均により、みなし仕入率を算定します。

◎仕入税額控除の方式の変更

　軽減税率の導入に伴い、仕入税額控除の方式が、2023（令和５）年10月１日から、これまでの「請求書等保存方式」から「適格請求書等保存方式」に変更されました。

　事業者は、商品やサービスを仕入れて、仕入先に消費税を支払ったとしても、無条件で仕入税額控除ができるわけではありません。仕入税額を負担したことを証明する証拠が必要です。どういった証拠でその証明をするかは、仕入税額控除の方式の選択の問題です。

　かつての「請求書等保存方式」では、仕入税額控除の証拠には、「請求書」と「帳簿」が使われていました （旧消税法30⑦）。新たな「適格請求書等保存方式」への移行に伴い、「仕入先が発行する請求書の様式」と「帳簿の記載内容」が変わります。どう変わるのかについて一言でいえば、"請求書に記載しなければならない項目" や "帳簿に記載しなければならない項目" が増えるということです （消税法30⑧・⑨）。

⑴　「請求書等保存方式」から「適格請求書等保存方式」への変更

　「請求書等保存方式」から「適格請求書等保存方式」への変更に伴い、具体的に請求書／納品書等（適格請求書）に記載する項目はどのような内容なのかについて図示すると、次のとおりです （消税法57の４①）。

●適格請求書等［インボイス（税額票）］保存方式（2023年10月1日以降）

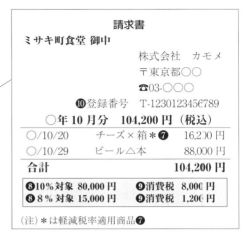

❶発行事業者の氏名または名称
❷取引年月日
❸取引（資産の譲渡等）の内容
❹取引（資産の譲渡等）の金額
❺消費税額
　交付を受ける事業者の氏名
　または名称
❼軽減税率の対象品目である旨
❽税率ごとに合計した対価の額
❾税率ごとの消費税額と適用税率
❿発行事業者の登録番号

 こうした比較からもわかるように、請求書にかかる主な変更点は、軽減税率適用対象の商品と標準税率適用対象商品等の双方を取り扱っている事業者は区分（税抜金額か、税込金額を適用税率別に区分して合計した金額、適用税率等）表示をすることと、事業者登録番号を記載することです。

(2) 適格請求書等保存方式と帳簿の保存

 適格請求書等保存方式に変更されても、「帳簿の保存」が不要になるわけではありません。仕入税額控除をするには、これまでどおり「帳簿の保存」も必要です。
 新方式への変更に伴い、「帳簿の保存」にあたっては、軽減税率対象取引である場合には、その旨を帳簿に記載し保存するように求められます（消税法30⑧）。
 したがって、2023（令和5）年10月1日以降は、登録事業者番号等を記載した適格請求書に加え、変更項目を記載した帳簿の保存が、仕入税額控除をする要件となります（消税法30⑦）。

◎適格請求書発行事業者登録制度の導入

 すでにみてきたように、適格請求書には、事業者の「登録番号」を記載することが求められます。事業者に登録番号を付与ために、「適格請求書発行事業

者登録制度」が創設されます。この制度は、軽減税率の採用に伴い、軽減税率
（8％）適用取引と標準税率（10％）適用取引とを請求書で的確に把握できる
ようにすることがねらいです。

　適格請求書等を発行したい事業者は、税務署長に申請し適格請求書等を交付
（発行）できる「適格請求書発行事業者」として登録するように求められます（消
税法57の2①・②）。適格請求書発行事業者は、インターネットで事業者名・登録
番号などが公表されます（消税法57の2④、消税令70の5）。

　このことを逆説的にみるとすると、これまで課税事業者であった事業者は、
この登録制度のもと登録を行い、その得意先などに対し適格請求書等を発行す
れば、その得意先はこの適格請求書等に基づき仕入税額控除できるということ
になります。その一方で、これまで免税事業者であった事業者は、この事業者
登録を行わずにいると登録番号がありませんから、その得意先に対し適格請求
書等を発行できず、その得意先はその取引において仕入税額控除ができません。
ですからこれまでの免税事業者は適格請求書発行事業者となるか否かの選択に
迫られることになります。なぜならこれまで免税事業者であったとしても適格
請求書発行事業者を選択すれば、仮に基準期間の課税売上高が1,000万円以下
であったとしても課税事業者として消費税の申告・納税が求められることにな
るからです（消税法9①・45・49、インボイス基通2-5）。

◎各種経過措置のあらまし

(1)　免税事業者等からの課税仕入れに係る経過措置

　免税事業者は、この適格請求書を発行できません。したがって、免税事業者
からの仕入れ等は仕入税額控除の適用外となります（消税法30⑦）。そのためこの
免税事業者は、取引から排除されたり、値引きを強いられることも懸念されま
す。これに対応するため、次の表のとおり、2023（令和5）年10月1日から
2029（令和11）年9月30日までの期間について、免税事業者等（最終消費者を
含みます）から行った課税仕入れについても、仕入税額相当額に次の割合を乗
じて計算した金額を仕入税額として控除できる経過措置が設けられています（平

PART2　租税実体法（実体税法）を学ぶ

28税制改正法附則52・53）。

　ただし、この期間を過ぎると、免税事業者等からの仕入税額控除は認められないことになります。免税事業者からの課税仕入れを仕入税額控除するためには、免税事業者が「適格請求書発行事業者」として登録し、課税事業者とならなければなりません。

【免税事業者等からの課税仕入れに係る経過措置】

期　　　間	割　　　合
令和5年10月1日から令和8年9月30日まで	仕入税額相当額の80％
令和8年10月1日から令和11年9月30日まで	仕入税額相当額の50％

⑵　適格請求書等保存方式における簡易課税制度の経過措置

　簡易課税制度を選択している場合であっても、売り手として適格請求書等を交付するためには、適格請求書発行事業者としての登録が必要です。

　なお、簡易課税制度を選択している場合には、課税売上高のみで消費税額が計算されることから、仕入税額計算のための適格請求書等の保存は不要となります。

　また、免税事業者が2023（令和5）年10月1日から2029（令和11）年9月30日までの期間において適格請求書発行事業者として登録を受けることとなった場合には、登録日から課税事業者となる経過措置が設けられています。そして、この経過措置の適用を受ける事業者が、登録日の属する課税期間中にその課税期間から簡易課税制度の適用を受ける旨を記載した「消費税簡易課税制度選択届出書」を、税務署長に提出した場合には、その課税期間から簡易課税制度が利用することができます（平28税制改正法附則44④、平28税制改正改正令附則18）。

⑶　適格請求書発行事業者となる小規模事業者に対する負担軽減措置

　適格請求書等保存方式、いわゆるインボイス制度の導入により、免税事業者から適格請求書発行事業者となるため課税事業者となった者ついては、仕入税額控除の金額を、特別控除税額（課税標準である金額の合計額に対する消費税額から売上げに係る対価の返還等の金額に係る消費税額の合計額を控除した残額の100分の80に相当する金額）とすることができます（いわゆる「2割特例」）（平28税制改正法附則51の2①・②）。つまり以下の期間において、インボイス制度に

337

より課税事業者となった者については、原則課税、簡易課税といった税額計算方法の選択、若しくは売上に係る消費税額の20％の納税のいずれかを選択できるということです（結局のところ３つのうちからどれかを選ぶということです）。

　ただし、この特例を適用できる期間は、2023（令和５）年10月１日から2026（令和８）年９月30日までの日の属する各課税期間となります。また２割特例の適用に当たっては、事前の届出は必要なく、消費税の申告時に消費税の確定申告書に２割特例の適用を受ける旨を付記することで適用を受けることができます（平28税制改正法附則51の２③）。なお、２割特例を適用して申告した翌課税期間において継続して２割特例を適用しなければならないといった制限はありません。課税期間ごとに２割特例を適用して申告するか否かについて判断することができます。

【小規模事業者に係る税額控除の経過措置】

期　　間	割　　合
令和５年10月１日から令和８年９月30日まで	売上税額相当額の80％
令和８年10月１日から令和11年９月30日まで	売上税額相当額の50％

◎申告・納付手続について

　課税事業者は、原則として、課税期間の末日の翌日から２か月以内に、所轄税務署長に確定申告書を提出するとともに、その申告による消費税額および地方消費税額の合計額を納付しなければなりません（消税法45①・49①、地税法72の88①）。

　なお、個人事業者の場合、事務負担への配慮から、申告・納付とも所得税の確定申告期限である翌年３月15日ではなく、翌年３月末日までとされています（措置法86の４①）。

≪その他の留意点≫

①　課税資産の譲渡等（輸出免税を除く）および特定仕入れがなく、かつ、納付すべき消費税額がない課税期間については、確定申告書の提出は要しません（消税法45①ただし書）。

PART2 租税実体法（実体税法）を学ぶ

② 控除する消費税額が課税標準に対する消費税額を上まわる場合など、還付を受けるための申告書を提出することができます（消税法45①・46①・52①・53①）。

③ 課税貨物を保税地域から引き取ろうとする者（輸入取引の場合）は、その引取りの際に、所轄税務署長に対して申告・納付が求められます（消税法47・50）。

④ 直前の課税期間の確定消費税額（年度額）に応じて、中間申告・納付が求められます（消税法42①・43①、地税法72の87①）。

⑤ 直前の課税期間の確定消費税額（年度額）が48万円以下の場合、中間申告は不要です。ただし、事業者が「任意の中間申告書を提出する旨の届出書」を提出した場合には、6月中間申告書を提出することができます（消税法42⑧、地税法72の87③）。

（阿部 徳幸）

2.2.6 消費税の総額表示義務

ポイント

　「総額表示」とは、税抜きによる価格表示では、レジで請求されるまで最終的にいくら支払えば良いのか分かりにくい、また、同一の商品などであるにもかかわらず「税抜表示」と「税込表示」が混在していると価格の比較がしづらいといったことを踏まえ、値札などへの価格表示を税込価格にすることをいいます。

◎総額表示の義務付け

　この消費税における総額表示義務は、2003（平成15）年度の税制改正により創設され、2004（平成16）年4月1日から適用されています。

① 対象となる取引は「不特定かつ多数の者」つまり、消費者を対象として行う取引に限られます（消税法63）。

339

② 総額表示の例示

> 11,000円、11,000円（税込）、11,000円（本体価格10,000円）
> 11,000円（うち消費税額等1,000円）、11,000円（本体価格10,000円、消費税額等1,000円）、
> 10,000円（税込11,000円）

（注）1　消費税額等を含めた総額（上記の例示の場合の11,000円）が明示されているかどうか
　　　　がポイントとなりますので、例えば「10,000円（税抜）」や「税抜10,000円＋税」、「10,000
　　　　円（税1,000円）」といった表示は、総額表示にはあたりません。

◎総額表示義務に関する特例

　消費税率の引き上げに伴い、消費税の円滑な転嫁の確保および事業者による値札の貼り替え等といった事務負担に配慮する観点から、転嫁特措法により、2021（令和3）年3月31日まで、総額表示義務の特例として税込価格表示でなくともよいこととされていました（転嫁特措法10①）。

（阿部　徳幸）

PART2　租税実体法〔実体税法〕を学ぶ

2.2.7 国境を越えた電子サービス取引に対する消費税課税

ポイント

　電子書籍・音楽や広告の配信などインターネット（ネット）を介して行われる役務（サービス）提供を「電気通信利用役務の提供」（「特定電子サービス取引」）といいます。電気通信利用役務の提供は、大きく消費者向け（B2C）のものと、事業者向け（B2B）のものに分かれます。また、国内事業者が提供するものと、直接海外事業者が提供するものがあります。わが国では、ネットを介して海外から国境を超えて直接海外事業者が提供する電気通信利用役務は久しく消費税の課税対象ではありませんでした。これは、消費税がかかる国内取引にあてはまるかどうかの判定（内外判定基準）が、以前はその役務を提供する「サービス提供者の事務所等の所在地」とされていたからです。日本国内に事務所等を置かないで、こうした役務をネットで直接提供する海外事業者を、国内事業者と同等に消費税の課税対象にするため、この内外判定基準は、平成27（2015）年10月に、「サービスの提供を受ける者の住所等」に変更されました。同時に、電気通信利用役務の提供（特定電子サービス取引）に対する公平な課税を行うために、新たに２つの課税方式を導入しました。

　１つは①「リバースチャージ方式」の導入です。この方式の導入により、国外事業者から受ける国内事業者向け特定電子サービス取引については、国内事業者が、国外事業者に代わり消費税の納税義務を負うことになりました。もう１つは、②「登録国外事業者（申告納税）制度」の導入でした。ところが、令和５（2023）年10月から適格請求書等保存方式（インボイス制度）が開始されたことに伴い、②登録国外事業者制度は廃止されました。令和５（2023）年９月１日時点で登録国外事業者だった者については、適格請求書発行事業者の登録を受けたものとみなされます。そして、インボイス制度導入後、国内登録国外事業者だった者は、事業者間で行われる課税仕入れと同様に取り扱われます。

341

◎電気通信利用役務の提供にかかる内外判定基準の見直し

電子書籍・音楽（デジタルコンテンツの提供）や広告の配信、宿泊・飲食店などの予約サイト、クラウドサービスなどインターネット（ネット）を介して行われる役務（サービス）提供を「電気通信利用役務の提供」（または「特定電子サービス取引」）といいます。

わが国では、インターネットのような電気通信回線を介して海外からの国境を越え直接、国外事業者〔所得税法上の非居住者である個人事業者（所得税法2①五）および法人税法上の外国法人をさします（法税法2四）。〕が行う「電気通信利用役務の提供」（消税法2①八の三）には久しく消費税が課されていませんでした。

その一方で、国内事業者から受けた電気通信利用役務の提供には、消費税が課されてきました。このため、消費課税における公平性、イコールフッテング（競争条件の対等化）が問題となっていました。

こうした問題を解決するために、平成27（2015）年10月に、国外事業者からの特定電子サービス取引が消費税の課税対象となる国内取引にあてはまるかどうかの判定（内外判定基準）が見直されました（消税法4③三）。それまでの「サービス提供者の事務所等の所在地」から「サービス提供を受ける者の住所地等」に変更されました。

この内外判定基準見直しにより、国外事業者が国内事業者や国内消費者に対して行う電気通信利用役務の提供は、「不課税」から「課税」になりました。これにより、国外事業者が日本市場向けに国境を越えて行われる電気通信利用役務の提供は、国内取引として消費税が課されることになりました。

●内外判定基準の見直し

	電気通信利用役務の提供	改正前	改正後
①	国内事業者→国外事業者	国内取引→課税	国外取引→不課税
②	国外事業者→国内事業者	国外取引→不課税	国内取引→課税
③	国内事業者→国外消費者	国内取引→課税	国外取引→不課税
④	国外事業者→国内消費者	国外取引→不課税	国内取引→課税
⑤	国内事業者→国内消費者	国内取引→課税	国内取引→課税

＊国税庁ホームページ「国境を越えた役務の提供に係る消費税の課税関係について」（https://www.nta.go.jp/shiraberu/ippanjoho/pamph/shohi/cross/01.htm）をもとに作成

電気通信利用役務の提供にあたるものとしては、具体的に、次のような取引があげられています（国税庁「国境を越えた役務の提供に係る消費税の課税に関するQ＆A　平成27年5月（平成28年12月改訂）」(https://www.nta.go.jp/publication/pamph/pdf/cross-QA.pdf参照)）。

●電気通信利用役務の提供にあたる具体例

- ・インターネット等を介して行われる電子書籍・電子新聞・音楽・映像・ソフトウエア（ゲームなどの様々なアプリケーションを含む。）の配信
- ・顧客に、クラウド上のソフトウエアやデータベースを利用させるサービス
- ・顧客に、クラウド上で顧客の電子データの保存を行う場所の提供を行うサービス
- ・インターネット等を通じた広告の配信・掲載
- ・インターネット上のショッピングサイト・オークションを利用させるサービス（商品の掲載料金等）
- ・インターネット上でゲームソフト等を販売する場所を利用させるサービス
- ・インターネットを介して行う宿泊予約、飲食店予約サイト（宿泊施設、飲食店等を経営する事業者から掲載料等を徴するもの）
- ・インターネットを介して行う英会話教室

一方、ここでいう電気通信利用役務の提供には、他の資産の譲渡等の結果の通知その他の他の資産の譲渡等に付随して行われる役務の提供は含まれません（消税法2①八の三）。例えば、情報の収集、分析等を行ってその結果報告等について、インターネット等を介して連絡が行われたとしても、情報の収集・分析等という他の資産の譲渡等に付随してインターネット等が利用されているものですので、電気通信利用役務の提供にはあたりません。

343

● リバースチャージ方式

《事業者向け特定電子サービス取引にかかる課税方式》

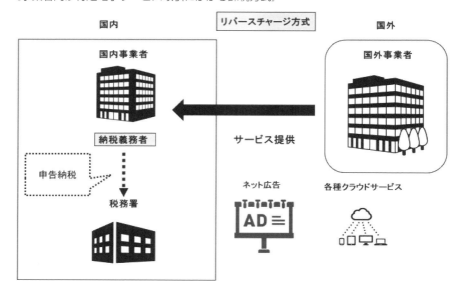

◎国境越えのB2B取引へのリバースチャージ方式による消費課税

　消費税の課税対象となる国境越えた電気通信利用役務の提供は、大きく2つの場合に分けて検討することができます。1つは、①「事業者間取引（B2B取引＝business to business transaction）の場合です（消税法2①八の四）。そして、もう1つは、②「事業者―消費者間取引（B2C取引＝business to consumer transaction）の場合です。②B2C取引は、法令において特段定義されていないことから、①B2B取引以外のものとされます。

　国境越えの①事業者間（B2B）電気通信利用役務の提供にかかる消費税の課税においては、「リバースチャージ（reverse charge）」方式が適用されます。通常の取引の場合は、「役務／サービスの提供者（売手）」が消費税の納税義務者になります。これに対して、リバースチャージ方式では、「役務／サービスの購入者（買手）」が納税義務を負うことになります（財務省ホームページ「国境を越えた役務の提供に係る消費税の課税の見直し」（https://www.mof.go.jp/tax_policy/summary/

PART2　租税実体法（実体税法）を学ぶ

consumption/134.htm参照））。

　国境越えの事業者間（B2B）電気通信利用役務の提供にかかるリバースチャージ課税方式の消費課税の仕組みは、次のとおりです。

● 国境越えの事業者間（B2B）電気通信利用役務の提供へのリバースチャージ方式の採用

(a)　B2B取引課税への「リバースチャージ方式」の採用

　国外事業者が行う電気通信利用役務の提供のうち、その性質や契約条件等から、当該役務提供を受ける者が"事業者"であることが明らかであるとします。この場合、当該事業者向け取引は事業者間（B2B）取引となり、事業者は、国内において行った課税資産の譲渡等および特定課税仕入れについては、その取引にかかる消費税の納税義務を、国内事業者にシフトする「リバースチャージ方式」で課税されます。つまり、電気通信利用役務の提供を受けた国内事業者が消費税の納税義務を負うことになります。

(b)　B2B電気通信利用役務の提供を行う国外事業者にかかる課税取扱い

　国外事業者で事業者間（B2B）国内事業者向け電気通信利用役務の提供を行う者に、消費税を上乗せすることなしに、当該国内事業者に特定電子サービスを提供することになります。なぜならば、リバースチャージ方式では、国内事業者が、国外事業者に代わって消費税の納税義務者となるからです。

(c)　B2B電気通信利用役務の提供を受ける国内事業者にかかる課税取扱い

　事業者間（B2B）電気通信利用役務の提供において、国内事業者は、当該取引（特定課税仕入れ）にかかる消費税を仕入税額控除の対象にすることができます。ちなみに、国内の消費税の免税事業者は、B2B電気通信利用役務の提供において、国外事業者から事業者向け電気通信利用役務の提供を受けた場合には、消費税の納税義務はありません。

　国内事業者は、消費税申告にあたり、事業者間（B2B）電気通信利用役務の提供にかかる課税売上割合が95％以上である課税期間または簡易課税制度の適用を選択している課税期間については、当分の間、リバースチャージにかかる消費税はなかったものとして取り扱われます（消税法附則（平成27年）42、44②）。したがって、申告に反映する必要はありません。逆に、課税売上割合が95％未満の場合は、リバースチャージ方式が適用されます。

345

●国外事業者申告納税方式

《消費者向け特定電子サービス取引にかかる課税方式》

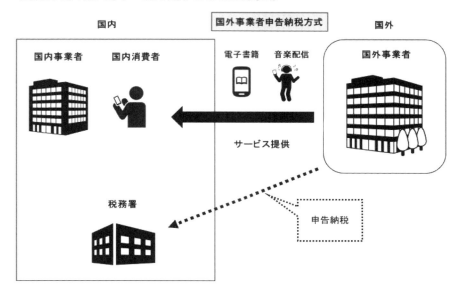

◎国境越えのB2C取引への消費課税と登録国外事業者（申告納税）制度のインボイス制度への移行

令和5（2023）年10月から、適格請求書等保存方式（インボイス制度）が開始されたことに伴い、登録国外事業者制度は廃止され、インボイス制度に移行しました。国境越えの事業者－消費者間（B2C）電気通信利用役務の提供にかかる消費税の登録国外事業者（申告納税）制度のインボイス制度への移行は、次のとおりです。

● 事業者－消費者間（B2C）取引と登録国外事業者（申告納税）制度のインボイス制度への移行

(a) 消費者向け電気通信利用役務の提供の消費課税ルール

法令では「消費者向け電気通信利用役務の提供（特定電子サービス取引）（B2C）」を特段定義していません。したがって、国外事業者が行う電気通信利用役務の提供のうち、事業者向け以外の電気通信利用役務の提供が「消費者向け電気通信利用役務の提供」となります。例えば、国外事業者が、クラウドサービスのように、事業者および個人の最終消費者の双方に対して電子サービスの提供を行っているとします。この場合で、役務の性質や契約条件等から当該役務の提供を受ける者が"事業者"であることが明らかでないときには、消費者向け電気通信利用役務の提供（B2C）に区分されることになります*。

PART2 　租税実体法（実体税法）を学ぶ

（b）　登録国外事業者（申告納税）制度のインボイス制度への移行

　令和5（2023）年10月から、適格請求書等保存方式（インボイス制度）が開始されたことに伴い、登録国外事業者制度は廃止されインボイス制度へ移行しました。インボイス制度では、「帳簿」及び所轄税務署長に申請して登録を受けた「適格請求書発行事業者」が交付する「適格請求書」（いわゆるインボイス）の保存が仕入税額控除の要件となります。これに伴い、令和5（2023）年9月1日において登録国外事業者である者であり、同日において「登録国外事業者の登録の取消しを求める旨の届出書」を提出していない者は、令和5年10月1日に適格請求書発行事業者の登録を受けたものとみなされることになります。なお、移行登録国外事業者については、新たに付番された「登録番号」（T＋法人番号。これを「インボイス番号」といいます。）のほか、「名称」、「登録年月日」、「本店又は主たる事務所の所在地」及び「国内において行う資産の譲渡等に係る事務所等を有する場合はその所在地」が公表されることとなります（国税庁ホームページ「国税庁適格請求書発行事業者公表サイト」URL：https://www.invoice-kohyo.nta.go.jp/）。

　したがって、移行登録国外事業者が令和5（2023）年10月1日以後の取引について請求書等を交付する際には、新たに付番されたインボイス番号を記載することとなります。

（c）　インボイス制度導入後の電気通信利用役務の提供

　令和5（2023）年10月1日以前の制度では、消費者向け電気通信利用役務の提供（特定電子サービス取引）については、登録国外事業者から提供を受けた場合にのみ、その課税仕入れについて仕入税額控除が認められていました。しかし、インボイス制度導入後は、国内の事業者間で行われる課税仕入れと同様に取り扱われることとなります。したがって、電気通信利用役務の提供を行う適格請求書発行事業者である国外事業者は、原則として、その課税資産の譲渡等に係る適格請求書（インボイス）をその他の事業者に交付しなければなりません（消税法57の4①）。他方、消費者向け電気通信利用役務の提供を受けた国内事業者は、提供元たる国外事業者の登録番号を帳簿へ記載することは不要となり、インボイスの保存とともに一定の事項を帳簿に記載することで仕入税額控除が可能となります（消税法30〜36、平成27年改正法附則38①但書）。一方、登録国外事業者以外の国外事業者から事業者から受けた「消費者向け電気通信利用役務の提供」については、経過措置により当分の間は仕入税額控除が制限されることになるので注意が必要です（平成27年改正法附則38①）。

＊　わが国の消費税は、事業者番号が記されたタックスインボイス（税額票）方式ではないために、このようなあいまいな判定基準で、国外事業者に対し、B2B取引かB2C取引かを判定するように求めているわけです。ちなみに、財政当局は、この問題に対応するために、共通番号法（42条以下）に基づき法人企業に付番される「法人番号」を国連や国際標準化機構（ISO）から認証を得て、国際的電子商取引における法人向けの事業者番号として活用する方針を打ち出しています。

（注）　リバースチャージ方式が、電気通信利用役務の提供に加え、現実空間取引にも拡大してきています。2015年度の税制改正において、国外事業者が行う、映画もしくは演劇の俳優、音楽家その他の芸能人または職業運動家の役務の提供を主たる内容とする事業として行う役務の提供のうち、当該国外事業者が他の事業者に対して行うものを「特定役務の提供」としたのが一例です。この場合、特定役務の提供を受けた事業者には、リバースチャージ方式が適用になり、「特定課税仕入れ」として消費税の申告・納税が求められます（消税法2①八の五、5①、28②、45①一、消税令2の2）。したがって、2016年4月以降、この種の特定役務の提供については、消費税の納税義務者は、役務の提供を行う国外事業者から役務の提供を受けた国内事業者に変わりました。

347

◎海外のオンラインゲームをめぐる消費課税問題(プラットフォーム課税)

　国境を超えた電子サービス取引に対する消費課税の問題として、海外のオンラインゲームなどモバイルアプリに対する課税のあり方が議論されています。すでにふれたように平成27(2015)年度の税制改正では、国境を越えて配信されるコンテンツにも消費税が課されることになりました。これにより国外のゲーム会社は、アップルやグーグルなどのプラットフォーム(PF)運営事業者が運営するアプリストアを通じてスマホゲームを配信する場合、消費税を納める義務が生じます。しかし、国外のゲーム会社は小規模企業や個人事業主が多く、国内に拠点がないことも少なくありません。それにより国内のユーザーはアプリストアを通じて利用料金と消費税を納めるものの、消費税が納められないケースがありました。これに対して、EUやアジア、北米などの多くの国は、プラットフォーム(PF)運営事業者を通じて間接的に課税する方法を導入しています。このような諸外国の新たな課税方法の導入を受けて、政府はアップルやグーグルなどのプラットフォーム(PF)運営事業者が、日本に消費税を納めるよう義務付ける方針です。この背景には、税務当局が、プラットフォーム(PF)運営事業者の消費税納付過程を通じて、制作会社の情報を得てその取引実態を把握しようという意図があります。以上のような、プラットフォーム課税のイメージは次のとおりです。

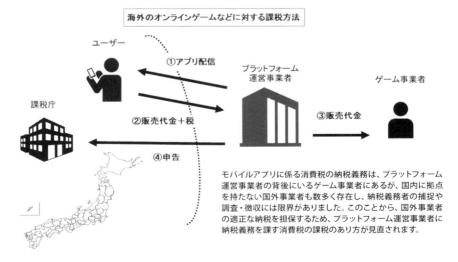

海外のオンラインゲームなどに対する課税方法

モバイルアプリに係る消費税の納税義務は、プラットフォーム運営事業者の背後にいるゲーム事業者にあるが、国内に拠点を持たない国外事業者も数多く存在し、納税義務者の捕捉や調査・徴収には限界がありました。このことから、国外事業者の適正な納税を担保するため、プラットフォーム運営事業者に納税義務を課す消費税の課税のあり方が見直されます。

PART2　租税実体法（実体税法）を学ぶ

（石村　耕治・本村　大輔）

〔アドバンス文献〕岡村忠夫「国境を越えた役務提供と消費課税」法学教室417号（2015年）、
石村耕治「二重課税とは何か：電子商取引全盛時代の"二重課税"概念とは」
獨協法学94号（2014年）

Column　「国際観光旅客税」とは何か

　2019年1月7日以降、日本から出国する際に1人あたり1,000円を徴収する新たな出国新税（国税）の導入されました。この新税は、「国際観光旅客税」とよばれます。

　国際観光旅客税は、航空会社や船舶会社（特別徴収義務者）が、飛行機や船舶のチケットを発券する際にその代金に上乗せして徴収します。つまり、外国人に限らず日本人も負担を求められます。ただし、乗り継ぎの旅客や天候その他の理由により日本に緊急着陸した旅客、2歳未満の幼児は負担を求められません。この税金は、性格的には直接消費税です（☛1.2.3）。

　国際観光旅客税は、わが国から出国する旅客に一律に広く薄くかける仕組みの税です。税方式を採ったのは、①毎年度の予算編成で機動的に必要な措置を講じることができ、かつ、②日本人・外国人に等しく負担を求めることによりわが国が各国と締結している租税条約の「国籍無差別」条項に資するからだと説明されています。

　この出国新税で、年間およそ400億円の税収が見込まれています。この税収は、三に観光インフラの整備など外国から観光客を増やす施策に使うとされています。ただ、この課税をしたら、本当に観光インフラの改善につながるのか何の保証もないわけです。その効果が不透明で、たんに"負担ありき"が懸念されます。

　特定の目的を掲げて、消費税の引上げ（8％➡10％）とは別腹で、各省庁が森林環境税（林野庁・☛1.2.10）をはじめとして次々と、新たな個別の税金を設け庶民増税をする流れには強い異論があります。「道路特定財源」のように、使い道を限定した特定財源はこれまでも無駄遣いの温床として問題になっています。国際観光旅客税（観光庁）についても同じことが懸念されます。そこで、国際観光旅客税収は観光インフラの改善に重点的に振り向けるものの、無駄遣いが指摘される特定財源とはせず、一般会計に入れて使う仕組みです。国際観光旅客税で、独自の"サイフ"を持ちたいという観光庁の念願がかなったようにもみえます。各省庁による不透明さが漂う独自のサイフづくりのための増税を放任する政治の姿勢が問われています。

　ちなみに、ここでいう国際観光旅客税は、一般に出国税ともよばれる「国外転出時課税」（所税法60の2以下・☛4.5）とは異なるものです。

（石村　耕治・本村　大輔）

2.2.8 消費税の改正：軽減税率の導入、適格請求書等保存方式への移行など

ポイント

　2019（令和元）年10月１日から、消費税の税率（標準税率）が10％に引上げられました。「軽減税率」（８％）が採用され、生活に深くかかわる特定の品目に適用されます。軽減税率の導入に伴い、仕入税額控除方式が、これまでの請求書等保存方式から「適格請求書等保存方式」（いわゆる「タックスインボイス方式／税額票方式」）に変更されます。また、消費税を納める事業者を登録して番号をつける「適格請求書発行事業者登録制度」（いわゆる「事業者登録番号」）が導入されます。

◎各種経過措置のあらまし

　適格請求書等保存方式への変更に伴い、各種経過措置が設けられています。

(1)　免税事業者にかかる経過措置

　免税事業者は、仕入税額控除の適用外となるため、取引から排除されたり、値引を強いられることが懸念されます。このため、2023（令和５）年10月１日から2026（令和８）年９月30日まで、免税事業者等（最終消費者を含みます。）から行った課税仕入れに係る消費税相当額に80％の割合を乗じて算出した額の仕入税額控除を認める経過措置が講じられます。また、その後の３年間（2026（令和８）年10月１日〜2029（令和11）年９月30日）は50％の仕入税額控除を認める経過措置が講じられます（平28税制改正法附則52①・53①）。

　逆にこの期間を過ぎると免税事業者等からの仕入税額控除は認められないことになります。免税事業者からの課税仕入れを仕入税額控除とするには、免税事業者が、「適格請求書発行事業者」として登録し、課税事業者とならなければなりません。

(2)　区分経理方式の経過措置

　2019（令和元）年10月１日以降、2023（令和５）年９月30日までは現行の請求書等保存方式を維持します。ただし、軽減税率対象品目がある場合には、「そ

の旨」の記載と「税率の異なるごとに合計した対価の額」を加えることになります（区分記載請求書等保存方式）。あわせて、これらの事項を、この請求書等の交付を受けた事業者が当該事実に基づいて追記することでの対応も認められます（平28税制改正法附則34③）。したがって、この間は免税事業者等からの課税仕入れは仕入税額控除の対象となります。

(3) 売上税額計算の特例措置

　売上げを税率の異なるごとに区分することが困難な中小事業者（基準期間における課税売上高が5,000万円以下の事業者）に関しては、2019（令和元）年10月１日から2023（令和５）年９月30日までの期間につき、売上税額の計算の特例が認められます（平28税制改正法附則38①〜④）。

---

① 　簡易課税制度の適用を受けない、仕入れを税率ごとに管理できる卸売事業者・小売事業者
〈卸売業・小売業に係る売上げに下記の割合を乗じた金額〉

$$小売等軽減仕入 = \frac{軽減税率対象品目の仕入額}{仕入総額}$$

② 　上記①以外の事業者で、通常の連続した10日間の売上げの管理をできる事業者
〈売上げに下記の割合を乗じた金額〉

$$軽減税率売上割合 = \frac{通常の連続10営業日の軽減税率対象の売上額}{通常の連続10営業日の売上総額}$$

③ 　その他の事業者は①②の割合に代えて $\frac{50}{100}$ とすることができます。

（注）1 　金額はいずれも税込みです。

（注）2 　上記③は主として軽減税率対象商品を取り扱う事業者で、①②の算定が困難な場合に適用されます。ただし、その困難な程度は問われません。

（阿部　徳幸）

2.2.9 デジタル（電子）インボイスとは何か

ポイント

　2023(令和５)年10月の消費税における適格請求書等保存方式（インボイス制度）への転換と同時に、「デジタル（電子）インボイス（e-invoice）」が導入されました（消税法57の４五）。わが国で採用を目指しているデジタル（電子）インボイスは「ペポル式」です。ペポル式とは「デジタル（電子）インボイス専用線の自動改札システム」のような仕組みです。将来的には、あらゆる消費税の課税取引をこの改札システムを通過させることで、税務当局は消費税課税取引のトータルな把握をめざしています。

　デジタル（電子）インボイスは、EUその他の諸国の実情を点検すれば、「事業者や事業者間取引の常時オンライン/ネットワーク監視」、「記入済電子消費税申告制度」の導入などが狙いであることがわかります。

◎デジタル（電子）インボイスの導入

　2023年10月の消費税におけるインボイス制度への転換と同時に、「デジタルインボイス（電子インボイス）」が導入されました（消税法57の４⑤）。デジタル（電子）インボイスは、電子帳簿保存法（電帳法）の適用上は、「電子取引」にあてはまります（電帳法2⑤）。このことから、デジタル（電子）インボイスは、消費税法上のインボイス制度の要件を満たすと同時に、電帳法７条で定められた要件も満たす必要があります（☛1.3.8）。

　わが国のデジタル（電子）インボイスシステムでは、「ペポル（Peppol=Pan-European Public Procurement Online ）規格」（「ペポル式」）を採用します。ペポルは インボイスなど電子文書をネットワーク上でやり取りするための世界基準の規格です。現在、おおよそ40か国が採用に動いています。今後、デジタル（電子）インボイスでも、ペポル式でないと、仕入税額控除(消税法30)ができる適格ンボイスとしては通用しなくなる方向です。

　なお、現時点では、ペポル式でなければデジタル（電子）インボイスとして

352

交付・保存できないわけではありません。このことから、売手側がデジタル（電子）インボイスを交付してきた場合、買手側は、電子帳簿保存法に従って保存することで、仕入税額控除の適用を受けることができます。

確かに、大量のインボイスを「紙」で保存するのは、大変です。とりわけ大企業では「紙保存」は現実的ではありません。しかし、問題は、大企業と取引する中小零細企業もペポル式導入に引っ張られかねないことです。ペポル式を導入しないと、取引からはじき出されかねません。玉突きで、税理士も同じ問題を抱えています。まさに、昨今の「インボイス登録問題」に似ています（☞2.2.5）。

わが国のデジタル（電子）インボイスシステム導入では、デジタル庁が、船頭役を務めています。同庁が、国際機関であるオープンペポル（OPEN Pepool）の会員となり、国際基準であるペポル規格／ペポル式のわが国でのシステムづくりを進めています。つまり、デジタル庁は、日本認証機関（Japan PA＝Japan Pepool Authority）で、ペポル規格／ペポル式の電子（デジタル）インボイス制度普及の元締めなわけです。国によっては、オーストラリア国税庁（ATO＝Australian Taxation Office）やカナダ歳入庁（CRA＝Canada Revenue Agency）のように税財政当局が認証機関のところもあります。

日本認証機関（Japan PA）であるデジタル庁の翼賛機関として、「デジタルインボイス推進協議会（エイパ／EIPA）」が組織されています。エイパ／EIPAは、認証デジタル（電子）インボイスサービスプロバイダの業界団体です。TKCや弥生など主だったIT税務会計ソフト会社などが加盟ししています。ゆうに100者を越えています。日税連もエイパ／EIPAの会員です。

IT税務会計ソフト会社などエイパ／EIPA会員企業は、デジタル庁監督のもと、インターネット上に構築された消費税の課税事業者向けのペポル式デジタル（電子）インボイスシステムにアクセスポイント（ペポル線乗降駅／自動改札機）を次々と開設する準備を進めています。

◎「ペポル式」とは何か

「ペポル（Peppol）」とは、電子化／データ化された文書を国境のないネットワー

ク上でやり取りするための世界基準の規格です。データ化する「文書仕様」「ネットワーク」「運用ルール」などの検討を行っています。

ペポルは、2005（平成17）年に創設された「オープンペポル（OPEN Peppol）」という国際的なネットワーク上の非営利団体によって管理・運営されています（About OpenPeppol - Peppol - Peppol）。当初、ペポルは、「Pan-European Public Procurement Online」という正式名称からもわかるように、もともと政府が民間からモノやサービスを購入する取引/政府公共調達（BtoG）をする際に事業者に電子インボイスを使うように求める際の規格でした。その後、民間の事業者間取引（BtoB）にもエスカレート利用されてきています。

オープンペポルは、官民連携の組織で、わが国のデジタル庁を含む世界各国の行政機関のほか、わが国のTKCや弥生をはじめとした450を越える世界中の民間事業者団体が会員になっています。

ペポルは、電子（デジタル）インボイスで「4コーナーモデル」と呼ばれる仕組みを採用しています。

● 4コーナーモデル（イメージ）

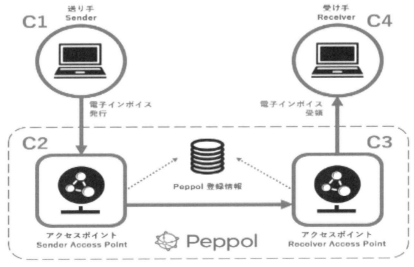

【引用】エイパのホームページなどから引用

354

ユーザー（売り手（C1/コーナー１））は、民間の自らのアクセスポイント（C2）を通じ、ペポル加盟国のネットワーク/デジタルプラットフォームに接続し、買い手のアクセスポイント（C3）にインボイスデータを送信し、それが買い手（C4）に届くという仕組みです。Peppolユーザー［ペポル式デジタル（電子）インボイスを採用する消費税の課税事業者］は、アクセスポイントを経て、認証電子インボイスプロバイダに接続することで、Peppolネットワークに参加する全てのユーザー［ペポル式電子インボイスを採用する消費税の課税事業者］とデジタル（電子）インボイスをやり取りすることができます。

　確かに、膨大な量になるインボイスを文書で保存するのはデジタル化/電子化時代には似合いません。事務効率もよくありません。「デジタル（電子）インボイス導入は時代の流れ」ともいえます。デジタル（電子）インボイスにも、さまざまな方式があります。わが国では、各課税事業者が使える方式は「ペポル式」に限定されます。

　言いかえると、ペポル式以外のデジタル（電子）インボイスでは、仕入税額控除は認められないことになる方向です。

● ペポル式（自動改札式）デジタルインボイス・システム（Public use）

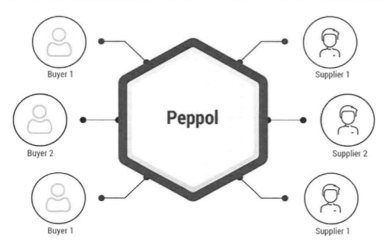

政府は、インボイス制度への転換を機に、「ペポル式」デジタル（電子）インボイスを導入します。ペポル式とは「デジタル（電子）インボイス専用の自動改札システム」のような仕組みです。つまりデジタル（電子）インボイスのペポル線（専用線）を敷いて、デジタル（電子）インボイスを使うすべての消費税課税事業者に、ペポル線駅／自動改札機（コンタクトポイント）から乗降してもらうことになります。あらゆる取引をこの改札機を通過させることで、税務当局が消費課税取引のトータルな監視を可能にしようというのです。私たちは、今日、日常的にJRをはじめ鉄道各社の自動改札システムを利用しています。鉄道各社は、自動改札システムの導入により、紙の切符の時代とは異なり、不正乗車はほぼなくなったといいます。車掌による車内検札も要らなくなり、しかも運賃増収にもつながったといいます。

　税務当局は、インボイス制度への転換を機に、消費税の益税封じに加え、ペポル式デジタル（電子）インボイスを導入し、あらゆる課税事業者に「ペポル専用線」の利用を事実上強制します。これにより、税務調査の自動化、消費税の課税漏れの防止・消費税増収を狙っているわけです。

　コンタクトポイント（ペポル線乗降駅／自動改札機）を開設できるのは、TKCや弥生のような税務会計ソフトなどの開発・販売を手掛ける事業者です。デジタル庁に自動改札業務を扱う認証を受けてアクセスポイント（ペポルTKC駅、ペポル弥生駅・・・・・）を開設することになります。

　消費税の課税事業者は、認証を受けたこれらIT税務会計ソフト会社などと契約をし、これらの駅（アクセスポイント）からペポル専用線に乗り降りすることになります。

PART2 租税実体法（実体税法）を学ぶ

● ペポル式電子インボイスの国際ネットワークの仕組み

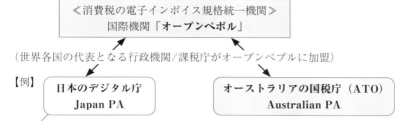

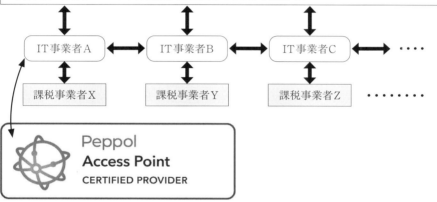

■ペポル式電子インボイス・アクセスポイント認証プロバイダーのロゴ（Public use）

◎零細事業者とデジタル（電子）インボイス

　事業者がインボイス登録を選択するとします（☞2.2.5）。この場合、取引相手がデジタル（電子）インボイスを導入していれば、零細であっても、当然対応が迫られます。ただ、小規模・零細事業者などに配慮して、消費税法施行規則（省令）で、宥恕措置が設けられています。次のように規定して、電子データの保存ではなく、「出力して書面（紙）で保存する例外措置」（消税規15の5②、消税規26の8②）を認めています。

357

●デジタル（電子）インボイスを出力して書面で保存する例外措置の定め

> ［略］電磁的記録［電子データ］を保存する事業者は、当該電磁的記録［電子データ］を出力することにより作成した書面（整然とした形式及び明瞭な状態で出力したものに限る。）を保存する方法によることができる。この場合において、当該事業者は、当該書面を、同項の規定により保存すべき場所に、同項の規定により保存すべき期間、整理して保存しなければならない。

　ただし、これはあくまでも暫定措置です。インボイス方式への転換直後にデジタル（電子）インボイスを受け取った相手方事業者にいきなり電子データ保存を義務づけるのは酷であることを考慮した措置です。

◎デジタル（電子）インボイスの真の狙いは何か

　デジタル（電子）インボイスを採用するのは、「商取引の国家監視」、「商取引のデジタル監視」が最大の狙いとされます。つまり、❷BtoB［事業者間］取引、❶BtoG取引［事業者と政府間取引／政府公共調達］にかかる電子インボイスを仲介するデジタルプラットフォーム企業の取引情報が国家（国や自治体）、とりわけ税務当局のデータベース（ポータルサイト／政府プラットフォーム）と紐づけされ「データ監視資本主義」につながる懸念が強いのです。これは、後に詳しくふれますが、EU加盟各国やイギリス、韓国などの実際の電子インボイス制度やその構想を深読みすればすぐわかります。

　デジタル（電子）インボイス制度は、紙のインボイスを電子データ化するといった単純な構想ではありません。読者の理解を深めるために、デジタル（電子）インボイス、デジタルプラットフォーム企業、国家ポータルサイト、AI［人工知能］、アルゴリズム［情報処理手順］などのツールやコンポーネントを使ったデジタル（電子）インボイスデータのオンライン流通の仕組みを簡潔にイメージすると、次のとおりです。

PART2 租税実体法（実体税法）を学ぶ

● デジタル（電子）インボイスデータのオンライン/ネットワーク流通イメージ（A）
《民間プラットフォーム＋国家プラットフォーム併用タイプ》

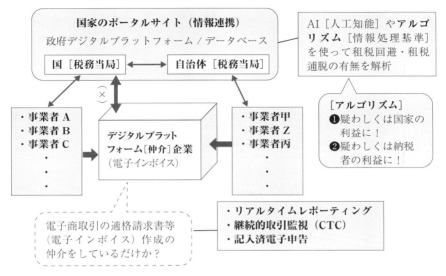

　民間のデジタルプラットフォーム企業を介在させないで、国家のポータルサイト（電子インボイスインフラ）に直接接続する形で電子インボイスを流通（発行・受領・保存）させる次のようなモデルもあります。このようなモデルには、民間の事業納税者からのアレルギーがあります。

359

●デジタル（電子）インボイスデータのオンライン/ネットワーク流通イメージ（B）
《国家プラットフォーム直結タイプ》

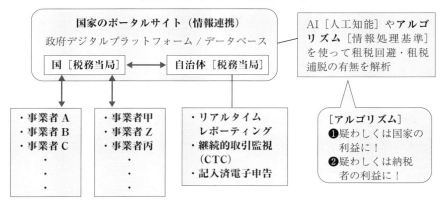

　デジタル（電子）インボイスを仲介するプラットフォームモデルのあり方は、とりわけ❷事業者間取引（BtoB）でのデジタル（電子）インボイスの流通という面から大きく注目されています。各国が、どちらのモデルを採用しているのかを、おおまかに紹介すると、次のとおりです。

●デジタルプラットフォーム利用モデル
① 民間プラットフォーム＋国家プラットフォーム併用モデル
　フランス、ドイツ、イギリス、韓国、日本、オーストラリア、シンガポール、カナダ、インドなど
② 国家プラットフォーム直結モデル
　イタリア、スペイン、ポーランド、ロシアなど

　デジタル（電子）インボイスを国家プラットフォームに接続させて流通するのを義務づけることにより、税務当局が収集した納税者情報、取引情報の危険な使われ方をおおまかにまとめてみると、次のとおりです。

●デジタル（電子）インボイスの税務当局による危ない使われ方

《電子インボイス制度をツール（道具）にして、収集された税務情報の活用とは》

① 税務当局による「リアルタイムレポーティング（real time reporting）」

【問題点】 申告納税制度のもとでは、学問上、「事前調査」（申告期限前に実施される調査）は違法と解されています。ところが、リアルタイムレポーティングの仕組みでは、実質的に"常時オンライン税務調査"も可能になります。

② 「継続的取引監視（CTC = Continuous Transaction Controls）」

【問題点】 「監視資本主義」、つまり市場主義原理のもとにある民間企業間（BtoB）取引の国家（国・自治体）のよるデジタル監視システムの構築が可能になります。監視税務行政につながることは明らかです。

③ 記入済み電子申告書にエスカレート

> ❶記入済み電子消費税［付加価値税］申告制度（pre-filling and electronic VAT return system）」
> ❷記入済み電子所得税申告制度
> ❸記入済み電子法人税申告税度

【問題点】 自主申告納税制度（self-assessment system）から一種の賦課課税（official assessment system）に類似する仕組みになり、納税者は、修正を求める存在になってしまいます。申告納税制度崩壊の呼び水になることが懸念されます。

（石村 耕治・阿部 徳幸）

〔アドバンス文献〕石村耕治「電子インボイス/デジタルインボイスとは何か」TCフォーラム研究報告2022年7号

2.2.10 仕入税額控除の適用否認をめぐる主な論点

ポイント

　1994（平成６）年の改正、1997年（平成９）年４月１日施行により、消費税の仕入税額控除を受けようとする事業者（納税者）は、「帳簿」および「請求書等」の双方の「保存」が必要になりました（消税法30⑦）。（改正前までは、どちらか一方の保存でよかったのです。）課税庁は、この規定を安易に拡大して適用・解釈、仕入れにかかった消費税額を否認し、課税売上分をベースに消費税を課す処分を広げています。一方、裁判所も、こうした課税庁の処分を支持する傾向を強めています。しかし、消費税は、本来、付加価値（課税売上と課税仕入の差額）をベースに課税する税金です。事業者の「仕入税額控除権」保障の観点から、消費税（付加価値税）の原点に立ち返った法の適用・解釈が求められています。

　2023(令和５)年10月から、仕入税額控除は、インボイス制度（適格請求書等保存方式）に移行しました。ところが、仕入税額控除の「帳簿＋インボイスの保存」要件をそのまま引き継いだのです。しかし、これでは、インボイス方式の付加価値税の国際基準から大きく逸脱するのではないでしょうか。EU（欧州連合）のように、「インボイスまたは資料の保存」があれば事業者に仕入税額控除権が認められる仕組みにしてはじめてインボイス制度への移行の真の意味があるのではないでしょうか。グローバルに通用する簡素で中小事業者にフレンドリーな仕入税額控除ルールが求められます。

◎「帳簿」および「請求書等」の保存をめぐる課題

　実額による仕入税額控除（本則課税方式）による場合、課税事業者は、その課税期間における課税売上高から、同じ期間に国内において行った課税仕入高にかかる消費税額（仕入税額）を控除することになっています（消税法30①）。

　実額による仕入税額控除は、「帳簿（事業者が課税仕入の相手方の氏名ないし名称、課税仕入の年月日、課税仕入にかかる物品またはサービスの内容、課

税仕入にかかる支払対価の額等を記載したもの)」、「請求書等(前段階・仕入先の事業者から交付されたもので、その作成者の氏名もしくは名称、課税物品を譲渡またはサービスを提供した年月日、課税物品ないしサービスの内容、その対価の額、その交付を受ける事業者の氏名もしくは名称等を記載したもの)」を保存することで、適用が受けられます(消税法30⑦・⑧・⑨、消税令49)。

　消費税の創設時から、課税事業者がこの仕入税額控除の適用を受けるには、久しく、課税仕入等の事実の「帳簿」への記録か、請求書、領収書、納品書など取引の事実を証する「請求書等」の伝票(インボイス)のいずれかを保存することでよいとされてきました。これは、EU諸国やイギリス(EU等)において、付加価値税(VAT)の仕入税額控除は「インボイスまたは資料(invoice or document)」の形式的要件が充たされれば、当然に行使できることに由来すると見られます。ところが、わが国は消費税導入後、法改正により、1997(平成9)年4月1日から、課税事業者が仕入税額控除の適用を受けるには、「帳簿」のみならず「請求書等」の双方を保存する場合に限るとしました。ただし、それらを保存できない災害その他やむを得ない事情があったことを証明できるときは除かれます(消税法30⑦但書)。

　このように帳簿と請求書等(伝票)双方の保存がない場合には、仕入税額控除の適用を一切認めないとするのは、累積課税排除型の付加価値税(課税売上げと課税仕入れの差額をベースに課税する税金)である消費税(付加価値税)の本来の趣旨に反することになります。

◎EU等では「仕入税額控除」は"事業者の権利"

　EU等では、インボイス(税額票)方式の付加価値税(VAT)が共通税となっています。EU第6次指令では、17条〔仕入税額控除権の発生および範囲(Origin and scope of the right to deduct)〕、18条〔控除権の行使にかかる原則(Rules governing the exercise of the right to deduct)〕を定め、仕入税額控除を請求権(「仕入税額を差引く権利」)として認めています。これを受けて、例えば、EU加盟のイギリス(当時)では、付加価値税法(VATA = Value Added Tax

Act 1994・26条）および付加価値税規則（VAT Regulations 1995・29条）に、「仕入税額控除権・仕入税額を差引く権利（the right to deduct input tax）」を定めています。これは、VATは本来、取引高税（turnover tax）とは異なり、仕入税額控除（前段階税額控除）を制度的に組み込んだ租税であることからくる当然の帰結です。

　確かに、EUにおいては、加盟各国が事業者による仕入税額を差引く権利を濫用した取引スキームのコントロールが重い課題になっています。各国のＶＡＴ審判所や裁判所は、不文の「権利濫用」の法理などを適用して仕入税額控除を否認する課税庁の処分を後押ししてきています。しかし、欧州司法裁判所（ECJ＝European Court of Justice）は、善意（*bona fide*）の取引については、EU第６次指令17条、18条で制度的に認められた事業者の仕入税額を差引く権利を全面的に否定することには消極的です。また、たとえ控除権の濫用があった場合であっても、できるかぎり正常な取引に引き直して仕入税額控除を容認するように命じています（Halifax事件・Case C-255/02, [2006] STC 919.）。

　こうしたECJ判決もあり、イギリスの課税庁（歳入関税庁＝HMRC）は、悪質な控除権の濫用にあたる場合を除き、基本的には善意の事業者の仕入税額を差引く権利を尊重する姿勢を打ち出しています。つまり、事業者が入手した税額票（インボイス）が法定要件を充足していない場合、あるいは、インボイスを入手していない場合でも、インボイス以外の十分な証拠資料があればそれを有効と認め、裁量により仕入税額控除を認定する旨を事務運営指針で確認しています（HMRC/Statement of Practice, VAT Strategy: Input Tax deduction without a valid VAT invoice（March 2007））。

◎EU等では仕入税額控除は「インボイス又は資料」の保存が要件

　インボイス方式の付加価値税（ＶＡＴ）を導入するEU等では、課税事業者に「仕入税額控除権」があり、「インボイス又は資料（invoice or document）」の形式的要件が充たされれば、当然に仕入税額控除ができます。この点については、EU司法裁判所の重要な先例があります。簡潔にまとめてみました。

PART2　租税実体法（実体税法）を学ぶ

●「仕入税額控除権」の解釈についてのEU司法裁判所の先例

① 仕入税額控除権の解釈に関する裁判の経緯

　EU加盟国であるドイツのT社（Terra Baubedarf-Handel GmbH）は、他の会社から受け取ったインボイスがドイツの付加価値税を課す税法［UStG=Umsatzsteuergesetz］（以下「ドイツ税法」）に定める要件を充足していないという理由で、ドイツの課税庁にT社の付加価値税計算において仕入税額控除を認められませんでした（仕入税額拒否処分）。そこで、T社は、この処分を不服として連邦財政裁判所に提訴しました。連邦財政裁判所は、このケースを欧州司法裁判所（ECJ=European Court of Justice）に移送し、付加価値税第6次指令17条1項や18条1項・2項に定める「付加価値税の仕入税額控除権」の意味について判断を求めました。

② 欧州司法裁判所（ECJ）の判断

　欧州司法裁判所（ECJ）は、2004年4月29日に、仕入税額控除権は、付加価値税制における最も基本的な権利であり、各加盟国が定めるインボイスの関する形式的要件でこの権利を制限してはならない、としました。裁判所（ECJ）は、仕入税額控除権の行使に関し唯一制限を付し得るとすれば、課税事業者である納税者は、権利行使にあたり他の課税事業者からその課税仕入れについて客観的な証拠を提示するように求める実質的な要件を課すことに限られる、との判断を下したのです［ECJ Case C-152/02,2004 I-05583, showPdf.jsf (europa.eu)］。

　裁判所（ECJ）は、結論として、仕入税額控除権を主張する際には、次の2つの要件を充たすように求められる、としました。①課税事業者は、インボイスまたはインボイスに相当する他の資料を受領していること。②課税事業者が、仕入れた物品やサービスに対して支払いをしていることまたは支払義務を負うこと。

③ イギリスの裁判所の判断

　この欧州司法裁判所（ECJ）の判断を受けて、イギリス高等裁判所（UK　High Court）は、同種の訴訟事件（Customs and Excise Commissioners v Bond House Systems Ltd, [2005] EWHC 1499（Ch））において、本件は消費税租税回避に関連したケース（ carousel fraud scheme）であるにもかかわらず、前記欧州司法裁判所（ECJ）の先例を踏襲する判断を下しました。

　このように、EU等では、インボイスまたは資料で課税仕入れがあると証明できれば、事業者は、付加価値税（VAT）の仕入税額控除ができるわけです。インボイスがあればベストだが、ない場合でも仕入れを証明できる資料があれば、仕入税額控除ができるとされているのです。

　ところが、わが国のインボイス制度では、インボイスがあっても、帳簿の保存がないと仕入税額控除はできないような、付加価値税に基本原理とぶつかる方向に進んでいます。わが国の場合は、仕入税額控除、前段階控除を消費税法で「権利」として明定していません。しかも、税財政当局は「納税者は義務主

365

体であり、権利主体ではない」という旧態依然の姿勢を変えようとしません。司法も行政追従の消極司法です。しかも、「帳簿及び請求書等」の双方があっても、司法は、課税庁の「後出しは罷りならぬ」の強権的な姿勢を支持するわけです。司法は、平然としてこうした課税庁の姿勢を容認する免罪符を出すわけです。司法は、累積排除型の付加価値税とは「課税売上げと課税仕入れとの差額をベースの課税する税金である」という基本的スタンスを共有しようとしないわけです。

　役人の口先介入で「又は」が「及び」に変わり、さらにインボイス制度（適格請求書等保存方式）に切り替わっても、「インボイスおよび帳簿の保存」が仕入税額控除の要件になることに何の違和感も持たない研究者や税務専門職だらけです。この国の消費税法上の仕入税額控除要件の"常識"は、外国では"非常識"そのものです。

◎仕入税額控除適用否認をめぐる主な論点

　実額による仕入税額控除の適用要件として「帳簿」および「請求書等」の"保存"がなければ仕入税額控除適用を否認できるとする規定（消税法30⑦）について、課税庁による安易な適用ないし拡大解釈が行われて、消費税実務にも大きな影を落しています。また、裁判所が、こうした課税庁の主張、否認規定の適用・解釈を鵜呑みにした行政寄りの判断を下し、状況を一層悪くしているようにもみえます。

　仕入税額控除適用否認規定の運用（一部、消税令57④〔簡易課税適用事業者の場合で、事業ごとの課税売上区分をしていないときに、最も低いみなし仕入率の事業の売上として取扱う規定〕の運用を含みます。以下同じです。）、および司法の姿勢を読み取るために、主な論点を整理して、それらのかかる法の運用や適用、司法判断をおおまかに図説すると、次のとおりです。

PART2　租税実体法（実体税法）を学ぶ

● 仕入税額控除適用をめぐる主な論点と課税庁の運用や司法の判断

① **帳簿のみで請求書等が保存されていない場合**：原則として仕入税額控除は受けられない
とされます。ただし、適格請求書の交付が免除される３万円未満の公共交通機関による旅客
の運送など一定の場合には、帳簿の保存のみでも仕入税額控除が受けられるとしています
（消税法30⑦カッコ書、消税令49①、消税規15の４）。

② **帳簿および請求書等への必要な記載がないあるいは不実記載がある場合**：原則として仕入
税額控除は受けられないとしています（東京地判平9.8.28・税資228号385頁、東京高判平
10.09.30・税資238号450頁、最判平11.02.05・税資240号627頁）。また、例えば、帳簿を、仮
名の仕入先の記載した納品書から仕入帳に転記する形で作成している場合、仕入税額控除
は受けられないとしています（東京地判平10.03.27・税資231号341頁）。

③ **質問検査時に帳簿および請求書等の不提示の場合**：法30条７項但書（宥恕規定）にいう正当
な理由の存在を立証できるときは別として、帳簿等の「保存」には、「提示」を含むと解され
ることから、質問検査時に提示しない場合には、仕入税額控除は受けられないとしています
（津地判平10.09・税資238号74頁、名古屋高判平12.03.24・税資246号1422頁、最判平16.12.16・
訟月51巻10号2621頁、最判平16.12.20・判時1889号42頁、最判平17.03.10・訟月52巻２号702頁）。

④ **質問検査時に、税理士以外の第三者が立会っていることを理由に調査を打ち切り、仕入
税額控除の適用否認を行った場合**：仮に納税者が法定帳簿等を維持・管理していたとして
も、守秘義務との関係で、第三者立会いのもとでは、税務調査に着手することができない
とした調査官の判断は質問検査権行使の合理的な裁量内にあり、帳簿等の提示を拒否した
ものとし、仕入税額控除は受けられないとした処分は適法であるとしています（東京地判
平11.03.30・税資241号524頁）。

⑤ **帳簿および請求書等の保存がない場合で、保存しなかったことについて特段の理由があ
ることを証明できないとき**：法30条７項但書の宥恕にいう正当な理由の存在を立証できる
場合を除き、仕入税額控除は受けられないとしています（津地判平10.0910・税資258号74頁、
名古屋高判平12.03.24・税資246号1422頁）。

⑥ **消費税仕入税額の推計の可否**：消費税法には、推計課税を明示的に認める規定がありま
せん。しかし、消費税の実務では推計課税が行われています。課税庁は、所得税（所税156条）
や法人税（法税131条）については明文規定が設けられる以前から推計課税が認められてきて
おり、所得税法等による規定は、確認規定としての意味を持つと解しています。こうした
考えのもと、消費税についても、明文規定がないとしても、課税の公平の観点から推計課
税は当然に認められるという考え方をとっています（情報公開審査会、平成16年度（行情）
182～３号「『消費税の課税標準額（課税売上高）の推計及び仕入税額控除の取扱いについ
て』等の不開示決定（不存在）に関する件」（平成16年度諮問103～104号）答申書４頁以下
に盛られた国税庁の説明参照）。判例も、こうした考え方を支持しています（東京地判平
10.09.30・訟月46巻２号865頁、大阪地判平14.03.01・税資252号9081頁）。

⑦ **実額反証の可否**：簡易課税適用対象の納税者が、税務調査に際して第三者の立会いを固執
したことから、調査打ち切り、反面調査で得た間接資料を基に課税標準を推計し、最も低い
みなし仕入率の事業の売上として取扱って（消税令57条４項）行った課税処分について、同
項は提示の義務までをも課したとは解されないことから、納税者に実額反証（いわゆる「後
出し」）は認められるとしています（ただし、この事例では、納税者が合理的に疑いのない程
度まで立証がしたとはいえないとして請求を棄却しました。）（大阪地判平14.03.01・税資252号
順9081）。一方、正当な理由がないのに帳簿等の提示を拒否した場合には、争訟段階で後出
ししても、仕入税額控除は認められないとしています（前橋地判平12.05.09・税資247号1051頁）。

367

◎仕入税額控除制度の運用と仕入税額控除適用否認規定の解釈

　わが国の消費税は、すでにふれたように、理論的には「消費型」の付加価値税です。付加価値税は、取引高税とは異なり、前段階税額控除ないし仕入税額控除を制度的に組み込んでいることから、仕入税額の負担を控除できることを制度的本質とする租税です。つまり、納税義務者である事業者には、課税売上げがあると同時に課税仕入れがあることを前提に課税する仕組みの租税です。言いかえると、仕入税額控除は、事業者に対する特典ではなく、付加価値税である消費税の制度的本質からくる当然の権利です。この点については、消費税導入時に制定された税制改革法（1988（昭和63）年12月30日制定）において、「消費税は、事業者による商品の販売、役務の提供等の各段階において課税し、経済に対する中立性を確保するため、課税の累積を排除する方式による」（同法第10条第2項）と定めていることからも確認できます。消費税法30条〔仕入れにかかる消費税額の控除〕は、仕入税額控除制度があることを確認した規定といえます。

　また、わが国の消費税は、この「仕入税額控除」を帳簿等による、いわゆる「帳簿方式」の付加価値税である特徴を有しています。消費税法30条7項（仕入税額控除適用否認の規定）においては、「帳簿および請求書等」の保存がない場合で、保存しなかったことについて特段の理由のあることを証明しないときには、仕入税額控除を適用しない旨を確認的に規定しています。この規定は、消費税の適正な転嫁を促すため、さらには帳簿等を保存していない場合には仕入税額の控除を受けられないこともあることを確認したものといえます。

　ところが、現実の税務行政においては、仕入税額負担の事実があるのにもかかわらず、この仕入税額控除適用否認規定が安易な拡大解釈、恣意的に適用される傾向が強まっています。消費税の課税強化策の一環に組み込まれ、否認規定が一人歩きしだしています。

　その1つは、仕入税額控除の適用要件である法定帳簿等の「保存」には「提示」を含むとする課税庁の拡大解釈があり、提示がなければ仕入税額控除を一切認めないとする課税庁の処分、およびそうした処分を追認した最高裁の判断です（例えば、最判平16.12.20・判時1889号130頁）。しかし、仕入税額控除は、青色申告承

368

認のような申告手続上の特典とは異なり、累積排除型の消費税制度の根幹をなすものです。事業者が法定帳簿等を保存しているにもかかわらず、税務調査時に理由があり提示しなかったことをもって、後出し（実額反証）を含めて一切納税者の反論を許さないとし、仕入税額控除を機械的に否認する法の運用ないし解釈は、あまりにも硬直的かつ不条理です。消費税制度の本来の趣旨に反するといわなければなりません（前記最判平16.12.20における滝井繁雄裁判官の反対意見参照）。質問検査時に、税理士以外の第三者が立会っていることを理由に調査を打ち切り、仕入税額控除の適用否認を行う課税実務についても、同じことがいえます（☞1.3.5）。

　事例によっては、課税売上高が推計された場合には、それに相応するかたちで仕入税額控除も推計されてよいわけです。ところが、消費税法には、推計課税を明示的に認める規定がありません。この点について、課税庁は、課税の公平の観点から推計課税は当然に認められるという考え方をとっています（☞5.3.9）。もちろん、推計課税の普遍化には、実額反証（後出し）など納税義務者の権利を封じる課税実務を認知するような風潮を生まないように、慎重を期す必要はあります（ちなみに、日弁連は、推計課税の活用を含め仕入税額控除の見直しを提言しています（日本弁護士連合会「仕入税額控除の要件についての意見書」〔2004年12月17日〕））。

　いずれにしろ、税額の負担を控除できることを制度的な本質とする消費税を、その運用ないし立法趣旨に反する法解釈を行うことで、あたかも前段階税額控除を制度的に採り入れていない取引高税に変容させる課税実務は問題です（北野弘久『税法問題事例研究』（勁草書房、2005年）405頁以下、田中治「消費税改革の法的問題点」法律時報67巻3号18頁以下参照）。こうした課税実務は、行政府による立法作用に等しく、三権分立を基調とする憲法制度に抵触します。明らかに憲法84条の租税法律主義に反します。また、憲法13条ないし31条に保障された適正な手続を尽くさずに、仕入税額控除適用否認の規定を安易に適用された納税義務者からみると、消費税法30条7項が当該納税義務者に適用されるに限りにおいて違憲とし、いわゆる「適用違憲」（☞1.4.5）と解されます。　　　　　　　　（石村　耕治・阿部　徳幸）

〔アドバンス文献〕北野弘久『税法問題事例研究』（2005年、勁草書房）、池本征男『裁判例からみた消費税法〔3訂版〕』（2023年、大蔵財務協会）、「消費税20年特集号」税制研究55号（2009年2月）所収の諸論文、木村剛志・大島隆夫『消費税法の考え方・読み方〔5訂版〕』（2015年、税務経理協会）、日本租税理論学会編『消費税法施行10年〔租税理論研究叢書10〕』（2000年、法律文化社）、湖東京至『消費税法の研究』（1999年、信山社）

2.3 相続・贈与の税金：相続税法のあらまし

　相続税や贈与税は、個人から個人へお金や不動産などの財産が無償で移転した場合に、原則として課税されます。相続税は、財産が人の死亡により移転されたときに問題となります。一方、贈与税は、財産が、人の生存中に移転されたときに問題となります。相続税も贈与税もともに相続税法に定めがあり、ともに財産を取得した者が納税義務を負います。

2.3.1 相続税法とはだれに、どう適用されるのか

ポイント

　個人と個人の間で、お金や不動産など無償での財産移転があった場合、それが生きているときに行われたときには、贈与税の問題となります。一方、財産の移転が死亡したときに行われたときには、相続税が問題になります。また、贈与税も相続税も、ともに相続税法に規定され、財産をもらった者が納税義務者として申告納付することになっています。

◎財産移転税／相続税制度のあり方

　相続税、贈与税、さらには遺産税といった言葉を耳にしたことのある人も多いと思います。学問的に、これらの税金は一括して「財産移転税（wealth transfer tax）」ともよばれます。わが国をはじめとして多くの諸国が、財産移転税を、遺産税ないし相続税、贈与税の形で課しています。財産移転税には、2つの大きな課題があります。1つは、①遺産税制度か、②遺産取得税（遺産取得課税）制度かの選択の課題です。もう1つは、財産移転税における生前贈与への課税取扱いの課題です。

370

PART2　租税実体法（実体税法）を学ぶ

●遺産税・相続税とは

① 遺産税とはどんな制度か

遺産税（estate tax, death duty）とは、人が死亡した場合にその遺産を対象として課税する制度です。この制度は、英米系の国々が採用しており、人は生存中に蓄積した富の一部を死亡にあたって社会に還元すべきであるという考え方に基づいています。遺産税制度が、本来の意味における財産移転税だといわれています。

② 遺産取得税とはどんな制度か

遺産取得税とは、人が相続によって取得した財産を対象として課税する制度です。この制度は、ヨーロッパ大陸諸国において採用されており、偶然の理由による富の増加を抑制することを目的としています。遺産取得税は、実質的には所得税の補完税だといわれています。

わが国は、1905（明治38）年に相続税を導入したときには、遺産税の制度を用いてきましたが、1950（昭和25）年のシャウプ税制以来、遺産取得税の制度に移行して現在にいたっています。こうした転換は、遺産税より遺産取得税の方が、担税力に即した課税の要請により良く適合する、というのが理由とされています。いいかえると、相続財産の額に応じて税負担が相続人間に公平に分配され、さらに、富の集中排除の要請により良く適合するとの考え方です。

わが国の現行課税方式は、1958（昭和33）年から純粋な遺産取得税の考え方を修正して、法定相続分課税方式を採用しています。これは相続財産を法定相続人が法定相続分に応じて取得したと仮定して相続税の総額を算出し、これを各相続人および受遺者等が実際に取得した財産の価額に応じて按分して計算する方式です。

しかし、この方式では遺産の総額がわからないと税額計算ができないこと、相続人の1人の特例が相続人全員に影響されること、取得した財産額は変わらないのに遺産総額が変わると税負担額が変動することなど、必ずしも個々の相続人の相続額に応じた課税がなされず、現代の個人中心の世情に対応していないとの批判があります。

③ 相続開始前7年以内の贈与と相続時精算課税の関係

贈与と相続は、相互に深い関連があり、贈与財産をどの程度相続税に取り込むかが相続税制度のもう1つの重要な課題といえます。具体的には、①被相続人からの生前の贈与（特別受益）をすべて相続税に取り込む方式（累積課税方式）、②贈与財産はすべて贈与税だけで課税関係を終了させる方式、③これらの中間の方式、などさまざまな方式が考えられます。わが国でもかつてシャウプ勧告を受けて1950（昭和25）年から1953（昭和28）年にかけて①の方式が採用されたことがあります（1953年に、この方式は執行面に難点があるとして廃止されました。）。

わが国の現行制度は、原則として相続開始前7年以内の贈与については、相続税に取り込んで計算することになっています。令和5年度税制改正により、取り込む範囲が「3年以内」から「7年以内」に拡大されました。相続税と贈与税をより一体的に捉えて課税する観点から、資産移転の時期の選択に中立的な税制にするというものです。

平成15年度税制改正により創設された相続時精算課税制度（☞2.3.11）により、この制度を選択した者については、相続開始までの贈与財産についてはすべて相続税に取り込むこととされました。これにより、贈与財産と相続税との関係は2本立ての制度となっています。すなわち、わが国の制度は、累積課税方式と贈与税のみで課税関係が終了する方式の中間的な方式であるといえます。

371

◎相続税法の基本的な骨格

　相続税法を学ぶ場合、相続税法 (1950 (昭和25) 年法律73号) の基本的な骨格を知っておくことが大事です。相続税法の基本的な骨格を図示すると、次のとおりです。

● 相続税法の基本的な骨格

	章	各章・節のタイトル
本則	第1章	総則　・1節　通則（相税法1～2の2） ・2節　相続若しくは遺贈又は贈与により取得したものとみなす場合（3～9） ・3節　信託に関する特例（9の2～9の6） ・4節　財産の所在（10）
	第2章	課税価格、税率及び控除　・1節　相続税（11～20の2） ・2節　贈与税（21～21の8） ・3節　相続時精算課税（21の9～21の18）
	第3章	財産の評価（22～26の2）
	第4章	申告、納付及び還付（27～34）
	第5章	更正及び決定（35～37）
	第6章	延納及び物納（38～48の3）
	第7章	雑則（49～67の2）
	第8章	罰則（68～71）
附則		

◎相続税法上の納税義務者とは

　相続税法は、「相続税」と「贈与税」という2つの種類の税金について規定しています。

　「相続税」は、死んだ個人（故人）から財産をもらった個人に課されます。したがって、故人（被相続人）から財産をもらった人（相続人／受遺者）が、相続税を納める義務を負う人（納税義務者）になります。一方、「贈与税」は、生きている個人から贈与により財産をもらった個人に課されます。したがって、財産をもらった個人（受贈者）が贈与税の納税義務者になります。

　もっとも、相続税法は、例外的に、人格のない社団等や持分の定めのない法人に財産の遺贈、財産の提供があった場合で、租税回避が認められるときには、これらを個人とみなして相続税、贈与税を課すことがあります (相続法66)。したがって、この場合には、人格のない社団等や持分の定めのない法人が納税義務者になります。

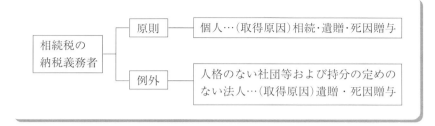

◎相続税、贈与税を納める義務を負う人(納税義務者)とは

相続税法では、相続税、贈与税を納める義務を負う人(納税義務者)について、次のように区分し、それぞれの納税の義務の範囲を定めています。

●相続税法上の納税義務者の区分と納税義務の範囲

① **居住無制限納税義務者とは**(相税法1の3一)
【あてはまる人】 原則として、財産を取得した時に国内に住所のある人です。
【納税義務の範囲】国内外すべての財産について相続税、贈与税がかかります。

② **非居住無制限納税義務者とは**(相税法1の3二)
【あてはまる人】 財産を取得した時に国内に住所がなくても日本国籍を有する人または被相続人・贈与者が国内長期滞在者である人です。
【納税義務の範囲】国内外すべての財産について相続税、贈与税がかかります。ただし、その財産取得者または被相続人(故人)が相続開始前10年以内に日本国内に住所があった場合に限ります。

③ **居住制限納税義務者とは**(相税法1の3三)
【あてはまる人】 財産を取得した時に国内に住所を有する人です。
【納税義務の範囲】前記①にあてはまらない場合に限り、国内財産のみに相続税、贈与税がかかります。

④ **非居住制限納税義務者とは**(相税法1の3四)
【あてはまる人】 財産を取得した時に国内に住所を有しない人です。
【納税義務の範囲】前記②にあてはまらない場合に限り、国内財産のみに相続税、贈与税がかかります。

⑤ **特定納税義務者とは**(相税法1の3五)(相続時精算課税制度(☛2.3.11)を選択した場合)
【あてはまる人(a)】 贈与により相続時精算課税制度の適用となる財産を取得した人です。
【納税義務の範囲】①~④にあてはまる場合を除き、相続時精算課税適用財産のみに相続税がかかります。
【あてはまる人(b)】 相続時精算課税適用財産を贈与によって取得し、かつ相続または遺贈によって財産を取得した人です(前記①~④の納税義務者)。
【納税義務の範囲】前記①~④の課税財産と相続時精算課税財産の双方に相続税がかかります。

以上について、納税義務者の視点から、相続税、贈与税の納税義務の要件や範囲について、一覧にすると、次のとおりです。

● 納税義務者からみた相続税、贈与税の納税義務一覧

被相続人 贈与者 ＼ 相続人 受贈者		国内に住所あり		国内に住所なし		
			一時居住者（※1）	日本国籍あり		日本国籍なし
				10年以内に住所あり	10年以内に住所なし	
国内に住所あり						
外国人被相続人（※2）外国人贈与者（※2）				**国内・国外財産ともに課税**		
国内に住所なし						
日本国籍あり	10年以内に住所あり					
	10年以内に住所なし				**国内財産のみ課税**	
日本国籍なし						

＊1　相続開始の時において在留資格を有する者で、相続開始前15年以内において国内に住所を有していた期間の合計が10年以下であるもの
＊2　相続開始の時において在留資格を有し、かつ、国内に住所を有していた被相続人

（出所）大蔵財務協会編『改正税法のすべて〔令和3年版〕』（2021年、大蔵財務協会）761頁を基に作成

（浅野　洋・木村　幹雄）

〔アドバンス文献〕日本租税理論学会編『相続税制の再検討』〔租税理論研究叢書13〕（2003年、法律文化社）、今村修『相続税法（第2版）』（2006年、税務経理協会）、松岡章夫『ゼミナール相続税法〔令和3年補訂〕』（2021年、大蔵財務協会）、金子宏『租税法〔第24版〕』（2021年、弘文堂）

PART2 租税実体法 (実体税法) を学ぶ

2.3.2 相続税とはどんな税金か

ポイント

相続税は、相続などによって財産をもらった個人にかかります。相続財産が、「基礎控除額」以下だと相続税はかかりません。贈与税とは、個人から贈与によって財産を取得した個人にかかります。贈与税は、相続税とともに、相続税法のなかに規定されており、相続税を補完する役割を担っています。双方とも、超過累進税率で課税されます。

◎相続税、贈与税はどんな税金か

(1) 相続税の性格

相続税とは、相続などによって財産を取得した人に国が課税します。国税であり直接税です (☛1.2.3)。相続財産に課税するので性格的には財産税です。また、相続税や贈与税は、納税義務者 (☛1.4.1) 自身が、納付すべき租税の課税標準や税額を計算し、自己の納税義務の具体的内容を確認して申告することになっています。したがって、申告納税方式 (☛5.2.1) の税金です。

(2) 相続税が課税される理由

私たち納税者は、毎年の所得に対しては所得税を負担しています。そして、所得税を納付した後の部分は消費したり、財産として蓄積したりしています。

相続税は、この蓄積された財産に対して、その人の死亡を機会に課税します。生存中には毎年所得税が課税されますから、所得税が課税された残りに対して、また相続税を課税するのは、同じ所得・財産に対し2度課税されるように見えます。このような相続税の課税が行われる根拠としては、一般に次の2つがあげられています。

375

●相続税を必要とする理由

① 富の再分配機能説
特定の個人に集中した富を社会に還元させようというものです。この考え方は、個人は本来、経済的には機会均等であることが望ましいという視点にたっています。つまり、相続という形態で財産を無償で取得した場合には、その担税力に着目して、国家がその財産の一部に課税し、これを社会に還元・再分配するのが適当であるとする考え方です。そして、再分配機能を果たすには、税率は超過累進税率（☞1.2.7）が妥当であるとされています。

② 所得課税清算説
個人の生涯所得に対する所得税を清算しようというものです。特定の個人が大きな財産を残せたのは、税制上のいろいろな特典を利用できたことも理由の１つかも知れません。あるいは、所得課税における課税プロセスが不完全なことに原因があるのかも知れません。そこで、人の死亡という時点をとらえて相続税を課し、完全でない部分を補うのがねらいであるとする見解です。この意味では、相続税は所得税の補完税ということになります。

◎どんな場合に相続税が課されるか

　個人が相続税の課税を受ける場合としては「相続」によって財産を取得した場合のほかに、「遺贈」および「死因贈与」により財産を取得した場合があげられます（相税法1）。

⑴　相続とはどういうものか

　相続は人の死亡によって開始します（民法882）。相続とは「人が死亡した場合に、その人（被相続人）が持っていた財産のすべて（一切の権利義務）が、その人の相続人に受け継がれること」をさします（民法896）。このほか、長期間の行方不明などを原因とする「失踪宣告」（民法31）の場合も相続が開始します。

⑵　遺贈とは

　遺贈とは、遺言による財産の全部または一部の贈与をいいます。遺言は、遺言者の死亡によって効力が生じます。遺言の方式として一般的なのは、自筆証書遺言（民法968）、公正証書遺言（民法969）、秘密証書遺言（民法970）の３つです。このほか、特別な場合として、危急時遺言（民法976・979）と、隔絶地遺言（民法977・978）があります。遺言は一定の方式に従ってなされなければ法律効果がありません（要式行為・民法960）。この遺贈には「包括遺贈」と「特定遺贈」の２種類があります（民法964）。

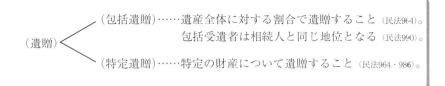

(3) 遺言と遺留分の関係

　遺贈によって、相続人が遺留分を侵害された場合には、受遺者は相続人から遺留分の侵害額に相当する金銭の支払請求を受けることがあります（民法1046）。

　被相続人の配偶者と直系卑属および直系尊属に限り遺留分権利者となることができ、遺留分の割合は、直系尊属のみの場合は財産の３分の１、その他の場合は２分の１です（民法1042）。兄弟姉妹には遺留分はありません。

(4) 死因贈与とは

　贈与とは、無償による財産の移転をいい、通常の贈与には当然に贈与税が課されます。しかし、贈与でも、財産を贈与しようとする人（贈与者）と、その財産をもらう人（受贈者）との間で「死亡」を条件とする場合があります。これを一般に「死因贈与」と呼んでいます。

　死因贈与については、贈与税ではなく、相続税が課税されます（相税法１の３①）。これは、死因贈与の場合には、贈与とはいっても、人の死亡を原因として財産を取得する点では、相続・遺贈と同じだからです。

　遺贈と死因贈与とはきわめて似かよった性質を持っています（民法554）。しかし、遺贈が「単独行為」であるのに対し、死因贈与は「契約」である点が両者の違いです。

◎相続税の課税最低限と累進税率

(1) 相続税の基礎控除

相続税は、故人の遺産が基礎控除額以下だと課税されません。この課税されない額を課税最低限とよびます（相税法15）。相続税の基礎控除については、次のように計算します（☞2.3.7）。

> 3,000万円＋600万円×法定相続人の数

そして、相続人がいない場合に、特別縁故者が相続財産を取得することがあります（民法958の3）が、この場合の基礎控除額は3,000万円だけです。

(2) 遺産価額と相続税額の関係

相続財産が多くなれば、それに応じて相続税の負担も大きくなります。しかし、先にふれたように、相続税の税率は、超過累進税率（相税法16☞1.2.7）を採用していますから、単純な比例計算では税額は算出できません。

(3) 相続税は各自が申告して納税する

相続や遺贈（死因贈与を含みます。）によって相続財産を取得した個人で、相続税の基礎控除など一定の控除をしても、なお納付すべき税額があるときは、相続税の申告をしなければなりません。

申告書は、原則として、法定申告期限までに、被相続人が死亡した時の住所地の所轄税務署に、納税義務者全員の分を１つの申告書に記載して提出します。また、申告書の提出期限までに相続税を納付しなければなりません（相税法27①）。

相続は、個人間にしか発生しませんが、遺贈や死因贈与は、受贈者が個人とは限らないので、法人も遺贈や死因贈与で財産を取得することがあります。しかし、法人が得た利益に対しては、法人税が課税されるため相続税は課税されません。

◎贈与税が課税される理由

(1) 贈与税の性格

贈与税は、個人から贈与によって財産を取得した個人に課税されます。贈与

税は、相続税とともに相続税法で規定されています。これは、相続税と贈与税が、ともに財産税の一種であり、国税であり、直接税であるという、似かよった性質を持っているためです。

(2) 相続税と贈与税の関係

例えば、将来の遺産となる財産を、生前に妻や子など相続人になる可能性のある者（推定相続人）に贈与してしまえば相続税は課されません。もし贈与に対する課税がなければ、このような生前贈与によって、相続税が事実上無意味になってしまいます。すなわち相続税が機能するためには贈与税が必要というわけです。こうした両者の関係を、一般に、贈与税は相続税の「補完税」であるといいます。

贈与税の税率は、相続税と比べると、税率のきざみ幅が狭くなっています。これは、生前贈与を抑止することが主なねらいであるといわれています。

(3) 贈与税も各自が申告して納税する

贈与税は、個人から贈与（死因贈与を除きます。）によって財産を取得した個人に対して課税されます（相税法1の4）。

個人が、法人から贈与を受けた場合は、法人に対する個人の性格によって役員給与や一時所得（所税基通34－1(5)）になり、これには所得税が課税されるため贈与税の対象にはなりません。

また、法人が贈与によって財産を取得しても、この受贈益には遺贈などと同様に法人税が課税されるため、贈与税の対象にはなりません。ただし、個人とみなされる「人格のない社団又は財団」（相税法66）が財産を取得した場合は納税義務者となります。

1月1日から12月31日の1年間（暦年）に贈与によって取得した財産の合計が、基礎控除額等を超えて納付する納税額がある場合には、贈与を受けた個人は、申告期限（翌年3月15日）までに住所地の税務署に納税申告書を提出し、同時に税額を納付する必要があります（相税法28・33）。

（浅野 洋・木村 幹雄）

〔アドバンス文献〕租税法学会編「相続税法の原理と政策」租税法研究23号（1995年）所収の論文

2.3.3 財産の分け方

ポイント

　故人（被相続人）の配偶者・子・父母か祖父母・兄弟姉妹は「法定相続人」になれますが、順番があります。法定相続人が子ないし兄弟姉妹で、本人が亡くなっている場合には、「代襲相続」が認められており、遺言書があれば、法定相続人以外の者も遺言書で指定された遺産（指定相続分）をもらえます。一方、この場合であっても、兄弟姉妹を除く法定相続人は必ず相続できる最低限の相続分（遺留分）をもらえます。また、生前贈与や遺贈でもらった人は、特別受益を考慮して一定の修正があり、さらに、故人の財産づくりに貢献した相続人は「寄与分」があります。

◎誰がいくらの財産を相続できるのか

⑴　相続人の順位

　被相続人が死亡した場合、誰が相続人になるかは、民法に定められています（これを「法定相続制度」といいます。）。

　民法は、相続人になれる人を、被相続人の「血族」と「配偶者」の2つに区分しています（民法887・889・890）。配偶者は常に相続人となります。血族の場合は、子や孫（これらを直系卑属といいます。）、父や母、あるいは祖父母（これらを直系尊属といいます。）、さらには被相続人の兄弟姉妹も含まれます。

　民法では、相続人の順位が次のように定められています。

順　　位	相　続　人	相　続　人
第 1 順 位	子	配　偶　者 （夫または妻）
第 2 順 位	直系尊属 （父母など）	
第 3 順 位	兄弟姉妹	

被相続人に子がある場合は、子が第１順位の相続人となります（民法887①）。

ここにいう子には、実子のほか養子も含まれます。養子は血のつながりはありませんが、養子縁組の届出をすることによって実子と同等の身分が与えられます（これを「法定血族」とよんでいます。）。

子のうちで、正式な婚姻関係のない男女間の子を嫡出でない子（非嫡出子）といいます。これまで非嫡出子は、第１順位の相続人となるものの、相続分は嫡出子の２分の１とされていました。しかし、平成25年の最高裁違憲決定（最決平25.9.4・民集67巻6号1320頁）を受けて平成25年９月５日以後に新たに相続税額が確定する場合など一定の場合には、この嫡出の規定はないものとして相続税額を計算することになりました（民法900①四）。

被相続人に子がない場合は、第２順位として父母や祖父母など直系尊属が相続人になります（民法889①一）。この場合に親等の異なる者の間では、その近い者が優先して相続人となります。被相続人に子がなく、また、父母などの直系尊属もいないときは、第３順位として、兄弟姉妹が相続人となります（民法889①二）。

(2) 代襲相続とは

相続人になるはずであった子が親よりも先に死亡している場合は、その死亡した子に代わって、その人の子（被相続人の孫）が相続人となります。これを「代襲相続」といいます（民法887②）。子の代襲相続人である孫は、第１順位の相続人となります。孫もすでに死亡している場合には、孫の子が代襲相続人となります。

代襲相続は、相続人となるべきであった人の死亡のほか、相続の欠格（民法891）や推定相続人の廃除（民法892）もその原因となります（民法887②③）。

また、代襲相続は、子が死亡している場合だけでなく兄弟姉妹が相続人になる場合も発生します（民法889）。ただし、兄弟姉妹の代襲相続は、その子（甥や姪）までとなります（民法887②但書）。

◎相続分とはどのような割合なのか

(1) 相続分の意義と種類

相続分とは、相続人が数人いる場合の、それぞれの相続人が遺産を承継する

割合のことをいいます。相続人が1人しかいない場合（これを単独相続といいます。）は、すべての遺産をその人が承継します。したがって、この場合には相続分は問題になりません。

民法が定めている相続分は、次のとおりです。

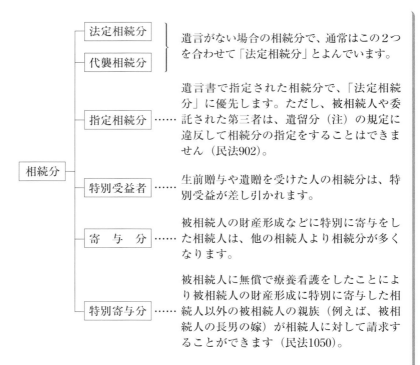

(2) 法定相続分の割合

相続分については、被相続人の遺言が優先しますが（指定相続分）、そうでなければ、法定相続分が遺産の承継割合になります。その割合は誰が相続人となるかによって、2013（平成25）年の非嫡出子相続分に関する最高裁違憲決定（最決平25.9.4・民集67巻6号1320頁）以後は、次のように異なります。

PART2　租税実体法（実体税法）を学ぶ

相続人	法定相続分	留　意　点
配偶者と子の場合	配偶者　1/2 子　　　1/2	子が数人あるときの、相続分は均分（頭割り）。 （民法900①一）
配偶者と直系尊属の場合	配偶者　2/3 直系尊属1/3	直系尊属が数人あるときの、相続分は均分。 （民法900①二）
配偶者と兄弟姉妹の場合	配偶者　3/4 兄弟姉妹1/4	①兄弟姉妹が数人あるときの、相続分は均分。 （民法900①三） ②父母の一方を同じくする兄弟姉妹（半血兄弟姉妹）の相続分は、父母の双方を同じくする兄弟姉妹（全血兄弟姉妹）の1/2（民法900①四）。

◎相続の承認・放棄・限定承認とは

(1)　相続の承認および放棄

　相続財産は積極財産だけでなく、借金などの負の財産（消極財産）も含まれますから、相続が必ずしも相続人にとって望ましい結果になるとは限りません。

　そこで、民法は、相続財産を承継するか否かを相続人が選択できるようにしています。借金を含めて相続財産を承継することを相続の承認といい、債務も財産も一切承継しないことを相続の放棄といいます。受遺者は、遺言者の死亡後はいつでも遺贈の放棄をすることができます。

　また、債務がなくても長男など特定の相続人に財産を承継させるため、その他の相続人が相続を放棄する場合もあります。

　なお、相続の放棄をするには、相続の開始を知った日から３か月以内に、家庭裁判所に「相続放棄申述書」を提出しなければなりません（民法915①）。

(2)　相続の放棄と相続分の関係

　相続の放棄をすると、放棄をした人ははじめから相続人にならなかったものとみなされます。そして、相続の放棄は代襲相続の原因にもなりません。

　このため、相続権がある人のうちの１人が相続の放棄をすると、その人はいないものとして相続分の計算が行われます。

383

(3) 限定承認とは

被相続人の遺産が債務より多いかどうかわからないような場合に、その財産の範囲内で債務を承継することができます（民法922）。これを限定承認といいます。相続があったことを知った日（始期については、最判昭59.4.27・民集38巻5号698頁参考）から３か月以内に、共同相続人が全員で家庭裁判所へその旨を申述する必要があります（民法923・924）。

（浅野 洋・木村 幹雄）

Column 限定承認と相続税の関係

相続人が限定承認（☞3.2.8.2）の申述をして受理された場合は、被相続人が相続財産を相続時の時価で譲渡したものとみなして準確定申告（所得税）を行います（所税法59）。

限定承認の受理が準確定申告期限（被相続人の死亡の翌日から4か月）を経過した後になる場合であっても、限定承認による譲渡所得の申告期限は変わりません（東京高判平15.3.10・判時186号31頁）。

なお、この場合の無申告加算税や延滞税は相続人に課税されますから相続税の債務控除の対象にはなりません。

相続税申告についていえば、限定承認の場合でも、単純承認と同様に相続財産は準確定申告で用いた時価でなく、相続税評価額により評価をします。そして、この準確定申告に伴って所得税が発生した場合は債務控除することができます。

（浅野 洋・左海 英吾）

2.3.4 相続税のかかる財産と、かからない財産

ポイント

相続税のかかる財産には、①「本来の相続財産」、②「みなし相続財産」、③「相続開始前７年以内の贈与財産」があります。一方、相続税のかからない財産（非課税財産）には、①墓地や仏具、②相続人が受け取った生命保険金、死亡退職金のうちの一定額、③弔慰金など、さらには、④遺産を申告期限までに国や特定の公益社団法人などに寄附した寄附財産があります。

PART2　租税実体法（実体税法）を学ぶ

◎相続税がかかる財産

　相続税は、相続や遺贈によって取得した財産に対して課されるものです。この場合の「財産」とは、有形無形を問わず、「金銭に見積ることができる経済的価値のあるすべてのもの」をさします。金銭や預貯金以外の、例えば請求権のような債権も課税の対象となります。

　被相続人が生前に所得税の課税処分の取消を求めていて、相続が発生してから課税処分取消判決が確定した事例では、過誤納金還付請求権が相続財産にあてはまるかどうかが争われました。最高裁は、相続財産にあてはまると判断しました（最判平22.10.15・判タ1337号73頁〔棄却・納税者敗訴〕、福岡高判平20.11.27・訟月56巻2号154頁〔原判決取消〕、大分地判平20.4.4・訴月56巻2号165頁、タインズZ258-10884〔全部取消・納税者勝訴〕。朝倉洋子「過誤納金還付請求権と相続財産」月刊税務事例43巻2号、伊川正樹「被相続人の過誤納金の還付請求権は相続財産に該当するとされた事例」速報判例解説・法学セミナー増刊5号参照）。

　また、相続税では、被相続人の相続開始時の遺産以外にも相続財産とみなして課税するものがあります。これを「みなし相続財産」といいます。

(1)　みなし相続財産とは

　みなし相続財産の代表的なものは、被相続人の死亡によって遺族に支払われる生命保険金です。生命保険金は、保険会社から保険契約に基づいて遺族に支払われるものです。したがって、被相続人に帰属していた財産（民法上の「本来の相続財産」）ではありません。

　しかし、人の死亡を基因として相続人が財産的な利益を得たという点では、相続や遺贈によって財産を承継したことと実質的に変わりがないといえます。

　そこで、相続税法は、被相続人の財産でなくても、このような利益に対しては相続財産であると擬制して、「みなし相続財産」として課税（最判平22.7.6・判タ1324号78頁）しています。

(2)　みなし相続財産の種類と内容

　みなし相続財産は、本来の意味での相続財産ではありません。そのため、相続の放棄をした人や相続権のなかった人が取得する場合もありますが、これらの財産も相続税の課税の対象となります。相続人としての資格のある人が取得

した場合は相続により取得したものとみなされ、それ以外の人が取得したとき
は、遺贈によって取得したものとみなされます（相税法3①）。

みなし相続財産等の種類と内容を図説すると、おおむね次のとおりです。

●みなし相続財産の種類と内容

① **生命保険金**（相税法3①一）

　被相続人の死亡により遺族に支払われる生命保険契約の保険金など

② **死亡退職金**（相税法3①二）

　被相続人に支給されるべきであった退職手当金や功労金を遺族が受け取った場合

③ **生命保険契約に関する権利**（相税法3①三）

　被相続人が保険料を負担し、被相続人以外の者が契約者になっていたもので、保険事故がまだ発生していないもの

④ **定期金に関する権利**（相税法3①四）

　被相続人が掛金を負担していた、生命保険契約以外の定期金給付契約で、支給事由がまだ発生していないもの

⑤ **保証期間付定期金に関する権利**（相税法3①五）

　生前に支給を受けていた定期金給付契約に基づいて、被相続人の死亡後に遺族が受ける一時金や定期金など

⑥ **契約に基づかない定期金に関する権利**（相税法3①六）

　被相続人の死亡によって受ける定期金に関する権利で契約に基づかないもの

⑦ **その他・遺贈とみなされるもの**（相税法7・8・9・9の2）

　遺言による、(イ)信託行為や信託の受益者変更があった場合の利益（相税法9の2）、(ロ)被相続人からの低額譲渡による利益（相税法7）、(ハ)相続人からの債務免除、引受による利益（相税法8）、(ニ)前記(イ)〜(ハ)の他、無償または低額譲渡で、遺言によって被相続人から受けた経済的利益（相税法9）など

⑧ **相続財産法人から分与を受けた遺贈とみなされる財産**（相税法4①）

　相続人がいない場合などで、特別縁故者が被相続人の財産の全部または一部を分与された場合

⑨ **特別寄与料**（相税法4②）

　被相続人に無償で療養看護をしたことにより被相続人の財産形成に特別に寄与した相続人以外の被相続人の親族（特別寄与者）が相続人に対して請求することができる金銭の額は、遺贈があったものとみなされます。

　特別寄与者は相続人ではないため、相続税額の2割加算の対象者となります（☞2.3.7）。

PART2 租税実体法（実体税法）を学ぶ

(3) 相続開始前7年以内の贈与加算

相続や遺贈によって財産を取得した人が、その相続開始前7年以内に被相続人から財産の贈与を受けているときは、「相続開始前7年以内の贈与財産の加算」制度が適用されます（相税法19）。生前に贈与された財産は、相続時点では遺産ではありませんが、7年以内の贈与財産については、相続時に持ち戻して相続税が課税される制度です。なお、相続時精算課税制度（☞2.3.11）を選択している場合には、選択後に、被相続人から贈与されたすべての財産が持ち戻しの対象となります。

また、7年以内の各贈与時に贈与税が課税されているときは、その贈与税分は相続税額から差し引きますが、これを「贈与税額控除」（☞2.3.7）とよんでいます。

なお、令和5年度税制改正で延長された4年間の贈与については、総額100万円まで加算されません。

◎相続税がかからない財産～非課税財産

相続や遺贈によって取得した財産で、金銭的な価値のあるものには、原則として相続税が課されます。しかし、財産の種類や性質によっては、国民感情への配慮や社会政策的な観点から、課税していないものもあります。相続税法では、次のような種類の財産を非課税財産として、課税していません。

●非課税財産の範囲

① **皇室経済法によって皇嗣が承継するもの**（相税法12①一）
三種の神器など皇位とともに承継されるもの
② **墓所、霊廟、祭具など**（相税法12①二）
仏壇、神棚等の祭具、墓地や墓石等の墳墓、先祖代々からの家系を記載した系譜など、信仰の対象となるもの（ただし、商品、骨とう品、投資目的で保有するものには課税）
③ **公益事業用財産**（相税法12①三）
宗教、慈善、学術その他公益を目的とする事業を行う一定の者が取得した財産で、公益目的の事業に供するもの
④ **心身障害者共済制度給付金の受給権**（相税法12①四）
心身障害者を扶養する目的で地方公共団体が実施する一定の共済制度における給付金の受給権

⑤ **生命保険金等のうち一定額**（相税法12①五）

　生命保険金や生命共済金で、みなし相続財産として相続税が課税される保険金のうち一定部分（500万円に法定相続人の数を乗じた金額までの部分）の金額。ただし、相続の放棄をした人や相続権のなかった人が取得した保険金は非課税の適用はありません。

⑥ **死亡退職金のうち一定額**（相税法12①六）

　みなし相続財産として課税される死亡退職金のうち一定部分（500万円に法定相続人の数を乗じた金額までの部分）の金額

⑦ **国等に贈与した相続財産**（措置法70）

　国や地方公共団体、あるいは特定の公益社団法人等に贈与（寄附）した財産。ただし、その寄附行為が税負担を不当に減少させる場合を除きます。また、申告期限までに贈与をし、かつ、公益社団法人等が発行した所定の証明書を申告書に添付することが必要です。

◎債務控除

　相続放棄をしない限り、被相続人の生前における借入金などの債務も相続人に承継されます。相続税法では、課税価格の計算にあたっては、借入金等は「債務控除」として控除できます（「個人事業の従業者に支払われた退職金」東京高判平8.10.16棄却・税資221号54頁）。債務控除は、被相続人の債務、葬式費用と特別寄与料とに大別できます（相税法13①）。

(1) 控除される債務

　相続時において確定しているもので、借入金や事業上の買掛金、治療費や入院費など相続開始時に未払となっているものは控除の対象となります。ただし、墓地や仏壇など非課税財産の購入代金が未払となっていても控除されません（相税基通13−6）。被相続人の債務には、未納の税金も含まれます。控除される税金は、相続開始時に納付が確定しているものだけでなく、被相続人の死亡後に相続人が納付したり、徴収されることになった被相続人の税金も含まれます（相税法14②）。なお、保証債務（☞2.3.13）は、原則として債務控除の対象（東京高判平16.4.22棄却・税資254号130頁「主債務者への求償不能事件」）にはなりません（相税基通14−3）。

(2) 葬式費用

　葬式費用は、本来は遺族が負担すべきものであって、相続開始時の被相続人の債務ではありません。しかし、その費用は相続財産のなかから支出されることもありますから、葬式費用も相続税の計算上、控除が認められています。

もっとも、香典返しの費用や永代供養料などは葬式費用とはなりません（相続税基通13－5）。また、香典や一定の金額までの弔慰金は遺族が受け取るものなので相続財産には含まれず、課税されません。

(3) 特別寄与料

また、特別寄与者が支払を受けるべき特別寄与料の額が特別寄与者の課税価格に含めるときは、その特別寄与料を支払う相続人は、特別寄与料のうち法定相続分に応じたその相続人の負担する部分の金額を、課税価格の計算において控除することができます（相税法13④、民法1050）。

（浅野 洋・木村 幹雄）

〔アドバンス文献〕松岡章夫『ゼミナール相続税法〔令和3年補訂〕』（2021年、大蔵財務協会）

2.3.5 相続財産はどう評価するのか

ポイント

相続財産は相続開始時の「時価」で評価しますが、実務的には国税庁が定めた「財産評価基本通達」によります。土地は路線価方式か倍率方式で、そして建物は原則として固定資産税評価額で評価します。また株式は、上場株式、気配相場のある株式、非上場株式の3つに分けて評価します。

◎相続財産の評価

(1) 財産の評価とは

相続という形態は、被相続人から相続人への財産の無償の移転です。売買などと異なり、実現した価額がありません。このため、相続税の計算をするには、その前提として「財産評価」が必要となります。

(2) 評価の原則と基準

相続税を計算する場合、財産はすべて「時価」で評価するのが原則です（相税法22）。相続税における時価は、相続税法では、①地上権および永小作権（相税法23）、②配偶者居住権等（相税法23の2①）、③定期金（相税法24・25）、④立木（相税法

26）のみが規定されています。その他、大半の相続財産について、実務上、国税庁が作成し公表している「財産評価基本通達」（☞1.4.6）によって統一的に評価しています（最判昭61.12.5・訟月33巻8号2149頁「売主の土地評価事件」）。この通達では、時価を「課税時期において、それぞれの財産の現況に応じ、不特定多数の当事者間で自由な取引が行われる場合に通常成立すると認められる価額」としています（評基通1(2)）。

　なお、この評価基準は、相続税と贈与税に共通するものです。したがって、贈与税が課税される場合の贈与財産の価額もこの基準によって評価されます。

◎財産評価基本通達による主な財産の評価方法

　財産評価基本通達に規定される主な財産の原則的評価方法を一覧にすると以下の通りです。

財産の種類	評価方法
宅　地（評基通11）	路線価方式または倍率方式
借地権（評基通27）	宅地の評価額×借地権割合
定期借地権（評基通27-2）	借地権者に帰属する経済的利益およびその存続期間を基に計算
貸宅地（評基通25）	宅地の評価額－借地権（定期借地権）の価額
貸家建付地（評基通26）	宅地の評価額－（宅地の評価額×借地権割合×借家権割合×賃貸割合）
家屋（評基通89）	固定資産税評価額×一定の割合（現行では1.0）
上場株式（評基通169）	次の①から④までの価額のうち、最も低い価額 ①　課税時期の終値 ②　課税時期の属する月の終値の月平均額 ③　課税時期の属する月の前月の終値の月平均額 ④　課税時期の属する月の前々月の終値の月平均額
取引相場のない株式・出資（評基通178.179）	その会社の規模・株主の構成・資産の保有割合などに応じて、以下のいずれかの方法 ①　類似業種比準方式180 ②　純資産価額方式185～187 ③　①と②の併用方式179 ④　配当還元方式188.188-2
預貯金（評基通203）	課税時期の預入残高＋税引後の既経過利子の額
家庭用財産等（評基通128～130）	売買実例価額・精通者意見価格など

| 書画・骨とう品など
(評基通135) | 売買実例価額・精通者意見価格など |

※ 令和6年1月1日以後、「居住用の区分所有財産（いわゆる分譲マンション）は個別通達により評価されます。

◎土地の評価

(1) 土地の評価方法

財産評価は「時価」を原則としていますが、土地については財産評価基本通達に基づく「評価」を行っています。土地の評価は、宅地、農地、山林など地目ごと、1利用単位ごとに評価します。

土地の評価方法は、その所在によって次のように2つに区分されています。

路線価方式とは、その土地が接している道路に付した「路線価」という標準的な価額を基として評価する方法です。路線価を付した地図を路線価図といいます。毎年、国税庁が作成して各税務署に備えつけてあり、ホームページでも公表されています。

倍率方式とは、評価しようとする土地の固定資産税評価額に、各税務署に備えつけられている倍率表（地域ごとに一定の倍率が付されている）の倍率をかけて価額を求める方法です。

なお、節税目的で取得した不動産の評価については、「評価通達の定める評価方法を形式的に全ての納税者に係る全ての財産の価額の評価において用いるという形式的な平等を貫くことによって、かえって租税負担の実質的な公平を著しく害することが明らかである特別の事情がある場合には」鑑定評価額により評価するとの判示があります（東京高判令2.6.24・税資270号57頁）。

◎事業用宅地や居住用宅地の評価減

(1) 小規模宅地等の評価減とは

　店舗や居宅の敷地などは、相続人にとって生活の基盤となる財産です。相続税を納税するために、こうした財産を処分しなければならないとなると、国民生活に重大な支障が生じることも考えられます。

　そこで、相続税の課税上、被相続人の事業用宅地または居住用宅地（借地権を含みます）については、一定の面積を限度として、評価を減額する特例が設けられています。

(2) 減額の割合と減額される限度面積

　一般に「小規模宅地等の特例」といいますが、これは宅地等の価額から「特定事業用等宅地等（特定事業用宅地等・特定同族会社事業用宅地等）」または「特定居住用宅地等」にあてはまる場合には80％、「貸付事業用宅地等」にあてはまる場合には50％が減額されます。

　特例により減額される面積（限度面積要件）は、納税者が選択した宅地（選択特例対象宅地等）が特定事業用等宅地等、特定居住用宅地等、貸付事業用宅地等のいずれにあてはまるかで、それぞれ400㎡、330㎡、200㎡までと定められています（措置法69の4）。

　また、特定事業用等宅地等と特定居住用宅地等との双方を選択特例対象宅地等とする場合、最高で730㎡までの完全併用が可能となっています。

(3) 特定事業用・居住用宅地等の要件

　特定事業用宅地等にあてはまるには、被相続人の事業用土地を相続した親族が相続税の申告期限までに被相続人の事業を承継した場合など、一定の要件が必要とされています。また、特定居住用宅地等にあてはまるには、被相続人と同居していた子などがその宅地を相続し、相続税の申告期限まで居住を継続している場合など、一定の要件が必要とされています。

（浅野　洋・木村　幹雄）

〔アドバンス文献〕 岩﨑政明「相続財産の種類」別冊ジュリスト租税判例百選No.228所収（2016年、有斐閣）、笹岡宏保『詳解小規模宅地等の課税特例の実務（令和3年7月改訂）』（2021年、清文社）、佐藤善恵「一部未分割の小規模宅地等の特例的用に係る手続要件」『租税基本判例70（'13-'18）』（2019年、日本税務研究センター）

PART2　租税実体法（実体税法）を学ぶ

2.3.6　事業承継税制のあらまし

ポイント

　非上場会社を経営していた人が亡くなったとします。後継者（相続人）が会社を引き継ぐためには、代表者の地位を引き継ぐとともに、会社の株式を相続しなければなりません。先代経営者が頑張って大きくした会社は、株価が高くなっており、多額の相続税を支払わないと株式を相続することができません。そこで一定の要件を満たせば、相続税の一部の支払いが猶予され、その後、免除される制度があります。これが事業承継税制です。

◎事業承継税制の特例

　中小企業経営者の高齢化が進んでおり、円滑な世代交代を行う必要があります。うまく事業承継が行われないとすると、従業員の雇用を維持できなくなるばかりか、日本経済全体にも悪影響を及ぼすことになります。そこで2009（平成21）年度税制改正で、いわゆる「経営承継円滑化法」の仕組みに基づき、事業承継の円滑化を図るため、「非上場株式等の贈与税の納税猶予及び免除」（措置法70の7）と「非上場株式等についての相続税の納税猶予及び免除」（措置法70の7の2）という制度が設けられました。導入当初は、適用要件が厳しすぎるという批判がありましたが、その後の改正で、順次、適用要件が緩和されました。

　2018（平成30）年度税制改正で、2018（平成30）年1月1日から2027（令和9）年12月31日までという10年間の特例措置として、適用要件が大幅に緩和された「事業承継税制の特例」が設けられました。ただし、一定の手続を行う必要があり、その期限は2024（令和6）年3月31日までの特例承継期間内とされていました。令和6年度税制改正により、コロナの影響が長期化したことを踏まえて、その期限が2026年（令和8年）3月末まで延長されています。

◎その他の事業承継税制

　非上場株式等にかかる事業承継税制のほかにも、次のような納税猶予制度が設けられています。

393

⑴　**医業継続にかかる相続税・贈与税の納税猶予制度**

　持分の定めのある医療法人の持分を相続もしくは遺贈または贈与により取得した場合に、医療法人が認定医療法人であるときは納税が猶予され、持分をすべて放棄した場合には猶予税額が免除されます。

⑵　**農地等の相続税・贈与税の納税猶予制度**

　農業後継者の育成、農地の確保などの目的で、相続人または受贈者が引き続き農業を営む場合に、その相続税または贈与税が猶予されます。

⑶　**山林の相続税の納税猶予制度（相続税のみ）**

　林業経営相続人が、森林経営計画が定められている区域の山林を相続または遺贈により取得して自ら山林を経営する場合には、一定の相続税の納税が猶予されます。

⑷　**個人の事業用資産についての相続税・贈与税の納税猶予制度**

　不動産貸付業を除く青色申告にかかる事業を行っていた被相続人または贈与者からその事業にかかる事業用資産のすべてを相続もしくは遺贈または贈与により取得した場合に、その相続税または贈与税が猶予されます。

（浅野　洋・左海　英吾）

2.3.7　相続税の計算の仕方

ポイント

　相続税は、①課税価格の計算、②相続税の総額計算、③配分に応じた各人の相続税額の計算、④各人の状況（未成年、配偶者など）に応じた控除の順で、計算していきます。

◎相続税の計算のあらまし

　わが国の相続税は遺産課税方式と遺産取得課税方式をミックスした計算方法となっています。この結果、相続税の計算手順は、次のように3段階に分けて計算します。

第1段階（課税価格の計算）……相続や遺贈によって財産を取得した人ごと
　　　　　　　　　　　　　　　に相続財産と債務を計算します。
第2段階（相続税の総額の計算）……財産を取得した人全員の相続税の総額
　　　　　　　　　　　　　　　を計算します。
第3段階（納付税額の計算）……財産を取得した人ごとに個別の各種税額調
　　　　　　　　　　　　　　　整を行って各人の納税額を計算します。

◎課税価格の計算方法

(1) 課税価格は財産から債務を差し引く

相続や遺贈によって財産を取得した人の課税対象額のことを課税価格といいます。課税価格は、相続人や受遺者の1人ひとりについて個別に計算します（相税法11の2）。

課税価格は、被相続人の遺産（非課税財産は除きます。）に、生命保険金や死亡退職金などの、いわゆる「みなし相続財産」を加え、そこから、その人が負担した被相続人の債務と葬式費用を差し引いて計算します（相税法13）。

(2) 相続開始前7年以内の贈与財産の加算

相続等によって財産を取得した人が、生前に贈与された財産で相続開始前7年以内に贈与を受けた財産がある場合には、その贈与財産を相続税の課税価格にプラスする制度があります（相税法19）。その他、相続開始前3年以内に贈与された財産以外については、贈与財産の合計額から100万円を控除した残額をプラスします。

相続税が被相続人の生涯所得に対する清算（☞2.3.2）だとすれば、生前に贈与された財産は相続時に持ち戻して課税した方がよいことになりますが、生前贈与のすべてについて加算するのは、捕捉面で困難なため、相続前7年以内の贈与財産に限ることとされています。

(3) 相続時精算課税適用財産の加算

相続または遺贈により財産を取得した人が相続時精算課税適用者（相税法21の9）である場合は特定贈与者（相税法21の9）の相続税の計算上、相続財産の価額に

相続時精算課税を適用した贈与財産の価額（贈与時の価額）を加算して相続税額を計算します（相税法21の14、同21の15）。2024（令和6）年1月1日以降の同制度による贈与については、毎年110万円の基礎控除（相法21の11の2①、措法70の3の2①）が設けられることになり、基礎控除により控除された価額については特定贈与者の相続時に加算されないこととなりました（相法21の15①、相法21の16③）。

　また、相続時精算課税適用者が相続または遺贈により財産を取得しなかった場合も、特定贈与者から相続時精算課税適用財産を相続（相続人以外の場合は遺贈）によって取得したものとみなして相続税の計算をします（相続法21の16）。

　その際、すでに支払った贈与税相当額を相続税額から控除しますが、なお控除しきれない金額は還付を受けることができます（☛2.3.11）。

⑷　遺産分割が未確定の場合の課税価格

　課税価格は、ふつう相続人間で遺産分割を行った後の取得財産の価額で計算します。しかし、相続税の申告期限までに分割協議が整わなくて、いわゆる「未分割」の場合もあります。このような場合は、相続人が民法に規定される相続分によって遺産を取得したものとして課税価格を計算し、相続税も納付しなければなりません（相税法55）。

　これは、遺産の分割が決定するまで相続税の課税を延期してしまうと、申告期限までに分割して納税した人と比べ、課税の公平が保てないからです。

◎相続税の総額

⑴　相続税の総額の概要

　相続税の総額は次のように計算します。

　まず、各人ごとの課税価格を合計し、その合計額から、「遺産にかかる基礎控除額」を差し引いて、「課税遺産額」を求めます。

　次に、この課税遺産額を、現実の遺産配分に関係なく、法定相続人が法定相続分どおり取得したと仮定して仮の財産価額を算出します。

　そして、この金額に所定の税率をかけて、それぞれの税額を算出します。これらの税額を合計したものが相続税の総額となります（相税法16）。

この課税方式は「法定相続分による遺産取得課税方式」とよばれています（☛2.3.1）。これは、被相続人の遺産を相続人間でどのように配分しても、相続税の総額に変動がないように考えられた方式です。また、相続放棄をした人も法定相続人に含まれます（相税法15②）。したがって、法定相続人も法定相続分も相続開始時点で確定されますが、小規模宅地等の特例や配偶者の税額軽減をどのように適用するのかで、最終的な納付税額は異なります。

(2) 遺産にかかる基礎控除額

相続税の課税最低限である基礎控除額は、3,000万円と、法定相続人1人につき600万円を加算して計算されます（相税法15①）。課税価格の合計額が基礎控除額以下であれば、相続税は課税されず、申告も不要です。

法定相続人には養子も含まれますが、無制限に養子を認めると、相続直前に多人数の養子縁組をするような、相続税の安易な「節税」を助長するおそれもあります。また、身分関係にも悪い影響を与えかねません。

相続税法では、これらを懸念して、被相続人に養子がある場合には法定相続人として計算する人数を次のように制限しています（相税法15②）。

①　被相続人に実子がある場合……1人以内
②　被相続人に実子がない場合……2人以内

ただし、いわゆる特別養子制度（民法817の2）により養子となった者や、配偶者の実子で被相続人の養子となった者（いわゆる「連れ子」）などは実子とみなされます（相税法15③）。

この法定相続人の数に含める養子の数の制限規定は次の計算規定に限って適用されます。

①　相続税の遺産にかかる基礎控除額の計算
②　相続税の総額の計算
③　生命保険金等の非課税限度額の計算
④　退職手当金等の非課税限度額の計算

なお、上記の養子の数を法定相続人の数に算入すると、相続税の負担を不当に減少させる場合は、法定相続人に算入しない規定があります（相税法63）。

(3) 相続税の税率

基礎控除後の課税遺産額は、法定相続人が法定相続分どおり取得したものと

して仮の遺産配分額を求め、この金額に対して所定の税率をかけて計算します。

　相続税の税率は、次のように遺産額に応じた8段階の超過累進税率（☞1.2.7）です。最低10%から最高55%までとされています。

●相続税の税率構造 （相税法16） ＜速算表＞

法定相続分に対応する金額	税率	控除額
1,000万円以下の金額	10%	————————
3,000万円以下の金額	15%	50万円
5,000万円以下の金額	20%	200万円
1億円以下の金額	30%	700万円
2億円以下の金額	40%	1,700万円
3億円以下の金額	45%	2,700万円
6億円以下の金額	50%	4,200万円
6億円超の金額	55%	7,200万円

⑷　相続税の総額の計算例

　法定相続分に応じて仮の税額を求めた後、これらの税額を合計したものを、相続税の総額といいます （相税法16）。

●相続税計算のあらまし

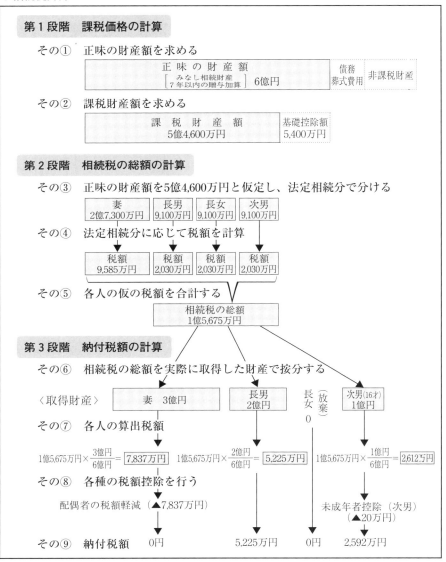

◎各人ごとの納税額

(1) 相続税の総額の按分

各人ごとの相続税額とは、相続税の総額を、課税価格の合計額に対するその人の課税価格の割合によって按分した金額をいいます（相税法17）。各人が納付すべき税額は、この金額から、その人固有の税額控除を差し引いた金額となります。

「按分割合」と各人の税額の計算は次のとおりです。

① 按分割合＝ その人の課税価格 / 課税価格の合計額
② 各人の相続税額＝相続税の総額×按分割合

(2) 相続税の2割加算

相続税法では、世代飛び越しの防止などを目的として「相続税額の2割加算」制度を設けています（相税法18）。兄弟姉妹が相続や遺贈によって財産を取得した場合や、代襲相続人でない孫や被相続人とは血縁関係のない人に財産が遺贈された場合に、この制度の適用があります。

なお、いわゆる孫養子についても代襲相続人になっていない場合には、2割加算の対象となります。

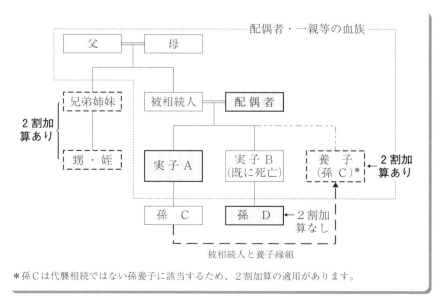

＊孫Cは代襲相続ではない孫養子に該当するため、2割加算の適用があります。

(3) 税額控除の種類と順序

現行の相続税では、財産を承継した人の個別的な事情などを考慮して、全部で6種類の税額控除制度を設けています。

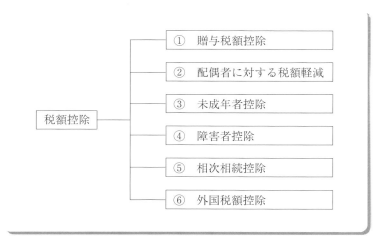

なお、税額控除が2つ以上適用になる場合には、この順序で控除していくことになります（相税基通20の2－4）。

●税額控除の種類とあらまし

① 贈与税額控除
「相続開始前7年以内の贈与財産の加算」の適用があった人については、贈与時に課税された贈与税を、その人の相続税から控除することで、税負担の調整がはかられています。これを「贈与税額控除」といいます（相税法19①）。控除される贈与税は、贈与があった年分の贈与税額のうち、相続税の課税価格に加算された贈与財産の価額に対応する金額となります。なお、控除しようとする贈与税額が、その人の相続税額を超えることになった場合には、超えた分の贈与税は還付されません。
② 配偶者に対する税額軽減
わが国の民法は「夫婦別産制」という考え方を基本的にはとっています。しかし、相続税では、財産の蓄積に対する配偶者の功績と潜在的な持分を認め、配偶者が取得した財産には大幅な軽減措置が講じられています。すなわち、配偶者が一定額までの遺産を相続しても「配偶者に対する税額軽減」制度により相続税は課税されないようになっています。 　この軽減措置により、配偶者の法定相続分または1億6,000万円のいずれか多い金額までの取得分に相当する税額が軽減されます（相税法19の2①）。

この規定は、相続税の申告期限までに遺産の分割が確定しないとき（未分割の状態）は、適用を受けることができません。しかし、未分割の財産が申告期限から３年以内に分割されれば、その時にこの税額控除が適用されます。この場合は、更正の請求（☛5.3.6）をして軽減税額の還付を受けることになります（相税法19の２②）。

また、期限内申告の際に申告すべき財産を隠ぺいしたり仮装していた場合には、軽減の対象とすることはできません（相税法19の２⑤）。

③　未成年者控除

相続人が未成年者であるときは、「未成年者控除」の制度によって税負担が軽減されています（相税法19の３）。控除額は、18歳に達するまでの年数１年につき10万円ですが、この場合の年数に１年未満の端数があれば、切り上げて１年とします。

　　未成年者控除額の計算　10万円×18歳に達するまでの年数

なお、控除額が未成年者本人の相続税額を超える場合（控除不足になる場合）は、その控除しきれない金額は、未成年者の親や兄弟などの扶養義務者の相続税から控除することとされています（相税法19の３）。

④　障害者控除

相続や遺贈によって財産を取得した人が障害者であるときは「障害者控除」の制度によって相続税が軽減されます（相税法19の４）。障害者が相続によって財産を取得したときは、その人が85歳に達するまでの年数１年につき10万円（「特別障害者」の場合は20万円）で計算した金額が、本人の相続税額から控除されます。

　　障害者控除額の計算　10万円（特別障害者は20万円）×85歳に達するまでの年数

なお、本人の相続税額から控除しきれない金額がある場合は、未成年者控除の場合と同様、扶養義務者の相続税額から控除されます（相税法19の４）。

⑤　相次相続控除

短期間に、相次いで相続が発生した場合には「相次相続控除」とよばれる税額控除が設けられています（相税法20）。この控除が適用されるのは、前の相続（「第１次相続」といいます。）と後の相続（「第２次相続」といいます。）との間が10年以内の場合です。

控除される税額は、第２次相続における被相続人が、第１次相続で負担した税額について、第１次相続からの経過年数１年につき10％ずつ減額した金額です。これを第２次相続の相続人が取得した財産の比で按分して計算します。

⑥　外国税額控除

わが国の相続税法では、日本国内に居住している人については、相続財産が海外に所在していても（在外財産といいます）、すべて相続税が課税されることになっています。

この場合に、在外財産が所在する国で日本の相続税に相当する税金が課税されると、結果的に同じ財産について、日本の相続税と海外での課税が重複することになります。

そこで、この二重課税を排除するため、外国での課税分を相続税額から控除することにしているのです（相税法20の２）。

（浅野　洋・左海　英吾）

〔アドバンス文献〕三木義一・末崎衛『相続・贈与と税〔第２版〕』（2013年、信山社）、松岡章夫『ゼミナール相続税法〔令和３年補訂〕』（2021年、大蔵財務協会）

PART2　租税実体法（実体税法）を学ぶ

2.3.8 贈与税とはどんな税金か

ポイント

　贈与税は、相続税を補完する税金です。贈与税は、本来の贈与財産、みなし贈与財産にかかります。負担付贈与や債務免除を受け、さらには保険金を受け取るなどすると、みなし贈与となります。生活費やお歳暮など（非課税財産）には、贈与税がかかりません。

◎贈与とはどのようなことか

　民法上は、「贈与は、当事者の一方が自己の財産を無償で相手方に与える意思を表示し、相手方が受諾をすることによってその効力を生ずる」契約であるとされています（民法549）。

　贈与とは、贈与する人とされる人との間で、「贈与」の認識が必要です。意思表示のできない幼児に対する贈与や、子どもが知らない子ども名義の預金などは、贈与があったものとはいえない場合もあります。

◎贈与税は誰にかかるのか

　財産の贈与があれば、贈与を受けた人に贈与税が課されます。財産の贈与をした人を「贈与者」といい、贈与を受けた人を「受贈者」とよびます。贈与税も相続税と同様に、個人に対する課税を建て前とした税金ですから、会社などの法人が財産の贈与を受けても贈与税は課税されません。ただし、人格のない社団等や持分の定めのない法人に贈与があった場合には、例外的にこれらに課税されることがあります（相税法66）。

◎贈与税がかかる財産

(1) 本来の贈与財産とみなし贈与財産

　贈与税の課税対象となる「財産」は、有形無形を問わず、経済的な価値のあるすべての財産です。これは、相続税の場合と同様です（☞2.3.4）。そして、贈

403

与税の場合も、税法で贈与があったとみなして課税するものがあります（最判平22.7.16・判時2097号28頁「低額増資事件」、大阪高判昭62.6.16・訟月34巻1号160頁「低額譲渡事件」）。したがって、贈与税についても課税財産は次のように２つに大別できることになります。

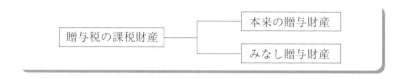

(2) みなし贈与財産にはどんなものがあるか

みなし贈与財産にはいくつかの種類があります。主なものは次のとおりです。

●みなし贈与財産の範囲

① **信託受益権**（相税法９の２）	
委託者以外の者が信託の利益の受益者となる信託行為があったとき。	
② **生命保険金**（相税法５）	
保険金受取人以外の者が保険料を負担していた保険金を取得したとき。	
③ **定期金**（相税法６）	
定期金受取人以外の者が掛金を負担していた定期金受給権を取得したとき。	
④ **低額譲受**（相税法７）	
時価よりも著しく低い価額で財産を譲り受けたとき。なお、受贈者が資力喪失のため債務の弁済が困難で、債務の弁済目的として扶養義務者から行われたものは、みなし贈与とされません。	
⑤ **債務免除益**（相税法８）	
債務の免除や肩代りをしてもらったとき。なお、受贈者が資力喪失のため扶養義務者から債務免除等があった場合に贈与税が課税されない点は、低額譲受の場合と同じです。	
⑥ **負担付贈与**（相税基通21の２－４）	
負担付贈与によって財産の贈与を受けた場合には、贈与財産の額から負担額を差し引いた価額に贈与税が課税されます。	

PART2　租税実体法（実体税法）を学ぶ

◎贈与税の非課税財産

　相続税法では、次のような財産を贈与税の非課税財産としています。このうち、①から⑧までは、相続税法で規定されています。そして、⑨は実務上の取扱いとして通達で非課税とされています。また、⑩〜⑫は、政策目的で導入され、租税特別措置法で非課税とされています。

●贈与税の非課税財産の範囲

①	法人から受けた贈与財産（相税法21の3①一）
②	生活費や教育費に充てるための扶養義務者の贈与で通常必要なもの（相税法21の3①二）
③	一定の要件にあてはまる公益事業者が取得した公益事業用財産（相税法21の3①三）
④	特定公益信託で一定のものから交付される金品（相税法21の3①四）
⑤	心身障害者扶養共済制度に基づく給付金の受給権（相税法21の3①五）
⑥	公職選挙の候補者が受ける贈与財産（相税法21の3①六）
⑦	相続があった年に被相続人から贈与を受けた財産（相税法21の2④）
⑧	特別障害者または一定の障害者が受ける信託受益権で、6,000万円（一定の障害者は3,000万円）までのもの（相税法21の4）
⑨	香典、祝物、見舞金等で社交上必要と認められるもの（相税基通21の3-9）
⑩	直系尊属から受けた一定の要件を満たす住宅取得等資金（措置法70の2①）
⑪	直系尊属から一括贈与を受けた一定の要件を満たす教育資金（措置法70の2の2）
⑫	直系尊属から一括贈与を受けた一定の要件を満たす結婚・子育て資金（措置法70の2の3）

（浅野　洋・左海　英吾）

〔アドバンス文献〕北野弘久ほか編『争点相続税法〔補訂版〕』（1996年、勁草書房）、田中啓之「みなし贈与」別冊ジュリスト租税判例百選No.253所収（2021年、有斐閣）

2.3.9　贈与税の計算の仕方

ポイント

　贈与税は、課税価格（本来の贈与財産＋みなし贈与財産－非課税財産）を計算し、基礎控除を引き、税率をかけて算出します。また、贈与税の配偶者控除、住宅取得等資金の贈与の特例などがあります。

405

◎贈与税額の計算方法

(1) 贈与税の課税価格

　贈与税は、その年の1月1日から12月31日までの1年間に贈与された財産の合計額を課税価格として税額計算します（相税法21の2）。この方式を暦年課税といいます（「相続時精算課税制度」による贈与☞2.3.11）。

(2) 贈与税の基礎控除

　贈与税の算出にあたっては、この課税価格から、基礎控除として110万円を控除します。贈与税の基礎控除額は、受贈者1人につき、年間110万円です。したがって、何人の人から贈与されても、その人の基礎控除額は110万円です。

(3) 贈与税の税率

　贈与税額は、基礎控除をした後の価額に一定の税率をかけて算出します。

　贈与税の税率は、最低10％から最高55％までの8段階に区分された超過累進税率（☞1.2.7）が採用されています（相税法21の7）。

　また、直系尊属から20歳以上の者への贈与に対しては、税率の段階は一般贈与と同じですが税率のきざみ幅が緩やかになっています（措置法70の2の5）。

●贈与税の税率構造（一般の贈与）＜速算表＞

一般の贈与		
金額	税率	控除額
200万円以下の金額	10％	———
300万円以下の金額	15％	10万円
400万円以下の金額	20％	25万円
600万円以下の金額	30％	65万円
1,000万円以下の金額	40％	125万円
1,500万円以下の金額	45％	175万円
3,000万円以下の金額	50％	250万円
3,000万円超　の金額	55％	400万円

PART2　租税実体法（実体税法）を学ぶ

● 贈与税の税率構造（20歳以上の者が直系尊属から贈与を受けた場合）＜速算表＞

直系尊属からの贈与		
金額	税率	控除額
200万円以下の金額	10%	———
400万円以下の金額	15%	10万円
600万円以下の金額	20%	30万円
1,000万円以下の金額	30%	90万円
1,500万円以下の金額	40%	190万円
3,000万円以下の金額	45%	265万円
4,500万円以下の金額	50%	415万円
4,500万円超　の金額	55%	640万円

　この結果、同一年内に直系尊属からの贈与と一般贈与がある場合には、按分計算で暦年の贈与税を計算することとなります。

◎贈与税の特例

　贈与税の特例として、主なものは次のとおりです。

(1)　贈与税の配偶者控除

　婚姻期間が20年以上であるなど、一定の配偶者への居住用不動産の贈与については、配偶者の老後の生活保障面を考慮して、特例規定が設けられています。これを「贈与税の配偶者控除」とよびます。一定の書類の添付を条件に、最高2,000万円までが課税価格から控除されます（相税法21の6）。

　また、この配偶者控除は、「相続開始前7年以内の贈与加算」の規定は適用されません（相税法19②）。したがって、相続税の持ち戻し計算をする必要はありません。

(2)　直系尊属からの住宅取得等資金の贈与

　両親や祖父母から子へ住宅取得等資金の贈与があった場合、暦年贈与か相続時精算課税制度（☛2.3.11）かを問わず、一定額まで非課税とされています。

(3)　直系尊属からの教育資金の一括贈与

　「日本経済再生に向けた緊急経済対策」の一環として、60歳以上の世代が個人金融資産全体の6割を保有するなかで、高齢者層の保有する豊富な資産を子どもの将来の教育資金として早期に若年世代に移転させるとともに、教育・人

407

材育成や経済活性化に資することを目的として、金融機関等と締結した一定の契約に基づき、30歳未満の者が直系尊属から教育費として一括贈与を受けた資金について、1,500万円（学校以外は500万円）までを上限に贈与税が非課税とされています（措置法70の2の2）。贈与者が死亡したときには受贈者が23歳未満であるなど一定の場合を除き、残余額がみなし相続財産として相続財産に加算されます（措置法70の2の2⑫）。

　受贈者は、当該資金を払い出した金融機関を通じて、教育資金贈与の非課税申告書を所轄税務署長へ提出するように求められます。また、受贈者は、払い出した金銭の贈与税の非課税扱いを受けるためには、適格な教育費用の支払に充てたことを証する書類を金融機関に提出するよう求められます。

⑷　結婚・子育て資金の一括贈与にかかる非課税措置

　子や孫の結婚、出産、育児費用の支払に充てるために金融機関等と締結した一定の契約に基づき、18歳以上50歳未満の受贈者が直系尊属から金銭等の一括贈与をうけたとします。この場合に、18歳以上50歳未満の受贈者1人につき1,000万円（結婚費用は300万円）までを上限に非課税とする制度が、2015（平成27）年度税制改正で創設されました（措置法70の2の3）。贈与者が死亡した場合には、残余額がみなし相続財産として相続財産に加算されます。

　受贈者は、当該資金を払い出した金融機関を通じて、結婚・出産・育児資金贈与の非課税申告書を所轄税務署長へ提出するように求められます。また、受贈者は、払い出した金銭の贈与税の非課税扱いを受けるためには、適格な結婚・子育て費用の支払に充てたことを証する書類を金融機関に提出するよう求められます。

（浅野　洋・左海　英吾）

PART2 租税実体法（実体税法）を学ぶ

Column **相続税の債務控除と保証債務の関係**

　債務控除の項目で述べたように、保証債務（●2.3.13）や連帯債務は原則として債務控除の対象になりません。しかし、被相続人が主債務者の債務を保証していて、主債務者が破産したような場合にも控除できないとなると、相続人に過重な税負担を負わせることになりかねません。

　そこで、保証債務については、主たる債務者が弁済不能な状態にあるため債務保証をした人が債務の履行をしなければならない場合で、しかも、主債務者に求償しても返還される見込みがない場合には、弁済不能の部分は債務控除の対象となることにしています。

　また、連帯債務についても、債務控除を受けようとする人が負担すべき債務の全額については、同様の取扱いとなっています（相税基通14−3）。　　　（浅野　洋・左海　英吾）

2.3.10 相続税、贈与税の申告・納付

ポイント

　相続税、贈与税は納期限までに金銭で支払うのが原則ですが、「延納」もできます。また、相続税の場合、条件を満たせば、「物納」もできます。

◎相続税の申告と納税

(1)　相続税の申告義務者

　相続税の申告をしなければならない人は、相続や遺贈によって財産を取得した人です。しかし、課税価格の合計額が基礎控除額以下であれば申告義務はありません。また、基礎控除額を超えていても、税額控除を適用したために納付税額がなければ、やはり申告する必要はありません。

　ただし、配偶者に対する税額軽減（相税法19の2）と小規模宅地等の特例（措置法69の4）は、申告が要件です。したがって、これらの特例の申告によって納付税額がゼロとなる場合であっても、相続税の申告をする必要があります。

409

(2) 申告書の提出先

申告書の提出先は、相続人の住所地ではなく、被相続人が死亡したときの住所地を所轄する税務署 (☜1.3.1) です。申告書は相続人の共同で提出することができます (相税法27⑤)。相続税の申告書は、1つの申告書に財産を取得した人全員を記載するようにつくられています。

(3) 相続税の申告期限

相続税の申告期限は、「相続の開始があったことを知った日の翌日から10か月以内」とされています (相税法27①)。

ただし、相続税については、計算の誤りや申告書の書き誤りなどのほか、納税者の過失や意思によらない場合にも、相続税に固有の事由が生じて申告内容が変動する場合があります。そこで、期限後申告等の特例として、未分割財産について、その後、財産の分割が行われ、相続分と異なった財産分割がされた場合など一定の場合には、期限後申告の特則 (相税法30)、修正申告の特則 (相税法31)、更正の請求の特則 (相税法32) があります。

(4) 相続税の納税期限

相続税は、前述した申告期限までに、全額を現金で納付するのが原則です。この納期限までに納付しなかったときは、遅延損害金的な意味で年14.6% (納期限の翌日から2か月以内は軽減措置があります。) の割合による「延滞税」が課されます (通則法60) (☜7.2)。

(5) 延納が認められる場合

相続税は財産課税ですから、不動産だけを相続したような場合は、多額な税額に対して納税資金が不足するという事態も生じることがあります。

そこで、相続税においては、年賦延納という形で相続税を分割して払う方法が設けられています (相税法38)。延納ができるのは、次の場合です。

● 相続税の延納が認められる要件

① 相続税額 (相続人1人ごとの税額) が10万円を超えること。
② 金銭で納付することを困難とする事由があること。
③ 担保を提供すること。
④ 申告期限までに延納申請書を提出すること。

延納税額が100万円以下で、延納期間が３年以下の場合は、担保は不要です。

延納できる期間は、原則として５年以内ですが、相続財産のなかに不動産や立木などが50％以上あるときは、最長15年まで、また、不動産等の価額が75％以上を占めるときは、最長20年の延納も認められます。

なお、延納期間中は、所定の割合による「利子税」(☞7.2) がかかります。

(6) 物納とは

相続税の納付方法は、延納のほかに特例として「物納」という方法もあります。物納制度は、わが国の税金のなかでは相続税にのみ認められている独特の制度です (相税法41)。

物納をしようとするときは、相続税の納期限までに、物納申請書を提出して税務署長の許可を受けなければなりません。金銭一括納付が困難で、かつ、延納も困難な場合にのみ物納ができることになっています (相税法41①)。そして、実際に納付が困難であると認めた金額の範囲内で、物納を許可することになっています。

物納できる財産は、相続や遺贈によって取得した財産のうち次の５種類です (相税基通41-15)。

●物納できる財産とは

第１順位	① 不動産、船舶、国債証券、地方債証券、上場株式等
	② ①のうち物納劣後財産
第２順位	③ 非上場株式等
	④ ③のうち物納劣後財産
第３順位	⑤ 動産

ただし、これらの財産であっても、質権や抵当権がついているものなど、管理や処分の難しい財産（管理処分不適格財産）は、物納不適当として除外されます。なお、物納をする場合の「収納価額」は、いわゆる実勢の時価ではなく、相続税評価額によることになっています (相税法43①)。物納によって収納された後でも、１年以内なら、物納分の相続税を金銭で納付（延納を含む。）することで、物納の撤回をすることができます (相税法46)。

411

また、物納額が相続税額を超えているような場合（超過物納という。）には、その差額は金銭で還付されます（相税基通41-4）。

　なお、平成18年度の税制改正では物納不適格財産の明確化が図られ、物納劣後財産という考え方が導入されました。これによって物納申請しても物納不適格財産や物納劣後財産とされて却下された場合、他に物納適格財産を有しているときは却下の日から20日以内に、一度に限り再申請できることになりました。

　また、延納との関係でいえば、物納を却下された場合は20日以内に延納の申請ができることとされました。そして、相続税を延納中の納税者が、資力状況の変化などで延納納付が困難となった場合、申告期限から10年以内に限り未納額を物納に切り替えることができることとされました。

◎贈与税の申告と納税

(1)　贈与税の申告義務者

　贈与税は、すでにふれたように受贈者に対して暦年単位で課税されます。贈与を受けた年の1月1日から12月31日までの間に、受けた贈与財産の合計額が、基礎控除額（110万円）を超える場合は、申告書を提出しなければなりません。

　また、贈与税の配偶者控除や相続時精算課税制度（☛2.3.11）による贈与を受けた場合には、税額がゼロでも申告しなければ認められません。事業承継税制（☛2.3.6）の適用を受ける後継者（経営承継受贈者）もこの規定の適用を受ける旨を記載し、対象会社の定款など一定の書類を添付して申告する必要があります。

　申告書の提出期間は、贈与を受けた年の翌年2月1日から3月15日までです。申告書の提出先は、贈与を受けた人の住所地の所轄税務署長です。

(2)　贈与税の納税期限

　贈与税の申告書を提出した人は、それに対する贈与税を申告期限である翌年3月15日までに、金銭で一括納付しなければなりません。

　納期限後に納付した場合には、「年14.6％」と「延滞税特例基準割合＋7.3％」（納期限の翌日から2か月以内は軽減措置あり）のいずれか低い割合で計算した延滞税（☛7.2）をあわせて納付することになります。

PART2 租税実体法（実体税法）を学ぶ

(3) 贈与税の延納制度

　贈与税にも、相続税と同じように延納制度が設けられています。延納ができるのは、次の要件にあてはまる場合です。

● 贈与税の延納が認められる要件

- ① 贈与税額が10万円を超えること。
- ② 金銭で一時に納付することが困難な理由があること。ただし、延納税額が50万円未満の場合、10万円で除した年数までとし、担保提供が必要。
- ③ 延納税額が100万円以下で延納期間が3年以下の場合は、担保は不要。
- ④ 申告期限までに延納申請書を提供すること。

　延納申請書の提出があると、税務署長は、状況を調査し、調査に基づいて、納付の困難な金額を限度に延納の許可をすることができます（相税法38③）。

　延納ができる期間は5年以内で年賦延納です。また、延納期間中は、延納税額に対して一定の利子税（☛7.2・本則7.3％と特例基準割合を基に計算した利率）がかかります。

（浅野 洋・木村 幹雄）

〔アドバンス文献〕北野弘久ほか編『争点相続税法〔補訂版〕』（1996年、勁草書房）、金子宏『租税法〔第24版〕』（2021年、弘文堂）、浅野洋編『農業・農地をめぐる税務上の特例—ケース別適用のポイントと計算例—』（2018年、新日本法規出版）

2.3.11 相続時精算課税制度とは

ポイント

　相続税と贈与税とを一体化し、親子間の資産移転を促進するための制度として、「相続時精算課税制度」が導入されました。この制度は、親が元気なうちにする贈与（生前贈与）に大きな非課税枠を設けて生前贈与をしやすくし、親が亡くなったときに生前贈与したものも含めて相続税一本で精算して課税しようというものです。

◎相続時精算課税制度のあらまし

　将来あまり相続税の心配がないのにもかかわらず、生きているうちに贈与すると多額の贈与税を支払わなければならない、といった問題があります。こうした問題を解消することをねらいにつくられたのが「相続時精算課税制度」です（相税法21の９以下）。

　やさしくいえば、親が元気なうちにする贈与（生前贈与）に大きな非課税枠を設けて生前贈与をしやすくし、親が亡くなったときに生前に贈与した分も含めて精算するかたちで、相続税一本で課税しようという趣旨の制度です。60歳以上の親から18歳以上の子（代襲相続人などを含む相続人となると推定される直系卑属である子）や孫に対して生前贈与をした場合に、その親が亡くなったときに生前贈与した額を含めて相続税を計算することになります（相税法21の９①）。この制度は、子が選択すれば、利用できることになっています（相税法21の９②）。

　ただし、一度、この制度を選択すると、それ以降は、従来からある、①生前贈与＝贈与税、②死亡後の遺産相続＝相続税、といった暦年課税制度は利用できなくなります（相税法21の９⑥）。

◎2,500万円までの非課税枠を利用できる

　相続時精算課税制度では、贈与に関し、この制度の選択から相続の発生時まで累積で2,500万円という大きな非課税枠が設けられています（相税法21の12）。令和５年度税制改正により、令和６年１月１日以後の贈与については、年間110万円の基礎控除額を控除した残額に対して課税されることになります（相税法21の11の２、措置法70の２の４）。この枠までは、何度生前贈与を繰り返しても贈与税はかかりません。ただし、累積した生前贈与が2,500万円の枠を超えた場合には、超過額には定率20％で贈与税がかかります（相税法21の13）。この時に納めた贈与税は、親の死亡による遺産相続の際に精算されます。

　親の死亡による遺産相続では、死亡時の親の財産額に相続時精算課税制度による生前贈与額（贈与時の時価）を加えた財産額が相続税の対象額となります（相税法21の15①）。基礎控除額（3,000万円＋600万円×法定相続人の数）以下であ

れば、相続税はかかりません (☞2.3.2)。この場合、この制度を選択して生前贈与で納めた贈与税額があれば全額還付されます。また、合算された財産額の合計額が相続税の基礎控除額を超えて相続税がかかる場合で、算出された相続税額よりも多く贈与税額を納めているときには、納めすぎた分は還付されます。

◎有利な方を選択できる

相続時精算課税制度を利用したい人は、選択をしようとする最初の贈与を受けた年の翌年2月1日から3月15日の間に住所地の税務署（所轄税務署）に贈与税の申告書とともに、選択する旨の届出書（「相続時精算課税選択届出書」）を提出することになります。したがって、父親、母親それぞれを相手にこの制度を選択した場合には、非課税枠（2,500万円）が各々にあることから5,000万円までの生前贈与について贈与税がかからないことになります。

ただ、生前に贈与された額は贈与したときの時価で相続のときに合算されます。また、いったん選択すると撤回はできません。ですから、将来を見据えて、よく考えて決める必要があります。

なお、2人以上の特定贈与者から贈与を受けた場合の基礎控除額110万円は按分計算されます（相税法21の11の2②、相税令5の2、措置法70の2の4）。

◎住宅取得等資金の贈与特例制度

両親から子へ住宅取得等資金の贈与があった場合、贈与者が60歳未満であっても相続時精算課税制度の特例を受けることができます。この特例は2023（令和5）年12月31日までの時限措置とされていますが（22［令和4］年度税制改正の大綱二1［注1］）、年度によって非課税額が異なります。

（浅野 洋・石村 耕治）

2.3.12 相続税・贈与税の連帯納付とは

ポイント

相続税や贈与税については、相続、遺贈または贈与により財産を取得した者（本来の納税義務者）がそれぞれ納税義務を負うのが原則になっています。しかし、相続税法は、本来の納税義務者が納付できない場合などを考え合わせ、税負担の公平を確保し、税を確実に徴収するために、本来の納税義務者以外の者に連帯して納付する義務（連帯納付義務）を負わせています。連帯納税義務を負う者を連帯納付義務者といいます。

◎連帯納付義務の意味

相続税法は、相続税または贈与税の納付については、原則として、相続、遺贈または贈与により財産を取得した者にその義務を負わせています。また、遺産を分割するかしないか、するとした場合の分割の方法などの一切の判断を相続人等に委ねています。このため、課税庁側からみると、税負担公平の確保が難しい場合もでてきます。また、相続人等が税金を納付できなくなる場合も考えられます。相続税法は、こうした場合に備え、税負担の公平確保、さらには税を確実に徴収するねらいから、共同相続人相互間など一定の関係者に対して連帯納付義務を負わせています（相税法34）。

◎連帯納付義務のあらまし

相続税法は、連帯納付義務について、相続税と贈与税を合わせて４つのタイプを規定しています（相税法34①～④・☛5.4.6）。

● 相続税法上の４つのタイプの連帯納付義務

(1) 共同相続人間における連帯納付義務
(2) 被相続人の納税義務を承継した者相互間における連帯納付義務
(3) 相続財産等の転得者の連帯納付義務
(4) 財産を贈与した者の連帯納付義務

PART2　租税実体法（実体税法）を学ぶ

(1)　共同相続人間における連帯納付義務

　同一の被相続人から相続または遺贈（相続時精算課税の適用を受ける贈与財産を含む）により財産を取得したすべての者は、相続または遺贈により取得した財産にかかる相続税について、その相続または遺贈により受けた利益の価額に相当する金額を限度として、互いに連帯納付の義務を負います（相税法34①、相税基通34−1）。

　この連帯納付の義務は、厳密には連帯納税義務というよりは、他の相続人に対する一種の人的責任とされ、1つの相続で発生した相続税について、その受益者に共同の責任を負わせる趣旨とされています。

(2)　被相続人の納税義務を承継した者相互間における連帯納付義務

　同一の被相続人から相続または遺贈により財産を取得したすべての者に、その被相続人にかかる相続税または贈与税について、その相続または遺贈により受けた利益の価額に相当する金額を限度として互いに連帯納付義務を負います（相税法34②）。

　被相続人の相続税・贈与税の納税義務も債務控除の対象となる債務の一種とされています。各相続人が民法所定の相続分によってそれを按分した金額を承継したこととなることから、この場合の連帯納付の義務も上記(1)と同様に他の相続人の承継した納税義務に対する一種の人的責任であるとされています。

(3)　相続財産等の転得者の連帯納付義務

　相続税または贈与税の課税価格計算の基礎となった財産を贈与、遺贈または寄附行為により取得した者は、その受けた利益の価額に相当する金額を限度として一定の金額について連帯納付義務を負います（相税法34③、相税基通34−2）。

(4)　財産を贈与した者の連帯納付義務

　財産を贈与した者は、その贈与により財産を取得した者のその年分の贈与税額に、その財産の価額が贈与の課税価格のうちに占める割合を乗じて算出した金額として定める一定額（相税令11）に相当する贈与税について、その贈与した財産の価額を限度として連帯納付の義務を負います（相税法34④）。

　以上、(1)〜(4)の場合の連帯納付義務においては、その連帯納付義務に基づく

417

負担額が相続または遺贈により受けた利益の額を超えないようにするため、それぞれ責任の限度額が定められています。

　ちなみに、連帯納付義務に基づいて相続税等の納付があった場合で求償権を放棄したときには、みなし贈与の規定にあてはまる場合があります（相税基通8－3）。

◎相続税法上の連帯納付義務の性格

　相続税法上の連帯納付義務は、納付限度額があることなど他の税法に定める連帯納付義務とは異なる点もあります。しかし、相続税法上の連帯納付義務には、基本的に、国税通則法8条〔国税の連帯納付義務について民法の準用〕、つまり他の国税にかかる連帯納付義務の場合と同様に民法における連帯債務の効力等の規定が準用されるものと解されます。

　相続税の連帯納付義務の性格については、各相続人は相続税の納付について連帯しているので、「補充性」〔従たる債務者は、主たる債務者の履行がないときにはじめて履行する責任がでてくること〕や「附従性」〔主たる債務が消滅・変更されたときには、一定の範囲内でその効力が従たる債務にも及ぶこと〕がないという点では、民法の連帯債務に相当するといえます（例えば、東京地判平10.5.28・判タ1016号121頁）。したがって、補充性のある保証債務や第二次納税義務（☛5.4.5）とは異なります。

　また、多くの判決や裁決では、課税庁が連帯納付義務の履行を求める場合には、確定手続（☛5.2.1）を要せず、したがって、国税通則法15条・16条の適用はなく（最判昭55.7.1・民集34巻4号535頁）、連帯納付義務者への告知も不要であり、かつ、告知がないとしても連帯納付義務が生じないことにはならないとの解釈・裁断をしてきました（裁決平10.11.9・裁集56集396頁）。

　しかし、近年、相続税の連帯納付義務をめぐる手続の不透明性やそれを是認する法解釈・裁判などに対する批判が強まってきたことに応えるかたちで、一定の立法的改善が実施されました（☛5.4.6）。

　2012（平成24）年度税制改正において、相続税の連帯納付義務については、相続後長期間が経過した後に履行を求められるケースがあることへの批判を踏まえ、

PART2 租税実体法（実体税法）を学ぶ

緩和措置が講じられたのは一例です。これにより、相続税の連帯納付義務は、①申告期限等から５年を経過した場合、②納税義務者が延納または納税猶予の適用（☞5.4.3）を受けた場合で、一定の要件にあうときには、解除されることになりました。

(浅野　洋・石村　耕治)

〔アドバンス文献〕北野弘久ほか編『争点相続税法〔補訂版〕』（1996年、勁草書房）、時岡泰「相続税法34条１項の規定による連帯納付義務とその確定」ジュリスト729号

2.3.13 保証債務をめぐる課税取扱い

ポイント

保証債務を履行するために資産を譲渡した場合で、求償権が行使できなくなった部分の譲渡所得については課税されない特例があります。この特例の適用要件はどうなっているのでしょうか。

◎保証債務の特例のあらまし

友人の借金の保証人になって「ケガをした」という話をよく耳にします。他人の借金を返すために自分の家屋敷を売ることになったら、譲渡所得（☞3.2.8.1）があっても、本来借金を返すべき人（主債務者）から返してもらえなくなった部分にあたる金額には所得税を課さない、というのが「保証債務特例」です。

他人の債務の保証人になった後に、主債務者（お金を借りている人）が債務を返済できなくなると、保証人は債権者（銀行などお金を貸した人）から債務の返済を求められることになります。こうした保証人が負う債務を「保証債務」といいます。

この保証債務を履行するために、保証人が土地などの資産を譲渡し、その代金で主債務者の債務を債権者へ弁済したとします。この場合には、保証人は主債務者に対して求償権を得ますが、このような債務者はもともと弁済能力があるとはいえませんから、求償権が行使できない（つまり相手から返してもらえない）ことが多いわけです。

419

このような保証人が、自己の資産を譲渡したケースについても、ふつうの譲渡のケースと同じように所得税をかけると、他人の借金を返しただけで、実質的には資産譲渡の対価を得ていないのに、課税されることになります。

そこで、所得税法では、保証人が自分の資産を売って保証債務（物上保証を含む）を履行し、しかも求償権が行使できなくなったときは、その行使ができなくなった金額を資産の譲渡代金の回収不能額等とみなして、譲渡所得の金額の計算上、譲渡がなかったものとして取り扱う（東京地判平9.3.21・行集48巻3号159頁）ことにしています（所税法64②）。

◎保証債務の履行があった場合とは

保証人の責任の規定（民法446）や、連帯保証人と両抗弁権の規定（民法454）での保証人や連帯保証人の債務の履行があったケースのほか、次のようなケースでも、その債務の履行等に伴い求償権を生ずることになるときは、保証債務特例にいう債務の履行があったケースにあてはまります（所税基通64-4）。

なお、長男の事業のために父が名義人となって借りた借入金の弁済のためにした土地の譲渡について、保証債務特例の適用が受けられなかった事例があります（裁決平12.12.11・裁集60集315頁・タインズJ60-2-27）。

---

① 不可分債務の債務者が債務の履行をした場合
② 連帯債務者が債務の履行をした場合
③ 合名会社または合資会社の無限責任社員が会社の債務について履行した場合
④ 身元保証人が債務の履行をした場合
⑤ 他人の債務を担保するため、質権もしくは抵当権を設定した者が、その債務を弁済しまたは質権もしくは抵当権を実行された場合
⑥ 法律の規定により、連帯して損害賠償の責任がある場合において、その損害賠償金の支払があった場合

PART2 租税実体法（実体税法）を学ぶ

◎特別なケースと債務保証特例の適用

(1) 棚卸資産の譲渡など

　保証債務特例は、譲渡所得金額を計算する上での特例です。したがって、商品などの棚卸資産（棚卸資産に準ずる資産として定められるものも含む。）の譲渡、その他営利目的による継続的な資産の譲渡による所得は、この特例の適用を受けることができません。

　というのは、この種の損害は、事業所得、不動産所得、山林所得などの資産損失として必要経費になるからです（所税法51②・64②）。

(2) 相続人が履行した保証債務の取扱い

　相続人が被相続人の保証債務を継承したため、その債務が相続税の債務控除（☛2.3.4）の対象となった場合でも、その保証債務を履行するために、相続人が自己の資産を譲渡した場合には、「保証債務を履行するため資産の譲渡があった場合」にあてはまります（所税基通64−5の3）。

　なお、相続税の申告で債務とした保証債務が、対象法人が相続開始後7年経過しても存続していたことから債務控除が認められなかった事例があります（那覇地判平15.2.25・タインズZ253-9290、福岡高判平15.7.8・タインズZ253-9390）。

(3) 借入金で保証債務を履行した場合

　保証債務特例でいう資産の譲渡があった場合とは、原則として、資産を譲渡した後、その譲渡代金によって保証債務の履行をした場合です。そうすると、履行後に資産を譲渡すると、これにあてはまらないことになります。しかし、資産の買手がなかなか見つからないケースなどは、いったん借入金で保証債務の履行をしておいて、その後資産を売却するといった、保証債務の履行が、やむを得ず資産の譲渡に先行することも考えられます。

　そこで、借入金を返済するための資産の譲渡が、保証債務を履行した日から、おおむね1年以内に行われているなど、実質的に保証債務を履行するためのものであると認められるときは、保証債務を履行するために資産の譲渡があった場合にあてはまるとされています（所税基通64−5）。

421

◎求償権が行使できないこととなった金額とは

　保証人が自分の資産を売って保証債務を履行し、求償権が行使できなくなったときには、譲渡所得の金額の計算上、譲渡がなかったものとして取り扱われるのは、あくまでも、「求償権が行使できないこととなった金額」です (所税法64②)。

(1) 複数の保証人がいる場合

　金融機関が融資するケースでは連帯保証がふつうです。保証人が複数いる場合も少なくありません。

　主債務者が経営不振で返済能力がない場合に、債権者から連帯保証人のうちの１人が返済を求められたとします。この場合には、連帯保証人には催告や検索の抗弁権がないので (民法454)、自分の負担分を超えて保証債務を履行することもありえます。

　仮に２人の連帯保証人がいて、他の１人は返す能力がないとします。この場合、保証債務を履行した人は、主債務者からも他の連帯保証人からも弁済を受けることができません。このため、その履行額の全額が保証債務特例の対象となります。しかし、他の１人に返す能力があるときには、求償権の行使不能額（債務保証特例の対象となる額）は人数割りで、この場合は２分の１しか認められないことになります。

(2) 債務保証をした時期

　小規模な同族会社 (●2.1.11) などでは、経営状態が悪くなり債務超過に陥ることがありますが、このような会社は返済能力が十分でなく、担保も不足している状態では、追加の融資を受けることができません。そこで、社長の親族などに、新たに保証人になってもらい、金融機関から追加融資を受けるようなことがあります。保証債務特例の規定では、「…求償権の全部又は一部を行使することができないこととなったときは…」と定めています (所税法64②)。

　保証人が保証をした際に、すでに主債務者が資力をなくしていて、しかも、主債務者に返済能力がないことを保証人が知りながら、あえて債務保証をするようなケースでは、保証人は、当初から求償権の行使による資金回収の期待をまったく持っていないといえます。

このような場合には、たとえ保証債務を履行する必要が生じたとしても、同項の「…できないこととなったとき…」にはあてはまらず、むしろ、実質的に保証人が主債務者の債務を引き受けることによって、その主債務者に利益を供与したものと考えられ、親族である保証人は、実質的にその同族会社の債務を引き受けたか、同社に利益を供与したとされることになります（大阪地判昭52.6.25・税資117号745頁、名古屋高判昭57.3.24・税資122号660頁、さいたま地判平16.4.14・判タ1204号299頁）。

保証債務特例を受けるためには、主債務者が資力を喪失する前に連帯保証人などになっている必要があるわけです。

(浅野 洋・左海 英吾)

〔アドバンス文献〕渡部一編著『保証債務をめぐる税務〔改訂新版〕』(2009年、大蔵財務協会)

PART 3

くらしに身近な所得税法を
くわしく学ぶ

3.1 所得税とはどのような税金か

　所得税は、消費税などとともに、私たちのくらしにもっとも密接な関係のある税金の1つです。所得税は、国税収入で最大のウエイトを占めています。

　所得税は、厳密には申告所得税と源泉所得税とに分けることができます（☞3.1.1）。申告所得税は個人の所得にかかる税金で、一方、源泉所得税は、個人だけではなく法人にもかかる税金です。ふつう申告所得税が所得税としてよく知られています。

　所得税（申告所得税）は、さまざまな課税原則を取り入れてつくられています。これは、課税の公平（☞1.5.1）や応能負担を実現することがねらいで、主なものとしては、①包括的所得概念（資産増加説）に基づく課税所得の範囲の策定（☞1.2.5）、②人的控除（☞3.3.1、3.3.2）など個人的な事情を考えて課税する仕組みの採用、③所得額に応じた課税のための超過累進税率（☞1.2.7）の適用などがあげられます。

　また、所得税は、基本的に総合所得課税（☞3.1.4）を採用しており、その一方で、所得の分類、そして所得ごとの所得算定方式など、分類所得課税の考え方（☞3.1.4）のなごりもみられます。さらに、政策的な見地から、租税特別措置として多くの分離課税制度（☞3.1.7）が設けられていて、また課税単位としては、個人単位課税（☞1.2.8）を基本としています。

　所得税法は、ほかの税法と同じように、納税義務者、所得の帰属に関するルール、課税標準、税率、税額の計算や納付の方法、さらには源泉徴収などについて定めています。

PART3　くらしに身近な所得税法をくわしく学ぶ

3.1.1　所得税の基本

ポイント

　所得税は、個人のみにかかる申告所得税（所得税）と個人以外にもかかる源泉所得税（源泉税）とに分けて学ぶ必要があります。

◎申告所得税（所得税）と源泉所得税（源泉税）とはどう違うか

　わが国において「所得」に課される国の税金（国税）は、税金の納付の方法により、「申告所得税」と「源泉所得税」とに分けられます。

　申告所得税は、"個人"に課される場合には、「所得税」とよばれます。主に「所得税法」に基づいて課税されます。一方、申告所得税は、会社や協同組合などの"法人"や、代表者のいる市民団体や互助会などで法人でない団体（人格のない社団等）にも課されます。この場合には、「法人税」とよばれ、主に「法人税法」に基づいて課税されます（☜2.1.1）。

　これに対して、源泉徴収、つまり支払のときに支払者が支払う額から天引徴収しなければならない税金は、その支払をするものが、個人、法人、人格のない社団等のいずれの場合でも、「源泉所得税」とよばれます（☜5.1.1）。源泉所得税（あるいは源泉税）は、「所得税法」に基づいて課税されます。つまり、源泉所得税の課税にあたっては、個人のみならず、法人などにも所得税法が適用になるわけです。

　個人の申告所得税と源泉所得税とは、同じ所得税法の体系のなかに定められています。しかし、税金を確定する方法は、前者は申告納税方式、後者は自動確定方式と、まったく違っています（☜5.1.1）。また、源泉所得税は、非居住者課税・外国法人課税にも幅広く用いられています（☜4）。

　本書では、個人の所得に対する申告方式の税金は、所得税とよぶことにします。一方、源泉徴収される税金は、源泉所得税（源泉税）とよぶことにします。

　申告所得税┌ 個人の場合 ──── 「所得税法」で"所得税"として課税
　　　　　　└ 法人などの場合 ── 「法人税法」で"法人税"として課税

　源泉所得税 ─ 個人・法人など双方の場合─「所得税法」で"源泉所得税"として課税

427

◎個人の10種類の「所得」に課される所得税（申告所得税）

　所得税とは、個人が１月１日から12月31日までの１暦年にあげた「所得」に対して課される税金です。後で詳しくふれますが、所得税法上、「所得」は、次の10種類に分かれています（☞3.1.4）。

①利子所得、②配当所得、③不動産所得、④事業所得、⑤給与所得、
⑥退職所得、⑦山林所得、⑧譲渡所得、　⑨一時所得、⑩雑所得

◎４種類に区分され、各種の所得にかかる源泉所得税（源泉税）

　源泉所得税（源泉税）は、天引徴収を受けるもの（支払を受けるもの）を基準にすると、次の4種類に分かれています。

①居住者（☞3.1.2）にかかるもの、　②非居住者（☞3.1.2）にかかるもの、
③内国法人（☞2.1.1）にかかるもの、④外国法人（☞2.1.1）にかかるもの

　この辺は、少し専門的すぎるかもしれません。ただ、参考までに、どのような種類の所得が、源泉所得税の課税を受けるかについて、やさしく図表にすると、次のとおりです。

●源泉所得税のあらまし　　　　　　　　《○は支払者が源泉課税の必要あり》

支払を受けるもの / 所得の種類	個　人		法　人	
	居住者	非居住者	内国法人	外国法人
公社債、預金等の利子	○	○	○	○
貸付金の利子		○		○
配　　当	○	○	○	○
不動産等の賃貸料		○		○
給料、賃金、賞与	○	○		
退職手当	○	○		
職業専門家に対する報酬	○	○	○	○
使　用　料	○	○		○
賃　貸　料		○		○
賞　　金	○	○	○	○
年　　金	○	○		○

428

PART3　くらしに身近な所得税法をくわしく学ぶ

◎所得税法の基本的な骨格

　所得税を学ぶ場合、所得税法（1965（昭和40）年法律33号）の基本的な法構造を知っておくことは、基礎知識として大事です。所得税の基本的な骨格を図示すると、次のとおりです。

●所得税法の基本的な骨格

	編	タイトル	各章のタイトル
本則	第1編	総則 （1〜5章）	①通則（所税法1〜4）、②納税義務（5・6）、②の2法人課税信託の受託者等に関する通則（6の2・6の3）、③課税所得の範囲（7〜11）、④所得の帰属に関する通則（12〜14）、⑤納税地（15〜20）
	第2編	居住者の 納税義務 （1〜8章）	①通則（21）、②課税標準及びその計算並びに所得控除（22〜88）、③税額の計算（89〜95の2）、④税額の計算の特例（96〜103）、⑤申告、納付及び還付（104〜151）、⑥期限後申告及び修正申告等の特例（151の2〜151の6）、⑦更正の請求の特例（152〜153の6）、⑧更正及び決定（154〜160）
	第3編	非居住者 及び法人 の納税義務 （1〜3章）	①国内源泉所得（161〜163）、②非居住者の納税義務（164〜173）、③法人の納税義務（174〜180の2）
	第4編	源泉徴収 （1〜7章）	①利子所得及び配当所得（181・182）、②給与所得（183〜198）、③退職所得（199〜203）、③の2公的年金等（203の2〜203の7）、④報酬、料金等（204〜211）、⑤非居住者又は法人の所得（212〜215）、⑥源泉徴収に係る所得税の納期の特例（216〜219）、⑦源泉徴収に係る所得税の納付及び徴収（220〜223）
	第5編	雑則 （1〜2章）	①支払調書の提出等の義務（224〜231）、②その他の雑則（232〜237）
	第6編	罰則	（238〜243）
附則			

（石村　耕治・辻村　祥造）

〔アドバンス文献〕大蔵財務協会編『図解　源泉所得税〔令和5年版〕』（2023年、大蔵財務協会）、清水丘雄編『問答式　源泉所得税の実務〔令和5年版〕』（2023年、清文社）

429

3.1.2 所得税の納税義務者と所得税のかかる範囲

ポイント

　所得税は、原則として個人に課されますが、法人や人格のない社団等（任意団体）の特定の所得に対しても課されます。個人の場合、どの範囲の所得にまで税金がかかるのかは、住所などで判定します。

◎所得税の納税義務者と課税所得の範囲

　所得税は、原則として個人に課されます（所税法5①②）。しかし、法人や人格のない社団等（任意団体）も所得税を納める義務のある人（納税義務者）とされていますから（所税法4・5③④）、所得税がかかります。これは法人や任意団体も、利子や配当など特定の所得については、支払者から源泉徴収を受ける形で（所税法212③）源泉所得税を納税しなければならないことになっているからです（所税法174・175）。なお、法人が源泉徴収された所得税額は、法人税の前払とみてよく、法人税の税額から控除されます（法税法68①）。

　所得税法では納税義務者について、個人の場合、日本国籍を持っているかどうか、つまり日本人であるかどうか、さらには日本国内に一定の期間以上にわたり住所または居所を持っているかどうかなどの基準によって、「居住者（永住者、非永住者）」と「非居住者」とに分けて（所税法3）、それぞれ所得税のかかる範囲を定めています（所税法5①②・7①一・二・三）。

　このように、所得税法では、個人納税者の所得税のかかる範囲についての具体的な判定は、住所、居所、居住期間、日本国籍などによることとなっているわけです。とくに、個人が「居住者（永住者、非永住者）」にあたるのか「非居住者」にあたるのかの判定においては、日本国籍を有しているか、さらには日本国籍を有していなくとも日本国内に一定の期間（判定時点から過去10年のうち5年）以上にわたり住所または居所を有していたかいないかが重要なポイントになります。この場合の「住所」とは、その人の生活の本拠をさします（所税基通2－1、東京高判昭59.9.25・訟月31巻4号901頁）。また、「居所」とは、その人があ

PART3 くらしに身近な所得税法をくわしく学ぶ

る程度の期間継続して住んでいる場所で、生活の本拠とまではいえない場所を
さします。

一方、法人納税者については、国内に本店または主たる事務所があるかどう
かで判定し（所税法2①六・七・八）、それぞれ所得税のかかる範囲を定めています（所
税法4・5③④・7①四・五）。

ちなみに、非居住者（個人非居住者および外国法人）に対する課税方式は、
国内に恒久的施設（PE=permanent establishment・☛4.2）があるかどうか、さらには
所得の種類によって異なります。具体的な方式は、①申告納税（確定申告によ
る課税／総合課税）（☛5.3.1）、②源泉徴収による課税（源泉分離課税）（☛5.1.1）、
および③源泉徴収の後に確定申告による課税（源泉徴収のうえ総合課税）の3
つがあります。各所得について、どのような課税方式によるのかは、所得税基
本通達および法人税基本通達に図説されています（所税基通164−1〔表5〕、匤税庁タッ
クスアンサー「No.2878 国内源泉所得の範囲（平成29年分以降）・☛4.3）。

非居住者に対する②源泉徴収による課税については、わが国では所得税法で
規定しています。すなわち、国際源泉課税に関する基本法は、所得税法のなか
の源泉所得税の規定です。もっとも、非居住者課税にあたっては、わが国が各
国と締結した二国間租税条約（☛4.4）が国内税法に優先して適用されることから、
実質的には、所得税法（国際源泉所得課税規定）と租税条約の二本建で課税さ
れることになります。

◎納税者の区分と課税の範囲

これまで説明してきたことを図に示してみると次のとおりです。

● 所得税の納税者の区分と所得税のかかる範囲

<table>
<tr><th colspan="2">区　分</th><th>定　義</th><th>所得税のかかる範囲</th><th>課税方法</th></tr>
<tr><td rowspan="5">個人納税者</td><td>○居住者</td><td>(1)日本国内に住所、または(2)現在まで引き続き1年以上居所がある個人（所税法2①三）</td><td>国内外を問わず、原則としてすべて（全世界）の所得（所税法7①一）</td><td rowspan="2">申告納税または源泉課税（所税法21、22）</td></tr>
<tr><td>非永住者</td><td>上記(1)または(2)にあてはまる者で、日本国籍がなく、かつ、過去10年のうち5年以下の期間、日本国内に住所または居所のある個人（所税法2①四）</td><td>(1)国外源泉所得以外の所得＋(2)①国外源泉所得で国内で支払われたもの、または②国外から送金されたもの（所税法7①二、所税令17）</td></tr>
<tr><td>○非居住者</td><td>居住者以外の個人（所税法2①五）</td><td>国内源泉所得のみ（所税法7①三、161、所税令279以下）</td><td>申告納税（所税法164〜166）または源泉課税（所税法169〜170）</td></tr>
<tr><td>内国法人</td><td>日本国内に本店または主たる事務所を有する法人（所税法2①六）</td><td>日本国内において支払われる利子等、配当等、利益の分配、報酬、料金および賞金（所税法5③、7①四）</td><td>源泉課税（所税法174）</td></tr>
<tr><td>外国法人</td><td>内国法人以外の法人（所税法2①七）</td><td>日本国内に源泉がある所得のうち特定のもの（所税法5④、7①五）</td><td>源泉課税（所税法161）</td></tr>
<tr><td>法人納税者</td><td>人格のない社団等（任意団体）</td><td>法人でない社団または財団で代表者または管理人の定めがあるもの（所税法2①八）</td><td>内国法人または外国法人の場合と同じ（所税法4）</td><td>源泉課税</td></tr>
</table>

　個人の場合について、わかりやすくいえば、一般の人たちの多くは、永住者にあたります。また、外国人語学講師などの場合には、非永住者にあてはまる例も多いと思います。さらに、来日公演中のアーティストや海外勤務中のサラリードワーカー（和製英語では、サラリーマン、OL）などは、非居住者にあてはまる例が多いのではないでしょうか。

　ちなみに、わが国で仕事をする目的で入国した外国人は、契約等によりわが国での滞在期間があらかじめ1年未満であることが明らかな場合を除き、入国

後直ちに「居住者」との推定を受けます (所税令14①一)。また、日本国籍を有する人で、日本国内に生計を一にする配偶者などの親族がいる場合には、その人の職業や国内での財産状態などの事実を勘案して、「居住者」であるとの推定を受けます (所税令14①二)。

(石村 耕治)

3.1.3 所得税のかからない所得とは

ポイント

非課税か免税になると所得税はかかりません。こうした所得にはどんなものがあるのでしょうか。

◎非課税所得と免税所得との違いは

ある所得が、非課税か免税になると、所得税がかかりません。非課税所得とは、①その所得の性格からみて課税することがふさわしくない所得、あるいは②政策上または課税技術上から課税しないこととした所得をさします。非課税所得は、申告、申請などの手続をすることなく、すべて課税所得から除外されます。また、非課税所得について損失が生じた場合にも、その損失はなかったものとみなされます (所税法9②)。

一方、免税所得とは、一定の政策的な見地から所得税を課さないこととするものです。免税措置を受けるためには、一定の申告、申請などの手続が必要です。免税所得は、非課税所得とは異なり、課税所得の計算に一度含まれます。そのうえで、税額の計算をする段階で、その所得に対応する税額部分が免除されるものです。

非課税所得と免税所得には、以上のように理論的な違いがあります。しかし、法令のうえでは、その違いが不明瞭なことも多く、双方を明確に区分することは難しいのが実情です。

◎非課税所得とは

　非課税所得とされるものには、所得税法により非課税とされるもの、租税特別措置法により非課税とされるもの、およびその他の法律により非課税とされるものに区分されます。

●非課税所得の例

所得税法の規定による非課税所得
① 傷病賜金、遺族恩給、遺族年金等（所税法9①三）
② 給与所得者の旅費（所税法9①四）
③ 給与所得者の通勤手当（所税法9①五）
④ 給与所得者の職務上必要な現物給与（所税法9①六）
⑤ 国外勤務者の在外手当（所税法9①七）
⑥ 外国政府、国際機関等に勤務する職員の給与所得（所税法9①八）
⑦ 生活動産の譲渡による所得（所税法9①九）
⑧ 強制換価手続きによる資産の譲渡による所得（所税法9①十）
⑨ オープン型証券投資信託の特別分配金（所税法9①十一）
⑩ 皇室の内廷費及び皇族費（所税法9①十二）
⑪ 文化功労者年金、学術奨励金等（所税法9①十三）
⑫ オリンピック競技大会等における成績優秀者に交付される金品（所得税法9①十四）
⑬ 学資金等（所税法9①十五）
⑭ 国または自治体が行う保育・子育て助成事業により支給される金品（所税法9①十六）
⑮ 相続または個人からの贈与による所得（所税法9①十七）
⑯ 損害保険の保険金、損害賠償金（所税法9①十八）
⑰ 選挙費用に充てられるために法人から贈与された金品（所税法9①十九）
⑱ 公益信託の信託財産について生じる所得（所税法11②）など
租税特別措置法の規定により非課税とされるもの
① 非課税口座及び未成年者口座内の少額上場株式等に係る配当所得及び譲渡所得等（NISA）（措置法9の8・37の14）、（ジュニアNISA）（措置法9の9・37の14の2）
② 臨時福祉給付金（措置法41の8①一）
③ 子育て世帯臨時特例給付金（措置法41の8①二）など
その他法律により非課税とされるもの
① 健康保険の保険給付（健康保険法62）
② 国民健康保険の保険給付（国民健康保険法68）
③ 雇用保険法の失業等給付（雇用保険法12）
④ 生活保護法により支給を受ける保護金品等（生活保護法57）
⑤ 日本の宝くじの当選金（当せん金付証票法13）など

PART3 くらしに身近な所得税法をくわしく学ぶ

◎免税所得とは

免税所得とされているものは、次のとおりです。

●免税所得の例

① 肉用牛の売却による農業所得（措置法25①・②）
② 災害減免法による所得税の免除（災免法1・2）
納税者が災害によって住宅、家財に甚大な被害を受けた場合には、次のようにその年分の所得税が軽減、または免除されます。 　・合計所得金額が500万円以下の場合　　　　全額免除 　・合計所得金額が500万円超750万円以下　　50％相当額 　・合計所得金額が750万円超1,000万円以下　25％相当額

（辻村　祥造）

3.1.4 所得が10種類に区分されているのはなぜか

ポイント

　所得税のかかる所得は10種類に区分されています。こうした区分がある背景には、総合所得課税の考え方を基本としながらも、分類所得課税の考え方のなごりがあるからです。

◎なぜ所得を区分するのか

　ひとくちに所得といっても、その性質や発生原因に違いがあります。またそれぞれの所得における税金を負担する能力（担税力）も大きく異なります。そこで、所得税はこうした差異を考慮して、所得を10種類に区分するとともに、それぞれにつき所得の算定方法を定めています。

　所得税の計算をする場合、ある収入がどの所得区分に入るかを判定することは、最初のしかも非常に重要な問題です。実際にどの所得にあたるのかを判定することが難しいケースも多々あります。過去には、ストックオプション（自社株購入権）をめぐる争いなどがありました[*]。

◎10種類の所得のあらまし

　わが国の所得税法では、所得を、その性質や発生原因の違いに着眼して、次の10種類に区分しています (所税法23〜35)。

●所得の種類

①	**利子所得** (所税法23)
	公社債および預貯金の利子、ならびに合同運用信託および公社債投資信託などの収益の分配にかかる所得をいいます。
②	**配当所得** (所税法24)
	法人 (一定のものを除きます。) から受ける剰余金の配当、利益の配当、剰余金の分配 (出資にかかるものに限ります。)、一定の金銭の分配、基金利息ならびに投資信託 (公社債投資信託等を除きます。) などの収益の分配にかかる所得をいいます。
③	**不動産所得** (所税法26)
	不動産、不動産の上に存する権利、船舶または航空機の貸付による所得 (事業所得または譲渡所得に該当するものを除きます。) をいいます。
④	**事業所得** (所税法27)
	農業、漁業、製造業、卸売業、小売業、サービス業その他事業で政令で定めるものから生ずる所得 (山林所得または譲渡所得に該当するものを除きます。) をいいます。
⑤	**給与所得** (所税法28)
	俸給、給与、賃金、歳費および賞与ならびにこれらの性質を有する給与にかかる所得をいいます。
⑥	**退職所得** (所税法30)
	退職手当、一時恩給その他の退職により一時に受ける給与およびこれらの性質を有する給与にかかる所得をいいます。
⑦	**山林所得** (所税法32)
	山林の伐採または譲渡による所得をいいます。
⑧	**譲渡所得** (所税法33)
	資産の譲渡 (地上権、賃借権の設定その他一定の行為を含みます。) による所得をいいます。ただし、たな卸資産の譲渡、その他営利を目的にして継続的に行われる資産の譲渡による所得、および山林所得に該当するものを除きます。
⑨	**一時所得** (所税法34)
	上記①から⑧以外の所得のうち、営利を目的とする継続的行為から生じた所得以外の一時の所得で、労務その他役務または資産の譲渡の対価としての性質を有しないものをいいます。
⑩	**雑所得** (所税法35)
	上記の①から⑨以外のいずれにも該当しない所得をいいます。

PART3　くらしに身近な所得税法をくわしく学ぶ

◎課税の仕方を理論的にみると

理論的には、所得税には、「分類所得課税」と「総合所得課税」の２つの方式があります。分類所得課税というのは、所得をその性質や発生原因に応じて分類し、それぞれの所得について別個に課税する方式です。それぞれの所得に対し、控除の額や税率が違う方式も考えられます。

一方、総合所得課税（あるいは総合課税）というのは、課税対象とされるあらゆる所得を合算した金額に、単一の累進税率をかけて課税する方式です。バラエティに富んだ人的控除がなく、比例税率が適用された時代には、分類所得課税がもてはやされました。それぞれの納税者の個人的な事情を考慮して、きめ細かい課税ができたからです。

ところが、多様な人的控除がつくられ、累進税率が採用された今日では、所得税は、それぞれの納税者の総合的な所得の大きさに応じて課税されるべきであるという考え方が主流を占めるようになりました。つまり、分類所得課税よりも総合所得課税の方が合理的と見られるようになったのです。

所得税法において所得を10種類に区分しているのは、確かにそれぞれの所得における担税力の違いに着眼した結果とみることができます。したがって、わが国の所得税は、分類所得課税の考え方のなごりがあるとみることもできます。しかし、所得税法は、原則として課税対象とされるあらゆる所得を合算した額に、単一の累進税率をかけて課税することにしています。このことから、一般的には、わが国は総合所得課税を基本としていると理解されています。

総合所得課税のもとでも、ある特定の所得を合算の対象から分離して課税することがあります。これを分離課税（☛3.1.7）といいます。

＊アメリカ法人の日本子会社役員が、親会社から受けたストックオプション（新株予約権）による利益を一時所得として申告していたが、税務当局がこれを給与所得として更正、追徴課税したことを不服として、争ったケースです。裁判所は、ストックオプションの権利行使利益は、勤労の対価ではなく、偶発的な所得であるとし、給与所得ではなく、一時所得（☛3.2.9）であると判断しました（例えば、東京地判平14.11.26・タインズZ888-0680、東京地判平15.8.26・判タ1129号）。しかし、平成16年2月19日東京高裁では、一転して給与所得とする正反対の判決が出され、その後同じ判断の判決が連続しました。そして最高裁が、2005（平成17）年1月25日判決で「給与所得」としたことで、司法レベルでは給与所得と統一されることになりました。（最判平17.1.25・民集59巻1号64頁・判時1886号18頁）

（辻村　祥造）

437

〔アドバンス文献〕宮島洋『租税論の展開と日本の税制』（1986年、日本評論社）、金子宏『所得概念
の研究』（1995年、有斐閣）、金子宏『租税法〔第24版〕』（2021年、弘文堂）

3.1.5 所得税の計算の基本的な仕組み

ポイント

まず、所得税の計算の基本的な仕組みをおぼえましょう。

◎各種所得の金額の計算

所得税法は、所得を10種類に分類しています。しかし、総合所得課税方式
（☛3.1.4）をとっている建前から、課税標準の算定にあたっては、原則として各
種所得の金額を合算して、所得金額の合計額を算出することになっています（総
所得金額）。

総合所得課税方式では、本来、課税標準は一本化されるべきです。しかし、
所得税法では、総所得金額のほかに、退職所得金額、山林所得金額、分離課税
所得金額など（事業、譲渡、配当、雑所得）が課税標準とされています。また、
総所得金額以外は分離課税（☛3.1.7）とされています。

◎課税標準（所得）の計算

⑴ 損益通算

各種所得の金額を計算する場合に、所得の種類によっては損失が発生するこ
ともあります。この場合には、総合所得課税の建前から、不動産所得、事業所
得、譲渡所得および山林所得において発生した損失については、一定の順序で
他のプラスとなっている所得から差し引くことができます（所税法69①）[1]。これ
を損益通算（☛3.2.12）といいます。

⑵ 損失の繰越控除

損益通算をしても、なお控除することのできない一定の損失については、翌
年以降３年にわたって繰り越して控除することができます。これを、損失の繰

438

PART3 くらしに身近な所得税法をくわしく学ぶ

越控除といいます。損失の繰越控除は、青色申告者と白色申告者 (☛3.2.11) とでは控除の幅が異なっています (☛3.2.12)。

◎課税所得金額の計算

課税所得金額は、課税標準から雑損控除、医療費控除、扶養控除などの14種類の所得控除 (☛3.3.1) を差し引いて計算します。また、課税所得金額には、課税総所得金額、課税退職所得金額、課税山林所得金額、課税分離譲渡所得金額などがあります。

◎税額の計算

税額は、各課税所得金額に税率をかけて計算します。①総所得金額に対する税率のほかに、②課税山林所得金額には5分5乗方式による税率、そして③課税分離譲渡所得金額に対して長期分は15％、短期分には30％といった数種類の税率が適用されます。そして、それぞれの課税所得金額に対する税額が合計されて、所得税額（算出税額）が計算されるのです。

◎税額控除

次に所得税額（算出税額）から、各種の税額控除 (☛3.4.1) を差し引きます。これらの控除額を差し引いた上で1年間の負担すべき所得税額を計算します。

◎納付税額の計算

年間の負担すべき所得税額から、受け取った給与や報酬等について源泉徴収 (☛5.1.1) されている税額があるときは、これを控除し、申告納税額を計算します。さらに、予定納税 (☛5.3.3) を行っているときはこれを申告納税額から控除して、最終的に納める金額を計算します。この金額がマイナスとなる場合（納めすぎというケース）には、所得税の還付を受けることになります。

以上の流れを図で示すと、次のようになります。

439

● 課税所得計算の仕組み

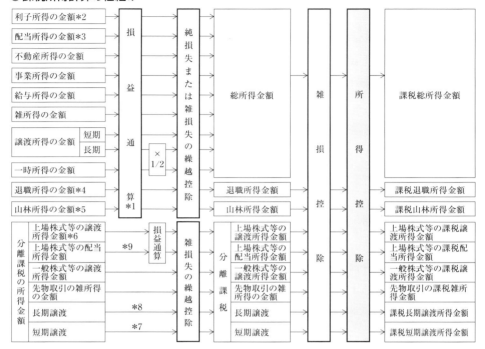

* 1　不動産所得の損失のうち、土地取得のために借入れた利子の部分は損益通算できません。また分離課税の譲渡所得のうち損益通算できるのは、居住用財産の譲渡損失のみです。さらに2014（平成26）年度税制改正において、従来は損益通算の対象とされていたゴルフ会員権の譲渡損失（総合譲渡）が除外されました。
* 2　源泉分離課税の適用を受けるものを除きます。
* 3　源泉分離課税を選択した場合、そして確定申告をしないこととした少額配当を除きます。
* 4.5　これらの所得は分離課税となります。
* 6　源泉徴収選択口座による上場株式等の譲渡所得で、確定申告しないことを選択したものを除きます。
* 7　分離短期譲渡及び分離長期譲渡所得金額は他の所得との損益通算及び純損失の繰越控除は適用されません。
* 8　居住用財産の買換え等の場合の譲渡損失および特定居住用財産の譲渡損失については、他の所得との損益通算および繰越控除を適用することができます。
* 9　上場株式等の譲渡損失は、確定申告を要件として、3年間の繰越控除ができます。そして上場株式等の損失の金額又は繰り越された損失の金額は、その年分の上場株式等に係る譲渡所得の金額及び配当所得の金額（申告分離を選択したものに限る）から控除することができます。

●税額計算の仕組み

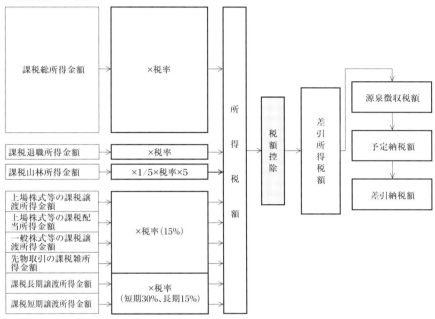

(辻村 祥造)

〔アドバンス文献〕宮島洋『租税論の展開と日本の税制』（1986年、日本評論社）、金子宏『所得概念の研究』（1995年、有斐閣）、金子宏『租税法〔第24版〕』（2021年、弘文堂）

3.1.6 所得の種類とその計算の仕方の基本

ポイント

それぞれの種類の所得は性格的にみると、「資産」、「資産＋勤労」、「勤労」のタイプに分けられます。それぞれの所得の計算の仕方を頭に叩き込んでください。

◎担税力に応じた課税

所得税は個人の１年間の所得金額に応じて課税されます。ただ、ひとくちに所得といっても、勤労によって得た所得と資産の運用・譲渡によって得た所得とでは、明らかに性質が異なります。

この違いを考えて、所得税法は、所得を10種類に区分して課税しています。これは、所得それぞれの性質により税金を支払う能力（質的担税力）に差があることを考えて課税するためです。

各種の所得は、資産、勤労といった質的要素からみれば、次のように大きく３つに分けることができます。

● 質的要素からみた所得の分類

① 資産性所得～資産の運用・譲渡からの所得
利子所得、配当所得、不動産所得、譲渡所得。実質的な意味での「勤労」の要素に欠ける「不労所得」。不労所得という意味では一時所得も、このカテゴリーに含まれます。
② 資産プラス勤労所得
事業所得、山林所得、公的年金以外の雑所得。資産と勤労の２つの要素の結合によって得られる所得です。
③ 勤労所得
給与所得、退職所得。勤労所得は、不労所得である①資産性所得とは対をなします。

「資産性所得」のうち、土地の譲渡所得などを除く、預貯金・公社債などの利子、株式などの譲渡所得を一括して、「金融所得」ないし「金融関連所得」とよぶことがあります。この分類の仕方は、各所得の担税力は無視して、金融所得ないし金融関連所得を、勤労所得と分けて、比例税率で軽く課税しようと

PART3　くらしに身近な所得税法をくわしく学ぶ

いう「二元的所得税（DIT = Dual income taxation）」の考え方（☛Column）の中で使われます。

　ちなみに、わが国でも、「金融所得の一体課税」という名前で、二元的所得税を導入すべきとする意見が出てきています。しかし、「二元的所得税」は、従来の総合所得課税（CIT = Comprehensive income taxation）の考え方（☛3.1.4）から大きくそれるものです。

◎10種類の所得金額は別々に計算される

　所得税法は、10種類それぞれの所得金額を別個の方法で計算するように求めています。これは、それぞれの所得の担税力の違いはもちろんのこと、税制を通じてさまざまな政策を実現することをねらいとしているためでもあります。各所得ごとの所得金額の計算式を、やさしく図で示すと、次のとおりです。

●各所得金額の計算式

所得区分	所得金額の計算式
① 利子所得（所税法23）	収入金額＝所得金額
② 配当所得（所税法24）	収入金額－負債利子
③ 不動産所得（所税法26）	総収入金額－必要経費
④ 事業所得（所税法27）	総収入金額－必要経費
⑤ 給与所得（所税法28、57の2）	収入金額－給与所得控除額 （または収入金額－特定支出控除額）
⑥ 退職所得（所税法30）	（収入金額－退職所得控除額）×2分の1*
⑦ 山林所得（所税法32）	総収入金額－必要経費－特別控除額（最高50万円）
⑧ 譲渡所得（所税法33）	総収入金額－（取得費＋譲渡費用）－特別控除額
⑨ 一時所得（所税法34）	総収入金額－収入を得るために支出した金額－特別控除額（最高50万円）
⑩ 雑所得（所税法35、所税基通35-1、35-2）	❶公的年金等の場合：収入金額－公的年金等控除額 ❷公的年金等以外の場合：総収入金額－必要経費 （イ）業務に係る雑所得 （ロ）その他の雑所得

＊ただし、いわゆる「2分の1課税」は、役員等（法人税法2条15号に定める役員、国会議員や地方議会議員、国家公務員や地方公務員）のうち役員等としての勤続年数が5年以下の人や短期退職手当等を受け取る人には適用ありません（☛3.2.6）。

（石村　耕治）

Column 二元的所得税（DIT）とは

　二元的所得税（DIT＝Dual income taxation）とは、すべての所得を「金融関連所得（あるいは投資所得、資本所得）」と「勤労所得」とに区分し、金融関連所得は合算して比例税率で課税し、一方の勤労所得は累進税率（☞1.2.7）で課税しようという課税理論です。また、この考え方では、金融関連所得の税率は、勤労所得の最低税率および法人税率とできる限り等しく設定するように求めます。二元的所得税は、1990年代にスウェーデンをはじめとした北欧諸国で導入されました。金融関連所得に属する所得としては、利子、株式・土地等の譲渡所得、家賃、事業所得の投資収益部分などがあります。また、勤労所得に属する所得としては、給与、給与外給付、事業所得の賃金報酬的な部分などがあります。二元的所得税を導入すれば、金融関連所得については、それぞれの金融資産により税率が異なる制度を簡素化できるとされます。また、いろいろある金融関連所得間で相互に損益通算（☞3.2.12）ができるようにすれば、税負担を軽くできるメリットもあるとされます。

●北欧諸国の二元的所得税（DIT）制度（未定稿）

	スウェーデン	ノルウェー	フィンランド	デンマーク
導入年度	1991年	1992年	1993年	1987年（94年に DITから離脱）
勤労所得【国税】　　　　　[地方税]	稼得所得【0～25%】《累進税率》[29.43%]	個人所得【0～12%】《累進税率》	稼得所得【0～31.75%】《累進税率》[18.5%]	個人所得【0～15%】《累進税率》[平均24%]
資本所得／投資所得[基礎控除]	資本所得（30%）《比例税率》[なし]	一般所得（28%）《比例税率》[あり]	投資所得（27%）《比例税率》[なし]	資本所得（28～43%）《累進税率》[あり]
法人税率	22%	25%	20%	22%
源泉税				
・利子	28%	28%	30%	28～43%
・配当	30%	なし＊	なし＊	28～43%
消費税（VAT）	25%[標準税率]	25%[標準税率]	24%[標準税率]	25%[標準税率]
富裕税	1.5%	0.85%	0.9%	なし

＊二重課税の調整措置（インピュテーション方式）があります。
[出典] 各国資料、財務省資料などを参考に作成

PART3　くらしに身近な所得税法をくわしく学ぶ

「貯蓄重視から投資重視への政策転換には、二元的所得税がよく似合う」という考え方があります。また、経済活性化とともに、複雑な所得類型を整理でき、所得税制の簡素化にも資するという指摘もあります。しかし、二元的所得税は、不労所得を優遇し、逆にサラリードワーカーなど、額に汗して得る勤労所得（☞3.1.6）を冷遇することにもつながり、不公平感を広げかねません。また、あらゆる所得を合算して課税する総合所得課税（☞3.1.4、3.1.7）の理念とも相容れません。元来、政府は、「総額所得課税には納税者番号がよく似合う」といってきたはずです。

北欧諸国で、総合所得課税（CIT＝Comprehensive income taxation）をやめて二元的所得税（DIT）に移行できた背景には、資本所得/投資所得（金融関連所得）を低めの比例税率課税を優遇する一方で、源泉課税を徹底することにより租税回避の防止を強化できたことがあります。また、富裕税が導入されており、富裕層には応分の租税負担を求められる態勢にあったこともあります。さらに、「ゆりかごから墓場まで」政府が面倒をみるといった充実した社会保障制度があったことがあります。つまり、所得の再配分を犠牲にして金融関連所得を優遇しても、経済的に弱い立場の人たちを守れるという土壌があったからです。北欧諸国と、わが国とではたいぶ事情が異なります。短絡的な租税政策の転換は税制を歪めることから、慎重な検討が必要です。

(石村　耕治)

〔アドバンス文献〕ソレンセン編著・馬場義久監訳『北欧諸国の租税政策』（2001年、日本証券経済研究所）、証券税制研究会編『二元的所得税の論点と課題』（2004年、日本証券経済研究所）、W. Eggert & B. Genser, "Dual Income Taxation in EU Member Countries," CESifo DICE REP., (Jan. 2005) at 43、E. D. Kleinbard, "An American Dual Income Tax: Nordic Precedents," 5 Northwestern Journal of Law and Social Policy 41 (2010)

3.1.7 　所得税の課税方法：総合課税と分離課税の違い

ポイント

　総合所得課税が原則とはどういうことなのでしょうか。そして申告分離課税と源泉分離課税とはどう違うのでしょうか。

◎すべての所得を合算する総合所得課税が原則

　所得税法は、個人の所得を10種類に区分して課税しています（所税法23〜35）。これは、すでにふれたように、それぞれの所得の性質により税金を支払う能力（質的担税力）に差があることを考えて課税するためです（☞3.1.6）。また、所得

445

税法は、原則として、これら各種所得の金額を合算し、それに累進税率をかけて税額を計算する総合所得課税の方式（☞3.1.4）をとっています。

これに対して、合算されずに、他の所得と分離して課税する方式を「分離課税」とよびます。分離課税は、特定の種類の所得に対して、政策的な見地から税負担を緩和することや効率的な課税がねらいで行われています。

ある所得が、総合課税になるのか、分離課税になるのかは法令によって決まっています。しかし、納税者がどちらかを選択できる場合もあります。

● 所得税の課税方式の構図

◎一律源泉分離課税の場合には確定申告の必要なし

すでにふれたように、他の所得とは合算されずに、分離して課税する方式を「分離課税」とよびます。分離課税のうち、①「申告分離課税」では、確定申告の時に他の所得と合算せずに、他の所得から分離して税率を適用し、所得税額を計算し納税します。退職所得（☞3.2.6）や山林所得（☞3.2.7）がこの方式によることになっています。

また、②「源泉分離課税」では、支払の際に、所定の所得税額が源泉（天引）徴収（☞5.1.1）されます。源泉分離課税のうち、(a)「一律源泉分離課税」では、納税者の選択の余地がなく一律に比例税率での源泉課税で納税が完了しますので、納税者は申告を選択できません。利子所得や一定の譲渡所得などがこの方式によることになっています。一方、(b)「源泉分離選択課税」では、納税者が選択すると、比例税率で源泉分離課税され、納税が完了します。しかし、納税者が望めば申告を選択することも可能です。配当所得（☞3.2.5）がこの方式によることになっています。

分離課税の対象となる所得、それに対する税率などは、次のとおりです。

446

PART3　くらしに身近な所得税法をくわしく学ぶ

●分離課税とされる所得とは

分離課税となる所得		分離課税の方式	適用税率・課税方法
山林所得		申告分離	累進税率適用（5分5乗方式）
退職所得		申告分離	累進税率適用（2分の1課税）
土地建物等にかかる譲渡所得	長期	申告分離	原則として比例税率適用（15%）
	短期	申告分離	原則として比例税率適用（30%）
株式等にかかる譲渡所得		申告分離／源泉分離	比例税率適用15%
利子所得		一律源泉分離	15%
公募証券投資信託の収益の分配にかかる配当所得		一律源泉分離／源泉分離	15%
割引債の償還差益に対する雑所得		一律源泉分離	18%
その他*		一律源泉分離	15%

＊定期積立金の給付補てん金、一定の抵当証券の利息、保険期間が5年以下の一時払養老保険等の差益など

（注）2013（平成25）年1月1日から2037年12月31日までの期間において源泉徴収をする場合には、東日本大震災に関する復興特別所得税をあわせて徴収するため、上記の税率は〔合計税率＝適用税率×102.1%〕に変更されます。

◎総合課税の場合の税率と税金の速算表

　所得税は、超過累進税率を採用しています（☜1.2.7）。すなわち、課税所得金額が多くなるに従い段階的に高い税率（7段階）が適用になる仕組みになっています。通常、10種類の所得のうち、分離課税になるものを除き、総合課税となる所得税額については、その課税所得金額に応じ、次のような速算表を使って計算されます（所税法89①）。

●所得税の超過累進税率と速算表

課税所得金額		税率	控除額
	195万円以下	5%	0円
195万円超	330万円以下	10%	97,500円
330万円超	695万円以下	20%	427,500円
695万円超	900万円以下	23%	636,000円
900万円超	1,800万円以下	33%	1,536,000円
1,800万円超	4,000万円以下	40%	2,796,000円
4,000万円超		45%	4,796,000円

　この速算表を使って、例えば課税所得金額500万円として計算してみると、

447

次のようになります。

500万円×20％－42万7,500円＝<u>57万2,500円</u>（ただし、百円未満切捨て）

次に、速算表を使わずに、超過累進税率を適用して、例えば課税所得金額が500万円の場合の税額計算の仕組みを図説すると、次のとおりです。

● 課税所得金額が500万円の場合の超過累進課税の計算図式

税率5％適用範囲 【最初の195万円まで】	税率10％適用範囲 【195万円超330万円まで】	税率20％適用範囲 【330万円超500万円まで】
195万円	＋135万円	＋170万円
195万円×5％＝9.75万円	135万円×10％＝13.5万円	170万円×20％＝34万円

＊9.75万円＋13.5万円＋34万円＝57万2,500円（ただし、100円未満は切捨て）

ちなみに、東日本大震災からの復興を目的に「復興特別所得税」が創設されました。これにより所得税の納税義務者は、2013（平成25）年から2037年まで、通常の所得税に併せて復興特別所得税を納付するように求められます（復興財源法8）。この復興特別所得税は、原則として、各年分の所得税額の2.1％です（復興財源法12・13）。したがって、上記の課税所得金額500万円の場合、57万2,500円×2.1％＝1万2,022円を加えて、58万4,500円（100円未満切捨て）を納税することになります。

（石村 耕治・辻村 祥造）

PART3 くらしに身近な所得税法をくわしく学ぶ

3.2 各所得の具体的な計算の仕方

　　所得税法は、所得を10種類に区分し、その区分ごとに所得金額を算定し、その合計額（退職・山林所得を除きます。）から所得控除を差し引いて、超過累進税率を適用して税額を算定するのが原則です。しかし、現実には、租税特別措置法で他の所得と分離して課税する場合もあります。

3.2.1 給与所得とその計算の仕方

ポイント

　　「給与所得」には、サラリードワーカーなどの給与や賞与（ボーナス）に加え、原則としてその他雇い主から受けるさまざまな給付も含まれます。また、給与所得は、自営業者のように個別の経費を控除するのではなく、あらかじめ決められた給与所得控除額を控除して算出します。さらに、ほとんど利用されていませんが、特定支出控除という制度もあります。

◎サラリードワーカー、アルバイト、パートなどの給料は「給与所得」

　　最も一般的な「給与所得」の例としては、サラリードワーカーが働いて受け取る給料やボーナス（賞与）などがあります。ほかに、学生が得たアルバイト代や主婦のパート代なども給与所得にあたります。所得税法では、給与所得を大きく(1)「給与等」と(2)「その他」の2つに分けて規定しています。

●給与所得の範囲

区　分	種　類
(1)「給与等」	①俸給・給与・賃金・歳費*¹および、②賞与ならびに、③これらの性質を有する給与（所税法28①）。
(2)「その他」	①青色事業専従者給与（所税法57①②、所税令164、165）および、②事業専従者控除額（所税法57③④、所税令165、166）（☛3.2.2、3.2.11、3.2.15）

449

ここでは、2つのうち、一般になじみのある(1)「給与等」の方についてふれます。

　給与所得とは、勤め先との雇用関係に基づいて、その労務の対価として受ける報酬や経済的利益をいいます。一方、どこにも雇われないで自営で、独立してビジネスをしてあげた収益は、給与所得としては課税されません*²。つまり、給与所得の性格は「非独立的労働、従属的労働からの報酬」ということです（最判昭56.4.24・民集35巻3号672頁参照）。

◎給料・賞与のほか、"経済的利益" にも課税されることがある

　「給与等」は、ふつうに考える典型的な雇用関係に基づく給与や賞与よりも広いわけです。これらのほかに、「③これらの性質を有する給与」、つまり委任契約に基づく株式会社など法人の役員の報酬などに加え勤務先から受ける "経済的利益" も含まれます（所税法36①）。

　こうした経済的利益は、フリンジ・ベネフィット（給与外給付・現物給与等）ともよばれます。例えば、(イ)会社からの食事の支給などで、自己負担分が半分以下かつ、使用者の負担額が月額3,500円を超える場合（所税基通36-38の2）。（ただし、残業などのときの食事代などを除きます（同36-24）。）(ロ)社宅の自己負担額が、通常の家賃の50%未満である場合（同36-47）。

　こうした場合には、その食事代あるいは差額家賃は、給与所得として課税されます。

◎給与所得の計算の仕方

　給与所得は、原則として、洋服代や散髪代など実際にかかった経費を控除（実額控除）する方法では計算しないことになっています。年間に得た給与収入に応じて、「給与所得控除額」という決まった金額を控除（定額控除・概算経費控除）して、所得金額を計算することになっています（所税法28②・別表第五）。

PART3　くらしに身近な所得税法をくわしく学ぶ

給与所得の計算式

給与所得の金額＝１年間の給与等の収入金額－給与所得控除額

●給与所得控除額の計算式（2023〔令和５〕年分以降）

給与等の収入金額 （給与所得の源泉徴収票の支払金額）		給与所得控除額
162万5000円以下		55万円
162万5000円超	180万円以下	収入金額×40％－10万円
180万円超	360万円以下	収入金額×30％＋8万円
360万円超	660万円以下	収入金額×20％＋44万円
660万円超	850万円以下	収入金額×10％＋110万円
850万円超※		195万円（上限）

　給与等の収入金額が660万円以上の場合の給与所得の金額は、次の速算表を使うと、容易に算出できます。

●給与所得の速算表（2023〔令和５〕年分以降）

給与等の収入金額 （給与所得の源泉徴収票の支払金額）		給与所得の金額
660万円以上	850万円未満	収入金額×90％－110万円
850万円以上		収入金額－195万円

（計算例）給与収入が700万円のサラリードワーカーの場合
　　　　　700万円×90％－110万円＝520万円

◎所得金額調整控除の創設

　給与所得者などで850万円超の給与収入がある人に対して、その家族の状況などを考えないで一律税負担増を求めることは、新たな不公平につながりかねません。そこで、2020年分から、新たに「所得金額調整控除」を設け、給与所得を計算する際に調整控除額を給与所得控除額に加算することになりました（措置法41の３の３・41の３の４、措置令26の５、措置通41の３の３－１）。

　所得金額調整控除制度は、次のような仕組みになっています。

451

● 所得金額調整控除制度の骨子

・給与等の収入金額が850万円を超える人で、次のいずれかにあたる場合には、給与等の収入金額から850万円を控除した金額の10％に相当する金額を、給与所得の金額から差し引くことができます。
　　①　本人が特別障害者である場合、
　　②　23歳未満の扶養親族がいる場合、または、
　　③　特別障害者である同一生計配偶者もしくは扶養親族がいる場合
・なお、850万円を控除する際には、以下の算式で、給与等の収入金額が1,000万円以上の人でも1,000万円を限度として計算することになります。
　　控除額＝（給与等の収入金額－850万円）×10％
　したがって、給与所得控除に加算する金額は最大でも15万円を限度とします。

　なお、給与所得者は、年末調整でこの調整控除の適用を受ける場合には、雇用主に、「給与所得者の基礎控除申告書兼給与所得者の配偶者控除等申告書兼所得金額調整控除申告書」の提出が必要です。

◎特定支出控除

　給与所得の金額は、原則として、収入金額から給与所得控除を差し引いて計算することになっています。すなわち、収入金額から定額控除・概算控除する仕組みになっています。いいかえると、事業所得などのように実際にかかった「必要経費」を差し引く仕組み（実額控除）になっていません。

　しかし、サラリードワーカー（給与所得者）に対しても自営業者（事業所得者）などと同じように必要経費の実額控除を認めないのは不公平、不合理な差別ではないかとの指摘があります。裁判でも争われました（☞1.4.5）。

　そこで、給与所得者にも、定額控除である給与所得控除に代えて、法令で特定された次のような７項目について実額で控除（ただし、雇用主等が実費負担する金額があれば、その金額を除きます。）を認めようという趣旨で「特定支出控除」の特例が設けられています（所税法57の２）。

　なお、特定支出は、年末調整（☞5.1.3）で控除を受けることはできません。確定申告する必要があります（☞5.3.1）。確定申告書に提出にあたっては、それぞれの特定支出についての明細書、給与等の支払者（雇用主など）の証明書、領収書などを添付または提示する必要があります（所税法57の２③・④、所税令167の４・

PART3　くらしに身近な所得税法をくわしく学ぶ

167の５、所税規36の６）。

(1) 控除対象となる特定支出の範囲

給与所得者が収入金額から控除できる特定支出の範囲は、図説すると次のとおりです（所税法57の２②・⑤、所税令167の３以下）。

●控除対象となる特定支出の範囲

①	**通勤費**	通勤のために通常必要な運賃等の額。
②	**職務上の旅費**	勤務する場所を離れて職務を遂行するために通常必要となる費用。
③	**転居費**	転勤に伴う転居のために通常必要な運賃、宿泊費および家財運送費の額。ただし、転勤の事実が生じた日以後１年以内に支出したものに限られます。
④	**研修費**	職務の遂行に直接必要な技術または知識を習得することを目的に受講する研修費の額。
⑤	**資格取得費**	弁護士、公認会計士、税理士をはじめとして職務に直接必要な人の資格を取得するために支出した費用。
⑥	**単身赴任帰宅旅費**	転勤に伴い単身赴任（生計を一にする配偶者と別居常況）にある人の帰宅のための往復旅費。なお、自動車で帰宅した場合の燃料費や有料道路料金を含みます。
⑦	**職務関連図書費・被服費・交際費（以下「勤務必要経費」）**	職務と関連ある図書の購入費（専門書や専門誌など）、職場で着用する衣服費（ただし、職務外でも着用できるネクタイやスーツなどの衣服にかかる費用は除きます。）、職務に直接必要な交際費、職務遂行上直接必要な旅費等で通常認められるものなど。ただし、年間65万円を限度とします。

＊①～⑦、いずれの特定支出も、雇用主が証明したものに限られます。

(2) 特定支出加算額を加えた給与所得控除合計金額の計算

特定支出加算額を加えた給与所得控除合計金額は、その年中の法令で特定された前記７項目の支出総額が、その年中の給与所得控除額の２分の１の金額を超える場合に、その超える部分の金額を給与所得控除額に加算するかたちで計算します（所税法57の２①）。

＊１　①グループのなかには、聞きなれないものもあるかと思います。「俸給」とは国家公務員が受ける基本給のことで、「歳費」とは国会議員が受ける給与のことです。
＊２　こうした収益は、事業所得（☞3.2.2）または雑所得（☞3.2.10）として課税されます。

（石村　耕治・辻村　祥造）

〔アドバンス文献〕清永敬次「給与所得課税と必要経費」法律論叢82巻２号～４号、北野弘久『サラリーマン税金訴訟〔増補版〕』（1990年、税務経理協会）。大学教員が海外留学で支出した諸費用が特定支出控除にあたるか争われたケースとしては、裁決平3.12.13・裁集42集54頁参照

453

3.2.2 事業所得とその計算の仕方

ポイント

　個人が事業を営んで稼いだ所得が「事業所得」ですが、どのように計算するのでしょうか。

◎事業所得とは

　居酒屋、美容院、八百屋、個人タクシー、作家、開業医など、さまざまなビジネスを個人で営み、所得があると所得税がかかります。この場合の所得が「事業所得」です。つまり、事業所得は、個人が、サラリードワーカー（勤め人）ではなく、自営して稼いだ所得をさします。

　所得税法では、事業所得とは、農業、漁業、製造業、卸売業、小売業、サービス業、その他一定の事業から生ずる所得（山林所得または譲渡所得に該当するものを除きます。）をいいます (所税法27)。

　しかし実務的には、①営業等所得（小売業、卸売業、製造業、サービス業、建設業その他の営業、自由職業、畜産業、漁業などの事業による所得）、②農業所得、といった分類が使われます。

　所得区分において、事業所得と給与所得との区分には注意しなければなりません。前者が「自己の計算と危険において独立して営まれ、営利性、有償性を有している」（例えば、東京高判昭53.4.11・訟月24巻8号1673頁）のに対して、後者は「使用者の指揮・命令のもとに従属している」という性格を有しています。これら2つの所得においては、所得計算の方法、源泉徴収の取扱いなどに大きな差異があります。事業所得の計算は次の算式によります。

事業所得の金額＝総収入金額－必要経費

PART3　くらしに身近な所得税法をくわしく学ぶ

◎総収入金額とは

　総収入金額とは、販売代金、料金、報酬、出演料、原稿料などによる収入をいいます。そして販売であればその資産（商品など）を引き渡した日、役務（サービスなど）の提供であればその役務の提供を終了した日に収入を計上します（●3.2.14）。

　また金銭に限らず、物または権利その他の経済的な利益によって収入した場合には、それらのものの、その時における時価で収入を計上します（所税法36）。さらに、飲食店など、たな卸資産等（食材）を家事のために消費した場合（賄い食など）には、その原価相当額を収入に計上しなければなりません（所税法39）。

◎必要経費とは

　必要経費とは売上原価のほか、総収入金額を得るために直接要した費用の額およびその年における販売費、一般管理費、その他所得を生ずべき業務について生じた費用*1（償却費以外の費用で、その年において債務の確定していないものを除きます。）の額とされます（所税法37・●3.2.15）。そのほかに、所得税法では、必要経費の特則として多くの規定をおいています。その一部を紹介してみます*2。

①	家事関連費の必要経費不算入（所税法45）
②	減価償却資産の償却費の計算およびその償却方法（所税法49）
③	貸倒引当金等（所税法52他）
④	事業から対価を受ける親族がある場合の必要経費の特例（所税法56）
⑤	事業に専従する親族がある場合の必要経費の特例（所税法57）

＊1　弁護士会の役員としての活動に伴って支出した費用が事業所得上の必要経費に該当するか否かが争われた事件において、東京地裁判決では、必要経費にあたらないとしました（東京地判平23.8.9・判時2145号77頁〔棄却・控訴〕）。しかし、東京高裁判決は弁護士業務との関連性を認め、その必要経費性を一部認めました（東京高判平24.9.19・判時2170号20頁〔一部取消し・上告〕）。その後、課税当局はこれを不服として上告しましたが、最高裁は不受理を決定して判決が確定しました（最決平26.1.17・税資264号－6〔不受理・確定〕）。

＊2　医師または歯科医師が、年間に支払を受ける社会保険診療報酬が年間5,000万円以下である場合には、事業所得の計算に概算経費を適用する特例があります。ただし、平成26年分以後、その年の医業および歯科医業の収入金額が7,000万円を超える者は除外されました（措置法26）。

（辻村　祥造）

455

> **Column** 自営業者になると、所得税のほかにさまざまな税金がかかる
>
> 　他人に雇われないで自分で事業をしたいという人も少なくないと思います。この場合、個人形態か法人形態のいずれかを選ぶのが一般的です。個人で事業を行う、つまり自営業者になると、①所得税（国税・5％～45％）のほかにも、さまざまな税金がかかります。主な税金としては、②消費税（国税・地方税・10％または8％）（☛2.2）③住民税（道府県税・市町村税・10％）、④事業税（道府県税・3％～5％）、さらには⑤固定資産税（地方税・標準税率1.4％）（☛1.4.8）などがかかります。
>
> （辻村　祥造）

> **Column** クロヨン、トーゴーサンピンとは何か
>
> 　各納税者の所得捕捉率の差異を意味する言葉で、クロヨンとかトーゴーサンピンといったいい方が聞かれます。つまり、給与所得者、事業所得者そして農業所得者の所得捕捉率が、それぞれ9対6対4、ないし10対5対3であるというものです（ピンとは1のことです。政治家を指しています）。給与の収入がほぼ全額捕捉されてしまうサラリードワーカーから、税に対する不満として出てきている言葉です。しかし、何ら根拠に基づく表現ではありません。
>
> （辻村　祥造）

3.2.3 不動産所得とその計算の仕方

ポイント

> 　土地やマンションなど不動産を他人に貸して地代や家賃、権利金などを受け取ったときの所得が「不動産所得」です。権利金については特別な課税方法の適用があります。

◎不動産所得とは

　地主である個人が土地を他人に貸したとします。また、大家である個人がアパートやマンションを他人に貸したとします。こうした場合、地代や家賃、権利金などを受け取ったときの所得が「不動産所得」です。もっとも、不動産を使って事業にあたるとみなされる行為をした場合には、規模等により事業所得

（☛3.2.2）や雑所得（☛3.2.10）になることもあります。

　所得税法において、不動産所得とは、不動産、不動産の上に存する権利、船舶または航空機（以下「不動産等」といいます。）の貸付（地上権または永小作権の設定、そのほか他人に不動産等を使用させることを含む）による所得（事業所得または譲渡所得に該当するものを除きます。）をいいます（所税法26）。

　次に不動産所得に関する所得区分の問題にふれます。

　不動産所得と事業所得との所得区分は、「不動産所得が資産性所得であり、事業所得が資産勤労結合所得であることからして、不動産の貸し付けが専業として行われている場合であっても、人的役務が伴わない場合や人的役務が付随的なものに過ぎない場合（例えば貸間業・船舶貸付業）は、そこから生ずる所得は事業所得ではなく不動産所得であると解するべきであろう。」（金子宏『租税法〔第23版〕』〔2017年、弘文堂〕225頁参照）とされ、人的役務の提供の度合いがポイントとなります。

　また、借地権等を設定する場合に、その対価として支払を受ける権利金は、ふつう不動産所得となります。しかし、対価として受け取る権利金の額が、その土地の時価の2分の1を超える場合には、資産の譲渡とみなされて譲渡所得（☛3.2.8.2）として課税されます（所税令79）。これは借地権等の設定により、土地の権利の一部が借地権者に移転したとみる、経済的実質に着目した課税措置です。

　不動産所得の金額は次の計算によります。

不動産所得の金額＝総収入金額－必要経費

◎総収入金額とは

　総収入金額とは、賃貸料のほか権利金、頭金、名義書換料、更新料、礼金のほか、不動産等の貸付による一切の収入を含みます。ただし敷金、保証金などで後に借主に返還を要するものは、単なる預かり金であり、総収入金額になりません。

◎必要経費とは

　必要経費には、固定資産税、損害保険料、修繕費、管理費、減価償却費、火災保険料、借入金の利息などが含まれます。ただ、事業所得（☛3.2.2）の場合と同様に、多くの必要経費の特則があります。

　このうち、とくに重要なのが減価償却費です。貸マンションなどは、年とともに古くなり価値がなくなってきます。こうした価値の減少分を見積もり、経費として処理していくことを減価償却といいます。

◎平均課税の適用がある場合

　不動産所得のなかでも、本来、数年間にわたって収入するものが一時に実現したところから、臨時所得として取り扱われて、平均課税（☛3.2.13）の適用があるものがあります。それは、例えば次のような場合の所得です（所税法90、所税令82二～四）。

●平均課税の適用条件

① 不動産、不動産の上に存する権利等を３年以上の期間他人に使用させることによって一時に支払を受ける権利金、頭金その他の対価で、資産の使用料年額の２倍以上である場合の所得（譲渡所得として課税されるものを除きます。）

② 一定の場所における業務の全部または一部の休止、転換または廃止によって、その業務について３年以上の期間の不動産所得の補償として支払を受ける補償金による所得など

（辻村 祥造）

3.2.4 利子所得とその計算の仕方

ポイント

　預貯金の利子などは「利子所得」として課税されます。利子は金融機関が支払う際に所得税などが天引され、課税は終わりになります。

◎利子所得とは

　銀行やゆうちょ銀行などに預貯金をしておくと利子がつきますが、これが「利子所得」です。

PART3　くらしに身近な所得税法をくわしく学ぶ

　所得税法では、利子所得とは、公社債および預貯金の利子ならびに合同運用信託、公社債投資信託および公募公社債等運用投資信託の収益の分配（以下「利子等」といいます。）にかかる所得をいいます（所税法23①）。これら利子所得の中核となるのは、やはり金融機関から支払われる預貯金の利子です。

　なお、金融機関以外に預け入れることにより受け取る利子は、勤務先預け金に該当するものを除き、雑所得（☞3.2.10）となります。また、金銭消費貸借（個人が他人に金を貸すことです。）によって受け取る利子は、その貸付規模などにより、事業所得（☞3.2.2）または雑所得となります。

　利子所得について必要経費は認められません。したがって、利子所得の計算式は、次のとおりです。

利子所得の金額＝収入金額

◎利子所得に対する課税方法は

　総合所得課税（☞3.1.4）の建前からすれば、利子所得は、本来、他の所得と合算されて課税されるべきです。しかし、現行所得税法では他の所得と分離されて、原則として15％（居住者（☞3.1.2）については、このほかに地方税５％）の税率による源泉分離課税（☞3.1.7）（後にふれる利子所得の非課税特例にあてはまるものを除きます。）で、課税関係は完了します（措置法3）。

　その理由は、①利子所得の発生が大量であり、すべてに申告を義務づけていては課税事務が煩雑になること、そして②多種多様な金融商品があることなどから、機動的で簡素な税制が望ましいためとされています。

　こうした課税措置は一応合憲とされています（大阪地判平2.10.25・税資181号103頁）。

◎利子所得の非課税の取扱いはどのようなものか

　利子所得については、政策的な配慮から、さまざまな非課税措置（☞3.1.3）を設けています。主なものをあげると、次のとおりです。

459

●利子所得の非課税の取扱い

非課税の所得	対象となる預金等	非課税限度額	規定条文
① 障害者等の少額預金の利子所得等	預貯金、合同運用信託、有価証券等	元本の合計額が350万円まで	所税法10（非課税所得）
② 障害者等の少額公債の利子	公債	額面の合計額が350万円まで	措置法4
③ 勤労者財産形成住宅貯蓄の利子	勤労者財産形成住宅貯蓄契約に基づく預貯金	下記④を含めた元本の合計額が550万円まで	措置法4の2
④ 勤労者財産形成年金貯蓄の利子	勤労者財産形成年金貯蓄契約に基づく預貯金	上記③を含めた元本の合計額が550万円まで	措置法4の3

　なお、この規定の適用を受けようとする人は、非課税扱いを受けようとする預金等の最高額（非課税貯蓄限度額）などを記載した非課税貯蓄申告書などを、金融機関を経由して、税務署に提出しなければなりません。

（辻村　祥造）

3.2.5 配当所得とその計算の仕方

ポイント

　株を持っていて配当を受けた場合などには「配当所得」として課税されます。配当所得は、確定申告（総合課税あるいは源泉課税分の精算）をするか、確定申告不要（源泉分離課税）を選択できます。

◎配当所得とは

　三菱商事（株）や、NTTといった会社の株式を持っている人（株主）も多いでしょう。こうした法人企業は、利益があれば配当をします。こうした配当を、株主である個人が受け取った場合には、「配当所得」として所得税が課されます。

　所得税法では、配当所得とは、法人（公益法人等および人格のない社団等を除きます。）から受ける剰余金の配当、利益の配当、剰余金の分配（出資にかかるものに限ります。）、投資信託および投資法人の金銭の分配、基金利息ならびに投資信託（公社債投資信託等を除きます。）および特定受益証券発行信託

の収益の分配に係る所得をいいます（所税法24）。

　なお、2005（平成17）年の通常国会において「新会社法」が成立、公布され、2006（平成18）年5月に施行されました。「新会社法」においては、株主に対する利益還元の方法の多様化・柔軟化を図る観点から、上記の利益配当などのほかに、株主が過去に払い込んだ金額の払い戻し（資本および準備金の減少に伴う払戻し）を含めて「剰余金の配当」（会社法453）として統合するとともに、また自己株式の有償取得についても整理し、これらを統一的に財源上の法的規制をかけることとしました。

　配当所得の金額は、次のように計算します。

$$配当所得の金額＝収入金額－\begin{array}{l}その元本を取得するた\\めに要した負債の利子\end{array}$$

　配当所得の金額は、「その年中の配当等の収入金額」から、その所得を生ずべき「元本を取得するために要した費用の負債の利子で、その年中に支払うものがある場合には」当該利子を控除して計算することになっています（所税法24②）。

　すでにふれたように、利子所得については、収入金額がそのまま所得金額となることから（所税法23②）（☞3.2.4）借金（負債）で預貯金等をしていたとしてもその借金（負債）の利子は収入金額から控除されません。これに対して、配当所得では、借金（負債）でもって株式等の元本を得ている場合には、その借金（負債）の利子は控除されます（所税法24②）。これは、配当を得ることを目的に借金をし利子を支払って株式等を購入し、投資しても採算がとれるとの考え方に基づきます。

　配当所得（無配を含む）の負債利子の控除について、学問上は、「個別対応計算方式」（借金（負債）によって取得（購入）した株式等の配当からのみ控除し、そうでない他の株式等の配当収入からは控除できないとするやり方）と「総体対応計算方式」（借金（負債）によって取得（購入）した株式等を保有している場合には、取得（購入）した株式等かそうでない株式等かを問わず、あらゆる株式等の収入金額から控除できるとするやり方）が考えられます。

461

この点につき、所得税法は、基本として「総体対応計算方式」を採用しますが、その年中の配当等の収入金額から控除できる負債の利子は、借金（負債）によって株式等を所有していた期間に対応する部分の金額としています（所税令58）。したがって、借金で購入した株式等を処分したときには、処分時までの利子が控除され、その後は、残っている借金があっても、その利子は控除できません（所税基通24－5）。また、借金で購入した株式等の一部を処分したときには、引き続き保有する株式等に対応する負債利子のみが控除できる取扱いになっています（所税基通24－8）。

　ちなみに、配当収入金額とは、株主である地位に基づいて受ける各種分配金と解されます。この場合の株主とは、単に株主名簿に登載されている名義株主のみならず、株式を取得した実質上の株主も含むと解されます。したがって、株主の名義書換を失念し（忘れ）実質上の株主となっている場合にも、株式の購入（取得）に要した借金（負債）の利子は株式の配当収入金額から控除できます。この場合、名義株主に対して実質株主が不当利得返還請求権を行使しているかどうかは問われません。また、配当収入金額に対応する源泉所得税は、申告所得税の納付すべき税額の計算上控除することができます（裁決平6.2.23・裁集47集97頁・タインズ J 47-2-10）。

◎みなし配当という課税がある

　実際に配当という法律上の形式は取らなくても、経済的な実質が配当と同じ効果をもたらすものがあります。このような場合に、所得税法では「みなし配当」（所税法25）として、配当所得課税を行うこととしています。

　具体的には、次の理由で、金銭その他の資産の交付を株主等が受けた場合で、その払戻しを受けた金額が資本等の金額を超過するときです。

①　合併（適格合併を除きます。）
②　分割型分割（適格分割型分割を除きます。）
③　株式分配（適格株式分配を除きます。）
④　資本の払戻し（資本剰余金の減少に伴う株式にかかる剰余金の配当で一定のものに限ります。）など

　そのほか、解散による残余財産の分配や、自己株式・出資の取得などにも、同じ取扱いがあります。

PART3 くらしに身近な所得税法をくわしく学ぶ

◎配当所得に対する課税方法は

　配当所得に対する課税は、原則的には他の所得と合算し総合して課税する方法がとられています。しかしながら、少額な配当に対する申告不要を選択する取扱、および源泉徴収された後、申告するかしないかを選択する特例もあります（措置法8の2、8の3、8の5）。さらには2014（平成26）年1月以後、上場株式の配当に対する10％の軽減課税（所得税7％、住民税3％）が廃止される代わりに少額投資非課税制度（NISA）が創設されました。

　それらの関係を図で示すと、次のようになります。

●配当所得への課税方法のあらまし

		2009年1月〜2013年12月	2014年1月〜
上場株式等の配当等 （個人の大口株主を除く）		総合課税*1	
	源泉徴収税率 （特別徴収税率）	所得税：7％ 住民税：3％	所得税：15％ 住民税：5％
特例	申告分離課税*2	同上	同上
	確定申告不要制度	源泉徴収のみで課税終了・金額制限なし	
	少額投資非課税制度		非課税
上場株式の配当等 （個人の大口株主） 未上場株式等の配当等		総合課税*1	
	源泉徴収税率 （特別徴収税率）	所得税：20％ 住民税：なし	
特例	申告分離課税	同上	

＊1　総合課税を選択した場合のみ配当控除の適用があります。

＊2　上場株式等の配当等につき申告分離課税を選択した場合には、2009（平成21）年より、上場株式等の譲渡損失との損益通算ができます。また2010（平成22）年より、源泉徴収選択口座（特定口座）内において同様の損益通算が可能となりました。

＊3　個人の大口株主とは、配当の支払基準日に発行済株式総数の3％以上を有する個人をいいます。令和5年10月以降、個人に加えて、その同族会社が所有する株式も合算して判定することになりました（2022〔令和4〕年度税制改正の大綱－金融証券税制（国税）【縮減】1）。

（注）1　2013（平成25）年から2037年までは、所得税につき上記の税率に2.1％を乗じた復興特別所得税が加算されます。

（注）2　1銘柄当たり1回5万円（年1回10万円）以下の少額配当について申告不要制度があります。

　　　詳細は国税庁のホームページで確認してください。

463

●NISAのあらまし

〈2023年までの少額投資非課税制度NISA〉

	NISA（20歳以上）			ジュニアNISA（20歳未満）
	一般NISA	選択	つみたてNISA	
制度開始	2014年1月から		2018年1月から	2016年4月から
非課税保有期間	5年間		20年間	5年間 ※ただし、2023年末以降に非課税期間が終了するものについては、18歳まで非課税で保有を継続可能。
口座設定可能期間	平成26年（2014年）～令和5年（2023年）		平成30年（2018年）～令和19年（2037年）	平成28年（2016年）～令和5年（2023年）
年間投資非課税枠	120万円		40万円	80万円
投資可能商品	上場株式・公募株式投資信託等		積立・分散投資に適した一定の公募等株式投資信託（商品性について総理大臣が告示で定める要件を満たしたものに限る）	一般NISAと同じ
投資方法	制限なし		契約に基づき、定期かつ継続的な方法で投資	一般NISAと同じ
払出し制限	なし		なし	あり（18歳まで） ※災害等やむをえない場合には、非課税ので払出し可能。
備考	一般とつみたてNISAは年単位で選択制 2023年1月以降は18歳以上が利用可能			2023年末で終了

〈2024年からの特定非課税累積投資制度新NISA〉

	新NISA（18歳以上）		
	つみたて投資枠	併用可	成長投資枠
非課税保有期間	制限なし（無期限化）		制限なし（無期限化）
年間投資非課税枠	120万円		240万円
非課税保有限度額（総枠）	1,800万円　※簿価残高方式で管理（枠の再利用が可能）		
			1,200万円（内数）
口座開設可能期間	制限なし（恒久化）		制限なし（恒久化）
投資可能商品	積立・分散投資に適した一定の公募等株式投資信託（商品性について総理大臣が告示で定める要件を満たしたものに限る）		上場株式・公募株式投資信託等（安定的に資産形成につながる投資商品に絞り込む観点から、高レバレッジ投資信託などを対象から除外）

投資方法	契約に基づき、定期かつ 継続的な方法で投資	制限なし
払出し制限	なし	なし
現行制度との 関係	令和5年末までに一般NISAおよびつみたてNISA制度において投資した商品は、新しい制度の外枠で、旧制度による非課税措置を適用	

（「令和5年度税制改正（案）のポイント」（令和5年2月財務省）参照）
（注）非課税口座内の株式等に譲渡損失が発生してもなかったものとみなされます。

◎配当控除とは何か

配当所得がある場合には、配当控除（☛3.4.1）の適用があります（所税法92）。これは、法人税は所得税の前払であるという、「法人擬制説」の考え方から、法人税と所得税の二重課税を排除する（☛1.2.9）趣旨で設けられた措置です。

原則的には、課税総所得金額に応じて、配当所得に対して一定額が税額控除されます。しかし、少額な配当に対する申告不要および源泉分離選択課税を選択した場合には、配当控除の適用はありません。

（辻村 祥造）

3.2.6 退職所得とその計算の仕方

ポイント

長年勤めて退職金をもらうと、「退職所得」として課税されます。退職所得は他の所得と分離して源泉課税されます。しかも、原則として、退職所得控除を引いたあとの金額の半分だけに課税されます。

◎退職所得とは

長年にわたり会社員や公務員などとして勤めて退職金をもらうと、もらった退職金には「退職所得」として所得税が課されます。

所得税法では、退職所得とは、退職手当、一時恩給その他の退職により一時に受ける給与及びこれらの性質を有する給与（以下「退職手当等」といいます。）

にかかる所得をいいます（所税法30①）。一般に、退職時までの勤務に基づき使用者（雇用主）から支払われる一時の給与がこれにあてはまります。

　言い換えると、退職時に、使用者以外の人から支払われる一時の給与は、厳密にいうと、この退職所得の定義にあてはまりません。しかし、所得税法は、国民年金法、私学共済組合法など社会保障制度や退職金共済制度に基づく一時金なども、過去の勤務に基づいて支給されることやその保険料の一部を使用者が負担していることなどを理由に「みなし退職手当等」とし、退職手当等として課税することにしています（所税法31、所税令72）。

　わが国の退職金制度は、元来、生涯雇用や年功序列賃金の考え方をベースに形成されたものです。その支払いが退職時に一時に支給されることや退職後の生活保障の意味合いもあることから、退職所得は担税力は低いと考えられ、課税については相当に軽減された措置がとられています。具体的には、退職所得は、給与所得（所税法28・☞3.2.1）とは異なり、分離課税（☞3.1.7）の対象となっており（所税法22①）、また、その年中の退職所得等の収入金額から退職控除額を差し引いた残額の2分の1が課税対象とされます（所税法30②）。

　しかし2012（平成24）年度税制改正において、「短期間のみ在職することが当初から予定されている法人役員等が、給与の受取りを繰延べて高額な退職金を受け取ることにより、税負担を回避する事例が指摘されている。」ことから、2013（平成25）年以後、勤続年数が5年以内の法人役員等の退職所得につき、2分の1課税の取扱いを廃止しました（所税法30②・④）。

　退職所得にあてはまるためには、一般に、次の3つの要件を充たすように求められます（最判昭58.9.9・民集37巻7号962頁参照）。

---

① 退職すなわち勤務関係の終了という事実によって初めて支給されるものであること。
② 退職時までの継続的な勤務に対する報償ないしその期間の労務の対価の一部の後払いの性格を有すること。
③ 一時金として支払われること。

PART3　くらしに身近な所得税法をくわしく学ぶ

◎「これらの性質を有する給与」（打切支給の退職金）とは

今日、わが国の雇用関係が、まさに「身分から契約へ」大きくシフトしてくるに伴い、雇用形態もますます多様かつ流動化してきています。こうした流れのなか、成果主義を徹底するために、定期雇用契約制度に移行する企業も少なくありません。また、退職金制度を廃止する企業や、退職一時金から年金制に移行する企業もあります。企業によっては、こうした制度移行に際して、過去の勤務期間に応じて退職金を精算のうえ支給しています。この場合、支給される一時金は、退職手当等にあたるのかどうかが問われます。なぜならば、さきにふれたように、勤務関係の終了という事実がない場合に支給する一時金は、原則として退職所得の要件にはあてはまらないからです。

もっとも、この点について所得税法は、引き続き勤務する人に一時金を支給する場合であっても、それを支給することに合理的な理由があるときには、「これらの性質を有する給与」として、退職所得として取り扱うことにしています。

例えば、会社などで使用人であった人が役員になった場合に、使用人であった期間について支給する退職金が典型です（大阪高判昭54.2.28・訟月25巻6号1699頁）。この種の一時金は、ふつう「打切支給の退職金」とよばれます。

所得税基本通達は、「打切支給の退職金」にあたる例として、次のような退職手当等をあげています（所税基通30－2(1)〜(6)）。

●「これらの性質を有する給与」（打切支給の退職金）の例

①　新たに退職給与規定を制定し、過去の勤務期間に対する精算として支給する給与（退職手当等）
②　使用人から役員になった人に対し、その使用人であった勤務期間の精算として支給する給与（退職手当等）
③　役員の分掌変更等により変更後の報酬が激減（おおむね50％以上の減少）した人や職務の内容・地位が激変した人に対して変更前の勤続期間に対する精算として支給する給与（退職手当等）
④　定年に達した後引き続き勤務する使用人に対し、その定年に達する前の勤務期間につき精算して支給する給与（退職手当等）
⑤　労働協約等を改定して定年延長を行った場合における旧定年に達する前の勤続期間につき精算として支給する給与（退職手当等）
⑥　法人が解散した場合において、引き続き役員または使用人として清算事務に従事する使用人に対して解散前の勤続期間に対し精算として支給する給与（退職手当等）

467

◎みなし退職手当等とは

　次に例示する一時金は、その支給の理由が過去の勤務に基づいていることおよびその保険料の一部を雇用者が負担していることなどから、退職手当等とみなされます (所税法31、所税令72など)。

●みなし退職手当の例

①　国民年金法、厚生年金保険法、国家公務員共済組合法、地方公務員等共済組合法、私立学校教職員共済法などの規定に基づく一時金 (所税法31一、所税令72①)
②　石炭鉱業年金基金から受け取る一時金でその加入者の退職に基因して支払われるもの (所税法31二、所税令72②)
③　退職を基因とし、確定給付企業年金法の規定に基づいて支給される一時金など (所税法31三、所税令72③)
④　事業主の倒産等により賃金が未払いのまま退職した人に対し、国が未払賃金立替制度に基づき弁済する給与 (措置法29の4)

◎退職所得はどのように計算するか

　退職所得の金額は、次の算式により計算します (所税法30②④・89①)。

$$\text{退職所得の金額} = (\text{収入金額} - \text{退職所得控除額}) \times \frac{1}{2}$$

　また、退職所得控除額は次のように計算します (所税法30③)。

●退職所得控除額

1．通常の退職の場合：
・勤続年数が20年以下の場合　40万円×勤続年数 (80万円に満たない場合は80万円) 　・勤続年数が20年を超える場合　70万円×(勤続年数－20年) ＋800万円
2．障害者になったことに直接基因して退職した場合：
1により計算した金額＋100万円

PART3　くらしに身近な所得税法をくわしく学ぶ

◎2分の1課税が不適用となる「役員等」

　役員等のうち役員等としての勤続年数5年以内の人の退職所得（特定役員退職手当等）については、退職所得控除額を差し引いた残額を2分の1とする措置の適用はありません（所税法30④・⑥、所税令69・69の2・71の2）。

　なお、ここでいう「役員等」とは、次に掲げる人をさします（所税法30④）。

● 2分の1課税が不適用となる「役員等」の範囲

① 　法人税法2条15号に定める役員〔法人の取締役、執行役、会計参与、監査役、理事、監事、清算人など〕
② 　国会議員および地方議会議員
③ 　国家公務員および地方公務員

◎2分の1課税が不適用となる「短期退職手当等」

　2021（令和3）年度の税制改正により、22（令和4）年1月1日以後、勤続年数が5年以下である従業者に支払われる退職手当等（「短期退職手当等」）については、その退職所得金額の計算にあたり、短期退職手当等の収入金額から退職所得控除額を控除した残額が300万円を超える部分については、「2分の1課税」が適用されないことになりました（所税法30、所税令69・69の2）。

　「短期勤続年数」とは、役員等以外の者（従業者）として勤務した期間により計算した勤続年数が5年以下である人をいいます（所税令69①）。この勤続年数については役員等として勤務した期間がある場合、その期間を含めて計算をします。なお、1年未満の端数がある場合はその端数を1年に切り上げて計算します（所税令69②）。このことから、勤続期間が5年1か月の場合は、6年になり、短期退職手当等にはあたりません。

469

● 2分の１課税が不適用となるケースの所在

退職手当等の区分	退職所得の金額／計算式
①一般退職手当等*	（一般退職手当等の収入金額－退職所得控除額）×1/2【２分の１課税適用あり】
②特定役員退職手当等	❶ 勤務年数が５年以下　特定役員退職手当等の収入金額－退職所得控除額　【２分の１課税適用なし】 ❷ 勤務年数が5年超　（特定役員退職手当等の収入金額－退職所得控除額）×1/2【２分の１課税適用あり】
③（従業者）短期退職手当等	勤務年数が５年以下　短期退職手当等の収入金額－退職所得控除額が❶300万円以下については、（短期退職手当等の収入金額－退職所得控除額）×1/2【２分の１課税適用あり】 ❷300万円超については、【２分の１課税適用なし】

* ①一般退職手当等とは、②特定役員退職手当等にも、③（従業者）短期退職手当等にもあてはならないものをさします。

　ちなみに、この不適用措置は、退職所得に対する累進課税緩和措置である２分の１課税を利用した租税回避への対応をねらいとしたものです。

◎退職所得に対する課税方法は

　退職所得に対する課税は、退職者の納税の便宜などを考慮して、原則として分離課税とされています。また、退職手当等の支給に際しては、所得税を源泉徴収することとされています。したがって、ふつうは源泉徴収により課税関係が完了します（所税法199以下）。

　なお、退職金等の支給にあたり、「退職所得の受給に関する申告書」（所税法203）を提出している場合と、そうでない場合は、課税の方法が変わります。

　「退職所得の受給に関する申告書」を提出している場合は、（収入金額－退職所得控除額）×1/2で算出した金額により、所得税および復興特別所得税を計算します。そして、退職金等の支払者が、これらの金額を源泉徴収し、納付するため（所税法201①一イ、復興財源法28①・②）、原則として、確定申告は必要ありません（源泉分離課税）（所税法121②一）。

一方、「退職所得の受給に関する申告書」の提出がなかった場合、退職金支給の時点での、退職所得控除額の控除、2分の1（1/2）課税は認められません。この場合、退職金等の支給時に、退職金等の額から、所得税額（20％）および復興特別所得税額（0.42％）が源泉徴収されます（所税法201③）。その後、退職金の支給を受けた人が確定申告を行うことにより、退職所得控除額の控除・2分の1課税が適用され、所得税等は精算されます（申告分離課税）（所税法120①）。

 また、住民税についても、所得税と同様の取扱いがなされます。ただしその税率は10％（道府県民税4％、市町村民税6％）です（☞1.4.8）。

 しかし、損益通算および繰越損失額の控除（☞3.1.5、3.2.12）が退職所得におよぶ場合、また、引ききれない所得控除を退職所得より差し引く場合（☞3.3.4）などには、退職所得についても確定申告をする必要が出てきます。

 ちなみに、退職所得にかかる住民税は、退職者の納税の便宜などに配慮し、原則として、その支給を受けた年に分離課税により課税が行われます（地税法50の2、328）。

● 退職所得と給与所得との課税方法の対比【課税期間（1月1日～12月31日）】

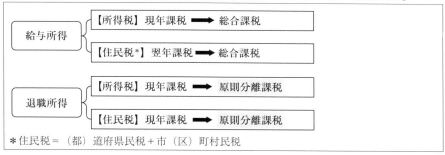

＊住民税＝（都）道府県民税＋市（区）町村民税

（辻村 祥造・石村 耕治）

〔アドバンス文献〕日高大開『退職給付制度の改廃等をめぐる税務』（2005年、大蔵財務協会）、三又修ほか著『所得税基本通達逐条解説〔令和6年版〕』（2024年、大蔵財務協会）、所得税法研究会編『注解所得税法〔6訂版〕』（2019年、大蔵財務協会）、石村耕治「裁決研究・退職所得に該当する打切支給の退職金」白鷗法学12巻2号

3.2.7 山林所得とその計算の仕方

ポイント

　「山林所得」は特殊な方法（5分5乗方式）で税額を計算し、申告分離課税となっています。

◎山林所得とは

　山林所得とは、山林の伐採または譲渡による所得をいいます（所税法32①）。

　「山林の伐採による所得」とは、山林を伐採して譲渡したことによる所得をいい、「山林の譲渡による所得」とは、山林を伐採しないで譲渡したことによる所得をいいます（所税基通32-1）。

　ただし、山林をその取得の日以後5年以内に伐採または譲渡することによる所得は、その業務の態様によって事業所得または雑所得とされます（所税法32②）。また、山林をその土地とともに譲渡した場合には、山林の譲渡については山林所得、土地の譲渡については譲渡所得と区分されることになります（所税基通32-2）。

◎山林所得はどのように計算するか

　山林所得は原則として、次の算式により計算します（所税法32③）。

> **山林所得の金額＝総収入金額－必要経費－山林所得の特別控除額**

　山林所得の必要経費とは、植林費、山林の購入費用、管理費、伐採費その他山林の育成または譲渡に要した費用の額をいいます。

　また、山林所得の必要経費の計算においては、戦後の猛烈なインフレーションによる貨幣価値の変動から生じる課税関係の不合理を是正するための措置がとられています。この措置によると、1952（昭和27）年12月以前から引き続いて所有していた山林を伐採し、または譲渡した場合に差し引く必要経費は、次のように計算することができます（所税法61）。

472

PART3　くらしに身近な所得税法をくわしく学ぶ

$$必要経費 = \frac{その山林の1953（昭和28）年1月}{1日における相続税評価額} + \frac{同日以降支出した管理費、}{伐採費その他の費用}$$

次に、山林所得の特別控除額50万円を限度として差し引くことができます。

◎概算経費控除と森林計画特別控除

(1)　概算経費控除 (措置法30①、措置令19の5、措置規12)

　山林所得の計算をするにあたっては、所得の形成が長期にわたるため、実際にかかった必要経費を計算することが困難な場合も多いわけです。このことから、納税者の利便を考慮し、山林を15年前の年の12月31日から引き続いて所有している場合には、概算経費控除による所得計算を認めています (措置法30①)。

山林所得の金額 ＝ A － ｛(A － B) × (概算経費率50％) ＋ B ＋ C｝－ 特別控除額
　　A…伐採、譲渡による収入金額
　　B…伐採費、運搬費、仲介手数料等の金額
　　C…災害によって事業用固定資産、繰延資産に生じた損失等の費用

(2)　森林計画特別控除 (措置法30の2①)

　1981（昭和56）年から2026（令和8）年 (2024〔令和6〕年度税制改正の大綱第二（一）5租税特別措置等) までの各年において、森林法に規定する森林経営計画の認定を受けた者については、森林計画特別控除額を控除することができます。

山林所得の金額 ＝ 収入金額 － 必要経費 － 森林計画特別控除額 － 特別控除額

◎山林所得には5分5乗方式による課税が行われる

　山林所得は植林から始まって、永年にわたる山林の育成および管理によって得られる所得です。通常の所得と同様に超累進税率による課税を行うことは適切ではないという趣旨から、山林所得には特別な課税方法がとられています。

　まず、山林所得については、他の所得と合算せずに、分離課税とされます。

473

また、山林所得については、いわゆる5分5乗方式による課税を行うこととしています。つまり、その所得金額を5分割して、その分割後の所得に税率をかけ税額を求め、これを5倍するという課税方式によっているわけです(所税法89)。

　ちなみに、例えば課税山林所得金額が5,000万円の場合、通常の税率表による所得税額は1,770万4,000円となります。しかし、5分5乗方式では882万円となり、負担する税額は大幅に軽減されます。

（辻村　祥造）

3.2.8.1 譲渡所得とその計算の仕方

ポイント

　「譲渡所得」の課税方法は、大きく①不動産、②株式、③その他、の3つに分かれ、①と②は他の所得と分離して課税されます。

◎譲渡所得とは

　譲渡所得とは、土地や建物をはじめとして、さまざまな資産の譲渡による所得をいいます。このなかには、建物の所有を目的とする地上権または賃借権の設定その他の契約により、他人に土地を長期間使用させる一定の行為を含みます(所税法33)。

　しかし、資産の譲渡のうち、たな卸資産の譲渡、その他営利を目的として継続的に行われる資産の譲渡は、譲渡所得ではなく、事業所得（☛3.2.2）または雑所得（☛3.2.10）に区分されます(所税法33②一)。したがって、例えば、不動産取引業者が販売用として所有する土地や建物の譲渡による所得は事業所得とされます(所税法33②一)。また、山林の伐採または譲渡による所得も、譲渡所得ではなく、山林所得に区分されます(所税法33②二・☛3.2.7)。

　譲渡所得に対する課税については、いくつかの問題があります。第1は、制限的所得概念に関する問題です。制限的所得概念においては、反復・継続的に生ずる利得のみを所得と考えます。このため、譲渡所得のような臨時的な利得については、所得の範囲からは除くべきであるという立場にあります。しかし、

わが国の所得税が包括的所得概念に立脚した所得課税を行っていますので、譲渡所得にも課税する建前になっています（☜1.2.5）。

第2は、譲渡所得課税が、物価上昇に基因するインフレによる名目的な価値の増加に対する課税ではないかという問題です。しかし、デフレによる物価下落期においては、反対に譲渡損失が発生することとなり、この問題は貨幣価値の変動に対する税法の調整機能という側面から、解決されなければならない問題であるといえます。

いずれにしても、所得税法は、譲渡所得が比較的長期の期間において実現する所得であるという性質を考慮して、総合課税の譲渡所得においては、その保有期間が5年を超えるものについて長期譲渡所得とし、その2分の1のみを課税することとしています（所税法22②二）。

◎資産とは何か、譲渡とは何か

資産とは、譲渡性のある財産権のすべてを含みます。したがって、土地、建物、機械などの有形固定資産、借地権、特許権、営業権などの無形固定資産、そして借家権または行政官庁の許可、認可、割当等により発生した事実上の権利なども含みます。

次に譲渡とは、有償、無償を問わず資産を移転させる一切の行為をいいます。したがって、売買、交換、競売、公売、収用、物納、代物弁済、現物出資、財産分与もこれに含まれます。

さらに譲渡とみなされる場合があります。譲渡所得は、原則として実現した譲渡収入に基づいて課税されます。しかし、次の場合には、資産の移転があったときに、その時価により資産の譲渡があったものとみなして譲渡所得課税が行われます。これを「みなし譲渡所得」といいます（所税法59①一・二）。

475

●みなし譲渡所得とされる事例 （☛3.2.8.2）

① 法人に対してなされた贈与
② 限定承認の形の相続
③ 法人に対してなされた遺贈および個人に対する包括遺贈のうち限定承認にかかるもの
④ 法人に対し著しく低い価額（時価の２分の１未満の金額）の対価でなされた資産の譲渡

（注）2015（平成27）年度税制改正により、国外転出をする一定の居住者が、その転出時に
　　１億円以上の有価証券等を保有する場合には、その転出時に、時価により譲渡があった
　　ものとして所得税が課税される措置がとられました（☛4.5）。

◎課税されない譲渡所得

　　譲渡所得が発生していても、その所得の性格、政策上の見地から、次のよう

な譲渡には課税が行われません（所税法9）。

① 一定の生活用動産の譲渡による所得（所税法9①九）
② 資力を喪失して債務を弁済することが著しく困難である場合における強制換価手続による
　資産の譲渡による所得（所税法9①十）　など

●譲渡所得の立ち位置

広い意味での資産の譲渡	非課税所得		生活用動産・強制換価手続・公社債等の譲渡など
	事業所得または雑所得		棚卸資産・少額減価償却資産・一括償却資産の売却など
	山林所得		山林等の譲渡（保有期間５年超）
	譲渡所得にあたる資産の譲渡	土地・建物等	譲渡所得にあたる資産の譲渡（分離課税）
		株式等	譲渡所得にあたる資産の譲渡（申告分離課税・源泉課税）
		土地・建物等および株式等以外	譲渡所得にあたる資産の譲渡（総合課税）
		みなし譲渡所得	個人から法人に対する贈与・遺贈、法人に対する低額譲渡、個人に対する包括遺贈*¹のうち限定承認*²にかかるもの

＊１ 「包括遺贈」とは、被相続人の遺言によって遺産の全部またはその何％とか、何分の１
　　というように割合を示してする遺贈をいいます（民法964・☛2.3.2）。
＊２ 「限定承認」とは、相続人が遺産の範囲内でしか被相続人（故人）の債務支払いに応じ
　　ないことを条件に相続を承認する方法をいいます（民法922・☛2.3.3）。

◎譲渡所得の計算の仕方

　　譲渡所得の金額は次のように計算します。

PART3　くらしに身近な所得税法をくわしく学ぶ

・土地・建物等の譲渡の場合
譲渡所得の金額＝譲渡収入金額－（取得費＋譲渡費用）
・株式等の譲渡の場合
譲渡所得の金額＝譲渡収入金額－（取得費＋譲渡費用＋譲渡した年の負債利子）
・土地・建物等および株式等以外の譲渡の場合
譲渡所得の金額＝譲渡収入金額－（取得費＋譲渡費用）－特別控除（最高50万円）

　資産の取得費とは、その資産の取得に要した金額ならびに設備費および改良費の合計額をいいます。資産が家屋など、その使用または期間の経過により減価する資産である場合には、減価償却額に相当する額を控除した額が取得費となります（所税法38）。

　また土地と建物を取得して、その取得後おおむね１年以内にその建物の取壊しに着手するなど、その取得が土地を利用する目的であることが明らかな場合の建物の取壊し費用も、土地の取得費に含まれます。

　なお、取得費については、「概算取得費（譲渡収入金額×５％相当額）」か「実際の取得費」か、いずれか多い方の金額を選択することもできます（措置法31の４①）。なお、概算取得費を選択した場合には、取得費は譲渡収入金額から一律に計算されるため、減価償却費を控除する必要がありません。

◎実際の取得費の計算

取得費＝その資産の取得に要した金額＋その後の設備費・改良費－償却費相当額*

＊自宅など非事業用資産（建物）を譲渡した場合の減価償却費は、法定耐用年数に1.5を乗じた年数に基づき定額法で計算します。

　譲渡費用とは、仲介手数料、周旋料、登記料、測量費、荷造費、引渡運賃、運送保険料のほか、その資産を引き渡すために要した費用および譲渡のために借家人を立ち退かせる立退料などが含まれます。

　一方、資産の譲渡によって損失が生じた場合には、他の資産の譲渡所得金額

から差し引きますが、さきにふれたような非課税とされる資産の譲渡において損失が発生した場合には、損失はなかったものとみなされます。

◎譲渡所得に対する課税方法は複雑

譲渡資産の種類によって、譲渡所得の課税方法（☞3.1.7）は３つに分かれます。そのあらましは、次のようになります。

◎資産の種類別の譲渡所得の課税方法

なお、2013（平成25）年から2037年までは、下記の税率によって計算される源泉徴収税額に2.1%を乗じた復興特別所得税が加算課税されます。

資産の種類	課税方式	長・短の区分その他の区分		課税の概要
土地・建物等	分離課税	長期（保有期間5年超）		課税長期譲渡所得金額[*1]すべてについて15%（住民税5%）
		短期（上記以外）		課税短期譲渡所得金額すべてについて30%（住民税9%）
株式等	分離課税	上場株式等	証券会社の特定口座を通じた売却[*2]	株式等にかかる課税所得金額の15%（住民税5%）源泉分離課税、申告分離課税の選択後者の場合は申告分離を選択した配当所得との損益通算、損失の繰越控除の適用があります。[*3]
			特定非課税累積投資口座(NISA)を通じた売却	枠内の売却につき非課税[*4]
			上記以外の売却	株式等にかかる課税所得金額の15%（住民税5%）
		未公開株式等		
土地・建物等および株式等以外	総合課税	長期（保有期間5年超）		2分の1のみを総所得金額に加算
		短期（上記以外）		総所得金額に加算

*1 課税長期譲渡所得については、2009（平成21）年度の税制改正において、「特定の土地等の長期譲渡所得の特別控除」（措置法35の2）が創設されました。
*2 特定口座内の上場株式などの譲渡にかかる特例
　証券会社が個人投資家に代わって、その個人の総合口座（特定口座）における売却損益を計算し、その作成した特定口座年間取引報告書により申告を行うか、または20%の税率（所得税15%、住民税5%）による源泉徴収で申告を不要とするかの選択ができます。

478

* 3　2003（平成15）年 1 月 1 日以後に上場株式等を、証券会社を通じて売却したことによる損失金額で控除しきれないものは、翌年以降 3 年間繰り越せます。

* 4　2023（令和 5 ）年 4 月より従来の少額非課税口座（NISA）が特定非課税累積投資口座（新NISA）に改正されました。非課税保有期限を無期限化するとともに、口座開設可能期間について期限を設けず、恒久的な措置とされました。

　　また、成長投資枠とつみたて投資枠に分けられ、年間投資上限額は前者が240万円、後者が120万円、さらに非課税保有限度額は前者が1,200万円、二枠全体で1,800万円とされました。

（注）夫婦の離婚による財産分与または慰謝料を原因とした財産の移転も、慰謝料債務の消滅という対価を得ることから、財産の時価相当額で資産の譲渡があったものとされ、譲渡所得として課税されます。

（辻村　祥造）

Column　特定口座制度〜金融所得課税一体化に向けた確定申告不要制度

　特定口座とは、確定申告に不慣れな個人投資家が、上場株式などの売買で得た譲渡益（株式譲渡益）にかかる税金を簡便に納付するために証券会社に設けられる口座です。株式譲渡益課税について、源泉分離課税が2002（平成14）年末で廃止されました。2003（平成15）年 1 月から確定申告が要る申告分離課税方式（●3.1.7）に一本化されたことを契機に始まった制度です。

　証券会社が投資家に代わり株式譲渡益にかかる所得税を源泉徴収して納付する方式と、源泉徴収なしで証券会社が発行する年間取引報告書を使い簡便な手続で確定申告をする方法の 2 種類があります。投資家が口座を開設したうえでどちらかを選べます。源泉徴収のある口座では、譲渡損失の繰越控除をする場合、また他の特定口座との損益通算をする場合には、確定申告が必要です。

● 特定口座制度のイメージ

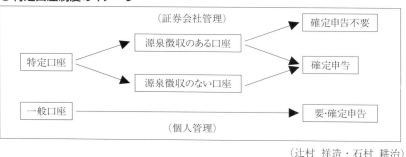

（辻村　祥造・石村　耕治）

Column 投資活性化のための金融・証券優遇税制の推移

　近年、金融・証券税制はめまぐるしく改正されたため、個人投資家からあまりにも複雑との批判が集中しました。そこで、将来の利子・配当・株式譲渡益など金融所得への課税の一本化・簡素化を視野に入れた、原則一律20％の源泉課税で納税が完了する「確定申告不要制度」が導入されました。

　一方で、国民のマネーを「貯蓄から投資へ」シフトさせるため、2003（平成15）年1月1日から2008（平成20）年12月31日までの5年間の期間限定で、ロードマップ（工程表）にあるような「金融・証券優遇税制」が実施され、この期間が2013（平成25）年12月31日まで延長され、終了しました。現在（2014年1月以降）は、新設されたNISA（少額投資非課税口座）などを除き、以前の課税（原則課税）に戻っています。

● **優遇課税から原則課税への移行ロードマップ（工程表）**

		2003.1～2003.3末	2003.4～2003.12末	2004.1～2013.12末	2014.1以降（原則課税）
上場株式の配当		15％の源泉所得課税	10％の源泉所得課税	7％の源泉所得課税	15％の源泉所得課税*1
		申告不要（上限あり）	上限なしの申告不要（配当控除適用の総合課税選択が可能）*2		
				3％の住民税天引徴収	5％の住民税天引徴収*1
	非課税口座				少額投資非課税口座（NISA）*3
上場株式の譲渡益		2003.1～2013.12末まで、10％（7％の源泉所得課税＋3％の住民税天引徴収）の源泉所得課税			2014.1以降、20％の原則課税（15％の源泉所得課税＋5％の住民税天引徴収）*4
	特定口座	7％で源泉所得課税・還付			
		3％の住民税賦課課税（2004末まで）		3％の住民税天引徴収・還付	
	非課税口座				少額投資非課税口座（NISA）特定非課税累積投資口座（新NISA）*3
公募株式投資信託		20％（15％の源泉所得課税＋5％の住民税天引徴収）の源泉分離課税		10％（所得7％＋住民税3％）の源泉課税	20％（所得税15％＋住民税5％）の源泉課税*5
				上限なし申告不要および償還、解約損と株式譲渡益との通算が可能	
非公開株式等の譲渡		20％（所得税15％＋住民税5％）の申告分離課税			
35％の源泉分離課税（全株式）		廃止（2002.12末）			

* 1 2009年1月1日〜2013年12月31日までの期間、源泉徴収税率につき、10％（源泉所得税７％、住民税３％）の特例措置がありました。
* 2 上記＊１の期間、配当所得金額のうち年間100万円以下の部分につき、10％の申告分離選択課税税率の特例措置がありました。
* 3 2014年より一律20％課税に移行するに際し、個人の株式市場への参加を促進する観点から、少額投資非課税口座（NISA）が開始され、少額上場株式等にかかる配当所得および譲渡所得が非課税とされました。また、2023年４月より従来のNISAに代り特定非課税累積投資口座（新NISA）が開始され、制度の恒久化と大幅な非課税枠拡大が図られました。
* 4 上記＊１の期間、源泉徴収税率につき、10％の特例措置がありました。
    また上記の期間、上場株式等にかかる譲渡所得金額のうち年間500万円以下の部分につき、10％の税率の特例措置がありました。
* 5 上記＊１〜３と同様の特例措置があります。

（辻村 祥造・石村 耕治）

3.2.8.2 みなし譲渡課税とは

ポイント

　　譲渡所得は、実現した譲渡収入に基づいて課税する原則になっています。しかし、①法人に対する贈与または遺贈、②個人に対する限定承認にかかる相続または包括遺贈による移転があった場合、および③法人に対する著しく低い価額（譲渡時の時価の２分の１未満の金額）での譲渡の場合には、資産の移転があったときに、その時価により資産の譲渡があったものとみなして譲渡所得課税が行われます。

◎みなし譲渡課税の範囲

　　所得税法33条３項では、譲渡所得の金額は、総収入金額から取得費、譲渡費用等の控除を行って計算することになっています（☞3.2.8.1）。また、収入金額に関する所得税法36条１項は、「総収入金額に算入すべき金額は、別段の定めがあるものを除き、その年において収入すべき金額（金銭以外の物または権利その他経済的な利益の価額）とする。」と定めています。すなわち、所得税法33条１項にいう譲渡所得とは、その譲渡によって現実に収入すべき売却代金、補償金などの金銭その他の経済的利益を基に所得計算が行われることが原則になっています。

このように、所得税法は、資産の譲渡により収入として実現した譲渡所得（キャピタル・ゲイン）に課税することを原則としています。この趣旨は、資産が譲渡により所有者の手を離れるときに、その所有期間の増加益（値上り益）を清算することにあります（増加益清算課税説）。

　現行税法では、個人が譲渡所得の基因となる資産を時価よりも低い価額で移転（以下「低額譲渡」といいます。）、あるいは贈与・相続などを契機に無償で移転（以下「無償譲渡」といいます。）した場合で、相手方が個人であるときには、原則として未実現の譲渡所得には課税を行っていません（所税法60）。ただ、所得税法は「別段の定め」をおいて、一定の低額譲渡・無償譲渡については、課税の公平等の観点から、例外的に資産の移転の段階で譲渡があったものとみなして課税することにしています。これを「みなし譲渡課税」とよびます（所税法59）。みなし譲渡課税は、未実現のキャピタル・ゲインに課税するものですが、未実現のキャピタル・ゲインも理論的には（包括的所得概念の下での）所得であり、これに対して課税することは可能と解されています（最判昭43.10.31・訟月14巻12号1442頁参照）。また、最高裁平成18年4月20日判決（訟月53巻9号2692頁）が「所得税法上、抽象的に発生している資産の増加益そのものが課税の対象となっているわけではなく、原則として、資産の譲渡により実現した所得が課税の対象となっている」とするなど、増加益清算課税説から譲渡益課税説への一定の傾斜を感じさせる判決があります。

●みなし譲渡課税の対象と課税関係

	譲渡者	譲受者	移転事由	課税関係		適用条文
				譲渡者 （譲渡所得）	譲受者 （法人税）	
①	個人	法人	贈与・遺贈	収入金額 ＝ 時価	受贈益課税	所税法59①一
②	個人	個人	限定承認にかかる 相続・包括遺贈		－	所税法59①一
③	個人	法人	低額譲渡（時価の2分の 1未満の対価の場合）		受贈益課税	所税法59①二

PART3　くらしに身近な所得税法をくわしく学ぶ

　かつて、みなし譲渡課税は広く行われていました。しかし、今日ではきわめ
て限定的に行われるに過ぎません。具体的には、法人への贈与または遺贈のよ
うに、時価課税を原則としている譲受側の法人において時価で受贈益課税がな
され、時価で受入記帳されるため、技術的に課税（取得価額）の引き継ぎが行え
ない場合（①③）と、限定承認にかかる相続または限定承認にかかる包括遺贈の
ように被相続人の財産関係の清算が行われる場合（②）に限って適用されます。
低額譲渡をみなし譲渡の範囲に含めているのは、著しく低い対価で「有償譲渡」
すればみなし譲渡から逃れることを防止するためです。現行法では、時価の2
分の1未満の対価とその一定の基準を設けています（所税令169）。これらに関して
は、その時点で時価による譲渡があったものとして贈与者、被相続人に譲渡所得
にかかる所得課税が行われます（所税法59）。ここにいう「時価」とは相続税評価額
でなく、通常の取引価額と解されています（東京地判平2.2.27・訟月36巻8号1552頁）。

◎低額譲渡と所得税

　個人が低額譲渡した資産にかかる所得税法上の課税取扱いは、大きく、みな
し譲渡課税の対象となる「(1) 譲渡所得または山林所得の起因となる資産の場合」
と、その対象とならない「(2) 事業所得または雑所得の起因となるたな卸資産
の場合」と分けて考えるとわかりやすいです。

(1)　譲渡所得または山林所得の起因となる資産の場合

　個人が譲渡所得または山林所得の起因となる資産を低額譲渡したとします。
この場合の課税取扱いは、当該資産の移転を受けた者が、①個人であるか、②
法人であるかにより大きく異なります。

483

●みなし譲渡課税が行われる例と行われない例

① 資産の移転を受けた者が個人の場合

　個人に対して譲渡所得または山林所得の起因となる資産を低額譲渡した場合には、みなし譲渡課税は行われません（したがって、後記の法人に対する低額譲渡の場合のような時価相当額をもって資産の譲渡があったとみなすことはありません。）。つまり、前所有者へのキャピタルゲイン課税を留保し、新所有者に資産の取得価額を引き継ぎます。ただし、仮に取得価額700万円、時価1,000万円の資産を400万円の対価で譲渡したとします。このように時価の2分の1に満たない対価で譲渡した場合で、その対価が資産の取得価額＋譲渡費用の合計額に満たないときには譲渡損失は認められません（所税法59②）。この場合にも、前所有者の取得時期および取得価額は、新所有者に引き継がれます。これは、その新所有者が「引き続きこれを所有していたものとみなす」と定められているからです（所税法60①二）。このことから、新所有者は、将来、引き継いだ資産を他に移転し、譲渡所得を計算する際の「長期」、「短期」の判断（所税法33③）においては、前所有者の保有期間を含めることになります。

② 資産の移転を受けた者が法人の場合

　法人に対して「著しく低い価額の対価」として政令で定める価額で譲渡所得または山林所得の起因となる資産を譲渡した場合には、その時における時価相当額を対価として資産の譲渡があったものとみなして譲渡所得、山林所得の金額を計算します（所税法59①）。つまり、この場合には「みなし譲渡課税」が行われます。この課税措置は、理論的には、法人に対する資産の譲渡の場合には、前記の受贈者が個人の場合とは異なり、課税技術的に課税の引継が不可能なことを考慮してとられたものです。なお、政令で定める価額とは、資産譲渡時における時価の2分の1に満たない金額をいいます（所税令169）。また、みなし譲渡課税が行われる場合には、その時の時価相当額を取得価額としてその後の譲渡所得にかかる計算を行うことになります（所税法60④）。

　ちなみに、その資産の寄附を受け入れた法人側では、法人税上資産の時価と対価との差額が益金になると同時に、当該資産は時価で受入記帳することになります（法税法22②、最判平7.12.19・民集49巻10号3121頁参照）。

　また、国または地方団体、および公益法人等に対する贈与・遺贈で国税庁長官の承認が得られたものについては、政策的な理由から、当該財産の贈与・遺贈はなかったものとみなされます（措置法40、40の2）。したがって、みなし譲渡課税は行われません。

(2) 事業所得または雑所得の起因となる棚卸資産の場合

　個人が事業所得または雑所得の起因となる棚卸資産を低額譲渡したとします。この場合には、みなし譲渡課税の対象にはなりませんが、その課税取扱いは次のとおりです。

PART3　くらしに身近な所得税法をくわしく学ぶ

　　個人（譲渡人）は、棚卸資産を「著しく低い価額の対価」で譲渡した場合には、当該譲渡人は、事業所得または雑所得の計算上、実質的に贈与したと認められる額を総収入金額に算入します（所税法40①）。なお、この場合の「著しく低い価額」とは、棚卸資産の通常の販売価額のおおむね70パーセント未満をさします（所税基通40－2）。また、実質的に贈与したと認められる額については、70パーセント相当額からその対価を控除した額とすることができます（所税基通40－3）。

◎低額譲受とみなし贈与課税

　すでにふれたように、個人に対する低額譲渡に対してはみなし譲渡課税は行われず、課税は延期されます。いいかえると、前所有者の取得価額や取得時期は引き継がれ、将来、新所有者が資産を譲渡した時に課税が行われることになります。ただ、財産の包括的承継である相続の場合は別として、個人に対する贈与、低額譲渡の場合には、その受贈益について、所得課税とは別途に、贈与課税が問題になります。つまり、「贈与又は遺贈により取得したものとみなす場合：低額譲受」（相税法7）の規定に従い、低額譲受した個人（新所有者）に対して「みなし贈与」課税が行われることがあります。ちなみに、「みなし贈与」とは、「本来の贈与」ではなく、実質的に贈与を受けたと同じ経済的利益があるならば、贈与があったとみなすことです。

　相続税法7条にいう「みなし贈与」課税における「著しく低い価額の対価」については具体的に定義されていません。これに対して、所得税法では「著しく低い価額の対価」（所税法59①二）について、所得税法施行令169条で、「資産の譲渡の時における価額の2分の1に満たない金額とする」と明定しています。しかし、裁判例や学説、課税実務では、相続税法7条にいう「著しく低い価額の対価」を、所得税法施行令169条にいう価額の2分の1とする形式基準にそくしてとらえることに必ずしも賛同していません。当該資産の時価と譲受の対価との差額などを総合勘案して、"社会通念"などに従い判断するのが相当であると解しています（東京地判平19.8.23・タインズZ257-10763）。このため、この規定の具体的適用・解釈は容易でなく、法的安定性・予測可能性の確保が重い課題となっています。

485

◎負担付贈与

　個人が贈与、相続または遺贈（限定承認にかかるものを除きます。）等により取得した資産を譲渡した場合における譲渡所得の金額の計算については、前所有者の取得時期および取得価額は、新所有者に引き継がれます（所税法60）。

　所得税法60条にいう贈与に、負担付贈与が含まれるかどうかについては、負担付贈与であっても、その負担が贈与者に経済的利益をもたらす場合には、贈与者は贈与財産をその負担相当額で有償譲渡したことになると解されます。いいかえると、所得税法60条にいう「贈与」とは、譲渡者に収入すべき金額その他経済的利益が全く生じない単純贈与と負担付贈与のうち受贈者が負う負担が贈与者に対して何らの経済的利益をもたらさないものを意味するものと解されます（最判昭63.7.19・判時1290号56頁参照）。

　したがって、負担付贈与により資産を取得した場合、その負担額がその贈与により取得した価額の2分の1未満であり、かつ、その資産の取得費および譲渡費用の額の合計額に満たない場合は、贈与者の取得費および取得時期を引継ぐことになります（所税法60①二）。しかし、それ以外の場合は、その贈与があった時に、その負担額によってその資産を取得したことになります。

◎限定承認

　限定承認とは、相続人が相続によって得た財産の限度においてのみ被相続人の債務および遺贈の義務を負うという制度です（民法922）。

　限定承認にかかる相続により財産の移転があった場合には、被相続人について、相続時における時価により譲渡があったものとみなして所得税が課されます（所税法59①一）。

　被相続人の生存中に生じた資産の増加益である所得は、被相続人の所得として清算課税をし、その税額は被相続人の債務として他の債務と合算し、その合計額が相続財産の額を超える場合は、その超える部分の債務の金額は限定承認の効果により切り捨てられます。また、相続人が、限定承認により相続した財産を譲渡した場合における資産の取得費については、相続人がその財産を相続

PART3 くらしに身近な所得税法をくわしく学ぶ

時における時価により取得したものとみなして譲渡所得の金額の計算が行われ
ます (所税法60④)。

◎国外転出時課税制度

2015 (平成27) 年７月より、いわゆる国外転出時課税制度が導入されました (☞4.5)。
これは、一定金額以上の対象資産を保有する者が、国外転出時または国外贈与・
相続時に当該資産を譲渡したものとみなして課税する制度です (所税法60の２、60
の３)。前記のようなみなし譲渡課税と異なり、納税猶予 (所税法137の２、137の３)
や一定の要件を満たす場合に課税が取り消される (所税法60の２③、60の３③) など
の制度が置かれているのが特徴です。

(木村 幹雄・石村 耕治)

〔アドバンス文献〕「特集：みなし譲渡課税を巡る諸問題」月刊税務事例33巻５号、森田辰彦「い
わゆるみなし譲渡課税についての考察」税法学541号、伊川正樹「みなし譲
渡所得に『担税力』はあるのか」名城法学66巻１・２合併号（2015年）、西
村美智子・中島礼子『「出国税」のしくみと手続き』（2015年、中央経済社）、
「特集Q&A国外転出時課税完全ガイド」税理58巻11号（2015年）

3.2.9 一時所得とその計算の仕方

ポイント

対価性のない、懸賞金や拾ったお金のような "偶然の利得"、立退料の
ような "長年の成果" などが、「一時所得」にあたります。しかも、一時
所得は特別控除額を引いたあとの金額の半分だけに課税されます。

◎一時所得とは何か

一時金として受け取る収入のうち、臨時的、偶発的なもので、対価性のない
ものが、一般に一時所得とされます。したがって、①営利を目的とする継続的
行為から生じた利得、②労務その他役務の対価性を持つ利得、および③資産の
譲渡の対価性を持つ利得は、一時所得にはあたりません (所税法34①)。

487

●一時所得の立ち位置　（生存する個人の収入とその課税関係）

収入や財産の流れ（⇨）	かかる税金ないし所得の種類
《個人が、無償（タダ）で得た収入、または対価性のない収入を得た場合に、もらった側に税金がかかる。》	
【ケース１】生存する個人A⇨生存する個人B	もらった個人Bに贈与税がかかる。
【ケース２】死んだ個人A⇨生存する個人B	もらった個人Bに相続税がかかる。
【ケース３】誰か不明⇨生存する個人	もらった個人に一時所得として所得税がかかる。〔例：拾得物〕
【ケース４】法人（会社や学校など）⇨生存する個人	もらった個人に一時所得として所得税がかかる。〔例：法人が支払った奨励金・懸賞金、クイズの賞金品〕
《個人が、有償で財産を譲渡（売却など）した場合には、購入した時と譲渡（売却など）した時に発生した差額（キャピタルゲイン）に対して、譲渡（売却など）した側に税金がかかる。》	
【ケース５】個人A⇨個人B、法人Cなど	譲渡（売却など）した個人Aに譲渡所得として所得税がかかる

　具体的には、次のような所得が一時所得とされます（所税基通34−1）。

●一時所得となる例

①法人が支払った奨励金・懸賞金、クイズの賞金品、②競馬・競輪の払戻金（ただし、雑所得にあたる場合を除きます。）、③ふるさと納税（寄附金）をした個人が寄附先に地方自治体から受ける謝礼、④生命保険の一時金、長期損害保険満期返戻金、⑤法人からの贈与金品、⑥借家の立退料（借家権の譲渡を除きます。）、⑦拾得物・埋蔵物発見の報奨金、所有権を得た拾得物・埋蔵物、⑧生命保険・損害保険の自分以外の者の死亡による保険金で、自分が保険金を負担していたもの、⑨時効により取得した資産（東京地判平4.3.10・訟月30巻1号139頁）

　こうした利得については、制限的所得概念（所得源泉説）（☛1.2.5）のもとでは、所得にはあたらないことになります。しかし、所得税法は、包括的所得概念（純資産増加説）（☛1.2.5）の考え方も取り入れ、この種の利得に対して、全額ではなく一定程度まで課税することにしたわけです。

　なお、日本の宝くじの当選金のように、一時所得にあたるとみられるものでも、他の法律により非課税になるものもあります（当せん金附証票法13）。また、一時所得のうち、一定の金融類似商品については、一律源泉分離課税（☛3.1.7）の対象となります（措置法41の9①・41の10①など）。

PART3　くらしに身近な所得税法をくわしく学ぶ

◎一時所得の計算

　一時所得の計算は、次のように計算します (所税法34②③)。

> **一時所得＝総収入金額－その収入を得るために支出した金額**
> **－特別控除（50万円を限度）**

　なお、総所得金額を計算する場合には、一時所得の金額の2分の1にあたる金額が、他の所得と総合課税されます (所税法22②二)。

　一時所得の金額は、その年中の総収入金額から「その収入を得るために支出した金額」の合計額を差し引いて計算することになっています。一時所得では、事業所得や不動産所得のように「必要経費」という言葉を使わずに、「支出した金額」という言葉を用いています。これは、一時所得では、必要経費という言葉がなじみにくいことに配慮したためと思われます。

　ここでいう「支出した金額」とは、その収入が生じた行為をするため、またはその収入が生じた原因の発生に伴い直接必要になった金額に限るものとされています。

◎一時所得と損益通算する場合の2分の1課税のタイミング

　所得税法は、一時所得の計算上生じた損失を損益通算 (☞3.2.12) の対象から外しています (所税法69①)。すなわち、一時所得については赤字が出ても、他の所得とプラスマイナスすることを認めていません。その一方、事業所得等に損失が生じた場合には、その損失を一時所得から損益通算を認めています。ただ、この場合、まず損益通算をし、その後の残った一時所得金額（損益通算後の一時所得金額）の2分の1を総所得金額に合算することとしています (所税法22②二)。すなわち、2分の1課税のタイミング（時機）は、損益通算後となるわけです。

　例えば、納税者に一時所得と事業所得があるとします。この場合、この所得税法に定める合算方法によると、①事業所得に損失がないときには、一時所得については、その金額（損益通算前の一時所得金額）の2分の1に相当する金

489

額が総所得金額の合算対象となります。これに対して、②事業所得に損失があるときには、一時所得については、損益通算後の一時所得金額の２分の１に相当する金額が総所得金額の合算対象となります。この結果、②のときの方が①のときの方よりも、総所得金額の合算対象となる一時所得の金額が少なくなり、税額も少なくなります。このことが、憲法14条１項に要請される租税負担公平の原則（☞1.5.1）に反し違法でないかが問われました。裁判所は、現行の一時所得と損益通算（所税法69、所税令198）する場合の２分の１課税のタイミングは合憲であると判断しています。その理由は、２分の１を総所得金額に含まないのは恩恵的・例外的な措置であり、他の優先する原則（損益通算のルール）とぶつかる場合には、例外的な措置（２分の１課税）を維持せずに原則に戻るという課税取扱いをすること（立法府の政策判断）には合理性があるとのことです。すなわち、立法裁量（☞1.4.5）の範囲内にあり、合憲と判断したわけです（横浜地判平14.2.6・税資252号順号9062・タインズZ252-9062〔一部却下、一部棄却・控訴〕、東京高判平14.6.19・税資252号順号9232・タインズZ252-9140〔棄却・上告〕、最判平14.11.22・税資252号順号9232・タインズZ252-9232〔棄却・確定〕）。

ただ、２分の１課税措置を恩恵的・例外的とみるべきかどうかは所得概念論（☞1.2.5）の視点から精査する必要があります。そして、その結果次第では、現行の２分の１課税のタイミングのあり方を今一度検討する必要があります。

◎裁判で一時所得かどうか争われたケース

一時所得への課税が軽いこともあり、課税庁は、納税者が一時所得として申告したものを他の所得類型にもっていって課税しようとします。このため、一時所得にあたるかどうかは、裁判などで決着するケースも少なくありません。「厚生年金基金の解散に伴う残余財産の分配金」（東京高判平18.9.14・判時1969号47頁・タインズZ888-1252、〔原審〕東京地判平18.2.24・タインズZ888-1157）、「電力会社の委託検針員が委託契約の解約にあたり受けた解約慰労金」（福岡高判昭63.11.22・税資166号505頁、〔原審〕福岡地判昭62.7.21・訟月34巻1号187頁）などは、裁判で一時所得とされた例です。

とりわけ、最近、注目されたケースとしては、ストックオプション（新株予約権＝会社に対し株式の交付を受ける権利。会社が役員や使用人の職務遂行の

PART3　くらしに身近な所得税法をくわしく学ぶ

対価・給与として、現金にかえて付与した新株予約権（会社法２二十一）の権利行使益が、一時所得にあたるのか、それとも給与所得にあたるのかをめぐる争いがありました。下級裁判所の判断は、一時所得とするもの（東京地判平15.8.26・税資252号順号9234・タインズZ253-9414）、東京地判平15.8.26・税資253号順号9410・タインズZ253-9410）と、給与所得とするもの（横浜地判平16.1.21・タインズZ888-0656、東京地判平16.1.30・タインズZ888-0788、東京高判平16.2.19・判タ1167号185頁・タインズZ888-0801、東京高判平15.2.25・タインズZ888-0819）とに分かれましたが、最高裁が給与所得にあたるとしたことで（最判小平17.1.25・判タ1174号147頁・Z888-0932）、一応の決着をみました。

　ちなみに、ストックオプションの権利行使益について、かつて課税庁は一時所得として取り扱っていたのを、その後給与所得に変更しました。この点に関して、事案によっては、課税庁は、自らの課税取扱変更の一般への周知が不十分であることなどが原因で納税者の申告に増差税額が生じたことを考慮に入れて、納税者が一時所得として申告したことに「正当な理由」（国通法65④・☞7.3）があるとし、増差税額への過少申告加算税に賦課しませんでした（最判小平18.10.24・タインズZ888-1183、〔原審〕東京地判平14.11.26・判時1803号3頁・タインズZ252-9235、東京高判平16.8.4・タインズZ888-0871、増田英敏「納税者の予測可能性の確保と申告納税制度～ストックオプション訴訟最高裁平成18年10月24日判決を踏まえて」月刊税務事例39巻2号参照）。

　近年、巨額の競馬の馬券配当で得た所得を脱税したケースが発覚しました。このケースで、課税庁は、配当金額から当たり馬券の購入額のみを差し引いた約29億円を一時所得と認定し、無申告加算税等を含む約６億9,000万円の課税処分をしました。同時に、地検に告発、地検が納税者を在宅起訴しました。納税者は、このケースにおける所得は雑所得であり、雑所得の計算にあたり「必要経費」の額には膨大は外れ馬券の購入額も認められるべきであると主張しました。裁判所は、競馬の馬券配当（払戻金）は原則として一時所得であるとしながらも、このケースでは取引回数や金額が膨大であり、雑所得に該当し、外れ馬券の購入代金も必要経費に算入できるとの判決を下しました（大阪地判平25.5.23・判例集未搭載。長島弘「競馬の払戻金に係る脱税事件」月刊税務事例45巻７号〔2013年７月号〕）。

（石村　耕治）

3.2.10 雑所得とその計算の仕方

ポイント

10種類の所得のうち、ほかの9種類にあたらないのが「雑所得」です。まず、大きく、①総合課税の雑所得と②分離課税の雑所得からなります。そして、①総合課税の雑所得は、❶公的年金等の雑所得、❷業務に係る雑所得、❸その他の雑所得からなります。

◎雑所得とは何か

雑所得とは、所得税法上の10種類の所得のうち、利子所得から一時所得までの9種類の所得区分 (☛3.1.4) にあたらない残りの所得をさします (所税法35①)。まず、雑所得は、大きく、①総合課税の雑所得と②分離課税の雑所得とに分けられます。大半は、①総合課税の雑所得です。①総合課税の雑所得は、❶公的年金等の雑所得、❷業務に係る雑所得、❸その他の雑所得の3つからなります (所税法35②、所税基通35-2)。

●雑所得とは何か

①	総合課税の雑所得：❶公的年金等の雑所得、❷業務に係る雑所得、❸その他の雑所得
②	分離課税の雑所得：先物取引に係る雑所得等。つまり、FX（外国為替証拠金取引やオプション取引に係る雑所得等。所得税15.315％、地方税5％の税率による申告分離課税 (☛3.1.7)。損失が出た場合、他の所得とは損益通算 (☛3.2.12) は不可。ただし、3年間の繰越しは可 (所税法70、70の2、71、71の2)

◎公的年金等の雑所得とその計算の仕方

公的年金等とは、次のようなものをさします (所税法35③)。

PART3　くらしに身近な所得税法をくわしく学ぶ

●「公的年金等」の範囲

①	国民年金や厚生年金、国家公務員共済年金など、さまざまな社会保険制度や共済組合制度に基づく年金
②	恩給および過去の勤務に基づき雇用主であった者から支給される年金
	①または②の年金を受け取る人（受給者）が負担した保険料・掛け金は、社会保険料控除（☞3.3.3）ができます（所税法74）。このため、これらの年金は、その全額が公的年金等の収入金額になります。
③	適格退職年金契約などに基づいて支給される退職年金
	被保険者ないし受益者が負担した保険料・掛け金は、社会保険料控除ができません。このため、この年金は、負担した保険料・掛け金を差し引いた金額が公的年金等の収入金額になります（所税法35③三）。

公的年金等の雑所得は、次のように計算します（所税法35②一）。

$$公的年金等の雑所得 = 公的年金等の収入金額 - 公的年金等控除額$$

公的年金等の雑所得金額は、次の速算表を使うと容易に計算できます。

●公的年金等の雑所得の速算表（求める所得金額＝Ⓐ×Ⓑ－Ⓒ）

年齢区分	Ⓐ公的年金等の収入金額の合計額	Ⓑ割合	Ⓒ控除額		
			公的年金等に係る雑所得以外の合計所得金額		
			1,000万円まで	2,000万円まで	2,000万円以上
65歳未満の人	（公的年金等の収入金額の合計額が40万円までの場合は、所得金額は0円となります。）				
	130万円未満	100%	60万円	50万円	40万円
	410万円未満	75%	27.5万円	17.5万円	7.5万円
	770万円未満	85%	68.5万円	58.5万円	48.5万円
	1,000万円未満	95%	145.5万円	135.5万円	125.5万円
	1,000万円以上	100%	195.5万円	185.5万円	175.5万円
65歳以上の人	（公的年金等の収入金額の合計額が90万円までの場合は、所得金額は0円となります。）				
	330万円未満	100%	110万円	100万円	90万円
	410万円未満	75%	27.5万円	17.5万円	7.5万円
	770万円未満	85%	68.5万円	58.5万円	48.5万円
	1,000万円未満	95%	145.5万円	135.5万円	125.5万円
	1,000万円以上	100%	195.5万円	185.5万円	175.5万円

【出典】国税庁個人課税課「令和5年分 公的年金等に係る雑所得の速算表」を基に作成。
（https://www.nta.go.jp/taxes/shiraberu/shinkoku/tebiki/2023/pdf/058.pdf）

例えば、年齢65歳未満の人で「公的年金等の収入金額の合計額」が300万円であり、公的年金等に係る雑所得以外の合計所得金額が1,000万円以下である場合の公的年金等に係る雑所得の金額は次のようになります。

$$3{,}000{,}000円 \times 0.75 - 275{,}000円 = 1{,}975{,}000円$$

◎業務に係る雑所得

　国税庁が、「事業所得」と「業務の係る雑所得」の区分について、その判断基準を明確にする通達（所得基通35-2）を出しました。この判断基準は、令和4（2022）年分の確定申告から適用されました。

　「業務に係る」とは、事業以外での副業や兼業で得た収入のうち、営利目的で継続的な活動により生じる収入をさします。

　この通達では、業務に係る雑所得にあたる所得を例示しています。典型的な例の1つとして、給与所得者などが副業で得た原稿料や講演料などをあげます。よりわかりやすい例としては、フリーター/ギグワーカーなどとよばれる非正規の雇用類似の働き方をする人たちが食事・荷物宅配や家事代行のようなシェアリングエコノミーで得た収入（所得）などをあげることができます。

　そもそも、雇用類似の働き方をする人たちのあげた収入（所得）は、「給与所得」（所税法28）なのか「事業所得」（所税法27①、所税令63）なのかが問われています。ところが、この通達は、雇用類似の働き方をする人たちのあげた収入（所得）を、「給与所得」でも「事業所得」でもなく、「業務に係る雑所得」に分類することで、労働者であることの様々な権利や事業所得者として享受できる損益通算（☞3.2.12）などの権利利益を奪いかねないだけではありません。さらに、こうした働き方をする人たちに消費税の納税義務を課す方向へ導きかねないものです。

　国税庁が法源性（法的拘束力）を持たないはずの税務通達で、あらたな雑所得区分を設定し、コンプライアンス（受忍義務）が伴う判定基準を策定ないし強化する姿勢には大きな疑問符がつきます。「通達課税」（☞1.4.6）にあたり、憲法が定める租税法律主義から派生する課税要件法定主義や課税要件明確主義（☞1.4.2）とぶつかる心配があります。

494

PART3 くらしに身近な所得税法をくわしく学ぶ

⑴ 業務に係る雑所得となる例

所得税基本通達35-2のよると、次のような例が、明らかに事業または山林所得と認められるものを除き、業務の係る雑所得にあたるとされます。

●業務に係る雑所得となる例

⑴	動産の貸付けによる所得
⑵	工業所有権の使用料（専用実施権の設定等により一時に受ける対価を含む。）に係る所得
⑶	温泉を利用する権利の設定による所得
⑷	原稿、さし絵、作曲、レコードの吹き込み若しくはデザインの報酬、放送謝金、著作権の使用料又は講演料等に係る所得
⑸	採石権、鉱業権の貸付けによる所得
⑹	金銭の貸付けによる所得
⑺	営利を目的として継続的に行う資産の譲渡から生ずる所得
⑻	保有期間が5年以内の山林の伐採又は譲渡による所得

⑵ 業務に係る雑所得にあたるかどうかの判断ポイント

業務に係る雑所得のあたるのか、それとも事業所得にあたるのかは、収入金額、さらにはその収入／所得を得るための活動が社会通念上事業といえる程度で行っているかどうか［営利性・有償性・継続性など］で判断されることになっています。加えて、その所得に係る取引を記録した帳簿や書類［請求書や領収書など］の保存があるのかどうかで判断されます。

●事業所得と業務に係る雑所得の区分

収入金額	記帳・帳簿書類の保存あり	記帳・帳簿書類の保存なし
300万円超	おおむね事業所得	おおむね業務の係る雑所得
300万円以下		業務に係る雑所得

例えば、会社に勤め給与をもらい、兼業で農業をしている場合、農業に関する帳簿書類の保存がないときには、事業所得ではなく、業務にかかる雑所得として取り扱われることになります。

⑶ 業務に係る雑所得と必要書類

令和4（2022）年分以後の所得税においては、その年の前々年分の業務に係る雑所得の収入金額が300万円を超える場合は、受け取った請求書や領収書な

どの書類を5年間保存しなければなりません（所税法232②、所規102⑦）。一方、その年の前々年分の業務に係る雑所得の収入金額が1,000万円を超える場合は、総収入金額や必要経費の内容を記載した書類（収支内訳書など）の添付が必要になります（所税法120⑥、所税規47の3）。

●業務に係る雑所得と必要書類

所得金額要件	必要書類
①前々年分の雑所得の収入金額が300万円超	現金預金取引等関係書類の保存が必要
②前々年分の雑所得の収入金額が1,000万円超	収支内訳書などの添付が必要

＊なお、前々年分の雑所得の収入金額が300万円以下の場合は、現金主義の特例（所税法67②）の適用があります。この特例を受けるには、確定申告書にその旨を記載しないといけません。

業務に係る雑所得は、次のように計算します。

$$\text{業務に係る雑所得 = 総収入金額 − 必要経費}$$

◎その他の雑所得

雑所得が、①公的年金等の雑所得、②業務に係る雑所得にあたらない場合には、③「その他の雑所得」に分類されます。③その他の雑所得には、ビットコインのような暗号資産（仮装通貨）等の売買で得た収入なども含まれます。

③「その他の雑所得」については、所得税法上、とくに明確に定義されていません。いわゆる「消去法」によっています。③その他の雑所得にあたるかどうかの判定が難しいこともあり、ここでも国税庁の通達に広く依存する形で定義されています（所税基通35-1）。③その他の雑所得のあたる例を類型的に図説すると、次のとおりです。

PART3　くらしに身近な所得税法をくわしく学ぶ

●その他の雑所得となる例

(1)　利子所得に類似する雑所得
①会社などの役員等の勤務先預け金の利子で利子所得とされないもの（所税基通35-1⑴）、②いわゆる学校債や組合債などの利子（同35-1⑵）、③定期積金または相互掛金のいわゆる給付補てん金（同35-1⑶）、④国税および地方税の還付加算金（同35-1⑷）、⑤土地収用法に係る加算金・過怠金（同35-1⑸）
(2)　配当と類似する雑所得
①人格のない社団等（任意団体）からの収益の分配金（同35-1⑹）、②株主等が法人から受ける経済的利益〔株主優待乗車券・入場券・施設利用券・値引販売益・記念品など〕（同35-1⑺）
(3)　事業所得に類似する雑所得
不動産取引業者が廃業届提出後に販売用所有の土地を譲渡した場合の所得（最高裁小平10.7.3・税資237号99頁、〔原審〕大阪高判平8.5.24・税資216号389頁、京都地判平5.10.29・税資199号730頁）
(4)　給与所得に類似する雑所得
①役務の提供の対価が給与等とされる者の受ける契約金（同35-1⑼）、②就職支度金（同35-1⑽）、③職務に関連して会社の取引先等から贈与等された金品（同35-1⑾）
(5)　譲渡所得に類似する雑所得
譲渡所得の起因とならない資産の譲渡からの所得（同35−1⑿）
(6)　一時所得に類似する雑所得
人格のない社団等（任意団体）からの清算分配金や脱退により受ける持分の払戻金（同35-1 (6)）
(7)　公的年金等に類似する雑所得
生保や損保契約等に基づく年金に係る雑所得計算上控除する保険料など（同35-1⑻）
(8)　その他、裁判例や課税取扱実務で雑所得とされる例
①政治家の政治資金収入（東京高判平8.3.29・税資217号1258頁）、②脱税工作の報酬として得た金員（最判平3.9.13（棄却）・タインズZ186-6765、〔原審〕東京地判平元.4.26・税資170号170頁・タインズZ170-6292、東京高判平元9.27・タインズZ173-6366）、③銀行の社員が不動産取引の情報提供を行って得た金員（東京高判平3.10.14・判時1406号122頁）。

公的年金等以外の雑所得は、次のように計算します（所税法35②ニ）。

$$公的年金等以外の雑所得＝総収入金額－必要経費$$

例えば、利子所得に類似する雑所得の場合には、「利子所得＝所得全額」（☛3.1.6）となるわけではなく、その収入を得るために必要な経費があれば、これを差し引くことができるメリットがあります。一方で、ある収入がその他（公的年金

497

等以外）の雑所得にあたるとされれば、損失（赤字）があっても損益通算（☛3.2.12）の対象とならないというデメリットもあります。所得類型（区分）をめぐる現実の課税取扱いにおいても、こうした損得が色濃く反映しています。

◎暗号資産（仮装通貨）等取引からの雑所得

　ビットコインなどの暗号資産（仮装通貨）等の売却または使用から出た利益は、雑所得にあたり、総合課税の対象となります。分離課税の対象となるFXやオプション取引などからの雑所得とは異なります。

　暗号資産（仮装通貨）等に係る雑所得を計算するためには、暗号資産交換業者から交付される年間取引報告書が必要となります。売却した場合、その取得価額は、原則として「総平均法」で計算します。計算が難しい場合には、国税庁が公表している「暗号資産の計算書」を使うことができます（国税庁「暗号資産等に関する税務上の取扱いについて（情報）」（2023年12月25日）https://www.nta.go.jp/publication/pamph/pdf/virtual_currency_faq_03.pdf）。

◎雑所得と源泉徴収、確定申告の要否

　ちなみに、公的年金等および公的年金等以外の雑所得は、ともに源泉徴収および総合課税の対象となります（所税法203の２以下）。公的年金等にかかる雑所得の金額から所得控除を差し引くと残額がある人は、確定申告で税額を精算することになります。ただし、2011（平成23）年度分以後、その年の公的年金等の収入金額が400万円以下で、かつ、その年金以外の他の所得が20万円以下となる場合には、確定申告が不要になりました（所税法121③）。この場合であっても、年金の受給額が多く、源泉所得税が源泉徴収されている人で、公的年金等の雑所得以外の損益通算（☛3.2.12）が認められる他の所得が赤字であるときか、あるいは社会保険料控除、医療費控除などの控除（☛3.3.3）の適用があるときには、確定申告によって税金の還付を受けることができます（☛5.3.2）。また、公的年金等以外の所得金額が20万円以下で確定申告の必要がない場合であっても、住民税の申告が必要な場合があります。

498

PART3　くらしに身近な所得税法をくわしく学ぶ

　なお、すでにふれたように、公的年金等以外の雑所得については、赤字になっても、他の所得と損益通算をすることができません（☞3.2.12）。

（石村 耕治・本村 大輔）

〔アドバンス文献〕本村大輔・石村耕治「通達による『業務に係る雑所得』区分の明確化と租税法律主義 ～シェアリングエコノミー対応での『所得税基通 35-2 改正案』とは」『国民税制研究』8号163頁

3.2.11 青色申告と白色申告はどう違うのか

ポイント

　一定の帳簿を備えて記帳し、青色の申告書で確定申告すると、課税上の特典があるのが「青色申告」です。そして、それ以外が「白色申告」です。青色申告者には、課税庁の承認でなれますが、承認が取り消されると追徴課税が行われます。

◎青色申告とは何か

　「青色申告」という言葉を耳にした人も多いと思います。一定の帳簿を備え付けて記帳し、その記録に基づいて申告することを条件に、さまざまな課税上の特典を認めるのが青色申告です。青色申告ができるのは、不動産所得（☞3.2.3）、事業所得（☞3.2.2）または山林所得（☞3.2.7）を生ずる業務を営んでいる人だけです。あらかじめ税務署に申請して承認を得なければなりません。

　ちなみに、青色申告は、所得税のみならず、法人税にも共通する制度です（法税法121）。

　一方、青色申告以外は、「白色申告」とよばれます。本来は、白色申告が原則的な申告方式です。

◎青色申告にはどのような特典があるのか

　青色申告には、白色申告と比べると、数多くの課税上の特典があります。特典には、例えば、次のようなものがあります。

499

・**所得税の計算における特典**
① 租税特別措置法に規定する特別償却、割増償却
② 青色事業専従者給与（所税法57）
③ 青色申告特別控除（措置法25の２）
④ 純損失の繰越控除、繰戻還付（所税法70、140）
・**税務調査、更正の手続面等での特典**
⑤ 更正をする場合の推計課税の制限（所税法155）
⑥ 青色申告に対する更正処分の理由附記（所税法155②）＊
⑦ 青色申告承認の取消処分の理由附記（所税法150②）

＊2013年１月以降、事業所得、不動産所得または山林所得を有する個人の白色申告に対しては、記帳および記録保存義務と併せて、更正処分に際し理由附記がなされることになりました（国通法74の14①）。

◎青色申告特別控除

　青色申告特別控除とは、青色申告者に対する特典の一つで所得金額から65万円、55万円または10万円を控除するものです。

(1)　65万円または55万円の青色申告特別控除（措置法25の２）

　55万円の控除を受けるための要件は、次のとおりです。

①不動産所得または事業所得を生ずべき事業を営んでいること。
②これらの所得にかかる取引を正規の簿記の原則（複式簿記)により記帳していること。
③上記②に基づいて作成した貸借対照表および損益計算書を確定申告書に添付し、この控除の適用を受ける金額を記載して、法定申告期限内に提出すること。

　なお、2020年以後の所得税の申告について、青色申告特別控除の控除額が、65万円から55万円に引き下げられました（措置法25の２③）。ただし、次のいずれかに該当する場合には、65万円の青色申告特別控除額の適用を受けることができます（措置法25の２④）。

・その年分の事業にかかる仕訳帳および総勘定元帳について、「優良な電子帳簿」によって電子帳簿保存を行っていること。（☛1.3.8）
・その年分の所得税の確定申告書および青色申告決算書の提出を、e-Tax（国税電子申告・納税システム）を使用して行うこと。

(2)　10万円の青色申告特別控除（措置法25の２①）

　この控除は、上記(1)の要件に該当しない青色申告者が受けられます。

PART3 くらしに身近な所得税法をくわしく学ぶ

◎青色申告を選択するための手続

　青色申告の承認を受けようする人は、その年の３月15日まで（新たに業務を開始した場合には、開始の日から２か月以内）に、申請書を納税地の税務署長に提出し、承認を受けなければなりません（所税法144）。

　この申請は、特段の事由がない限り承認されます（所税法147）。しかし却下の処分をする場合には、書面によりその旨を通知することになっています（所税法145・146）。

◎青色申告はどのような場合に取り消されるか

　青色申告の承認を受けた人に、次のいずれかの事実がある場合には、税務署長は青色申告の承認を取り消すことができます。この場合、その事実があった年にまでさかのぼって、青色申告の承認を取り消すことができます。また、この場合には、その年以降の各年分の申告書は白色申告とみなされます（所税法150）。

●青色申告の取消事由

① 　帳簿の備え付け、記録または保存が財務省令に従っていないこと（所税法150①一）。
② 　帳簿書類に関して、税務署長の指示に従わなかったこと（同150①二）。
③ 　帳簿書類に隠蔽または仮装して記載し、その真実性を疑うに足りる相当の事由のあること（同150①三）。

　青色申告の承認が取り消されると、同時に青色申告で認められている特典もすべて取り消されることになります。

◎青色申告と白色申告を見直す必要性

　青色申告は、戦後のわが国において申告納税制度を定着させるためにつくられました。しかし、申告納税制度はすでに広く納税者の間に定着しているといえます。また、1984（昭和59）年度の税制改正において、白色申告者に対しても記録の保存義務、そして前年または前々年の申告所得金額が300万円を超える場合には記帳義務が課されることになりました（所税法232②）。

　また、2011（平成23）年度税制改正において、国税通則法の改正が行われ、白色申告者に対しても更正等を行う場合にはその理由を附記しなければならな

501

くなりました（国通法74の14、行手法8、14）。このような状況や時代の変化にそく
して考えると、青色申告者だけにさまざまな特典を与えている現行の制度は見
直すべき時期がきていると考えられます*。

*第二次世界大戦直後におけるわが国の混乱した税制を長期的な視点から立て直すべく、当
　時コロンビア大学教授であったカール・シャウプ博士を団長とする視察団が、1949（昭和
　24）年から1950（昭和25）年にかけて報告したのがシャウプ勧告です。この報告書をもとに、
　わが国に申告納税を定着させるため青色申告制度が導入されました。

（辻村　祥造）

〔アドバンス文献〕「特集・青色申告制度」日税研論集20号、石島弘「青色申告」日税研論集28号、
　　　　　　　　　租税法学会編『シャウプ勧告50年の軌跡と課題』租税法研究28号、久保茂
　　　　　　　　　樹「納税者の手続的権利と理由附記」〔芝池ほか編〕『租税行政と権利保護』
　　　　　　　　　（1995年、ミネルヴァ書房）

3.2.12 損益通算とは何か

ポイント

　所得の計算にあたり、不動産、事業、山林または譲渡の各所得がマイナ
スの金額になるときには、一定のルールに従い、他の所得から控除するこ
とができます。これを損益通算といいます。

◎損益通算とは何か

　損益通算とは、ある所得の金額の計算において損失が生じた場合に、それを
他の所得金額から差し引くことをいいます（所税法69）。

　しかし、所得のなかには、もともと損失の発生しない所得があります。利子
所得（☞3.2.4）や給与所得（ただし特定支出控除の特例を除きます。☞3.2.1）、退
職所得（☞3.2.6）が、これにあてはまります。

　また、配当所得（☞3.2.5）がマイナスとなる場合があります。つまり、配当の金額
よりも借入金の利子が上回るというケースです。課税の公平の見地から、このよ
うな場合も、損益通算を認めていません。同じような趣旨から、一時所得（☞3.2.9）、

502

雑所得（☞3.2.10）についても、マイナスになっても損益通算を認めていません*1。

　この結果、損益通算の対象となるのは、不動産所得（☞3.2.3）、事業所得（☞3.2.2）、山林所得（☞3.2.7）または譲渡所得（☞3.2.8.2）の損失金額に限定されます。

　なお、2008（平成20）年度税制改正において、平成21年分以後、上場株式等の譲渡損失と配当所得（申告分離課税を選択したものに限ります）を損益通算できる特例が創設されました。

　損益通算制度はしばしば節税行為に活用されることから、節税封じをねらい拙速に損益通算を廃止する立法措置が講じられたこともあります。2004（平成16年）に、土地、建物等の譲渡損失と他の所得との損益通算を廃止するための改正法が同年3月26日に成立し、同月31日に公布されました。しかし、この廃止規定は、改正附則によって同年1月1日以後の譲渡に遡って適用されたことから、違憲・違法な不利益遡及課税であるとし、最高裁まで争われました。

◎損益通算が認められない場合

　例えば、次のような損失の金額は、租税政策上の配慮から、同じ所得内で一定の通算を除き、他の所得との損益通算が認められません。ちなみに、④はバブル経済期における、損益通算を利用した不動産投機を抑制する目的で設けられたものです*2。

●損益通算が認められない例

① 競走馬、別荘、その価額が30万円を超える書画・骨董、またゴルフ会員権など、生活に通常必要でない資産にかかる損失（所税法69②、所税令178①）

② 非課税所得（☞3.1.3）にかかる損失（所税法9②一）

③ 株式等の譲渡にかかる損失（措置法37の10①）

④ 不動産所得の損失のうち、土地・建物を取得するための負債利子に達するまでの金額（措置法41の4）

⑤ 居住用財産以外の土地、建物の譲渡所得の損失（措置法31・32）*3

◎損益通算の順序

　損益通算の順序はかなり複雑ですが、大まかにいうと次のようになります。

503

●損益通算の順序

① 経常所得グループの損益通算
　　経常所得とは、利子所得、配当所得、不動産所得、事業所得、給与所得および雑所得をいいますが、このうち不動産所得または事業所得において生じた損失を、まず他の経常所得から通算します。

② 譲渡所得と一時所得との損益通算
　　譲渡所得の損失は、これをまず一時所得と通算します。

③ 経常所得の損失の通算
　　経常所得の損失が残ってしまった場合には、まず譲渡所得と、その次に一時所得と通算します。

④ 上記②の損失が残ってしまった場合には、これを①と通算します。

⑤ 上記③および④でも引ききれない損失は、まず山林所得と、その次に退職所得と通算します。

⑥ 山林所得の損失は、経常所得、譲渡所得、一時所得、退職所得の順に控除します。

◎純損失の繰越控除

　損益通算でも引ききれなかった損失は、純損失として繰り越されることになります (所税法70)。所得税の建前である暦年課税制度からすれば、その年において生じた損失はうち切りになります。しかし、納税者の担税力への配慮から、この損失を3年間繰り越すことを認めています。

　ただし、純損失の繰越し控除の適用を受けるためには、損失の発生した年について青色申告 (☛3.2.11) による確定申告書の提出が要件になっています。白色申告 (☛3.2.11) の場合には認められません。

　また、純損失が生じた年の前年に納税している場合には、純損失の繰戻しによる還付 (所税法140) を受けることもできます。

＊1 特定支出控除を選択した給与所得 (☛3.2.1) の金額がマイナスとなっても、損益通算は認められません。

＊2 日本経済のバブル期に不動産投資家に広がった方法で、不動産を借入金で購入しその値上がりを待つ一方、借入金の利息を不動産所得の計算上の必要経費として控除し、不動産所得の損失を他の所得と損益通算して節税をはかるという手法です。しかし、バブル崩壊とともに、不動産の価格は大きく下落してこれらの投資家は痛手を被りました。

＊3 居住用財産の買換えの場合の譲渡損失および特定居住用財産の譲渡損失は他の所得との損益通算ができ、また引き切れない場合は純損失として繰り越すことができます。

(辻村　祥造)

〔アドバンス文献〕水野忠恒「損益通算」日税研論集47号 (2001年)、高倉明「損益通算制度について」税大論叢52号 (2006年)、松原有里「所得税における損失」税研159号 (2011年9月号)

PART3　くらしに身近な所得税法をくわしく学ぶ

3.2.13　平均課税：変動所得、臨時所得とは何か

ポイント

　漁獲からあがる所得のように、年により変動のあるもの（変動所得）、専属契約金のように臨時にもらう所得（臨時所得）には、高い累進税率で税金がかからないように、平均課税の方式が利用できます。

◎平均課税はなぜ設けられているのか

　漁獲や作曲料のように、自然条件や年により大幅な変動のある所得（変動所得）があります。また、プロ野球選手の専属契約金のように、数年分の収入が一括して支払われる性格の所得（臨時所得）があります。こうした所得には、その変動幅によっては、累進課税の影響を著しく受ける場合があります。毎年コンスタントに所得が発生する人と比べると、税金の負担に大きな差が生じるおそれがあります。こうした税負担の差を調整することをねらいに設けられているのが「平均課税」（5分5乗方式）です。

　所得のなかには、経常的に発生する所得、一時的・臨時的に発生する所得などがあります。そして、これらの所得における担税力には大きな差があるため、各所得ごとにその所得金額の計算方法、および総所得の金額の計算方法を工夫して、超過累進税率（☜1.2.7）による影響を緩和しています（☜3.1.6）。

　しかし、不動産所得（☜3.2.3）、事業所得（☜3.2.2）そして雑所得（☜3.2.10）といった経常的に発生する所得のなかにも、変動的要素、臨時的要素の強い所得があります。このような所得に対しても、超過累進税率の適用を緩和するために、税額計算の段階で平均課税という方法を設けているのです。

◎変動所得、臨時所得とは何か

　変動所得、臨時所得とは、10種類の所得（☜3.1.4）とは異なる分類方法です。

　まず「変動所得」とは、漁獲から生じる所得、著作権の使用料にかかる所得、その他の所得で年々の変動の著しいものをいいます（所税法2①二十三）。具体的に

505

は、はまち、かき、うなぎ、真珠などの養殖、のりの採取から生じる所得、原稿または作曲の報酬、著作権の使用料による所得などです。

次に、「臨時所得」とは、役務の提供を約することにより、一時に取得する契約金にかかる所得、その他の所得で臨時に発生するものをいいます (所税法2①二十四)。具体的には、プロ野球選手の契約金で報酬年額の2倍以上であるもの、借地権等の権利金、休業補償金、災害補償金などで、3年以上の期間に対するものなどがあてはまります。

◎平均課税を適用した場合の税額の計算方法

(1) 平均課税の適用の可否

納税者は、平均課税の適用を受けるためには、次の要件にあてはまらなければなりません (所税法90①③)。

> **変動所得の金額 + 臨時所得の金額 ≧ 総所得の金額×20%**
> (ただし、前年以前2年内に変動所得があった場合に、その2年間における
> 変動所得の合計額の2分の1以下であれば、臨時所得の金額のみとなります。)

(2) 税額計算の手順

平均課税を適用した場合の税額計算は、次の手順で行います (所税法90①③)。

●税額計算の手順

① その年の変動所得金額（ただし前年以前2年間に変動所得がある場合は、その合計額の2分の1を超える部分のみです。）と臨時所得の金額を合計して平均課税対象金額を求めます。
② 課税総所得金額－平均課税対象金額×4／5の算式により、調整所得金額を求めます。
③ 調整所得金額に対して、税率表を適用し税額を求めます。
④ その税額の調整所得金額に対する比率、つまり平均税率を求めます。
⑤ 課税総所得金額から調整所得金額を控除して、特別所得金額を求めます。
⑥ 特別所得金額に④の平均税率を乗じて、税額を求めます。
⑦ 上記③で求めた税額と、⑥で求めた税額を合算して全体の税額を求めます。

以上の計算のプロセスをわかりやすくいうと、平均課税の対象となる変動所

得・臨時所得の金額（平均課税対象金額）の5分の1とその他の所得を合算して税額を求め、ここで求めた平均税率を他の5分の4の金額に適用して、全体の税額を求めることになります。

このような税額計算方法は、「5分5乗方式」ともよばれます。この方式により、納税者に適用される超過累進課税の緩和をはかっているわけです。

（辻村　祥造）

3.2.14　収入金額とは何か

ポイント

　所得税法では、各種所得金額の計算にあたり、「収入金額」または「総収入金額」に算入すべき金額は、別段の定めがあるものを除き、その年において「収入すべき金額」であるとしています。なお、「収入金額」または「総収入金額」に算入すべき金額には、現金収入はもちろんのこと、現金以外の物または権利その他の経済的利益も含みます。そして、「収入金額」または「総収入金額」の計上時期については、「権利確定主義」がとられています。

◎収入金額の意義

　所得税の課税対象となる各種所得の金額は、1月1日から12月31日までの1暦年中の「収入金額」または「総収入金額」から、「必要経費」などを差し引いた金額です（所税法36、37①）。そこで、所得金額の計算にあたっては、「収入金額」または「総収入金額」とは何かが問われてきます。

　所得税法は、「所得金額の計算の通則」（第2編2章2節2款）を定めています。そこではまず、36条〔収入金額〕の1項で、「その年分の各種所得の金額の計算上収入金額とすべき金額又は総収入金額に算入すべき金額は、別段の定めがあるものを除き、その年において収入すべき金額とする。」としています。また、「金銭以外の物又は権利その他経済的な利益をもって収入する場合には、その

金銭以外の物又は権利その他経済的な利益の価額とする。」ともしています。

同36条1項では、「収入金額」という用語のほか「総収入金額」という言葉を使っています。これは、所得税法が10種類の各所得において、①内容が単純な場合には「収入金額」を、そして②附随する収入などがあり内容が複雑な場合には「総収入金額」と、使い分けています。

使っている言葉	所得の種類
①「収入金額」	利子所得、配当所得、給与所得、退職所得、雑所得（公的年金等）
②「総収入金額」	不動産所得、事業所得、山林所得、譲渡所得、一時所得、雑所得（公的年金等以外）

所得税法は、「収入金額」または「総収入金額」とは何かについて、明文で定義していません。したがって、学説や裁決・判例、通達などを通じた法解釈により明確していくことになります。

◎「総収入金額」計算の通則と特例

総収入金額は、"別段の定めのあるものを除き"、その年において収入すべき金額をさします（所税法36①）。したがって、総収入金額は、「別段の定め」（特例）の適用（所税法39～44の3）がない限り、「その年において収入すべき金額」（通則）により計算することになります。

●「総収入金額」計算の通則と特例

	通則	その年において収入すべき金額（所税法36①）
総収入金額	特例	①たな卸資産等の自家消費の場合の総収入金額算入（所税法39） ②たな卸資産の贈与等の場合の総収入金額算入（所税法40） ③農産物の収穫の場合の総収入金額算入（所税法41） ④国庫補助金等の総収入金額不算入（所税法42） ⑤条件付国庫補助金等の総収入金額不算入（所税法43） ⑥移転等の支出に充てるための交付金の総収入金額不算入（所税法44） ⑦免責許可の決定等により債務免除を受けた場合の経済的利益の総収入金額不算入（所税法44の2） ⑧減額された外国所得税額の総収入金額不算入等（所税法44の3）

PART3　くらしに身近な所得税法をくわしく学ぶ

◎収入金額の計上時期と権利確定主義

　すでにふれたように、所得税法では、その年分のさまざまな所得金額の計算上、「収入金額」または「総収入金額」は、別段の定めのあるものを除き、その年において「収入すべき金額」としています（所税法36①）。ここで、「収入すべき金額」とは、その年中に現実に収入した金額だけではなく、未収金や売掛金などその年中に現実には収入してはいないが、収入することが確実になっている金額をさします。このことから、ふつうの場合は、現実に実入りとなる収入がなくとも、収入すべき権利が確定すれば、そのときに実現されたものとして収入に計上することになっています。こうした考え方を「権利確定主義」といいます。判例も、所得税法の「収入金額」または「総収入金額」の計上時期については、現金主義ではなく、「権利確定主義」を採用したものとしています（最高判昭40.9.8・刑集19巻6号630頁）。

　この権利確定主義は、会計学理論でいう「発生主義」に相応するものといわれ、収入の発生時期を法律的にとらえる際のルールであるとされます（福岡地判42.3.17・行集18巻3号257頁）。したがって、商品を売っていまだ買い手から代金を得ていない未収金も、受け取る権利が確定していれば、その年の収入に計上する必要があります。しかし、裁判で争っている最中であるとか、本来相手方は支払う必要のない不法な収入（不法原因給付）などの場合には、法律上の権利が確定していないことから、どの時点で収入金額に入れるのかが問題になります。こうした未収金は、原則として、「収入金額」または「総収入金額」に計上しなくともよいと解されます（最判昭46.11.9・民集25巻8号1120頁）。ただ、極めて限定的な範囲ながら、法律上の権利が確定していない収入であっても、現実に受け取った（自己管理支配基準＝自分で管理支配できる）場合には、その時点で収入金額に計上する必要があるとの見解もあります（金子宏『租税法〔第24版〕』〔2021年、弘文堂〕319頁）。

　この点について、課税実務では、異なる見解が示されています。かつて「収入金額とは収入すべき金額をいい、収入すべき金額とは収入する権利の確定した金額をいうものとする。」（旧所税基通194）とし、権利確定主義の立場を鮮明にしていました。このことから、「詐欺又は強迫により取得した財物は一応所有

509

権が移転するものであるから、当該財物から生ずる所得」や「賭博による収入」には原則として課税する一方で、「窃盗・強盗又は横領により取得した財物については、所得税を課さない」としていました（旧所税基通148）。ところが、その後、その収入の起因となった行為が適法であるかどうかは問わない（所税基通36－1）との取扱に変更されました。つまり、この通達においては、"権利の確定"という言葉は取り去られています。このように、判例等で確立された解釈を一片の行政通達で変更するようなことは租税法律関係における法的安定性を害し、租税法律主義の要請（☛1.4.2、1.4.6）に反するおそれがあります。

（石村　耕治・阿部　徳幸）

〔アドバンス文献〕田中治「税法における所得の年度帰属—権利確定主義の論理と機能」大阪府立大学経済研究32巻2号、植松守雄「収入金額（収益）の計上時期に関する問題－「権利確定主義」をめぐって」『租税実体法の判例と解釈』租税法研究8号、武田昌輔「税法と会計基準」企業会計2002年1月号

PART3　くらしに身近な所得税法をくわしく学ぶ

3.2.15 必要経費とは何か

ポイント

　「必要経費」とは、所得を得るために必要とされる支出をさします。所得税法は、不動産所得、事業所得、山林所得および雑所得（公的年金等の雑所得などを除きます。）の金額の計算上、その支出が事業活動と直接の関連を持つ経費、事業を営むうえで必要な経費の控除を認めています。また、その支払うべき債務が確定した日に「必要経費」に計上する「債務確定主義」を原則としています。

　また、所得税法は、「必要経費」に関するさまざまな「特例」をおいています。その１つとして、家事費と家事関連費は、原則として「必要経費」として控除できないことになっています。ただし、家事関連費については、業務上必要であり、かつ、明確に区分できる部分については控除が認められます。

　他の特例としては、家族従業員など生計を一にする親族が事業から受ける対価（給与など）については、「必要経費」として控除できない原則になっています。しかし、実際には、いわば「特例の特例」として、①青色事業専従者給与、②"白色"事業専従者控除として、必要経費控除が認められます。

◎必要経費とは

　すでにふれたように（☛3.2.14）、所得税の課税対象となる各種所得の金額は、１月１日から12月31日までの１暦年中の「収入金額」または「総収入金額」から、「必要経費」などを差し引いた金額です。そこで、所得金額の計算にあたっては、「収入金額」または「総収入金額」とともに「必要経費」とは何かについても問われてきます。

　所得税法は、各種「所得金額の計算の通則」（第2編2章2節2款）を定めています。同37条では、「必要経費」について、大きく、(1)「不動産・事業・雑の各所得の必要経費（山林の伐採または譲渡による所得以外の事業および雑〔公的

511

年金等にかかるものを除く。」)」(所税法37①) と、(2)「山林の伐採または譲渡に
かかる事業・山林・雑の各所得の必要経費」(所税法37②)、の2つに分けて規定
しています。

(1) 不動産・事業・雑の各所得の必要経費

不動産所得、事業所得および雑所得(公的年金等の雑所得などを除きます。
以下同じです。)の金額に計算上、「別段の定めがあるものを除き、これらの所
得の総収入金額に係る売上原価その他当該総収入金額を得るために直接に要し
た費用の額及びその年における販売費、一般管理費その他これらの所得を生ず
べき業務について生じた費用(償却費以外の費用でその年において債務の確定
しないものを除く。)の額とする。」としています(所税法37①)。

「必要経費」算入の通則と特例

総収入金額の計算上、「必要経費」に算入できるのは、"別段の定めのあるも
のを除き" つまり「特例」(所税法45〜57) の適用がない限り、「通則」(所税法37)
である売上原価、その他その収入金額を得るために直接要した費用の額、販売
費や一般管理費などの金額です。また、「通則」により「必要経費」に算入で
きる費用項目は、「収入金額に個別対応」のものと「期間対応」のものに分け
ることができます。具体的には次のとおりです。

●「必要経費」算入の通則と特例

必要経費	通則	・収入金額に個別対応する必要経費	①売上原価 ②総収入金額を得るために直接に要した費用
		・期間対応の必要経費	①その年に債務の確定した販売費と一般管理費 ②その他の業務上の費用
	特例		①家事関連費等の必要経費不算入等(所税法45) ②資産損失の必要経費算入(所税法51) ③貸倒引当金(所税法52)・退職給与引当金(所税法54) ④事業から対価を受ける親族がある場合の必要経費の特例(所税法56) ⑤事業に専従する親族がある場合の必要経費の特例等(所税法57) ⑥その他

PART3 くらしに身近な所得税法をくわしく学ぶ

(2) 山林の伐採または譲渡にかかる事業・山林・雑の各所得の必要経費

山林の伐採または譲渡にかかる事業・山林・雑の各所得金額の計算上、山林の伐採または譲渡による収入金額に直接対応する費用（個別対応の経費）が必要経費になります。つまり、山林の植林費、取得に要した費用、管理費、伐採費その他その山林の育成または譲渡に要した費用（償却費以外の費用でその年において債務の確定しないものを除きます。）です（所税法37②）。

◎債務確定主義とは

前記(1)と(2)において、必要経費の金額は、原則として、「その年において支払うべき債務が確定した金額」をさします。つまり、その年の12月31日現在で債務が確定したものに限定されるのです（所税法37①②）。この必要経費の計算基準を「債務確定主義」といいます。

ちなみに、債務の確定とは、その年の12月31日までに、次のすべての要件を充たしているかどうかで判定します（所税基通37-2）。

① 債務が成立していること。
② 支払の原因となる事実が発生していること。
③ 支払金額が合理的に算定できること。

◎家事費と家事関連費の必要経費不算入

すでにふれたように、所得税法では、不動産・事業・山林・雑の各所得金額の計算上の特例の1つとして、「家事費」や「家事関連費」については必要経費に算入しないこととしています（所税法45①一）。

①「家事費」とは、個人の生活上の各種支出をさします。また、②「家事関連費」とは、必要経費の要素と家事費の要素が混在する各種支出をさします。

①	家事費	被服費、食費、住居費、娯楽費、医療費、子供の学費 など
②	家事関連費	接待費・交際費、店舗兼住宅の家賃・火災保険費・水道光熱費 など

家事費は、必要経費に算入できません。これに対して、家事関連費については、その主たる部分が業務上必要であり、かつ、その部分が明確に区分できる

513

場合などに、その部分の金額に限り必要経費に算入できます（所税法45①一、所税令96一）。なお、その主たる部分が業務上必要であるかどうかの判定は50％超かどうかが目安とされますが、それ以下でも、その部分が明確に区分できるときには算入できます（所税基通45-2）。

また、青色申告者の場合には、家事関連費については、帳簿等に記録し業務の遂行上直接に必要であったことを明らかにできるときには、その部分の金額に限り必要経費に算入できます（所税令96二）。

◎親族が事業から受ける対価の特例

所得税法56条は、必要経費の「特例」の1つとして、同居か別居かを問わず、納税者と生計を一にする親族が、その納税者が営む業務に従事したことなどの理由で、対価の支払を受ける場合には、その対価の金額は、その納税者の業務にかかる事業（または山林、事業的規模の不動産）所得の金額の計算上、必要経費に算入することを認めません。

したがって、例えば、夫が、同居する妻の所有する建物を賃借し、レストランを経営しているとします。この場合、夫が妻に賃借料を支払ったとしても、その賃借料は夫の事業所得金額の計算上、必要経費に算入できません。また、妻が夫から受け取った賃借料は、妻の所得とみなされません。

この親族（家族従業員など）が事業から受ける対価の特例は、家族構成員の間で所得を分割するのを防ぐために、個人単位主義の例外として設けられているものです（松山地判昭49.1.21・税資74号52頁）（☞1.2.8）。

◎青色事業専従者給与と白色事業専従者控除

ただ、家族従業員など生計を一にする人に支払った給与などの対価に対しては「事業から対価を受ける親族がある場合の必要経費の特例」（所税法56）が一律に適用になり、必要経費として一切控除できないというのも理不尽です。また、法人成り（個人事業者が、法人形態に組織替えし、家族従業員への労務の対価の支払いを費用化し、税負担の軽減をはかること）などにより、この特例

PART3　くらしに身近な所得税法をくわしく学ぶ

の適用を回避しようという動きを誘発しかねません。そこで、「事業に専従する親族がある場合の必要経費の特例等」(所税法57)という、いわば"特例の特例"を設けて、家族従業員に支払った給与については、一定の要件を充たすときには、必要経費控除を認めることにしています。

　この「事業に専従する親族がある場合の必要経費の特例等」は、(1)青色事業専従者給与(所税法57①②・☛3.2.1)と(2)"白色"事業専従者控除(所税法57③・☛3.2.11)からなります。

(1)　青色事業専従者給与

　青色申告者は、次の基準を充たした場合、家族従業員(青色事業専従者)に支払った給与は、「労務の対価として相当な金額」であると認められます。そしてこの場合、「青色事業専従者給与に関する届出書」に記した給与の金額の範囲内で、実際に支給した全額を必要経費として控除(実額控除)できます(所税法57①②、所税令164①②)。

《**形式的判定基準**》(所税法57①⑦・所税令165①②)
① 　青色申告者と「生計を一にする」配偶者その他の親族であること。
② 　年齢が15歳以上であること。
③ 　その年の6か月を超える期間、もっぱらその事業に従事している者(「事業専従者」)であること。
④ 　「青色事業専従者給与に関する届出書」を提出していること。
《**実質的判定基準**》(相当な金額かどうかの判断基準)(所税令164①)
① 　事業専従者の働いた期間・労務の性質・提供の程度
② 　他の従業員の給与状況、同じ業種・規模の企業の従業員の給与との比較
③ 　その事業の業種・規模・収益の状況

---

(2)　"白色"事業専従者控除

　いわゆる"白色"事業者は、次の基準を充たす家族従業員(親族・"白色"事業専従者)について、法定の金額まで必要経費として控除(定額控除)できます(所税法57③⑦、所税令165①②)。

515

① 白色申告者と「生計を一にする」配偶者その他の親族であること。
② 年齢が15歳以上であること。
③ その年の6か月を超える期間、もっぱらその事業に従事している者（「事業専従者」）であること。

なお、白色事業者の事業所得金額の計算上、"白色"事業専従者控除として必要経費とみなされるのは、次の①と②のうち、いずれか低い方の金額です(所税法57③)。

① 配偶者の場合は86万円、配偶者以外の親族の場合は50万円
② 事業専従者控除額の控除前の所得金額÷（事業専従者＋1）

　青色申告者または白色事業者は、例えば妻について青色事業専従者給与または事業専従者控除を受ける場合には、配偶者控除 (☞3.3.2) の適用を受けることができません (所税法2①三十三)。

　ちなみに、必要経費に算入された金額は、青色事業専従者または"白色"事業専従者の給与所得における収入金額となります(所税法57①④)。つまり、家族従業員が支給を受けた金額は本人の給与所得(☞3.2.1)として取り扱われることになるのです。

（石村　耕治・阿部　徳幸）

〔アドバンス文献〕碓井光明「必要経費の意義と範囲」日税研論集31号

PART3　くらしに身近な所得税法をくわしく学ぶ

3.3　所得控除：所得から差し引ける金額

　　所得控除は、給与所得や事業所得といった各種所得の金額の計算の段階では考慮されなかった損失や支出金額について、税負担の面での調整を行おうという趣旨で設けられているものです。所得控除は15種類あり、これらは、大まかにいうと、①課税最低限の保障、②担税力の縮減の考慮、③個人的事情の考慮および④社会政策目的、をねらいに設けられています。

3.3.1　所得控除とは何か

ポイント

　「所得控除」は15種類あり、大きく"人的控除"と"物的控除"とに分けられます。これらはどのような目的で設けられているのでしょうか、そしてどのような種類があるのでしょうか。

◎所得控除の目的と種類

　同じ収入があるとしても、ふつう、扶養家族を抱えた人は、独身の人よりも家計が苦しいはずです。また、災害にあった人とそうでない人の場合とを比べても、同様のことがいえるはずです。

　このように、人によって異なる生活状況をきめ細かく税金の計算に織り込もうということで設けられているのが「所得控除」の制度です。このような所得控除制度は、所得税の目立つ特徴の１つといえます。これは、家計が苦しい人も、そうでない人も、一律10％（８％）の負担を求められる消費税と比べてみるとよくわかると思います。

　所得控除は、給与所得や事業所得などさまざまな所得の金額を計算する段階では考慮されなかった各納税者の事情や支出、損害を調整しようということで

517

設けられている仕組みです。

　所得税法は、全部で15種類の所得控除を定めています(所税法72〜86)。それらは、大きく分けると、①課税最低限（☞Column）を保障する目的や②税金を負担する力（担税力）を考慮する目的のほか、③個人的事情を考慮する目的や④社会政策の目的で設けられています[*1]。

目　的	所得控除の種類
①　課税最低限の保障	配偶者控除、配偶者特別控除、扶養控除、基礎控除
②　担税力の縮減の考慮	雑損控除、医療費控除
③　個人的事情の考慮	障害者控除、寡婦控除、ひとり親控除、勤労学生控除
④　社会政策目的	社会保険料控除、小規模企業共済等掛金控除、生命保険料控除、地震保険料控除[*2]、寄附金控除

◎物的控除と人的控除という分け方

　15種類の所得控除は、その性格に着目して大きく「人的控除」と「物的控除」といった分け方もできます。

　「人的控除」とは、納税者本人またはその家族（親族）の個人的な要素を考慮して設けられている所得控除です。例えば、親や子供を養っている人には「扶養控除」が受けられます（☞3.3.2）。また、本人または養っている配偶者、親族が、心を病んでいる、あるいは体が不自由な場合には、「障害者控除」が受けられます（☞3.3.2）。

　一方、「物的控除」とは、家族の生活用の財産への損害や一定の支出を補うねらいで設けられている所得控除です。例えば、本人または養っている配偶者、親族のために多額に医療費を支払った場合には、「医療費控除」が受けられます（☞3.3.3）。また、台風や火災などで住宅が損害を受けた場合には、「雑損控除」が受けられます（☞3.3.3）。

　15種類の所得控除を分類してみると、次のとおりです[*3]。

PART3　くらしに身近な所得税法をくわしく学ぶ

● 所得控除の分類

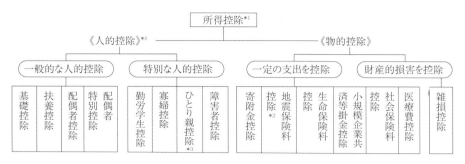

＊1　所得控除はきめ細かすぎてその種類があまり多くなると、税金の計算を複雑にしてしまうという問題もあります。また、社会政策目的での所得控除は、つねに見直されないと、特定の産業を必要以上に優遇することになるおそれもあります。
＊2　2007（平成19）年分以後の所得税については、損害保険料控除が地震保険料控除に改組されました。
＊3　2020（令和2）年度4月に適用された税制改正により、それまであった「寡夫控除」、「特別の寡婦控除」が廃止されました。代わって新たに「ひとり親控除」が創設されました。また、以前からあった「寡婦控除」の適用要件が変更されました。
＊4　人的控除の範囲については、さまざまな意見があります。医療費控除や寄附金控除、雑損控除も、納税者の個人的な事情を考慮するものですから、人的控除とみた方がいいという意見もあります。

（石村　耕治）

〔アドバンス文献〕「特集・所得税控除の研究」日税研論集52号、政府税調答申「わが国税制の現状と課題」（2000年7月）89〜90頁、日本租税理論学会編『課税最低限〔租税理論研究叢書4〕』（1994年、谷沢書房）

519

> **Column** 所得税の課税最低限とは何か
>
> 　「課税最低限」とは、やさしくいえば、"その金額を超えれば税金がかかることになる限界"をいいます。いいかえると、税金がかからない最低限の範囲をさします。課税最低限は、所得税はもちろんのこと、住民税（☞1.4.8）や消費税（☞2.2）、固定資産税（☞1.4.8）などについても考えてみることができます。ここでは、所得税の課税最低限についてふれてみます。
>
> 　憲法は、「すべての国民は、健康で文化的な最低限度の生活を営む権利を有する。」（29①）と定め、生存権を保障しています。まさに、課税最低限とは、こうした憲法の趣旨を所得税制に活かそうというものです。このため、ふつうの生活に最低限必要な収入には課税しないことにしようというものです。わが国の所得税の課税最低限について、ふつうは、配偶者控除、配偶者特別控除、扶養控除、基礎控除の総額とみるのではないかと思います。ところが、政府税制調査会は、これら4項目に加え、社会保険料控除、さらに、サラリードワーカー（給与所得者）の場合には給与所得控除（☞3.2.1）、自営業者（事業所得者）の場合には必要経費（☞3.2.2）を入れて、課税最低限の金額を算出しています。こうした政府税調の算出方法には、意図的に課税最低限を高く誘導する結果となっているのではないかということで、異論もあるところです。また、所得税の課税最低限については、裁判でも争われています（例えば、最判平元.2.7・判時1312号69頁・☞1.4.5、東京地判昭61.11.27・判時1214号30頁）。
>
> （石村 耕治）

3.3.2 人的控除

> **ポイント**
>
> 　人的控除は、納税者の個人的な事情や背景を考慮するもので、課税最低限の保障への配慮（基礎控除、扶養控除、配偶者控除、配偶者特別控除）と、生活する上で追加的に必要な支出への配慮（障害者控除、勤労学生控除、寡婦控除、ひとり親控除）があります。

◎基礎控除

　納税者の合計所得金額が2,500万円以下の場合に控除されます。控除額は納税者の合計所得金額*に応じて次の金額が控除されます（所税法86）。

PART3 くらしに身近な所得税法をくわしく学ぶ

合計所得金額*	控除額
2,400万円以下	48万円
2,400万円超2,450万円以下	32万円
2,450万円超2,500万円以下	16万円
2,500万円超	0円

＊「合計所得金額」とは、純損失、居住用財産の買換え等の場合の譲渡損失、特定居住用財産の譲渡損失および雑損失の繰越控除を適用しないで計算した総所得金額、分離短期譲渡所得の金額（特別控除前）、分離長期譲渡所得の金額（特別控除前）、分離課税の上場株式等にかかる配当所得等の金額（上場株式等にかかる譲渡損失の損益通算後で、繰越控除適用前の金額）、一般株式等にかかる譲渡所得等の金額（特定株式にかかる譲渡損失の繰越控除適用前の金額）、上場株式等にかかる譲渡所得等の金額（上場株式等にかかる譲渡損失の繰越控除および特定株式にかかる譲渡損失の繰越控除適用前の金額）、先物取引にかかる雑所得等の金額（先物取引の差金等決済にかかる損失の繰越控除適用前の金額）、山林所得金額（特別控除後）および退職所得金額（2分の1後）の合計額をいいます。

◎扶養控除

納税者が控除対象扶養親族を有する場合、次の金額が控除されます（所税法84、措置法 41の16①②）。なお、扶養親族が障害者である場合には、障害者控除も合わせて適用できます。

区分		控除額
一般の控除対象扶養親族		38万円
特定扶養親族		63万円
老人扶養親族	同居老親等	58万円
	同居老親等以外の者	48万円

(1) 扶養親族とは

その年の12月31日（納税者が年の中途で死亡し、または出国する場合は、その死亡または出国の時）の現況で、次の要件のすべてにあてはまる人をいいます（所税法2①三十四・85③）。

① 配偶者以外の親族または児童福祉法の定めにより里親に委託された児童（年齢18歳未満）や老人福祉法の定めにより養護を委託された老人（年齢65歳以上）であること。

② 納税者と生計を一にしていること。

521

③ 年間の合計所得金額*が48万円以下であること。

④ 青色事業専従者 (●3.2.11) として給与の支払を受けていないこと、または、白色事業専従者でないこと。

(2) 控除対象扶養親族とは

扶養親族のうち、その年の12月31日現在（年の途中で死亡した場合は死亡の日）の年齢が16歳以上の人をいいます (所税法2①三十四の二・85③)。

なお、2023（令和5）年分以降、国外居住親族のうち、30歳以上70歳未満の人は、原則として、対象から除かれる予定です（令和2年度税制改正大綱）。

(3) 特定扶養親族とは

控除対象扶養親族のうち、その年の12月31日現在（年の途中で死亡した場合は死亡の日）の年齢が19歳以上23歳未満の人をいいます(所税法2①三十四の三・85③)。

(4) 老人扶養親族とは

控除対象扶養親族のうち、その年の12月31日現在（年の途中で死亡した場合は死亡の日）の年齢が70歳以上の人をいいます (所税法2①三十四の四・85③)。

(5) 同居老親等とは

老人扶養親族のうち、納税者またはその配偶者の直系尊属で、その年の12月31日現在（年の途中で死亡した場合は死亡の日）で納税者またはその配偶者のいずれかとの同居を常況としている人をいいます (措置法41の16①②)。

◎配偶者控除

納税者が控除対象配偶者を有する場合、次の金額が控除されます (所税法83)。

納税者の合計所得金額*	配偶者の区分	控除額
900万円以下	一般の控除対象配偶者	38万円
	老人控除対象配偶者	48万円
900万円超950万円以下	一般の控除対象配偶者	26万円
	老人控除対象配偶者	32万円
950万円超1,000万円以下	一般の控除対象配偶者	13万円
	老人控除対象配偶者	16万円
1,000万円超	0円	

522

PART3　くらしに身近な所得税法をくわしく学ぶ

⑴　控除対象配偶者とは

　その年の12月31日（納税者が年の中途で死亡した場合は死亡の日）の現況で、次の要件のすべてにあてはまる人をいいます（所税法2①三十三・三十三の二・85③）。

①　民法の定めによる配偶者であること（内縁関係の人は除かれます）。

②　納税者と生計を一にしていること。

③　年間の合計所得金額＊が48万円以下であること。

④　青色事業専従者（☜3.2.11）として給与の支払を受けていないこと、または、白色事業専従者でないこと。

＊「合計所得金額」とは、純損失、居住用財産の買換え等の場合の譲渡損失、特定居住用財産の譲渡損失および雑損失の繰越控除を適用しないで計算した総所得金額、分離短期譲渡所得の金額（特別控除前）、分離長期譲渡所得の金額（特別控除前）、分離課税の上場株式等にかかる配当所得等の金額（上場株式等にかかる譲渡損失の損益通算後で、繰越控除適用前の金額）、一般株式等にかかる譲渡所得等の金額（特定株式にかかる譲渡損失の繰越控除適用前の金額）、上場株式等にかかる譲渡所得等の金額（上場株式等にかかる譲渡損失の繰越控除適用前および特定株式にかかる譲渡損失の繰越控除適用前の金額）、先物取引にかかる雑所得等の金額（先物取引の差金等決済にかかる損失の繰越控除適用前の金額）、山林所得金額（特別控除後）および退職所得金額（2分の1後）の合計額 をいいます。

⑵　老人控除対象配偶者とは

　控除対象配偶者のうち、その年の12月31日現在（年の途中で死亡した場合は死亡の日）の年齢が70歳以上の人をいいます（所税法2①三十三の三・85③）。

◎配偶者特別控除

　配偶者控除の適用が受けられない場合でも、配偶者の所得金額に応じて受けられる控除のことです。配偶者特別控除は、次の要件のすべてにあてはまる場合に受けることができます（所税法83の2）。

①　民法の定めによる配偶者であること（内縁関係の人は除かれます）。

②　青色事業専従者（☜3.2.11）として給与の支払を受けていないこと、または、白色事業専従者でないこと。

③　納税者本人が、配偶者特別控除の適用を受けていないこと。

④　配偶者が、給与所得者または公的年金等の扶養控除等申告書に記載された源泉控除対象配偶者がある居住者として、源泉徴収されていないこと。

523

配偶者特別控除額は、次のとおりです（所税法83の2①）。

配偶者の合計所得金額*	控除を受ける納税者の合計所得金額		
	900万円以下	900万円超 950万円以下	950万円超 1,000万円以下
48万円超　　95万円以下	38万円	26万円	13万円
95万円超　100万円以下	36万円	24万円	12万円
100万円超　105万円以下	31万円	21万円	11万円
105万円超　110万円以下	26万円	18万円	9万円
110万円超　115万円以下	21万円	14万円	7万円
115万円超　120万円以下	16万円	11万円	6万円
120万円超　125万円以下	11万円	8万円	4万円
125万円超　130万円以下	6万円	4万円	2万円
130万円超　133万円以下	3万円	2万円	1万円
133万円超	0円		

◎障害者控除

　納税者またはその同一生計配偶者や扶養親族が所得税法上の障害者にあてはまる場合、障害者1人につき次の金額が控除されます（所税法79）。

区　　分	控　除　額
原則	27万円
同居特別障害者以外の特別障害者	40万円
同居特別障害者	75万円

(1)　障害者とは

　次のいずれかにあてはまる人をいいます（所税法2①二十八、所税令10①）。

① 精神上の障害により事理を弁識する能力を欠く常況にある人
② 児童相談所、精神保健福祉センターなどで知的障害者と判定された人
③ 「精神障害者保健福祉手帳」の交付を受けている人
④ 「身体障害者手帳」に身体上の障害がある旨の記載がされている人
⑤ 「戦傷病者手帳」の交付を受けている人
⑥ 原子爆弾被爆者で厚生労働大臣の認定を受けている人
⑦ 常に就床を要し、複雑な介護を要する人
⑧ 年齢65歳以上の人で障害者に準ずるものとして市町村等の認定を受けている人

PART3　くらしに身近な所得税法をくわしく学ぶ

(2)　特別障害者とは

障害者のうち、次の人があてはまります (所税法2①二十九、所税令10②)。

① 　上記障害者の①に該当する人
② 　児童相談所、精神保健福祉センターなどで重度の知的障害者と判定された人
③ 　「精神障害者保健福祉手帳」に障害等級が1級と記載されている人
④ 　「身体障害者手帳」に身体上の障害の程度が1級または2級と記載されている人
⑤ 　「戦傷病者手帳」に障害の程度が恩給法に定める特別項症から第3項症までと記載されている人
⑥ 　上記障害者の⑥、⑦に該当する人
⑦ 　上記障害者の⑧のうち特別障害者に準ずるものとして認定を受けている人

(3)　同居特別障害者とは

特別障害者である控除対象配偶者や扶養親族で、納税者自身や配偶者、同一生計親族のいずれかとの同居を常況としている人をいいます (所税法79③)。

老人ホームなどへ入所している場合は、同居を常況にしているとはいえません。

◎勤労学生控除

納税者が勤労学生である場合、27万円が控除されます (所税法82)。

勤労学生とは、その年の12月31日（年の中途で死亡しまたは出国した場合は死亡または出国の日）の現況で、次のすべてにあてはまる人をいいます (所税法2①三十二・85①、所税令11の3)。

①　給与所得等の勤労による所得があること。
②　合計所得金額が75万円以下で、①による勤労の所得以外の所得が10万円以下であること。
③　特定の学校の学生、生徒であること。
　特定の学校とは、次のいずれかの学校をいいます。
　　イ　学校教育法に定める小学校、中学校、高等学校、大学、高等専門学校等。
　　ロ　国、地方公共団体、私立学校法に定める学校法人、私立専修学校等で、一定の課程を履修させるもの。
　　ハ　職業能力開発促進法の定めによる職業訓練法人で、一定の課程を履修させるもの。

525

◎寡婦控除

　納税者が寡婦にあてはまる場合、27万円が控除されます（所税法2①三十・80、所税令11）。

(1)　寡婦とは

　納税者がその年の12月31日（年の中途で死亡しまたは出国した場合は、死亡日または出国日）の現況で、「ひとり親」に該当せず、次の要件のいずれかにあてはまる人をいいます。ただし、納税者と事実上婚姻関係と同様の事情にあると認められる一定の人がいる場合は対象になりません[*1]。

死別・離婚要件	扶養親族要件	所得要件
離　婚	扶養親族を有すること	合計所得金額が500万円以下であること
死　別		
（生死不明）		
死　別	なし	
（生死不明）		

◎ひとり親控除

　2020年（令和2年）度から、すべてのひとり親家庭に対して公平な税制を実現する観点から、「婚姻歴の有無による不公平」と「男性のひとり親と女性のひとり親の間の不公平」を同時に解消するため、婚姻歴の有無や性別にかかわらず、生計を一にする子（総所得金額等[*2]が48万円以下）を有する「単身者」について、同一の控除を適用することになりました。納税者がひとり親である場合、その年分の総所得金額、退職所得金額または山林所得金額から35万円が控除されます（所税法2①三十一・81、所税令11の2）

(1)　ひとり親とは

　納税者がその年の12月31日（年の中途で死亡しまたは出国した場合は、死亡日または出国日）の現況で、婚姻をしていない人または配偶者の生死の明らかでない人で、次の要件のすべてにあてはまる人をいいます。

　　①　総所得金額等が48万円以下の生計を一にする子（他者の同一生計配偶者または扶養親族とされている子を除く）を有すること。

PART3　くらしに身近な所得税法をくわしく学ぶ

②　合計所得金額が500万円以下であること。

③　納税者と事実上婚姻関係と同様の事情にあると認められる一定の人がい

ないこと*1。

＊1　この要件は、事実婚状態の人は執行可能な範囲で控除の対象外とすべきであるとの理由から設けられたものですが、対象者の生活実態等のすべてを確認してうえでの実質的な執行は不可能です。そこで、住民票の記載という客観的に確認可能な要素が現実的・合理的な要件として設けられました。したがって、住民票の続柄欄に「夫（未届）」や「妻（未届）」との記載がある人は対象外になります。

＊2　「総所得金額等」とは、純損失、居住用財産の買換え等の場合の譲渡損失、特定居住用財産の譲渡損失または雑損失の繰越控除適用後の総所得金額、分離短期譲渡所得の金額（特別控除前）、分離長期譲渡所得の金額（特別控除前）、分離課税の上場株式等にかかる配当所得等の金額（上場株式等にかかる譲渡損失との損益通算および繰越控除適用後の金額）、一般株式等にかかる譲渡所得等の金額（特定株式にかかる譲渡損失の繰越控除適用後の金額）、上場株式等にかかる譲渡所得等の金額（上場株式等にかかる譲渡損失の繰越控除および特定株式にかかる譲渡損失の繰越控除適用後の金額）、退職所得金額（2分の1後）、先物取引にかかる雑所得等の金額（先物取引の差金等決済にかかる損失の繰越控除適用後の金額）、山林所得金額（特別控除後）の合計額をいいます。

（鎌倉　友一）

3.3.3　物的控除

ポイント

　物的控除は、一定の生活上の支出を考慮するもので、不慮の損害への配慮（雑損控除、医療費控除）、法令による義務的な支出への配慮（社会保険料控除、小規模企業等掛金控除）、政策的な支出への配慮（生命保険料控除、地震保険料控除、寄附金控除）があります。

◎雑損控除

　災害、盗難または横領によって資産に損害を受けた場合や、これらに関連してやむを得ない支出をした場合に控除されます（所税法72）。

(1)　雑損控除の対象資産

　納税者または納税者の同一生計親族（ただし、総所得金額が48万円以下）が所有する住宅や家財などの生活に通常必要な資産に限られます。したがって、

棚卸資産、事業用固定資産等または「生活に通常必要でない資産」は対象資産になりません（所税法62・72①、所税令178・205・206）。

(2) 雑損控除の計算式

控除額は、次のいずれか多いほうの金額です（所税法72、所税令206）。

① （災害損失の金額＋災害関連支出の金額）－年間所得金額 ×10％

② 災害関連支出の金額 － 5 万円

(3) 雑損失の繰越控除

雑損失として控除することができる金額が、その年の総所得金額を超える場合、翌年以降3年間繰越して控除することができます（所税法26①二十六・71、所税令204）。この場合、損失申告書を提出しなければなりません。

(4) 必要な手続

災害関連支出の領収証を添付するか、提示する必要があります（所税令262①）。

(5) 災害減免法による減免措置との選択適用

災害による住宅や家財の損害額が時価の2分の1以上の場合、雑損控除に代えて、次の区分で所得税の減免を受けることができます（災害減免法2、災害減免令1）。

所得金額の合計額	所得税の軽減・免除額
500万円以下	全額
500万円超750万円以下	2分の1
750万円超1,000万円以下	4分の1

◎医療費控除

納税者が、本人や同一生計親族の医療費を支払った場合は、次の算式により計算した金額が控除されます（所税法73）。

$$
\begin{bmatrix} 支払った医療 \\ 費の額 \end{bmatrix} - \begin{bmatrix} 次のいずれか低いほうの金額 \\ ① \quad 10万円 \\ ② \quad 年間所得金額 \times 5\% \end{bmatrix} = \begin{matrix} 医療費控除額 \\ （最高限度額 \\ 200万円） \end{matrix}
$$

PART3　くらしに身近な所得税法をくわしく学ぶ

(1)　控除の対象になる医療費

診療や治療のために支払った費用で、次に掲げるものをいいます（所税法73②、所税令207）。

---

①　医師または歯科医師による診療または治療の対価
②　治療または療養のために必要な医薬品の購入費
③　病院、診療所、指定介護老人福祉施設等または助産所へ入院や通院するために支出した交通費など
④　あんまマッサージ指圧師、はり師、きゅう師、柔道整復師などによる治療の対価
⑤　保健師、看護師、准看護師に支払った療養上の世話の対価（これらの人以外でも、療養上の世話を受けるために特に依頼した人への対価も含みます。）
⑥　助産師による分娩介助料
⑦　介護福祉士等による喀痰吸引等の対価

人間ドックその他健康診断のための費用、美容整形等の費用、病気の予防や健康増進のための薬品等の購入費用は医療費控除の対象になりません。ただし、健康診断で病気が発見され、引き続き治療を行った場合は医療費控除の対象になります。

(2)　必要な手続

確定申告書に、医療費控除に関する事項を記載し、医療費の明細書または医療 保険者等の医療費通知書の添付が必要です（所税法120④、所税規47の2⑧⑨）。また、原則として、確定申告期限等から5年間、医療費の領収書を保存しなければなりません（所税法120⑤）。

(3)　セルフメディケーション税制（医療費控除の特例）

健康の保持増進および疾病の予防への取組みとして一定の健康診査や予防接種などを行った場合、医療費控除との選択により、この特例の適用を受けることができます（措置法41の17、措置令26の27の2、措置規19の10の2、平28厚生労働省告示第178号、第181号、平成29年改正法附則58、令和2年改正規則附則38）。

●セルフメディケーション税制（医療費控除の特例）の概要

適用期間	2017（平成29）年1月1日から2026（令和8）年12月31日
対象者	健康の保持増進および疾病の予防への「一定の取組み」*¹を行う納税者
対象支出	納税者または同一生計親族にかかる一定の「スイッチOTC医薬品」*²購入費用
控除額	（その年中に支払った額－保険金等の額*³）－1万2,000円（最高8万8,000円）

* 1　「一定の取組み」とは、①人間ドック等の特定健康診査、②インフルエンザ等の予防接種、③定期健康診断、④特定健康診査、特定保健指導（いわゆるメタボ検診）、⑤がん検診をいいます。
* 2　「スイッチOTC医薬品」とは、医療保険各法等の規定により療養の給付として支給される薬剤との代替性が特に高いものとして厚生労働大臣が財務大臣と協議して定めるものをいいます。
* 3　「保険金等の額」とは、保険金等で補てんされる部分の金額です。

◎社会保険料控除

　納税者が、本人や同一生計親族が負担すべき社会保険料を支払った場合（給与から控除される場合を含みます。）、その年中に支払った金額が控除されます（所税法74）。

(1)　社会保険料とは

　主として次に掲げる保険料または共済掛金をいいます（所税法74②、所税令208、措置法41の7②）。

①　健康保険の保険料
②　国民健康保険の保険料または国民健康保険税
③　高齢者の医療の確保に関する法律の規定による保険料
④　介護保険法の規定による介護保険の保険料
⑤　雇用保険の労働保険料
⑥　国民年金の保険料および国民年金基金の掛金
⑦　農業者年金の保険料
⑧　厚生年金保険の保険料および厚生年金基金の掛金
⑨　船員保険の保険料
⑩　国家公務員共済組合の掛金
⑪　地方公務員等共済組合の掛金
⑫　私立学校教職員共済組合の掛金
⑬　恩給納金

PART3 くらしに身近な所得税法をくわしく学ぶ

(2) 必要な手続

　確定申告書に、社会保険料控除に関する事項を記載し、その保険料または掛金の金額を証する書類を添付するか提示しなければなりません (所税令262①二)。ただし、給与所得者で年末調整の際に給与所得から控除を受けたものについては、その必要はありません (所税令262①ただし書)。

◎小規模企業共済等掛金控除

　納税者が小規模企業共済等掛金を支払った場合、支払った金額が控除されます (所税法75①)。

　小規模企業共済等掛金とは、次のものをいいます (所税法75②、所税令208②)。

●「小規模企業共済等掛金」の範囲

① 　小規模企業共済法に規定する共済契約に基づく掛金
② 　確定拠出年金法に規定する企業型年金加入者掛金または個人型年金加入者掛金
③ 　「心身障害者扶養共済制度」の掛金

(1) 必要な手続

　確定申告書に小規模企業等掛金控除に関する事項を記載し、支払った掛金の証明書を添付するか、提示しなければなりません (所税令262①三)。ただし、給与所得者で年末調整の際に給与所得から控除を受けたものについては、その必要はありません (所税令262①ただし書)。

531

◎生命保険料控除

　納税者が、生命保険料、介護保険料または年金保険料を支払った場合、次の計算による金額が控除されます (所税法76、所税令208の3〜212)。

●2012（平成24）年1月1日以後に締結した保険契約等（新契約）にかかる控除

区分	支払った保険料の金額	控除額
一般の生命保険料	20,000円以下	支払保険料の全額
	20,000円超40,000円以下	支払保険料の全額×1/2＋10,000円
	40,000円超80,000円以下	支払保険料の全額×1/4＋20,000円
	80,000円超	40,000円
介護医療保険料	上記一般の生命保険料と同じ計算になります。	
個人年金保険料	上記一般の生命保険料と同じ計算になります。	
一般の生命保険料、個人年金保険料および介護医療保険料のすべての支払がある場合、これらの合計額（最高120,000円）になります。		

●2011（平成23）年12月31日以前に締結した保険契約等（旧契約）にかかる控除

区分	支払った保険料の金額	控除額
一般の生命保険料	25,000円以下	支払保険料の全額
	25,000円超50,000円以下	支払保険料の全額×1/2＋12,500円
	50,000円超100,000円以下	支払保険料の全額×1/4＋25,000円
	100,000円超	50,000円
個人年金保険料	上記一般の生命保険料と同じ計算になります。	
一般の生命保険料と個人年金保険料の両方の支払がある場合、その合計額になります。		

(1) 必要な手続

　確定申告書に生命保険料控除に関する事項を記載し、一定の事項を記載する証明書、または電磁的記録印刷書面*を添付するか提示しなければなりません (所税令262①四)。ただし、給与所得者で年末調整の際に給与所得から控除を受けたものについては、その必要はありません (所税令262①ただし書)。

◎地震保険料控除

　納税者が特定の損害保険契約等に係る地震等損害部分の保険料または掛金を支払った場合には、次の計算による金額が控除されます (所税法77、所税令213.214)。

PART3 くらしに身近な所得税法をくわしく学ぶ

区分	年間の支払保険料の合計	控除額
(1)地震保険料	50,000円以下	支払保険料の全額
	50,000円超	一律50,000円
(2)旧長期損害保険料	10,000円以下	支払保険料の全額
	10,000円超20,000円以下	支払保険料×1／2＋5,000円
	20,000円超	15,000円
(1)・(2)両方がある場合	－	(1)、(2)それぞれの方法で計算した金額の合計額（最高50,000円）

(1) 必要な手続

　確定申告書に地震保険料控除に関する事項を記載し、一定の事項を記載する証明書、または電磁的記録印刷書面*を添付するか提示しなければなりません（所税令262①五）。ただし、給与所得者で年末調整の際に給与所得から控除を受けたものについては、その必要はありません（所税令262①ただし書）。

◎寄附金控除

　納税者が国や地方公共団体、特定公益増進法人等に対し、「特定寄附金」を支出した場合に控除を受けることができます（所税法78、措置法41の18・41の18の2・41の19）。なお、政治活動に関する寄附金、認定NPO法人等に対する寄附金および公益社団法人等に対する寄附金のうち一定のものについては、所得控除に代えて、税額控除（☞3.4.1）を選択することができます。

(1) 控除額

　次のいずれか少ない金額から2,000円を控除した額です（所税法78①）。

　　A　その年に支出した特定寄附金の合計額

　　B　その年の総所得金額（☞3.1.5）の40％相当額

(2) 必要な手続

　確定申告書に寄附金控除に関する事項を記載し、寄附金の受領証、または電磁的記録印刷書面*を添付するか提示しなければなりません（所税令262①六、所税規47の2③）。

533

＊「電磁的記録印刷書面」とは、電子証明書等に記録された情報の内容と、その内容が記録されたQRコードが付された出力書面のことです。2018（平成30）年分以後、保険会社から電子メール等の電磁的方法により交付を受けた控除証明書等（電子的記録証明書等）を印刷した電磁的記録印刷書面による提出が可能になりました。また、確定申告をe-Taxで送信する場合には、電子的記録証明書等を添付して送信することができます。

（鎌倉　友一）

3.3.4 所得控除の順序

ポイント

所得控除は、雑損控除を最優先に控除します。また、複数の所得がある場合は、控除の順序が定められていますので、注意が必要です。

◎所得控除はまず雑損控除から

雑損控除は、他の所得控除に優先して控除します（所税法87①）。これは、雑損控除のうち所得金額から引き切れない部分は、雑損失の控除不足額として翌年以降３年間の繰越控除（☞3.3.3）が認められているためです（所税法71、所税令204）。

雑損控除以外の所得控除に、差し引く順序はありません。

２つ以上の所得がある場合には、次の順に控除します（所税法87②、措置法8の4③三・31③三・32④・37の10⑥五・41の14②四、措置通31・32-4）。

① 　総所得金額（☞3.1.5）

② 　分離課税の短期譲渡所得の金額（特別控除額控除後の金額）

③ 　分離課税の長期譲渡所得の金額（特別控除額控除後の金額）

④ 　分離課税の上場株式等にかかる配当所得等の金額

⑤ 　分離課税の一般株式等にかかる譲渡所得等の金額

⑥ 　分離課税の上場株式等にかかる譲渡所得等の金額

⑦ 　分離課税の先物取引にかかる雑所得等の金額

⑧ 　山林所得金額

⑨ 　退職所得金額

（鎌倉　友一）

PART3 くらしに身近な所得税法をくわしく学ぶ

3.4 税額控除：税額から差し引ける金額、所得税の確定申告書

　税額控除は、所得税法本法には、「配当控除」と「外国税額控除」の2つがあり、そのほかに、租税特別措置法上のさまざまな税額控除があります。

　所得税（申告所得税）は、納税者が税額を計算し確定申告して税金を納めるのを原則としています。確定申告の際に使われる最もベーシックな申告書が、「令和○年分の所得税及び復興特別所得税の申告書」です。

3.4.1 税額控除とは何か、そしてその目的と種類は

ポイント

　「税額控除」は、課税所得に税率を適用して出てきた所得税から控除するものです。税額控除は、どのような目的で設けられ、どのような種類のものがあるのでしょうか。また、「税額控除」は「所得控除」とどう違うのでしょうか。

◎税額控除とは何か

　所得税は、課税所得の金額に税率をかけて税額を計算します。こうして算出した税額から差し引くのが「税額控除」です。課税所得の算出の段階で控除される「所得控除」（●3.3）とは異なります。

◎税額控除の目的と種類は

　税額控除は、所得税法上のもののほかに、租税特別措置法上のものなどさまざまあります。税額控除は、大きく①二重課税の排除をねらいとするもの、②政策的な減税を目的とするもの、とに分けることができます。そこで、税額控除の一部を目的別に2つに分けて、わかりやすく示すと、次のとおりです。

535

● 税額控除の目的と種類

(1) 二重課税の排除目的

① 配当控除（所税法92）

　　法人税は所得税の前払いという考えから二重課税を調整する目的で、配当所得に対して一定の税額控除を行っています。

② 外国税額控除（所税法95）

　　所得税は国内、国外源泉所得を問わず課税対象としていることから、国際的な二重課税を排除するために外国税額の控除を行っています。

(2) 政策的減税目的

① 試験研究を行った場合の特別控除（措置法10）

　　事業者（青色申告のみ）の試験研究を促進するため、試験研究費の総額に対し一定額を税額控除できます。

② 中小業者が機械等を取得した場合の特別控除（措置法10の3）

　　中小事業者（青色申告のみ）の機械化を促進するため、特定機械等（機械・装置160万円以上、工具120万円以上、ソフトウエア70万円以上）を一定の事業の用に供した場合、取得価額の7％か、事業所得にかかる所得税額の20％相当額とのいずれか低い金額を税額控除できます。特別償却との選択ができ、リース契約についても税額控除があります。

③ 住宅借入金等特別控除（措置法41）

　　居住者の住宅取得等を促進するため、一定の期間内に新築住宅、既存住宅を取得し、または増改築した場合に、その住宅資金借入金に対して一定額を税額控除できます。この控除については、適用年により規定が次々と改正されているので注意が必要です。一般に、住宅ローン控除といわれています。

④ 政治活動に関する寄附をした場合の特別控除（措置法41条の18）

　　政治活動への寄附を促進するため、個人が一定の期間内に行った政治資金規正法に基づく政治献金のうち、次の算式により計算される金額を税額控除できます。

　　（政治資金規正法に基づく政治献金（所得金額の40％が限度）－2,000円）×30％

　　ただし、その年に納付する所得税額の25％を限度とします。

　　認定特定非営利活動法人（認定NPO法人）および公益社団法人等に対する寄附についても同様な規定があります。

　　これらの税額控除は、寄附金控除（所得控除）との選択適用ができます（☛3.3.3）。

◎税額控除と所得控除との違いは

　「税額控除」と「所得控除」とは、ともに税額を減少させる点では同じ効果を持ちます。しかし、税額の節減に与える効果と納税申告（税金計算面）における手続の簡便さの面で違いがあるとされています。

PART3　くらしに身近な所得税法をくわしく学ぶ

(1)　減税効果における差異

　超過累進税率の構造のもとでは、税額控除方式をとるか、所得控除方式をとるかで、高額所得者と低所得者との間に、減税効果の面で差が出てきます。具体的にいうと、100万円の所得控除は、その控除がなかった場合、適用される税率が33％である所得者では33万円の減税効果を持ちます。これに対し、適用される税率が10％である所得者では10万円の減税効果しかもちません。

　一方、税額控除では10万円の税額控除は、高額所得者にも低所得者にも同じ10万円の控除となります。この点からは、所得控除は高額所得者に有利といえます。逆に、税額控除は低所得者に有利に働くといえます（☛Column）。

(2)　税金の計算上の簡便さ

　所得控除では、控除を行って課税所得がなくなれば、税額もなくなります。納税申告の際の税金計算上、所得控除は非常に簡便といえます。

　一方、税額控除では、いったんは控除税額を計算しなければ納税義務があるのかないのか判断できません。この点で税額控除は手続的に煩雑といえます。

　しかし、税額控除のなかには、配当控除、外国税額控除など、①"税額の精算"という性格を持つものと、②政策的な見地から一定の減税をはかるもの、とがあります。前者①は、所得控除の方式にはなじみません。

（辻村　祥造）

Column　**政治献金を例に、所得控除と税額控除の実際の税負担効果を探る**

　政治献金を例に、所得控除と税額控除のどちらを選択するかで、どのように減税額が変わってくるのかを見てみましょう。A氏とB氏が、ともに政治資金規正法に基づいて、X政党へ10万円の寄附を行ったとします。この場合、所得控除方式の寄附金控除（☛3.3.3）を選択するか、税額控除（寄附金控除対象額の30％を税額控除できます。☛3.4.1）を選択するかで、減税額は以下のように変わってきます。

　なお、A氏の給与収入は1,000万円で所得控除額は280万円、B氏の給与収入は2,000万円で所得控除額は280万円とします。

	A氏の減税額	B氏の減税額
所得控除	19,600円	32,400円
税額控除	29,400円	29,400円

　税額控除では両方が同じなのに対して、所得控除では収入の多いB氏に有利になります。

（辻村　祥造）

3.4.2 所得税（および復興特別所得税）確定申告書

ポイント

確定申告の必要がある場合に使う申告書です。

事業所得（☞3.2.2）や不動産所得（☞3.2.3）、譲渡所得（☞3.2.8.1）等がある場合をはじめ、給与所得者で2か所以上から給与をもらっている場合や、収入が公的年金のみである人で一定の要件に該当する場合、また原稿料や株式の配当がある場合には、確定申告をする必要があります。

また、年末調整では控除を受けることのできない医療費控除（☞3.3.3）や寄附金控除（☞3.3.3）、雑損控除（☞3.3.3）を受ける場合、さらに住宅借入金等特別控除（☞3.4.1）の適用初年度も確定申告が必要です。

所得税（および復興特別所得税）確定申告書は、第一表に、各所得の収入や所得金額、税額計算等を記載します。第二表には、所得から差し引かれる金額の細目などを書くようになっています。

事業所得や不動産所得、山林所得がある青色申告の場合には、各所得の金額を計算した所得税青色申告決算書を作成し、その収入金額と所得金額を、この申告書に記載します。白色申告の場合には、各所得の金額を計算した収支内訳書を作成し、その収入金額と所得金額を、この申告書に記載します。なお、この収支内訳書ですが、雑所得者の場合でも、前々年分の業務に係る雑所得の収入金額が1,000万円を超える場合には、作成する必要があります。

また、申告分離課税である譲渡所得のうち土地建物等や株式の譲渡にかかる所得、雑所得のうち先物取引に係る所得、配当所得のうち上場株式等にかかる所得や退職所得、山林所得などがある場合には、第三表の記入が必要になります。第三表では、申告分離課税に該当するこれら所得の収入金額や所得金額、そしてそれに対応した税額等を記載します。そして第三表で計算した税額を第一表に転記します。損失申告（☞3.2.12）する場合には、第四表（一）、第四表（二）の記入が必要になります。

PART3　くらしに身近な所得税法をくわしく学ぶ

　次の例は、事業所得と不動産所得があるため確定申告が必要となっています。また、あわせて医療費控除を受けています。

（注1）所得税法では、我が国居住者は次の場合に確定申告義務があります（所得税法120、121）。
〔給与所得がある者〕
次の計算において残額があり、さらに（1）から（6）のいずれかに該当する者
（計算）
　1．各種の所得の合計額（譲渡所得や山林所得を含む。）から、所得控除を差し引いて、課税される所得金額を求めます。
　2．課税される所得金額に所得税の税率を乗じて、所得税額を求めます。
　3．所得税額から、配当控除額と年末調整の際に控除を受けた（特定増改築等）住宅借入金等特別控除額を差し引きます。
　（1）　給与の収入金額が2,000万円を超える場合
　（2）　給与を1か所から受けていて、かつ、その給与の全部が源泉徴収の対象となる場合において、給与所得及び退職所得以外の所得の合計額が20万円を超える場合
　（3）　給与を2か所以上から受けていて、かつ、その給与の全部が源泉徴収の対象となる場合において、年末調整をされなかった給与の収入金額と、給与所得及び退職所得以外の所得の合計額が20万円を超える場合
　（4）　同族会社の役員やその親族などで、その同族会社から給与以外にも支払いを受けている場合
　（5）　給与について、災害減免法により所得税等の源泉徴収税額の徴収猶予や還付を受けた場合
　（6）　在日の外国公館に勤務する者や家事使用人等で、給与の支払を受ける際に所得税等を源泉徴収されないこととなっている場合
〔公的年金等に係る雑所得のみがある者〕
下記注3参照。
〔上記以外〕
その年1年間分の総所得金額（☞3.1.5参照）、退職所得金額及び山林所得金額の合計額が、各種の所得控除の合計額を超える場合に、この控除額合計を総所得金額、山林所得金額又は退職所得金額から順次控除（所法87②）して課税総所得金額、課税退職所得金額又は課税山林所得金額を計算します。次にこれらの所得金額に税率を適用して税額を計算します。税額が配当控除額を超える場合に確定申告の義務があります（所法120①）。
このほか、退職所得がある者で退職金の支払者に「退職所得の受給に関する申告書」を提出していない場合に、確定申告をする必要の出てくる場合があります（☞3.2.6参照）。また預貯金の利子による利子所得は源泉分離課税で完結することとされており（措置法3）、確定申告することはできません（☞3.2.4参照）。従って上記の総所得金額の計算には、この利子所得は含まれません。それに対して、配当所得の場合には、確定申告不要制度、源泉分離課税制度を選択できますが、確定申告による総課税制度を選択することもできます（☞3.2.5参照）。
（注2）国税である「復興特別税」は、2011（平成23）年12月2日に公布された「東日本大震災からの復興のための施策を実施するために必要な財源の確保に関する特別措置法」（平成23年法律第117号）で創設された税金です。通称は「復興財源法」です。①「復興特別所得税」と①「復興特別法人税（現在廃止）」からなります。
　「復興特別所得税」は、個人で所得税を納める義務のある人に対して、2013（平成25）年から2037年まで25年間、基準所得税額の2.1％を復興特別所得税として所得税

とあわせて納付するように求めるものです（復興財源法12、13）。このため、所得税の確定申告書の様式は、「平成○○年度分所得税及び復興特別所得税の確定申告書」のタイトルになっているわけです。

このほか、個人については、2014（平成26）年度から2023年度まで10年間にわたり、住民税の均等割に対し、道府県民税、市町村民税の各々に500円（総合計1,000円）が、復興特別地方税として加算されています。

(注3) 収入が公的年金のみである者は、公的年金等にかかる雑所得の金額から所得控除を差し引いて残額がある場合は、確定申告が必要です。ただし、公的年金等の収入金額が400万円以下で、かつ、その公的年金等の全部が源泉徴収の対象となる場合において、公的年金等にかかる雑所得以外の各種の所得金額が20万円以下である場合には、確定申告は必要ありません。

(注4) 申告書の区分欄は、以下の場合に記入します。

「収入金額等」の「事業」の「営業等」及び「農業」にある「区分」⑦⑦には、令和5年の記帳・帳簿の保存の状況について、次の場合に応じて、それぞれ次の数字を記入します。

なお、4又は5に当てはまる場合、10万円を超える青色申告特別控除の適用は受けられません。

1．電子帳簿保存法の規定に基づく優良な電子帳簿の要件を満たし、電磁的記録による保存に係る届出書（又は電磁的記録に係る承認申請書）を提出し、総勘定元帳、仕訳帳等について電磁的記録による備付け及び保存を行っている場合

2．会計ソフト等の電子計算機を使用して記帳している場合（1に該当する場合を除きます。）

3．総勘定元帳、仕訳帳等を備え付け、日々の取引を正規の簿記の原則（複式簿記）に従って記帳している場合（1又は2に該当する場合を除きます。）

4．日々の取引を正規の簿記の原則（複式簿記）以外の簡易な方法で記帳している場合（2に該当する場合を除きます。）

5．上記のいずれにも該当しない場合（記帳の仕方が分からない場合を含みます。）

「収入金額等」の「不動産」にある「区分1」には、⑨の「区分1」には、国外中古建物の不動産所得に係る損益通算等の特例（措法41の4の3）の適用がある場合は、「1」を記入します。「区分2」には、上記⑦⑦と同様に記帳・帳簿の保存の状況について、数字を記入します。

「収入金額等」の「給与」（⑦）：所得金額調整控除に該当する場合のみ「1」～「3」を記入します。

「所得金額等」の「給与」（⑥）：給与所得者の特定支出控除を受ける場合のみ、適用する特定支出の区分（通勤費「1」、交際費等「128」など）の合計を記入します。

「収入金額等」の「雑」の「業務」にある「区分」には、業務に係る雑所得の金額の計算上、現金主義の特例を適用する場合は、「1」を記入します。

「その他」にある⑦の「区分」には、個人年金保険に係る収入がある場合は「1」を、暗号資産取引に係る収入がある場合は「2」を、個人年金保険に係る収入及び暗号資産取引に係る収入の両方がある場合は「3」を記入します。

寡婦、ひとり親控除：ひとり親控除の方を受ける場合に「1」を記入します。

配偶者（特別）控除「区分1」：配偶者特別控除を適用する場合に、「1」と記入します。

配偶者（特別）控除「区分2」：配偶者が国外居住親族で、かつ、年末調整においてこの控除の適用を受けている場合は「1」を、この控除の適用を受けていない場合は「2」を記入します。

扶養控除：扶養親族に国外居住親族がおり、その国外居住親族の1人以上について年末調整においてこの控除の適用を受けていない場合は、「1」を記入します。また、

その国外居住親族の全員についてこの控除の適用を受けている場合は、「２」を記入します。

医療費控除：セルフメディケーション税制による医療費控除の特例を選択する場合は、「１」と記入します。

（特定増改築等）住宅借入金等特別控除「区分１」:東日本大震災の被災者の方が、適用期間の特例や住宅の再取得等に係る住宅借入金等特別控除の控除額の特例などの適用を受ける場合などに、「７」や「９」を記入します。

（特定増改築等）住宅借入金等特別控除「区分２」:給与所得者が、既に年末調整でこの控除を受けた金額を記入する場合には、「１」を記入します。

給与所得者が、既に年末調整でこの控除を受けた金額を記入する場合には、「区分２」の□に「１」を記入します。

住宅耐震改修特別控除等：住宅耐震改修特別控除を適用する場合は「１」、住宅特定改修特別税額控除の場合は「２」などを記入します。

外国税額控除等：外国税額控除や分配時調整外国税相当額控除の適用がある場合に、その適用の状況により「１」～「３」を記入します。

令和 05 年分の 所得税及び復興特別所得税 の 確定 申告書

麹町 税務署長　令和 6 年 3 月　日

FA2203　第一表（令和五年分以降用）

納税地	〒100-0004
個人番号（マイナンバー）	
生年月日	3 40.01.02
現在の住所又は居所事業所等	東京都千代田区大手町○-1-1
フリガナ	ニホン　イチロウ
氏名	日本　一郎
令和6年1月1日の住所	同上
世帯主の氏名	日本　一郎
世帯主との続柄	本人

種類　青色　分離　国出　損失　修正　特農の表示　特農　整理番号
電話番号　自宅・勤務先・携帯

（単位は円）

収入金額等

事業	営業等 ㋐	8 500 000
	農業 ㋑	
不動産	㋒	3 500 000
配当	㋓	
給与	㋔	
雑	公的年金等 ㋕	
	業務 ㋖	
	その他 ㋗	
総合譲渡	短期 ㋘	
	長期 ㋙	
一時	㋚	

所得金額等

事業	営業等 ①	4 550 000
	農業 ②	
不動産	③	2 080 000
利子	④	
配当	⑤	
給与	⑥	
雑	公的年金等 ⑦	
	業務 ⑧	
	その他 ⑨	
⑦から⑨までの計	⑩	
総合譲渡・一時 ⑦+｛(⊙+⊕)×½｝	⑪	
合計 ①から⑥までの計+⑩+⑪	⑫	6 630 000

所得から差し引かれる金額

社会保険料控除 ⑬	790 000
小規模企業共済等掛金控除 ⑭	
生命保険料控除 ⑮	80 000
地震保険料控除 ⑯	15 000
寡婦、ひとり親控除 ⑰~⑱	0000
勤労学生、障害者控除 ⑲~⑳	0000
配偶者（特別）控除 ㉑~㉒	380 000
扶養控除 ㉓	630 000
基礎控除 ㉔	480 000
⑬から㉔までの計 ㉕	2 375 000
雑損控除 ㉖	
医療費控除 ㉗	215 700
寄附金控除 ㉘	
合計 （㉕+㉖+㉗+㉘） ㉙	2 590 700

税金の計算

課税される所得金額 （⑫-㉙）又は第三表 ㉚	4 039 000
上の㉚に対する税額又は第三表の㉝ ㉛	380 300
配当控除 ㉜	
㉝	
（特定増改築等）住宅借入金等特別控除 ㉞	00
政党等寄附金等特別控除 ㉟~㊲	
住宅耐震改修特別控除等 ㊳~㊵	
差引所得税額 （㉛-㉜-㉝-㉞-㉟-㊵） ㊶	380 300
災害減免額 ㊷	
再差引所得税額（基準所得税額）（㊶-㊷） ㊸	380 300
復興特別所得税額 （㊸×2.1%） ㊹	7 986
所得税及び復興特別所得税の額 （㊸+㊹） ㊺	388 286
外国税額控除等 ㊻~㊼	
源泉徴収税額 ㊽	
申告納税額 （㊺-㊻-㊼-㊽） ㊾	388 200
予定納税額（第1期分・第2期分） ㊿	250 000
第3期分の税額 （㊾-㊿） 納める税金 51	138 200
還付される税金 52	

㊸・㊺・㊾　51又は52の記入をお忘れなく。

修正申告

修正前の第3期分の税額（還付の場合は頭に△を記載） 53	
第3期分の税額の増加額 54	00

その他

公的年金等以外の合計所得金額 55	
配偶者の合計所得金額 56	
専従者給与（控除）額の合計額 57	
青色申告特別控除額 58	
雑所得・一時所得等の源泉徴収税額の合計額 59	
未納付の源泉徴収税額 60	
本年分で差し引く繰越損失額 61	
平均課税対象金額 62	
変動・臨時所得金額 63	

延納の届出

申告期限までに納付する金額 64	00
延納届出額 65	000

還付される税金の受取場所：銀行・金庫・組合・農協・漁協／本店・支店・出張所・本所・支所
郵便局名等／預金種類　普通　当座　納税準備　貯蓄
口座番号記号番号

公金受取口座登録の同意　公金受取口座の利用

整理欄　A B C D E F G H I J K

整理欄　管理　名簿　確認

PART3　くらしに身近な所得税法をくわしく学ぶ

令和 ⓪5 年分の 所得税及び復興特別所得税 の確定申告書

整理番号　　　　　　　　FA2303

〒100-0044
東京都千代田区大手町〇－1－1

住所
屋号
フリガナ　ニホン　イチロウ
氏名　日本　一郎

第二表　〔令和五年分以降用〕

保険料等の種類	支払保険料等の計	うち年末調整等以外
⑬⑭ 社会保険料控除 小規模企業共済等掛金控除		
国民健康保険	600,000	600,000
国民年金	190,000	190,000
⑮ 生命保険料控除		
新生命保険料	100,000	100,000
旧生命保険料		
新個人年金保険料	100,000	100,000
旧個人年金保険料		
介護医療保険料		
⑯ 地震保険料控除		
地震保険料	15,000	15,000
旧長期損害保険料		

本人に関する事項（⑰～⑳）
寡婦　□死別　□生死不明　□離婚　□未帰還
ひとり親
勤労学生　□年調以外かつ専修学校等
障害者　特別障害者

○ 所得の内訳（所得税及び復興特別所得税の源泉徴収税額）

所得の種類	種目	給与などの支払者の「名称」及び「法人番号又は所在地」等	収入金額	源泉徴収税額
		㊸ 源泉徴収税額の合計額		

○ 雑損控除に関する事項（㉖）

損害の原因	損害年月日	損害を受けた資産の種類など

損害金額　　　保険金などで補填される金額　　　差引損失額のうち災害関連支出の金額

○ 寄附金控除に関する事項（㉘）

寄附先の名称等	寄附金

○ 総合課税の譲渡所得、一時所得に関する事項（⑪）

所得の種類	収入金額	必要経費等	差引金額

特例適用条文等

○ 配偶者や親族に関する事項（⑳～㉓）

氏名	個人番号	続柄	生年月日	障害者	国外居住	住民税	その他
日本　はな子		配偶者	明・大 ㊲・平 43.1.2	障・特障	国外・年調	同一・別居	調整・別
日本　三郎		子	明・大 昭㊵平・令 13.1.2	障・特障	国外・年調	(16)・別居	調整・別
			明・大 昭・平・令　.　.	障・特障	国外・年調	(16)・別居	調整・別
			明・大 昭・平・令　.　.	障・特障	国外・年調	(16)・別居	調整・別

○ 事業専従者に関する事項（㊺）

事業専従者の氏名	個人番号	続柄	生年月日	従事月数・程度・仕事の内容	専従者給与（控除）額
			明・大 昭・平　.　.		
			明・大 昭・平　.　.		

○ 住民税・事業税に関する事項

住民税	非上場株式の少額配当等	非居住者の特例	配当割額控除額	株式等譲渡所得割額控除額	給与、公的年金等以外の所得に係る住民税の徴収方法　特別徴収／自分で納付	都道府県、市区町村への寄附（特例控除対象）	共同募金、日赤その他の寄附	都道府県条例指定寄附	市区町村条例指定寄附
退職所得のある配偶者・親族の氏名		個人番号			続柄	生年月日	退職所得を除く所得金額	障害者	その他　寡婦・ひとり親
事業税	非課税所得など	番号	所得金額	損益通算の特例適用前の不動産所得		前年中の開（廃）業	開始・廃止 月日		
	不動産所得から差し引いた青色申告特別控除額		事業用資産の譲渡損失など			他都道府県の事務所等			
上記の配偶者・親族・事業専従者のうち別居の者の氏名・住所	氏名　　住所			所得税で控除対象配偶者などとした専従者	氏名　　給与		一連番号		

税理士署名・電話番号
（　　　－　　　－　　　）

（長島　弘）

543

PART 4

非居住者課税を学ぶ

4 非居住者課税の基礎

　わが国の所得税法では、個人の所得税の納税義務者について、日本人であっても、海外に勤務することになれば、非居住者として取り扱われることになります。逆に、外国人であっても、わが国での滞在期間によっては、わが国の課税上は居住者として取り扱われます（☛3.1.2）。

　それから、わが国の税法において、わが国で設立された会社など内国法人の海外子会社は、わが国での課税上、外国法人として取り扱われます。また、外国の法人がわが国に設立した子会社は内国法人として取り扱われます。一方、外国法人のわが国にある支店などは、外国法人として取り扱われます（☛2.1.1）。

　わが国の税法において、居住者（個人居住者と内国法人）は、原則として、その全世界所得に課税されます。すなわち、所得がどこの国で発生したのかを問わず、得たすべての所得に対し課税されます。このため、無制限納税義務者ともよばれます。一方、非居住者（個人非居住者と外国法人）は、国内源泉所得にだけ課税されます。すなわち、わが国で生じた所得にだけ課税されます。このため、制限納税義務者ともよばれます。

　非居住者には、その本拠ともいえる居住地国があります。その非居住者の居住地国とわが国との間で二国間租税条約が結ばれていれば、その条約の規定がわが国内税法に優先して適用になります。一方、租税条約が結ばれていなければ、わが国内税法の非居住者課税の規定が適用になります。

　ちなみに、わが国は2024年3月1日現在、86の租税条約を締結しており、それらは155か国・地域との間で効力を有しています。

PART4　国際税法を学ぶ

4.1　国際税法と非居住者課税の所在

ポイント

　全世界共通の税務に関するルールを定めた「国際税法」のような法律ないし条約はありません。国際税法とは、学問上の言い回し（概念）です。具体的には、①二国間租税条約と、②二国間の課税調整を含めた国際課税関係についてのルールを定めた国内税法の規定からなる体系をさします。わが国は、多くの国や地域と二国間租税条約を締結しています。非居住者（個人非居住者・外国法人）がわが国で所得をあげたとします。ところが、その非居住者がわが国と二国間租税条約を締結していない国や地域の居住者であるとします。この場合には、わが国の所得税法・法人税法などに規定する非居住者課税の規定を適用して課税します。

　これまで、国際税法は、国境があることを前提とする「現実（リアル）空間」での国際課税問題を主な研究対象としてきました。しかし、近年、国際経済のデジタル化が急激に進んでいます。これに伴い、国際税法の研究対象は、国境があることを前提としない、目に見えない「ネット（デジタル）空間」での国際課税問題にまで大きな広がりを見せています。

◎国内税法と国際税法

　各国はそれぞれ、固有の課税権を有しています。このことから、それぞれの国は、独自に自国の課税権を行使し、税制を設計することができるわけです。その結果、当然、各国の税制は異なってきます。

　各国の所得課税制*1を見てみると、多くの場合、その国の居住者（個人居住者と内国法人）*2に対しては、その所得がどこの国・地域で生じたのかを問わず、すべての所得に対して課税しています。いわゆる「全世界所得課税」、「グローバル課税」を基本としているわけです。これに対して、その国の非居住者（個人非居住者と外国法人）に対しては、その国で生じた所得、つまり「国内源泉所得」だけに課税することにしています（☛3.1.2）。

547

＊1　消費課税の場合には、一般に、「仕向地課税原則」ないしは「消費地課税主義」を採用する国がほとんどです。このことから、国境を介した取引にかかる消費課税の調整はできています。すなわち、各国は、輸入品への課税、輸出品への免税(税額還付・戻し税)により、国際的二重課税は一応調整されています（☛2.2.2.）。また、固定資産課税などについては、財産の所在地国で課税することとされていることから、国際的な課税権の競合はありません。

＊2　納税者(納税義務者)は、大きく、「個人居住者と内国法人(以下「居住者」)と「個人非居住者と外国法人(以下「非居住者」)にわけることができます（☛3.1.2）。ただ、わが国の所得税法および法人税法では、個人にだけ「非居住者」のことばを使っていますが、租税条約では、法人にもこのことばを使っています。このため、国際税法では、「非居住者」という場合には、「個人非居住者と外国法人」の双方をさします。

　経済活動のグローバル化に伴い、わが国と諸外国との間で国境を超えたモノやサービスの流通・移転、ヒトの交流が活発化しています。当然、国際課税問題も複雑になります。そして、場合によっては、同一の課税ベースに各国の課税権が行使され、ぶつかり合う（競合する）事態も出てきます。いわゆる国際二重課税（国際的二重課税ともいいます。）問題の発生です。

　国際二重課税を放置しておくと、経済活動に支障をきたすおそれがあります。そこで、各国は、国内税法によるなり、他国と租税条約（二国間租税条約）を結ぶなりして、課税権の調整をはかっています。ここに、「国際税法」（「国際課税法」、「国際租税法」ともよばれます。）の果たすべき大きな役割があります。

　現実に、「国際税法」といった法律ないし条約があるわけではありません。国際税法とは、学問上の言い回し（概念）です。具体的には、①二国間租税条約と、②二国間の課税調整を含めた国際課税関係についてのルールを定めた国内税法の規定からなる体系をさします。

● 国際課税にルールや仕組みを定めた国内税法の体系

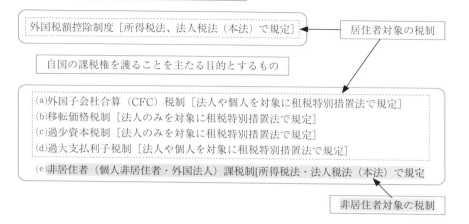

◎広がる国際税法の研究対象

　国際税法の研究対象は久しく、所得課税に関する国際二重課税の調整のための租税条約の研究が中心でした。各国が他国と締結する租税条約のほとんどは、経済協力開発機構（OECD）のモデル租税条約（1963年、1977年改正）を参考につくられています。このため、国際税法の研究では、モデル租税条約と、これを基につくられた二国間租税条約が主な精査の対象とされてきました。

　その後、企業の多国籍化が進み、この多国籍企業の租税回避戦略が、国際税法上のあらたな課題として浮上しました。具体的には、タックス・ヘイブン（軽課税国／無税国）の濫用規制、トランスファー・プライシング（移転価格操作）の規制、過少資本の規制などです。その他に、企業が、租税条約上の有利な点を活用する目的で、その条約の締約国に名目上の子会社（mail-box company、paper company）を設立する、いわゆる「条約あさり（treaty shopping）」も問題になりました。

　また、国際課税上の公平や中立性のルールを無視して、動きの速い経済活動に対して競って優遇税制を導入する国が増えていきました。外国からの金融その他のサービス産業を自国に誘致するのが主なねらいです。しかし、こうした

国際課税上の優遇措置は、結果的に動きの鈍い勤労所得や消費に対する増税として跳ね返ってきます。したがって、税を使った「有害な競争」といえます。

　OECDは、1998年に「有害な税の競争～一つのグローバルな課題（Harmful Tax Competition: An Emerging Global Issue）」と題した報告書を公表し、世界規模での対応の必要性を訴えました。2002年には、OECD加盟国の潜在的な有害税制（22ヵ国47措置）をリストアップした『有害な課税慣行の特定および縮減の進展（Progress in Identifying and Eliminating Harmful Tax Practices）』と題する報告書、そして2004年以降、年次の「有害課税慣行（The OECD's Project on Harmful Tax Practices）」と題する報告書を公表しました。

　その後、OECDは、2002年4月に「モデル税務情報交換協定（Model Agreement on Exchange of Information on Tax Matters）」（以下「OECDモデル税務情報交換協定」）を公表しました。有害課税慣行問題に関連して、的確かつ効率的な情報交換システムの確立や課税権に関するグローバルな形での執行共助・司法共助体制つくりなどがねらいです。

　2008年のリーマンショック後、各国での財政が悪化し、所得格差が拡大しました。この当時、一部の多国籍企業が国際間の税制の相違点や不整合を利用し、国境を越えた過度な租税回避に走り、批判が強まりました。

　こうした批判に応えて、OECDは、2012年以降、多国籍企業による「税源浸食と利益移転（BEPS=Base Erosion and Profit Shifting）」に対応するためのプロジェクトを開始しました。「BEPS（税源浸食と利益移転）」については、国際的にも国内的にも、はっきりした定義はありません。あえて定義するとすれば、「多国籍企業が、グループ関連者間における国際取引を通じて、その所得を高課税国から無税または低課税の国に移転させることで、国際二重非課税を享受する行為」ともいえます。

　OECDはG20と一緒になって、BEPS対応のための国際課税ルール見直し論議を活発化させました。そしてOECDは、2013年7月に、BEPSに対する具体的な対応策として15項目からなるBEPS行動計画（Action Plan on Base Erosion and Profit Shifting）をまとめ、G20の支持を得て公表しました。BEPS

行動計画の主なねらいは、多国籍企業が所得を得る経済活動を行っている国や地域にいかに課税所得を計上させるか、にあります。

OECD租税委員会は、2015年10月に、『最終報告書（BEPS 2015 Final Reports)』を公表しました (https://www.oecd.org/tax/beps-2015-final-reports.htm)。その後、加盟各国は、国内税法などを改正しBEPS行動計画を実施してきています。

わが国も、15のBEPS行動計画に沿い国内税法の改正等で対応してきています。一覧にすると、おおむね次のとおりです。

●15のBEPS行動計画とわが国の対応状況一覧

行動	項目〔わが国での対応〕
第1	電子商取引への課税〔2015年度税制改正／国境を超えたサービス提供に対する消費税の見直し（☞2.2.7）、23年度税制改正／グローバル・ミニマム税のうち、第1の柱のサブルール「所得合算ルール（IIR）」の導入〕
第2	ハイブリッド・ミスマッチ・アレンジメント＊の効果否認〔15年度税制改正／外国子会社配当益金不算入制度の適正化〕
第3	外国子会社合算税制の強化〔17年度税制改正／既存の外国子会社合算税制の改正〕
第4	利子・費用控除等による税源浸食の制限〔19年度税制改正／既存の過大利子支払税制の厳格化〕
第5	有害税制への対応〔既存の法的枠組みで対応〕
第6	租税条約濫用の防止〔BEPS防止措置実施条約で対応〕
第7	恒久的施設（PE）認定の人為的回避の防止〔BEPS防止措置実施条約／18年度税制改正でPE範囲の厳格化〕
第8～第10	移転価格税制と価値創造の一致〔19年度税制改正で、所得対応性基準の導入、無形資産取引にかかる価格算定方式の整備〕
第11	BEPS関連データの収集・分析方法の確立〔OECDなどで対応〕
第12	タックスシェルター・プロモーターの報告義務
第13	移転価格関連の文書化手引書の再検討〔16年度税制改正／移転価格税制にかかる文書化制度等の導入〕
第14	実効的な紛争処理システム（相互協議や仲裁）の構築〔既存の法的枠組みやBEPS防止措置実施条約で対応〕
第15	二国間租税条約の改善に資する多数国間協定の開発〔BEPS防止措置実施条約で対応〕

＊ 親会社所在地国の税制では配当／受取配当金の益金不算入として取り扱われる一方、子会社所在地国の税制では利子／損金算入として取り扱われる「株式と負債のハイブリッド証券」を活用した租税回避策（ハイブリッド・ミスマッチ・アレンジメント）。

以上のような国際課税の流れを見ればわかることがあります。それは、これまでの国際税法では、国境があることを前提とする「現実（リアル）空間」でのわが国と諸外国との間で国境を超えたモノやサービスの流通・移転、ヒトの交流にかかる国際課税をめぐる課題が中心を占めていたことです。しかし、近年、国際経済のデジタル化は急激に進んでいます。これに伴い、国際税法の研究対象は、国境があることを前提としない、目に見えない「ネット（デジタル）空間」でのモノやサービスの流通・移転にかかる国際課税問題にまで大きな広がりを見せています。

　現状での国際税法に関する研究対象の範囲をおおまかにまとめて図示すると、次のとおりです。

●国際税法の研究対象

≪「国境あり」が前提≫

＊≪「国境なし」が前提≫

ネット空間　――　電子商取引［ネット/デジタル/オンライン取引］課税制度

◎国境の存在を前提とした国際税法の研究対象

　国境の存在を前提とした「現実（リアル）空間」での国境を超えたモノやサービスの流通・移転、ヒトの交流にかかる国際税法の研究対象のうち、主なものをあげて、そのあらましを図説すると、次のとおりです。

PART4　国際税法を学ぶ

●主な国際税法の研究対象のあらまし

①課税対象となる所得を把握するルール

課税対象となる所得を把握する主な国際課税ルールには、次の３つがあります。

❶ 全世界所得課税方式 ：居住者である個人（個人居住者）や内国法人［国内に本店または主たる事務所がある法人］には、原則として全世界所得に課税する方式

❷ 国内源泉課税方式 ：非居住者である個人（個人非居住者）や外国法人［国内で法人登記をしていない法人。例えば、外国に本店のある法人の国内支店］は、国内源泉所得にだけ課税する方式

❸ 国外所得免除方式/領土内所得課税方式 ：個人居住者・内国法人か、個人非居住者・外国法人かを問わず、自国の領土内で稼得した所得についてだけ課税する方式。

　❸の方式では、国外所得のついては課税が免除されます。このことから、**❶**全世界所得課税方式を採用するのに比べると、国際二重課税が生じにくくなります。

　わが国では、例えば法人税について見てみると、**❶**全世界所得課税方式を原則としています。そのうえで、国外支店や外国子会社株式譲渡損益については外国税額控除方式を採用しています。一方、外国子会社からの配当については**❸**国外所得免除方式に基づく外国子会社配当益金不算入制度を採用しています。

②企業の海外進出と国際課税

経済のグローバル化に伴い、企業の海外進出、多国籍化はますます拡大し、国際課税も複雑になってきています。企業の進出形態と国際課税の特徴、基本ルールは、次のとおりです。

❶ 現地法人（現法）か支店か ：企業は、大きく「個人企業」と「法人企業（株式会社など）」とに分けられます。現実（リアル）空間で事業を展開する企業が、国境を超えて海外に進出するとします。この場合には、進出国・地域内（現地）に、ⓐ支店を設置するか、ⓑ現地法人（現法）を設立するのが一般的です。また、ⓒ駐在員事務所を設置するケースもあります。それぞれの選択により、課税の取扱いも違ってきます。つまり、原則として、ⓐ支店は、進出地国・地域では、外国法人として課税されます。一方、ⓑ現地法人（現法）は、進出地国・地域では、内国法人として課税されます。

❷ PE課税ルール ：国際企業課税原則の１つに、現実（リアル）空間に、支店、工場、事業所のような「PE（Permanent Establishment/恒久的施設/物理的拠点）なければ課税なし」のルールがあります。このルールは、企業の居住地国と源泉地国の課税権の調整をねらいとするものです。おおまかにいえば、企業の所得の源泉地国・地域ないし進出地国・地域では、その国・地域にPEがある場合に限り、課税できるとするものです（☞4.2）。

　このPE課税ルールは、2021年10月の国際課税合意に伴い修正されました。これによりグーグル社のような多国籍IT企業が、消費者のいる市場国・地域にPEを置かないで提供するデジタルサービスを提供している場合でも、PEのない当該市場国・地域で課税できるようになります。

553

③国際二重課税の発生原因と納税義務を確認する判定基準

　わが国の所得税法および法人税法は、居住者（個人居住者と内国法人）に対しては、無制限納税義務を負わせています。つまり、所得の源泉がどの国・地域で生じたかを問わず、全世界所得に課税するという居住地国課税をしています。一方、非居住者（個人非居住者と外国法人）に対しては、制限的納税義務を負わせています。つまり、国内源泉所得に限定して課税するという源泉地国課税をしています。仮にこのため、居住者が稼得した所得ついてまったく調整されないとします。この場合、国外で得た所得に対しては外国（源泉地国）でも課税され、その国外所得について再び居住地国で課税されることになります。これが国際二重課税の発生です。

　ここで、国際課税上、納税義務の発生およびその範囲を決める原則・判定基準を確認しておきます。一般に、次の２つの基準が使われています。

≪納税義務を確認する基準≫

❶ | 居住地国課税（属人的課税）原則 | ：ⓐ個人（自然人）に適用がある基準➡その者の住所、居所または国籍、ⓑ法人に適用がある基準➡本店所在地、中心的管理支配地、または法人登記地（登録地）など

❷ | 源泉地国課税（属地的課税）原則 | ：自然人・法人双方に適用がある基準➡所得の発生地（源泉地）

　このような基準で、個人や法人が、居住者（個人居住者・内国法人）か非居住者（個人非居住者・外国法人）かどうかを判定します。居住者と判定されれば、全世界所得課税原則が適用になります。一方、非居住者と判定されれば、源泉地国課税原則が適用になるわけです。こうした判定基準は、一般に、所得税法や法人税法などに定められています（☛3.1,2）。

≪法人の居住地国・地域判定基準≫

　法人が内国法人かどうかの学問的な判定基準は３つあります。その骨子は、次のとおりです。

❶ | 本店所在地主義 | ：法人の本店または主たる事務所の所在する国・地域を居住地とするルール

❷ | 中心的支配管理主義 | ：法人が管理・支配されている場所が置かれている国・地域を居住地とするルール

❸ | 設立準拠法主義 | ：法人の設立登記（登録）時に準拠した法律を制定した国・地域を居住地とするルール

　ちなみに、わが国の会社法は、海外に本店を置くことを認めていません。このことから、本店所在地と設立準拠法地が同一となります。また、わが国の法人税法は、内国法人にあたるかどうかの判定には、ⓐ本店所在地主義を採用しています。

④モデル租税条約/OECDモデル租税情報交換協定

≪モデル租税条約≫

　各国は、国際二重課税を避けるために、相手国と交渉を重ね、二国間で租税条約を締結します。その際に、手本としているのがモデル租税条約です。現在、経済協力開発機構（OECD）の手でつくられたものと、国際連合（UN）の手でつくられたものがあります。また、モデル租税条約およびそのコメンタリー（注釈）は、個々の租税条約の適用・解釈で意見が割れた場合に、参考にできます。

PART4 国際税法を学ぶ

≪OECDモデル租税情報交換協定≫

　2002年にOECDは、モデル租税情報交換協定を公表しました。タックス・ヘイブン（軽課税国/無税国）との間で効果的な情報交換を促すことがねらいです。このOECDモデル協定を沿って、わが国も、多くの他の諸国と同様に、多くのタックス・ヘイブンと租税情報交換協定の締結、その交渉をはじめています。

⑤租税条約と国内税法

　日本国憲法は、98条2項で「条約及び国際法規の遵守（じゅんしゅ）」をうたっています。このため、租税条約を結んだ場合には、原則として国内法に優先する形で、租税条約を遵守しないといけません（所税法162、法税法139）。とはいっても、自国の納税者（個人居住者や内国法人）にまで条約優先原則を貫く必要がないケースも出てきます。この場合、租税条約の効力に変更を加えないといけません。こうしたことを考慮して、一般に、二国間で結ばれる租税条約のなかに、次のような特則（条項）を置いています。

≪租税条約上の特則≫

❶ **プリザベーション条項**：租税条約と国内法などが競合する場合で、国内法その他の協約が納税者に有利なときには、それらを優先的に適用する旨を定めた条項です。OECDモデル租税条約には明文の規定はありません。しかし、納税者の権益を維持（プリザベーション/preservation）することをねらいに二国間租税条約に盛られています（例えば、日米租税条約1②）。

❷ **セービング条項**：自国の居住者には、国内法どおり課税することを確認した条項です。自国の居住者に対する課税権を留保（セービング/saving）することをねらいに二国間租税条約に盛られています（例えば、日米租税条約1④）。

❸ **後法優先原則**：租税条約の締結後国内法が改正され、租税条約と国内法がぶつかる（競合する）ことが出てきます。この場合、「後法は、先法に優先する」（*lex posterior derogat legi priori*/the later law replaces the earlier one）の法原則に従って国内法を租税条約に優先させるルールです。

⑥国際二重課税調整策：外国税額控除制度・国外所得の免除制度

　個人居住者または内国法人は、国外源泉所得に対して国外で課税された外国所得税、外国法人税の額を、わが国での税額から一定額まで控除できます。国際二重課税などを排除するため設けられている措置です。この措置を「外国税額控除」といいます。ほかに、内国法人が国外にある子会社から得た配当に課税しない「国外所得の免除」の仕組みがあります。つまり、わが国内税法には、ⓐ外国税額の直接控除（所税法95、地税法37の3・314の8、法税法69、地税法53㊳・321の8㊳）、ⓑ国外所得の免除（法税法23の2）、ⓒみなし外国税額控除（TSC＝タックス・スペアリング・クレジット）（法税令142の3③）およびⓓ外国子会社合算税制にかかる外国税額控除（措置法66の7①）の4つの仕組みがあります。

555

⑦外国子会社合算（CFC）税制（措置法66の6〜66の9）

　わが国の個人居住者や内国法人が株主となり、税負担が著しく低い軽課税国等に経済活動の実体がほとんどない子会社（外国関係会社）を設立し、その外国関係会社を利用して国際取引を行うことにより租税負担を回避しているとします。この場合、租税回避に対処するために、税務当局が、一定の条件にあてはまる外国関係会社の所得に相当する金額を配当されたものとみなして、わが国の株主の所得に合算して課税する仕組みを、外国子会社合算税制といいます。「被支配外国法人（CFC=Controlled Foreign Corporation/company）税制」ともよばれます。2017年の税制改正前は、「タックス・ヘイブン対策税制」とよばれていました。

　外国子会社合算税制は、2010年10月の国際課税合意に伴い順次改正されています。

⑧移転価格税制（措置法66の4）

　国内の企業が国外にある関連企業との取引をする際につける価格を意図的に操作し、第三者との通常の取引価格（独立当事者間価格/適正な取引価格）と異なる価格にし、その結果、所得が減少していると税務当局が判断したとします。この場合に、課税逃れを防止するために、税務当局がその取引価格を独立当事者間価格に置き換えて課税所得を計算し直すことができます。この仕組みを「移転価格税制」とよびます。

⑨過少資本税制（措置法66の5）

　在日の外資系子会社は、資金を調達する場合に、海外の親会社から出資を極力少なくし貸付を多くすると、わが国での税負担を軽くすることができます。これは、出資に対する配当は法人税計算上損金算入ができないものの、貸付に対する支払利子は損金算入ができるからです。このように、在日の外資系企業が、海外の関連企業との間で、資金調達の際に出資ではなくあえて多額の貸付をして多額の支払利子を支払う手法（過少資本）で人為的に国際的な課税逃れを防ぐための税制上の措置が「過少資本税制」です。手続的には、正当な理由がある場合は別として、海外の関連企業に対して法定比率を超える利子支払を否認することで対応することになります。

◎国境の存在を前提としないデジタル国際税法の研究対象

　近年「経済のデジタル化」、「データエコノミー」、「データ資本主義」が急速に拡大しています。これに伴い、国際商取引も、国境がある「現実（リアル）空間」から、国境のないインターネットとパソコン（PC）や、スマートフォン、タブレットなどモバイル（移動）端末などで結ばれた、目に見えないグローバルな「ネット（デジタル/オンライン/サイバー/仮想）空間」でのネット取引（デジタル取引/Eコマース/電子商取引）に大挙して移行しています。

　これとともに、ネットIT企業に対して、所得課税または消費課税の形で、国際協調の精神にたってどのように国際的ネット/デジタル課税をするのかが、

国際税法上の重い課題になっていました。

　GAMAM【グーグル社、アマゾン社、メタ（旧フェイスブック）社、アップル社、マイクロソフト社】、ウーバー社などは、いずれもアメリカ合衆国（アメリカ）系の巨大ネットIT企業です。これらのIT企業は、国境のないネット空間にデジタルプラットフォームを構築して地球規模でのグローバルな事業を展開しています。こうしたIT企業は「プラットフォーマー」とよばれます。

　これまでの国際税法のルールは、国境のある現実（リアル）空間の経済取引を前提にしていました。また、事業所得課税については、消費者のいる進出地国・地域に支店、工場などPE（恒久的施設/物理的拠点）があれば課税できるとするルールでした（☛4.2.）。しかし、プラットフォーマーは、消費者のいる市場国・地域に物理的なPEを置かなくとも世界中の消費者を相手にネット空間での事業展開が可能です。GAMAMのような巨大プラットフォーマーは、全人類の8割を超える膨大なデータを収集し、グローバルなビジネスを展開し巨額の利益をあげています。にもかかわらず、消費者のいる市場国・地域では、現実（リアル）空間でビジネスを展開する企業に比べると、税金を十分に納めていないことが明らかになりました。

　そこで、G20やOECDが中心になって、プラットフォーマーに応分の税負担を求め、各国に公平な税収配分を行うための国際デジタル課税のルールつくりをしてきました。対象となるのは、世界中で商品の販売、映像・音楽・広告の配信といった消費者向けの事業を手がける企業です。これまで、アメリカは、GAMAMなど巨大IT企業の本拠があることもあり、プラットフォーマーに絞った国際所得課税に消極的でした。

　しかし、2021年1月に、アメリカに、国際協調を重視するバイデン政権が誕生しました。この政権の誕生も後押しとなって、21年10月はじめに、OECD加盟国を含む136か国・地域は、「経済のデジタル化に伴う課税上の課題に対する国際合意」（以下「2021年10月の国際課税合意」）に達しました。

◎新たな２つ国際課税ルール

　2021年10月の国際課税合意に盛られた新たな国際課税ルールは、次のような新たな２つ柱からなります。

● 2021年10月に国際合意した２つの柱からなる国際課税のあらまし

第１の柱：　国際デジタル課税　市場国への新たな課税権配分が目的
・多国籍IT企業のデジタルサービスの売上に応じ、恒久的施設／物理的拠点（PE）を置いてない消費者のいる市場国・地域でも課税できるようにします。［したがって、1920年代につくられた「PEなければ課税なし」の既存の国際課税ルールの抜本的に見直されます。］実施は2024年以降です。
・デジタル課税の対象となるのは、売上高200億ユーロ（約2.6兆円）超で税引き後利益率が10％超の多国籍IT企業（資源関連・金融業を除きます。）です。OECD推計では、世界で100社程度が対象となると見込んでいます。
・売上高の10％を超える利益の25％に課税する権利を、その多国籍IT企業が100万ユーロ（約1.3億円）以上の収益を、デジタルサービスの消費者のいる市場国・地域に配分します。
・多数国間条約を締結したうえで、2023年以降の課税を実施する方向です。
・この新たな国際デジタル課税の導入に伴い、すでに各国が独自に導入しているデジタルサービス税（DST）［PE範囲拡張・源泉課税・消費課税・巨大多国籍IT企業課税など］は廃止されます。
第２の柱：　グローバル・ミニマム課税　法人税最低税率15％ルールの導入
・世界各国・地域は自己の国内・地域内に企業を誘致するために法人税率の引下げ競争をしてきました。法人税の実効税率は、わが国が29.74％、アメリカが27.98％です。これに対して、例えば、アイルランドは12.5％、ハンガリーは９％です。
・新たな国際課税ルールでは、法人税率の最低税率を15％に定めます（グローバル・ミニマム課税の導入）。軽課税国への所得移転を防止することがねらいです。「グローバル税源浸食防止（GloBE＝Global anti-Base Erosion）ルール」ともいいます。
・ただし、これは、法人税率９％の国が15％に引き上げることを強制されるということを意味するものではありません。
・多国籍企業［年間収入金額が7.5億ユーロ（当時の換算で約1,100億円）以上。ただし、工場のような有形資産の簿価や従業者への給与支払分の５％を課税対象から除外します。］が９％の国に子会社を置き、多額の利益を得たとしても、最低税率との差額にあたる６％分は親会社のある国で納税することになります。
・2022年以降に、各国が国内法を改正して対応します。

　第１の柱［国際デジタル課税］は、既存の国際課税ルールの見直しです。これに対して、第２の柱［グローバル・ミニマム課税］は、既存のルールの見直しではなく、新たなルールの創設と理解されています。

◎第2の柱：グローバル・ミニマム課税/法人税最低率15％の骨子

グローバル・ミニマム課税（グローバル税源浸食防止（GloBE=Global anti-Base Erosion）ルール）は、次の2つのサブルールからなります。

●グローバル・ミニマム課税の概要

① 所得合算ルール（IIR=Income Inclusion Rule）
　軽課税国にある子会社等に帰属する所得について、親会社の居住地国で最低税率まで上乗せして課税する仕組みです。

② 軽課税支払ルール（URPR=Undertaxed Payment Rule）
　②軽課税支払ルール（URPR）は、①所得合算ルール（IIR）を補完するルールです。親会社の居住地国が、IIRを導入していないなど、地方税を含む実効税率が15％の最低税率まで上乗せ課税していないとします。この場合、軽課税国の親会社等に支払をしている子会社等に対してその支払会社の所在する国で、損金算入の否認等により最低税率まで課税する仕組みです。

　わが国は、グローバル・ミニマム課税に着手し、2023年度税制改正で、①所得合算ルール（IIR）を導入しました。

　これに伴い、外国子会社合算（CFC）税制について、❶外国子会社合算（CFC）税制等の見直し［特定外国関係会社（ペーパーカンパニー等）の適用免除要件である租税負担割合の引下げ（30％➡27％）］、❷書類添付義務の緩和、❸特定基準法人税額に対する地方法人税の創設などの改正が行われました。これは、CFC税制が、国際課税上、グローバル・ミニマム課税と同じ系列の仕組みと解されているからです。

　なお、②軽課税支払ルール（URPR）などについては、OECDなどでの国際的な議論を織り込んで、今後の税制改正で導入する方向です。

（石村　耕治）

〔アドバンス文献〕Brian Arnold, International Tax Primer (5th ed., 2023, Kluwer)、佐藤良「経済のデジタル化に伴う国際課税ルール見直しの動向」レファレンス859号(2022年)、望月文夫『図解 国際税務〔令和5年版〕』(2023年、大蔵財務協会)、金子宏編『国際課税の理論と実務』(1997年、有斐閣)、フロォンメル/北野弘久編訳『欧米の国際企業課税』(1984年、成文堂)、石村耕治「電子商取引の拡大と国際税法上の課題」朝日法学論集23号。なお、国際課税に関する資料については、財務省HP国際課税：財務省 (mof.go.jp) OECDのHP International taxation - Organisation for Economic Co-operation and Development (oecd.org)にアクセスすれば、入手できます。

4.2 「恒久的施設（PE）なければ課税なし」のルール

ポイント

　国際課税において、一般に、非居住者があげた一定の事業所得については「恒久的施設（PE）なければ課税なし」のルールに従って課否判定されます。PEとは、端的にいえば、非居住者が得た事業所得に対して課税する際の要件となる支店や建設作業所などの事業活動の拠点をさします。PEのあるなしにより、あるいは、PEを広く解釈するか狭く解釈するかにより、当然、非居住者の納税義務の範囲は異なってきます。また、最近、電脳空間での国際商取引からあげた事業所得に関するPEの判定基準もOECDから明らかにされました。

◎ 「恒久的施設（PE）なければ課税なし」のルールとは

　非居住者（個人非居住者と外国法人）が国内で得た一定の事業所得に課税するかどうかは、「恒久的施設（PE）なければ課税なし」のルールに従って判定されます。

　「恒久的施設（PE＝permanent establishment）」という概念は、ヨーロッパに起源を有します。OECDモデル租税条約などにも使われたことを契機に、「事業所得」に課税するのかしないのかの（課否）判定のルールとして広く二国間租税条約や各国の国内税法に採用され、今日にいたっています。「恒久的施設」

PART4　国際税法を学ぶ

という言葉は、一般に「PE」という略称でよばれています。わが国においても、PEは、租税条約だけではなく、国内税法においても広く使われています。

「所得」は、大きく、国内において得た所得（「国内源泉所得」）と国外において得た所得（「国外源泉所得」）に分けることができます。わが国においては、国内税法上、非居住者については、原則として、その国内源泉所得だけに課税されます（所税法5②、7①三、法税法4③および9）。また、非居住者があげた一定の事業所得については、日本国内にPEを有しない限り、国内では課税されません（所税法161①一、法税法138①、141）（☞3.1.2）。そして、国内で課税される場合のPE（恒久的施設）としては、次の3種のものを掲げています（所税法2①八の四、所税令1の二、法税法2十二の十九、法税令4の四）。

なお、恒久的施設（PE）の範囲は、2018（平成30）年度税制改正で、恒久的施設（PE）認定の人為的回避を防止する観点から、従来の限定列挙から例示列挙の組み立てに変わり、従来に比べて広がりました。

●恒久的施設（PE）の範囲

① 支店PE
ⓐ 事業の管理の場所、支店、事務所、工場、作業場
ⓑ 鉱山、石油・天然ガスの抗井、採石場その他の天然資源を採取する場所
ⓒ その他事業を行う場所（倉庫も含まれます。）
㋑ 保管・展示・引渡し等を行うことを目的とした場所であっても、その機能が事業を遂行する上で準備的・補助的な機能を有していなければPEにあてはまります。
㋺ また、上記機能の判定の結果、PEに該当しない場合でも、各場所で行う事業上の活動が一体的な業務の一部として補完的な機能を果たす場合には、非居住者等のPEにあてはまります。
② 建設PE 　建設、据付けの工事またはその作業の指揮監督の役務の提供で1年を超えて行うものをさします。
㋑ PE認定回避を主たる目的として、契約期間を分割した場合は、分割された期間を合計して1年超の判定が行われます。
③ 代理人PE 　自己のために契約を締結する権限のある者、その他これに準ずる者で、次のようなものをさします（契約締結代理人）。
ⓐ 非居住者等に代わって、その事業に関し、反復して以下の契約を締結する者。

561

	ⓑ 非居住者等によって重要な修正が行われることなく日常的に締結される以下の契約の締結のために反復して主要な役割を果たす者。
	㋑ 非居住者等の名において締結される契約
	㋺ 非居住者等が所有し、又は使用の権利を有する財産について、所有権を移転し、または使用の権利を与えるための契約
	㋩ 非居住者等による役務の提供のための契約

　なお、事業を行う一定の場所の活動の全体が準備的・補助的な性格のものである場合には恒久的施設（PE）にはあてはまりません。

◎恒久的施設（PE）と事業所得課税

　非居住者は、日本国内に恒久的施設を有しない場合には、次の事業所得については国内では課税されません。

① 　国内において行う事業から生じる所得

② 　不動産以外の資産の譲渡による所得

　一方、非居住者が国内に支店等のPEを有している場合には、国内で課税を受けることになります。この場合の課税方法には2つの方法があります。1つは、「総合主義」または「全所得主義／エンタイア・インカム・メソッド（entire income method）」です。この方式のもとでは、PEを有し、かつ、それを通じて事業活動をしている場合には、PE所在地国にあるあらゆる源泉の所得が課税対象となります。もう1つの方式は、「帰属主義」または「アトリビュータブル・インカム・メソッド（attributable income method）」です。この方式のもとでは、PEに帰属する部分の所得だけが課税対象となります。

　わが国の所得税法、法人税法では、「支店PE」については総合主義を採用しています。一方、「建設PE」および「代理人PE」にかかる一定の所得については帰属主義を採用しています（所税法2①八の四、164、所税令1の二、法税法2二十二の十九、141、法税令4の四）。これに対して、OECDモデル租税条約では、帰属主義だけを採用しています（OECD7①二）。

PART4　国際税法を学ぶ

◎総合主義（全所得主義）から帰属主義への変更のための税制改正

　2014（平成26）年度の税制改正では、外国法人の在日支店などの日本源泉所得に対する課税原則を、従来の「総合主義（全所得主義）」から、OECDモデル租税条約の新7条〔事業所得〕（2010年改正）に沿った「帰属主義」に基づく課税に変更するために、国内税法を改正することになりました。

　この改正は、法人については2016（平成28）年4月1日以後に開始する事業年度分の法人税について適用になります。一方、個人事業者については、2017（平成29）年分以後の所得税について適用になります。

(1)　変更・改正の背景～OECDモデル租税条約のAOA基準の採用

　わが国では、外国法人の在日支店などの日本源泉所得への課税について、1962（昭和37）年以来、国内税法において、居住者や内国法人と同様にその全所得を総合課税する、いわゆる「総合主義（全所得主義）」を採用してきています。その一方で、二国間租税条約では、1960（昭和35）年の日印租税条約において恒久的施設（PE）に帰属するものに限り課税をするという「帰属主義」を採用して以来、帰属主義を採用してきました。この結果、租税条約締結国との間では帰属主義、租税条約非締結国との間では総合主義（全所得主義）に基づいて課税するという変則的・二元的な課税ルールが定着しています。ただし、2024年3月現在、租税条約締結国は155か国にのぼり徐々に帰属主義が拡がりつつあります。

　OECDモデル租税条約では、従来から事業所得については、帰属主義を採用してきました（OECD7）。しかし、その具体的な適用や解釈は、各国に委ねられてきたため、二重課税ないし重複課税が排除されず、OECDで公平な国際課税環境づくりに向けた議論が行われてきました。そして、合意に達したことから、2010年にOECDモデル租税条約新7条（以下「新7条」といいます。）が導入されました。新7条〔事業所得〕は、PE帰属所得について、次のような考え方（以下「AOA基準（Authorised OECD Approach）」といいます。）を採用しました。おおまかにいえば、次のとおりです。

563

●OECDモデル租税条約におけるPE帰属所得算定上のAOA基準

①PEの果たす機能および事実関係に基づいて、外部取引、資産、リスク、資本をPEに帰属させ、②PEと本店等との内部取引を認識し、③その内部取引が独立企業間価格で行われたものとして、PE帰属所得を算定する。

(2) 総合主義から帰属主義への変更・改正のあらまし

　2014（平成26）年度の税制改正では、国内税法上の外国法人（PE）課税原則を、従来の「総合主義」から、OECDモデル租税条約の新7条に沿った「帰属主義」に基づく課税ルールに変更・改正されました。その骨子は、次のとおりです。

① PE帰属所得とは

　具体的には、PEに帰せられる所得（PE帰属所得）として、従来の"国内事業所得"としてきたものを"国内源泉所得"として取り扱うことになりました。PE帰属所得の算定ルールは、次のとおりです。

●PE帰属所得の算定ルール

・**PE帰属所得**

　PE帰属所得は、外国法人の支店などのPEが本店等から分離・独立した企業であると擬制した場合にそのPEに帰せられるべき所得とします。

・**内部取引**

　PE帰属所得の算定においては、PEと本店等との内部取引については、移転価格税制の例のように、独立企業間価格に基づく損益を認識します。

・**PEへの資本の配賦およびPEの支払利子控除制限**

　外国法人の支店などのPEが本店等から分離・独立した企業であると擬制した場合に帰せられるべき資本（以下「PE帰属資本」といいます。）をPEに配賦します。また、PEの自己資本相当額がPE帰属資本の額に満たない場合には、PEにおける支払利子総額（PEから本店等への内部利子支払および本店等からPEの費用配賦された利子を含みます。）のうち、その満たない部分の対応する金額について、PE帰属所得の計算上、損金の額に算入できません。

② 外国法人のPEにかかる外国税額控除制度の創設

　国内税法に、外国法人の在日支店等（PE）のための外国税額控除制度が創設されました（所税法165の6、法税法144の2）。

③　内国法人の外国税額控除

内国法人が国外に有するPEに帰せられる所得（以下「国外PE帰属所得」といいます。）を国外源泉所得の１つとして取り扱われます。そして、内国法人の外国税額控除額について国外PE帰属所得を算定する際に、前記外国法人のPE帰属所得の算定ルールに準じたルールを適用します（法税法69①④）。

④　個人課税

個人の非居住者課税については、原則として帰属主義に変更された外国法人に準じて取り扱うことになります。

（石村　耕治・本村　大輔）

〔アドバンス文献〕赤松晃『国際課税の実務と理論〔第４版〕』（2015年、税務研究会）、OECD, OECD Countries Agree on the Interpretation of a Key Condition for Taxing Profits from Foreign E-Commerce Business Jan. 2001, www. oecdtokyo.org/, Michael Kobetsky, International Taxation of Permanent Establishments: Principles and Policy（Cambridge Tax Law Series）（2011, Cambridge U. P.）, Irene Burger, "The New OECD Approach on Profit Allocation: A Step Forward Towards Neutral Treatment of Permanent Establishments and Subsidiaries," 10 Fla. Tax Rev. 51（2009）。

4.3　国内源泉所得とは何か

ポイント

> 国内税法上、非居住者については、その国内源泉所得だけが課税対象となります。したがって、非居住者課税にあたっては、「国内源泉所得」にあたるのかどうかがカギとなります。

◎国内源泉所得とは

すでにふれたように、わが国の国内税法上、非居住者については、「国内源泉所得」のみに課税されます（法税法4③）。

非居住者があげた「国内源泉所得」に対して源泉地国が課税できる範囲を決める際に用いられるのがソース・ルール（source rule）です。わが国においては、所得税法（161条）および法人税法（138条）でそれぞれソース・ルールを定め

ています。

　所得税法161条および法人税法138条は、非居住者（個人非居住者と外国法人）にかかる「国内源泉所得」の範囲について、次のような所得のタイプに分けて定めています。

●**国内源泉所得のタイプ**

所得税法161条	法人税法138条	所得のタイプ
1号	1号	①　恒久的施設（PE）帰属所得
2号	2号	②　国内にある資産の運用または保有により生ずる所得
3号	3号	③　国内にある資産の譲渡により生ずる所得
4号		④　民法組合等から受けた組合員の所得
5号		⑤　不動産の譲渡所得
6号	4号	⑥　人的役務提供事業の所得
7号	5号	⑦　国内不動産等の賃貸所得
8号		⑧　利子所得
9号		⑨　配当所得
10号		⑩　貸付金の利子所得
11号		⑪　使用料等
12号		⑫　給与等の人的役務の報酬
13号		⑬　広告宣伝のための賞金
14号		⑭　生命保険契約等に基づく年金等
15号		⑮　定期積金の給付補填金等
16号		⑯　匿名組合契約等に基づく利益の配分
17号	6号	⑰　その他の国内源泉所得

　なお、投資所得（利子・配当）等については、PEに帰属しない場合には、源泉所得税を課することで完結させることで、法人税の申告義務の対象から外されます。

◎国内源泉所得の具体的な範囲

　非居住者の課税所得となる所得税法および法人税法上の「国内源泉所得」のタイプの具体的な範囲は、次のとおりです（なお、以下、例えば「所税1号所得」とは、所得税法161条1号にあてはまる所得をいいます。また、「法税1号所得」とは法人税法138条1号にあてはまる所得をいいます。）。

PART4 国際税法を学ぶ

●各タイプの国内源泉所得の範囲（所税令281以下）

①	**恒久的施設（PE）帰属所得**〜「所税 1 号所得」・「法税 1 所得」
	恒久的施設（PE）に帰属する所得

②	**資産の運用・保有による所得**〜「所税 2 号所得」・「法税 2 号所得」
	国内にある資産の運用、保有により生じた所得
	ただし、以下、⑥「所税 8 号所得」ないし⑭「所税16号所得」にあてはまるものを除きます。

③	**資産の譲渡等による所得**〜「所税 3 号所得」・「法税 3 号所得」
	国内にある不動産の譲渡による所得など

④	**民法組合等から受けた組合員の所得**〜「所税 4 号所得」
	国内において民法667条 1 項に定める組合契約に基づいて恒久的施設を通じて行う事業から生じ、外国組合員が配分を受けた所得

⑤	**不動産の譲渡所得**〜「所税 5 号所得」
	非居住者から国内にある土地等を譲り受け、その際に支払う対価

⑥	**人的役務の提供事業の所得**〜「所税 6 号所得」・「法税 4 号所得」
	国内で行う人的役務提供を主たる内容とする事業で、次に掲げる者の役務提供にかかる対価です。
	ⓐ 映画・演劇の俳優、音楽家、その他の芸能人、職業運動家
	ⓑ 弁護士、公認会計士、建築士、その他の自由職業家
	ⓒ 科学技術、経営管理その他の分野に関する専門的知識または特別の技能を有する者

⑦	**国内不動産等の賃貸所得**〜「所税 7 号所得」・「法税 5 号所得」
	国内にある不動産、不動産の上に存する権利もしくは採石権の貸付け、租鉱権の設定または居住者個人、内国法人に対する船舶もしくは航空機の貸付けによる対価です。

⑧	**利子所得**〜「所税 8 号所得」
	利子所得のうち、次に掲げるものです。
	ⓐ 公社債のうち、日本国の国債、地方債または内国法人の発行する債券の利子
	ⓑ 外国法人の発行する債券の利子のうち恒久的施設を通じて行う事業に係る利子
	ⓒ 国内にある営業所等に預け入れられた預貯金の利子
	ⓓ 国内にある営業所に信託された合同運用信託、公社債投資信託等の収益の分配

⑨	**配当所得**〜「所税 9 号所得」
	ⓐ 内国法人から受ける剰余金の配当、利益の配当、剰余金の分配、金銭の分配または基金利息
	ⓑ 国内にある営業所に信託された公社債投資信託などを除く投資信託または特定受益証券発行信託の収益の分配

⑩	**貸付金の利子所得**〜「所税10号所得」
	国内で業務を行う者に対する貸付金で、その業務にかかるものの利子です。

567

⑪	**使用料等**〜「所税11号所得」
	国内で業務を行う者から受ける次の使用料またはその業務にかかるものです。
ⓐ	工業所有権等の使用料またはその譲渡対価
ⓑ	著作権等の使用料またはその譲渡対価
ⓒ	機械、装置および用具の使用料
⑫	**給与等人的役務の報酬**〜「所税12号所得」
	次に掲げる給与、報酬、年金または退職手当です。なお、この所得は、非居住者個人に特有なものです。
ⓐ	俸給、給料、賃金、歳費、賞与またはこれらの性質を有する給与その他人的役務の提供に対する報酬のうち、国内で行う勤務その他の人的役務の提供によるもの
ⓑ	法律または制度に基づく年金、恩給等の公的年金等
ⓒ	退職手当等のうち、その受給者が居住者であった期間に行った勤務その他の人的役務の提供によるもの
⑬	**広告宣伝のための賞金**〜「所税13号所得」
	国内で行う事業の広告宣伝のために、賞として支払われる金品、その他の経済的利益です。
⑭	**生命保険契約等に基づく年金等**〜「所税14号所得」
	国内にある営業所等を通じて締結した生命保険契約等に基づいて受ける年金等で、前記⑫ⓑに掲げる以外のものです。
⑮	**定期積金の給付補填金等**〜「所税15号所得」
	国内にある営業所等が受け入れた定期積金等の給付補てん金、抵当証券の利息、金貯蓄口座等の利益、外貨投資口座等の差益などです。
⑯	**匿名組合契約等に基づく利益の分配**〜「所税16号所得」
	国内で事業を行う者に対する出資に関し、匿名組合契約等に基づいて受ける利益の分配です。

◎非居住者についての課税関係のあらまし

　非居住者（個人非居住者および外国法人）に対する課税方式は、国内に恒久的施設（PE・☛4.2）があるかどうか、さらには所得の種類によって異なります。具体的な方式は、①申告納税（確定申告による課税／総合課税）（☛5.3.1）、②源泉徴収による課税（源泉分離課税）（☛5.1.1）、および③源泉徴収の後に確定申告による課税（源泉徴収の上総合課税）の3つがあります。各所得について、どのような課税方式によるのかは、所得税基本通達に図説されています。

　非居住者の区分ごとの一般的な課税関係を図示すると、次のとおりです（所税基通164-1〔表5〕、国税庁タックスアンサー「No.2878　国内源泉所得の範囲（平成29年分以降）」）。

PART4　国際税法を学ぶ

●非居住者についての課税関係のあらまし

非居住者の区分／所得の種類	非居住者			(参考) 外国法人
	恒久的施設を有する者		恒久的施設を有しない者	所得税の源泉徴収
	恒久的施設帰属所得	その他の所得		
(事業所得)		【課税対象外】		無	無
①資産の運用・保有により生ずる所得（⑦から⑮に該当するものを除く。）	【総合課税】	【総合課税（一部）】		無	無
②資産の譲渡により生ずる所得				無	無
③組合契約事業利益の配分		【課税対象外】		20%	20%
④土地等の譲渡による所得		【源泉徴収の上、総合課税】		10%	10%
⑤人的役務提供事業の所得				20%	20%
⑥不動産の賃貸料等				20%	20%
⑦利子等	【源泉徴収の上、総合課税】	【源泉分離課税】		15%	15%
⑧配当等				20%	20%
⑨貸付金利子				20%	20%
⑩使用料等				20%	20%
⑪給与その他人的役務の提供に対する報酬、公的年金等、退職手当等				20%	－
⑫事業の広告宣伝のための賞金				20%	20%
⑬生命保険契約に基づく年金等				20%	20%
⑭定期積金の給付補填金等				15%	15%
⑮匿名組合契約等に基づく利益の分配				20%	20%
⑯その他の国内源泉所得	【総合課税】	【総合課税】		無	無

この図からわかるように、非居住者の事業所得(所税1号所得、法税1号所得)や資

569

産の譲渡の所得(所税3号所得、法税3号所得)などは、国内にPEがある場合、総合課税の対象となります。すなわち、この場合、その非居住者は、国内源泉所得に限り、居住者と同じように申告納税が求められます。一方、国内にPEを有しない非居住者のこの種の所得については、不動産の譲渡など総合課税の対象となるものとして限定列挙されたものを除き、非課税とされます。ちなみに、(c)不動産の譲渡所得(所税5号所得)は、この種の所得を源泉徴収するために設けられた規定です。

　また、この図からわかるように、所税4～16号所得までのものは、国内で支払われる場合には、すべて源泉課税の対象とされます。これは、非居住者の課税においては、居住者の場合とは異なり、源泉徴収になじむ取引ないし決済についてはできる限り源泉徴収によることで確実に税金を徴収しようというのがねらいです。

　この図を見ながら、具体事例をあげて、説明をしてみます。たとえば、アメリカのニューヨークに本店がある会社が東京に支店（PE）を設けファッション製品を販売しているとします。この場合、当該支店（外国法人）がわが国内で営む事業から生じる所得は法税1号所得（事業所得）にあたります（法税法138①一）。したがって、わが国は源泉地国として当該所得に対して課税できます。この場合、当該支店（PE）にかかる法人税の課税標準や法人税額は、内国法人の場合に準じて計算します（法税法142～144）。また、申告納付についても、内国法人の手続を読み替えて適用します（法税法144の3～144の10）。このように、外国法人が支店（PE）を設け企業経営・支配を目的にわが国に進出する形を「直接投資（direct investment）」といいます。この場合には、純（ネット）所得に対する総合課税・申告納付が必要になります。

　これに対して、アメリカに居住している個人投資家（わが国からみると非居住者）が、東京に本店を置く会社（わが国に内国法人）が発行する社債を購入し、その会社から利子の支払を受けたとします。この場合、その会社の支払った利子は、所税8号所得にあたります（所税法161①八）。したがって、わが国は、当該利子所得の源泉地国として、グロスの支払に対して15％の税率で源泉課税ができます（所税法212）。こうした非居住者が企業の経営・支配を目的としないで投資する形を「ポートフォリオ投資（portfolio investment）」といいます。

570

この種の投資の場合、非居住者に対するわが国での課税関係は、源泉所得税の天引徴収（源泉課税）で完了します。

　なお、実際には、ソース・ルールは、国により異なります。このため、課税上の紛争が起こらないように、二国間租税条約を締結している場合には、そのなかで調整をはかっていることが多いわけです。

（石村　耕治・本村　大輔）

〔アドバンス文献〕牧野好孝『事例でわかる国際源泉課税〔第3版〕』（2020年、税務研究会）

4.4　わが国が締結した租税条約

ポイント

　　各国の国際課税に関する国内税法の定めはまちまちです。このため、各国の持つ課税権がぶつかり合う（競合する）のを調整するため、広く二国間租税条約が結ばれてきています。わが国は、2024（令和6）年3月現在、86租税条約を155か国・地域との間で結んでいます。

◎なぜ租税条約が必要なのか

　理屈では、世界各国が、国際的な統一基準に沿って、個別に国内税法の整備・統一を進めていけば、税制の国際統一は可能といえます。したがって、二国間租税条約を締結する必要がなくなるといえます。わが国の非居住者（個人非居住者と外国法人）制度を見てみても、わが国内で生じた所得（国内源泉所得）に限り所得税や法人税の課税が行われるルールになっており、一応、国際的なスタンダードを充たしています。ところが、各国の国際課税に関する国内税法は細部においてはまちまちで、統一も進んでいません。現実には、二国間で租税条約を締結することなしに、実効性のある調整を行うのは難しい状況にあります。

　わが国は、2024年3月1日現在86租税条約を締結しており、それらは155か国・地域との間で効力を有しています。条約数と国の数が一致しないのは、税務行政執行

共助条約が多数国間条約であり、旧ソビエト連邦や旧チェコスロバキアとの間の租税条約が、独立した旧ソビエト連邦・旧チェコスロバキア諸国の間でもそのまま継承されていることなどのためです。地域別に締約国を分類すると、次のとおりです。

● **わが国が租税条約を締結している相手国一覧**（2024（令和6）年3月1日現在）

● **アジア・大洋州（17か国・アジア地域）**
　インド、インドネシア、韓国、シンガポール、スリランカ、タイ、台湾、中国（香港、マカオを含みます）、パキスタン、バングラデシュ、フィリピン、ブルネイ、ベトナム、マレーシア、モンゴル

● **アジア・大洋州（12か国・オセアニア地域）**
　オーストラリア、クック諸島、サモア、ナウル、ニウエ、ニュージーランド、ニューカレドニア、バヌアツ、パプアニューギニア、フィジー、マーシャル諸島、モルディブ

● **中東（10か国・中東地域）**
　アラブ首長国連邦、イスラエル、オマーン、カタール、クウェート、サウジアラビア、トルコ、バーレーン、ヨルダン、レバノン

● **アフリカ（23か国）**
　ウガンダ、アルジェリア、エジプト、エスワティニ、ガーナ、カーボベルデ、カメルーン、ケニア、ザンビア、セーシェル、セネガル、チュニジア、ナイジェリア、ナミビア、ブルキナファソ、ベナン、ボツワナ、南アフリカ、モーリシャス、モロッコ、モーリタニア、リベリア、ルワンダ

● **欧州（46か国・ヨーロッパ地域）**
　アイスランド、アイルランド、アルバニア、アンドラ、イギリス、イタリア、エストニア、オーストリア、オランダ、ガーンジー、北マケドニア、キプロス、ギリシャ、グリーンランド、クロアチア、サンマリノ、ジブラルタル、ジャージー、スイス、スウェーデン、スペイン、スロバキア、スロベニア、セルビア、チェコ、デンマーク、ドイツ、ノルウェー、ハンガリー、フィンランド、フェロー諸島、フランス、ブルガリア、ベルギー、ボスニア・ヘルツェゴビナ、ポルトガル、ポーランド、ラトビア、ルクセンブルグ、ルーマニア、マルタ、マン島、モナコ、モンテネグロ、リトアニア、リヒテンシュタイン

● **北米・中南米（35か国）**
　アメリカ合衆国、アルゼンチン、アルバ、アンギラ、アンティグア・バーブーダ、ウルグアイ、エクアドル、エルサルバドル、カナダ、キュラソー、グアテマラ、グレナダ、ケイマン諸島、コスタリカ、コロンビア、ジャマイカ、セントクリストファー・ネービス、セントビンセントおよびグレナディーン諸島、セントマーティン、セントルシア、ターコス・カイコス諸島、チリ、ドミニカ共和国、ドミニカ国、パナマ、バハマ、バミューダ、英領バージン諸島、パラグアイ、バルバトス、ブラジル、ベリーズ、メキシコ、ペルー、モンセラット

● **ロシア・NIS諸国（12か国）**
　アゼルバイジャン、アルメニア、ウクライナ、ウズベキスタン、カザフスタン、キルギス、ジョージア、タジキスタン、トルクメニスタン、ベラルーシ、モルドバ、ロシア

（注）財務省資料などに基づき作成

PART4 国際税法を学ぶ

　すでにふれたように、二国間租税条約は、締約国相互の国内税法をベースに、双方の国の課税権の制限ないし放棄を促すことにより、二重課税になることを回避することを主なねらいとしています。このため、双方の税制にあまりにも大きな違いがあるとか、双方の間に取引や人の交流があまりないなどの理由から、いまだわが国との租税条約を結んでいない国も多いのが現状です。とりわけ、アフリカ、中東諸国や地域との間では、一部を除きほとんど租税条約が締結されていません。

◎わが国が締結した租税条約の特色

　一般に、わが国が締結した二国間租税条約では、相手国がOECD加盟国ないしその他の先進諸国である場合には、条約の大枠は原則としてOECDモデル租税条約にそう形でつくられています。一方、相手国が発展途上国である場合には、PE（恒久的施設）の範囲を拡大するなど、非居住者の源泉地国での税収を確保するための配慮が見られます。また、タックス・スペアリング・クレジット（みなし外国税額控除）を供与する措置を条約に盛り込むなど、発展途上国に対する配慮が目立ちます。

　わが国が締結する租税条約は、アメリカ合衆国との間で遺産・相続・贈与課税に関する条約（1954年締結、55年発効）を除けば、ほぼ所得課税に関するものです。租税条約は、他の条約と同様に原則として国内法より優先され、それ自体法的拘束力を持ちます（憲法98②、所税法162、法税法139）。

　わが国が締結した租税条約は、個々の条項について細かいところでは異なるものの、一般的には、次のような内容を骨子としています。

●わが国が各国と結んだ租税条約の内容骨子

①　条約締結の目的
②　条約の適用範囲と対象税目
③　居住者、恒久的施設（PE）などの定義
④　所得の種類別課税権の配分
⑤　二重課税の排除方法
⑥　双方の紛争処理・租税回避防止のための協力体制
⑦　その他

573

ちなみに、わが国は、2003年に、最大のパートナー国であるアメリカ合衆国との所得税の二重課税防止のための租税条約（日米租税条約）を抜本的に改定しました。1955年に発効した日米租税条約は、1972年に改定されたものの、その当時わが国は発展途上にあったこともあり、源泉地国課税を重視する内容でした。新条約では、とくに相互に投資所得に対する課税を減免するとともに、いわゆる「条約あさり（treaty shopping）」（☞4.1）の余地をなくすための詳細な規定が盛り込まれたことが目立ちます。新条約は、2005年1月から運用が開始され、2019年改正を経て現在にいたります。

（石村 耕治・本村 大輔）

〔アドバンス文献〕木村浩之『租税条約入門』（2017年、中央経済社）、藤井恵『これならわかる！租税条約〔3訂版〕』（2015年、清文社）、浅川雅嗣『改訂日米租税条約』（2005年、大蔵財務協会）、本庄資『新日米租税条約解釈研究』（2005年、税務経理協会）
　　なお、わが国の租税条約については、毎年、納税協会連合会が発行する『租税条約関係法規集』（清文社）を参照すると便利です。

4.5　国境を越えた財産把握のための報告・書類保存制度

ポイント

　近年、課税庁は、国境を越えた納税者の財産把握、金融資産の流れをチェックし、課税強化に一段と力を入れてきています。そのために、さまざまな法定調書制度を導入し、納税者などに報告や書類保存の義務を課しています。

　課税庁は、国境を越えた財産把握、金融資産の流れのチェックを容易にするために、納税者などにさまざまな書類（法定調書）の提出を義務づけ、報告義務を強化してきています。過大支払利子税制、国外財産調書制度、財産債務調書制度、国外証券移管等調書制度、外国親会社から付与されたストックオプション行使等調書制度、国外送金等調書制度、国外転出時課税制度と多彩です。
　これらのなかでも、とりわけ、財産債務調書制度は、国外財産調書制度や国

外送金等調書制度と連動しています。国家が個人居住者の国内外の財産やヵネの流れをチェックし、所得税や相続税の課税を強化する仕組みとして、重い意味を持っています。

◎どのような国境を越えた財産把握、法的調書、書類保存の仕組みがあるのか

国境を越えた納税者の財産把握のための仕組みのうち、主なものをあげて、簡潔に図説すると、次のとおりです。

●主な国境を越えた財産把握・課税強化のための仕組み

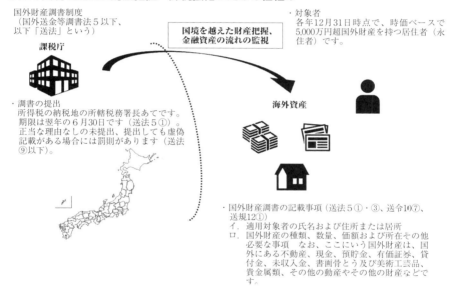

●代表的な国境を越えた財産把握・課税強化策のあらまし

各種法定調書制度	提出・適用要件
過大支払利子税制 （措置法66の5の2以下）	2019年4月1日以後、法人のその事業年度の対象純支払利子等の額が調整所得金額の20％相当額を超える場合に、その超える部分に相当する金額は損金不算入となります。損金不算入額は次のように計算されます。 損金不算入額＝対象純支払利子等の額－（調整所得金額×20％）） ※調整所得金額とは、税務上の課税所得に純支払利子等の額を加えた金額をいいます。

575

	また、2020年度の改正により、国内外の受取配当等の益金不算入額を加算しないことに加えて、所得税額の控除を考慮しないようにし、匿名組合契約の営業者の支払分配金の損金算入額等を加減算することとされました（措令39の13の２①）。 なお、現行法上、外国法人について、過大支払利子税制は、恒久的施設帰属所得の計算においてのみ適用されていましたが、2022年税制改正により①恒久的施設を有する外国法人に係る恒久的施設帰属所得以外の国内源泉所得、②恒久的施設を有しない外国法人に係る国内源泉所得についても適用されることになります。
財産債務調書制度 （国外送金等調書法６の２以下）	・対象者：各年12月31日時点で、その年の所得金額が2,000万円を超えていること、および３億円以上の価額の財産または１億円以上の国外転出時課税の対象財産を有していること、または10億円以上の財産を有していることです。 　なお、国外財産調書に記載されている財産については、財産債務調書には記載する必要はありません（送法６の２②）。 ・調書の提出：所得税の納税地の所轄税務署長あてです。期限は翌年の６月30日です。未提出には罰則はありません。 ・調書記載事項：国内外の財産・債務の種類、数量、価額、所在地などです。
国外転出時課税制度 （個人が国外転出をする場合の譲渡所得等の特例）（所税法60の２、60の３）	①対象者：出国時の有価証券等の評価額が１億円以上、かつ出国直近10年間において５年を超えて日本の居住者であった個人です。加えて、贈与等により非居住者に有価証券等を移転する個人も含みます。 ②課税対象 　(a)所得税法に規定する有価証券・匿名組合契約の出資持分です。 　(b)未決済デリバティブ取引・信用取引・発行日取引です。 ③課税方法：国外転出をした日に含み益に課税します。つまり、有価証券等のみなし譲渡、未決済デリバティブ等のみなし決済によります。 ④所得税の納税猶予：一時的な出国や納税資金が十分に確保できないことなどを勘案し、納税猶予の選択も可能です。ただし最長10年間に限ります。 ⑤適用時期：平成27年７月１日以後に国外に転出する場合、または平成27年７月１日以後の贈与等に適用されます。
国外財産調書制度 （国外送金等調書法５以下）	・対象者：各年12月31日時点で、時価ベースで5,000万円超の国外財産を持つ居住者（永住者）です。 　なお、2020年税制改正により相続等により取得した国外財産（相続国外財産）は、相続開始年分の国外財産調書の提出義務の判定から除外されることになりました。 ・調書の提出：所得税の納税地の所轄税務署長あてです。期限は翌年の６月30日です。正当な理由なしの未提出、提出しても

PART4　国際税法を学ぶ

	・虚偽記載がある場合には罰則があります（国外送金等調書法 10①・②）。 ・国外財産調書の記載事項：イ.適用対象者の氏名および住所または居所　ロ.国外財産の種類、数量、価額および所在その他必要な事項　なお、ここにいう国外財産は、国外にある不動産、現金、預貯金、有価証券、貸付金、未収入金、書画骨とう及び美術工芸品、貴金属類、その他の動産やその他の財産などです。
国外送金等調書制度 （国外送金等調書法3以下）	・対象金額：1件100万円です。 ・顧客の告知書提出義務：顧客が、金融機関等を通じての国外送金や、国外からの送金等の受領するときに、金融機関に対して、住所・氏名・個人番号等を記載した告知書を提出しなければなりません（送法3）。 ・提出者：金融機関は、金融機関の営業所等を通じてする国外送金等に係る為替取引を行ったときは、国外送金等調書を作成し、税務署に提出しなければなりません（送法4①）。法定要件を満たし、告知書、調書の提出義務を負うのにもかかわらず提出しなかった場合または提出したが記載漏れもしくは記載が十分でなかった場合には罰則があります（国外送金等調書法9①一・二）。
国外証券移管等調書制度 （国外送金等調書法4の2以下）	・対象：国境を越える有価証券の証券口座間の移管等となります。なお、国外証券移管等とは、国外証券移管と国外証券受入れを指します。 ・提出者：証券業者等（金融商品取引業者等）は、顧客からの依頼により国外証券移管等をしたときは、その国外証券移管ごとに国外証券移管等調書を作成し、税務署に提出しなければなりません（送法4の3①）。法定要件を満たし、調書の提出義務を負うのにもかかわらず提出しなかった場合または提出したが記載漏れもしくは記載が十分でなかった場合には罰則があります（国外送金等調書法9①二）。
子会社からの配当と子会社株式の譲渡を組み合わせた租税回避（意図的に損失を創出すること）への対応（送税令119の3⑦〜⑬、119の4①・③）	・対象：50％超の支配関係を有する一定の法人（特定関係子法人）から受領する一定の配当等の額が、特定関係子法人株式の帳簿価額の10％超の場合、受取配当益金不算入制度等により非課税となる金額が特定関係子法人株式の帳簿価額から減額されます。つまり、意図的に創出した損失の計上は認められません。 ・対象外：①特定関係子法人が内国法人で設立日から50％超の支配関係発生日までの間、90％以上の株式等を内国法人・居住者等に保有されている場合、②配当が特定支配関係発生日後に増加した利益剰余金から支払われている場合、③特定支配関係発生日から10年を経過した日以後の配当の場合、④対象配当金額が2,000万円以下の場合は、先の減額は行われません。

577

非居住者に係る暗号資産等取引情報の自動的交換のための報告制度の整備等（令和6（2024）年度税制改正大綱）	2024年の税制改正大綱により、2022年にOECDにおいて策定された暗号資産等報告枠組み（CARF：Crypto-Asset Reporting Framework）に基づき、非居住者の暗号資産に係る取引情報等を租税条約等により各国税務当局と自動的に交換するため、国内の暗号資産取引業者等に対し非居住者の暗号資産に係る取引情報等を税務当局に報告することを義務付ける制度が以下のように整備されます。
	対象者：報告暗号資産交換事業者等との間でその営業所などを通じて暗号資産等を行う者
	届出書の記載事項：①氏名又は名称、②住所または本展の所在地、③居住地国、④居住地国が外国の場合にはその国の納税者番号など
	なお、上記の改正は、2026（令和8）年1月1日より施行されます。

（石村　耕治・本村　大輔）

〔アドバンス文献〕財務省「過大支払利子税制の概要」、国税庁「『財産債務調書』のあらまし」（令和5年9月）、同「財産債務調書の提出制度（FAQ）」（令和5年4月）、同「国外転出時課税制度のあらまし」（平成27年5月）、同「国外転出時課税制度（FAQ）」（令和5年6月）、同「『国外財産調書制度』のあらまし」（令和5年9月）、同『国外財産調書の提出制度（FAQ）』（令和5年4月）、前原啓二『居住者の国外財産調書制度と外国税額控除』（2013年、清文社）、その他、財務省、国税庁のホームページ参照

Column　キャピタルフライト（資産の海外逃避）

　近年、海外に資産を保有する人や銀行口座を開く人が増えてきています。こうした資産の海外逃避を、「キャピタルフライト（capital flight）」とよんだりします。

　2011年には、経営が破綻した消費者金融大手「武富士」の創業者元会長夫妻（贈与者）から子息（受贈者・納税者）に贈与された株式への課税をめぐって争われていた裁判で、最高裁判所は、課税処分を違法とし取り消し、総額でおおよそ2,000億円を子息に還付するように判決を下しました【武富士事件／海外財産の贈与と住所の認定】。

　このケースでは、元会長夫妻が、武富士の株式をオランダ法人（元会長夫妻の出資設立）に約1,000億円で売却（売却資金は元会長夫妻が法人に貸付）しました。これで、夫妻の保有する武富士株式（国内財産）は、国外財産（オランダ法人株式）に変わりました。そのオランダ法人株式を香港に住む子息に贈与しました。これは、贈与があった1999年当時の税制では、住所が海外にある日本国籍の人が、海外にある資産を贈与されても、その人の居住する国や地域で贈与税が課税されることがあっても、日本では贈与税が課税されなかったことに着眼してのことと思います。

　つまり、当時の"外国に住む者が国外財産を贈与により取得した場合には、日本の贈

578

PART4 国際税法を学ぶ

与税は課されない"というルールにより、子息は、日本の贈与税を納めずに武富士株式を間接的に所有することが可能でした。それに、子息の居住地である香港には贈与税がありません。結局、子息はどの国や地域でも贈与税を課されないことになります。

しかし、東京国税局は、子息が1997年に香港に移住し、2003年に住所を国内に移すまでの生活実態に着目し、明らかに相続税・贈与税対策であると結論づけました。そして、子息の生活の本拠は、日本国内にあると判断し、贈与税の課税処分（決定処分・☞5.3.6）をしました。納税者（子息）は、この課税処分は違法であるとして争いました。

1審の東京地裁は「長男の生活の拠点は香港で、当時の法律では課税できない」として、課税を取り消しました（東京地判平19.5.13・税資257号-108（順号10717）、タインズZ257-10717）。2審の東京高裁は原判決を取り消し「生活の拠点は実質的には日本だった」とし、課税処分を是認しました（東京高判平20.1.23・税資258号-10（順号10868）、タインズZ258-10868、判タ1283号119頁）。最高裁判所第2小法廷の須藤正彦裁判長は「課税を避けようという目的があったとしても、香港には日本のおよそ2.5倍の期間滞在しており、生活の拠点は日本にはなかった」と指摘し、「当時の法律では認められない違法な課税」であるとして、およそ1,330億円の課税処分を取り消しました（最判平23.2.18・タインズZ888-1572、判タ1345号115頁、判時2111号3頁）。最高裁判決は、憲法が定める租税法律主義の原則（☞1.4.2）からすれば当然の帰結といえます。個人に対する課税の取り消し額としては過去最高です。国はそれまでに徴収した追徴課税分を含む約1,600億円（本税＋無申告加算税＋延滞税）に、年4％余りの利子に当たる還付加算金約400億円余りを加えたあわせておよそ2,000億円を納税者に還付することになりました。

ちなみに、現在では、2004（平成15）年の相続税法の改正により、被相続人または贈与者の住所が国内にある場合、日本国籍を有する財産の取得者に対しては、外国に住んでいて国外財産を取得したときでも、相続税・贈与税が課されることになりました（☞2.3.1）。つまり、受贈者である子息が日本国籍を有し、贈与者である親の住所が国内にある場合には、子息（受贈者）に贈与税がかかることになっています。

わが国におけるキャピタルフライトは、近年の外為法規制の緩和などもあって、富裕層のみならず、ふつうの市民にも広がってきています。こうしたことが、「国外送金等調書制度」や「国外財産調書制度」の導入につながったといえます。しかし、徹底的な歳出削減や成長戦略を明確にしないで、消費税のみならず、高所得者をターゲットとした所得税や相続税などを含め、増税一辺倒の政権に嫌気がさせば、キャピタルフライトを止めるのは難しいといえます。憲法は、「何人も、外国に移住し、又は国籍を離脱する自由を侵されない。」と定めています（憲法22②）。しかし、富裕層がこの国を離れ、生活者だけでこの国の活力を維持できるとは思えません。富裕層も生活者も繁栄できる活気のある「安い税金の国」つくりが求められています。

(石村 耕治)

PART 5

租税手続法（手続税法）とは何か

5.1 特別の税金の徴収・納付手続：源泉徴収・特別徴収（税金の天引徴収）・年末調整とは何か

　税金を納める義務（納税義務）は、税法に定める課税要件をみたすことによって発生（成立）します。しかし、発生した納税義務による納税額がどれくらいなのかは、多くの場合、誰かが具体的に確定する手続が必要になります。

　こうした納税額を確定する手続には、申告納税方式、賦課課税方式、自動確定方式の３つの方法があります。まず、納税者本人が納付すべき税額を確定する手続を申告納税方式といいます。一方、課税庁（国・地方公共団体）が納付する税額を確定する手続を賦課課税方式といいます。また、とくに税額を確定する手続を必要とせず自動的に確定する自動確定方式もあります。

　どの方式に従って税額を確定するのか、あるいはそうした手続がいらないのかは、税金の種類（税目）によって異なります。確定した税金は、通常、納付書を添えて日本銀行、ゆうちょ銀行などの各種金融機関または収納事務を担当する税務署等の職員に納付することになっています。

　そのほかに、納税者が直接国に納税をしないで、給与等の支払者がその支払のつど、所得税額を天引徴収して国に納付する「源泉徴収制度」があります。地方税などの天引徴収は、「特別徴収制度」とよばれます。

　例えば、給与所得（●3.2.1）に対する所得税には、源泉徴収制度がとられています。毎月給与等の支払の際に天引徴収された所得税の1年間の合計額と、納付すべき年税額とは通常一致せず、過不足が生じます。これを、勤務先がその年の最後の給与等の支払の際に精算する手続を「年末調整」といいます。年末調整によって、サラリードワーカー（給与所得者）のほとんどは、確定申告や納付手続を行わなくてよいことになります。

PART5 租税手続法（手続税法）とは何か

5.1.1 源泉徴収・特別徴収（徴収納付）とは何か

ポイント

　給与やボーナスなどは、その支払の際に、支払者である雇用主が一定の税金を天引徴収（源泉徴収・特別徴収）することになっています。この源泉徴収・特別徴収（天引徴収）の仕組みや法律関係はどうなっているのでしょうか。そして、会社・雇用主はなぜ無償で天引徴収をし、税金を納付する義務を負わなければならないのでしょうか。

◎源泉徴収・特別徴収（徴収納付）とは何か

　給与等を支払う人は、支払のたびに、所定の税額表を用いて、所得税額を天引徴収して国に納付しなければなりません。これが「源泉徴収制度」です（所税法181以下）。一方、住民税など地方税の天引徴収は、「特別徴収制度」とよばれます（地税法1①九・十・321の3以下・328の4以下など）。ちなみに、源泉徴収や特別徴収は、納税義務者以外の第三者に税金を徴収させ、これを国または地方（公共）団体に納付させることから、一括して「徴収納付」ともよびます。

　所得税では、所得が発生（成立）した時点、すなわち、所得の源泉から税金を徴収するという意味から「源泉徴収制度」とよんでいます。また、源泉徴収制度によって、給与等の金額から差し引かれる税金を「源泉徴収税額（源泉所得税（☛3.1.1））」といいます。

　源泉徴収制度において、税金を徴収し納付する義務を「源泉徴収義務」といいます。そして、この義務を負う人を「源泉徴収義務者」とよびます。

　わかりやすく説明してみましょう。例えば、給与所得（☛3.2.1）の場合、受取るサラリードワーカー（給与所得者）は納税義務者（納税負担者）です。支払う会社・雇用主の方は、源泉徴収義務者（特別徴収義務者でもある）になります。源泉徴収される所得は、給与所得のほかにも退職所得（☛3.2.6）などさまざまあります。例えば、預貯金の利子（☛3.2.4）や株式などからの配当（☛3.2.5）による所得も源泉徴収されます。

583

ちなみに、国税通則法などでは、納税義務者と源泉徴収義務者とをあわせて「納税者」（☛1.4.1）とよんでいます（国通法2五、国徴法2六）。また、納税義務者の税金を納付する義務と、源泉徴収義務者の税金を納付する義務をあわせて「納税義務」とよんでいます（国通法15①）。なお、源泉徴収関係においては、給与等を支払う源泉徴収義務者を「支払者」、納税義務者（納税負担者）のことを、支払者から給付を受ける人という意味で「受給者」ともよびます。

　申告所得税（☛3.1.1）は、申告納税方式の税金です。これに対して、源泉所得税は、自動確定方式（☛5.2.2）の税金です（国通法15③二）。したがって、源泉徴収の対象となる所得の支払のときに自動的に確定します。このため、源泉納税義務者は、とくに税額を確定する手続をする必要がありません。給与等を支払う際に、所定の税額表に基づいて源泉所得税を天引徴収し、国に納めるだけです（所税法181）。

　申告所得税と源泉所得税とを比較する形で、税金の申告納税＊と徴収納付の仕組みをやさしく図で示すと、次のとおりです。

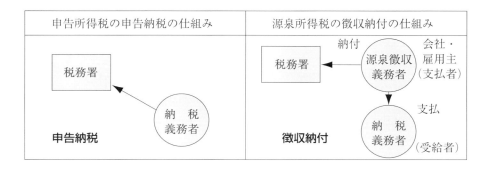

◎国・源泉徴収義務者・納税義務者の法律関係

　源泉徴収制度においては、国（税務署）、源泉徴収義務者（支払者）、納税義務者（受給者・負担者）の三者がかかわります。すなわち、①国と源泉徴収義務者、②国と納税義務者、③納税義務者と源泉徴収義務者の３つの法律関係が存在することになります。

　源泉徴収される税金について特徴的なことは、納税義務者が自らは税金（源

PART5　租税手続法（手続税法）とは何か

泉所得税）を納付する義務を負わない点です。したがって、納税義務者は、国と直接の法律関係を有していないものとされます。また、源泉徴収義務者は、納税義務者の側からみれば、国のための税金を徴収する機関にあたります。一方、国の側からみれば、納税義務者に代わって税金を納付する者です。しかも、源泉徴収義務者は、こうした徴収・納付することが義務であり、無償で事務を代行しているのです。

　こうしたことから、この源泉徴収制度における三者の法律関係については、次のようなさまざまな論点があります。

●源泉徴収制度をめぐる法律上の論点

① **国と源泉徴収義務者との関係**　源泉徴収義務者が、源泉所得税の徴収・納付を一方的に義務付けられていることの根拠については、(イ)実定法義務説：源泉徴収義務者は実定税法にもとづく債務を負っており、その履行を求められるとする考え方、(ロ)手続義務説：公法上の義務であり、雇用により利益が得られることから社会的責任の「一般的義務」として、源泉徴収の義務を負うという考え方があります。

② **国と納税義務者との関係**　一般の租税債権債務関係が成立しますが、源泉徴収された直後から、その関係は切断されるとする考え方が支配的です。例えば、源泉徴収税額が過大であった場合、過誤納税額（源泉徴収義務者が法定の税額より多く納税した場合）については、翌年の所得税確定申告のときに納税義務者から還付請求ができない、とされます。それは「源泉徴収された税額又は源泉徴収されるべき税額」（所税法120○五）についてのみ確定申告によって控除できるとされるためです。源泉徴収義務者が法律に従うことなく過大に税金を徴収し納付したことは、源泉徴収義務者の責任として処置すべきであるとされています（最判平4.2.18・民集46巻2号77頁）。つまり、給与等の受給者である納税義務者は、源泉徴収税額を負担する義務は負いますが、源泉徴収義務者による過誤納付税額の還付などを直接国に請求はできないことになります。

③ **納税義務者と源泉徴収義務者との関係**　租税債権債務関係にかかる権利義務は存在しません。単に、私法上の債権債務関係が問われるだけです。例えば、給与の支払者・源泉徴収義務者が納税義務者に、「給与所得者の扶養控除等申告書」（所税法194）を提出するよう依頼したとします。納税義務者（受給者）が、申告書に誤った記入をしたため、後になって年税額の違いがでてきた場合、支払者は、国から源泉徴収税額の不足分とその納税が遅れたことに対する加算税など附帯税（☞7.2）の負担を求められます。この附帯税の原因は、納税義務者（受給者）が誤った申告書を支払者に提出したことにあります。しかし、納税義務者（受給者）が誤った申告書を提出したことを原因として発生した附帯税を、納税義務者に負担させることなどについては、税法に定めがなく、すべて私法上の問題とされています（最判昭45.12.24・民集24巻13号2243頁）。

585

このように、源泉徴収制度には、解決すべき法律上の課題が多々あります。

◎源泉徴収制度の憲法的な評価

　源泉徴収制度をめぐっては、納税義務者以外の者に対し税金の徴収納付の義務を課すことが憲法上、問題がないかどうか争われました。裁判所は、一般に、税制を違憲とすることには消極的な姿勢を示しています（☞1.4.5）。そのため、源泉徴収制度についても、以下のように、これを肯定する判断を下しています。

① 　納税義務者以外の者に対し源泉徴収義務を課すことの是非
まず、納税義務者以外の者に税金を徴収する義務を課すことは憲法14条に違反しないかどうかが争われました。最高裁判所は、まったく無関係な第三者に対して税金を徴収する義務を課すことは憲法14条に違反する可能性があるとしました。しかし、納税義務者と「特別な関係にある者」に徴収納付の義務を負わせることは不合理ではない、と判断しました（最判昭37.2.22・刑集16巻2号107頁、最判平元.2.7・訟月35巻6号1029頁）。
② 　納税義務者以外の者に対し無償で徴収納付義務を課すことの是非
源泉徴収義務者に強いられる経済的な負担は微々たるものに過ぎないものとして、この程度の義務を課すことは著しく不合理とはいえないとしました。このことから、源泉徴収制度は、憲法29条3項（財産権の侵害にあたっての正当な補償を求める権利）に違反するものではない、と判断しました（最判昭37.2.28・刑集16巻2号212頁）。

＊国税では「申告納税」（国通法16②一）とよびますが、地方税では「申告納付」とよんでいます（地税法1①八）。しかし、本書では、双方の用語を厳密に分けて使っていません。

（望月　爾・石村　耕治）

〔アドバンス文献〕　岩﨑政明『ハイポセティカル・スタディ租税法〔第3版〕』（2010年、弘文堂）宮谷俊胤「源泉徴収制度の概要と問題点」日税研論集15号、畠山武道「源泉徴収制度の法律関係・訴訟手続」日税研論集15号、図子善信「わが国の源泉徴収制度の検討」久留米大学法学43号、北野弘久『サラリーマン税金訴訟〔増補版〕』（1986年、税務経理協会）、清永敬次「給与所得をめぐる課税上の法律問題」〔芝池義一ほか編〕『税務行政と権利保護』（1995年、ミネルヴァ書房）

PART5　租税手続法（手続税法）とは何か

5.1.2　源泉徴収票、支払調書の仕組み

ポイント

　源泉徴収票、支払調書は、源泉徴収制度の運用になくてはならない仕組みです。そして、源泉徴収票や支払調書は、確定申告・還付申告などの際に、その年に支払を受けた給与等の額と源泉徴収税額を証明する証拠資料となるものです。

◎源泉徴収票、支払調書とは何か

　「源泉徴収票」とは、わかりやすくいえば、雇用主が、従業者に対し、1年間に支給した給与等の額と天引徴収した所得税額を証明するために発行した書類です。

　企業が、サラリードワーカーやパートの主婦、アルバイトの学生など（給与所得者）を雇い、給与等を支払うとします。その際に、雇用主である企業は、一定額の所得税、さらに住民税を天引き徴収し、国や地方公共団体に納付しなければなりません。これは、所得税の「源泉徴収制度」や住民税などの「特別徴収制度」があるためです（☞5.1.1）。

　所得税の源泉徴収制度を例にすると、給与等の支払者である雇用主は源泉徴収義務者となります。源泉徴収義務者は、翌年の1月31日までに、従業者である給与所得者（納税義務者）に対し「源泉徴収票」を発行するように義務付けられています。この「源泉徴収票」は、1年間の給与等の支給額と徴収した税額を証明する書類です（所税法226）。

　ちなみに、原稿料・講演料や税理士・弁護士などを依頼して支払った報酬ないし料金などについても、支払者は源泉徴収義務を負います。この場合にも、支払者は、各人あてに1年間の支払額と徴収した税額を証明する書類を発行するように義務付けられています（所税法225①、所税規82〜91、措置法3③）。この場合の書類を「支払調書」といい、受給者に交付する書類を「支払通知書」といいます。

　これらの「源泉徴収票」・「支払調書」には2016（平成28）年1月1日以降の支払分から、共通番号法に基づき、受給者の個人番号（マイナンバー）および支払者の個人番号または法人番号を記入することとなっています（☞1.3.7）。

587

令和 5 年分　給与所得の源泉徴収票

支払を受ける者	住所又は居所	東京都文京区○○1-2-3			

（受給者番号）
（個人番号）□□□□□□□□□□□□
（役職名）

氏名	（フリガナ）ニホン　タロウ　　日本 太郎

種別	支払金額	給与所得控除後の金額（調整控除後）	所得控除の額の合計額	源泉徴収税額
給与・賞与	内 11,611,400	9,411,400	2,317,240	内 1,016,500

（源泉）控除対象配偶者の有無等		配偶者（特別）控除の額	控除対象扶養親族の数（配偶者を除く。）						16歳未満扶養親族の数	障害者の数（本人を除く。）		非居住者である親族の数
有	従有		特定		老人		その他			特別	その他	
		千 円	人	従人	内 人	従人	人	従人	人	内 人	人	人
○		260,000							1			

社会保険料等の金額	生命保険料の控除額	地震保険料の控除額	住宅借入金等特別控除の額
内 1,548,957	111,853	16,430	

（摘要）

生命保険料の金額の内訳	新生命保険料の金額	147,389	旧生命保険料の金額	282,699	介護医療保険料の金額	23,705	新個人年金保険料の金額	161,496	旧個人年金保険料の金額	
住宅借入金等特別控除の額の内訳	住宅借入金等特別控除適用数		居住開始年月日（1回目）	年 月 日	住宅借入金等特別控除区分（1回目）		住宅借入金等年末残高（1回目）			
	住宅借入金等特別控除可能額		居住開始年月日（2回目）	年 月 日	住宅借入金等特別控除区分(2回目)		住宅借入金等年末残高(2回目)			

（源泉・特別）控除対象配偶者	（フリガナ）ニホン　ハナコ	区分		配偶者の合計所得	0	国民年金保険料等の金額		旧長期損害保険料の金額	0
	氏名　日本 花子								
	個人番号					基礎控除の額		所得金額調整控除額	

控除対象扶養親族	1	（フリガナ）	区分			16歳未満の扶養親族	1	（フリガナ）ニホン　イチロウ	区分		（備考）
		氏名						氏名　日本 一郎			
		個人番号									
	2	（フリガナ）	区分				2	（フリガナ）	区分		
		氏名						氏名			
		個人番号									
	3	（フリガナ）	区分				3	（フリガナ）	区分		
		氏名						氏名			
		個人番号									
	4	（フリガナ）	区分				4	（フリガナ）	区分		
		氏名						氏名			
		個人番号									

未成年者	外国人	死亡退職	災害者	乙欄	本人が障害者		寡婦	ひとり親	勤労学生	中途就・退職				受給者生年月日			
					特別	その他				就職	退職	年	月	日	元号	年	月	日
															昭和	37	7	17

支払者	個人番号又は法人番号	1 2 3 4 5 6 7 8 9 0 1 2 3　（右詰で記載してください。）
	住所（居所）又は所在地	東京都練馬区○○3-2-1
	氏名又は名称	株式会社 ××商事　　（電話）03-○○○○-○○○○

整理欄		

PART5　租税手続法（手続税法）とは何か

令和 5 年分　報酬、料金、契約金及び賞金の支払調書																			

支払を受ける者

住所（居所）又は所在地：埼玉県さいたま市××区×－×－×

氏名又は名称：さいたま 花子

個人番号又は法人番号

区　分	細　目	支 払 金 額		源泉徴収税額	
原稿料等		内	千 100	円 内 000	千 10 円 210

（摘要）

支払者

住所（居所）又は所在地：大阪市北区□□9-8-7

氏名又は名称：株式会社 △△出版　（電話）06-××××-××××

個人番号又は法人番号：9 8 7 6 5 4 3 2 1 0 1 2 3

整　理　欄	①	②

309

○個人番号又は法人番号欄に個人番号（12桁）を記載する場合には、右詰で記載します。

◎給与等の額と源泉徴収税額を証明・照合するのがねらい

　例えば、大学の専任教員の人が、ほかの大学でも非常勤講師をやり、また各種専門誌や新聞などに論文や記事を書き、さらにいろいろなところで講演をしていたとします。この場合、専任や非常勤で得た所得は「給与所得」（☞3.2.1）、そして、原稿料や講演料は「雑所得」（☞3.2.10）です。このようにさまざまなところから所得を得ているケースでも、「源泉徴収票」や「支払調書」の仕組みがあるので、その人にその年中に支払われた給与や原稿料などの額と天引徴収された源泉所得税の総額を把握することができるわけです。

　言い換えると、「源泉徴収制度」のもと、「源泉徴収票」や「支払調書」は、給与などの支払者（源泉徴収義務者）にとっては、支払の証拠資料となるものです。また、支払を受けた人（受給者・納税義務者）にとっては、確定申告・還付申告の際に、その年中にもらった給与等の額と源泉徴収された税額を証明する証拠資料となるものです。

　この「源泉徴収票」は2部作成しなければなりません。1部は、給与の支払者から、本人（納税義務者）へ渡すためのものです（受給者交付用）。1部は

589

税務署へ提出するためのものです（所税法226①・所税規93①）。ただし、この税務署への提出は、①法人の役員については、その年中の給与等の支払金額が150万円を超える場合、②それ以外の者については500万円を超える場合など一定の場合にだけ求められます（所税規93②）。

「支払調書」は、1部作成し税務署へ提出します（所税法225①）。なお、この「源泉徴収票」・「支払調書」の税務署への提出は、その支払の確定した日の属する年の翌年1月31日までとなっています。

さらにこの「源泉徴収票」と同じ様式・内容である「給与支払報告書」の作成も求められます。これは給与の支払いを受けたものに対する住民税の計算のためです。それぞれ所定の市区町村に提出する必要があります（地税法317の6）。また、「源泉徴収票」は、転職・再就職する場合などにも必要になることがあります。

支払者などが、所得税法（225〜228）または相続税法（59）の定めに従い、一定の期限までに税務署長に提出が求められるさまざまな支払調書、源泉徴収票、計算書および調書は、「法定資料」または「法定調書」（所税法226①、②、225①他）とよばれます。

◎源泉徴収義務者の源泉徴収の計算に必要な申告書の保管

源泉徴収義務者は、支払時に税務署に代わり、法定の源泉所得税を徴収し、これを国に納付することになっています。給与や退職金を支払う場合、それぞれの家族事情や金額などの違いから、源泉徴収する税額も異なります。支払者である雇用主は、雇用する受給者（納税義務者）の条件を確認するために受給者から「給与所得者の扶養控除等（異動）申告書」、「給与所得者の配偶者控除等申告書」、「給与所得者の基礎控除申告書」、「給与所得者の保険料控除申告書」、「所得金額調整控除申告書」などの申告書〔法定資料〕の提出を受けます。こうした申告書の最終提出先は、支払者の所轄税務署長です。

これらの申告書は、源泉徴収義務者の責任で、提出義務の翌年の1月10日から7年間保存〔保管〕することが義務づけられます（所税規76の3、77③、77の3③、措置規18の23④）。

◎電子情報処理（インターネット）による源泉徴収制度

(1) 受給者が支払者に提出できる書類

給与所得者（受給者）は源泉徴収関係の書類を支払者経由で提出をすることとなっていますが（所税法198①）、給与支払者が税務署長の承認を受けている場合には、これらの書類を電磁的方法により提出ができます（所税法198②、③）。

(2) 支払者が受給者に交付できる書類

支払者は受給者の承認を受けた場合に電磁的方法により源泉徴収票等を受給者に交付できます（所税法226、231）。

(3) 支払者が税務署へ提出できる調書等の提出方法

支払調書等は、税務署に対して、原則として、①紙ベース（文書媒体）で提出することになっています。しかし、②それぞれの調書の種類ごとに提出年の前々年の1月1日から12月31日までの間に提出すべきであった枚数が100枚以上であるものは、調書等に記載すべき事項（以下「記載事項」を記録した光ディスク等を提出する方法または電子情報処理組織（e-Tax）を送付することが義務づけられました（所税法228の4①、措置法42の2の2①、国外送金等調書法4②）。

上記②以外にあてはまる納税者（源泉徴収義務者）でも、税務署長の承認を得れば、e-Tax（電子申告・納税システム）・eLTAX（地方税ポータルシステム）を利用し法定調書（および同合計表）や住民税の給与支払報告書の提出ができます。この場合、支払者（提出者）の電子証明書を取得する必要があります。ただし、税理士等を介して提出する場合は、支払者の電子証明書は必要ありません。

区　分	書　類
1　受給者が支払者に提出できる書類	① 給与所得者の扶養控除等（異動）申告書 ② 従たる給与についての扶養控除等（異動）申告書 ③ 給与所得者の配偶者控除等申告書 ④ 給与所得者の基礎控除申告書 ⑤ 給与所得者の保険料控除申告書 ⑥ 所得金額調整控除申告書 ⑦ 退職所得の受給に関する申告書 ⑧ 公的年金等の受給者の扶養親族等申告書 ⑨ 給与所得者の（特定増改築等）住宅借入金等特別控除申告書
2　支払者が受給者に交付できる書類	① 給与所得の源泉徴収票 ② 特定口座年間取引報告書 ③ 退職所得の源泉徴収票 ④ 公的年金等の源泉徴収票 ⑤ 報酬、料金、契約金及び賞金の支払調書 ⑥ 不動産の使用料等の支払調書 ⑦ オープン型証券投資信託収益の分配の支払調書 ⑧ 配当等とみなす金額に関する支払調書
3　支払者が税務署に提出できる書類	法定調書等全て

（注）受給者が書面による交付を要求したときは、書面で交付しなければなりません。また、確定申告書に添付する給与等の源泉徴収票等の一定の書類は、保存を条件に添付を省略できます。

（石村 耕治・阿部 徳幸）

5.1.3 給与所得者の年末調整とは何か

ポイント

　所得税を納める人（納税義務者）は、全員、確定申告するのが申告納税制度の本来の姿といえます。しかし、サラリードワーカー（給与所得者）には勤務先が申告納税を代行する「年末調整」という仕組みがあります。年末調整とはどのような仕組みで、また、どのような人が対象となるのでしょうか。

PART5　租税手続法（手続税法）とは何か

◎年末調整とは何か

　毎月の給料や賞与をもらう際には、源泉所得税が天引徴収されます。ただ、月々源泉徴収された所得税の1年間の合計額と、納付すべき年税額とは通常一致せず、過不足が生じます。これをその年の最後の給与等の支払の際に精算する手続を「年末調整」といいます（所税法190）。年末調整は、勤務先（雇用主・給与等の支払者）が行うことになっていることから、給与所得者だけに適用されるものです。年末調整によって、多くのサラリードワーカー（給与所得者）は、確定申告や追加税額の納付手続を行わなくてよいことになります。

◎年末調整が必要なわけ

　サラリードワーカー（給与所得者）は、月々源泉徴収された所得税の1年間の合計額と、納付すべき年税額とは通常一致しません。その原因は、源泉徴収は、「源泉徴収税額表」の概算的な平均値を使用しているからです。また、年の途中で、扶養親族の数に異動があるケースもあります。この場合でも、その異動が生じる前までは年初の扶養親族数に基づき、異動後はその数により源泉徴収されるため、年間を通した額とは一致しません。

　さらに、こうした不一致が生じるのは、賞与の支給額が一律でないことや各種保険料控除などは、月単位ではなく、年末に一括して控除することになっていることも一因です。まさに、年末調整は、勤務先（雇用主）が、従業者のために、異動が生じる前（年初）の事実に基づいて月々源泉徴収されていた税額を、異動後（年末時）の事実に引き直して再度計算する手続です。年末調整の結果、過不足額については、12月の給与に加算（還付）または12月の給与から追加徴収されることになります。

◎年末調整の対象になる人、ならない人

　給与所得者であれば、誰でも年末調整の対象になるとは限りません。年末調整の対象になる人、ならない人とその時期については、次のとおりです。

593

(1) 年末調整の対象になる人 (所税法190)

　年間の給与収入が2,000万円以下で、しかも「給与所得者の扶養控除等申告書」（通称マル扶：㊉）を主たる給与等の支払者に提出 (所税法194) している人で、次にあてはまるケースです。

〈通常者の年末調整〉
① 　年初から引き続き勤務している人
② 　その年の中途から就職し引き続き勤務している人

(2) 例外的な年末調整の時期

　年末調整は、年末に行われるのが原則です。しかし、例えば次のケースは別です (所税基通190－1)。これは、それぞれの時が「最後の給与」となるためです。

① 　その年の中途で死亡退職した人〜退職時
② 　心身障害により退職し、その年内に再就職不能な人〜退職時
③ 　その年に国外勤務のため出国し非居住者になった人〜出国時

(3) 年末調整の対象にならない人

　次のケースでは、年末調整の対象になりません (所税法190、災害減免法3⑥)。

① 　年間の給与収入が2,000万円を超えている人
② 　「給与所得者の扶養控除等申告書」を提出していない人
③ 　その年の中途で退職した人で、上記(2)にあてはまらない人
④ 　災害により被害を受けて、災害減免法の規定により、本年分の給与に対する源泉所得税および復興特別所得税の徴収猶予または還付を受けた人 (災害減免法3⑥)

◎年末調整でできる控除、できない控除

　所得税法は、各人の個人的な事情に配慮してきめ細かい課税をするために、さまざまな所得控除 (●3.3.1) や税額控除 (●3.4.1) などを置いています。これらのなかには、①年末調整で控除されるものと、②控除されないもの（確定申告でのみ控除されるもの）があります。

PART5　租税手続法（手続税法）とは何か

●年末調整でできる控除項目

- 基礎控除・配偶者控除・配偶者特別控除・扶養控除・障害者控除・ひとり親控除
- 寡婦控除・勤労学生控除・社会保険料控除・小規模企業共済等掛金控除
- 生命保険料控除・地震保険料控除
- （特定増改築等）住宅ローン税額控除（2年目以降、措置法41の2）

(注1) 給与所得者の保険料控除申告書（通称マル保：㋭）が提出されて、ここに記載があること（所税法196）。
(注2) 上記控除は、年末調整手続の電子化に伴い電磁的方法によることができます。

●年末調整でできない控除項目

- 雑損控除・医療費控除・寄附金控除・住宅ローン税額控除等（1年目のみ）
- 特定支出控除（☛3.2.1）・耐震改修特別控除・省エネ修繕特別控除　など

　年末調整できない控除項目については、各自確定申告で差し引くことになります。給与の支払者である雇用主は、年末調整終了後、各人（受給者）のその年分に確定した給与支払金額と源泉徴収税額などを記した「給与所得の源泉徴収票」を2部つくります。それを、1部は税務署に提出し、もう1部を本人（受給者）に渡さなければなりません（所税法226①、所税規93①）。

●年末調整の手順

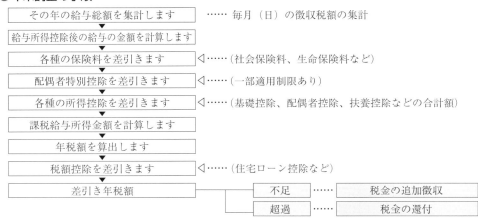

　年末調整でできない控除項目は、確定申告で差し引くことになります（☛5.2.1）。

595

◎年金受給者の確定申告不要制度

年金受給者で、一定の人は、翌年の確定申告をする必要がありません。

年金所得者の公的年金等に対する課税については、公的年金等の支払のとき公的年金等控除や基礎控除・扶養控除・寡夫控除・障害者控除の各所得控除額を考慮して源泉徴収税額の計算が行われています。

そこで、公的年金の受給金額（収入金額、２か所以上ある場合は合計額）が400万円以下の人で、かつ公的年金等に係る雑所得以外の所得金額（利子所得の金額、配当所得の金額、不動産所得の金額、事業所得の金額、給与所得の金額、山林所得の金額、譲渡所得の金額、一時所得の金額および公的年金等にかかる雑所得以外の雑所得の金額の合計額をいい、租税特別措置法により分離課税とされている所得で、土地の譲渡等にかかる事業所得等の金額、土地等・建物等にかかる長期・短期譲渡所得の金額および先物取引にかかる雑所得等の金額を含みます。）が20万円以下であるときは、受給時の源泉徴収税額が年税額に近い数値であることに配慮し、「確定申告不要制度」が適用され（所税法121③）、確定申告の必要がありません。ただし、所得税の還付を受ける場合は確定申告が必要です。また、地方税には、こうした制度がないので、ケースによっては生命保険等の控除証明書を添付したうえで、住民税の「課税標準申告（☛5.2.1）」をする必要があります。

（望月　爾・石村　耕治）

PART5　租税手続法（手続税法）とは何か

5.2　租税確定手続

税金を納める義務（納税義務）は、税法に定める課税要件をみたすことによって発生（成立）します。しかし、発生した納税義務による納税額がどれくらいなのかは、多くの場合、だれかが具体的に確定する手続が必要になります。でないと、国あるいは地方（公共）団体は税金を徴収することが難しいからです。こうした納税額を確定する手続を「租税確定手続」といいます。

納税額を確定する方法には、申告納税方式、賦課課税方式、自動確定方式の３つがあります。納税者本人が納付すべき税額を確定する手続を申告納税方式といいます。一方、課税庁（国・地方公共団体）が納付する税額を確定する手続を賦課課税方式といいます。また、とくに税額を確定する手続を必要とせず自動的に確定する自動確定方式もあります。

どの方式に従って税額を確定するのか、あるいはそうした手続が不要かは、税金の種類（税目）によって異なります。

5.2.1 税金により違う税額を決める方法

ポイント

租税確定手続には、申告納税方式、賦課課税方式、自動確定方式の３つがあります。どの税金にどの方式が適用になるのでしょうか。

◎租税確定手続とは何か

税金を納める義務（納税義務）は、税法に定める課税要件をみたすことによって発生（成立）します。しかし、発生した納税義務、つまり納税額がどれくら

いなのかは、多くの場合、だれかが具体的に確定する手続をしないといけません。それがないと、国あるいは地方（公共）団体は税金を徴収することが難しいからです。こうした納税額を決める手続を「租税確定手続」といいます。

納税額を確定する方法には、①申告納税方式、②賦課課税方式、③自動確定方式の３つがあります。①納税者本人が納付すべき税額を確定する手続を申告納税方式といいます。一方、②課税庁（国・地方（公共）団体）が納付する税額を確定する手続を賦課課税方式といいます。また、③特に税額を確定する手続を必要とせず自動的に確定する自動確定方式もあります。なお、現在は法定された方法によっていますが、これらの３つの方法ではいずれの場合も税法で定めに基づいて税額が計算されますので、算定される税額は、確定方法により差異が生ずることはありません（租税法律主義の尊重）。

◎確定方式は税金によって異なる

どの方式に従って税額を確定する手続を行うのか、あるいはそうした手続が不要なのかは、税金の種類（税目）によって異なります。

(1) 申告納税方式

申告納税方式では、納税者本人が納めるべき税額を申告によって確定することを原則とします。そして、本人から申告がない場合、あるいは申告はあってもその内容が課税庁の考えるところと異なる場合に、課税庁が更正または決定という手段（処分）によって税額を確定できます（国通法15②、16①一）。この方式によるかどうかは、税金の種類（税目）によります。具体的には法令を見なければなりません。このように、法令により納税者に申告義務を課している税金を「申告納税方式の租税」といいます（国通法16②一、17以下）。なお、地方税では、申告納税のことを「申告納付」とよんでいます（地税法1①八）。

申告納税方式は、国税では、申告所得税、法人税、相続税、贈与税、消費税、酒税などで採用され、一般的な課税方式となっています。これに対し、地方税では、法人住民税、法人事業税、たばこ税など、限られた税金が申告納付方式をとっています*。

(2) 賦課課税方式

賦課課税方式では、納めるべき税額を課税庁が確定します。法令により申告納税方式によるとした以外の税金は、賦課課税方式によることになっています（国通法16①二、31以下）。なお、地方税では、賦課課税のことを「普通徴収」とよんでいます（地税法1①七）。

賦課課税方式（普通徴収）は、個人住民税をはじめとして地方税では一般的な課税方式になっています。これに対し、国税では、例外的な課税方式となっており、特別な場合の消費税（消税法47②・50②）や各種の加算税（国通法65〜68）や過怠税（印税法20①②・☛7.3）などが、この方式によっています。

すでにふれたように、賦課課税方式の税金では、納付すべき税額がもっぱら課税庁の賦課決定によって確定します（国通法32③）。ただ、これらの税金のなかには、納税義務者に「課税標準申告」を義務付けているものがあります（国通法31①・33③）。もっとも、ここでいう「申告」とは、単に課税庁が賦課決定をするにあたって参考資料を求めているにすぎません。したがって、申告納税方式の場合の申告とは違い、納付すべき税額を確定する効果をもちません。

一方、地方税では普通徴収の税金において、課税標準申告書の提出を求めるのが一般的です（地税法45の2・72の55・73の18・152・185・271・317の2・447・681など）。

(3) 自動確定方式

自動確定方式の税金、すなわち「納税義務の成立と同時に特別の手続を要しないで納付すべき税額が確定する国税」では、とくに確定作業をしなくても、法令の定めに従い納税義務の発生（成立）と同時に自動的に税額が確定します（国通法15③）。自動確定の税金としては、国税では、源泉所得税、予定納税される所得税、印紙納付の印紙税、自動車重量税、登録免許税、延滞税・利子税（☛7.2）などがあります。

＊申告納税方式は、自己責任のルールに基づく納税意識を醸成し、税金を徴収するコストも少なくすむことから、能率的かつ合理的な制度であると評価されています。この方式は、戦中（昭20年3月）に法人税で導入されました。戦後、間接税を含めて次第にその適用が拡大され、現在、国税では一般的な方式となっています。国際的には、所得課税について、アメリカでは申告納税方式が伝統的に広く採用されてきました。これに対し、ヨーロッパ諸国や旧英領諸国などでは、これまでは賦課課税方式が一般的でした。しかし、これらの国々

も次第に申告納税方式に転換してきています。例えばイギリスでは1996年、オーストラリアでは2000年から申告納税方式を採用しています。

（望月　爾・石村　耕治）

5.2.2 さまざまな税金の確定方式を探る

ポイント

　申告納税方式、賦課課税方式、自動確定方式で確定する税金としては、それぞれどのようなものがあるのでしょうか。

◎申告納税方式により確定する税金

　税金の確定方式には、申告納税方式、賦課課税方式、自動確定方式の３つがあります（☛5.2.1）。

　国税では、申告納税方式（国通法16①一）が一般的です。国税でいう申告納税は、地方税では、「申告納付」（地税法1①八）とよばれています。

　申告納税方式および申告納付方式の税金のうち、主なものをあげると、次のとおりです。

●申告納税方式の国税	●申告納付方式の地方税
① 申告所得税	① 法人住民税（地税法53、321の8）
② 法人税	② 法人事業税（地税法72の24）
③ 相続税	③ 自動車取得税（地税法699の10）
④ 贈与税	④ 特別土地保有税（地税法598）
⑤ 消費税	⑤ 道府県たばこ税（地税法74の9）
⑥ 酒税	⑥ 市町村たばこ税（地税法599）
	⑦ 事業所税（地税法701の45）

600

◎賦課課税方式により確定する税金

国税では、賦課課税方式（国通法16②）は一般的ではなく、例外的な課税方式です。国税でいう賦課課税は、地方税では「普通徴収」（地税法1①七）ともよびます。地方税では、普通徴収が一般的です。賦課課税方式および普通徴収方式の税金のうち、主なものをあげると、次のとおりです。

●賦課課税方式の国税

①　過少申告加算税・無申告加算税・不納付加算税・重加算税（国通法65～68）、過怠税（印税法20①②）

②　特殊なケースでの消費税（消税法47②・50②）や酒税（酒税法30の3②・30の2⑤）、関税（関税法6の2①）

●普通徴収方式の地方税

①　個人住民税（地税法41、319）

②　個人事業税（地税法72の49の18）

③　不動産取得税（地税法73の17）

④　自動車税（一部証紙徴収～地税法151）

⑤　固定資産税・都市計画税（地税法364・702の8）

⑥　軽自動車税（一部証紙徴収～地税法446）

⑦　過少申告加算金・無申告加算金・重加算金（地税法72の46・72の47など）

◎自動的に確定する税金

国税（国通法15③）や地方税で、自動確定方式をとるもののうち主なものは次のとおりです。

●自動確定方式の国税

①　予定納税にかかる所得税

②　源泉所得税

③　自動車重量税

④　印紙納付の印紙税

⑤　登録免許税

⑥　延滞税、利子税

●自動確定方式の地方税

延滞金（例えば地税法73の32①）

（望月　爾・石村　耕治）

Column 登録免許税は自動確定方式の税金か

　自動確定方式により確定するとされている税金のなかには、課税庁などの判断が税額確定に大きな影響力をもつケースがあります。土地の所有権移転登記の申請が行われたとします。この場合、登記申請人の登録免許税の課税標準や税額の申告価額が適正であり、その他の要件も満たされているときには、申請書は受理されます。ところが、申請があった価額が登記所の登記官の調査したところと異なる場合も考えられます。この場合には、登記所は適正な価額を認定して、申請人に通知することになっています（登税法26①）。この通知を受けた申請人は、差額を国に納付し、その領収書を登記所に提出することになっています。

　しかし、申請人が、通知された価額に不服であるとします。この場合には、登記の前に、あるいは登記が終わったあとで、その価額を争うことができるのかどうかが問題になります。

　登記官の認定に従って登録免許税を納めないと登記申請は却下されます（不動産登記法49）。また、登録免許税は「特別な手続を必要としない」自動確定方式の税金とされます（国通法15③）。したがって、文字どおりに解釈すると、登記官の認定した価額に口をはさむ余地がないようにも見えます（最判平10.2.24・税資230号684頁、最判平17.4.14・民集59巻3号491頁）。しかし、納得ができるでしょうか。登録免許税についてはいろいろと争われています。登録免許税を一律に自動確定の税金とすることには大きな問題がありそうです。

　ちなみに、連帯納付義務（連帯納税義務）についても同様な問題があります（☞5.4.6）。連帯納付義務は自動確定方式によることから格別の確定手続を要しないとする解釈があります。一方で、連帯納付義務を賦課課税方式の税金とみて、賦課決定手続（国通法16②二・32③）を要するとする解釈があります。この解釈に従うと、賦課決定手続を尽くさないで連帯納付義務者へいきなり強制徴収（滞納処分）手続を開始するのは、憲法13条・31条などから派生する「適正手続」を欠くことになり、「運用違憲」（☞1.4.5）とみることもできます。この点についての批判を受けて、2011（平成23）年および2012（平成24）年度の税制改正で、納税告知や督促、申告期限等から5年経過した場合の連帯納付義務の解除など、かなり改善されました（☞5.4.6）。

　登録免許税を含め、自動確定方式とされる税金全般について、「適正手続」保障の観点から今一度精査する必要があります。

(石村　耕治)

〔アドバンス文献〕山田二郎「不動産登記と登録免許税」『民法と登記（上）』（1993年、テイハン）所収、首藤重幸「流通税」〔北野弘久編〕『現代税法講義〔5訂版〕』（2011年、法律文化社）所収、金子宏『租税法〔第24版〕』（2021年、弘文堂）、北野弘久『税法学原論〔第6版〕』（2007年、青林書院）

PART5 租税手続法（手続税法）とは何か

5.3 租税確定手続の実際

　納税者が自分の税金を自分で計算して税務署に申告し、納税するのが確定申告です。ほとんどの人は、「3月15日は確定申告の期限です」というキャンペーンを見聞きしていると思います。ただ、この場合の確定申告とは、所得税の確定申告のことです。実は、確定申告は、所得税だけのものではありません。法人税や消費税など、申告納税方式（☞5.2.1・5.2.2）を採用するさまざまな税金に共通するものです。

　確定申告は、まさに自己責任ルールに基づく課税方法です。納税者は、税法に決められている税額を正しく申告するように求められます。納税者がまったく申告していない、あるいは正しく申告していないおそれがあると思われるケースを含め、必要な場合には、課税庁は、納税者などに対して税務調査（質問検査）を行う権限を持っています。

　税務調査の結果、申告が必要なのに申告をしていない（無申告）ことが判明した場合は、課税庁の判断で、税額を決定して納税者に支払うように求めます。また、申告はしているものの、税法に基づいた正しい申告が行われていない場合には、課税庁の判断で、追徴税額を通知（更正）して、納税者に支払うように求めます。納税者が取引などについて帳簿などへの記録をまったくしていないか、あるいは極めて不十分なケースが考えられます。この場合には、課税庁は、同業者の取引などを参考にして推計で課税することがあります。納税者は、確定申告のあと、自分で申告内容に誤りがあると気付いた場合には、修正申告（増額修正）、更正の請求（減額の請求）ができます。

　近年、課税庁が税金の徴収を強化するなか、納税者の人権を侵害するような税務調査を行い問題となったケースもみられます。そこで、課税庁の納税者へのサービス・スタンダード（☞1.3.6）の確立が求められています。

603

5.3.1 確定申告とは何か

ポイント

納税者が、自分の税金を自分で確定して税務署に申告・納税するのが確定申告です。確定申告は、所得税はもちろんのこと、申告納税方式をとる税金に共通するものです。また、サラリードワーカー（給与所得者）の確定申告の場合、源泉徴収、年末調整などとはどんな関係にあるのでしょうか。

◎確定申告は申告納税方式の税金に共通する手続

税金を納める義務（納税義務）は、税法に定める課税要件をみたすことによって発生（成立）します。納税義務があるかどうか、そしてあるとすればどれくらいなのかを、納税者本人が計算・確定し、課税庁（国）に申告・納税する手続が確定申告（納税申告）です。

ほとんどの人は、「3月15日は確定申告の期限です」というキャンペーンを見聞きしていると思います。ただ、この場合の確定申告とは、所得税の確定申告のことです。実は、確定申告は、所得税だけのことではありません。法人税や消費税など、申告納税方式（●5.2.1・5.2.2）が採用されるさまざまな税金に共通するものです。

◎税金の種類によって異なる確定申告の時期

確定申告の時期（法定申告期限）は、税金の種類（税目）によって異なります。納税申告書が、それぞれの税法が定める法定申告期限までに提出されている場合には、「期限内申告書」といいます（国通法17②）。いくつかの税金の確定申告の期限をあげると、次のとおりです。

PART5　租税手続法（手続税法）とは何か

●所得税の法定申告期限

　所得税では毎年1月1日から12月31日までの1年間に生じたすべての所得について、抽象的には12月31日を経過すると法律上確定します。ただし、具体的に10種類の所得に分類し課税所得金額を確定させるには、一定の期間が必要となります。その期間に課税所得金額に対する税額を算出し、翌年の2月16日から3月15日までの間に税務署に申告・納税することになっています。この手続を「所得税の確定申告」または単に「確定申告」ともいいます（所税法2①三十七、120・☞3.1.5）。なお、源泉徴収税額の還付または予定納税額の還付の場合の確定申告書（還付申告書）の提出期限は、翌年の1月1日から5年間です。

●法人税の法定申告期限

　法人税についても、事業年度終了の日を基準として、会社法等に従って決算書（財務諸表）を作成します。この決算書をもとに、税法の定めにもとづいて決算利益を調整（税務調整）し、法人税の課税標準である「各事業年度の所得の金額」（法税法21）を計算します。この計算された所得金額と税額を、事業年度終了から2か月以内（例外として延長することもできます。）に申告・納税をしなければなりません。この手続を（法人税の）「確定申告」といいます（法税法2①三十一、74・☞2.1.9）。

●消費税の法定申告期限

　消費税では、法人事業者は事業年度終了の日から2か月以内に申告・納税するように求められます。例えば3月決算法人ならば、5月31日までということです。一方、個人事業者は、翌年の3月末日までに、申告・納税することになっています。この手続を（消費税の）「確定申告」（消税法2①十七、45・☞2.2.5）といいます。

◎サラリードワーカー（給与所得者）の確定申告

　所得税における確定申告は、その年中に生じた所得金額に対する税額の確定手続を意味します。つまり、その年の確定税額をもとに、源泉徴収税額や予定納税額、住宅ローン控除などの税額控除（☞3.4.1）を差し引き、すでに納めた税金の総額との差額を精算する意味があります。

　また、確定申告には、「義務」の確定申告と、「権利」としての確定申告があります。「義務」の確定申告とは、所得があり納税額が生じた場合の通常の確定申告をさします。一方、権利としての確定申告とは、還付してもらいたい税額があるとき（還付申告・☞5.3.2）や欠損金の繰越を認めてもらいたいときの確定申告をさします。

　納付すべき所得税額がない場合には、確定申告の義務はありません。しかし、

605

還付を受ける税金があるときや、株式の譲渡損失などの損失の繰越を認めてもらうためには、確定申告書の提出が必要です。

　もっとも、サラリードワーカー（給与所得者）の場合は、1か所からの給与所得を受け、給与所得以外の所得が20万円以下であれば、原則として確定申告の義務はありません（所税法121①）。これは、給与所得者の場合には、確定申告に代わる前述の「年末調整」（☛5.1.3）という手続により、給与所得にかかる税額は確定しているからです。すなわち、給与所得者は、給与の年収が2,000万円を超えている場合や、給与の他に所得を得た場合、あるいは不動産等の譲渡により所得が生じた場合にだけ、確定申告の義務が生じます（☛5.3.2）。

　源泉徴収（☛5.1.1）や予定納税（☛5.3.3）した税金がその年の所得について計算した税額より多いとします。この場合には、確定申告をすることによって納めすぎの税金が還付されます。この申告を「還付申告」といいます（所税法122）。

　還付申告書は、所得税が納めすぎになっている年の翌年1月1日から提出することができます（所税法120⑥）。また、この申告書の提出期限はその提出ができる日から5年間となっています（国通法74①）。これは、還付金の請求権が5年で時効により消滅するからです（☛5.3.2）。

　ただし、すでに確定申告書を提出した人の還付の請求は、還付申告ではなく更正の請求（国通法23）をすることになります。この場合、確定申告書の提出期限から5年以内に限り還付を受けることができます。

　納税者から更正の請求があると、税務署はその内容の調査・検討をします。そして、納め過ぎの税金があると判断した場合には、更正および還付の手続が取られ税金が返還されます。

　したがって、確定申告により確定する税額は、絶対的なものではありません。納税者自身による修正申告（国通法19）あるいは税務署長の更正処分（国通法24）によっても、変更ができます。

PART5　租税手続法（手続税法）とは何か

●所得税の確定申告の作業プロセス

| 各種の所得の金額を計算します | ◁……〔不動産、事業、給与、雑などの所得（☛3.2）〕 |

各種の所得の金額を計算します ◁……〔不動産、事業、給与、雑などの所得（☛3.2）〕

所得金額を合計します ◁……〔所得金額を合計または赤字のある所得と通算〕

所得控除をします ◁……〔基礎、配偶者、配偶者特別、扶養などの控除

課税所得金額をだします （☛3.3）〕

税率を掛け税額を計算します ◁……算出税額

税額控除額があれば差引きます ◁……〔配当、外国税額、住宅ローンなどの控除（☛3.4）〕

所得税額を算出します

源泉徴収税額を差引きます

予定納税額があれば差引きます

（プラス）　　　　　　　　（マイナス）

税金の追加納付　税金の還付 ◁……プラス（100円未満切り捨て）、マイナス（円）は
全額還付

（望月　爾・石村　耕治）

5.3.2　所得税の確定申告を必要とする人

ポイント

　所得税の確定申告をしなければならない人、確定申告をすれば税金が還付される人、そして年の途中で死んだ人や出国する人、それぞれのケースについて見てみましょう。

◎所得税の確定申告をしなければならない人

　確定申告をしなければならない人は、大きく①一般の人（所税法120）、②サラリードワーカー（給与所得者）（所税法121①）、③退職所得がある人（所税法121②）に分けられます。

607

① 一般の人の場合で、次にあてはまる人

　利子所得、配当所得、不動産所得、事業所得、給与所得、譲渡所得、一時所得、雑所得、山林所得、退職所得のある人で、これらの所得税額の合計金額が、雑損控除を始めとする所得控除の合計金額を超え、かつ税額控除である配当控除を超える場合です（所税法120①）。わかりやすくいえば、個人事業者（事業所得、☞3.2.2）やマンション賃貸経営者（不動産所得、☞3.2.3）、年金等を受けている人（雑所得、☞3.2.10）、土地や建物を譲渡して利益をあげた人（譲渡所得、☞3.2.8）などがあてはまります。これらの人は、所得の合計額が所得控除額の合計額（基礎控除だけなら48万円）を超える場合に、確定申告が必要になります。

② サラリードワーカー（給与所得者）の場合で、次にあてはまる人

・その年の給与収入が2,000万円を超える人（所税法121①）
・1か所から給与を受けている人で、地代や原稿料、その他の副収入がある人。ただし、その副収入所得（退職所得、利子所得、配当所得のうち分離課税を選択した所得を除きます。以下同じ）が20万円を超える人（所税法121①一）
・2か所以上から一定額以上の給与をもらっている人（所税法121①二）。しかし、給与収入から一定の人的控除をした後の収入が150万円以下で、給与以外の所得が20万円以下の人は申告が必要ありません。
・同族会社の法人の役員やその親族で、その法人から給与所得以外に、貸付金利息（雑所得）、地代や家賃（不動産所得）の支払を受けている人（この場合は金額の多少にかかわらず申告が必要です）（所税法121①、所税令262の2）
・家事使用人（所税法184）や国内の外国大使館などの勤務者のように、源泉徴収されない給与等をもらっている人（所税法121①）
・災害に会い、災害減免法の適用を受けて、給与所得の源泉徴収の猶予または徴収された税金の還付を受けた人（災害減免法3⑥）

③ 年金受給者の場合で、次にあてはまる人

・その年の公的年金に係る収入金額が400万円超である人（所税法121③）
・公的年金等に係る雑所得以外の所得金額が20万円超である人（所税法121③）
・公的年金等の収入金額が400万円以下の人で医療費控除等による所得税の還付を受けることができる人（所税法121③）

④ 退職所得がある人で、次にあてはまる人

　退職金の支払を受けた際に「退職所得の受給に関する申告書」を支払者に提出せず、退職所得に対する税額が源泉徴収された税額（20％）よりも多くなる人（所税法121②）（ふつう退職所得は源泉徴収だけで課税は終わりになります☞3.2.6）。

◎申告をすると税金を戻してもらえる人（還付申告できる人）

　源泉徴収された税金（☞5.1.1）や予定納税（☞5.3.3）した税額が納税者のその年中に納税すべき税額より多いとします。この場合には、申告をする義務はあり

PART5 租税手続法（手続税法）とは何か

ません。しかし、確定申告をすると、納め過ぎた税金を返還してもらえます。この申告を「還付申告」といいます（所税法122①）。還付申告は、課税年分の翌年1月1日からすることができます。また、その後、税金の還付請求権の時効になる5年以前ならいつでも申告することができます（国通法74）。

還付申告ができるのは次のような人です。

●還付申告ができるケース

・サラリードワーカー（給与所得者）や退職所得者で、すでに年末調整（☞5.1.3）を終えている人で、雑損控除（☞3.3.3）、医療費控除（☞3.3.3）、寄附金控除（☞3.3.3）、住宅ローン控除（初年度）（☞3.4.1）、住宅耐震改修特別控除などが受けられる人
・給与所得者で、年末調整（年調）に漏れがあった人（例えば、生命保険料控除（☞3.3.3）もれ、年調後の子どもの出生など）
・給与所得者で特定支出控除（☞3.2.1）の額が給与所得控除額より多くなった人
・給与所得者で年の途中で退職し、その後就職をしなかったため年調を受けていない人
・予定納税をした人で、所得が少なく確定申告の必要がなくなった人
・給与所得者で、20万円以下の副収入（雑）所得があり、副収入に対し源泉徴収された人

いずれも、源泉徴収や予定納税により納税した税額のある人が対象となります。還付申告は、給与所得以外に申告する所得がない場合には、簡易な申告書を利用できます。申告にあたっては、勤務先から渡された源泉徴収票（☞5.1.2）、控除に関する証明書類や領収書等が必要になります。

なお、確定申告をe-Tax（国税電子申告・納税システム）を利用して電子申告する場合は、第三者作成書類で一定の書類については、その記載内容を入力して送信することによって、これらの添付書類の税務署への提出または提示を省略することができます。

◎死亡した人または出国する人

納税者本人が年の途中で死亡した場合には、1月1日から死亡した日までの所得金額をもとに、相続人が相続の開始を知った日（ふつうは死亡の日）から4か月以内に「準確定申告書」を提出するように求められます（所税法124・125、国通法5）。

609

また、年の途中で出国をする場合には、出国までの期間を1年分として所得や税額を計算し、出国日までに確定申告をします (所税法126)。この申告書も通常「準確定申告書」とよばれます。ただし、納税者本人が「納税管理人」の届出をしているときや (国通法117)、出国する日までの申告の対象となる所得金額がないときは別です。「納税管理人」とは、納税者に代わって申告書の提出や納税などを行う人をいいます (☞3.1.2)。納税管理人の届出があれば、通常の法定申告期限（翌年の3月15日）までに申告・納税することでかまいません。

（望月　爾・石村　耕治）

5.3.3　予定納税・中間申告とは何か

ポイント

　「予定納税」はどのような趣旨で設けられ、法的な性格はどのようなものなのでしょうか。そして、どのような人が予定納税をするように求められるのでしょうか。ちなみに、このような制度は、法人税や消費税では「中間申告」とよびます。

◎予定納税・中間申告制度とは

　所得税は、基本的に納税者が、1年間のすべての所得を計算し、それにかかる税額を翌年税務署に確定申告し、納める仕組みになっています。しかし、一方で、確定申告をする前に、あらかじめ概算の税額を一定の期間に分割して納める仕組みを取り入れています。これを「予定納税」といいます (所税法2①三十六・104～110)。

　予定納税制度の採用は、1年分の税金を1回に納付することは、納税者にとって負担の大きいことを考慮したためです。また、国にとっても、1年過ぎないと税収が入ってこないよりは、前倒しに税収が入ってくる方が得なためです。予定納税制度は、源泉徴収制度とともに、事前に税収を確保できるという意味

PART5　租税手続法（手続税法）とは何か

では、国にとってより重要な仕組みといえます。

　ちなみに、予定納税（所税法104）は、所得税の制度です。同じような制度は、法人税や消費税、地方税では「中間申告」（法税法71・消費税法42①・43①、例えば地税法72の87）とよんでいます。中間申告制度をつくった背景にある考え方は、予定納税制度の場合とほぼ同じです。中間申告のように、納税義務者に対して期の途中に求める申告は、「予定的申告」ともよばれます。

◎予定納税・中間申告のあらまし

　所得税の予定納税、法人税と消費税の中間申告のあらましは、次のとおりです。

(1)　所得税の予定納税

　所得税の場合、予定納税を求められる人は、その年の５月15日現在で確定している前年分の所得のうちに、山林所得や退職所得などの分離課税の所得や、譲渡所得、一時所得、雑所得、平均課税を選択した臨時所得が含まれているときは、これらの所得金額がないものとして総所得金額を計算し、これにかかる源泉所得税額を控除した額（予定納税基準額）が15万円以上になる人です。このように納税者の前年の納税額をベースにその年分の納税額をあらかじめ見積もります。そして、その見積額を３等分し、確定申告時に先立って、３分の１ずつを７月（第一期）、11月（第二期）に納税することになります。予定納税額は、税務署長から通知されます（所税法106、109）。

　ちなみに、自動確定の租税である予定納税にかかる税務署長からの納税告知（国通法36）は、税額の確定のための処分（〜国税に関する法律に基づく処分）にはあたりません。したがって、不服申立ての対象にはなりません（国通法75①）。この場合、納税者は納付すべき税額を超えて納付したときには、納付の時から時効が成立するまでは、誤納金として、その還付を求めることができます（最判昭45.12.24・民集24巻13号2243頁）。

611

⑵　法人税の中間申告

　法人は、定款*¹などに定めた「事業年度」ごとに決算を行います。そして決算期末の翌日から２か月以内に確定申告をし、納税することになっています（☛2.1.2、2.1.10）。法人税法では、１事業年度が６か月を超える法人は、ふつう、その期首から６か月の期間に一度、中間申告をすることになっています（法税法71・72）。この中間申告書の提出期限も６か月を経過した日から２か月以内です。法人の中間申告には、次の２つの方法があります。

①　**前年度実績による中間申告（予定申告）** 　前年度の実績をもとにして、当期６か月の予定納税額を計算する方法です（法税法71） 　（この額がないまたは10万円以下のときは、申告が不要です）。 　予定申告額＝前事業年度の法人税額÷前事業年度の月数×６
②　**仮決算による中間申告** 　その期の業績が悪い場合には、前期実績によると税金が納めすぎになるのを防ぐことをねらいに、当期の６か月間の実績をもとに中間申告し、納税ができます。この方法による場合は、仮決算書と申告書類を添える必要があります（法税法72）。そして、算出税額がゼロでも申告が必要です。また、次の⑴⑵の法人は、仮決算による中間申告をすることができません（法税法72①但書）。 ⑴　前期実績により予定納税額が10万円以下の法人です。 ⑵　仮決算をした結果、前期実績の２分の１より多くなった場合です。

　なお、これらの申告が期限までになされなかった場合、①前年度実績による中間申告（予定申告といいます。）があったものとみなされます（法税法73）。

⑶　消費税の中間申告

　消費税法のもと、法人事業者は事業年度終了の日の翌日から２か月以内に消費税等*²の確定申告・納税をするように求められます。例えば３月決算法人ならば、５月31日までということです。一方、個人事業者は、翌年の３月末日までに、消費税等の確定申告・納税をしなければなりません（消税法2①十七、45・☛2.2.5）。確定申告で確定した個人の場合は前年、法人の場合は前事業年度の消費税等の額（以下「確定税額」といいます。）が、48万円を超える場合には、中間申告が必要になります（消税法42）。消費税の中間申告には、次の２つの方法があります。

①	前期実績による中間申告
	確定税額が4,800万円を超える場合、その12分の1の金額を中間申告税額として1か月ごとに申告納税しなければなりません。また、400万円を超えて4,800万円以下の場合には、確定税額の12分の3の金額を3か月ごとに、48万円を超えて400万円以下である場合には、確定税額の12分の6の金額を、各中間申告の対象となる課税期間の末日の翌日から2か月以内に申告納税しなければなりません（消税法42）。
②	仮決算による中間申告
	その期の業績が悪い場合には、各四半期あるいは半年を課税期間とみなして仮決算をし、税額を計算して中間申告し、納税することもできます（消税法43）。

◎予定納税の減額承認申請とは

　所得税の「予定納税」は、要件にあてはまると自動的に確定します（国通法15③一）。納税者が申告などをする必要はありません（☛5.2.1）。その点では、申告納税方式をもとにした法人税や消費税の「中間申告」などとは、明らかに法的な性質が違います。

　前述のように、所得税の予定納税を求められる人は、前年分の所得金額や税額などを基に計算した金額（予定納税基準額）が15万円以上の人です。

　前年に比べ納税者の経済環境が大きく変動する場合がありえます。例えば、事業を廃業したとか、法人成りをして個人事業者から会社役員となったとか、業績が悪化したとかは、よく見られるケースです。こうした事態により所得金額が減少し、7月の予定納税については6月30日現況で、その年の所得税および復興特別所得税の年間の申告納税見積額が予定納税基準額に満たないと見込まれるとします。その場合には、7月15日までに予定納税額の減額の承認申請ができます（所税法111）。この申請に基づき所轄税務署長が承認したときに減額されます（所税法113）。同じように、11月の予定納税については、10月31日現況をもとに11月15日までに減額の承認申請ができます。

　税務署長は、減額の承認申請があった場合には、調査のうえ承認するか、却下するかの処分を決めます。税務署長は、決めた処分を、理由をつけて申請した納税者に対して通知しなければならないことになっています（所税法113①②③）。この処分に不服な納税者は、不服申立てをすることができます（国通法75①）。

◎予定納税・中間申告と還付

　予定納税や中間申告による納付は、文字通り見積もりによる前払です。正確な税額が確定するまでは、概算による納税額の前払いに過ぎません。いいかえると、確定申告で税額がはっきりしたときには、予定納税額は差し引き精算される性質の税金です（所税法120①五）。また、予定納税額や中間申告税額は、確定申告で確定した税額を上回った場合には、その分は納めすぎ（過納）となります。この場合には、その分は還付されます（所税法121、法税法79、80、消税法53、55）。

＊1　定款とは（株式）会社の自治を定めた規約です。定款には、法人名、法人の目的、事業年度等が規定されています（会社法26、27、29）。
＊2　消費税と地方消費税をあわせて、一般的に「消費税等」とよばれています。

（望月　爾・石村　耕治）

5.3.4 税務調査はなぜ行われるのか

ポイント

　税法に従って税金を正しく申告納付していないと思われる人や、滞納、脱税をしていると思われる人がいるとします。この場合、課税庁には、こうした人などに対し「税務調査（質問検査など）」を行う権限が与えられています。税法に規定している「税務調査」は、「調査目的」の視点からみると大きく、「課税処分のための調査」、「滞納処分のための調査」および「犯則事件のための調査」の3つに分けることができます。これらの税務調査は、「調査の性質」や「調査の実施方法や調査時期」によって分類し、詳しく検討することができます。

◎税務調査とは

　納税者の中には、税金がかかるはずなのにまったく納税申告をしていない人、あるいは申告はしているものの正しく申告をしていないおそれのある人がいます。課税庁は、こうしたケースでは、必要に応じて、納税者などに対し質問を

PART5　租税手続法（手続税法）とは何か

し、帳簿書類などを検査する権限が与えられています。このように課税に必要な質問や検査をすることを「税務調査」といいます。

　法人税や所得税、消費税など主要な国税は、申告納税方式を採用しています（☞5.2.2）。したがって、納税者は、自分の税金を自分で計算して課税庁に申告し、納税することになります。申告納税方式のもとでは、納税額の計算などに第一次的には課税庁は関与しないのが原則です。その意味では、申告納税方式は、まさに納税者の自己責任のルールに基づく課税方式といえます。

　納税者は、税法に決められている税額を正しく申告し、納税するように求められます。しかし、税金の種類（税目）にもよりますが、所得額や税額を正しく計算したり確定申告書を書くのは、簡単ではありません。自分の力では正しい申告ができないと思う人も少なくないでしょう。課税庁の無料相談コーナーを利用したり、税理士に相談せざるを得ないケースも多いと思います。

　いずれにしろ、納税者の中には、税法をよく知らないために、正確に所得や税額の計算ができなかったり、まれには意図的にまったく申告しない人や少なく申告する人がいます。こういった点で、税務調査は、税額の確定、ひいては申告納税制度を維持していくために必要不可欠な手続といえます。

　適正な税額を確定するための税務調査は、「課税処分のための調査」ともよばれ*、一般的に行われており、とくに自営業者や会社などには関係が深いものです。しかし、課税庁が行う税務調査は、この種の調査に限りません。ほかにもさまざまな種類の税務調査があります。

　　＊この調査権が利用できる範囲については、税額の確定処分に限られるのか、それとも他の処分にも拡大できるのが、争いのあるところです。この点について判例は、拡大できるとしています（最判昭48.7.10・刑集27巻7号1205頁）。この考え方によると、予定納税額の減額（☞5.3.3）、納税猶予（☞5.4.1）、青色申告の承認（☞3.2.11）などの処分をする際にも、この種の調査権を行使することができることになります。

◎さまざまな税務調査がある

　税務調査の種類は多様です。また、分類の仕方もさまざま考えられます。調査目的に応じて分ける方法、調査の性質に基づいて分ける方法、調査の実施手法や時期によって分ける方法などが考えられます。

615

●「調査目的」の視点から分類・検討

① 課税処分のための調査

　　課税庁が、適正な税額を確定することをねらいとした課税処分（更正・決定・賦課決定）をするために行う税務調査です。課税処分に必要な質問や検査を行い、資料を収集することをねらいとした調査です（国通法16①一・23④・24〜26・74の2〜74の11）。その性質は、「間接強制の伴う任意調査」です。なお、国税不服審判所の担当審判官は、審査請求があった場合に、審査請求人、原処分庁または関係者などに質問を行うことができます（国通法97①）。この質問検査も、課税処分のための調査の一種とみることができます（☞6.3）。

② 滞納処分のための調査

　　課税庁は、税金を滞納している納税者（滞納者）から強制的に税金を徴収する手続（滞納処分）を行う必要がある場合、さらには滞納者が分割納付を申し出た場合でその説明に納得が行かないときには、滞納者やその関係者などに対し、質問・検査をする権限が与えられています。滞納処分をするまたは分割納付を認めるにあたり、滞納者やその関係者がどのような財産を持っているか質問・検査し課税情報を収集し確認する必要があるからです。この場合の税務調査を「滞納処分のための調査」（徴収職員の滞納処分に関する調査に係る質問検査権）とよびます。この種の調査は、国税徴収法という法律に基づいて行われます。通例、「間接強制の伴う任意調査」（徴収法141）の方法で実施されます。しかし、任意調査としての「質問・検査」では十分な課税情報が収集できない場合や滞納者等が質問・検査を拒否する場合は、令状を必要としない「強制調査」（徴収法142）としての「捜索」を行うことができます（☞5.4.2）。

③ 犯則事件のための調査／脱税事件調査

　　悪質な脱税、つまり犯則事件の摘発・事実の確認などをねらいとした調査です。直接国税の犯則調査は、一般には査察（「マルサ」）調査として知られています。国税通則法に基づいて行われます。「任意調査」としての「質問・検査・領置等」の方法（国通法131）でも行われますが、通常「強制調査」としての「臨検・捜索・差押え等」の方法（国通法132）で行われます（☞7.5）。

●「調査の性質」の視点から分類・検討

① 強制調査

　　強制調査の1つは、国税通則法のもとで、課税庁の犯則事件の調査官が行う「臨検・捜索・差押え等」です（国通法132）。俗にいう「マルサ」による査察をいい、裁判官の許可状を得て行う調査です。もっとも、「マルサ」による調査は、任意調査である「質問・検査・領置等」でも行われます（☞7.5）。また、国税徴収法のもとで、滞納している人から税金を強制徴収する（滞納処分）ときに、滞納者の財産状態をチェックすることをねらいとした「捜索」も、強制調査にあたります（徴収法142）。もっとも、この調査も一般には、納税者の協力を得て、「間接強制の伴う任意調査」の形で行われています（徴収法141）。

PART5　租税手続法（手続税法）とは何か

②　間接強制の伴う任意調査

　任意調査には、「間接強制の伴う任意調査」と「純粋な任意調査」があります。納税者に対して、国税通則法に基づいて行われる「課税処分のための調査」（「国通法上の調査」）は、「間接強制の伴う任意調査」にあたります。一般に、この種の調査では、納税者の申告内容や課税のもとになる事実が正確であるのかなどのチェックに力点が置かれます。なぜ、「間接強制の伴う任意調査」とよばれるのかについては、正当な理由がないのに調査に応じないと、「2年以下の懲役又は100万円以下の罰金」（国通法127）をもって処罰されるかも知れないからです。

③　純粋な任意調査／申告等の行政指導

　受忍義務（調査に応じる義務）を伴わない税務調査です。調査の対象となった者は、調査に応じなくても処罰されることはありません。応じるかどうかは本人のまったくの自由です。税務署から電話で照会がある、あるいは文書で税務署へ来て欲しい（来署依頼）、資料を送って欲しいといった要請、いわゆる「お尋ね」や「資料箋の提出要請」（☞1.4.7）が、この種の調査にあたります。家やマンションを購入すると、購入者に対し、税務署から「住宅購入資金の内訳についてのお尋ね」が送られてくるのがその具体例です。また、申告書を提出した納税者に対する「計算違いまたは記載の誤り」の是正要請など申告等の指導も、この種の調査にあたります。こうした申告等の指導は、「調査」にあたらない（「非調査」）とする見解もあります。とくに法律に基づかないで行われることから、「法定外調査」ともよばれ、その性格は、「行政指導」とする見解が有力です。

●「調査の実施手法や実施時期」の視点から分類・検討

①　実地の調査：事後調査、事前調査

　課税庁の調査官が納税者の事務所や住居などに出向いて質問検査する手法で行われる調査をさします。実地の調査は、大きく「事後調査」と「事前調査」に分けられます。まず、「事後調査」とは、確定申告が終わって（つまり、法定申告期限が過ぎて）、課税庁が、納税者が申告をしていない、あるいは申告した内容が適正であるかどうかをチェックすることをねらいに実施される調査のことです。これに対して、「事前調査」とは、法定申告期限前の段階で実施される調査をさします。「事前調査」は、適正な申告の奨励を理由に、納税者にプレッシャーをかけるために行われることがあります。しかし、「事前調査」は、納税者の自己責任で確定申告をさせるという申告納税制度の本来の趣旨にそぐわないといえます。そして「事前調査」については、予定納税額の減額承認申請のケースなど法律が定めている場合などを除き、一般に学説は否定的です。しかし、裁決や裁判例は肯定的な立場をとっています（最判昭48.7.10・刑集27巻7号1205頁）。

②　机上調査

　課税庁が、納税者の事務所など外部に出向くことなく、内部で法定資料（支払調書、源泉徴収票、計算書、調書・☞5.1.2）や新聞・雑誌などから情報を集めること、法令の解釈や適用問題などを調査・検討することをさします。「署内調査」ともよばれます（実務上は、机上調査も「調査」の一種であるとされています（平26.7.28裁決例集No.96））。

617

③　**本人調査**

　納税義務者や納税義務があると認められる者など、本来、納税義務を負う者（納税者本人）に対する調査をさします。来署を依頼し、面談で調査する「面接調査」も、「本人調査」にあたります。

④　**反面調査**

　納税者本人の取引の相手方に対する調査をさします（国通法74の2①一ハ・二ロ・三ロなど）。納税者の取引先、取引金融機関などに対する調査が、この種の調査にあたります。事業者団体や官公署などに対する照会（国通法74の12）も、広い意味ではこの種の調査にあたると解されます。反面調査は、取引関係のある第三者に受忍義務を課すものです。その実施にあたっては、細心の注意を払う必要があります。したがって、本人調査によっても実態がつかめない場合に限り追加的に認められ、納税者本人の同意を得たうえで実施されるべきものといえます。しかし、課税庁として反面調査は、納税者本人の同意を前提としなくても実施できるという立場をとっています。裁判例も、課税庁に同様な見解を示しています（例えば、東京高判昭50.3.25・税資84号753頁）。

⑤　**準備（内外視）調査**

　課税庁が、実地調査に先立ち、納税者である事業者の店舗等の外見や内部や事業経営の様子などを見る調査をさします。

⑥　**無予告現況調査**

　課税庁が、事前通知なし（無予告）で、抜き打ちで実施する臨場調査を、実務では「現況調査」とよびます。前記③本人調査の一種です。現況調査は、現金や印鑑の管理、在庫品などの現状把握、帳簿書類等の保存や記帳状況などの把握をねらいに、課税庁の調査官が納税者の事務所や居住場所などにおもむいて（臨場して）実施されます。現況調査は、ふつう事前通知なし（無予告）・抜き打ちで、しかも、調査理由も十分に開示されないまま強引に実施されることが多く、その調査手続の適正性が問題とされています〔例えば、大阪高判平10.3.19・判タ1014号183頁、原審、京都地判平7.3.27・判時1154号117頁〕。英語では、"surprise audit" とよばれます。こうした行政上の無予告調査は、アポイントメントの慣行があり、「コンタクトレター（調査事前通知書）」や「行政召喚状（administrative summons）」の利用など税務調査手続法制の整ったアメリカなどの国々では原則できません。

　2011（平成23）年の国税通則法改正では、原則として事前通知を必要と定める（国通法74の9①）一方で、この「無予告調査」ができることを例外として法的に認めました。すなわち、課税庁は、被調査者である納税義務者の申告や過去の調査実績、事業内容などから、違法または不当な行為を容易にし、正確な所得または税額などの把握を困難にするおそれその他国税に関する調査の適正な遂行に支障を及ぼすおそれがあると認めるときには、事前通知をしなくてもよいことになりました（国通法74の10）。いいかえると、課税庁が「おそれ」があると判断する場合には、無予告調査ができることになったともいえます。そして無予告調査を実施する場合には、顧問税理士等にも事前通知をしないことになります。そのため、課税庁の裁量によって、本来「例外」であるはずの無予告調査が一般化することが懸念されます。このような現況調査手続の適正化は、今後の重要な検討課題の一つといえます。

PART5　租税手続法（手続税法）とは何か

◎調査手続適正化の課題

　税務調査については一般に、①課税処分のための調査（質問検査権）（国通法74の2～74の13の2）を中心に検討されてきました。しかし、税務調査を深く理解するには、②滞納処分のための調査（徴収法上の調査）（☞5.4.2）や、③犯則事件のための調査（犯則調査～犯罪の摘発を目的とした調査）（☞7.5）のそれぞれに検討を加え、これら3種の調査の比較検討も必要です。

　ここでは、調査手続の適正化という視点から、①②③を少し比較検討してみます。

　②滞納処分のための調査（徴収法上の調査）は、「間接強制を伴う調査」という意味では一見、①課税処分のための調査（質問検査権の調査）と同じ「性格」の調査ともいえます。ただ、②徴収法上の調査では、債務不履行という一種の債務法上の違法が存在することを理由に「質問・検査」に加え、強制調査としての「捜索」を認めています。その一方で、①課税処分のための調査の場合（国通法74の8）と同様に、②徴収法上の調査に関しても「犯罪捜査のために認められたものと解してはならない」（徴収法147②）との規定を置いています。このことは、徴収法上の「捜索」が行政手続であることを法律で確認していることを意味します。逆にいえば、この種の「捜索」を、純粋な刑事手続ではないとし、刑事分野での適正手続を保障した憲法（31条）の枠外に置くことを正当化しているともいえます。しかも、この種の「捜索」を、行政の自力執行力の枠内で行えるものとし、捜索時に滞納者等が不在ないし非協力の場合には、法定された立会人を用意すれば、実施してよいとしています（徴収法144）。結果として、「捜索」を憲法の要請する令状主義（司法の介在（憲法33））の枠外に置くことを、法律で認めているわけです。課税庁の徴収職員は、滞納処分を行う場合に「捜索」する必要があると認めるときには、令状がなくても身分証明書を携帯することで、いつでも行える仕組みになっているわけです（徴収法147①）。この点は、③犯則事件のための調査手続と共通するところがあります。つまり、③犯則事件のための調査は、被調査者の同意を得れば、任意調査として実施することができます（国通法131①）。この場合には、調査担当官が身分証明書を携帯すれば（国通法140）〔したがって、求められれば提示しなければならないが、提示は必要条件ではなく（国通法140）〕、令

状主義の枠外に置かれることになっています。また、③犯則事件のための調査では、それが任意調査の場合であっても、犯罪の摘発を目的としていることから、被調査者には黙秘権（憲法38①）があります。それにもかかわらず、裁判所は、調査の際に被調査者に黙秘権を告知することは、調査には身体拘束が伴わないことを理由に、必要がないと判断しています（最判昭59.3.27・刑集38巻5号2037頁）。

　そのほか、例えば課税庁が、①課税処分のための調査から、③犯則事件のための調査（犯罪の摘発を目的とした調査）に移行するとします。この場合に、被調査者に対しどの時点で移行したのかを告知する法的手続も不透明です。もっとも税務当局は、できるだけ被調査者に通知するように現場を指導していると聞きます。しかし、こうした不透明な手続のもとでは、犯則調査によって得られた資料を課税処分に流用すること、あるいはその逆のケースの適否が問われてきます。それについて判例は、肯定的な立場をとっていますが（最判昭63.3.31・判時1276号39頁、最決平16.1.20・刑集58巻1号26頁）、法的に問題がないとはいえません。

　また、任意の課税処分のための「質問・検査によって得られた資料は、関係者の刑事責任追及のために利用することはできず、また刑事手続において証拠能力を持たないと解すべきである。」（金子宏『租税法〔24版〕』（2021年、弘文堂）996頁）との有力な見解もあります。

　独占禁止法犯則調査規則は、犯則調査部門と行政調査部門を組織上明確に分離するとともに、行政調査部門の職員が接した事実が、犯則事件調査の端緒となると思われる場合には、当該事実を直接に犯則調査部門に報告してはならない（4条4項）とし、両部門間に「ファイアウォール（情報の遮断）」を設けています。しかし、税務調査には、こうした措置は講じられていません。独禁法の例を参考に、税法でも立法的な対応を図るべきです。

　租税犯則調査手続は、刑事手続に近い性格を有します。そのため、これまで国税犯則取締法（国犯法）に規定されてきました。しかし、実務界や研究者などから異論があったのにもかかわらず、2018年3月末で国犯法は廃止され、一般租税手続法（課税のための行政手続法）の性格を有する国税通則法（131条以下）に編入されました（☞7.5）。しかし、本来は納税者の手続上の権利利益を保護するた

PART5 租税手続法（手続税法）とは何か

めにも、課税処分のための税務調査と徴収処分のための税務調査、租税犯則調査については、それぞれに処理の基準を別の法律で明確に定める必要があります。

（石村 耕治・望月 爾）

〔アドバンス文献〕北野弘久編『質問検査権の法理』（1974年、成文堂）、石村耕治「判例研究・課税処分のための調査結果の犯則調査への流用の適否と証拠能力」白鷗法学24号（2004年）、石村耕治編『宗教法人の税務調査対応ハンドブック』（2012年、清文社）

Column 「マルサ」と「リョウチョウ」

　税務調査に関する判例などを読んでいますと、「料調」「リョウチョウ」という言葉がよく出てきます。また、映画「マルサの女」がヒットしたこともあり、税務調査に関しては、「リョウチョウ」と「マルサ」の言葉について質問を受けることがあります。これらの言葉は内部の隠語として、その語源は、国税庁の機構と役割とに大きく関係しています。

　「国税庁本庁」は、長官官房、課税部、徴収部、調査査察部の4部局からなっています（財組規383以下）。また、国税庁のもとにある「各国税局」は、おおむね総務部、課税部、徴収部、調査査察部の4部からなっています（財組規443以下）。さらに、各国税局のもとに「税務署」（全国524署）があります（財組規544以下・☞1.3.2）。

　納税者が行った申告内容が正しいのかどうかをチェックすることをねらいとした税務調査（課税処分のための調査）のほとんどは、納税者の所轄の「税務署」が行っています。一方、調査査察部も調査を行っています。資本金1億円以上の会社への調査、さらには大口脱税容疑者への「査察」、犯則事件調査が対象です（財組規401以下・499以下、調査査察部等の所掌事務の範囲を定める省令）。この「査察」が、俗に「マルサ」とよばれているものです。調査査察部は、国税庁本庁と各国税局に置かれていますが、本庁が指揮監督にあたり、実際の査察は国税局の調査査察部が行っています。「マルサ」では、脱税の摘発などをねらいに強制調査ができます。「査察・マルサ」では、刑事罰を科すことが主なねらいです。強制権限をもって司法警察職員の犯罪捜査に準じた方法で調査を行い、検察官に告発し、公訴を求めるものです。実際の「査察・マルサ」では、任意調査と強制調査の手法が併用されています（☞7.5）。なお、最近では「マルサ」はあまり使われず、各国税局の査察部の部屋の階数などが隠語として用いられているようです。

　そのほかに、課税部、とくに国税庁課税部、その配下にある「資料調査課」（正しくは「資料調査1課等」）も、実際の税務調査を行っています（財組規392以下・467以下）。この資料調査課の行う調査が、通称で「料調」「リョウチョウ」とよばれているものです。課税部の資料調査課は、政治家や芸能人など幅広い調査対象に関する税金関連資料や情報を収集・整理することなどを本務としています。しかし、同時に「所得税、法人税、地方法人税、相続税等、消費税及び印紙税の課税標準の調査並びにこれらの国税に関する法律検査で〔中略〕、当該調査及び検査を受ける者の所得の金額、事業の規模及び態様又は取得した財産の価額その他の状況に照らし、国税局長が特に必要があると認めた事項」

について調査・検査ができることになっています（財組規474二）。この「料調」による調査の法的性格は、任意調査と解されています。ただし、いわゆる「料調方式」とよばれる実際の税務調査では、たびたびかなり手荒な現況調査（☞5.3.4）の手法が用いられている事実が報告されています。それに対しては、任意調査の法的限界を超えているのではないかとの批判があります。そのため、調査手続の適正化の視点から法的限界を明らかにするように求められています。

（石村　耕治）

〔アドバンス文献〕落合博実『徴税権力・国税庁の研究』（2006年、文藝春秋）、立石勝規『逃税の掟』（2007年、徳間文庫）、田中周紀『国税記者　実録マルサの世界』（2011年、講談社）

5.3.5 課税処分のための税務調査とその法的限界

ポイント

　「課税処分のための調査」は、国税通則法などに従い、課税庁が調査対象に選んだ納税者などに対して質問や検査などをする形で実施されます。2011（平成23）年、国税通則法が改正され、国税に関する税務調査手続が大幅に見直され、2013（平成25）年1月1日から施行されました。「課税処分のための税務調査」手続のあり方は、質問検査を受ける納税者などの権利利益に大きく影響してきます。この調査手続がどう見直されたのかについては、大きく「調査前手続」、「調査時手続」および「調査後手続」に分けて検討することができます。また、国税庁は、手続通達で、「調査に該当する行為」を定義する一方で、5つの類型の「調査に該当しない行為（非調査行為/行政指導）」を明示し、それぞれを区別しました。

◎質問検査権（調査権）の法的性格

　税務調査にはさまざまな種類があります（☞5.3.4）。しかし、その中心となるのは、やはり「課税処分のための調査」です（国通法74の2〜74の9）。通常、企業や個人事業主、一般の人でも相続が発生したときなどに受けるのは、この種の税務調査です。

PART5　租税手続法（手続税法）とは何か

　国税通則法などは、税務調査をする課税庁職員に質問し検査する権限を与えています。この権限は、課税処分のために認められた権限です。つまり、行政上の調査を行うのを認めるものであり、脱税などの犯罪の摘発をねらいとした強制調査を認めるものではありません（例えば国通法74の8）。したがって、質問調査権を行使する場合には、調査の対象となる人（調査対象者）が質問検査に同意することが前提となります。ただし、調査対象者は、正当な理由がないのに、これを拒否することができません。理由がないのに、これを拒否すれば、処罰される可能性があります（国通法128二・三）。つまり、調査対象者には、税務調査としての質問検査に応じる義務、専門用語でいう「受忍義務」があります。

　こうした特徴から、課税処分のために認められた質問検査権は、「間接強制の伴う任意調査」といわれます。そして、強制調査ではないことから、この種の税務調査には、憲法35条〔令状主義〕や憲法38条〔黙秘権の保障〕の適用がないとされます（最判昭47.11.22・刑集26巻9号554頁、最判昭58.7.14・訟月30巻1号151頁）。これは、見方をかえると、この種の調査・質問検査を通じて集められた資料・情報は、刑事処分目的には流用できないことを意味します。

◎税務調査（実施調査）手続の手順

　納税者から国税に関する納税申告書の提出があると、所轄税務署は、その申告内容が適正かどうかチェックします。適正でないと判断したときには、その申告書を調査対象に選定します。その後、所轄税務署は、調査対象に選定された申告書および申告者についての「準備調査」をします。次に、「実地調査」を開始するに先立ち、その申告者に対し、調査を行う旨の事前通知をします（ただし、状況によっては、事前通知のない税務調査（現況調査）を実施する場合もあります。）。調査を実施した結果、不足額を発見したときには、その旨を、調査した申告者に説明します。そのうえで、申告者に「修正申告の勧奨」をします。以前は「慫慂」とよばれていました。申告者が勧奨に応じないときは、課税処分（更正処分）をします。こうした「実地調査」に関する一連の手続の手順を図示すると、次のとおりです。

623

● 申告後の課税処分のための税務調査（実施調査）手続の手順

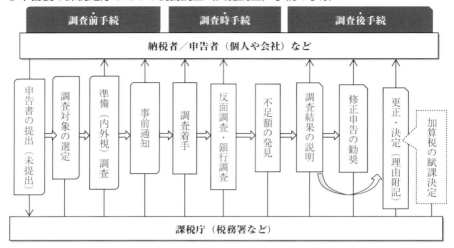

◎（税務）調査と非調査にあたる行政指導との区別

　課税庁は、納税者が提出した申告書に計算誤りや転記誤り、記載漏れ、法令の適用誤り等の誤りがあるのではないかと思われる場合に、納税者に対して自発的な見直しをしたうえで、必要に応じて修正申告書を自ら提出することを要請する場合があります。こうした課税庁の行為は、行政指導にあたり「（税務）調査にあたらない行為」とされます。

　しかし、どのような行為が、調査行為である「課税標準等または税額等を認定」にあたるのか、逆に、行政指導である「計算違いまたは記載の誤りなど」にあたるのかを客観的に判断するのは必ずしも容易ではなく、これまでもさまざまな議論が重ねられてきました。

(1) 手続通達による調査と非調査の区別

　そこで、国税庁は、2012（平成24）年9月に、「国税通則法第7章の2（国税の調査）関係通達」（以下「手続通達」といいます。）を公表して、「調査に該当する行為」を定義する一方で、5つの類型の「調査に該当しない行為（非調査行為/行政指導）」を列挙し、それぞれを区別する基準を明示しました。

PART5　租税手続法（手続税法）とは何か

この「手続通達」に示された調査行為と非調査行為のあらましを整理すると、次のとおりです。

◉（税務）調査行為と非調査行為にあたる行政指導との区別

・調査行為

「（税務）調査」とは、「国税〔中略〕に関する法律の規定に基づき、特定の納税義務者の課税標準等又は税額等を認定する等の目的その他〔中略〕処分を行う目的で当該職員が行う行為をいう」としています。具体的には、「証拠資料の収集、要件事実の認定、法令の解釈適用など」をあげています（手続通達 1 - 1(1)）。

・非調査行為（行政指導）

課税庁職員が行う行為であって、特定の納税義務者の課税標準等または税額等を認定する目的で行う行為に至らないものは、調査には該当しないもので、以下に掲げる行為があてはまります（手続通達 1 - 2）。

(1)　課税庁が、提出された納税申告書の自発的な見直しを要請する行為で、①法令により添付すべきものとされている書類の添付漏れがある場合に、納税義務者に対して当該書類の自発的な提出を要請する行為。②計算誤り、転記誤り又は記載漏れ等があるのではないかと思料される場合に、納税義務者に対して自発的な見直しを要請した上で、必要に応じて修正申告書又は更正の請求書の自発的な提出を要請する行為（手続通達 1 - 2(1)）。

(2)　提出された納税申告書の記載事項の審査の結果に照らして、当該記載事項につき税法の適用誤りがあるのではないかと思料される場合において、納税義務者に対して、適用誤りの有無を確認するために必要な基礎的情報の自発的な提供を要請した上で、必要に応じて修正申告書又は更正の請求書の自発的な提出を要請する行為（手続通達 1 - 2(2)）。

(3)　納税申告書の提出がないため納税申告書の提出義務の有無を確認する必要がある場合において、当該義務があるのではないかと思料される者に対して、当該義務の有無を確認するために必要な基礎的情報（事業活動の有無等）の自発的な提供を要請した上で、必要に応じて納税申告書の自発的な提出を要請する行為（手続通達 1 - 2(3)）。

(4)　源泉徴収税額の納税額に過不足徴収額があるのではないかと思料される場合において、納税義務者に対して源泉徴収税額の自主納付等を要請する行為（手続通達 1 - 2(4)）。

(5)　源泉徴収に係る所得税に関して源泉徴収義務の有無を確認する必要がある場合において、当該義務があるのではないかと思料される者に対して、当該義務の有無を確認するために必要な基礎的情報（源泉徴収の対象となる所得の支払の有無）の自発的な提供を要請した上で、必要に応じて源泉徴収税額の自主納付を要請する行為（手続通達 1 - 2(5)）。

また、非調査「行為のみに起因して修正申告書若しくは期限後申告書の提出又は源泉徴収に係る所得税の自主納付があった場合には、当該修正申告書等の提出等は更正若しくは決定又は納税の告知があるべきことを予知してなされたものには当たらないことに留意する。」（手続通達 1 - 1(1)）と注意を喚起しています。

すなわち、これら課税庁の非調査行為に協力した納税者には、修正申告書の提出等があった場合に課される加算税が不適用とされることから、課税庁の職員の行為の区別（「調査」か、「非調査」か）は、納税者にとっても重要な判断基準となります。

(2)　税調手続質疑応答集（FAQ）での確認

　この点について、国税庁の質疑応答集「税務調査手続に関するFAQ（一般納税者向け）」では、次のように説明をしています。

問2　税務署の担当者から電話で申告書の内容に問題がないか確認して、必要ならば修正申告書を提出するよう連絡を受けましたが、これは調査なのでしょうか。

　「調査は、特定の納税者の方の課税標準等又は税額等を認定する目的で、質問検査等を行い申告内容を確認するものですが、税務当局では、税務調査の他に、行政指導の一環として、例えば、提出された申告書に計算誤り、転記誤り、記載漏れ及び法令の適用誤り等の誤りがあるのではないかと思われる場合に、納税者の方に対して自発的な見直しを要請した上で、必要に応じて修正申告書の自発的な提出を要請する場合があります。このような行政指導に基づき、納税者の方が自主的に修正申告書を提出された場合には、延滞税は納付していただく場合がありますが、過少申告加算税は賦課されません（当初申告が期限後申告の場合は、無申告加算税が原則5％賦課されます。）。

　なお、税務署の担当者は、納税者の方に調査又は行政指導を行う際には、具体的な手続に入る前に、いずれに当たるのかを納税者の方に明示することとしています。

---

(3)　求められる税法による法的基準の明確化

　租税法律主義の原則からみて、こうした重要な判断基準を、税務通達や一般納税者向けの質疑応答集で示すことについては、慎重に考える必要があります。なぜならば、こうした線引きの結果、非調査行為（調査に該当しない行為／行政指導）にあてはまると、納税者による「修正申告」で対応するように求められ、納税者と課税庁との間の力関係など状況によっては、納税者の権利救済の途を狭める結果につながりかねないからです。

　ちなみに、手続通達では、課税庁が、自発的な修正申告の指導を行った後に「実地調査」に移行する場合などについては、具体的な言及がないことから、その取扱いについては不透明といえます。

(4) 計算違い等を理由とする更正処分の適用除外にかかる手続のあり方

アメリカ税法では、計算違い等にあたる事例を列挙するとともに、更正処分の適用除外とする場合の法定手続を、税法で定めています。すなわち、アメリカ内国歳入法典（IRC ＝ Internal Revenue Code）は、更正処分の対象とならない「計算違いまたは記載の誤り（mathematical or clerical error）」を、次のように定義しています（IRC 6213条g項2号）。

●「計算違いまたは記載の誤り」とは（IRC 6213条g項2号）

・申告書に記された計算違い
・別表の不正確な適用
・申告書への誤りの記載
・申告書への必要な証明情報の記載もれ
・法定限度額を超える所得控除額ないし税額控除額
・その他

また、納税者が課税庁から「計算違いまたは記載の誤りなど」〔以下「計算違い等を理由とする更正の適用除外（math error exception）」〕にあたるとの説明を受け同意したうえで申告指導に応じるか、応じないで税務調査の手続に入るか、あるいは苦情の申出を受けてその処理手続を選択できる仕組みを確立しています。これにより、納税者の権利利益を保護する姿勢を明確にしています（IRC 6213条b項）。

わが国では、課税庁が一方的に、税務通達で、調査行為である「課税標準等または税額等を認定」にあたるのか、それとも非権力的な行政指導である「計算違いまたは記載の誤りなど」にあたるのかを判断する基準を示し、修正申告へ誘導する仕組みになっています。この点については、アメリカの法制などを参考にして、計算違い等にあたる事例を具体的に列挙するとともに、更正処分の適用除外とする場合の法定手続〔苦情の申出・処理手続など〕を税法に定め、納税者の手続上の権利保護に配慮する必要があります〔詳しくは、石村耕治「調査行為と非調査行為の峻別と租税手続の日米比較：計算違い等を理由とする更正処分の適用除外と租税手続のあり方（上）（下）」月刊税務事例45巻3号・4号〕。

627

◎税務調査手続の見直し

　2011（平成23）年の国税通則法の改正により、個別税法に規定されていた税務調査にかかる質問検査権の規定が集約され、新たに7章の2「国税の調査」が定められました。

⑴　質問検査権にかかる規定の集約

　質問検査権に関する規定は、国税通則法7章の2〔国税の調査〕に、次のように集約され（国通法74の2〜74の6）、2013（平成25）年1月1日から施行されました。

国税通則法上の税務調査の分類〔対象税目〕	旧規定〔廃止された規定〕
・所得税等の調査にかかる質問検査権〔所得税、法人税、消費税〕（国通法74の2）	所税法旧234、法税法旧153〜156、消税法旧62
・相続税等の調査等にかかる質問検査権〔相続税・贈与税・地価税〕（国通法74の3）	相税法旧60、地価税法36
・酒税の調査等にかかる質問検査権〔酒税〕（国通法74の4）	酒税法旧53
・たばこ税等の調査にかかる質問検査権〔たばこ税、揮発油税、地方揮発油税、石油ガス税、石油石炭税、印紙税〕（国通法74の5）	た税法旧27、揮税法旧26、地揮税法旧14の2、石ガ税法旧26、石税法旧23、印税法旧21
・航空機燃料税等の調査にかかる質問検査権〔航空機燃料税、電源開発促進税〕（国通法74の6）	航燃税法旧19、電開税法旧12

⑵　税務調査手続などの見直し内容の骨子

　税務調査手続については、大きく、調査前手続、調査時手続、調査後手続に分けることができます。今回の改正では、現行の運用上の取扱いを法律上明確にするという方針に基づいて、見直しが行われました。主な項目をあげると、次のとおりです。

　　①　納税義務者に対する調査の事前通知等（無予告調査）（国通法74の9・74の10）

　　②　帳簿書類等の提示・提出（国通法74の2①）

　　③　提出した帳簿書類等の留置き（国通法74の7）

　　④　調査終了手続（国通法74の11①②）

　　⑤　修正申告の勧奨（国通法74の11③）

　　⑥　更正処分等の場合の理由附記（☛5.3.6）

PART5　租税手続法（手続税法）とは何か

⑦　更正の請求期間等の延長（☞5.3.6）
⑧　白色申告者の処分等にかかる理由附記(所税法231の2、所税法改正法附則8・☞5.3.6)

●税務調査手続の段階と流れ

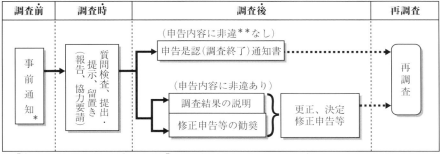

＊「事前通知」には、広い意味では「調査通知」（☞5.3.5 Column）を含みます。
＊＊非違＝法令等への違反

(3)　税務調査手続などの見直しの概要

　国税通則法改正の内容を、大きく「調査前手続に関する改正」、「調査時手続に関する改正」および「調査後手続に関する改正」に分けて、その概要および内容分析を整理すると次のとおりです。

●国税通則法改正法の概要と項目別コメント

(A)　調査前手続に関する改正

◆ 調査の事前通知等 （国通法74の9）
【概要】
(1)　税務署長等（以下「課税庁」ともいいます。）は、調査にかかる質問検査、帳簿書類等の提示・提出要求をする場合には、原則として、あらかじめ納税義務者や税務代理人に、つぎの事項を通知することになっています（国通法74の9①）。
①実地調査を開始する日時、②調査を行う場所、③調査の目的、④調査対象税目、⑤調査対象期間、⑥調査対象となる帳簿書類その他の物件（以下「帳簿書類等」といいます。）、⑦その他調査の適正かつ円滑な実施に必要なものとして政令で定める事項。
(2)　この通知を受けた納税義務者は、それを受諾するか、あるいは、合理的な理由をつけて調査の開始日時・場所などについて、変更を求めることができ、その場合、課税庁は変更要求項目について協議に努めることになっています（国通法74の9②）。
(3)　調査状況に応じて、被調査者に非違（法令等にふれる）行為が疑われる場合には、事前通知（前記③～⑥以外）の事項以外についても調査ができることになっています（国通法74の9④）。

629

(4) 税務代理人を通じた事前通知事項の通知：納税義務者（納税者）に、税務代理権証書を課税庁に提出している顧問税理士などの税務代理人がいる場合、課税庁は、税務調査の事前通知を、納税者の同意があることを前提に、税務代理人に行うことができます（国通法74の9⑤）。ただし、税務代理人が課税庁に提出する税務代理権証書には、納税者が同意した旨を記載しておく必要があります。この同意が記載されていない場合、課税庁は、納税者と税務代理人の双方に事前通知をすることになります。また、納税者の税務代理人が複数いる場合には、そのなかから代表する税務代理人を定めたときは、代表する税務代理人に通知をすれば足りることになっています（国通法74の9⑥）。手続としては、事前通知を希望する税務代理人が、課税庁に提出する税務代理権限証書に、その旨の定めをすることになります。なお、代表する税務代理人の定めがない場合には、事前通知が行われる税目について、委任を受けているすべての税務代理人に事前通知が行われます。

◆ 無予告調査 （国通法74の10）

【概要】課税庁は、被調査者である納税義務者の申告や過去の調査実績、事業内容などから、①違法または不当な行為を容易にし、②正確な所得や税額などの把握を困難にするおそれ、③その他調査の遂行に支障を及ぼすおそれがあると認めるときには、事前通知を要しないことになっています（国通法74の10）。

《コメント》 改正法の当初案では原則として、必要事項を記した「書面を被調査者等に調査開始日前に交付する」としていました。ところが成立した条文ではただその旨を「通知」をすればよいことになりました。つまり、「書面（文書）」でなくてもよいことになったわけです。後にふれるように、被調査者から提出を受け課税庁が持ち帰った領置物件については、リスト等の書面を作成し交付しなければならないとしています（国通令30の3①）。アメリカをはじめ諸外国では、書面で調査通知をするのが原則であり、この点は改めてすみやかな改正が望まれます。

　また、課税庁が「支障を及ぼすおそれ」があると判断する場合には、無予告調査（例外）を認めるとする規定がおかれました。これでは、事前通知の要否の判断が課税庁に委ねられることになり、納税者の手続的権利利益の保護にはつながりません。仮に例外を置くとしても、被調査者も納得できるように、客観的な基準を定立する必要があります。この点も、すみやかな改正が望まれます。

　加えて、事前通知の項目として「調査の目的」を記載することになっています。しかし、「調査の目的」ではなく「調査の理由」の開示を課税庁に義務づけなければ、被調査者は税務調査の必要性、合理性を判断できません。また、「調査の理由」の開示がないと、適法な質問検査権の行使であるかどうか、いいかえると、検査拒否や不答弁が処罰の対象となるのかどうかについても、納税者が的確に判断することは不可能といえます。これでは、事前通知を制度化する意味が薄れます。この点もすみやかな改正が望まれます。さらに、条文上「あらかじめ」通知を行うとしているだけで、具体的日数等が定められていません。しかし、アメリカのように、「14日前まで」のように具体的日数等を掲げる必要があります。

　そのほか、納税義務者らの調査日程の変更要求に応じるかどうかについて、改正された条文では、課税庁の「努力義務」としています。しかし、改正当時の税制改正大綱では「再設定を求めることができる」としていました。課税処分のための税務調査は、性格的には「任意調査」であることからして、被調査者の請求権として構成すべきです。すみやかな改正が望まれます。

PART5 租税手続法（手続税法）とは何か

　なお、調査の事前通知を行う際のその他の通知事項として、調査を行う職員の氏名およ
び所属等は、国通法施行令（政令）に規定されました（国通令30の４二）。

(B)　調査時手続に関する改正

◆ 罰則付きでの帳簿書類等の提示・提出・報告・協力要請（国通法74の２～74の６、74の７
の２・74の12①・128二・三）

【概要】課税庁の職員は、各税に関する調査に必要があるときには、質問をし、帳簿書類等
（その写しを含む。）の「提示」に加え、「提出」を求めることができるようになりました（例
えば、国通法74の２）。また、2019（令和元）年改正により、特定事業者等への「報告」の
求めと「協力要請」が追加されました（国通法74の７の２、74の12①）。

　なお、不答弁や検査拒否については、１年以下の懲役または50万円以下の罰金が科され
ます（国通法128二・三）。

《コメント》　質問検査権の範囲を拡大し、課税庁が「帳簿書類その他の物件（その写しを
含む。）」（以下「帳簿書類等」といいます。）の「質問」「検査」に加え、新たに「提示」お
よび「提出」を、罰則（１年以下の懲役または50万円以下の罰金）付きで、納税者に求め
ることができる旨を規定しました。このことは、従来の現場での慣行を法定しただけと説
明されていますが、課税庁の権限を大きく強化する一方で、納税者の負担を著しく増加させ、
かつ、納税者の権利にもよくない影響を与える可能性があります。

　たとえば、従来から消費税法上の「帳簿及び請求書等」の「保存」の意味に、「提示」が
含まれるのかどうか争いがありました（☞2.2.10）。今回の国税通則法改正による帳簿書類等
の「提示」および「提出」の受忍義務の新設により、例えば、納税者が保存する帳簿や請
求書等を「提示」するように求められた場合で、その提示が不十分とされたときには、消
費税では課税庁は、課税売上の推計、仕入税額控除を否認することができます。

　一方、「提出」については、例えば調査時に、支店にある資料を本店に提出するように求め、
その際にかかる人件費、運搬費、機密保持費用等の負担を納税者側に強いることなども想定
されます。また、何月何日から何月何日までのＥメールのコピーを、そのまま印刷して提出
してくださいと納税者に求め、調査の結果、改ざんがあったとされた場合には罰則を科すこ
となども想定されます。

　このように、新たに納税者に「提出」を義務付けることは、税務職員がその権限を行使
すればできることを、納税者の「提出」義務に置き換えて、調査事務の負担を納税者に転
嫁することも可能になります。

　帳簿書類等の「提出」でさらに問題になるのは、例えば申告書の「提出」といった場合、
提出したとたんに提出物の占有が相手方（課税庁）に移ってしまうことです。とりわけ、
今回の改正では、後にふれるように、提出された書類等を「留置く」権限を定めています。
したがって、「提出」を求める権限とその求めに応じて提出された書類等を「留置く」権限
は一体化して捉える必要があります。それによって、相乗的に納税者の心理的負担を増加
させ、納税者の権利状況を一層悪化させるおそれがあります。

　いずれにしろ、「提示」や「提出」といった不確定な言葉（概念）を使って納税者の受忍
義務の範囲の拡大をはかることは、憲法が定める租税法律主義（84条）の要請する課税要
件明確主義（☞1.4.2）に反することはもとより、納税者の手続的な権利利益の保護の面から
みても重大な問題をはらんでいます。

さらに、2019（令和元）年改正により「経済取引の多様化等に伴う納税環境の整備」として「情報照会手続」が導入され、所轄国税局長による特定取引事業者等に対して「報告」を求める手続が追加されました（国通法74の7の2）。また、国税庁等の職員が国税に関する調査について必要があるとき、事業者にその調査に関し参考となるべき帳簿書類その他の物件の閲覧又は提供その他の協力を求める「協力要請」も定められました（国通法74の12①）。この「報告」の求めは、所轄国税局長があらかじめ国税庁長官の承認を受けたうえで仮想通貨交換業者のような特定事業者等に氏名や住所・居所、番号といった特定事項の報告を求める手続として導入されるもので、相手方は特定されるものの偽りの報告をすると罰則が適用されます（国通法128三）。「協力要請」も、税務職員が事業者に調査の参考となる帳簿書類その他の物件の閲覧又は提供その他の協力を求める任意の手続ですが、「協力要請」の範囲や内容も不明確で、やはり課税要件明確主義に反するおそれがあるといえます。

　本来、課税庁職員による裁量権の範囲を制限するために、税務調査における「提示」や「提出」などの要件を明確にして、法律で「縛り」をかける必要があります。また、これらの規定の大幅な改正が急がれます。

◆ 提出した帳簿書類等の留置き （国通法74の7）
【概要】提出要求に応じて提出した帳簿書類等は、調査に必要あるときには、これを「留置く」ことができることとされました。

《コメント》「留置く」とは、一般的には物を占有することを意味します。とりわけ、公的機関が留置く場合には「領置」といいます。提出した帳簿書類等は、提出した瞬間に提出物の占有が相手方（課税庁）に移ってしまうわけです。納税者は、提出した帳簿・書類等を実力で取り戻すことはできません。改正により、こうした課税庁が「留置き」する権限をさらに強化することになりました。

　課税実務では、例えば、課税庁は、納税者が、提出した申告書の控えを紛失し、正本のコピーを欲しいといっても、自らの申告書にもかかわらず再発行のための開示請求は簡単ではありません。今回の改正では、領置の権限を規定するのみで、納税者が提出し課税庁が留置いた帳簿書類等について、国税通則法では、課税庁の開示義務、安全保管義務および返還義務などについてはまったくふれていません。課税庁が納税者に「提出」を求め、持ち帰った帳簿書類をいつまでも「留置き」返還してくれなければ、納税者の営業や業務に多大な影響を及ぼすことになります。

　この点について、国税不服審判所の例では、「裁決したときには、すみやかに〔中略〕提出要求に応じて提出された帳簿書類その他の物件をその提出人に返還しなければならない。」（国通法103）旨を規定しています。そこで、結局、税務調査についても、各界から批判を受け、政令に「提出物件の留置き、返還等」（国通令30の3）を置くことで決着をみました。

　また、「留置く」ことのできる旨を定めることは、「課税処分のための税務調査」に査察（犯則調査）の手法を持ち込むことにもつながりかねません。さらに、弁護士、医師、宗教者などにとっては、職業上の守秘義務（秘密漏示（刑法134①・②））に反するおそれがあります。

　東京国税局が作成した「現況調査の心得七か条」の第6条に、「書類等の借用は、やむをえない場合など、必要最小限にする」の記述があるように、課税処分のための税務調査においては、通常、書類の借用（領置）を前提としていないわけです。また、旧国税犯則取締法に基づく、いわゆる査察における任意調査においても、質問・検査のほか「領置」が認

PART5　租税手続法（手続税法）とは何か

められているのは、犯則事件の立証のためですが、今回の改正によって任意提出の物件に対してもそれが及ぶことになりました。

　このように、「留置く」ことのできる旨を定めることは、課税庁の権限強化であり、納税者の受忍義務が一方的に拡大されることにつながるおそれがあります。「課税処分のための調査」は、任意調査であることをふまえて考えると、被調査者の手続上の権利利益の保護の観点から、領置権限に歯止めをかけるための合理的基準の策定などの改正が急がれます。

(C)　調査後手続に関する改正

◆ 調査終了通知 （国通法74の11）

◎ 更正・決定等をすべき理由が認められない場合 （国通法74の11①）

【概要】課税庁は、実地調査の結果、更正決定等をすべきと認められない納税義務者に対しては、「その時点において更正・決定等をすべきとは認められない」旨を記載した通知書を交付することになっています（国通法74の11①）。

《コメント》被調査者（納税義務者）に非違（法令等にふれる）行為がなく、更正・決定等をすべきと認められない場合には、法改正前でも一部で、いわゆる「是認通知書」を出している例もみられました。書面で調査が終了した旨を納税義務者に通知するのは、当り前の手続です。むしろ「その時点」という条件を付していますから、課税庁は「新たな情報」を手にしたらいつでも調査ができるとも考えることができます。「再更正」（国通法26）も可能なわけで、「その時点」をことさら強調する背景には、禁反言（信義誠実）の原則（☛1.5.3）の適用を回避する意図があるようにも見えます。

◎ 更正・決定等をすべきと認める場合 （国通法74の11②）

【概要】課税庁は、実地調査の結果、更正決定等をすべきと認める納税義務者に対しては、調査結果の内容（更正決定等をすべきと認めた額とその理由を含みます。）を説明することになっています（国通法74の11②）。つまり、文書では通知せず、口頭で説明することになります。

《コメント》被調査者（納税義務者）に誤りがあり、更正決定等をすべきと認める納税義務者に対しては、その旨を文書で指摘すべきです。口頭による説明だけでは、納税義務者が自己の案件を熟慮するに十分な証拠資料を手にすることができず、かつ、あいまいなまま修正申告を勧奨されることにもつながりかねません。被調査者の手続上の権利利益の保護の観点から、すみやかな改正が望まれます。

◆ 修正申告の勧奨 （国通法74の11③）

【概要】課税庁は、実地調査の結果、更正決定等をすべきと認める納税義務者に対しては、その旨を口頭で説明する際に、修正申告または期限後申告を勧奨できることになっています。ただし、この場合、納税義務者が申告書を提出したときには、「不服申立てはできないが更正の請求ができる」ことを説明するとともに、その旨を記した文書を交付しなければならないことになっています。

　修正申告の勧奨は、行政手続としての性質上「行政指導」と解されます。そこで、今回の改正により、修正申告の勧奨については、行政指導を規律する行政手続法第4章〔行政指導〕（32条～36条）が適用になりました（国通法74の14①括弧書）。

　ちなみに、通知、説明、交付（以下「通知等」といいます。）が必要な場合で、連結子法人については、連結親法人と子法人の同意があるときには親法人にすることになっています（国通法74の11④）。

633

◆ 税務代理人が調査結果の説明等を受ける場合 （国通法74の11⑤）

　実地の調査（質問検査等）を受けた納税義務者（納税者）に、顧問税理士などの税務代理人がいる場合、課税庁は、納税者の同意があることを前提に、前記の「調査終了」、「更正・決定等」および「修正申告の勧奨」の処理にかかる説明・通知を、納税者に代えて、税務代理人に行うことができます（国通法74の11⑤）。いいかえると、代理権限を有している税理士であっても、納税者の明確な同意がなければ、調査終了の際だけは納税者の代わりに説明・通知を受けることができません。税務代理人は、正式に依頼者である納税者の同意を得たことを確認するために、同意した旨を記した「調査の終了の際の手続に関する同意書」を、課税庁に提出する必要があります。

《コメント》　修正申告は、ごく一部の例外（相税法31②など）を除けば、納税者が任意に行うことになっています。課税庁に、修正申告の勧奨（慫慂）ができる権限を認める旨を定めることは、早く調査を終わらせたいという納税者に心理的圧力をかけ、結果的には納税者の争訟権〔つまり不服申立権、ひいては裁判を受ける権利（憲法32）〕を奪うことにつながるおそれがあります。なぜならば、それに応じるということは、納税者が自ら非を認めたことになり、以後その事案について争えなくなるからです。

　これまで税務行政上の各種の課税庁の行為は、行政手続法の第4章〔行政指導〕（32条〜36条）の規定が適用除外とされてきました。このため、納税者が自己の権利利益を護るために課税庁の修正申告の指導に対応するのは容易ではありませんでした。しかし、今回の改正で、修正申告の勧奨には、第4章〔行政指導〕（32条〜36条）の規定が適用になります。したがって、今後は、納税者や税務代理人の認識次第で状況を変えることも可能です。

　ちなみに、行政手続法は「行政指導に携わる者は、いやしくも当該行政機関の任務又は所掌事務の範囲を逸脱してはならないこと及び行政指導の内容があくまでも相手方の任意の協力によってのみ実現されるものであることに留意しなければならない。」（行手法32①）と定めています。さらには、「行政指導に携わる者は、その相手方が行政指導に従わなかったことを理由として、不利益な扱いをしてはならない。」（行手法32②）と規定しています。

　課税庁の修正申告の勧奨は、状況によっては、公務員の職権濫用罪（刑法193）が成立するとの見解もあります。修正申告の勧奨が職権濫用罪にあたるとされた場合には、その職務の執行については、公務執行妨害罪（刑法95①）の対象にもなります。

(D)　再調査手続に関する改正　（国通法74の11⑥）

【概要】　課税庁は、再調査を行うことに制限を受けますが、調査終了後に「新たに得られた情報」に照らして非違がある場合には、再調査ができることになりました。さらに、再調査手続は、再調査の前提となる前回調査の範囲が「実地の調査」に限るとされ、前回調査が「実地の調査以外の調査」である場合には、「新たに得られた情報」がないときであっても再調査ができることとされました。

《コメント》　「調査の理由」を明示する必要のない現行の税務調査手続のもと、前回調査が、「実地の調査以外の調査」である場合には、「新たに得られた情報」がないときであっても再調査ができるとすることは、調査権の濫用が強く懸念されます。また、租税法律関係における法的安定性・予測可能性（☞1.4.2）を不確かなものにしかねません。そこで、再調査の開始にあたり、課税庁に「理由の明示」を義務づけ、納税者に対して適正手続を確保する必要があります。

634

PART5　租税手続法（手続税法）とは何か

＊ちなみに、2011（平成23）年の国税通則法改正では、現行の運用上の取扱いを超えて手続を「新たに追加」するものは先送りされました。それらは、①調査の事前通知に関するもの〔事前通知（口頭）に加えて、その旨を「書面」交付対象者に、「調書提出者」、「反面先」を追加すること〕、②調査終了時の手続に関するもの〔非違（法令等にふれる）行為があるときに、実地調査における非違内容・金額を記した書面を交付すること、および、修正申告書の提出または更正・決定等があったときには、調査が終了した旨を書面で通知すること〕です。

Column 「事前通知」と「調査通知」の違いは

　すでにふれたように、税務署の調査官が納税者などの事務所や居所に出向いて行われる調査を「実施の調査」とよびます（☞5.3.4）。実地の調査は基本的には納税者などに対する"通知"からはじまります。通知方法は、電話による口頭での通知です。電話での通知は、「後日、正式な事前通知はしますが、この連絡は取り急ぎ、今後調査をする旨の連絡です。とりあえず日程調整させてください。」のような内容です。この通知を「調査通知」といいます。この調査通知では、①実地の調査を行う旨、②調査の対象となる税目、そして③調査の対象となる期間が通知されます。法令上の実地の調査の要件である「事前通知」（国通法74の9①）とは異なります。

　このように、第一線での税務調査手続は、「調査通知」が行われた後に「事前通知」、そして「実地の調査」という流れになっています。こうした流れに沿う形で、納税者が、調査通知の後の正式な事前通知の前に自発的に修正申告または期限後申告を行うことで、加算税が課されるのを回避する事例が出てきました。このため、法令が改正され、「調査通知」を受けた後に納税者が行った修正申告または期限後申告に対しても加算税を課すことになりました（☞7.3）。

　なお、税務署からの「調査通知」も、「事前通知」と同様に、納税者が税理士に税務代理を委任している場合には、その税理士（関与税理士）にも通知されることになっています。

（石村　耕治・阿部　徳幸）

◎調査の承諾・拒否の基準（法的限界）

　「課税処分のための調査」といっても、それぞれの税目により、定め方は多少異なっています。「所得税等の調査にかかる質問検査権〔対象税目：所得税、法人税、地方法人税、消費税〕」を例にして、質問検査権の規定を示すと、次のとおりです（国通法74の2）。

①　国税庁、国税局または税務署（以下「国税庁等」という。）または税関の当該職員の当該職員（税関に当該職員にあっては、消費税の調査を行う場合に限る。）は、

②　所得税、法人税、地方法人税または消費税に関する調査に必要があるときには、

③　次に掲げる調査の区分に応じ、当該各号に定める者に質問し、その者の事業に関する帳簿書類その他の物件（税関の当該職員が行う調査にあっては、課税貨物〔略〕を検査し、または当該物件（その写しを含む。）〔略〕の提示もしくは提出を求めることができる。所得税に関する調査対象者については、次に掲げる者

　(イ)　納税義務がある者もしくは納税義務があると認められる者または確定損失申告書などを提出した者など

　(ロ)　支払調書、源泉徴収票などを提出する義務がある者

　(ハ)　納税義務がある者など(イ)に掲げる者と取引関係にある者

〔以下、法人税、地方法人税および消費税に関する調査については省略〕

④　国税庁等の当該職員の権限は、犯罪捜査のために認められたものと解してはならない（国通法74の8）。

⑤　次のいずれかに該当する者は、1年以下の懲役または50万円以下の罰金に処する（国通法128二・三）。

　(イ)　当該職員の質問に対して答弁せず、もしくは偽りの答弁をし、または検査等の実施を拒み、妨げ、もしくは忌避した者

　(ロ)　物件の提示または提出の要求に対し、正当な理由がなくこれに応ぜず、または偽りの記載または記録をした帳簿書類その他の物件（その写しを含む。）を提示し、もしくは提出した者

(1)　調査の対象となる人や物件の範囲

　調査の対象となる人（受忍義務者）や調査の対象となる物件については、ある程度まで税法に定められています。しかし、細かいことは、実務や学説、判例などを参考にする必要があります。所得税等の調査にかかる質問検査権（国通法74の2）を例にすると、以下のとおりです。

①　調査対象者の範囲

　調査の対象となる人は、所得税では、次のとおりです（国通法74の2①一イ・ロ・ハ）。

調査対象者
　(イ)納税義務がある者・納税義務があると認められる者・確定損失申告書を提出した者など、(ロ)支払調書、源泉徴収票などを提出する義務がある者、(ハ)納税義務がある者などと取引関係にあると認められる者

PART5　租税手続法（手続税法）とは何か

(イ)と(ロ)は、いわゆる「本人調査」（☛5.3.4）の対象となる人です。そして(ハ)は、いわゆる「反面調査」（☛5.3.4）の対象となる人です。

② 調査対象物件の範囲

調査の対象となる物件は、所得税では、次のとおりです。

調査対象物件
　事業に関する帳簿書類（電磁的記録も含みます。）その他の物件（その写しを含みます。）

ここで、「事業に関する帳簿書類その他の物件」とは、具体的には、会計帳簿、注文書、契約書、領収書、送り状などの証票類（適格請求書を含む）や記録資料、商品、固定資産など、広く事業に関連するものや電子的・磁気的方式等によりコンピュータで処理されたメディア（HD、CD-R、DVD、メモリチップ等）をさします。

近時、大部分の事務はコンピュータで処理され、かつ、通信手段に電子メール（E-mail）等が使われています。コンピュータ等で処理された情報（電子データ）について、蓋然性〔真実である確実性〕が高いと認められるときには、差押物件とすることが許されるとの裁判所の判断が示されています（最判平10.5.1・行集52巻4号275頁）。また、改正された電子帳簿保存法の定めに従って、納税者は、課税庁職員の電子データの提示・提出の要求（「ダウンロードの求め」）に応じられるように帳簿書類等、電子データなどを整理し、バックアップ体制を整備しておく必要があります（☛1.3.8 Column）。

国税通則法の改正により課税庁の権限が拡大され、課税庁は、税務調査において、納税者に対して帳簿書類等の「提示」および「提出」を求める権限が認められました（例えば、国通法74の2）。また、任意調査であっても、「提出」の要求に応じると「提出物件の留置き」（国通法74の7）をする権限、さらには「修正申告または期限後申告を勧奨する権限」（国通法74の11③・☛5.3.8）も、課税庁に認められました。電子データ（場合によっては、コンピュータ装置）を留置かれた場合には、当該データ（装置）は課税庁の占有となります。その後に、課税庁から修正申

637

告または期限後申告を勧奨された場合、納税者は、留置かれた物件が返還されずに手持ちの帳簿書類等や電子データもない状態では、課税庁の見解に異論があっても、それに対応するのが困難になるおそれが強いからです。

さらに、事業とは関連のない本人や家族の預貯金、従業員の預貯金、手帳やハンドバッグ（かばん）などの私物、家計簿、私的な書類などは、調査の対象物件にはあたりません。実地の調査では、調査官は、机の引出しや金庫などを調査する場合もあります。ただし、その場合には、所有者から事前の同意が必要ですが（大阪高判平10.3.19・税資231号109頁、判タ1014号183頁）、逆に同意があれば、調査ができることを意味します。

また、医師のもとにあるカルテや、宗教者のもとにある過去帳・檀信徒名簿・入信報告書などの個人情報は、調査対象物にはならないと考えられます。というのは、医師や宗教者は刑法上の守秘義務が課されているからです。令状に基づく捜索などしっかりした理由がある場合を除き、これらの職業人は、こうした秘密を漏らすと処罰されます（刑法134②）。

注意しなければならないのは、双方の守秘義務は、「一方の義務履行によって他方の義務が解除される関係にない」という点です。つまり、「課税庁職員には守秘義務があるから教えても大丈夫」とはならないわけです。課税庁職員に守秘義務があるとしても、医師や宗教者が個人情報をもらすこと自体が守秘義務違反（秘密漏示罪（☛1.3.5））を問われることになるからです。この点について、カルテが税務調査の対象物件にあたるとした裁判所の判断には問題があります（最判平2.7.19・税資180号300頁、最判平9.3.14・税資222号875頁）。

⑵ 「必要な調査」かどうかの判断基準

課税庁から調査の通知があった場合、納税者など調査対象とされた者は、すべて受諾しなければならないというわけではありません。調査を受ける正当な理由がない、あるいは調査の理由が不明確であるときには、調査を断ることができます。

それでは、調査の諾否はどのような基準で判断すればよいのでしょうか。税法は「調査について必要があるとき」（例えば、国通法74の2）に課税庁は調査がで

きる、と定めているだけです。これは、見方をかえると、必要性のない調査であれば、調査対象者は、拒否してよいことを意味します。

判例では「必要があるとき」とは、だれが見ても、客観的に必要性が認められる場合をさします（最決昭48.7.10・刑集27巻7号1205頁）。つまり、課税庁職員の自由な裁量に任されてはいません。したがって、客観的な必要性のない質問検査は違法です。調査対象者は、調査を受忍する義務を負いません。とはいっても、現行法には、課税庁が、なぜ調査をするのか（調査理由）を調査対象者に開示・説明するように求める定めがありません。したがって、一般の調査対象者には、必要な調査かどうか即時かつ的確に判断するのは難しいのが実情です。

これまで「必要な調査」かどうかの判断については、判例や学説が積み重ねられてきました。これらを分析し、次に調査の諾否の法的限界（基準）を探ってみたいと思います。

① 時間的な限界

所得税法はもちろんのこと、法人税法なども調査の日時や場所に関する定めをしていません。しかし、当然、「社会通念」の範囲内で合理的な限界があります。

調査の日時は、課税庁と調査を受ける人の双方の都合に十分に配慮し、合意のうえで決められなければなりません。また、法定申告期限前に行われる、いわゆる「事前調査」（☞5.3.4）も問題です。課税庁は、「事前調査」を行うことは問題がないと解していますが、申告納税制度の趣旨からすれば、こうした考え方には疑問があります。

たしかに、税法があらかじめ例外的に確定申告前の調査を想定しているケースはあります。「予定納税の減額承認申請があった場合」（☞5.3.3）、「青色申告の承認申請があった場合」（☞3.2.11）、「納税地を指定する場合」（所税法15・16・18、法税法16・17・17の2・18）などです。こうした例外的なケースを除いて、納税者がいまだ申告をしていない年や事業年度についての事前調査は認められないといえます。

ちなみに、2011（平成23）年の国税通則法の改正により、「調査終了通知」（申

告是認通知）の仕組みが導入されました（国通法74の11）。これにより、各年の調査終了をはっきりさせ、過去の年分についての調査という理由で、実質的に「事前調査」をすることに、多少なりとも歯止めがかかるのではないかと思います。

② 場所的な限界

　課税庁は、どんなところであれ、「立入り（臨場）」も当然に質問検査の一部をなしているという見方をしています。しかし、特に、個人の生活場所への立入りについては、プライバシーの保護の面でも大きな問題があります。判例上も調査対象者が生活している場所に立ち入って調査を行うことについては、本人の同意が必要とされています（最判昭63.12.20・税資166号963頁）。

◎調査の客観的必要性と法規範の明確性の基準

　2011（平成23）年の国税通則法の改正は、「税務調査手続の現行運用上の取扱いの明確化・法制化」にあると説明されています。しかし、帳簿書類その他の物件の「提示」、「提出」（国通法74の2〜74の6）や「提出された物件を留置く」権限（国通法74の7）の法定化など課税権限の強化を指摘する声があります。

　最高裁の判断では、質問検査については「必要があり」、かつ、相手方の私的利益とのバランスにおいて「社会通念上相当な限度にとどまる限り、権限ある税務職員の合理的な選択に委ねられている」としています（最判昭48.7.10・刑集27巻7号1205頁）。

　この基準によると、客観的に見て「必要性」のない物件の提出権限の行使、あるいは「社会通念上相当な限度」を超える提出権限の行使は、違法となると解されます。したがって、任意調査である課税処分のための税務調査における「提出」権限については、法律上の制限が定められていないとしても、判例に示された基準に基づく法的限界があるということに注意が必要です。

　また、最高裁は、憲法84条にいう租税法律主義から、「課税要件及び租税賦課徴収の手続が法律で明確に定められるべきことを規定するものであ」る、としています（最判平18.3.1・民集60巻2号587頁、引用者傍点）。この判決は、ある法律が租税法律主義に違反しないための判断基準として、いわゆる「法規範の明確性」

を示したものです。

　課税は国民の財産に対する公権力行使であり、これを認める法律が税法です。「法規範の明確性」は、こうした「税法分野」において法律をつくる際あるいは法律の合憲性を判断する際に、とくに強く要請される基準です。行政が恣意的（勝手）な判断をする余地をなくすため、一方国民・納税者には予測可能性・予見可能性（☛1.4.2）を与えるため、さらには司法による行政権の統制や救済を受け易くするためには必要不可欠な基準です。

　また判例は、「通常の判断能力を有する一般人の理解において、具体的場合に当該行為がその適用を受けるかどうかの判断を可能ならしめるような基準が読み取れる」のかどうか（最判昭50.9.10・刑集29巻8号489頁、引用者傍点）という基準も示しています。改正国税通則法では、税務調査において、被調査者（納税義務者）が課税庁の「提示」や「提出」要求に応じなければ処罰する（国通法127）と規定しています。ところが、課税庁が被調査者（納税義務者）の求めることのできる「提示」や「提出」の権限の範囲が不明確であり、結果として、一般の人には、具体的にどの程度の要求に応じなければ処罰されることになるのかが読み取れません。したがって、このような規定は「明確性」に欠け、憲法84条に違反する可能性が高いといえます。そして、課税庁の「提示」、「提出」要求が法律の求める限度を超える場合には、適用違憲【問われた法律を有効としながらも、当該事件に対する適用に限って違憲・無効とする判決】となる可能性があります（☛1.4.5）。

◎違法な税務調査にもとづく課税処分の効力

　ところで、税務調査が違法に行われた場合、これに基づく課税処分（更正・決定）も違法になるのでしょうか。この点については、学説や判例では、仮に調査に違法があったとしても、直ちに課税処分は違法とはいえないが、調査に著しい違法性がある場合には、課税処分の取消原因になるという見解が支配的です（例えば、東京地判48.8.8・行集24巻8・9号763頁、大阪地判平2.4.11・税資176号483頁）。

　この点について、例えば、東京高裁は「調査の手続が刑罰法規に触れ、公序良俗に反し又は社会通念上相当の限度を超えて濫用にわたる等重大な違法性を

帯び、何らの調査なしに更正処分をしたに等しいものと評価を受ける場合に限り、当該処分の取消原因になる」（東京高判平3.6.6・訟月38巻5号878頁）と判示し、その事件では違法性がないとしました。

　その一方で、税務調査結果の説明を欠いた最近の事案において、東京高裁は、「税務当局が国税に関する調査結果の内容について納税者に対する説明責任を果たさず、その結果、自ら納税義務の内容の確定を行う意思のある納税義務者の修正申告等の機会が実質的に失われたと評価される事案については、税務当局による説明義務が定められた趣旨に反するものとして、当該手続を経てされた課税処分を違法な処分として取り消すべき場合があると解される。」と判示しています（東京高判令和4.8.25・タインズ・Z888-2477）。

　ちなみに、調査を受ける人の同意も得ずに、居室に立ち入る、勝手に私物を調査する、帳簿書類の置かれていない店舗へ10回も訪れるなど、重大な行き過ぎのあった調査が問われた事例において、裁判所は、こうした調査およびそれに基づく課税処分（青色申告取消処分）を違法とするとともに、国に対し国家賠償責任を認める判断を示しました（大阪高判平10.3.19・判タ1014号183頁、〔原審〕京都地判平7.3.27・判時1554号117頁、京都地裁平12.2.25・訟月246号952頁）。違法な調査に対する歯止めとして、納税者の権利を保護するための新たな方向性を示す判断といえます。

　税務調査は、その法的な性格は、「処分」ではなく「事実行為」です（☛6.1 Column）。納税者（被調査者）は、調査行為が行き過ぎや違法であることを理由に課税処分の取消しを求める訴訟や無効等を確認する訴訟を起こすことができます。しかし、裁判所は、税務職員の行為を理由に課税処分を取消すことには極めて消極的です。一方、納税者（被調査者）は、すでに終わってしまった税務職員の行為を問題として、取消訴訟や無効等確認訴訟を起こす方法もあります。勝敗は別として、問題の行為を一般に知らしめるアナウンス効果もあり、将来的な抑止効果も期待できるかも知れません。しかし、実益を考える場合、納税者は、「国家賠償請求訴訟」（国賠訴訟）（☛6.5）を活用するのも1つの方法といえます。

（石村　耕治・望月　爾）

PART5　租税手続法（手続税法）とは何か

〔アドバンス文献〕北野弘久編『質問検査権の法理』（1974年、成文堂）、黒坂昭一・佐藤賢一編著『図解 国税通則法〔令和5年版〕』（2023年、大蔵財務協会）、山下和博編著『国税通則法（税務調査手続関係）通達逐条解説〔平成30年度版〕』（2017年、大蔵財務協会）、石村耕治編『宗教法人の税務調査対応ハンドブック』（2012年、青文社）、青木丈『税理士のための税務調査手続ルールブック〔改訂版〕』（2023年、日本法令）

Column 調査官による帳簿書類のスマホ撮影・写メに向き合う作法

　対面での課税処分のための税務調査の際に、調査官が帳簿書類のコピー提供やスマホで撮影、写メール/写メ[スマホで画像を送ること]を求めるケースが出てきています。しかし、税法にはこうしたことができるとは書いていません。調査官は、納税者やその代理人である税理士の同意なしにこうした行為をするのは認められないと解されます。税務調査の現場でのやり取りから、調査官のこうした行為への向き合い方を探ってみたい、と思います。

調査官（官）　先生、この書類のコピーをいただきたいのですが？

税理士（税）　コピーはダメです。

官　なぜですか？

税　法律の条文に、「コピーできる」と書いていませんから。

官　他の先生はOKしてくれるのですが？

税　他の先生は知りませんが、「法律による行政」、「租税法律主義」のルール（☜1.4.2）を護らないといけません。

調査官（官1）　それでは、この書類をスマホで撮らせてください。

税理士（税）　それは、税法（国通法74の2～74の6）にいう「質問」ですか？「検査」ですか？それとも「提示・提出」ですか？

官1　どれでもありません。

税　ではだめです。

調査官（官2）「提出」です。

税　「提出」にはあたらないと思います。それに、「提出」を求められるのは、条文では「必要があるとき」はと書いてありますから？「必要性」はあるのですか？

官2　「調査に必要があります」から。

税　それは、あなた方が必要と考えている、ということですね？

官1　法律の条文には「調査に必要があるとき」には質問検査、提示・提出を求めることができる、と書いてありますから。

税　あなた方が、「主観的に」必要性があると考えているということですね。最高裁の判断では、「客観的な」必要性だといっています（最決昭48.7.10・刑集27巻7号1205頁）。あなた方と私たち双方が必要だと納得したときにはじめて調査ができるわけです。ただ、双方が納得しても、帳簿書類をスマホ撮影・写メするのは、公務員の守秘義務（☜1.3.5）に違反するのではないですか？「職務上知りえた秘密をもらしてはならない」（国公法100①・109⑫）、「窃用してはならない」（国通法127）と書いてありますよね。

643

官1 どこにも漏らしませんので、大丈夫です。

税 そのスマホは調査官個人の持ち物ですよね。それに、どこに写メされるか納税者には分からないわけです。あなた方が今回の調査で、いろいろとメモを取られていますが、これはこの納税者自身の事がらですよね。この内容は、本人である納税者に開示しても公務員の守秘義務に反しないはずですね。質問応答記録書（☞5.3.7）を作成に協力したときには、納税者にスマホ撮影・写メさせてくれますか？

官2 それではもう結構です。

　2017年の国税通則法改正で、租税犯則調査・査察での電子データ手続が整備されました（☞7.5）。また、2022年施行の電子帳簿保存法（☞1.3.8）改正などで、今後、帳簿書類などの電子データ保存が進み、課税処分のために税務調査自体が、紙／文書中心から、データ／デジタル中心へと大きく移行していくと思います。その一方で、伝統的な紙／文書中心の税務調査も依然として続いています。紙／文書を対象とした税務調査において法律で明確に認められていない（法定外）の電子的調査手法や対応手法（フォートコピーの求め、デジカメ・スマホ撮影・写メの求め、録音・録画など）の利活用の是非が問われています。納税者の手続上の権利利益保護の視点から、電子データへの調査手続手法の適正・公平化に加え、紙／文書に対する電子的調査手法の利活用を適正・公平にする法制の整備が急がれます。

(阿部 徳幸・石村 耕治)

5.3.6 更正、決定、再更正、更正の請求とは何か

ポイント

　所得税や法人税のような申告納税方式を採用する税金において、通常、法定申告期限が過ぎたあとに、課税庁が行う課税処分が、「更正」、「決定」、「再更正」です。また、申告期限後、納税者から、すでに申告した税金を減額してくれるように課税庁に求めることを「更正の請求」といいます。一方、納税者が、法定申告期限内に申告内容に誤りがあると気づいたとします。この場合は「訂正申告」をすることになります。

PART5　租税手続法（手続税法）とは何か

◎更正・決定・再更正とは

　所得税や法人税のような申告納税方式（☛5.2.2）を採用する税金において、通常、法定申告期限が過ぎたあとに、課税庁が行う課税処分（ないし賦課処分）が、「更正」、「決定」、「再更正」です。

　申告納税方式を採用する税金においては、納税者は自分で所得（課税標準）額または税額を計算し、法定申告期限までに確定申告をして納税することになります。つまり、所得額または税額は、まず、第一次的には納税者本人の申告によって確定します。しかし、納税者がした申告がつねに正しいとは限りません。また、ときには、納税者が無申告の場合もあります。こうした場合に、課税庁は税務調査（☛5.3.4）をします。そして、その結果に基づいて、今度は、課税庁が、その納税者の所得額または税額を確定することになります。

　課税庁が、すでに納税者によって確定された納税義務をないものとするか、あるいは確定された所得額または税額を変更する手続を「更正」といいます（国通法24）。一方、無申告の者に対して、課税庁が、納税義務のあることをはじめて確定する手続を「決定」といいます（国通法25）。さらに、更正ないし決定を行った後に、課税庁が再び所得額または税額を変更する手続を「再更正」といいます（国通法26）。

　課税庁は、更正・決定や再更正を、調査によって行わなければならないとされています。したがって、こうした処分を、「調査」をしないで、見込みで行うことは違法です。もっとも、この場合の「調査」には、いわゆる「机上調査」（☛5.3.4）なども入ります（大阪地判昭45.9.22・税資60号371頁）。また、脱税摘発のための犯則調査（国通法132以下・☛5.3.4）で得られた資料も、更正・決定や再更正の処分に利用できると解されています（最判昭63.3.31・訟月34巻10号2074頁）。

◎更正の請求期間の延長等

　2011（平成23）年の国税通則法の改正により、①更正の請求期間の延長、②増額更正の可能な期間の延長、③税務調査の可能な期間の延長がはかられました。その概要と要点を整理すると、次のとおりです。

645

●国税通則法改正に伴う更正の請求期間の延長等のあらまし

(1)　更正の請求期間を1年から5年（法人の純損失10年）に延長（国通法23①、70②）。た
だし、偽りの請求には罰則（国通法128①一）の創設

《コメント》従来、更正の請求（納税者からの税額の減額請求）の期間を1年としていたの
は余りにも短いことから、5年に延長しました（国通法23①）。ただし、納税者からの更正
の請求に基づき課税庁が再調査の結果、「偽り」があった（更正の請求を申し立てた事実が
なかった）と認められれば「1年以下の懲役または50万円以下の罰金」がかされます（国
通法128①一）。

　このように、納税者が偽りの更正の請求書を故意に提出したと認められた場合に対する
罰則を設けることは、新たに未遂犯〔ある行為の実行に着手し、これを遂げられなかった
のにもかかわらず、その行為の著しい危険性を考え、放置しておくことができない場合に
犯罪として処罰の対象とする（刑法43条本文）〕を創設するに等しいといえます。処罰を受
けることに納税者が萎縮して、必要かつ適正な更正の請求にちゅうちょすることが懸念さ
れます。

　このような罰則の新設と結びつけた形での更正の請求の期間の延長は、更正の請求につ
いて納税者に委縮効果をもたらします。したがって、罰則の適用にあたっては、更正の請
求の「偽り」の有無について、より慎重な判断が求められます。

(2)　増額更正が可能な期間を3年から5年に延長（国通法70①本文）

《コメント》増額更正の3年の期間制限は、シャウプ勧告以来維持されてきたものです。納
税者の更正の請求期間の5年への延長にあわせて、増額更正（課税庁による税額の増加）
期間を3年から5年に延ばしたことは、憲法に定める租税法律主義の観点から納税者の法
的安定性や予測可能性（☛1.4.2）を損なう可能性があります。

(3)　税務調査の可能な期間を3年から5年に延長

《コメント》納税者の更正の請求期間の5年の延長に伴い、税務調査の可能な期間も3年か
ら5年に延長されました。この延長についても、納税者の法的安定性や予測性を損ない、
租税法律主義に反するという指摘があります。また、課税庁の権限強化につながることも
危惧され、憲法に定める租税法律主義の内在的な要請である租税法律関係における納税者
の法的安定性の保障（☛1.4.2）を損なうことが懸念されます。

◎更正・決定、再更正のあらまし

　更正・決定、再更正は、いずれも課税庁が行う処分です。そのあらましは次
のとおりです。

(1)　更正、決定の骨子

　「更正」は、申告内容と調査した結果とが異なる場合に、課税庁が納付すべ
き税額を変更する処分です（国通法24）。これには、税額を増やす「増額更正」
と減らす「減額更正（税額がゼロになるケースも含みます。）」があります。

646

①	**増額更正**	納付すべき税額の増加
②	**減額更正**	(イ)納税者からの更正の請求によるもの (ロ)税務署長の職権によるもの

　一方、「決定」は、申告がなかった場合に課税庁が税額を確定する処分です（国通法25）。

(2)　更正、決定の手続

　更正、決定は、課税庁が、それぞれ、納税者に対して、新旧双方の所得額または税額などを記した「更正通知書」や「決定通知書」を送付して行います（国通法28）。なお、この通知書には、納税者がこの処分（(ロ)職権による減額更正のケースを除く）に不服がある場合には、どのように不服申立をしたらよいのかについての説明・教示を行う必要があります（行審法57）。

(3)　更正、決定と理由附記

　実地調査の終了後、課税庁は、更正決定等をすべきと認められない納税義務者に対しては、「その時点において更正・決定等をすべきとは認められない」旨を記載した通知書を交付することになっています（国通法74の11①）。

　一方、課税庁は、実地調査の結果、更正決定等をすべきと認める納税義務者（納税者）に対しては、調査結果の内容（更正決定等をすべきと認めた額とその理由を含みます。）を説明することになっています（国通法74の11②）。つまり、文書での通知ではなく、口頭で説明することも可能な取扱いになっています。

　ちなみに、2011（平成23）年の国税通則法の改正の当初案では、調査結果の内容を納税者に説明をしたうえで、当該調査結果の内容を簡潔に記した書面を交付することとされていました。しかし、この点は、改正の議論の過程で後退し、最終的には、書面交付は不要とされました。

(4)　白色申告者の更正と理由附記

　従来から、青色申告者について、更正処分を行うときには理由を附記する必要がありました。これに対して、いわゆる「白色申告者」については、更正処分の理由附記の規定はありませんでした。

　2011（平成23）年の税制改正で、すべての更正処分について、原則として

2012（平成24）年1月1日から理由附記が義務づけられることになりました。ただし、個人の白色申告者に対する更正等のかかる理由附記については、2013（平成25）年1月1日から記帳・帳簿保存義務を課したうえで実施されました。すなわち、これまで、所得税法231条の2〔事業所得等を有する者の帳簿書類等の備付け等〕のもと、事業性所得〔不動産、事業または山林所得〕を生ずべき業務を行う納税者は、所得金額が300万円超の場合に限り、記帳・帳簿保存義務を負うことになっていました。これが今回の改正により、所得金額に関係なく、記帳・帳簿保存義務を負うことになりました（所税法改正法附則8）。

　所得額300万円以下の個人の白色申告者は、一般的には零細事業者です。このような事業者に記帳義務を課すことは、事務面や費用面で過大な負担になる可能性があります。こうした過大な負担は、額に汗して働き懸命に事業を維持している零細事業者の営業権や生存権を損なうおそれがあります。もっとも、帳簿のない相続税や青色申告制度がない消費税の場合にも、更正処分等には理由が附記されることになります。このことを勘案すると、零細な白色申告者に対する更正処分等の場合に、記帳書類等の保存等の程度と結びつけることなく、その理由を附記することで問題がないはずです。

　また、行政手続法14条1項〔不利益処分の理由の提示〕は、不利益処分をする場合には、緊急の場合を除き、処分庁は必ず理由を提示するように求めています。このような「理由提示（理由の附記）」は、処分理由を知らせて名宛人に不服申立ての便宜を与えることに意義があります。こうした手続法制を勘案すると、「理由附記」を「記帳書類等の保存等の程度」と結びつける絶対的な必要性はないわけです。したがってその点の見直しが求められます。

　なお、白色事業者に対する記帳義務化に伴い、今後、推計課税（☞5.3.9）がどのように行われるのかは、現時点では定かではありません。

⑸　再更正とは

　いったん更正、決定をした後に、その処分が正しくない場合に、調査により課税庁が再度その処分を変更することを、「再更正」といいます。再更正には、「増額再更正」と「減額再更正」があります（国通法26）。再更正は、除斥期間内

であれば、繰り返し行うことができます。再更正の手続は、基本的には更正・決定の場合と同じです。

①	**増額再更正**	納付すべき税額の増加
②	**減額再更正**	(イ)納税者からの再更正の請求によるもの
		(ロ)税務署長の職権によるもの

◎更正の請求とは

すでに申告を行い、いったん確定した所得額または税額について、納税者が自分に有利に変更（減額）するように課税庁に求める手続を、「更正の請求」といいます（国通法23、地税法20の9の3①）。

わかりやすくいえば、法定申告期限後に計算ミスなどから、申告書に記した所得額または税額が多すぎたことがわかったときに、納税者が課税庁に対し、税金の還付を求める手続が、更正の請求です。更正の請求には、申告した後で課税庁から更正を受けた場合で、さらにそれを変更するように求めるケース（再更正の請求）も含まれます。なお、更正の請求ができるのは、通常、法定申告期限から5年間（法人税の純損失金額に関する場合は10年）です。

一方、例えば、所得税の確定申告期限前に提出した確定申告書等に誤りがあることに気づいたとします。この場合は「訂正申告」をすることになります。納税者は、改めて申告書等を作成し、法定申告期限までに提出することになります（国税庁「申告が間違っていた場合」(https://www.nta.go.jp/taxes/shiraberu/shinkoku/qa/07.htm)）。

(1) 通常の更正の請求

更正の請求は、法定申告期限後に納税者側から課税庁に対し、税額を減額するように求める手続です。国税では、更正の請求の対象として、次のケースをあげています（国通法23①）。

①	申告書に書いた税額が過大であるとき
②	還付金にあたる税額が過少であるとき
③	純損失など、いわゆる赤字金額が過少であるとき

更正の請求は、申告額の減額を課税庁に求めるだけです。納税者自身が自ら

税額を是正し、確定させるわけではありません。この点、申告で確定している税額が少なかったため、納税者自身の手で、税額を増額変更し、増えた差額分（増差分）を追加して確定させる「修正申告」（☛5.3.8）とは異なります。

なお、納税者から更正の請求があれば、課税庁は、調査したうえで、その請求の一部または全部の減額の更正をするための処分をします。しかし、理由がなければ、その請求を拒否し、そのことを請求者に通知します（国通法23④）。

更正の請求をし、通知を受けた人は、自分の請求の一部しか認められない場合、あるいは全部が認められない場合には、そうした課税庁の拒否処分を取消すように求めて不服申立てや訴訟（☛6.1）を提起することができます。

(2)　通常の更正の請求についての判例

従来は、単純な計算間違いを発見し、納税額が過大または還付される税額が不足していたときは、更正の請求の期間の1年以内（現在は5年以内）であっても、原則として確定申告の変更はできないとされていました。しかし、最高裁平成21年7月10日判決（民集63巻6号1092頁）は、「その計算の誤りは、本件確定申告書に現れた計算過程のうえからは明白であるとはいえないものの、所有株式数の記載を誤ったことに起因する単純な誤りであるということができ、本件確定申告書に記載された控除を受ける所得税額の計算が、上告人が別の理由により選択した結果であることをうかがわせる事情もない。そうであるとすると、上告人が、本件確定申告において、その所有する株式の全銘柄に係る所得税額の全部を対象として、法令に基づき正当に計算される金額につき、所得税額控除制度の適用を受けることを選択する意思であったことは、本件確定申告書の記載からも見て取れるところであり、上記のように誤って過少に記載した金額に限って同制度の適用を受ける意思であったとは解されないところである。」と判示して、納税者の主張を認めました。すなわち、法律上認められていた選択しうる方法により、適用する過程の計算誤りにより、税額の過大や、還付金が過少になった場合は、国税通則法23条1項1号の「当該申告書に記載した課税標準等若しくは税額等の計算が国税に関する法律の規定に従っていなかったこと又は当該計算に誤りがあったことにより、当該申告書の提出により納付すべき税

PART5　租税手続法（手続税法）とは何か

額（当該税額に関し更正があった場合には、当該更正後の税額）が過大であるとき。」に該当し、1年〔当時〕以内に限り、更正の請求ができると判断しました。

(3)　特別の更正の請求

　たとえば、納税者がある法的問題を他人と裁判で争っていて、判決が出たとします。この判決によって、すでに申告していた税額にも影響が出ることがあります。つまり、申告後（決定または更正処分を受けているときにはその後も含む）に生じた原因（後発的な事由）によって、納税額を変更する必要が出てきた場合です。こうした場合にも、納税者は、更正の請求をし、課税庁に対し減額を求めることができます。

　こうした場合の更正の請求を、「通常の更正の請求」と区別する意味で、「特別の更正の請求」あるいは「後発的事由による更正の請求」とよんでいます。各税法は、さまざまなケースについて特別の更正の請求を認めています（国通法23②、地税法20の9の3②、所税法152、153の2、153の3、153の4、153の5、153の6、153、法税法80の2、消税法56①、相税法32など）。また、法令の解釈が変更されたときも更正の請求ができます。なお、特別の更正の請求は、原則として、その原因が生じてから2か月または4か月以内にすることになっていますが、例外もあります。

　主な税法（国税）に定める「特別の更正の請求（更正の請求の特例・後発的事由による更正の請求）」を整理すると、次のとおりです。

●各税法に定める「更正の請求の特例」の適用を認める事由と判例等

国税通法における特例適用事由【更正の請求は原因が生じた翌日から2か月以内】
(1)　申告、更正または決定にかかる課税標準等または税額の計算（以下「計算」）の基礎となった事実についての訴えについての判決（和解その他の行為を含みます。）により、その事実が当該計算の基礎としたところと異なることが確定したとき（国通法23②一）。
【判例等の動向】　計算の基礎となった事実には、課税要件事実のみならず、青色申告承認取消処分を受け白色で申告し、その後取消処分が職権で取消され青色申告承認が復活した場合も含みます（最判昭57.2.23・民集36巻2号215頁）。青色申告承認が復活したことにより法人税額に課税標準または税額に変動が生じることになった場合も同様です（岡山地判昭55.03.31・タインズZ110-4577）。もっぱら当事者間で税金を免れる目的でした「馴れ合い和解ないし裁判上の和解」は含みません（例えば、仙台地判昭51.10.18・訟月22巻12号2870頁、名古屋地判平2.2.28・訟月36巻8号1554頁）。すでに当事者間で和解が成立し法律関係に影響を及ぼさない場合、判決理由のなかで認定された事実は、ここにいう「判決」にはあた

651

りません（裁決平16.10.29・裁集68集1頁・タインズJ68-1-01）。また、刑事事件の確定判決は
含みません（最判昭60.5.17・税資145号463頁、東京地判平9.9.25・税資228号752頁、裁決平
15.7.18・裁集66集19頁・タインズJ66-1-03）。なお、後発的な事由による特別の更正の請求であっ
ても、法定申告期限後1年以内（当時）にする更正の請求であれば、通常の更正の請求
ができるとされました（東京高判昭61.7.3・税資153号9頁・タインズZ153-5755）。

(2)　計算にあたりその者に帰属するとされていた所得、その他課税物件が他の者に帰属す
るものものとする当該他の者にかかる国税の更正または決定があったとき（国通法23②二）。

(3)　その他国税の法定申告期限後に生じた次のようなやむを得ない事由があるとき（国通令
6①）。

①　計算の基礎となった事実のうちに含まれていた行為の効力にかかる官公署の許可、
その他の処分が取消されたこと（国通令6①一）（以下「一号事由」）。

②　計算の基礎となった事実にかかる契約の解除権の行使により解除され、もしくは当
該契約の成立後に生じたやむをえない事情により解除され、または取消されたこと（国
通令6①二）（以下「二号事由」）。

③　帳簿書類の押収等その他やむをえない事情により、計算の基礎となるべき帳簿書類、
その他の記録に基づいて、計算ができなかった場合において、その後、当該事情が消
滅したこと（国通令6①三）以下「三号事由」）。

④　わが国が締結した租税条約に定める権限のある当局間の協議により、その申告、更
正または決定にかかる課税標準等または税額等に関し、その内容と異なる内容の合意
が行われたこと（国通令6①四）（以下「四号事由」）。

⑤　計算の事実となった事実にかかる国税庁長官が発した通達に示された解釈その他国
税庁長官の法令の解釈が、更正または決定にかかる審査請求もしくは訴えについての
裁決もしくは判決に伴って変更され、変更後の解釈が国税庁長官により公表されるこ
とにより、当該標準等または税額等が異なる取扱を受けることになったことを知った
こと（国通令6①五）（以下「五号事由」）。

【判例等の動向】法定申告期限内の帳簿書類等の押収があり適正な申告ができなかったこと
は、やむを得ない「三号事由」にあてはまります（大阪地判平3.12.18・訟月38巻7号
1312頁）。不正受給した補助金の返還の事実は、適正な申告をできなかったやむを得ない
「二号事由」にあてはまりません（津地判平16.11.4・税資254号300頁・タインズZ254-9807）。

所得税法における特例適用事由 【更正の請求は原因が生じた翌日から2か月以内】

(1)　各種所得金額に異動が生じた場合（所得法152、所税令274）

①　事業廃止後にその事業にかかる費用または損失が生じた場合（所得法63）

②　譲渡所得等の収入金額に算入した債権が回収不能になった場合（所税法64①）

③　保証債務の履行にともなう資産の譲渡があり、求償権が不能になった場合（所税法64②）

④　計算の基礎となった事実のうちに含まれていた無効な行為により経済的な成果が発
生している場合で、その行為が無効であることを理由に取消されたとき（所税令274）。

【判例等の動向】刑事事件の確定判決は、各種所得金額に異動が生じた場合（所得法152）
には含まれません（裁決平15.7.18・裁集66集19頁・タインズJ66-1-03）。税理士が作成した確
定申告書を十分検討しないまま、納税者が「資産の譲渡代金が回収不能となった場合等

PART5　租税手続法（手続税法）とは何か

の所得計算の特例」（所税法64①）の適用を受ける旨の記載があるものと誤信して申告書を提出した場合には適用されません（名古屋高判平8.10.17・税資221号80頁・タインズZ221-7797、原審、名古屋地判平8.5.10・税資216号327頁・タインズZ216-7724）。無効な行為（所税令274）には、錯誤無効も含まれますが、錯誤無効を理由に更正の請求をするには、その時点までに経済的成果が除去されていなければなりません（東京高判平16.6.10・税資254号162（順号9669）・タインズZ254-9669）。

(2)　前年分の所得税額等の更正等による場合（所税法153）

法人税法における特例適用事由【更正の請求は原因が生じた翌日から2か月以内】

前事業年度後の法人税額等の更正等による場合（法税法80の2・145）

【判例等の動向】 法人税法旧82条（現80条の2）にいう更正の請求が認められるためには、少なくとも、当該請求の対象となっている事業年度より前の事業年度の課税標準または税額に変動があり、その反射的作用として、当該更正の請求の対象となっている事業年度の課税標準または税額に変動が生じることになった場合であることを要します。したがって、法人の青色申告承認の取消処分が理由不備により取消されたことにより青色申告の承認が復活し、それに基因し法人税額に課税標準または税額に変動が生じることになったということでは、この場合にはあてはまりません。ただし、国税通則法23条2項1号に定める更正の請求はできます（岡山地判昭55.03.31・行集31巻3号875号）。

消費税法における特例適用事由【更正の請求は原因が生じた翌日から2か月以内】

前課税期間の消費税額等の更正等による場合（消税法56）

相続税法における特例適用事由【更正の請求は原因が生じたことを知った日から4か月以内】

①　未分割財産が法定相続分と異なる割合で分割されたこと（相税法55・32一）。
②　認知、廃除などにより相続人に異動が生じたこと（相税法32二）。
③　遺留分侵害額の請求に基づき支払うべき金銭の額が確定したこと（相税法32三）。
④　遺贈にかかる遺言書が発見され、または遺贈の放棄があったこと（相税法32四）。
⑤　条件付物納の許可が取消された場合に事情に変更があったこと（相税法32五）。
⑥　相続・遺贈、贈与により取得した財産の権利の帰属に関する訴えについての判決があったことなど（相税令8②）。
⑦　その他（相税法32七以下）

租税特別措置法における特例適用事由【更正の請求は代替資産を取得してから4か月以内】

収用等にかかる補償金で取得した代替資産の取得価額が、見積額に対して過大になった場合など（措置法33の5④・36の3②・37の2②・37の8①）

(4)　いつまで更正や決定ができるか（除斥期間）

　では、課税庁が更正や決定の処分（賦課権の行使）ができる期間はいつまでなのでしょうか。こうした期間制限を「除斥期間」といいます（国通法70）。除斥期間は、時効と効果は同じですが、時効の中断や援用を認められていないため、法定の期間が経過すると賦課権が消滅し行使できないことになります。

653

区　　　分			法人税以外	法人税	条　文
更正の請求	通常の更正の請求		５年	５年	国通法23①
		純損失にかかるもの		10年	国通法23①二
	特別の更正の請求		後発的事由が生じてから２か月または４か月		国通法23②、所税法153の2、相税法32他
更正処分	期限内申告後の更正処分		５年	５年	国通法70①一
		純損失にかかるもの		10年	国通法70②
		贈与税の申告	６年		相税法36①
	５ (10) 年前６か月に出された更正の請求にかかる更正の加算税処分		５年６か月	５ (10) 年６か月	国通法70③
	偽りその他不正行為がある場合		７年	７ (10) 年	国通法70⑤一・二
	国外転出時特例（所税法60の2・60の3）の適用がある場合の更正処分		７年		国通法70⑤三
決定処分	申告納税にかかる決定処分		５年（贈与税は６年）	５年	国通法70①相税法36①
	賦課決定処分	課税標準申告書の提出を要するもの　提出した場合	３年	５年	国通法70①二
		課税標準申告書の提出を要するもの　提出しない場合	５年	５年	国通法70①二
		課税標準申告書の提出を要しないもの	５年	５年	国通法70①三
	偽りその他不正行為がある場合		７年	７ (10) 年	国通法70⑤一・二
	国外転出時特例（所税法60の2・60の3）の適用がある場合の更正処分		７年		国通法70⑤三

＊１　更正の請求にかかる更正またはそれに伴う加算税の賦課決定については、各区分の期間が経過した後でも更正の請求があった日から６か月を経過する日までできることとなっています（国通法70③、相続法36②）。

＊２　「脱税の場合」の更正・決定処分の除斥期間は７年（国通法70⑤）です。また、徴収権・還付請求権の消滅時効は５年です（国通法72・74①）。

（望月　爾・石村　耕治）

〔アドバンス文献〕　北野弘久「更正理由附記の法理」判評165号18頁、金子宏「青色申告の更正と理由附記」判時1230号８頁、清永敬次「更正の請求に関する若干の検討」『憲法裁判と行政訴訟』（1999年、有斐閣）

PART5 租税手続法（手続税法）とは何か

5.3.7 質問応答記録書とは何か

ポイント

最近、税務調査のなかで、「質問応答記録書」が頻繁に使われるようになっています。質問応答記録書とは、納税者やその取引相手などに税務署の調査官が質問し、回答内容を記録し、記録後に回答者に対して署名押印を求める文書（書面）です。税務調査ではっきりしなかった事実を対面、問答形式などで確認し、証拠（エビデンス）固めすることを狙いとしています。いわば「税務版自白調書」です。

質問応答記録書制度は、回答者の権利利益に大きな影響を及ぼします。ところがこの制度は税法を根拠としていません。国税庁の内部通達（事務運営指針）「質問応答記録書作成の手引について」（「手引書」）で運用されています。この手引書は、一般には公開されていません。情報公開法を使い開示請求すれば入手できます。しかし、黒塗りされた部分が多く、重要な部分は読めません。秘密の法定外手続による質問応答記録書作成実務は密室税務行政を助長しています。廃止か抜本的な透明化を含め再検討すべきです。

◎質問応答記録書とは

所得税や法人税、消費税、相続税のような国の主な税金は、申告納税制度を採っています。この制度のもと、納税者は、税法に従って自分で税金を計算して期日までに納税することになっています。もちろん自分で申告納税するのは難しいと思うこともあると思います。この場合には、税理士などの専門家に依頼する必要がでてきます。

申告書の提出があると、税務署はその申告内容をチェックします。そして必要があれば、申告内容を確認するための税務調査をします（☛5.3.4）。なお、税務調査は、申告する義務があるにもかかわらず申告をしていない場合にも行われます。

655

ひとくちに税務調査といっても、さまざまです。たとえば「お尋ね」といって、税務署が申告内容などに疑問がある場合に書面などで回答するように求めてくる調査があります（☞5.3.4）。また税務署の調査官が、納税者の事業所や居宅を訪ねてきて対面で行う税務調査があります。こうした税務調査を「実地の調査」、「現況調査」といいます。

●実地調査における質問応答記録書の所在

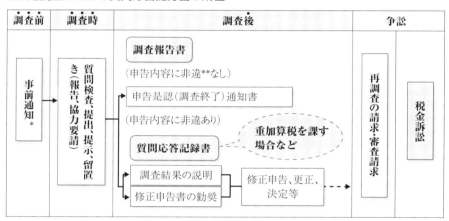

＊「事前通知」には、広い意味では「調査通知」（☞ 5.3.5 Column）を含みます。
＊＊非違＝法令等への違反

　質問応答記録書は、実地の調査のときに、税務署の調査官が調査の対象とした納税者や納税者の取引相手などの関係者に対面で質問し、回答内容を記録し、記録後にそれを読み聞かせ、回答者に対して署名押印を求める行政文書（公文書）です。税務調査ではっきりしなかった事実を対面、問答形式などで確認し、証拠（エビデンス）固めすることを狙いとしています。

　以前も、税務署は、証拠（エビデンス）固めに、申述書、上申書、聴取書などを利用してきました。2013（平成25年）に、新たに「質問応答記録書作成の手引について」[*1]（以下「手引書」といいます。）が、国税庁から内部通達（事務運営指針）（☞1.4.6）として職員に配付されました。これにより、質問応答記録書に代わりました。

656

PART5　租税手続法（手続税法）とは・可か

● 質問応答記録書サンプル［抜粋］

（　）枚のうち（　）枚目

質問応答記録書

回答者	住　　所	△△県△△市○○町○-○-○
	氏　　名	△△　△△
	生年月日、年齢	昭和△年△月△日生まれ、△歳

本職は、平成○年○月○日、△△県△△市○○町○-○-○の□□株式会社において、
上記の回答者から、任意に次のとおり回答を得た。

質　問　応　答　の　要　旨

問1	あなたの住所、氏名、生年月日、年齢及び職業を聞かせてください。
答1	私は、△△△△、○○県○○市○○町○-○-○、昭和○年○月○日生まれ、
	○歳、□□株式会社の取締役第一部長です。
問2	あなたが□□株式会社の取締役第一部長に就かれたのは、いつでしょうか。
答2	5年前の平成○年○月から取締役第一部長として勤務しています。

省　　略

問12	以上で質問を終わりますが、今まであなたが述べた中で、何か訂正することはありますか。
答12	ありません。
	（回答者）△△　△△　㊞
	以上のとおり、質問応答の要旨を記録して回答者に対し読み上げ、かつ、提示したと
	ころ、回答者は誤りのないことを確認し、署名押印した上、各頁に確認印を押印した。
	平成○年○月○日
	（質問者）●●税務署 財務事務官　税務　一郎　㊞
	（質問者）●●税務署 財務事務官　国税　次郎　㊞

確認印
㊞

【引用】　国税庁「質問応答記録書作成の手引」［手引書］

税務署の職員向けの手引書を基に納税者などに協力を求め作成しているのです。税法を根拠に作成しているわけではありません。

　この手引書は、非公開の内部通達（事務運営指針）のため、一般には公開されていません。手引書は、情報公開法を使い開示を求めれば入手できます。しかし、開示され手引書の写し（コピー）を手に入れても、黒塗りされた部分が多く、重要な部分は読むことができません。質問応答記録書は、納税者など回答者の権利利益に重大な影響を及ぼします。それにもかかわらず、税務署だけが手引書の具体的な内容を知っているのです。これでは、回答者が強い権限を持つ調査官と対等に向き合うのは至難です。国税当局のよる内部通達を用いた秘密の法定外手続による透明性を欠いた密室税務行政は、憲法に定める租税法律主義の原則、「法律による行政」のルール（☞1.4.2）とぶつかります。

　手引書では、調査官が回答者から作成の理由を問われた場合には、「この調査でお聞きしたことを正確に記録するため」と説明するように指示しています。しかし手引書は、重加算税を課すためとか、重加算税を課した後に争いになる場合に備えて証拠（エビデンス）固めをしているとか、本当の理由を話すように調査官に指示していません。

　調査官は、手引書に沿って、統一した様式（フォーマット）で質問をして文書を作成しているだけだというかも知れません。しかしこれでは、回答者である納税者などは、この質問応答記録書が今後そのようなことに使われるのか分からないわけです。あらかじめ文書で質問をして回答を求めてくる「お尋ね」とは違うわけです。質問応答記録書を作成するということで、強い権限を持っている調査官の前で質問に即座に回答し誤りを犯すリスクは相当高いわけです。

◎質問応答記録書作成の手順

調査官は、手引書を基に、質問応答記録書を次のような手順で作成します。

●質問応答記録書作成の流れ

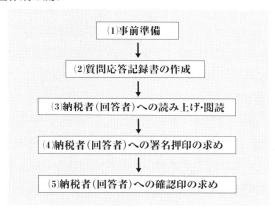

質問応答記録書は、「犯罪捜査の際に警察官や検察官が作成する『供述調書』『自白調書』のようだ」との声もあります。まさに質問応答記録書の作り方は、供述調書、自白調書とほぼ同じなのです。ただ質問する公務員が、税務調査官か、取調官かの違いがあるだけです。まさに「税務版自白調書」です。

●警察の取調・供述調書作成の流れ

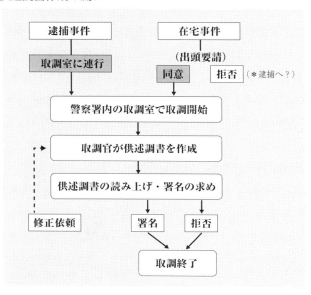

◎質問応答記録書の本当の狙い

　税務署の調査官が質問応答記録書つくりにこだわるのは、納税者が事実を隠ぺいまたは仮装していたとして重加算税をかけたいからなのです（☛7.3）。そのための確かな証拠（エビデンス）が欲しいのです。

重加算税	隠ぺい・仮装があったとき	重加率（初回）	重加率（繰返し）
	❶過少申告の場合	35%	45%
	❷無申告の場合	40%	50%
	❸源泉税の不納付の場合	35%	

　納税者が重加算税には納得できないということで、不服申立て（再調査の請求、国税不服審判所への審査請求）をする、さらには裁判を起こしたとします。そこで「言った、言わない」で争いになったときに、税務署側は、白黒をはっきりさせるのに納税者の言質を文書（書面）にした確実な証拠（エビデンス）が欲しいわけです。これが、調査官が納税者から質問応答記録書を取る本当の理由です。質問応答記録書は、納税者が税務署の言い分を素直に認めて課税処分に応じ、争いにならなければ、お蔵入りする書類（文書）です。お蔵入りになるということは、たいてい納税者自らが事実を「隠ぺいまたは仮装」したと認め、重加算税を支払うはめになることを意味します。

　また、質問応答記録書は、調査官が税務署内で上司である統括官や署長に説明・報告する際の資料としても使われます。納税者の権利利益をむしばんでも、やみくもに質問応答記録書を税収増につなげる使い方をする職員を高く評価することになりかねないわけです。そもそも、税収増を職員の勤務評定の基準に用いることは、アメリカなどのように、納税者の権利利益保護の観点から禁止されなければなりません。

◎広がる質問応答記録書の危ない使われ方

　質問応答記録書は、さまざまな税金の税務調査において作成されます。法人税や所得税、消費税など企業関連の税金だけでなく、はじめて税務署と向き合うことになる人も多い相続税などにも及んでいます。

　税務署がある納税者の税務調査をしたとします。調査のなかで帳簿書類や業

PART5 租税手続法（手続税法）とは何か

務資料など「物証」（「物証」とは、「書証」以外のすべての証拠のことです。）だけでは白黒がはっきりしない事実が出てきたとします。取引や費用が事業に関するものなのか、私的・個人的なものなのかがはっきりしない、預金通帳を調査しても入金の理由を証する資料などが見つからないようなケースです。こうしたケースでは、調査官は、質問応答記録書を使って、納税者や取引先の人などに質問し回答を得たうえで事実関係を確認し・物証を補強しようということになるわけです。

　質問応答記録書づくりは、重加算税を課し後に争いになる場合に備えて、調査官が納税者などに質問をして得た回答を書き上げて証拠（エビデンス）として残していく作業です。回答は、いわば「税務版自白調書」として重い意味を持っています。しかも、調査官は、何とか回答者に署名押印をさせ、より証拠能力の高い書証をつくろうと狙っているわけです。

◎質問応答記録書作成にどう向き合うか

　納税者などが、税務調査のときに、調査官から質問応答記録書作成に協力を求められ、作成に応じたものの、無理強いがあったとか、誘導質問があったなどと感じたとします。この場合、回答者は、次のような作法で向き合うことができます。

●問応答記録書作成と向き合う作法

・｜署名・押印の拒否｜

　質問応答記録書は、税務署の調査官が法律上必ず作成しなければならない文書ではありません。それに、対面で文書作成に応じたものの、自分のした回答に確信が持てないこともあると思います。回答者は、調査官が作成した文書（書面）に署名・押印するように求められても、それに従う義務はありません。断れます。もちろん罰則もありません。

　国税庁が職員向けに出している手引書にも「署名・押印を強要することはもとより、そのような疑義を生じさせる言動 をしないよう留意する」と書いてあります。これは、調査官が納税者を法令上の根拠のない質問応答記録書の作成に強引に引き込むこと は、刑法193条に規定する公務員職権濫用罪にあたる可能性もでてくるからです。

661

・「確認しないと答えられない、思い出せない」なども回答の一つ

　税務調査全般においては、即答したり安易に同意をしたり、またはあいまいなまま回答をしてはなりません。しかし、質問応答記録書作成への協力にあたり、調査官の質問に答えようにも、そうした事実があったかどうかわからない、記憶が定かではないことも少なくはないはずです。そうした場合には、「確認しないと答えられない」、または率直に「わからない」、「思い出せない」と答えることで問題はありません。

　課税処分をするための任意の税務調査では、令状（または許可状）は使われません。令状が不要なのは、犯罪の摘発が目的ではない行政の調査であるというのが理由です。ただ、任意の行政調査であるとはいっても、質問・検査の相手方である納税者などに、質問に答え、または検査を受ける法律上の義務を課しています。そして、質問検査拒否、つまり納税者が調査官の質問や検査に応じない場合には、1年以下の懲役または50万円以下の罰金という「刑罰」が科すこともできるとされています（国通法128二・三）。

　憲法は、38条1項で、「何人も、自己に不利益な供述を強要されない。」と規定し、「黙秘権」を保障しています。それなのに、なぜ、一般の税務調査に黙秘権が適用にならないのだろうと思うかも知れません。それは、黙秘権の適用は刑事責任を問われる自己に不利益な供述についてであり、行政上や民事上の自己に不利益な事実は含まないと解されているからです。

　任意の税務調査、「刑罰を科すのが目的ではない」ことなどを"口実"に、納税者などへの人権面での保障がおろそかにされているようにもみえます。調査過程の録音・記録書の撮影などを法認する時期にきています。

・個人情報保護法による開示請求

　回答者が、調査官に質問応答記録書記録書の写し（コピー）を求めても、調査官は応じないことになっています。行政文書（公文書）であることが理由です。写し（コピー）も渡されず、調査官が納税者に質問応答記録書を読み聞かせ、ちらっと見せて、署名・押印と半ば強要するやり方は解せないという声が、回答者からだけでなく税務専門家からも上がっています。

　回答者は調査官から記録書の写し（コピー）をもらえません。しかし、回答者が、質問応答記録書の内容を書面でもう一度しっかり確認したいとします。この場合には、個人情報保護法を使えば、自分の質問応答記録書の写し（コピー）を入手することができます。

　質問応答記録書は行政文書（公文書）です。回答者は、個人情報保護法（76以下・☛1.3.4）を使って、調査を行った税務署などへ記録書の写し（コピー）を請求することができます。なお、写し（コピー）の入手をはじめとした以下の請求は、回答者本人のほか、代理人（法定代理人のほか条件があえば任意代理人も）できます。

　ちなみに、個人情報保護法*²の基づく税務署への質問応答記録書に関する各種請求手続や定型の申請フォームなどは、国税庁のホームページを見ればわかります　[https://www.nta.go.jp/anout/disclosure/tetsuzuki-kojinjoho/03.htm]。

・税務署への報告書の内容訂正請求

　回答者は、開示された自分の質問応答記録書の内容に誤りがあると思ったとします。この場合、個人情報保護法（90以下）を使って開示した税務署に対して自分の質問応答記録書内容の訂正を求めるができます。

PART5　租税手続法（手続税法）とは何か

・ 税務署への報告書の利用停止請求

　回答者は、開示され入手した写し（コピー）を見て、自分の質問応答記録書の内容に誤りがあると考えたとします。この場合、個人情報保護法（99以下）を使って税務署に利用停止を求めることも可能です。利用停止・不利用停止の決定は、原則として30日以内に行われ、回答者に通知されます。

・ 開示決定に納得できないときは国税庁長官への審査請求

　回答者が、税務署の開示に不満を感じたとします。この場合は、行政不服審査法をもとに国税庁長官にクレーム（審査請求）をすることができます（行審法4）。

　国税庁長官は、審査請求があった場合には、情報公開・個人情報保護審査会に諮問します。そして、審査会から諮問に対する答申を受けて、原則として、その答申に従って審査請求に対する裁決を行うことになっています（個情法105）[https://www.soumu.go.jp/main_content/000401133.pdf]。

　回答者は、不服申立ての手続きを経ずに、行政事件訴訟法に基づき、決定があったことを知った日から、6か月以内に、国を被告として（訴訟において国を代表する者は法務大臣となります。）、裁判所に処分の取消しを求めて訴えを起こすことができます（なお、決定があったことを知った日から6か月以内であっても、決定の日から1年を経過した場合には、処分の取消しの訴えを起こすことができません。）（行訴法8、14）。

・ 納税者支援調整官への苦情の申出

　「納税者支援調整官」とは、税務調査官の応対、調査の仕方などについての納税者からの不満や相談を受け付ける国税局や税務署内にいる専門職員です（財組規466の2①・②、536の2①・②）（☛6.1.Column）。

　"質問応答記録書"の作成に協力を求められ、質問の仕方が強引だとか、誘導尋問に近く、ハラスメント（嫌がらせ）だと感じたとします。この場合は、納税者支援調整官のところへ電話をする、手紙を出すあるいは直接出かけて行って、苦情の申出をすることができます（納税者支援調整官の事務運営について（事務運営指針）・国税庁長官発出［2010（平成22）年6月15付官相3　官総8-12]）*3。

　税務署への開示請求や国税庁長官への審査請求、納税者支援調整官への苦情の申出などは、原則として納税者自身が行うことになります。代理権限証書を提出し税理士に代理を依頼するという手続をとっている場合には、税理士が行います。

◎質問応答記録書の「証拠」としての使われ方

　すでにふれたように、調査官が質問応答記録書を作成するのは、たいてい重加算税をかけようとするケースです。税務署は、質問応答記録書の「回答」を「証拠（エビデンス」にあなたに対して重加算税をかけるわけです。納税者は、自分の「回答」が書かれた記録書で確認された事実を、税務署への再調査の請求または国税不服審判所（☞6.2）、さらには裁判所（☞6.1）で争って覆さないと、最終判断になってしまいます。

　したがって、納税者が、「自分は隠ぺいまたは仮装行為などしていない。質問応答記録書の作成は調査官の誘導で回答させられた」、「自分に対する重加算税は不当、違法だと考え、質問応答記録書の回答に基づく賦課課税処分は断じて受け入れられない」と思ったとします。その場合、税務署（国）を相手に争うことになります。争いの場所は、おおむね国税不服審判所と裁判所になり、納税者は裁決、判決を得ることになります。

　このことから、租税争訟における質問応答記録書「回答」の証拠（エビデンス）としての扱いについては、大きく❷国税不服審判所での証拠としての扱いと、❸裁判所での証拠としての扱いに分けて点検することができます。質問応答記録書「回答」の証拠能力に関する裁決や判決の数は限られています。以下に、いくつかの裁決や判決を取りあげて、どのような扱いをしているか探ってみます。

(1)　国税不服審判所での「回答」の使われ方を探る

　国税不服審判所では、質問応答記録書の納税者の回答の証拠能力をどのようにみているのでしょうか。

　国税不服審判所の裁決については、同審判所のHPにアクセスし、［裁決要旨検索システム／キーワード検索／質問応答記録書］すれば、最新の裁決まで入手することができます［裁決要旨検索システム（kfs.go.jp）］。

　いくつか裁決事例を一覧表にして紹介すると、次のとおりです。

PART5　租税手続法（手続税法）とは何か

【裁決事例サンプル１】

支部名	札幌	裁決番号	平300009	裁決年月日	平310409	裁決結果	一部取消し
争点番号		100916030	争点	9重加算税/16隠ぺい、仮装の認定/2認めなかった事例			
事例集搭載頁		裁集No.115					

裁決要旨

○　原処分庁は、個人で事業を営む請求人が、調査年分に係る所得税等及び消費税等の各確定申告書を各法定期限までに提出していなかったことについて、請求人が、確定申告の必要性を認識した上で、①自らの収入金額及び所得金額を零円とした虚偽の住民税申告書を提出したこと（本件各住民税申告）、及び②原処分庁の調査担当職員からの電話に対し、会社員である旨の虚偽の答弁をしたこと（本件電話答弁）は、請求人が、当初から所得税等の申告をしないことを意図し、その意図を外部からもうかがい得る特段の行動をしたと評価できるから、国税通則法第68条《重加算税》第2項に規定する「隠ぺいし、又は仮装し」に該当する旨主張する。しかしながら、本件各住民税申告のうち1年分のみが請求人の意思によって提出されたと認められ、直接原処分庁に対してなされたものではなく、仮に請求人が所得税等の確定申告の必要性を認識していたとしても、当該1年分の住民税の申告のみをもって、請求人が、当初から所得税等の申告をしないことを意図し、その意図を外部からもうかがい得る特段の行動をしたと評価することはできない。また、本件電話答弁については、本件電話答弁時の状況からすれば、社会通念に照らして不合理ではなく、当時の請求人が給与を得ていた事実を併せ考えれば、請求人が、当初から所得税等の申告をしないことを意図し、その意図を外部からもうかがい得る特段の行動をしたと評価することはできない。さらに、**原処分庁が作成した質問応答記録書の内容は、請求人の申述が不自然かつ不合理であり、重要な部分に関する解明が不足しているため信用できない。したがって、請求人に同項に規定する「隠ぺいし、又は仮装し」と評価すべき行為があるとは認められない。**（平31.4.9札裁（所・諸）平30-9）［ゴシック・下線は引用者］

【裁決事例サンプル２】

支部名	金沢	裁決番号	平290008	裁決年月日	平300628	裁決結果	一部取消し
争点番号		1002004020	争点	2国税の納付義務の確定/4更正又は決定等/2調査の範囲、方法			
事例集搭載頁		裁集No.111					

裁決要旨

○　請求人は、原処分庁所属の調査担当職員（本件調査担当職員）が請求人の代表者（請求人代表者）の質問応答記録書を作成する過程において、①請求人が従業員個人の業務を譲り受けた以降の状況を回答する旨を前置きして申述したにもかかわらず、これを当該質問応答記録書に記載しなかったこと、②当該質問応答記録書の記載内容が申述内容と一致していないことを理由に請求人代表者が署名押印を拒絶したところ、本件調査担当職員が当該質問応答記録書は内部資料にすぎないと説明をして請求人代表者に署名押印に応じさせたことから、当該質問応答記録書の作成過程に原処分を取り消すべき違法がある旨主張する。しかしながら、本件調査担当職員は、関与税理士同席の下、請求人代表者へ質問を行い、当該質問応答記録書を読み聞かせ、かつ提示した上で、請求人代表者に署名押印を求め、請求人代表者は関与税理士の助言の後、自筆で署名押印したものであり、当該質問応答記録書の作成過程に原処分を取り消すべき違法は認められない。（平30.6.28金裁（法・諸）平29-8）

　国税不服審判所は、国税庁内の組織です。その判断（裁決）については、課税庁（税務署・国税局）寄りであることは否めません。

重加算税の対象となる「隠ぺいまたは仮装」行為についても、納税者の「意図」を重視するなど、概して納税者の権利救済機関なのか疑わしい判断を下しています。

　しかし、裁決のなかには、質問応答記録書の納税者の回答が不自然・不合理と思われる場合には、証拠能力を認めない判断もあります。

(2)　裁判所での「回答」の使われ方を探る

　裁判所では、質問応答記録書の納税者の回答の証拠能力をどのようにみているのでしょうか。いくつか裁判事例を紹介すると、次のとおりです。

【裁判事例サンプル1】

名古屋高等裁判所2014（平成26）年12月11日判決・税資264号－193（順号12574）[12574.pdf（nta.go.jp）]

質問応答記録書の廃棄物の種類や分量に関する記載には、正確性に疑義があるというべきであって、これらを採用することはできない。[ゴシック・下線は引用者]

【裁判事例サンプル2】

東京地方裁判所2018（平成30）年4月24日判決・税資 第268号－42（順号13147）[13147.pdf（nta.go.jp）]

原告は、上記の質問応答記録書の確認欄の印影は原告の印章によるものではなく、内容についても質問応答を担当した財務事務官により原告の回答が作出された部分があるから信用性も欠ける旨を主張し、これに沿う証拠として甲49の1及び2を提出する。しかしながら、上記記録書には、質問応答の要旨を記載した次行（訂正したい又は付け加えたいことはない旨の記載）のすぐ下に、回答者として原告の署名があると認められるのであり（乙3）、原告は、本人尋問において、この署名が原告の自署によるものであることを認めているのであるから、上記記録書の記載内容を十分認識しつつ、これに対して異を唱えなかったものと認めるのが相当である（なお、原告が提出した甲49の1及び2を踏まえても、原告の自署の右横に存する印影と確認印欄の印影が異なる押印により顕出されたとは認められない。）。したがって、原告の上記主張は採用することができない。

【裁判事例サンプル3】

大阪地方裁判所2020（令和2）年6月25日判決・裁判所HP [089861_hanrei.pdf（courts.go.jp）]

会長との応答を記録した質問応答記録書（乙9）は、末尾に会長 が「回答者」として署名押印しているから、会長がその内容を確認した上で署名押印したものと認められ、その内容にあるとおりの応答がされたものと推認することができ、これを覆すような事情は見当たらない。

　裁判所における判断（判決・決定）は、課税庁（税務署・国税局）寄りであることは否めません。重加算税の対象となる「隠ぺいまたは仮装」行為についても、最高裁判所は納税者の「意図」を重視するなど、権利救済機関なのかどうか疑わしい判断を下しています（例えば、最決平7.4.28・民集49巻4号1193頁）。国税

不服審判所もこの最高裁判例を基に裁決を下しています。しかし、裁判例のなかには、判決の結論は別として、質問応答記録書の納税者の回答の正確性が疑われる場合には、証拠能力を認めない判断もあります。

◎制度の廃止か、抜本的な透明化が急務

　税務調査は、税理士など専門家の立会いがない限り、調査の対象となった納税者と税務調査官との間の「密室状態」で実施されます。密室状態で、強引な調査が行われないように、あるいは行われた場合に納税者がその証拠（エビデンス）を残すために、質問調査をスマホなどで音声録音ができて当り前ではないか、との声もあります。当然こうした納税者からの素朴な声を大事にし、真摯に応える税務行政が求められています。

　税務調査で、納税者は調査官の承諾が得られれば、録音するのは問題がありません。しかし、現実には、調査官が承諾することはないと思います。わが国では、納税者が調査官に税務調査を録音すると告げると、調査官は調査を打ち切って署に帰ってしまいます。調査官の公務員としての守秘義務（国公法10①・109⑫）を果たせなくなるなどを理由としているようです。そして、ケースによっては、後に税務署に都合のよい一方的な推計（アバウトな金額）で追加税額（増徴分＋ペナルティ）を払うように求めた課税処分をしてきます（☛5.3.9）。

　それでは、「秘密録音」をしたらどうでしょうか。調査官に何も告げないでスマホで録音した場合、「証拠能力」は認められるのでしょうか。

　東京高等裁判所は、録音が「著しく反社会的な手段を用いて、人の精神的肉体的自由を拘束する等の人権侵害を伴う手法によって収集されたものであるときには、その証拠能力を否定してもやむを得ない」とし、そうでない場合には、証拠能力はあるとし判断しました（東京高判・昭52.7.15・判時867号60頁）。つまり、秘密録音が証拠として認められるかどうかは「著しく反社会的と認められるか否か」を基準に判断すべきであるとしたわけです。

　相手の同意を得ることなしに行われた秘密録音の証拠能力に関しては、「たとえそれが相手方の同意を得ないで行われたものであっても、違法ではなく、

その録音テープの証拠能力は否定されない」とする最高裁の判断があります（最決平12.7.12・刑集54巻6号513頁）。

　もちろん、「秘密録音」自体は合法とされていても、録音すること自体が法的に禁止された場所で秘密録音を行うことは違法になることもあります。たとえば法廷内での録音には刑事訴訟規則第215条や民事訴訟規則第77条に基づいて裁判所の許可が必要です。

　アメリカやオーストラリアなどでは、納税者に税務調査を音声録音する権利を法律で認めています*4。しかし、わが国の税務行政の透明化や納税者の権利保護は、西欧型民主制を敷く諸国の中ではかなり遅れています。質問応答記録書は行政文書だからといってその場でコピーさせないのは解せません（☛5.3.5 Column）。

　秘密の法定外手続による質問応答記録書作成実務は、密室税務行政を助長し、かつ納税者の手続上の権利利益をむしばんでいます。この制度に対しては、税の専門家からも強い批判があります。廃止または抜本的な透明化を含め再検討すべきです。

> ＊1　『質問応答記録書作成の手引について』［2013（平成25）年6月25日　国税庁課税総括課情報3号］、その後、改訂版［2017（平成）29年6月30日国税庁課税総括課情報7号など］が発出されています。ここでは、改訂版をもとに執筆しています。
> ＊2　2021年7月の法改正で、現行の三本立ての個人情報保護法制は2022年4月1日からは一本化されました。従来の「行政機関個人情報保護法」は、個人情報保護法にまとめられました。
> ＊3　詳しくは、納税者権利憲章をつくる会/TCフォーラム「パンフレット・納税者支援調整官を使いこなそう」（2022年）参照。
> ＊4　石村耕治「可視化する連邦租税手続」『アメリカ連邦所得課税法の展開』（2017年、財経詳報社）409頁以下参照。

（石村　耕治・阿部　徳幸）

〔アドバンス文献〕石村耕治・益子良一『もっと正しく知りたい　質問応答記録書作成の手引〜税務調査のときに質問応答記録書と向き合う作法』（TCフォーラム 2021年）（http://tc-forum.net/wordpress/wp-content/uploads/2021/08/075dc9ee7889446b6ddb9ee18ff186cf.pdf）、鴻秀明『新版 質問応答記録書の実務対応』（2021年、清文社）、「特集 質問応答記録書対応の手引」税務弘報（2021年9月号）

PART5　租税手続法（手続税法）とは何か

5.3.8　修正申告とは何か

ポイント

　「修正申告」とは、申告ですでに確定した税額を、納税者自身の手で増額変更し、増えた差額分（増差分）を追加して確定する手続です。つまり、自分自身で当初の申告税額の誤りを認めて、任意に追加して税金を支払うことを意味します。ですから、納税者は、修正申告後はその件について争うことはできません。実務では、課税庁が、更正処分をするかわりに、修正申告をするように納税者を強く指導することが多く、たびたび問題になっています。

◎修正申告とは

　「修正申告」とは、申告ですでに確定している税額を、納税者自身の手で増額変更し、増えた差額分（増差分）を追加して確定させる手続をいいます（国通法19①）。これを、「一般の修正申告」ともよびます。また、課税庁による更正または決定（☛5.3.6）を受けた後に増額変更のために納税者が任意でする税金の申告も、修正申告に含まれます（国通法19②）。これを「更正・決定後の修正申告」ともよびます。

(1)　修正申告の対象

　国税では、これら修正申告の対象となるケースとして、次のような事実をあげています（国通法19①）。

---

① 　申告書に書いた税額に不足額があるとき。
② 　純損失など、いわゆる赤字金額が過大であるとき。
③ 　還付金にあたる税額が過大であるとき。
④ 　納付すべき税額が出てきたとき。

---

(2)　修正申告と他の手続との比較

　修正申告ができるのは、わかりやすくいえば、計算ミスなどを理由に、当初の申告税額が不足したため税額を増額変更するときだけです。税金を返して欲しいという減額変更を課税庁に求めるときは、更正の請求（☛5.3.6）によること

669

になります。

　修正申告と更正の請求とは、法的な性質に違いがあります。つまり、更正の請求では、計算ミスなどを理由に税金を返してくれということで、申告額の減額を課税庁に求めることになります。それに対し、納税者自身の手で税額を是正し確定させる手続が修正申告であり、両者は大きく異なります。

　また、修正申告は、納税者自身が申告税額の誤りを認めて任意に税金を追加に支払う手続です。したがって、納税者は、修正申告後はその件については争うことはできません。この点、更正の請求をした後の更正、再更正などは、課税庁が行う処分ですから、その処分に不満がある納税者は不服申立てや訴訟で争うこともできます。

　例えば、修正申告を行った後に、申告ミスに気付いたとします。しかも、更正の請求の期間も過ぎているとします。この場合、民法の錯誤（民法95）に基づき申告の無効（現行「取消」）を主張して、納めすぎた税金を返してもらえるかどうかが問題になります。先例では、原則として、こうした主張はできないとされています（最判昭39.10.22・民集18巻8号1762頁）。ただ、ごく例外的に、課税庁の強い指導で誤った確定申告をしたケースのように（京都地判昭45.4.1・行集21巻4号641頁、東京地判昭56.4.27・税資117号331頁）、民法の錯誤無効を主張する以外に、納税者が被った著しい不利益を救済する方法がない場合には、例外的に認められる場合があります。

◎修正申告の勧奨の法認と行政手続法の適用

　2011（平成23）年の国税通則法の改正により、課税庁は、税務調査の結果、更正、決定等をすべきと認められる場合には、納税者（被調査者）に対し「修正申告または期限後申告を勧奨できる」ことになりました（国通法74の11③）。修正申告の勧奨は行政手続としての性質上は「行政指導」と解されています。そこで、今回の改正により、修正申告の勧奨については、行政指導を規律する行政手続法第4章〔行政指導〕（32条～36条の2）を適用することになりました（国通法74の14①括弧書）。また、修正申告は、ごく一部の例外（相税法31②など）を除けば、納税者が任意で行うことになっています。

670

PART5　租税手続法（手続税法）とは何か

　申告納税方式を採用する税金においては、所得額または税額は、まず、納税者本人の申告によって第一次的に確定します。しかし、納税者がした申告がつねに正しいとは限りません。こうした場合に、課税庁は税務調査（☞5.3.4）をします。そして、その結果に基づいて、今度は、課税庁が、その納税者の所得額または税額を変更・確定する「更正」をすることができます（国通法24）。

　しかし、現実の税務行政においては、こうしたルールが崩れてしまっています。課税庁は、できるだけ更正処分をすることを避けます。そして、納税者に「修正申告」するように、「勧奨」してくるのです。

　税務の現場では、課税庁による修正申告の勧奨は、納税者の権利利益を損なう大きな要因になっています。それにもかかわらず、今回の改正によって課税庁に修正申告の勧奨の権限を法律で認めたわけです。

　それでは、なぜ課税庁は、税務調査によって判明し事実などに基づいて「更正」をしないで、納税者に修正申告をするように求めてくるのでしょうか。それは、前述のように、納税者は、自らが修正申告に応じると、事後に不服申立て（☞6.1）や訴訟で争うことができなくなるからです。逆に、「更正」をすると、納税者がその処分を争い、事務処理が長引くおそれがあるからです。つまり、課税庁側からすると、納税者に修正申告を指導することにより、できるだけ早く事務処理を進め、限られた人員でできるだけ多くの税収の確保を目指したいという思惑があるわけです。この結果、税務調査に基づき、更正処分をするケースは、わずか全体の１～２％程度にすぎないのではないかと推定されています。その他は、修正申告で処理する現状があります。

　税務調査の現場において、課税庁職員から修正申告を強く指導されたという話をよく耳にします。こうした「強要」にも近い修正申告の指導は、明らかに行政手続法の「目的等」（行手法1①）に反します。しかし、これまでは同法の第４章〔行政指導〕（32条～36条）の規定が税務行政手続については、適用除外とされてきました。そのため、納税者が自己の権利利益を護るために課税庁の強硬な修正申告の指導から逃れるのは、容易ではありませんでした。しかし、今後は、納税者や税務代理人の認識次第で状況を変えることも可能です。なぜなら

671

ば、行政手続法は「行政指導に携わる者は、いやしくも当該行政機関の任務又は所掌事務の範囲を逸脱してはならないこと及び行政指導の内容があくまでも相手方の任意の協力によってのみ実現されるものであることに留意しなければならない。」(行手法32①) と定め、さらには、「行政指導に携わる者は、その相手方が行政指導に従わなかったことを理由として、不利益な扱いをしてはならない。」(行手法32②) と規定しているからです。

また、修正申告の指導の状況によっては、公務員の職権濫用罪(刑法193)が成立するとの意見もあります。というのは、公務員の職権濫用罪は、公務員として身分のある者が、その職権を利用して相手方に義務のないことを「強要」した場合などにも成立するからです。また、修正申告の強要が職権濫用罪にあたるとされた場合には、その職務の執行については公務執行妨害罪(刑法95①) の対象になる可能性もあります。さらに、修正申告の強要は、納税者の争訟権を奪い、ひいては裁判を受ける権利(憲法32) にも大きな影響を及ぼすおそれがあります。

今回の改正が課税庁に修正申告の勧奨の権限を法律で認めたことにより、今後は、これらの権限を楯にした納税者に対する修正申告の強要の多発につながるおそれがあります。税務調査への非協力、課税庁の指示に従わないことなどを理由とした青色申告の承認取消(☞3.2.11) や、調査時に納税者から提出を受け留置いた物件の返還の引延し(☞5.3.5)などを含めて納税環境の一層の悪化が懸念されます。税務代理人には、行政指導を規律する行政手続法の規定を上手に使いこなして、納税者の権利利益の保護に努めて欲しいところです。

本来、修正申告をするのかしないのかは、納税者の自由な意思に任されており、まったくの任意なはずです。現実の税務行政が、納税者の権利利益を保護した形で運営されているのか、もう一度原点に立ち返って考えてみる必要があります。

(望月 爾・石村 耕治)

〔アドバンス文献〕 全国女性税理士連盟編『租税手続べんり事典〔最新版〕』(2013年、ぎょうせい)、首藤重幸「修正申告の慫慂と税務行政指導」日税研論集36号所収、三木義一「修正申告とその権利救済」税理29巻4号16頁、高木光ほか『条解行政手続法〔2版〕』(2017年、弘文堂)、行政管理研究センター編『逐条解説 行政手続法〔改正行審法対応版〕』(2016年、ぎょうせい)、日本弁護士連合会 日弁連税制委員会『国税通則法コンメンタール』(2023年、日本法令)

PART5 租税手続法（手続税法）とは何か

5.3.9 推計課税とは何か

ポイント

　課税庁が、更正または決定をする際に、帳簿書類などの直接資料によらないで、さまざまな間接資料を使って所得を認定し課税することがあります。こうした課税方法を「推計課税」といいます。どのような場合に、推計課税が行われるのでしょうか。

◎推計課税とは

　課税庁が更正または決定をする際には、事前に税務調査を行います（☞5.3.4）。しかし、納税者などが税務調査に協力しない、帳簿書類などがない、あるいは、あっても不備な場合があります。こうした場合に、これら帳簿書類などの直接資料によらずに、さまざまな間接資料を使って所得を認定し課税します。こうした課税方法を「推計課税」といいます。

　申告納税制度を採用する所得税や法人税においては、納税者の帳簿書類など直接資料によって所得額や税額を算定する「実額課税」が原則です。しかし、どうしても実額課税ができない場合には、間接資料などから所得額を推計せざるを得ません。推計課税は、あくまでも例外的な課税方法です。したがって、実額課税ができない場合に限って、例外的に認められる方法です。

　なお、推計課税は、申告納税制度については明文で規定されていましたが、源泉徴収制度への適用については、これまで定めがありませんでした。そこで2020（令和2）年改正により、源泉徴収への推計課税が明文で規定されました。例えば、個人事業者等における従業員別の給与の支払金額の推計が困難な場合には、課税庁は各従業員に同額の給与を支払ったものとみなして所得税を徴収することができます。

　なお、この改正は、2021（令和3）年1月1日以後に支払われる給与等、退職手当等及び報酬・料金等について適用されます。

673

◎推計課税の根拠は

申告納税方式を採用する税金においては、所得額または税額は、まず、納税者本人の申告によって確定します(国通法16①一)。しかし、納税者がした申告がつねに正しいとは限りません。あるいはまったく申告がない場合もあります。こうした場合に、課税庁は税務調査 (☜5.3.4.) をします。そして、その結果に基づいて、今度は、課税庁が課税をします(国通法16①一)。つまり、その納税者の所得額または税額を変更・確定する「更正」をするか、新たに税額を確定する「決定」をすることになります (国通法24・25、☜5.3.6.)。しかし、こうした処分をする際に、課税庁が、十分な直接資料を手に入れることができないため、直接資料によって税額を算定できない場合が生じます。この場合に限り、課税庁は、例外として間接資料による「推計課税」ができます。

●申告納税方式 (国通法16) からみた実額課税と推計課税の対比

① 原則方式　直接資料に基づいて税額を確定する方式です。	
・**実額課税方法**　納税 (義務) 者の帳簿・請求書等を基礎とした申告に基づき確定する方式です。	
② 課税庁補充方式　間接資料に基づいて税額を確定する方式です。	
・**推計課税方式**　(イ) 課税庁が直接資料を探索してもたやすく得られない場合に限り使う方式です。 (ロ) 納税者や取引先が税務調査に非協力な場合に使う方式です。	
・**実額課税方式**　裏帳簿・二重帳簿があったケースなどでも、真実の帳簿や反面調査により得られた直接資料により所得額または税額を算定する方式です。	

ちなみに、推計課税にあたり、具体的には、所得税や法人税では、それぞれ、個別の「推計による更正または決定」の規定(所税法156、法税法131) によっています。ただし、推計の規定が設けられる前から、判例では、納税者が帳簿書類を備えていない場合には課税の公平を期するために合理的な方法による推計課税を認めていました (最判小昭39.11.13・税資38号838頁【所得税の推計課税】)。こうした先例などを根拠に、課税庁は、実額課税のできない場合には、明文の定めのあるなしにかかわらず推計課税ができるとの立場をとってきました。所得税や法人税の推計規定は、推計課税の対象から青色申告者(☜3.2.11) を除くということをはっきりさせるために設けられたものであるとしています。いいかえると、所得税や法人税の推計課税の規定は、推計課税の権限を与える創設的な規定ではないとされています。

PART5　租税手続法（手続税法）とは何か

　また、消費税法には、推計を明示的に認める規定は存在しません。しかし、消費
税の実務では、推計課税が行われています。これは、課税庁が、明文規定がないと
しても、課税の公平の観点から推計課税が認められるという考え方をとってい
るからです（情報公開審査会、平成16年度（行情）182〜3号「『消費税の課税標準額（課税売上高）の推
計及び仕入税額控除の取扱いについて』等の不開示決定（不存在）に関する件」（平成16年度諮問103
〜104号）答申書4頁以下に盛られた国税庁の説明参照）。そして、一部の裁判例も、こうした考
え方を支持しています（東京高判昭55.10.29・行集31巻10号2255頁【料理飲食等消費税】、最判昭60.
5.23・税資145号478頁、〔原審〕大阪高判昭59.6.15・税資136号690頁【物品税の推計課税】、東京地判平10.9.30・
訟月46巻2号865頁【消費税の推計課税】、大阪地判平14.3.1・税資252号9081頁【消費税の推計課税】）。

◎推計課税の要件

　推計課税は、青色申告の納税者（☛3.2.11）には認められません。また、白色申
告の納税者についても、無条件で認められるわけではありません。あくまでも、
「推計の必要性」がある場合に限られます（福岡高判昭32.9.20・行集8巻9号1632頁）。「推
計の必要性」がある場合とは、ふつう、次のような場合をさします。

①	**帳簿書類の不存在**　納税者が帳簿書類等を備えていないため、収入・支出が直接資料から明らかにできないケース
②	**帳簿書類の不備**　帳簿を付けているが、その内容に誤りや記帳漏れが多いとか二重帳簿が作られているとか、その内容が不正確で信頼性がないケース
③	**税務調査への非協力**　納税者または取引先などが税務調査に協力してくれないために、直接資料が入手できないケース

◎推計課税の方法

　推計課税には、次のような方法が利用されています。

①	**純資産増減法**　推計課税される納税者の課税期間の期首と期末の純資産額を算定しその増加額と、個人では生活費等を加え所得を推計する方法です。
②	**比率法**　推計課税される納税者の仕入金額、売上金額、収入金額などに一定の比率を乗じて推計する方法です。
③	**効率法**　推計課税される納税者の販売数量、使用電力量、従業員数、席数などに、比準同業者の調査から得られた単位額（1単位あたりの健全額の平均値）を乗じて収入金額や所得金額を推計する方法（単位あたり額法ともいいます。）です。

675

多くの場合、これらの方法は一つではなく、いくつかが併用されています。また、争訟の過程で推計課税の推計方法の合理性がよく争われます。この場合、立証責任は課税庁側が負うものとされています。また、その立証の正確性の程度は「一応の立証」でよいとされています。

◎青色申告者と推計課税の関係は

所得税や法人税の場合、青色申告の納税者（青色申告者）は、正確な帳簿書類を備えることが条件になっています（所税法148、法税法126）。したがって、所得額の計算は、納税者の帳簿書類にもとづき、実額課税されるべきです。原則として推計課税は許されません（所税法156、法税法131・☛3.2.11）。

もちろん、青色申告の納税者であっても、正確な帳簿書類を備えていないときは、推計課税は許されます（松山地判昭39.4.30・訟月10巻6号876頁）。課税実務では、青色申告者が正確な帳簿書類を備えていない場合には、青色申告の承認を取消したうえで、白色申告者として推計課税を行う手続になっています。

青色申告承認を受けている納税者が、税務調査の際に、調査の可視化をねらいに税理士以外の第三者を立ち会わせて問題になることがあります。この場合、調査担当者は、税法上の守秘義務あるいは税理士法に抵触することを理由に直ちに税務調査を打ち切り、青色申告承認を取消し、安易に推計により税額を算定して更正処分をするような税務執行が常態化しています。また、裁判所もこうした税務執行に歯止めをかけることに消極的です（例えば、京都地判平18.10.27・税資256号・296（順号10556）・タインズZ256-10556）。しかし、調査担当者などの守秘義務を理由に推計課税を正当化するのは疑問であり、こうした税務執行は納税者の権利保護の面で大きな課題になっています（☛1.3.5）。

（望月　爾・石村　耕治）

〔アドバンス文献〕 吉良実『推計課税の法理』（1987年、中央経済社）、浦東久男「推計課税の理論」〔芝池義一ほか編〕『租税行政と権利保護』（1995年、ミネルヴァ書房）、田中治「推計課税の本質と推計方法の合理性の程度」判時1552号

PART5　租税手続法（手続税法）とは何か

5.4　滞納処分手続：税金を強制的に取り立てる方法

　　納税者が税法に決められた期限（法定納期限）までに税金を納めないために、滞納になったとします。この場合に、課税庁がその税金を強制的に取り立てる手続が「滞納処分」です。

　　税金が滞納になった場合には、ふつう滞納した納税者に対して事前に告知や督促の手続がとられます。それでも納税者が税金を納めないときには、強制的に税金を取り立てる滞納処分のための一連の手続に入ります。

　　滞納処分の手続は、①納期限の経過、それから50日以内の②督促、③財産調査、④差押え（占有、登記嘱託、第三者債務者への債権差押えの通知）、⑤公売または取立て、⑥配当、または⑤猶予、⑥完納、と流れていきます。

　　納税義務が確定した税について納期限まで待っていたら税金の徴収が難しくなるような事情が出てきたとします。この場合に、その納期限を繰り上げて税金を納めるように求め、徴収することを「繰上請求」といいます。繰上請求をしても、繰り上げられた期限までに税金が納められないときには、課税庁は督促なしに直ちに滞納処分の一環としての差押えをすることができます。

　　納税者に滞納処分をしても、いまだ徴収すべき税額を確保できないとします。この場合に、その納税者と人的・物的なつながりのある第三者に対し第二次的に残りの税金を請求し、滞納処分もできるようにするのが「第二次納税義務」の制度です。

677

5.4.1 税金を納付・徴収する方法

ポイント

　納税者が自発的に法定納期限までに税金を完納すれば問題はありません。しかし完納しない場合には、納税の告知と督促をし、それでも完納しないときには、課税庁は強制的に取り立てる（滞納処分）手続をとることになります。この手続は、どのようになっているのでしょうか。

◎税金の納付とは

　納税額を確定する方法には、申告納税方式、賦課課税方式、自動決定方式の3つがあります（☞5.2.1）。どの方式に基づいて税額を確定するのかは、税金の種類（税目）によって違います（☞5.1）。ただし、いずれの場合も、確定した税金は、通常、税法に定められた法定納期限あるいはお知らせ（告知）のあった納期限までに、納めなければなりません。そして、この納付には、次のような方法が認められています。

●さまざまな税金の納付方法

・金銭納付
　確定した税金は、納付書を添えて現金で、日本銀行、ゆうちょ銀行などの各種金融機関または収納事務を担当する課税庁の職員に納付することになっています（国通法34①）。現金による納付、つまり金銭納付が原則的な納付方法です。

・有価証券納付
　税金は有価証券での納付も認められます（証券をもってする歳入納付に関する法律）（国通法34①）。

・印紙納付
　印紙で納付することができる税金（印紙税、登録免許税など）は、税額に相当する印紙を購入し、契約書などに貼ることにより納付したことになります（国通法34②）。

・物納
　物納の許可があった税金（相続税）は、金銭納付に代えて、物納をすれば納税したことになります（国通法34③、相税法41以下）。

・口座振替納付
　口座振替の方法によって納税を希望する納税者で、確実に納税ができる人については、口座振替により納税（口座振替による納税）をすることができます（国通法34の2①）。

678

PART5　租税手続法（手続税法）とは何か

> ・電子納税
>
> 　金融機関のインターネットバンキング（口座振替により納税）、モバイルバンキング、ATM、クレジットカード等を利用して納税することができます（行政手続オンライン化法、整備法）。

◎納税を補充する制度

　納税は、納税義務者（納税者）本人が納付するのが原則です。しかし、例外として、任意に本人（本来の納税者）以外の者が納税することができます。また、法律に基づいて本人以外の者に納税の責任を負担させる制度があります。これらは「納税を補充する制度」とよばれます。大きく「任意な制度」と「強制的な制度」に分けられます。その概要は、図説すると、次のとおりです。

●納税を補充する制度のあらまし

(1)　任意な制度

・保証人（徴収法2八）
　個別税法の規定により納税者の納税について、民法（446）に定めに従って保証した者です。具体的には、「納税の猶予」（国通法46⑤）、「延納」（相税法38④）などの規定に基づき担保として提供された保証人（国通法50六）です（徴収基通2関係12）。保証人も、納税の担保として保証することになることから、保証した範囲内で本来の納税者と同様の納税義務を負担することになります。

(2)　強制的な制度

・第二次納税義務（徴収法2⑦）
　納税者が税金を滞納した場合に、二次的にその納税者と特別な関係にある者に、納税義務を負わせ、滞納処分（強制徴収）ができる制度です。この制度は、税金の徴収を確実にするためのものです（☛5.4.5）。

・連帯納付義務（国通法8・9・9の2・9の3、徴収法33、相税法34など）
　連帯納付義務者は、本来の納税義務者（本人）が完納しない場合に、本人と同様な立場で納税額を負担するように求められる者のことです。債務負担については、補充的・附従的がないことから、民法の連帯債務者（民法432）と同様です（☛5.4.6）。

・納税義務の承継（国通法5～7の2）
　納税義務は納税者本人が負うのが原則です。しかし、相続や会社（法人）の合併のように、包括的に権利義務が移転する場合には、納税義務もそれと一緒に移転します。これが「納税義務の承継」です。
　納税義務は、代替可能な債務ですが、他方で担税力をベースに課すものです。このことから、納税義務の承継を無制限に認めてよいというものではありません。税法は、次の場合に限定して納税義務の承継を認めています。

679

① **相続（包括承継、包括遺贈を含む）**（国通法5、地税法9）

　　被相続人（故人）の相続人（第一次納税義務者）は、相続が開始されると、被相続人の各種未納税を承継することになります。単純相続の場合は全額、限定承認の場合は取得した財産の限度内、相続人が複数のときには法定相続分、代襲相続分、指定相続分により按分されます。

② **法人の合併・分割**（国通法9、9の2、9の3、地税法9の3）

　　合併後存続する法人は、合併により消滅した法人の納付義務をすべて継承します。分割法人についても、分割により継承した法人が納付義務を継承する場合があります。

③ **法人による人格のない社団等の権利義務の継承**（国通法7、地税法12の2①）

　　この場合、包括的に継承したときには、すべての納付義務を、一部を承継したときには按分計算により一部の納付義務を承継します。

④ **受託者の変更**（国通法7②③④、地税法9の4①②③、信託法86④・74①・56②）

　　受託者の変更、権利義務の継承があった場合には、納付義務を継承します。

◎延納と納税の猶予

⑴　申告所得税・贈与税・相続税の延納制度

　申告納税制度のもと申告による税金の納税は、申告期限までに納税をすることとなっています。

　この申告は、確定申告、期限後申告、修正申告も同様です。しかし、申告期限に一度に納税ができないことを配慮し、申告所得税・復興特別所得税（申告期限翌年3月15日）や贈与税・相続税について、一時に納税ができない場合は、申告所得税以外は、担保を提供し延納することができます。

税区分	延納の条件	延納期間	担保の有無	法　令
申告所得税	3月15日までに2分1以上を納税すること。	5月31日まで	担保なし	所税法131
贈与税	10万円を超え金銭納付が困難な場合	年賦、5年以内	担保を提供すること。ただし、延納税額が100万円以下で、3年以内の場合は担保不要	相税法38③・④
相続税	①10万円を超え金銭納付が困難な場合	年賦、5〜15年以内	担保を提供すること。ただし、延納税額が100万円以下で、3年以内の場合は担保不要	相税法38①・④

PART5 租税手続法（手続税法）とは何か

相続税	②農地等を相続した場合（納税猶予）	最長20年	担保を提供すること。	措置法70の6・76の6の4
	③認定承継会社の非上場株式等を相続した場合（納税猶予）	経営承継相続人等の死亡まで	担保を提供すること。	措置法70の7の2①

(2) 災害等による延納・納税の猶予

◎災害等による納期限等の延長

　国税庁長官、国税不服審判所長、国税局長、税務署長または税関長は、災害などやむを得ない理由により、各税法に基づく申告書、申請書などの書類の提出や、法定納期限までに納付ができない場合には、その理由のやんだ日から2月以内に限り、職権でその地域・対象者を指定し、これら書類の提出期限、納付の期限を延長することができます（国通法11、地税法20の5の2）。

　なお、この指定は次の3つの場合に区分されます（国通法令3）。

【職務権限による納期限延長の指定区分】

❶その理由が、大規模自然災害など都道府県の全部または一部にわたるときは地域および期日を指定（**地域指定**）

❷電子申告その他の特定の税目に係る申告等をすることができないと認められる者が多数に上るときはその対象者及び期日を指定（**対象者指定**）

❸その理由が個別の納税者にあるときは、納税者の申請により、税務署長などが納税者ごとに期日を指定（**個別指定**）

◎災害等による納税の猶予

　災害などやむを得ない理由により、法定納期限までに税金を納付できない場合、その納期限を延長することを「延納」といいます。「納税の猶予」とは、期限を延長するのではなく、納税を待ってあげる（税金の徴収を差し控える）ことをいいます。

　納税者が災害により相当の損失を受けたとき、または災害、病気、事業の休廃業などにより、納付すべき税額の確定が遅延したことにより税額を一時に納付することができないと認められるときには、納税者の申請により、その納税が猶予されます（国通法46①～③、国通令15①）。

681

そしてこの納税の猶予は、次の３つに区分されます（国通法46①・②・③）。

●納税猶予の区分

❶「災害により相当な損失を受けた場合の納税の猶予」
❷「災害等に基づく納税の猶予」
❸「確定手続等が遅延した場合の納税の猶予」

なお、❶「災害により相当な損失を受けた場合の納税の猶予」と❷「災害等に基づく納税の猶予」の関係は、次のとおりです。

(1) ❶「災害により相当な損失を受けた場合の納税の猶予」では、震災、風水害、落雷、火災などの災害により、納税者がその財産につき相当な損失を受けた場合に、納期未到来の国税につき被害があった財産の損失の状況およびその財産の種類を勘案して、個々の納税者の納付能力を個別的に調査することなく、期間を定めて納税猶予が行われます。一方、❷「通常の納税の猶予」では、個別的な調査のうえ猶予が認められます。

(2) ❶「災害により相当な損失を受けた場合の納税の猶予」を受けた後でも、その猶予期間に資力が回復せず納付が困難な場合には、その災害を理由に、さらに❷「災害等に基づく納税の猶予」を受けることができます。この場合の納税猶予期間は、❶「災害により相当な損失を受けた場合の納税の猶予」による猶予の期間と、さらに受けた❷「災害等に基づく納税の猶予」による期間とは別個に計算されます。したがって、同一の災害を理由に、最長２年間の納税猶予が認められることになります（国通法46①・②・⑦）。

(3) ❶「災害により相当な損失を受けた場合の納税の猶予」を受けた後、これとは別の災害を受けたことにより、その新たな災害に基づき、国税を猶予期間内に納付できない場合には、その新たな災害を理由に❷「災害等に基づく納税の猶予」を受けることができます。

◎税金の「徴収」とは

納税者が期限内に自主的に税金を完納すれば、問題は残りません。しかし、納税者の事情によって期限内に完納できないことがあります。そうした場合に、課税庁が確実に税金を取り立てる仕組みが設けられています。

税金の徴収は、「納付の請求に関する手続」と特別に強制的に取り立てる「滞納処分に関する手続」があります。前者は"狭義の徴収"、そして後者は"強制徴収"ともよばれます。それぞれ、国税については、次のような仕組みが、国税通則法と国税徴収法に定められています。

PART5　租税手続法（手続税法）とは何か

● 徴収手続の種類

・納付の請求に関する手続
①納税の告知（国通法36①）、②督促（国通法37）、③繰上請求（国通法38①）
・滞納処分に関する手続
④差押（徴収法47以下）、⑤換価－公売（徴収法89以下）、⑥配当（徴収法128以下）など

　なお、これらの手続はすべて税務署長が行います。

◎ふつうの場合の徴収手続〜狭義の徴収手続

　納税者は、強制徴収にかかわることはほとんどないと思います。しかし、納付の請求に関する手続の場合は、だれにでも関係してきそうです。それぞれの手続についてふれてみます。

(1)　納税の告知とは

　課税庁が、期限を指定して、確定した税金を納税者に納めるように請求することを「納税の告知」といいます（国通法36①）。地方税では、「納付の告知」、「納入の告知」（地税法13）といいます。

● 納税の告知のあらまし

・告知の対象となる税金
賦課課税方式による国税、源泉徴収による国税で法定納期限までに納税されなかった国税、登録免許税や自動車重量税で法定納期限までに納付されなかった税金などです。
・告知の性格　　告知は税務署長が納税者に「告知通知書」を送達し行う要式行為です（国通法36②）。
・告知の効果
原則として「告知通知書」がないと効力が発生しません（国通法36①）。また、告知は、①納税者に一定期間（1か月）の猶予を与え、納税を促す行為であり（国通令8①、国通法35③）、②賦課課税方式による国税や地方税の場合は、納税額が決定される行為です。③告知があれば、緊急時に繰上請求や徴収権の消滅時効を中断させることができます。

(2)　督促とは

　確定した税金が納期限までに納付されない場合に、課税庁が納税義務者に納付するように請求することを「督促」といいます。申告納税の法定納期限までに納税がないことや告知により納税を促したが期限までに納税がないときに、

683

納期限から原則50日以内に督促状により督促をします（要式行為、国通法37①・②）。

課税庁は、督促をしていると国税債権の保全ができない緊急事態のときは、督促の手続を省略し、直ちに滞納処分に着手できます（国通法38①・③、徴収法159、酒税法54⑤ほか）。

督促をするときには、本税である国税と延滞税または利子税も併せて督促します。ただし、延滞税は納付する日に応じ増加し賦課されますので、延滞税の割合、7.3％または14.6％を記載した書面を添付し、金額欄には「法律による金額」として処理をします（ただし、7.3％について基準時点の公定歩合に年４％を加えた割合とする特例により軽減されることがあります・措置法93以下・☛7.2）。

督促の効果は、この手続をしていないと、原則として差押えをはじめとする滞納処分の手続に着手できないことです（国通法40）。また、告知の場合と同様に徴収権の消滅時効の中断をさせることができます（国通法73①四）。

(3) 繰上請求とは

法定納期限まで待っていては税金の徴収が難しくなるような事情が出てきた場合に、その納期限を繰り上げて税金を納めるように求めることができます。これを「繰上請求」といいます（国通法38①）。地方税では、「繰上徴収」といいます（地税法13の2）。繰上請求をしても、繰り上げられた期限までに税金が納付されない場合には、課税庁は督促なしに直ちに滞納処分の一環としての差押（繰上保全差押）をすることができます。

・繰上請求の効果

　新たな納期限に納税されないと直ちに滞納処分の手続に入ることです（国通法38③、徴収法47①）。

・繰上請求ができる緊急事態

　①納税者の財産に強制換価手続が開始されたとき、②納税者が死亡しその相続人が限定承認したとき、③法人が解散したとき、④納税者が納税管理人を定めないで、海外に転出したとき、⑤納税者などによる脱税などがあったと認められるとき（国通法38①一〜六）。

---

(4) 繰上保全差押決定とは

繰上請求の緊急事態が発生し、税金の確定後では税金の徴収が難しい場合には、課税庁は、滞納処分のために必要な金額について、徴収保全措置として、

PART5　租税手続法（手続税法）とは何か

納税者の財産を差し押さえる決定ができます。これを「繰上保全差押決定」と
いいます（国通法38③）。

さきにふれた繰上請求は、確定した税金に対して行われます。これに対して、
繰上保全差押決定は、確定を待たないで、法定申告期限前に行われます。

この決定は、「繰上保全差押通知書」で通知されます（国通法38④、徴収法159③）。
課税庁は、通知後直ちに必要な金額まで納税者の財産を差し押さえること（保
全差押え）ができます（徴収法159①後段）。

繰上保全差押えは、税金の納期限を無視して行われますので、慎重に行うこ
とが求められます。

（阿部　徳幸）

〔アドバンス文献〕『特集・滞納処分』日税研論集34号、吉国二郎ほか編著『国税徴収法精解〔令
和3年改訂〕』（2021年、大蔵財務協会）、阿部徳幸編『滞納処分の基本と対策』
（2018年、中央経済社）、浅田久治郎著、橘素子補訂『徴収訴訟の理論と実務
〔新版〕』（2022年、税務経理協会）

5.4.2　滞納処分：税金の強制徴収とは何か

ポイント

　課税庁が滞納となった税金を強制的に取り立てる手続を滞納処分といい
ます。この手続は、督促から始まり、差押え、換価、配当の手順で行われます。

◎滞納処分と国税徴収法

「滞納処分」とは、納税者などが納期限までに税金などを納めずに滞納し、
課税庁などが督促をしても納付しないときに、滞納した人の財産などを強制的
処分して税金や公的保険料など（公租公課）を取り立てる制度です。滞納処分
は、国税徴収法という法律に基づいて行われます。

国税徴収法は、①国税の「滞納処分」に加え、②「その他の徴収手続」に対
しても適用される仕組みになっています（徴収法1）。

685

②その他の徴収手続とは　たとえば固定資産税といった地方税を滞納した場合や健康保険料を滞納した場合は、それぞれ「国税徴収の例により徴収する公課」（地税法373⑦、健康保険法183）として、国税徴収法を使って強制徴収の手続がとられます。

　この結果、国税徴収法は、①所得税や法人税など国税の滞納に限らず、②固定資産税などの地方税、さらには健康保険料（税）などといったほとんどの強制徴収の対象となる公債権（公租公課/租税公課）の滞納処分に適用されます。

● 強制徴収公債権（公租公課／租税公課）の所在

債権の種類／項目	公債権（公法上の債権）		私債権（私法上の債権）
	強制徴収公債権	非強制徴収公債権	
債権の例	租税、国民保険税、介護保険料など	一定の生活保護返還金、児童手当返還金など	公営住宅使用料、給食費、上下水道使用量など
自力執行権の有無	あり（個別の根拠規定必要）	なし	
第三者への財産調査	強制調査可能	強制調査は不可	
滞納処分の可否	国税徴収法上の滞納処分、地方税の滞納処分の例により処分可能	滞納処分は不可・債権回収には、民事執行法の基づく裁判所（司法）による強制執行（回収手続）が必要	
債権の消滅	時効期間の経過により消滅		時効期間の経過のみでは消滅せず
「時効の援用」の要否	時効の援用は不要		時効の援用必要
督促手数料の徴収	可能		不可
延滞金の徴収	可能		不可（遅延損害金の徴収は可）
不服申立て	可能		不可

　また、国税徴収法は、「国税収入を確保することを目的」（徴収法1）としています。そのための特別なルールとして、国税は、納税者のあらゆる財産について、「すべての公課その他の債権に先だって徴収する」と規定し、"国税優先徴収の原則"を明らかにしています（徴収法8）。

　これら強制徴収の手続は、すべて課税庁など行政が独自でとることができます（国通法43①・43③、徴収法182①・183①）つまり、こうした手続は、借金など民事債権の取立てなどの場合（民執法2）とは異なり、裁判所の力を借りることなく、行政が自力で手続を進めることができるのです（最判昭40.12.7・民集19巻9号2101頁）。こうした行政

の権限を「自力執行権」とよびます(☞Column)。国税の場合、この強制徴収事務を担当する職員を「徴収職員」(徴収法2十一)と呼びます。そして、公租公課の強制徴収事務を担当する徴収職員などには、この「自力執行権」が認められています。

なお、滞納処分は、大きく「広義の滞納処分」と「狭義の滞納処分」に分けることができます。

・広義の滞納処分　「差押え」、「換価」、「配当」および「交付要求・参加差押え」
・狭義の滞納処分　上記の手続きから「交付要求・参加差押え」を除いたもの

滞納処分の流れを図説すると以下のようになります。

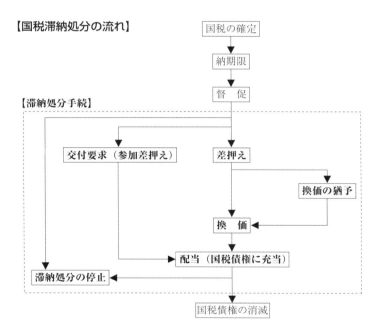

【国税滞納処分の流れ】

◎財産の調査

徴収職員は、滞納処分を行うにあたり、滞納者の財産の状態やその財産の第三者との関係などを調査する必要があります。国税徴収法は、この財産調査に関して徴収職員に、この財産調査の権限が認めています。そしてこの調査は、一般的に「滞納処分のための調査」とよばれます。

【滞納処分のための調査】

・質問及び検査（間接強制の任意調査）

　滞納者の財産を調査する必要がある場合、正当な理由なくこの調査を拒んだ場合に罰則の対象となることを前提として、滞納者やその関係者に対し、質問し、検査すること（徴収法141）。なお、徴収職員は、この滞納処分のため必要がある場合、この調査において提出された物件を留め置くことができます（徴収税141の2）。

・捜索（令状のない強制調査）

　さらに必要がある場合、滞納者のモノや住居など捜索（裁判官の令状を必要としない強制捜索）すること（徴収法142）。

　この財産調査の後、滞納税額が滞納者の保有財産を処分すれば完納できるかなどの検討が行われます。その際、一般債務との競合（徴収法8以下・15以下）や租税相互間の調整（徴収法9以下）が行われます。

◎差押え

　差押えとは、滞納税金である租税債権を保全するための手続です（徴収法47①一）。財産の譲渡、贈与や廃棄など滞納者の手による財産の処分をさせないようにし、国などが換価できる状態におくことがねらいです。差押えは、すでにふれたように課税庁がもつ自力執行権に基づき徴収職員が行う強制的な処分です。このため、滞納者の同意は要りません。

(1)　差押えの対象となる財産

　差押えの対象となる財産は、次の要件を備えているものでなければなりません。

財産が、国内にあること（徴収基通47-6）
財産が、差押え時に滞納者に帰属していること（徴収基通47-5）
財産が、金銭的な価値があること（徴収基通47-7）
財産に譲渡性があること　または取立ができる財産であること（徴収基通47-8）
財産が、差押禁止財産でないこと（徴収法75～78）

(2)　差押えに対する制限

　どの財産を差押えるかといった選択は、徴収職員の裁量によります（東京高判昭5.4.30・訴月16巻7号712頁）。しかし、差押えにも一定の制限があります。この制限を図説すると以下のようになります。

PART5　租税手続法（手続税法）とは何か

> ・**超過差押えの禁止**
> 滞納税金を徴収するために必要な財産以外の財産は、差し押さえることができません（徴収法48①）
>
> ・**無益な差押えの禁止**
> 滞納税金への配当が得られないと見込まれる財産は、差し押さえることができません（徴収法48②）
>
> ・**第三者の権利の尊重**
> 滞納処分の執行に支障がない限り、第三者の権利を害することが少ない財産を選択しなければなりません（徴収法49）

(3)　差押えの一般的効力

　差押えには、その差押財産について、例えば売買や廃棄などといった税金を徴収するために不利益となる処分を禁止する効力があります（処分禁止の効力）。このことから、差押え後に滞納者によるその財産の譲渡やその財産に付された抵当権などは、差押債権者である国などに対し対抗力を持ちません。しかし、第三債務者が反対債権をもってする相殺は、どの範囲までできるのかといった問題が残ります（最判平7.7.18・訴月42巻10号2357頁）。

　このほか差押えには、徴収権の消滅時効中断の効力があります（国通法72③、民法147二）。この時効中断の効力は、差押えが解除されるまで継続します（民157①）。

(4)　差押禁止財産

　差押財産の選択は、原則として徴収職員の裁量に委ねられています（徴収基通47-17）。しかし、これは何でも差押えてよいということを意味するわけではありません。例えば、滞納者などの生活や事業の維持に必須な財産や、精神的支柱となるモノなど一定の財産に対する差押えは禁止されています。そしてこの差押えが禁止される財産を、「差押禁止財産」とよびます（徴収法75）。

　なお、「難病の患者に対する医療等に関する法律」に基づく特定医療費の支給を受ける権利（39）、「児童福祉法」に基づく小児慢性特定疾病医療費、障害児通所給付費等及び障害児入所給付費等を受ける権利（57の5）など、他の法律により差押えが禁止されている財産もあります。

689

◎交付要求と参加差押え

「交付要求」とは、滞納者の財産について、既に滞納処分や強制執行といった強制換価手続（徴収法2⑫）が開始されている場合に、その手続に参加して先行の強制換価手続の換価代金から配当を受ける制度をいいます（徴収法82）。これは、同じ財産に対して重複して差押えを繰り返すといった無駄を省くために認められるものです。なおこの交付要求は、それを受けた執行機関の強制換価手続が消滅するとその効力を失います。この問題を解消するために認められるのが参加差押えなのです。「参加差押え」は交付要求の一種であり、先行する滞納処分手続に参加してその換価代金から配当を受ける効力を持つほか、先行の滞納処分による差押えが解除された場合に、差押えの効力が発生するものです（徴収法86・87）。

◎換価

「換価」とは、差押財産等を金銭に換える処分のことです。差押財産等が、金銭および取立てをする債権以外の財産である場合には、これを売却して金銭に換えて滞納国税などに充てます。売却の方法は公売（入札またはセリ）が原則です。ただし、例外として随意契約による売却も認められています（徴収法89・94・109）。

なお差押財産が金銭である場合は、そのまま滞納した税金等に充当します（徴収法56③・129②）。また債権である場合には、その取立てを行い充当します（徴収法67①）。

◎配当

差押財産等の換価代金は、滞納国税その他の債権に配当し、残余金があれば滞納者に交付されます（徴収法129）。この配当により滞納処分は終了となります。そして、この配当により充当された範囲で納税義務は消滅します。

（阿部 徳幸）

PART5　租税手続法（手続税法）とは何か

Column　自力執行権・自力執行力と滞納処分の法的限界

　税金や国民健康保険料などを滞納していても、国や自治体は、滞納者やその家族の最低生活の保障や仕事の継続（生業の維持）に必要な財産（債権）については、それを差押え、現金に換え（換金）、滞納額に充当（配当）することは禁止されています（差押禁止財産制度）。しかし、こうした差押禁止財産（債権）であっても、いったん預貯金口座へ振り込まれれば、他の預貯金（債権）と区別がつかなくなり、差押禁止財産（債権）としての属性（差押禁止性）を失うという理由から、振込額に対し国や自治体は差押処分や配当処分ができるとの考え方があります（属性非継承説）。反対に、この場合、差押禁止財産（債権）としての属性（差押禁止性）を継承するとする考え方があります（属性継承説）。この考え方に従うと、こうした差押えなどは違法となります。実際に、口座に振り込まれた差押禁止債権である給与を差し押える、あるいは、親の口座に振り込まれた児童手当を差し押え、親が滞納していた税金に充当するなどで問題になったケースがあります。裁判所が、属性非継承説を採りながらも、徴収機関の権限濫用があった場合、配当処分が違法となると判断し取り消したうえで、原告（滞納納税者）の不当利得返還請求および国家賠償請求を認めたケースもあります（鳥取地判平25.3.29、判例地方自治373号・平25年11月号他）。

◎私債権と公債権のかかる強制執行手続の違い

　友人（債権者）から借りた金の返済が滞り、話合いがつかないとします。この場合、民事訴訟、支払督促、調停、和解手続などで解決することになります。これらの手続が終われば、判決、支払督促、調停調書、和解調書、審判書が作成され訴訟は終わります。これらの文書は一般に「債務名義」とよばれます。「債務名義」を手にしたからといって、債権者は債務者の財産に勝手に手をつけることはできません。私債権（民事債権）については「自力救済」【自分の権利を侵害された場合に、法の定める手続によらないで、実力でその権利を回復すること】が禁止されているからです。まさに、「債務名義」とは、債権者に執行機関（通常、地方裁判所か、そこの執行官）が、民事執行法（22）などの法律に基づき、強制執行の対象となる債権やその範囲を公的に証明した文書です。いずれにしろ、私債権については、自力救済が禁止されていますから、債権者は最終的な解決（差押え・公売など）を司法の手に委ねる必要があるわけです。

　一方、国や自治体へ支払うべき税金や国民健康保険料（税）、国民年金料、介護保険料など「租税その他の公課（公債権）」が滞ったとします。この場合、国や自治体は、裁判所の手を借りることなく、滞納者に対して滞納処分（強制執行）の手続を始めることができます。国や自治体には、「自力執行力」が認められているからです。もっとも、自力執行ができるのは法令上の根拠がある場合に限られます。また、自力執行が認められる場合には、原則として裁判所を使った強制執行はできません。

　このように、私債権（民事債権）と公債権の強制執行手続には大きな隔たりがあります。しかし、公債権については自力執行権が認められる、あるいは優先権があるとしても、これを無制限に認めると私人の権利利益の抑圧につながるおそれも出てきます。そこで、国民・納税者を保護するためのさまざまな法的措置が講じられています（☛5.4.4）。

691

▲差押禁止財産制度

　私債権、公債権のいずれについても、強制執行は無制限に認められているわけではありません。民事執行法（131〜2、152〜3）などや国税徴収法（75以下）に定められた「差押禁止財産制度」などがあるからです。

　強制徴収公債権、つまり税金や公的保険料などを例にすると、これらを滞納していても、滞納者の最低生活の保障、仕事の継続に必要不可欠な財産には、差押えが禁止されています。差押禁止財産は大きく、①児童手当や生活保護費のように「全面的差押禁止」のものと、②給与や年金など「一定額につき差押禁止」（徴収法76、生活保護法58、児童手当法16など）のものに分かれます。

▲口座振込額に対する差押への対応方法

　差押禁止対象となっている給付が受給者の預貯金口座へ振り込まれた預貯金債権に変わった場合における債権者による差押えに対する対応方法は、図説すると、次のとおりです。

●民事執行と滞納処分の場合の差押えへの異なる対応方法

① 私債権〔民事執行〕の場合の差押えへの対応方法
民事執行法は、差押後に、差押範囲変更の申立てを認めています。また、裁判所が、受給者の生活状況その他の事情を考慮して、差押命令の全部または一部を取り消すことができると定めています（153）。 　このことから、差押禁止債権が口座振込後預貯金債権となり全額について差押えが可能になった場合でも、差押後に、債務者は、差押えの範囲変更の申立てをすれば、裁判所は、受給者の生活保護の見地から、差押えを取り消すことができると解されます（東京高判平2.1.22・金融法務事情1257号40頁、東京高判平4.2.5・金融法務事情1334号33頁、東京地（立川支部）判平24.7.11・賃金と社会保障1572号44頁）。

② 公債権〔滞納処分〕の場合の差押えへの対応方法
滞納処分の場合は、差押範囲変更の申立制度がありません。しかし、債権者たる課税庁などは、職権で、受給者である滞納者の生活の維持などの見地から滞納処分の停止、差押えの解除をすることができます（徴収法153①、地税法15の7）。いいかえると、滞納処分の停止等は、滞納者から請求できる権利としては認められていません。

▲差押禁止財産（債権）が振り込まれた預貯金口座への差押え

　差押禁止債権である児童手当、年金、給与などは、一般に、受給者【給付を受ける人】が金融機関に開設した預貯金口座に振り込む方法で給付されています。問題は、差押禁止対象となっている給付が受給者の口座に振り込まれると、その給付は受給者の金融機関に対する金銭債権（預貯金債権）に変わることです。そして、預貯金債権に変わった給付額に差押えがゆるされるのかあるいは禁止されるのかは、法解釈にゆだねられています。学説や裁判例では、賛否が分かれています。

PART5　租税手続法（手続税法）とは何か

●属性（差押禁止性）継承説と属性（差押禁止性）非継承説

①　属性（差押禁止性）継承説

差押禁止債権である児童手当、年金、給与などが振り込まれた預貯金については、その属性（差押禁止性）を継承し差押禁止財産にあたるとする考え方です。

東京地裁は、差押禁止債権である年金を原資とする預貯金債権が差押禁止となることを認めています（東京地判平15.5.28・判タ1154号212頁）。

②　属性（差押禁止性）非継承説

差押禁止債権である児童手当、年金、給与などが振り込まれた預貯金については、その属性（差押禁止性）を継承せず、受給者の金融機関に対する金銭債権（預貯金債権）に変わるとし、差押禁止財産にあたらないとする考え方です。

最高裁は、民事執行のケースで、国民年金と労災保険金が預金口座に振り込まれると、預金債権に変わり一般財産になり、預金債権は差押禁止債権としての属性を継承しないとする原審の判断（札幌高判平9.5.25・金融法務事情1535号67頁〔棄却・上告〕、釧路地（北見支部）判平8.7.19・金融法務事情1535号67頁〔棄却・控訴〕）を支持しました（最判平10.2.10・金融法務事情1535号64頁〔棄却・確定〕。以下「最高裁平10.2.10判決」といいます）。つまり、属性（差押禁止性）非継承説を支持したわけです。

属性（差押禁止性）非継承説をとる判例としては、最高裁平10.2.10判決のほかにも、東京高裁昭和63年1月25日判決（金融法務事情1193号33頁）や東京高裁平成4年2月5日決定（金融法務事情1146号45頁）などがあります。

③　非継承説、ただし徴収機関の権限濫用があった場合は別

鳥取県が、滞納している自動車税と個人事業税の滞納分を回収するために滞納者の預金口座に振り込まれた児童手当を差押えたことが、納税者によって争われました。このケースにおいて、鳥取地裁は、児童手当を含め差押禁止債権は預金口座に振り込まれると属性（差押禁止性）を失うとする属性（差押禁止性）非継承説を支持しました。しかし、県（徴収職員）は、①預金口座に児童手当が入金されることを予期できたこと、②実質的児童手当を原資として滞納税額の徴収を企図していたこと、③滞納者が本件預金債権以外に目立った財産を有していないことに加え、④児童手当法の趣旨を逸脱し滞納者の家族の生活の重大な不利益を及ぼすことは容易に想定できた、と認定しました。さらには⑤手続の停止等の請願を受けた際にも事実調査もしていないことなどをあげました。こうした理由から、本件差押処分の取消請求は認めなかったものの、本件配当処分を、権限の濫用にあたり違法としました。また、裁判所は、滞納者からの不当利得返還請求と国家賠償法に基づく請求を認めました。県に対して差押代金の返還と慰謝料の支払をするように命じました（鳥取地判平25.3.29・判例地方自治373号／金融・商事判例1419号51頁、広島高（松江支）判平25.11.27・LEX/DB25502735〔変更・確定〕。地裁判決は「国民税制研究」創刊号http://jti-web.net/から入手可能です）。

◎預貯金債権への差押実務と債務者保護

強制徴収公債権については、税務署のみならず、自治体の徴収機関は、広く国税徴収法の例に基づいて滞納処分を行うことができます。しかし、国税徴収法は同時に、滞納者の最低生活の保障、生業維持などの観点から、差押禁止財産を定めています（徴収法75〜78）。ところが、差押実務においては、徴収職員が税務調査権（徴収法141）を行使し滞納者の振込口座を突き止めます。そして、前記最高裁平成10年2月10日判決（属性（差押禁止性）非継承説）を典拠に、差押禁止債権であるにもかかわらず、給与や児童手当などが振り込まれる滞納者の口座を狙い撃ちして引出前の預貯金を差押えるケースが散見されるわけです。

しかし、鳥取地裁平成25年3月29日判決に示されたように、滞納処分において、徴税職員は滞納者の最低生活の保障ないし生業維持などに必要となる預貯金債権の差押にその権限を濫用的に行使することはゆるされないものと解されます。児童手当を例にすれば、当該手当は児童のために使うために給付されているのは自明のところです。行政には、自力執行権や公定力【行政が行った行為や処分は正式に取り消されるまでは有効の推定を受ける】などで確固たる権限が認められているとしても、行政に民間の悪質貸金業者が真似しそうな法的限界ぎりぎりの取立てを認める趣旨ではないわけです。滞納者が、司法に助けを求めないと、徴収職員の権限濫用的な差押処分にストップをかけ、正義を実現できないとすれば、当然そうした差押実務のあり方が問われます。財産隠しなど悪質なケースは別として、むしろ、滞納処分の執行を停止しかつ差押えを解除することで、生活者の立場に資する差押実務を確立すべきです。

立法論的には、民事執行法の例（153）を参考に、滞納処分についても、職権による滞納処分の停止ないし換価の猶予などが行われない場合で、そのまま差押えが継続されれば滞納者が最低生活の保障ないし生業維持などが困難になるときには、滞納者側から税務署長ないし自治体の長に対して差押解除を求められる制度をつくる必要があります。

ちなみに、2004（平成16）年度税制改正では、滞納者からの申請に基づく「換価の猶予の特例」制度が設けられました（☞5.4.3）。滞納者から差押解除などを求められる制度は実現しませんでしたが、この特例が滞納者の権利利益を護る方向で運用されるように望まれます。

（石村　耕治）

〔アドバンス文献〕梶山玉香「預金債権の差押と債務者保護」同志社法学62巻6号137頁、谷川秀昭「差押禁止財産に関する考察」税大論叢57号（2008年）、浦野広明「銀行預金に振り込まれた差押禁止財産の差押えは違法」税制研究64号（2013年）、北野弘久「差押禁止財産を含む差押の違法性と『和解』による決着」税経新報579号（2010年）、瀧康暢ほか編著『生活再建型滞納整理の実務』（2013年、ぎょうせい）

PART5 租税手続法（手続税法）とは何か

5.4.3 滞納処分の緩和とは

ポイント

　滞納処分の緩和は、税金を徴収する手続における納税者に対する一連の納税緩和措置の一部をなすものです。しかも、とりわけ滞納処分段階にある"わけあり"納税者を対象とした救済措置である点が特徴といえます。滞納処分を緩和する措置は、大きく、①「滞納処分の執行停止」と②「換価の猶予」からなります。

◎滞納処分の緩和措置の措置

　納税者が納期限までに確定した税金（租税債務）を自発的に履行しないとします。この場合、税務行政庁は、督促等をしたうえで、原則として、裁判所の力を借りないで自力で不履行の租税債権を強制的に実現するために手続を始めることができます。この手続が、滞納処分です。しかし、納税者のさまざまな個別事情を加味して、実際には、納税を緩和する措置がとられています。

　こうした納税の緩和措置は、大きく①納税の履行を緩和する措置、②徴収手続を緩和する措置及び③滞納処分を緩和する措置に分けることができます。

●納税の緩和措置のあらまし

緩和措置の類型	種類
① 納税の履行を緩和する措置	・納期限の延長（国通法11、地税法20の5の2等） ・延納（例えば所税法131以下）（☞5.4.1）
② 徴収手続を緩和する措置	・納税の猶予や徴収の猶予（国通法46以下、地税法15以下）（☞5.4.1）
③ 滞納処分を緩和する措置	・滞納処分の執行停止（徴収法153、地税法15の7） ・換価の猶予（徴収法151以下、地税法15の5以下）

　滞納処分の緩和は、租税徴収手続における納税者に対する一連の納税緩和措置の一部をなすものです。しかも、とりわけ滞納処分段階にある"わけあり"納税者を対象とした救済措置である点が特徴といえます。すでにふれたように、

695

滞納処分を緩和する措置は、大きく分けると、「滞納処分の執行停止」と「換価の猶予」からなります。

2004（平成16）年度税制改正では、滞納者の権利利益を護るねらいから、従来からの職権による換価の猶予制度に加え、滞納者からの申請に基づく「換価の猶予の特例」制度が設けられました（国徴法151の2、地税法15の6）。手続的には、その税金の納期限から6か月以内にされた滞納者からの申請に基づき、課税庁が事業継続（生業の維持）ないし生活の維持を困難にするおそれがあると認められる場合に、1年以内の期間に限り換価の猶予をすることができることになっています（国徴法151の2①、地税法15の6①）。猶予期間が3か月以内の場合には、担保の提供は不要です。申請書類や添付書類、調査手続、猶予の取消事由などが整備されました（国徴令53②、地税法15の6の2）。

◎滞納処分の執行停止とは

税務行政庁が滞納者の財産を差し押さえたとします。この場合、一定の要件が充たされれば、税務行政庁は、滞納処分の執行を停止することができます（徴収法153①）。具体的適用要件は、次の3つのいずれかです。

> ① 滞納処分をすることのできる財産がないとき。
> ② 滞納処分の執行によりその生活を著しく窮迫させるおそれがあるとき。
> ③ その所在および滞納処分を執ることのできる財産がともに不明であるとき。

滞納処分の停止は、差押えから換価までさまざまな段階で可能です。

◎換価の猶予とは

税務行政庁が滞納者の財産を差し押さえたとします。この場合、一定の要件が満たされれば、税務行政庁は、一定の範囲内で差押財産の換価を猶予することができることになっています（徴収法151①、地税法15の5以下）。すなわち、滞納処分が執られて、財産が差し押さえられても、①その財産の換価を直ちに行うことにより滞納者の事業の継続または生活の維持を困難にするおそれがあるとき、または、②その財産の換価を猶予することが、直ちにその財産を換価する

PART5　租税手続法（手続税法）とは何か

ことに比べて、租税の徴収上有利であるときは、滞納者が納税について誠実な
意思を有することを条件として、換価の猶予を認めます。

◎滞納処分の停止の課題

　国税徴収法は、法定要件を充たす場合、国税については税務署長が、そして
地方税については地方団体の長が、「滞納処分の執行を停止することができる」
と定めています（徴収法153①、地税法15の７）。この停止は、交付要求の場合を除き、
差押えから換価のいずれの段階でもできます。

　滞納処分の執行停止は、税務署長等（地方団体の徴税機関の長を含みます。
以下同じです。）の職権で執られる処分です。滞納者から請求できる権利とし
ては認められていません。

　停止するかどうかは税務署長の自由裁量に任されているとする見解（長崎地判
昭30.7.14・行集６巻７号1671頁）と、法定要件を満たしている場合には税務署長は停
止しなければならないとする見解（釧路地判昭36.4.18・行集12巻４号832頁、北野弘久編『税
法解釈の個別的研究１』〔1979年、学陽書房〕34頁参照）があります。後者の見解は、停止
するかどうかは税務署長等の自由裁量ではなく、停止事由にあてはまる場合に
は停止しなければならないとする考え方です。ただ、こうした見解をとらずに、
自由裁量であったとしてもその裁量の範囲を著しく逸脱すれば違法になると解
することでも対応できるとの意見もあります（浅田久治郎ほか『租税徴収実務講座：１
租税通則手続〔改正民法対応版〕』〔2020年、ぎょうせい〕176頁参照）。

　滞納処分の執行を停止したときには、その旨を滞納者に通知しなければなり
ません（徴収法153②、地税法15の７②）。また、滞納者の生活を困窮させるおそれが
あるとの理由で滞納処分の執行を停止する場合において差し押さえた財産があ
るときは、その差押を解除しなければなりません（徴収法153③、地税法15の７③）。

　滞納処分の執行が停止された場合、滞納にかかる租税（地方団本の場合には
徴収金の納付義務を含みます。以下同じです。）は、その停止が３年間継続した
ときは、消滅します（徴収法153④、地税法15の７④）。一方、その執行を停止したのち
３年以内に停止の要件が消滅した場合には、その停止を取り消さなければなり

ません（徴収法154①、地税法15の8①）。また、取り消したときには、その旨を滞納者に通知しなければなりません（徴収法154②、地税法15の8②）。なお、滞納処分の執行を停止した場合において、滞納にかかる租税が限定承認にかかるものであるとき、その他それを徴収できないことが明らかであるときには、当該滞納にかかる租税の納税義務を直ちに消滅させることができます（徴収法153⑤、地税法15の7⑤）。

ちなみに、2015（平成27）年4月1日以後に納期限が到来する税金については、滞納者からの申請に基づく「換価の猶予の特例」制度が設けられました。滞納者の権利利益を護る方向での運用が望まれます（国徴法151の2、地税法15の6・15の6の2）。

（阿部　徳幸）

〔アドバンス文献〕渡来安雄『徴収実務入門』（1995年、大蔵省印刷局）、浅田久治郎ほか『租税徴収実務講座：3特殊徴収手続〔第2次改訂版〕』（2010年、ぎょうせい）、租税法学会編「租税徴収法の現代的課題」租税法研究33号（2005年、有斐閣）、瀧康暢ほか編著『生活再建型滞納整理の実務』（2013年、ぎょうせい）

5.4.4　滞納処分で配当を受ける順位

ポイント

　滞納処分においては税金徴収優先の原則が支配するとされています。しかし、担保つきの民事債権と租税債権が相互にぶつかり合った場合には、配当の優先順位はどうなるのでしょうか。

◎税金徴収優先の原則

　税金（租税債権）は、原則として、他の公的な債権や民間の私的債権（民事債権）に先立って徴収されます（徴収法8、地税法14）。これを、「税金徴収優先の原則」といいます。この原則は、納税者の財産に滞納処分、強制執行など行政上の強制換価手続が執行された場合、換価代金が競合する債権間に配分されるときに、租税債権が他のすべての債権に優先して配当を受ける地位があることをさします。

PART5　租税手続法（手続税法）とは何か

(1)　配当を受ける順位

　滞納処分の手続において、実際に配当順位が問題になるのは、換価代金等の金額が配当を受ける対象となるさまざまな債権の総額を下回るときです。

　また、滞納処分の手続においては、国税と地方税、国税相互間、地方税相互間には、原則として優先劣後の関係はありません。しかし、具体的な手続においては、配当順位があります（徴収法9以下、地税法14の2以下）。

(2)　民事債権との調整・順位

　税金徴収優先の原則を受け入れるとしても、私法分野で確立されたルールは尊重しなければなりません。とくに担保権によって保護されている民事債権に対しストレートにこの原則を貫くことは、取引の安全にとり大きな問題となります。そこで、担保権付き債権を中心に、租税債権と民事債権との間で優劣の調整が図られています（徴収法15以下、地税法14の9以下）。

(3)　具体的な配当を受ける順位

　国税徴収法や地方税法などの租税債権（税金）相互間および民事債権と租税債権の調整規定などから、滞納処分手続において、差押国税を基点にして、配当を受ける対象の順位を示すと、次のようになります。

●配当を受ける対象別の順位

順位	配当を受ける対象
最優先	①　強制換価手続費用（徴収法9） ②　直接の滞納処分費（徴収法10） ③　滞納処分に伴う消費税など（徴収法11） ④　留置権（徴収法21） ⑤　特別の場合の前払借賃（徴収法59、71） ⑥　その他（徴収法19）
優先	⑦　質権・抵当権・不動産賃貸の先取特権など国税徴収法20条の先取特権、担保のための仮登記で、(イ)国税の法定納期限以前か、(ロ)財産の譲受前か、いずれかにあったもの（徴収法15、16、20、23） ⑧　担保権つきの国税・地方税（徴収法14）
	⑨　差押国税（徴収法12）
劣後	⑩　質権・抵当権・不動産賃貸の先取特権など国税徴収法20条の先取特権、担保のための仮登記で、国税の法定納期限後にあったもの（徴収法15、16、20、23） ⑪　交付要求があった国税・地方税（徴収法12） ⑫　交付要求があった公課（国民健康保険法11の3）
残余金	⑬　特別の場合の損害賠償請求額（徴収法59、71） ⑭　滞納者、滞調法が適用される場合の執行官または執行裁判所（徴収法129、滞調法6）

◎民事執行と滞納処分との調整

　民事の強制執行、担保権の実行や換価のための競売など民事執行に関する問題は、裁判所の介在によって解決が図られることになっています（民執法2、3）。しかし、滞納処分など行政上の強制執行の場合は、裁判所の介在なしに、税法に定められた手続に従って課税庁が自力で手続を進めます。手続の過程で、配当を受ける優先順位について民事債権との競合関係が争いになり、課税庁独力で調整が難しいときにはじめて裁判所が介在する仕組みになっています。これは、行政庁である課税庁には、強制徴収権や自力執行権（☞5.4.2 Column）が認められているからです。

　課税庁は、強制徴収権や自力執行権に加え、税金徴収優先の原則、つまり滞納処分における他の債権に優先して配当を受ける地位をもっているわけです。しかし、こうした権限や地位は、その利用の仕方次第で、取引の安全、市場経済に大きなインパクトを与えかねないわけです。課税権が強大になり過ぎないように、そして担保権つきの民事債権を保護することに常に注意を払う必要があります。

　民事執行（強制執行）手続と滞納処分との調整は、1957（昭和32）年に制定された「滞納処分と強制執行等との手続の調整に関する法律（滞調法）」によってかなり進みました。例をあげると、①同じ動産に対し、重複して滞納処分と強制執行手続上の差押ができること（滞調法3、不動産については同29①、36）、②原則として滞納処分後に民事の強制執行による差押をした動産・不動産は滞納処分もよる差押を解除した後でないとに換価処分はできないこと（滞調法4、13）、③滞納処分が遅れ、強制執行の決定が下される場合で国税の督促しても滞納処分がなされないときには優先して競売ができること（滞調法8ほか）、④滞納処分による残余換価代金がある場合には、これを滞納者に交付しないで執行裁判所に交付することができること（滞調法17、6）などです。

（阿部　徳幸）

〔**アドバンス文献**〕吉国智彦『滞調法の基本と実務』（2017年、第一法規）

PART5 租税手続法（手続税法）とは何か

5.4.5 第二次納税義務とは何か

ポイント

第二次納税義務とは、滞納した者の財産に滞納処分をしても、滞納額の
すべてを徴収できない場合に、その滞納者と特別な関係にある者にその不
足額を負担してもらう制度です。

◎第二次納税義務とは

滞納処分は、課税庁など行政庁が、滞納者などの財産を処分して、滞納した
税金など公的債権（公租公課）を強制的に徴収する手続です（☞5.4.2）。しかし、
財産を持っていないなど、滞納者本人から徴収することができない場合も考え
られます。また、滞納者の財産を処分しても、滞納額をすべて徴収できないこ
とも考えられます。こうした場合に、滞納者と特別な関係にある者に、その滞
納額を二次的に負担してもらう制度があります。これを「第二次納税義務」と
いいます（徴収法32）。

「第二次納税義務」とよぶのは、その滞納額を、滞納者本人、つまり「本来
の納税者」以外の者に二次的に負担してもらうためです。なお、本来の納税者
である滞納者本人の義務は、「本来の納税義務」あるいは「主たる納税義務」
とよびます。

ちなみに、ここでいう「納税」には、税金に加え、公的保険料など滞納処分
の対象となる公的債権（公租公課）の納付も含みます。

◎第二次納税義務執行の手順

課税庁などは、第二次納税義務者に対する第二次納税義務を、次のような手
順で履行します。当然のことながら、本来の納税義務者の財産を処分しても完
納されないことが条件です。

701

① **納税通知書による告知**（☞5.4.1）

　課税庁などは、本来の納税者が滞納した税金を第二次納税義務者から徴収しようとするときには、その人に納付通知書により告知しなければなりません（徴収法32①、地税法11①）。納付通知書には、徴収金額・納付期限・その他の必要な事項が記されています。この納付通知書により成立している納税義務が確定されます。なお、納付期限は、通知の日から1か月以内です（徴収令11④）。

② **納付催告書による督促**（☞5.4.1）

　課税庁などは、納付期限まで納付すべき税額を完納しないときには、納付期限から50日以内に納付催告書で納付するように督促をしなければなりません（徴収法32②）。

③ **滞納処分**（☞5.4.2）

　納付催告書をだしてから10日以内に税額が完納されないときには、第二次納税義務者の財産に滞納処分（財産差押・換価〔公売〕）・配当）ができます（徴収法47）。

④ **求償権の行使**

　第二次納税義務を履行した人は、本来の納税者にその分を自分に返すように求める（求償する）ことができます（徴収法32⑤、地税法11⑤）。

◎第二次納税義務者となるケース

　本来の納税者が滞納処分を受けてもなお自分の税金を完納できないと認められる場合に、次のような人が第二次納税義務者となります。

●第二次納税義務者となるケース

① **無限責任社員**

　合名会社の社員や合資会社の無限責任社員などは、会社債務に連帯責任を負います（会社法580・583など）。同様に、会社が税金を滞納したときも同様です（徴収法33、地税法11の2）。

② **清算人など**

　解散した法人は法人債務を完済したうえで残余財産を分配できます（会社法504以下など）。しかし、税金を滞納したまま残余財産の分配をしたり、滞納処分で税金が完済できない場合には、その清算人などが第二次納税義務を負います（徴収法34、地税法11の3）。

③ **同族会社**

　納税者が保有する同族会社の株式などが換価できない場合、その同族会社が第二次納税義務を負います（徴収法35、地税法11の4）。

PART5　租税手続法（手続税法）とは何か

④　**法律上の収益の帰属者など・否認された行為の受益者** 　　実質的所得者課税（所税法12、法税法11）が行われた場合（徴収法36①）は、法律上の収益の帰属者が、消費税法の資産の譲渡等を行った者の実質判定規定（消税法13）による課税の場合（徴収法36②）は、法律上その貸付をした人がそれぞれ第二次納税義務を負います。同族会社の行為・計算の否認規定（所税法157、法税法132、相税法64など）による課税の場合は、否認された行為の受益者が第二次納税義務を負います。
⑤　**共同事業者** 　　個人事業者である納税者と生活している配偶者やその他の親族が第二次納税義務を負います。また納税者が同族会社である場合で、その判定の基礎となった株主・社員が第二次納税義務を負います（徴収法37、地税法11の6）。
⑥　**事業を譲り受けた特殊関係者** 　　納税者から事業を譲り受けた親族やその他の特殊関係者が第二次納税義務を負います（徴収法38、地税法11の7）。
⑦　**財産の譲受人・受益者** 　　タダまたは安い価額で財産を譲り受けた人や債務を棒引きにしてもらい利益を得た人が第二次納税義務を負います（徴収法39、地税法11の8）。
⑧　**人格のない社団などの財産の形式的名義人** 　　人格のない社団などの滞納税額については、そこに帰属している形式的名義人が第二次納税義務を負います（徴収法41①②、地税法12の2②③）。
⑨　**自動車の売主** 　　自動車の買主が自動車税を滞納した場合、その売主が第二次納税義務を負います（地税法11の9）。

◎本来の納税義務との関係は

　本来の納税義務と第二次納税義務とは、次のような関係にあります。

(1)　補充性とは

　補充性とは、本来の納税義務の履行がないときにはじめて第二次納税義務を履行する責任を負うことをいいます。したがって、例えば、第二次納税義務は、本来の納税者の財産に滞納処分をしても、なお徴収不足が見込まれる場合にはじめて、その不足額を限度に履行を求めることができます。第二次納税義務者の財産の換価処分は、原則として本来の納税者の財産を処分した後でないとできません（徴収法32④、地税法11③）。

703

(2) 附従性とは

　附従性とは、本来の納税義務が消滅・変更したときには、その効力が一定の範囲内で第二次納税義務にも及ぶことをいいます。したがって、例えば、本来の納税義務が履行・免除などによって消滅した場合には、第二次納税義務も消滅します。

　なお、本来の納税義務者の納税義務と第二次納税義務者の納税義務は法律的には別個のものとされています。したがって、附従性と補充性による制約を除けばそれぞれには影響しません（最判昭50.8.27・民集29巻7号1226頁、東京高判昭55.9.18・行集31巻9号1882頁）。

　ただ、本来の納税義務が時効によって消滅した場合に第二次納税義務も消滅するかどうかについては見解が分かれています。また、本来の納税者に対する時効の中断が第二次納税義務に及ぶのかどうかについても見解が分かれています。

(3) 第二次納税義務者の権利

　第二次納税義務者は、本来の納税者に対して行われた更正・決定などの処分を違法として、第二次納税義務の告知処分の取消しを求めることができるかどうかが問題になります。この点については見解が分かれており、従来、最高裁は消極的でした（例えば、最判昭50.8.27・民集29巻5号1226頁）。この種の訴訟に原告適格（争う資格）を積極的に認める判例は少数でした（大阪地判平元2.22・判時1327号27頁）。ところが最高裁は積極論に転じました（最判平18.1.19・民集60巻1号65頁）。この原告適格を広げた解釈は、最近の改正行政事件訴訟法の趣旨を反映させたものです。

　また、第二次納税義務については、国税と地方税の重複賦課も問われています（徴収法32以下、地税法11以下）。本来の納税義務と第二次納税義務とは別個の債務と考えれば、重複賦課は違法といえないかも知れません（東京地判昭45.7.29・判時605号58頁）。しかし、無限責任社員の第二次納税義務の場合（徴収法33、地税法11の2）などは別として、受益額などからみて負担には自ら合理的な限界があるといえます。実務的には、限度額を超えて徴収される場合には、行政機関等と協議のうえで処理するように努めるものとされています（国税庁「第二次納税義務関係事務提要」第9節36〔重複賦課をした場合における他の行政機関等との協議〕）。

（阿部　徳幸）

PART5　租税手続法（手続税法）とは何か

5.4.6　連帯納付義務とは何か

ポイント

　連帯納付義務とは、租税を確実に徴収するために、１つの納税義務を本来の納税義務者以外の者に連帯して負わせる制度です。こうした形で納税義務を負う者を連帯納付義務者といいます。連帯納付義務は、大きく、国税上のものと地方税上のものに分けることができます。国税上のものは、納付限度額の定めのある相続税法上の連帯納付義務とそうでない連帯納付義務に分けて検討することができます。連帯納付義務は、地方税や税実務では、連帯納税義務とよばれます。ちなみに、連帯納付義務／連帯納税義務制度については、連帯納付義務者／連帯納税義務者の一層の手続的権利利益の保護が重い課題となっています。

◎連帯納付義務のあらまし

　連帯納付義務は、租税を確実に徴収するために、１つの納税義務を本来の納税義務者以外の者に連帯して負わせる制度です。一般に知られているものは、相続税法（相続税・贈与税）上の連帯納付義務です。これは、一緒に相続した人（相続人）のうち、だれかが相続税を払えない場合には、他の相続人が負担を求められるというものです。このほかにも国税各法、さらには地方税法などに規定する連帯納付義務／連帯納税義務には、さまざまなものがあります。

　相続税法上のものを除く、各税法に規定する主な連帯納付義務／連帯納税義務は、図説すると次頁のとおりです。

　連帯納付義務については、一定の範囲において民法の規定（436〔連帯債務者に対する履行の請求〕・437〔連帯債務者の一人についての法律行為の無効等〕・441〔相対的効力の原則〕～445〔連帯債務者の一人との間の免除等と求償権〕）を準用することになっています（国通法8）。このことから、課税庁は、連帯納付義務者の１人に対して租税の納付を求めてもよいし、すべての者に納付を求めてよいわけです（民法432）。また、１人に対する租税の納付の請求は、

705

●相続税法上のもの以外の主な連帯納付義務／連帯納税義務

① 国税通則法8条に基づき「国税の連帯納付義務について民法の準用」により民法における連帯債務の効力等の規定が準用されるもの（以下「国通法8条上の連帯納付義務」といいます。）
・共有物、共同作業にかかる国税の連帯納付義務（国通法9） ・法人の分割にかかる連帯納付の責任（国通法9の3） ・第二次納税義務が課された国税についての無限責任社員の連帯納付義務（徴収法33） ・共同登記等の場合の登録免許税（登税法3） ・共同文書作成の場合の印紙税（印税法3②） ・自動車検査証の交付を受ける者や車輌番号の指定を受ける者が2人以上である場合の自動車重量税（自税法4①）
② 地方税法上の連帯納税義務
・共有物・協同事業に対する租税（例えば、複数人で共同所有するマンションの固定資産税など）の連帯納税義務（地税法10の2①）

他の連帯納付者へもその効力が生じます（民法434）。

　民法においては、主たる債務者（本来の債務者）の債務を担保する一般的な制度として、「保証債務」、「連帯保証」および「連帯債務」の3つがあります。これらの制度は、主たる債務者との関係では、「補充性」〔従たる債務者は、主たる債務者の履行がないときにはじめて履行する責任がでてくること〕や「附従性」〔主たる債務が消滅・変更されたときには、一定の範囲内でその効力が従たる債務にも及ぶこと〕があるかどうか（☞5.4.6）を基準に区別することができます。

●補充性、附従性からみた主たる債務者の債務担保制度

	保証債務	連帯保証	連帯債務
補充性	○	×	×
附従性	○	○	×

　ちなみに、連帯債務に関する規定は、民法よりも商法や会社関連法に多いことに注意する必要があります。

◎相続税・贈与税の連帯納付義務

　相続税法上の連帯納付義務には納付限度額が設けられています（相税法34①）。この点を除き、相続税法上の連帯納付義務には、国通法8条上の連帯納付義務の規定が適用になると解されます。

相続税法上の連帯納付義務は、大きく、相続税の場合と贈与税の場合とに分けられます。相続税の場合は、同一の被相続人（故人）から相続・遺贈により財産を取得した者がこれらの者は取得した利益の価額を限度として相続税について連帯して納税義務を負います（責めに任ずることになります。）。贈与税の場合は、財産を贈与した者が一定の範囲で連帯納付義務を負います（相税法34④）。

●発生原因からみた相続税・贈与税上の連帯納付義務の概要

①　同一の被相続人から相続・遺贈により財産を取得した場合（相税法34①②）
《連帯納付義務を負う者》その相続・遺贈により財産を取得したすべての者 《租税債務》相続・遺贈により取得した財産にかかる相続税／その被相続人にかかる相続税または贈与税 《限度額》「相続・贈与により受けた利益の価額」に相当する金額*
②　相続税または贈与税の課税価格計算の基礎となった財産につき、贈与・遺贈または寄附行為による移転があった場合（相税法34③）
《連帯納付義務を負う者》その贈与または遺贈により財産を取得した者／寄附行為により設立された法人 《租税債務》　$\dfrac{相続税額}{（贈与税額）} \times \dfrac{その財産価額}{課税価格}$ 《限度額》受けた利益の価額に相当する金額
③　財産を贈与した場合（相税法34④）
《連帯納付義務を負う者》その財産を贈与した者 《租税債務》　$\dfrac{財産を取得した者の}{その年分の贈与税額} \times \dfrac{その財産価額}{課税価格}$ 《限度額》受けた利益の価額に相当する金額

＊「相続・贈与により受けた利益の価額」とは、相続または遺贈により取得した財産の価額（課税価格計算に算入されない非課税財産の価額を含みます。）から債務控除の額と相続・遺贈にかかる相続税および登録免許税を控除した金額です（相税基通34−1）。

(1)　連帯納付義務による納付があった場合

　連帯納付義務による相続税または贈与税の納付があった場合で、その者が自己の負担すべき部分を超えて支払ったとします。このときには、その者以外のその相続・遺贈により財産を取得した者または贈与により財産を取得した者への求償権を行使できます。その求償権を放棄すれば、その者が資力を喪失して納税が

困難である場合を除き（相税基通34-3）、その納付された税相当額は債務免除等として贈与があったものとみなされ（相税基通8-3）、贈与税の課税問題が生じます。

(2) 相続税の連帯納付義務の法的性格

相続税法34条1項は、連帯納付義務について、同一の被相続人から相続・遺贈により財産を取得したすべての者は「相続・贈与により受けた利益の価額」に相当する金額を限度として、「互いに連帯納付の責に任ずる」と規定しています。この規定ぶりからすると、各相続人は連帯していますから、補充的に責任を負うものではない点では、さきにあげた民法でいう連帯保証か連帯債務にあてはまるとみることも可能です（例えば、東京地判平10.5.28・判タ1016号121頁）。つまり、補充性のある保証債務や第二次納税義務（☛5.4.5）とは異なるとみられます。したがって、本来の納税義務者に対する徴収手続を尽くし徴収不足がある場合に限り、連帯納付義務者に義務の履行を求めることができるとはならないわけです（例えば、裁決平10.4.2・裁集55集608頁）。本来の納税義務者へ強制徴収（滞納処分）手続（☛5.4.2、5.4.2 Column）を行うことなく、連帯納付義務者に義務の履行を求めても問題はないということになります。

また、多くの判決や裁決では、課税庁が連帯納付義務の履行を求める場合には、格別に確定手続（☛5.2.1）は要らず、したがって、国税通則法15条・16条の適用はなく（最判昭55.7.1・民集34巻4号535頁）、連帯納付義務者への告知も不要であり、かつ、告知がないとしても連帯納付義務が生じないことにはならないとの解釈・裁断をしてきました（裁決平10.11.9・裁集56集396頁）。

(3) 連帯納付義務履行手続改善の動き

しかし、こうした連帯納付義務規定の解釈や運用については、かねてから賦課課税方式による確定手続が要するのではないかとか（大阪地判昭51.10.27・シュトイェル180号29頁）、憲法13条や31条から導き出される適正手続の要請とぶつかるのではないか（北野弘久「相続税の連帯納付義務」〔北野編〕『日本税法体系4』（1980年、学陽書房）所収）との批判がありました。なぜならば、課税庁は、連帯納付義務を遂行しない連帯納付義務者に対しては、司法手続などの介在なしに、自力で強力な強制徴収（滞納処分）手続を開始できるからです（☛5.4.2 Column）。

708

PART5 租税手続法（手続税法）とは何か

こうした連帯納付義務をめぐる手荒な税の取立手続の運用やそれを認める法解釈などに対する批判に応える形で、近年、一定の立法的改善をはかる動きがありました。まず、2011（平成23）年税制改正により、課税庁は、相続税法上の本来の納税義務者に対し租税の督促をした場合においては、その督促状を発した日から1か月を経過する日までにその租税が完納されないときには、連帯納付義務者に対し、①その租税が完納されていない旨、②連帯納付義務の適用がある旨、③被相続人の氏名、④その他必要な事項を通知することとされました（相税法34⑤、相税規18の2）。また、連帯納付義務者から徴収しようとする場合の納付通知（相税法34⑦）や連帯納付義務者に対する督促（相税法34⑧）などの手続も整備されました＊。

また、2012（平成24）年度税制改正により、相続税の連帯納付義務は、①申告期限等から5年を経過した場合、②納税義務者が延納または納税猶予の適用（☛5.4.3）を受けた場合で、一定の要件にあうときには、解除されることになりました（☛2.3.12）。

連帯納付義務／連帯納税義務制度については、連帯納付義務者／連帯納税義務者の権利利益の保護の観点から、履行手続の改善はもちろんのこと、その補充性や附従性の精査を含め、今後一層の法整備が望まれます。

＊また、相続税の連帯納付義務者が連帯納付義務を履行する場合に負担する延滞税（☛7.2）については、一定の要件にあうことを前提に低税率の利子税（☛7.2）に代えられるなどの措置が講じられました（相税法51の2）。相続税の連帯納付義務者が連帯納付義務を履行する際には、滞納している相続税本税に加え、高税率の延滞税も納付するように強いられ、過酷な税の取立てではないかとの批判（例えば、裁決平14.5.10・タインズJ63-4-33での納税者の主張参照）に応えたものです（☛2.3.10）。

（石村　耕治・浅野　洋）

〔アドバンス文献〕北野弘久『税法学原論〔第8版〕』（2020年、青林書院）、金子宏『租税法〔第24版〕』（2021年、弘文堂）、吉国二郎ほか編『国税徴収法精解〔令和3年改訂版〕』（2021年、大蔵財務協会）、中山裕嗣『租税徴収処分と不服申立ての実務〔2訂版〕』（2015年、大蔵財務協会）、北野弘久編『争点相続税法〔増補版〕』（1996年、勁草書房）、東京弁護士会編『法律家のための税法：民法編〔新訂第7版〕』（2014年、第一法規）、時岡泰「相続税法34条1項の規定による連帯納付義務とその確定」ジュリスト729号

PART 6

租税救済法とは何か

納税者救済～税務争訟

　税務の問題について、課税庁と納税者の間で争いが生じたとします。この場合、問題は、ふつうの紛争のケースと同じように、最終的には司法裁判所での訴訟によって解決がはかられることになります。ただ、税務を含む行政上のケースにおいては、訴訟制度とは別途に、行政段階での救済手段として不服申立制度が設けられています。不服申立制度は、再調査の請求（選択）と審査請求の２つからなっています。とくに税務のケースでは、多くの場合、この不服申立てという行政段階での救済のステップを踏むように求められます。このルールを、「不服申立前置主義」といいます。

　一般に、不服申立てと訴訟とをあわせて「争訟」とよびます。このことから、税務に関する争訟は「税務争訟」（または「租税争訟」）とよばれます。税務争訟の多くは、課税庁による納税者の権利侵害の救済に関するケースです。このことは、税務争訟の役割は、納税者を救済することにあるといえます。まさに、こうした機能を、学習・研究の対象とするのが「租税救済法」の分野なわけです。

6.1 課税庁の処分に不満のある場合は税務争訟ができる

ポイント

課税庁との見解の相違があり、不満がある人は税務争訟を起すことができます。税務争訟は、税務不服申立て（行政審査）と裁判所での税務訴訟（司法審査）からなります。税務不服申立ては、原処分庁への「再調査の請求」（選択）と国税不服審判所などへの「審査請求」からなります。また、税務不服申立てのステップを踏んだ後でなければ、司法審査を求めることができません。

◎税務争訟とは

税務分野での争訟を「税務争訟」（または「租税争訟」）といいます。

課税庁は、例えば、申告すべき人が申告をしていなかったり、申告していても内容に誤りがあると思う場合には、一方的に税額の決定あるいは変更（更正）（☞5.3.6）をすることができます。しかし、当然、課税庁の税金の決め方（処分）に不満な人がいると思います。この場合、自分の言い分を述べ、不満を解決してもらうために設けられているのが、「税務争訟」（または「租税争訟」）の仕組みです。

税務争訟は、大きく「税務不服申立て」と「税務訴訟」とに分けられます。税務争訟は、納税者が権利救済を求める手段として重要な役割を果しています。

● 国税に関する税務争訟の仕組み

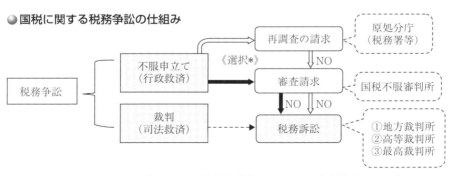

PART6　租税救済法とは何か

　ところで、民事紛争は、ふつう、直ちに裁判所で解決をはかることができます。これに対し、行政庁（行政機関）と国民（住民）との間の紛争は、裁判所での行政訴訟にまで持っていけます（憲法76）が、多くの場合、最初のステップとして行政庁に不服申立てをし、そこで解決するように求められます（行訴法8）。これを「行政不服申立前置」といいます。また、行政不服申立てと行政訴訟とをあわせて、学問上、「行政争訟」とよびます。とくに税務分野に限った場合には「税務争訟」とよびます。

　「不服申立て」とは行政機関に対して行政審査を求めることです。一方、「訴訟」とは司法機関に対し司法審査を求めることです。行政審査の場合、司法審査に比べ、かなり簡単な手続で、迅速な救済が受けられます。また、費用も少なくて済みます。もちろん、国民には裁判所で裁判を受ける権利が保障されている（憲法32）わけで、最終的には司法審査を受けられる道が保障されています。司法審査は、地方裁判所、高等裁判所そして最高裁判所とステップ・アップする形で受けることができます。

　ちなみに、不服申立ては、大きく、最初に処分をした機関（原処分庁）に対する「再調査の請求」と、処分機関の上級機関に対する「審査請求」に分けられます。税務の場合、ふつう、異議申立ては最初に処分を行った課税庁にします。一方、審査請求は、税金の種類によって異なりますが、国税の場合には国税不服審判所などにします。

◎国税上の不服申立てに関する根拠法令

　国税に関する行政争訟のうち、「不服申立て」については一般法（基本法）として行政不服審査法が定められています。また、特別法（特別の定め）として国税通則法が定められています。さらに、国税徴収法その他個別税法に別段の定めがあります。

　特別法優先の法ルールから、国の課税庁の行為（処分）に対する不服申立手続には、国税徴収法その他個別税法の別段の定めが最優先して適用になります。ついで、国税通則法が適用になります。そして、国税に関する法律に定めがない場合に行政不服審査法が適用になります（行審法1②）。

713

● 法令の適用順序

〔**別段の定め**〕 ・例えば、相続税法上の「不服申立先等の特例」（相税法附則③但書）
・国税徴収法上の「不服審査及び訴訟の特例」（徴収法第8章〔171条以下〕）

〔**特別の定め**〕 国税通則法（第8章〔75条以下〕）

〔**一 般 法**〕 行政不服審査法

◎行政不服審査法との関係

　行政不服審査法は、「再調査の請求」、「審査請求」、「再審査請求」の3つの仕組みを用意しています。

　不服申立手続においては、行政庁の処分その他公権力の行使にあたる行為（処分）が、「違法」な場合に加え、「不当」な場合にも不服を申し立てることができます（行審法1①）。ここでいう「不服申立て」には、行政庁が行った処分に加え、行政庁に対して法令に基づいて申請等をしたのに処分をしてくれない場合のような「不作為」を含みます（行審法3）。また、「処分」には、税務調査や帳簿書類の領置（留置き）のような「事実行為」（☞Column）も含みます（行審法1①）。「再調査の請求」は処分庁・不作為庁に対して不服申立てをするものをさします（行審法5）。「審査請求」は処分庁・不作為庁以外の行政機関に対して不服申立てをするものをさします（行審法4）。「再審査請求」は、審査請求に対する第二審（ただし原処分を争うこともできます。）で、法律に明文の定めがある場合などを条件に認められる不服申立てです（行審法6）。しかし、いかなる機関に不服申立てをするかについては、他の法律や条例に特別の定め、さらには別段の定めがある場合には、それによることができることになっています（行審法2・4・5②）。

　これを受けて、特別の定めをした国税通則法は、8章1節〔不服審査〕で、国税に関する処分に対する不服申立てについて、「再調査の請求」と「審査請求」に2つの仕組みをおいて（国通法75）、詳細に規定しています。

● 行審法と国通法上の不服申立ての形態の比較

　国税通則法は、一般法として行政不服審査法の適用の余地がほとんどない程まで、ほぼ自己完結的な仕組みを用意しています。このため、国税に関する法律に基づく処分で、国税通則法の適用がなく、逆に行政不服審査法が適用になる不服審査手続は、酒類の製造免許・販売免許に関する処分、税理士法に基づく処分、事実行為たる酒類の処分禁止に伴う容器等の施封（例えば酒税法31⑥）、納税者の申請等に対する不作為、不服申立てに関する教示（行審法82）を怠った場合（行審法83）などに限られます。

● 行審法と国通法の適用関係

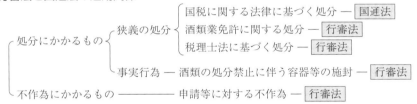

　これに対して、地方税法に基づく処分に対する不服申立てについては、ほぼ全面的に行政不服審査法を適用することになっています（地税法19・19の2）。地方税法は、不服申立ての対象となる処分を列記し（地税法19、地税規1の7）などについてわずかに独自の規定をおいているにすぎません。

◎課税庁の処分と税務争訟との関係は

　税務争訟は、大きく不服申立てと訴訟に分けられます。不服申立手続においては、行政庁の処分その他公権力の行使にあたる行為が、「違法」な場合に加え、「不当」な場合にも不服を申し立てることができます（行審法1①）。これに対して、税務訴訟の大部分を占める行政処分取消訴訟においては、行政庁の処分その他

公権力の行使にあたる行為が「違法」な場合に訴訟を提起することができます（行訴法3②・8以下、☛6.5）。

　いずれにしろ、大部分の行政争訟においては、少なくとも「処分」があることが前提となります。

　これは、税務分野に限った行政争訟である税務争訟の場合も同じです。争訟をするには、課税庁による「処分」（税務処分）が行われていないといけません。いいかえると、税務争訟をするには、国税に関する法律に基づく処分（国通法75）または各地方公共団体の税条例に基づく処分があることが前提となります。

　それでは、税務争訟の対象となる「処分」とは、具体的には、どのような例があるのでしょうか。

　申告納税方式あるいは申告納付方式を採用する税金（☛5.2.2）では、納税者本人が納めるべき税額を申告により確定することを原則とします（国通法16①一、地税法1①八）。したがって、課税庁の税務処分は二次的・補完的なものです。ここでの税務争訟の対象となる税務処分には、無申告の場合にする「決定」処分（国通法25）や、申告があっても課税庁の考えるところと異なる場合にする「更正」処分（国通法24）などがあてはまります（☛5.2.1）。

　一方、賦課課税方式あるいは普通徴収方式を採用する税金では、納税者が納めるべき税額を課税庁が処分（納税通知書の送付）によって確定することになっています（国通法16①二、地税法1①七・☛5.2.1）。

　その他の税務処分としては、滞納処分（☛5.4.2）、酒類の製造免許（酒税法7）、青色申告の承認申請（所税法144）など、さまざまな申請に対する処分があります。

　こうした処分を受け、その処分をした課税庁と見解の相違があり、不満のある人は、税務争訟で争うことができるわけです。判例では、課税庁の処分によって権利または利益を侵害された人は、第三者も含めて不服申立てができるとしています（東京地判昭53.12.21・訟月25巻4号1192頁）。

　ちなみに、税務争訟と行政争訟とは似ているところがたくさんあります。しかし、不服申立前置主義、原処分中心主義、争点主義と総額主義など異なるところもあり、これらは税務争訟の特徴となっています。

PART6 租税救済法とは何か

◎税務不服申立てと税務訴訟との関係は

　一般の行政争訟では、国民は行政不服申立てと行政訴訟のいずれのルートも自由に選択できます。つまり不服申立前置は強制されていません（行訴法8）。これに対して、税務争訟では、不服申立前置主義（訴訟を起す前に行政庁への不服申立てをしなければならないこと）が強制されています（国通法115、関税法93、地税法19の12）。これは、次の理由からであるとされています。

●国税の処分について不服申立前置主義をとる根拠

① 　税務処分が毎年大量に発生するため、その紛争の多くを行政段階で解決することで裁判所の負担を軽減することの必要性がある。
② 　税務処分の多くが専門的・技術的であり、事実関係も複雑であるため、税務行政段階での争点整理の必要性がある。

　国税不服申立手続について、これまでは、原則として、二段階前置主義（異議申立て＋審査請求）が採られていました。これが、行審法改正に伴い、再調査の請求（旧異議申立て）は、申立人の選択となりました。新たな不服申立手続においては、再調査の請求を選択した場合には、原則として、その決定があるまでは審査請求ができません。ただし、再調査の請求から3か月経過しても原処分庁が決定をしないときには、審査請求ができます（行審法5②）。

◎不服申立ての教示

　行政不服審査法は、不服申立手続について、不服申立てのできる行政庁を列記する形をとっています（行審法4各号）。しかし、不服申立てをしたい人にとっては、どのような処分が不服申立ての対象となるのかなどについて必ずしも明確ではありません。そこで、行政庁は、処分を行う場合には、その処分に対して、①不服申立てをすることができること、ならびに②不服申立てをすべき行政庁、および③不服申立てをすることができる期間を、処分の相手方に教示しなければならないことになっています。これを「教示制度」といいます。教示はその処分を口頭でする場合を除いて、書面でしなければなりません（行審法82①）。実務上は、処分通知書の末尾に記載されています。この教示は、利害関

717

係人から求められた場合も同様です（行審法82②・③）。

　国税通則法は、国税上の処分に関する不服申立手続について、不服申立ての
できる処分を列記する形をとっています（国通法75）。それにもかかわらず、ど
のような処分が不服申立てになるのかなどについて必ずしも明確ではありませ
ん。こうした事情を考慮して、国税通則法は、行政不服審査法に定める教示制
度（行審法82以下）を、国税上の処分に関する不服申立手続にも適用すること
にしています（国通法80①）。近時、従来不服申立て制度にしかなかった教示制度が、
行政事件訴訟にも拡充されました（行訴法46）。したがって、争訟手続にかかる
教示制度を学ぶにあたっては双方を関連させて理解しておく必要があります。

　ところで、課税庁にとっても、争訟手段について的確な教示をすることが容
易でないことも少なくありません。なぜならば、不服申立ての期間等が厳格で
あり、かつ、不服申立ての対象となるかどうか即座な判断が難しい処分もある
からです。こうした事情を考慮して、国の課税庁が誤った不服申立て先を教示
し、教示された機関に不服申立てがなされた場合には、当該機関に対し的確な
機関に異議申立書または審査請求書を送付し、かつ、その旨を不服申立人に通
知するように求めています（国通法112①）。この場合、はじめから的確な機関に
不服申立てがなされたものとみなされます（国通法112⑤）。

◎原処分と税務争訟との関係

　税務争訟、つまり再調査の請求・審査請求・訴訟の場において、審判の対象
とするのは、"原処分"（例えば税務署長の処分）です。これを「原処分中心主義」
といいます。

　税務争訟が提起されたとしても、ふつう、原処分の執行または手続はそのま
ま続行され、停止されません（行訴法25、国通法104、行審法25）。つまり、例えば、
納税者は、課税庁が更正・決定した税額に不満で争訟に訴えたとしても、いっ
たんその税額を納付しなければなりません。このルールを「執行不停止原則」
といいます。ただし、例外的に、差押財産については換価の禁止（☛5.4.3）、職
権による執行停止、申立による執行停止が認められることがあります。

718

◎申告書の提出、税務調査から税金裁判までのプロセス

　納税者が、納税申告書などを提出します（☞5.3.1）。その後、所轄の課税庁の税務調査（☞5.3.4）を受け、課税庁が課税処分（更正、決定、再更正）をしてきたとします（☞5.3.6）。しかし、その処分に納得がいかない場合には、納税者は争うことができます。

　申告書の提出から、税務調査、課税処分、不服申立て、税金裁判までのプロセスは、図説すると、次のとおりです。

●申告書の提出・税務調査・課税処分・不服申立て・税金裁判までのプロセス

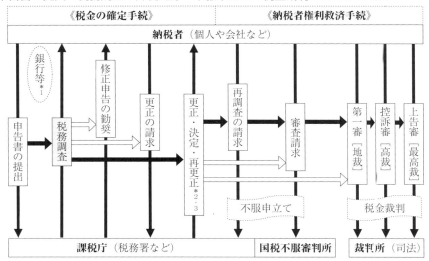

＊1　銀行その他取引のあるものに対する「反面調査」です（☞5.3.4）。
＊2　青色申告の更正などの処分を含め、再調査の請求を経ずに直接審査請求ができます。
＊3　不服申立前置主義の適用のない場合（国通法115①）は、不服申立てを経ずに直接裁判所に提訴できます。

◎納税者救済法制における税務争訟の所在

　課税庁をはじめとした行政は、強い権限を有しています。また、行政がした行為にはさまざまな効力が認められます。簡潔にまとめて図説すると、次のとおりです。

●行政行為の効力の概要

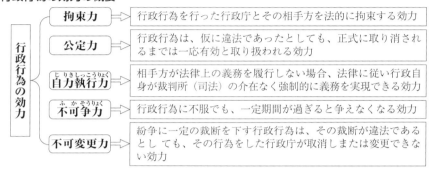

　例えば、「公定力」をみて下さい。課税庁などがした"行政行為は、仮に違法であったとしても、正式に取消されるまで一応有効として取り扱われる"わけです。つまり、違法な課税処分が行われても、納税者が放っておくと一定の期間が過ぎると争えなくなり（「不可争力」が働き）有効とされてしまうわけです。したがって、税務争訟は、有効性の推定（「公定力」）を覆し、不可争力をストップさせるための納税者による作業（手続）なわけです。

　国家を束ねていくためには、国や自治体に、強い権限を与え、行政のした行為を一応有効として扱う必要があるのかも知れません。しかし、こうした強力な権限を与えることは、濫用の危険も秘めています。そこで、三権分立【国家権力を司法・立法・行政の三権に分立させ、お互いにチェックさせ、バランスを保とうとする】原則を基本とする憲法は、英米法流の"司法権の優位（judicial supremacy）"の考え方を取り入れ、「行政機関は終審として裁判を行ふことができない」(憲法76②後段)と規定しました。これにより、行政権も究極的には、司法の裁断に服する仕組みにしているわけです。

　納税者の権利を保護し、課税庁など行政による権利侵害から救済する法的な仕組みについて、図説すると、次のとおりです。

PART6　租税救済法とは何か

● 納税者救済法制の構図

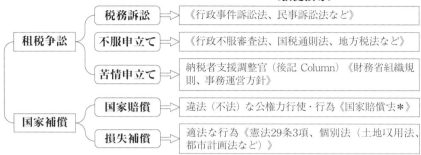

＊国家賠償法（昭和23年　法律125号）。「国家補償法」ともいわれますが、学問上の言い回しです。

（石村　耕治）

〔アドバンス文献〕中尾巧・木山泰嗣『新・税務訴訟入門』（2023年、商事法務）、南博方『租税訴訟の理論と実際〔増補版〕』（1980年、弘文堂）、黒坂昭一・佐藤謙一編著『図解・国税通則法〔令和5年版〕』（2023年、大蔵財務協会）、橋本博之ほか『新しい行政不服審査制度』（2014年、弘文堂）

Column　国税にかかる事実行為に関する不服申立て

「事実行為」とは、私法上は、人の精神作用の表現に基づかないで法律効果を発生させる行為をさします。例えば、住所の設定、遺失物の拾得、事務管理、埋蔵物発見、物の留置などがあげられます。一方、行政法上は、行政機関の法律効果を有しない活動をさします。税務調査、納税告知、違法な駐輪自転車・広告物・係留船舶の撤去、違法デモの強制解散のような権力的な事実行為と、行政指導のように非権力的な事実行為があります。行政不服審査法では、「処分」には、公権力の行使に当たる事実上の行為で、人の収容、物の留置その他その内容が継続的性質を有する「事実行為」が含まれると定めています（行審法2①）。具体的には、酒類の処分禁止に伴う容器等の施封（酒税法31⑥）などをあげることができます。いいかえると、行政機関が権限を行使し、国民に対し権利を設定するあるいは義務を課すことにより具体的に法律上の効果を生じる行為である「処分」とは異なります。

行政不服審査法は、行政不服申立ての対象となる「処分」に、公権力の行使にあたり継続的性質を有する「事実行為」を含めています。ところが、租税不服申立手続を定める国税通則法には、事実行為についての定めがありません。税務当局は、税務行政にかかる事実行為は、国税通則法75条にいう「処分」にあたらず、租税不服申立ての対象にはならないと解しています（旧異議申立基通75-1注(1)、審査請求基通75-

1 注（1））。これは、租税法律関係においては、事実行為のみで自己完結する処分はあまりなく、租税の賦課・徴収等の処分の形で終結することになることや、不服申立手続を経ずに行政訴訟を提起することができる（行訴法8①）ことなどを考慮したためと思われます。ただ、国税にかかる事実行為について不服申立ての途をまったく閉ざしてしまうような解釈をとるのでは偏狭すぎます。したがって、例えば国税に関する違法な税務調査（事実行為）が繰り返し実施され、納税者が当該事実行為を違法であることを理由に不服申立てをしたいとします。この場合、理論的には、行政不服審査法に基づいて行うことができるものと解されます。もっとも、違法な税務調査という事実行為の取消を求めて不服申立手続をとることに実益があるかどうかは定かではありません（もちろん、アナウンス効果、反省を求める効果はあると思います。）。むしろ、そうした違法な調査に基づく課税処分の取消を求めて不服申立手続をすすめるのが常道と思われます。

（石村　耕治）

〔アドバンス文献〕　高木光『事実行為と行政訴訟』（1998年、有斐閣）、岩崎政明『ハイポセティカル・スタディ　租税法〔第3版〕』（2010年、弘文堂）、石村耕治「調査行為と非調査行為の峻別と租税手続の日米比較：計算違い等を理由とする更正処分の適用除外と租税手続のあり方（上）（下）」月刊税務事例45巻3号・4号（2013年）

Column　納税者支援調整官とは

　2001年7月に、国税庁は、「納税者支援調整官」（財組規466の2、536の2①・②）を導入しました。2022年1月現在、定員は71人以内で、各国税局と沖縄国税事務所に24人のほか、全国各地の税務署に47人を配置しています。納税者支援調整官は、課税庁の仕事や職員の対応に対する苦情や困りごとなどについて、納税者の立場にたって迅速かつ的確に相談に応じるのが主な任務です。税額などの争いを解決する不服申立手続（☞6.1）とは異なり、税務調査や税金の徴収などの際の課税庁職員の納税者に対する対応などについての苦情を処理するのがねらいです。

　納税者支援調整官は、納税者から苦情の申出があってから3日以内に処理するのが原則です。手続的には、①苦情を申し立てた納税者から懇切丁寧に事情を聴くこと、②聴取した情報をもとに指摘された職員本人やその上司から、事情を聴取し、解決に努めること、③調査結果を申立てをした人に、迅速かつ正確に説明することなど、一応のルールが示されています（詳しくは、国税庁長官「納税者支援調整官の事務運営について（事務運営指針）［2001年6月29日］。その後、「改訂版（2010年6月15日）」を発出。）。なお、これら事務運営指針（☞1.4.6）は、非公開で、情報公開法で開示請求（☞1.3.4）しないと入手できません。「密室税務行政」そのものといえます。

　ただ、納税者支援調整官は、課税庁内部に配置され、独立した権限もほとんどない

わけです。どの程度力量を発揮できるのか、そして税金のムダ遣いにならないのか、疑問が残ります。例えば、苦情を申出た人に対する報復的な嫌がらせ調査などがあった場合、これに介入し納税者を保護できるのかなど、課題が山積しています。また、納税者権利憲章のような課税庁の納税者サービス・スタンダード（☞1.3.6）をアナウンスせずに、しかも、納税者本位の税務調査手続などの抜本的な整備をしないまま、小手先だけの苦情処理システムを導入しても、逆に、より大きな対立を生み、問題を深刻化させる可能性もあります。独立した全国規模での「納税者支援調整官室」（仮称）を設置するとともに、「見える化」する社会の要請に応じて、独自の年次『調査官室報告書』（仮称）を発行し（あるいは既存の『国税庁レポート』を活用し）、そこへ苦情事案整理票を含む苦情処理結果や統計等を詳細に公開する必要があります。なお、年次の目標値を設定し、その達成値を公表するなど行政評価という思考を停止した制度では、その存在意義自体が問われます。アメリカ連邦課税庁（IRS）の連邦納税者権利擁護官サービス（TAS＝Taxpayer Advocate Service）制度やイギリス歳入関税庁（HMRC）苦情処理官（Revenue & Customs Adjudicator）制度のような、先進各国の課税庁の苦情処理制度などをもっと精査し、納税者本位の仕組みにつくり直す必要があります。ちなみに、アメリカの連邦納税者権利擁護官サービス（TAS）は約2,200人で、連邦課税庁（IRS）職員総数の2％を占めます。TASは、年間約30万件の苦情を処理しています。

（石村 耕治）

〔アドバンス文献〕石村耕治「納税者の権利保護のための納税者サービス改革の課題」月刊税務事例41巻4号、石村耕治「アメリカの連邦納税者権利擁護官サービス（TAS）」TCフォーラム研究報告2020年3号（2020年7月）、納税者権利憲章をつくる会/TCフォーラム編 『納税者支援調整官を使いこなそう』（2021年、TCフォーラム）

6.2　課税庁と見解の相違がある場合には、再調査の請求ができる

ポイント

課税庁と見解の相違がある場合、自分の言い分を主張する最初のステップは、原処分庁への再調査の請求です。納税者の選択により、再調査の請求のステップをスキップすることもできます。

◎再調査の請求の相手は原処分庁

　納税者が、国税に関する更正・決定などの課税処分、差押などの滞納処分に不満があるとします。この場合、その納税者は、課税庁に対して不服申立てをすることができます。この不服申立制度には、最初に処分を行った税務署長など原処分庁に対する「再調査の請求」と、国税不服審判所への「審査請求」があります。

　従来は、原処分庁に対する「異議申立て」と国税不服審判所への「審査請求」という二段階の不服申立手続のもと、異議申立てを経た後でなければ審査請求を行うことができないという「異議申立前置主義」が採られていました。しかし、2016（平成28）年施行の行政不服審査法および国税通則法の改正により、不服申立手続が納税者の選択に委ねられる制度に変更されました。

　ただし、犯則事件に関する法令に基づく処分（☛7.5、7.6）等に対しては不服申立てをすることができません（行審法7①七、国通法76①二）。また、納税者に有利となる減額更正処分（☛5.3.6）も、不服申立ての対象にはならないとされています。

　ちなみに、地方税の処分の不服申立てについては審査請求によって行われます。つまり一審制になっています（☛6.4）。

◎再調査の請求と再調査決定

　再調査の請求は、課税庁の処分などに不満がある人自身が行うことからはじまります。そして、同じ課税庁がその申立てを検討し、その決定（再調査決定）を本人に通知することで終わります。

　再調査の請求は、処分があったことを知った日（処分にかかる通知を受けた場合には、その受けた日）の翌日から起算して3か月以内にすることになっています（国通法77）。この期間を経過した請求の申立ては受け付けられません。

　再調査の請求の手続は、原処分に不服のある納税者からの再調査の請求書の提出にはじまります（国通法81・82）。原処分庁（税務署長など）は、広く職権主義に基づき原処分が正しかったのかどうかを検討します。その結果は、「再調査決定」として納税者に通知されます（国通法83）。ちなみに、当初の処分より

PART6　租税救済法とは何か

も納税者にとって不利益となる再調査決定はできないことになっています。

再調査決定は、大きく次の３つに分けられます (国通法83①・②・③)。

●再調査決定の種類

①	却下	再調査の請求期限を過ぎた再調査の請求など不適法な再調査の請求
②	棄却	理由がない場合
③	取消・変更	納税者の再調査の請求が理由ある場合の原処分の全部もしくは一部取消または変更

なお、再調査決定に不服のある納税者は、国税不服審判所に対する審査請求 (☞6.3) をすることができます。

◎課税庁の行為（処分）と再調査の請求の可否

国税通則法は、再調査の請求ができる処分について、一般概括的に「国税に関する法律に基づく処分」と規定するにとどまります (国通法75①)。ここにいう「国税」とは、国が課する租税のうち、関税、とん税、特別とん税、森林環境税および特別法人事業税以外のものをさします (国通法2一)。国税に関する法律としては、具体的には、国税通則法や国税徴収法のような手続税法、所得税法・法人税法・相続税法・消費税法・酒税法や租税特別措置法のような実体税法などをあげることができます。ただし、租税不服申立ての対象となる行為とは、これらの税法に基づいてなされた租税の確定、納付、徴収、還付に関する処分であることが前提です。また、「処分」とは、行政機関が、具体的事実に関して法律に基づいて権限を行使し、国民に対し権利を設定し、義務を課し、具体的に法律上の効果を発生させる行為をいうと解されています。いいかえると、法律上の効果を有しないとされる行政法上の「事実行為」とは異なります。

これら課税庁の行為は、大きく(1)納税者の選択により再調査の請求をせずに直ちに審査請求ができる処分、(2)不服申立て〔再調査の請求・審査請求〕ができない処分、および(3)限界事例〔裁判等で判定された行為〕に分けて、その該当性を検討することができます。法令、裁決・裁判例、学説などを参照しておおまかにまとめると、次のとおりです。

725

● 課税庁の行為（処分）と再調査の請求（旧異議申立て）の可否

(1) 不服申立て〔再調査の請求・審査請求〕ができない処分

・不服審査にかかる国税通則法第8章第1節〔不服審査〕の規定による処分。例えば、再調査決定（国通法83）や裁決（国通法92・98）など。
・行政不服審査法の規定による処分。例えば、事実行為についての審査請求に対する裁決（行審法47）、不作為についての不服申立てに対する裁決（行審法49）など（審査請求基通76-2）
・その他の不服申立てについてした処分。例えば、災害による不服申立期限の延長申請に対する期日の指定（国通法11）など（審査請求基通76-3）
・犯則事件に関する法令に基づく処分（国通法76①二）。例えば、通告処分（国通法157）や犯則事件調査職員（当該職員）が行う臨検・捜索・差押処分（国通法135）など
・納税者に有利になる減額更正処分

(2) 限界事例

　旧制度下では、法令等に列記された事例は、課税庁の行為が異議申立ての対象になるかどうかを判断する際に、重要な基準になっていました。しかし、実際の課税庁の行為は多岐にわたることから、租税不服申立ての対象となる「公権力の行使」たる「処分」にあたるかどうかは、裁決・判決や学説などを精査しなければならないことも少なくありません。

(a) 異議申立てができるとされた行為

・源泉徴収による所得税の納税告知（国通法36①二）（最判昭45.12.24・民集24巻13号2243頁）

(b) 異議申立てができないとされた行為

《理由：公権力の行使たる処分にあたらない》
・不用物品の売払行為（審査請求基通75-1(1)）
・物納財産の売払行為（最判昭35.7.12・民集14巻9号174頁）
《理由：課税庁内部の行為であり処分にはあたらない》
・国税庁長官の国税局長および税務署長に対する訓令、通達または指示（審査請求基通75-1(2)）
《理由：直接納税者の権利義務に影響を及ぼす法律上の効果を生ずる行為ではない》
・公売通知（徴収法96）（最判昭50.6.27・訟月21巻8号1749頁）
・申告是認の通知（東京地判昭35.12.21・行集11巻12号3315頁）
・還付金等の還付行為（広島高判昭54.2.26・行集30巻2号265頁）
・納税申告書の送付行為（東京高判昭26.5.8・行集2巻6号864頁）
・附帯税の納付通知（東京地判昭41.6.16・税資44号789頁）
・非権力的行政指導：例えば、修正申告の慫慂（静岡地判昭32.2.1・税資25号97頁）、納税の慫慂（東京高判昭26.5.19・税資11号20頁）
・所得税にかかる予定納税額等の通知（所税法106）（大阪高判昭47.5.18・税資65巻991頁）

（石村 耕治）

〔アドバンス文献〕南博方『租税争訟の理論と実際〔増補版〕』（1980年、弘文堂）、鳥飼総合法律事務所編『事例詳解 税務訴訟』（2009年、清文社）、国税不服審判所ホームページ（https://www.kfs.go.jp/）、宇賀克也『行政不服審査法の逐条解説〔第2版〕』（2017年、有斐閣）

PART6　租税救済法とは何か

6.3 再調査決定に不満なときは国税不服審判所に審査請求ができる

ポイント

　税務署から出た再調査決定に不満がある人は、国税不服審判所に対して審査請求をすることができます。

◎国税不服審判所とは

　国税の処分などの再調査の請求に対しては、課税庁から再調査決定が出ます。しかし、それに対して不満がある場合には、国税不服審判所に「審査請求」ができます。

　「審査請求」とは、処分をした行政庁やその上級の行政庁にする不服申立てをいいます（行審法4）。国税不服審判所は、国税の処分についての審査請求を受け付け、審理・裁決を行う機関です（国通法78）。納税者の権利・利益を護ることを目的としています。国税庁の付属機関ですが、税務署や国税局から独立した第三者的な機関とされています。国税不服審判所は本部と全国12支部（11国税局と沖縄国税事務所の管轄地）、7支所があります（☞1.3.2）。

◎再調査の請求と審査請求の関係

　2016（平成28）年の法改正前は、審査請求は原処分庁の異議決定があった後でしか行うことができませんでした。現行法のもとでは、原処分庁に対して再調査の請求をするか、国税不服審判所に審査請求を行うかは、納税者の選択とされています（☞6.2）。

◎審査請求の方法と審理の方法

　審査請求は、処分があったことを知った日（処分にかかる通知を受けた場合は、その受けた日）の翌日から起算して3か月以内（国通法77①）、もしくは再調査決定に不満がある場合に、その通知を受けた日の翌日から1か月以内に審査請求書を出して行います（国通法77②）。なお、審査請求書は原処分庁である税務署長

727

などを通じて出すこともできます（国通法88①）。審査請求には手数料はいりません。

　審査請求書が受理されると、まず、その請求が適法か不適法か、形式審査が行われます。不適法と判断されると（審査請求期限の経過後の審査請求など）、審査請求は却下されます。適法とされると、審判所長は、原処分庁に答弁書の提出を求め（国通法93①）、それを審査請求人および参加人に送付します（国通法93③）。そして、担当審判官（1名）と参加審判官（2名）を指定します（国通法94①）。その後、さらに担当審判官を中心に実質審理に入ります。

　審査請求人は答弁書に対して反論書を、参加人は参加人意見書をそれぞれ提出することができます（国通法95①）。また、書面審理が原則ですが、審査請求人および参加人には、申立てにより、口頭で意見を陳述する機会が与えられます（国通法95の2）。担当審判官は、審理に必要な場合には、質問検査などができます（国通法97①）。そして、審判所長は、審判官の合議に基づき、裁決をします。

　裁決は大きく、次の3つに分けられます。

●裁決の種類

①	却下	審査請求期間を過ぎた審査請求など不適法な請求（国通法98①）
②	棄却	審査請求に理由がない場合（国通法98②）
③	取消・変更	請求人の申立てに理由がある場合の原処分の全部もしくは一部の取消または変更（国通法98③本文）

　ちなみに、審査請求人に不利益な変更はできません（国通法98③但書）。

◎国税庁長官の通達と異なる裁決もできる

　国税不服審判所は国税庁内部に設置されていますが、第三者的機関として認められています。したがって、審判所長が国税庁長官の通達に示されている法令解釈と異なる解釈に基づいて裁決することは可能です。しかし、この場合や法令解釈の重要な先例となる裁決をする場合には、あらかじめその意見を国税庁長官に通知することになっています（国通法99①）。これは、租税負担の公平を考え、さらには税務行政の混乱を防ぐためと説かれています。

　なお、通知があった場合、国税庁長官は、国税審議会国税審査分科会（☞1.3.2

PART6　租税救済法とは何か

Column）に諮り、その議決に基づいて審判所長に指示することになっています（国通法99②）。

　しかし、国税不服審判所が、国税庁長官の指示を仰いだのは発足以来の約50年間で数件という実績です。裁判所も通達と異なる判断を下すことに消極的な傾向にあります。こうした状況のもと、不服申立前置の存在意義を強めるためには、国税庁長官の指示を仰ぐこの手続を廃止し、審判所に通達の審査権限を制度的に保障することでその独立性を高め、納税者の権利救済機関としての存在感を強める必要があります。

◎争点主義・総額主義とは

　国税不服審判所は1970（昭和45）年に発足しました。その際に論議されたのが、「争点主義」と「総額主義」の問題です。この問題の本質は、訴訟物（審理の対象、範囲）の問題、また争訟の審理過程での理由の差替の是非についてです。つまり、争点主義的な審理とは、審査請求においては当事者〔課税庁と納税者〕の間で争いとなった点（争訟物は、例えば、所得税でいえば、課税庁が行った増額更正処分〔原処分〕の理由との関係における税額の適否）に絞って審理すべきであるとする考え方です。したがって、この考え方のもとでは、原則として理由の差替えは認められません。

　一方、総額主義は原処分による確定税額の適否、すなわち原処分の違法性一般を審判の対象（理由の差替を認める）とする考え方です。つまり、総額主義的な審理とは、原処分の理由に縛られずに、課税庁は他に否認事項や申告もれがないかなどを洗い直すための税務調査をし、発見されればそれを追加する〔理由を差替える〕ことができるとする考え方です。総額主義は、もともと課税庁が強く主張してきたものです。こうした考え方が許されると、審査請求は、課税処分の単なる延長であり、納税者の権利救済制度ではなくなるおそれがあるわけです。

　国税不服審判所の審理は、職権主義を採用しています。このことから、理論的には総額主義が妥当のようにも見えます。しかし、1970（昭和45）年の国税

729

不服審判所創設に伴う国税通則法改正の国会審理の際に、審判所での審理は争点主義の精神を生かし運営されるべきであるとの附帯決議がなされたことから（1970（昭和45）年3月24日参議院大蔵委員会附帯決議）、発足当初より、審判所での審理は、争点主義的に運営されることが基本方針とされています。

◎裁決は原処分庁を拘束する

裁決は関係行政庁を拘束します。したがって、原処分庁は裁決に不服であっても、裁判所に訴えを起こすことができません（東京高判平18.9.28・タインズZ888-1209）。一方、審査請求人である納税者は違います。国税不服審判所と見解の相違があり、裁決に不服であるときには、納税者は裁決から6か月以内に裁判所に訴えを起こすことができます（国通法114、行訴法14①）。

●国税の不服申立制度の概要図

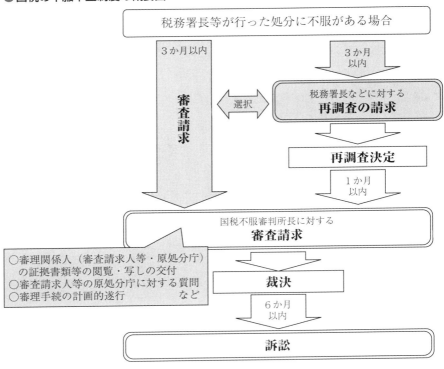

PART6 租税救済法とは・可か

（阿部 徳幸・石村 耕治）

〔アドバンス文献〕中尾巧・木山泰嗣『新・税務訴訟入門』（2023年、商事法務）、黒坂昭一・佐藤謙一編著『図解国税通則法〔令和5年版〕』（2023年、大蔵財務協会）、南博方『租税争訟の理論と実際〔増補版〕』（1980年、弘文堂）、国税不服審判所編『国税不服審判所の現状と展望』（2006年、判例タイムズ社）、鳥飼総合法律事務所編『事例詳解 税務訴訟』（2009年、清文社）、国税不服審判所ホームページ（https://www.kfs.go.jp/）、宇賀克也『行政不服審査法の逐条解説〔第2版〕』（2017年、有斐閣）

6.4 地方税の不服申立ての仕組み

ポイント

　地方税に関する行政レベルでの納税者の権利救済制度、すなわち「不服申立て」については、大きく「賦課徴収処分等に関する不服申立て」と「固定資産税の登録価格に関する審査の申出」に分けて検討することができます。前者については、審査請求によって納税者を救済する仕組みになっています。後者については、固定資産税評価審査委員会への「審査の申出」という独自の仕組みがあります。納税者は、地方団体の長などに対する不服申立てをし、その結果（決定/裁決）に納得がいかないときは、さらに国の裁判所に訴えて裁判（司法審査）で権利救済を求めることもできます。

◎地方税に関する不服申立てとは

　地方団体は、おおまかにいうと、都道府県と市町村に分けられます。都道府県と市町村はそれぞれ、独自の徴税機構/課税庁を有しています（☞13.3）。各種の地方税（☞1.4.8）に関する賦課（課税）決定処分や滞納処分（☞5.4.2）など（以下「賦課徴収処分等」といいます。）に対する納税者の権利救済制度、つまり不服申立ての仕組みも、都道府県と市町村では若干異なっています。また、地方税の賦課徴収処分等に関する"不服申立て"は、「審査請求」とよばれます（地税法19）。

　賦課徴収処分等にかかる審査請求は、審査庁に対して行います。例えば、名

731

古屋市長（処分庁）が行った市税の賦課処分または徴収処分に不服がある場合には、地方税法および行政不服審査法に基づき、名古屋市長（審査庁）に対して審査請求をすることになります。

　ちなみに、審査請求をする人（納税者／住民）を「審査請求人」といい、それを判断する行政庁を「審査庁」とよびます。審査請求があった場合に審査庁が行う裁断を「裁決」といいます。

　「国税に関する不服申立て」の仕組みでは、納税者は、課税処分を受けた課税庁に対して"再調査の請求"をするか、国税不服審判所に"審査請求"をするかを選択することができます（☞6.2、6.3）。これに対して、地方税の賦課徴収処分等に関する不服申立ての仕組みは、"一審制"になっています。つまり、納税者は"審査請求"の手続によってのみ権利救済が受けられる仕組みです。

　納税者は、地方団体の長または徴税吏員【「吏員」とは、古めかしい言葉ですが、要するに、「職員」のことです。】がした地方税の賦課徴収処分等に納得できない場合に、審査請求をすることができます。どのような事項が審査請求の対象となるのかなどについては、地方税法に定められています（地税法19）。

　地方税の賦課徴収処分等に関する審査請求手続は、地方税法などで特別な定めをしている場合を除いて、国の行政不服審査法の定めるところによります（地税法19）。

◎地方税の賦課徴収処分等に関する審査請求から採決までの流れ

　地方税に関する審査請求は、地方団体の税務当局等（審査庁）の内部の審理員の審理を経ることになっています。しかし、原則として、いわゆる第三者で構成される地方団体の執行機関の附属機関（行審法81）である行政不服審査会（以下「審査会」ともいいます。）への諮問が必要とされます（行審法43①）。このように、地方税の賦課徴収処分等への審査請求手続では、審査会が実質的に審査請求の審理に関与する仕組みになっているのが特徴です。

●地方税の賦課徴収処分等に関する審査請求から採決までの流れ

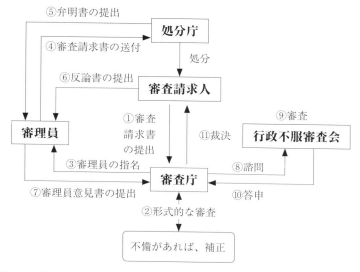

　地方税の処分があり、その処分に不服がある場合に、審査請求から裁決までの手続は、次のとおりです。

●審査請求から裁決までの手続の順序

①審査請求人が審査請求書を審査庁に提出し、審査庁は受付
②審査庁は審査請求書に不備がないかどうか形式的な審査をし、あれば補正の求め
③不備がなければ審査庁は、その審査請求事案を担当する審理員を指名
④審理員は処分庁に審査請求書を送付
⑤処分庁は審理員に弁明書を提出
⑥審査請求者は、反論がある場合、審理員に反論書を提出
⑦審理員は審査庁に審理員意見書を提出
⑧審査会へ諮問
⑨行政不服審査会（審査会）が審査
⑩審査会が審査庁に答申
⑪審査庁は裁決をし、裁決書を審査請求人に送付

◎地方税に関する事例ごとの不服申立（審査請求）先

　地方税に関する具体的な事例に応じて不服申立（審査請求）先を図説すると、次のとおりです。

●地方税に関する事例ごとの不服申立（審査請求）先

① 固定資産税の登録価格に関する不服申立て
【申立先】市町村の固定資産税評価審査委員会に対して審査の申出をします。
【事例】市内に居宅を構えるＡは、宅地（不動産）の評価（登録価格）が、近隣の同程度の不動産の評価（登録価格）に比べ高すぎると感じたとします。納得が行かないときには、市の固定資産評価審査委員会に不服申立て〔審査の申出〕をして権利救済を求めることになります。
② 賦課徴収処分等に関する不服申立て
⒜ 都道府県の長（知事）または徴税吏員などがした処分
【申立先】都道府県の長（知事）に対する審査請求をします。
【事例】従業者を使用しない、いわゆる"一人親方"として、あるときは請負、またあるときは日雇いの形で、大工の業務に従事しているＢに対して、県が県税である個人事業税（☞1.4.8）を賦課してきたとします。この賦課決定処分に納得できない場合、Ｂは県知事に対する審査請求をして権利救済を求めることになります。
⒝ 市町村長または徴税吏員などがした処分
【申立先】市町村長に対する審査請求をします。
【事例】固定資産税を滞納していたＥに対して、市の徴税吏員はＥの年金の一部に対して滞納処分をしたとします。しかし、Ｅが、生活が困窮していることから処分を取り消して欲しいと思うときには、同市の市長に対して審査請求をして権利救済を求めることになります。
⒞ 地方団体の長の権限の委任（地税法３の２）に規定する都道府県の支庁等の長または指定都市の区の税務事務所等の長等もしくは区長がする処分
【申立先】原権限庁である都道府県の長（知事）または市長に対して審査請求をします。
【事例】県の支庁等（自治法155）の長や、指定都市〔さいたま市、横浜市など（自治法252の19）〕の区（自治法252の20）の長ないし税務事務所長などが行った処分については、それぞれの県や指定都市（自治法252の19①）の長、つまり原権限庁である知事、市長、に対して審査請求をすることになります。したがって、例えば、さいたま市緑区長の行った市民税・県民税税額決定納税通知書に記載された事項に不服がある場合には、受領した翌日から60日以内に、さいたま市長に対する審査請求をして権利救済を求めることになります。

◎不服申立手続の対比

　地方税に関する不服申立手続を、「固定資産税の登録価格に関する審査の申出」の場合と「賦課徴収処分等に関する不服申立て」とに分け、双方を対比する形で図説すると、次のとおりです。

●不服申立手続の対比

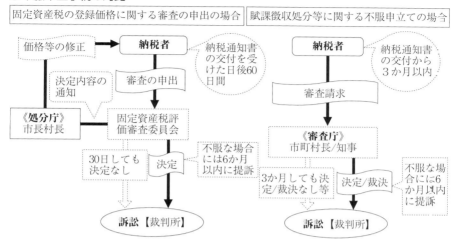

◎審査請求の手順と決定、裁決の種類

　審査請求の期限は、処分があったことを知った日の翌日から3か月以内となっています。ただし、住民税のように、所得税や法人税（国税）と関わりのある地方税の賦課徴収処分等に関する審査請求は、国税に関する再調査の請求がなされているときには、その再調査の請求についての決定を知った日から1か月以内とされています（行審法18①）。

　すでにふれたように、納税者から、地方税賦課徴収処分等に関する審査請求があった場合、その地方団体の行政不服審査会への諮問・答申手続を経て、審査庁が"裁決"を行います。

　納税者からの審査請求に対する審査庁の「裁決」には、大きく分けると次のような種類のものがあります（行審法45以下）。

●審査請求に対する裁決の種類

①	**却下**	法定の審査請求期間を過ぎているなど審査請求の形式的な要件を満たさない場合は、審査庁は審査請求を不適法なものとして実質審理を拒否して、却下します。つまり要件審理の段階で裁断されるので、審査請求内容については審理されません（行審法45①）。
②	**棄却**	審査請求自体は適法に要件を満たすものの、原処分が相当であり、処分の違法性や不当性が認められないなど、申立てを認めるべき理由がない場合に、審査庁は棄却します（行審法45②）。ただし、処分についての審査請求では、行審法で取消訴訟等における事情判決に相当する事情裁決が定められています（行審法45③）。したがって、審査請求で審査請求人の主張が正しいと判断されながらも、公益と比較衡量のうえで審査請求が棄却されることがあります。
③	**認容**	審査請求が適法であり、かつ、審査請求にかかる処分が違法または不当である（審査請求に理由がある）と認められる場合に審査庁は認容します（行審法46）。その対象が更正や賦課決定のような「処分」についてのものか（行審法45・46）、行政指導や税務調査のような「事実行為」（☛6.1 Column）についてのものか（行審法47）、あるいは不作為についてのものか（行審法49）に応じて規定が設けられています。処分についての審査請求が認容された場合、審査庁は裁決によって処分の全部または一部を取り消し、さらには審査請求人のために処分の内容の変更を命じ、その旨を裁決で宣言すること（変更宣言）ができます（行審法46②）。また、事実行為に対する審査請求の場合、その全部または一部の撤廃を命じ、その旨を裁決で宣言すること（撤廃宣言）ができます（行審法47二）。ただし、認容の裁決の際には、審査請求人の不利益な変更を命じることはできない、とする不利益変更禁止の原則があります（行審法48）。

　裁決はその実効性を確保するため、関係行政庁に対する拘束力（☛6.1）を有します（行審法52）。また、裁決には不可変更力（☛6.1）があり、裁決をした行政庁は、職権でこれを取り消すことや変更することはできません。

　なお、審査請求があったとしても、原則として地方税の賦課徴収手続は停止しないルール（執行不停止の原則）になっています（地税法19の7、行審法25）。

　納税者は、審査請求に対する裁決に納得がいかないときには、その裁決があったことを知った日から6か月以内に、処分の取消などを求めて国の裁判所へ訴訟を起こして権利救済（司法審査）を求めることができます（行訴法14①）。

　処分の不当を理由とする認容裁決は極めて少ないのが実情です。行政不服審査法が市民・納税者に使い勝手のよい駆け込み救済制度として十分に機能していない、と指摘する声もあります。

PART6 租税救済法とは何か

◎固定資産税の価格（評価）に関する不服申立て（審査の申出）とは

　固定資産税に関する不服申立ては大きく、①「固定資産税の登録価格に関する審査の申出」（固定資産税の台帳登録価格、路線価、地目、地積、価地形状の認定など）と、②「価格以外の固定資産税の賦課徴収に関する不服申立て」（納税義務者、非課税・減免、住宅用地の認定など）とに分かれ、"争訟体系が二分化"されているのが特徴です。

　固定資産税の固定資産課税台帳の登録価格に対する不服申立て（審査の申出）には独自の仕組みがあります。固定資産税については、固定資産課税台帳に登録された価格（評価）についての不服申立てを、地方税法では「審査の申出」といいます（地税法432）。つまり、固定資産税については、他の地方税とは異なり、固定資産税の登録価格（評価）について、納税者は、各市町村に置かれている固定資産税評価審査委員会（以下「委員会」といいます。）に対して不服申立て（審査の申出）をして、権利救済を求めることになっています。固定資産税の登録価格については、市町村長に対する不服申立ての形で権利救済を求めることはできません。

　審査の申出は、ふつう、固定資産課税台帳の公示の日から納税通知書の交付を受けた日後3か月を経過する日までにすることになっています（地税法432○）。委員会は、審査の申出を受けてから、調査や審査を行い、30日以内に決定をすることになっています（地税法433①）。また、決定をした場合には、決定のあった日から10日以内の審査の申出をした納税者と市町村長に文書で通知することになっています（地税法433⑫）。この場合、申出を受けた日から30日経過しても決定がないときには、却下の決定があったものとみなされます（地税法433⑫後段）。

　30日を経過しても委員会の決定がない（つまり、「みなし却下決定」）（地税法433⑫後段）、あるいは委員会の出した決定（地税法433①）に不服な納税者は、原則としてその決定から6か月以内であれば、裁判を起こし権利救済〔司法救済〕を求めることができます（行訴法14①）。

　この場合、納税者は、この委員会の決定を取消してもらう訴訟（取消訴訟（☞6.5））の方法のみが認められています（地税法434①・②）。つまり、固定資産税の価格（評価）に関する不服については、他の賦課課税方式を採用する地方税

737

とは異なり、処分庁（例えば市町村長）による賦課決定処分の取消を求める訴訟などは認められません。

　現行の固定資産税の登録価格（評価）の不服に関する権利救済制度に対しては、その不備を指摘する声もあります。こうした不備を補うために、納め過ぎた税額を損害として請求する国家賠償請求訴訟（☛6.5）の活用などが模索されています（最判平22.6.3・民集64巻4号1010頁〔破棄差戻し・納税者勝訴〕、原審：名古屋地判平20.7.9・民集64巻4号1055頁〔棄却・控訴〕、名古屋高裁平21.3.13・民集64巻4号1099〔棄却・上告〕）。

　ちなみに、すでにふれたように、固定資産税の価格（評価）以外（例えば、固定資産税非課税取扱いの取消処分など）に関する争訟は、他の地方税と同様の争訟手続によります。

◎地方税に関する処分の取消訴訟も不服申立前置が原則

　わが国には地方独自の裁判所制度がありません。このため、地方税の賦課徴収処分等に不服がある納税者は、国の裁判所に対して救済〔司法審査〕を求めることになります。この場合一般に、地方税に関する処分の取消を求める訴え〔地方税の賦課徴収処分の取消訴訟〕の形式が選ばれます。ただ、注意しなければならないことがあります。それは、この種の訴えは、不服申立てを経た後でなければ起こすことができないことです（行訴法8①但書、地税法19の12）。つまり、国税に関する税務訴訟の場合（国通法115）と同様に、不服申立前置主義（☛6.1）がとられていることです。

　もっとも、地方税に関する処分のなかには、行政不服審査法の特例として、不服申立ての対象とならないものもあります。こうした処分に対しては、不服申立前置主義の適用はありません。例えば、地方税の犯則事件に関する法令に基づく処分（行審法7①七）があげられます。

（阿部 徳幸・石村 耕治）

〔アドバンス文献〕碓井光明「行政不服審査法改正と地方税に関する不服審査」日税研論集71号、佐藤善恵ほか『元審判官が教える!!国税・地方税の審査請求の実務』（2018年、ぎょうせい）、全国女性税理士連盟編『地方税Q&A〔令和3年版〕』（2021年、大蔵財務協会）、自治体法務研究所『新地方税務争訟ハンドブック』（2012年、ぎょうせい）

PART6 租税救済法とは何か

6.5 裁判所へ税務訴訟を起こす

ポイント

　納税者が、課税庁から受けた処分等に納得がいかないことから、行政レベルでの権利救済を求めて不服申立てをしたとします。しかし、自分の言い分を認めてもらえない、ないし法定の期間を過ぎてもいまだ裁断がもらえないとします。この場合には、次のステップとして権利救済を求めて裁判所に訴えること（税務訴訟）ができます。ケースによっては、不服申立てのステップを踏まなくとも税務訴訟ことができます。税務訴訟にはさまざまな種類があります。納税者は、救済してもらいたい内容、目的に応じて訴訟の種類を選択する必要があります。ケースによっては、裁判と司時に、仮救済制度の利用もできます。また、納税者は、自身や弁護士などの都合を考えて、法律がゆるす範囲内で裁判地の選択ができます。

◎税務訴訟に適用される法律

　課税庁をはじめとした行政庁の処分などを裁判所で争う訴訟は、一般に「行政事件訴訟」とよばれます。「税務訴訟」も行政事件訴訟の1つです。行政事件訴訟は、すべて司法裁判所が取り扱うことになっています（憲法76）。その手続は、行政事件訴訟法（以下「行訴法」ともいいます。）によることとされています。

　税務訴訟についても、国税通則法、地方税法などに特別の定めがある場合を除いて、行訴法などによることとされています（国通法114以下、地税法19の21以下）。また、行政事件訴訟法に定めのない事項については、民事訴訟の例によるものとされています（行訴法7）。

739

◎税務訴訟の種類

　税務訴訟は、狭義では、①取消訴訟、②無効確認訴訟、③不作為の違法確認訴訟、④義務付け訴訟および⑤差止め訴訟があります。広義では、さらに⑥国家賠償請求訴訟、⑦過誤納金還付請求訴訟および⑧争点訴訟があります。その多くは、行政事件訴訟か民事訴訟にあたります。

　なお、抗告訴訟〔課税庁の公権力の行使に関する不服の訴訟〕に関する2004年の行政事件訴訟法の改正により、狭義の税務訴訟に義務付け訴訟および差止め訴訟が追加されました。減額更正を求める場合の義務付け訴訟、滞納処分の差押えの場合の差止め訴訟など、納税者の権利救済手段が拡大するものと期待されています。

　少し専門的になりますが、各種の訴訟を図説すると、次のとおりです。

●税務訴訟の種類

			訴訟の種類
税務訴訟	広義	狭義	①　**取消訴訟（処分の取消の訴え、異議決定の取消の訴え、裁決の取消の訴え）**　課税庁の処分が違法であるとして、その取消を求める訴訟です（行訴法3②・8）。大部分の税務訴訟は、この種の訴訟です。課税処分、滞納処分、不服申立てに対する決定・裁決の取消訴訟などが典型的なケースです。不服申立前置主義がとられます。 ②　**無効等確認訴訟**　課税庁の処分等、再調査決定または裁決の違法性が重大かつ明白であるとして、無効であることの確認を求める訴訟です（行訴法3④・36）。課税処分、滞納処分の無効、不存在の確認を求める訴訟などが典型的なケースです。不服申立前置主義はとられません。 ③　**不作為の違法確認訴訟**　納税者などからの申請に対し、課税庁が相当期間内に処分、裁決をしないことについて、違法であることの確認を求める訴訟です（行訴法3⑤・37）。不服申立前置主義はとられません。 ④　**義務付け訴訟**　義務付け訴訟とは、課税庁に対して一定の処分等を命じることを求める訴訟です（行訴法3⑥二・37の2・37の3）。類型的には、大きく次の2つに分かれます。(a)　**非申請型義務付け訴訟**　申請権を前提とせず、課税庁が一定の処分をすべきことを義務づける場合。(b)　**申請型義務付け訴訟**　法令等に基づき課税庁に対して一定の処分等を求める申請をしたのにもかかわらず、それをしない場合に、課税庁に一定の処分等をすべきことを義務づけるとき。なお、どのような事案が、この訴訟の対象になるのかは必ずしも定かではありません。判例の積み重ねが必要です。不服申立前置主義はとられません。

PART6　租税救済法とは何か

⑤　**差止め訴訟**　差止め訴訟とは、課税庁が一定の処分をすべきではないのにもかかわらずそれが行われようとしている場合に、課税庁が当該処分等をしてはならないことを裁判所に命じるように求める訴訟です（行訴法3⑦・37の4）。なお、どのような事案が、この訴訟の対象になるのかは必ずしも定かではありません。判例の積み重ねが必要です。不服申立前置主義はとられません。

⑥　**国家賠償請求訴訟（国賠訴訟）**　課税庁職員の違法な公権力の行使によって受けた損害の賠償を国または地方公共団体に求める訴訟です（国賠法1①）。民事訴訟の一種です。不服申立前置主義はとられません。

⑦　**過誤納金還付請求訴訟**　過誤納金、還付金などの返還を求める給付訴訟です。これは公法上の当事者訴訟の一種と考えられています。過誤納金は、誤納金と過納金とにわけられます。誤納金の場合には、前提となる税金確定処分がないので、直ちに不当利得として返還請求ができます。これに対し、過納金の場合には、納付の原因が更正・決定などの確定処分を前提としています。したがって、還付請求にあたっては、先に納付の原因となった確定処分の取消を求めることとされています（最判昭36.7.2・税資35号563頁）。不服申立前置主義はとられません。

⑧　**争点訴訟**　課税処分が無効であるとして、私法上の請求をする訴訟です。つまり、「私法上の法律関係に関する訴訟において、処分もしくは裁決の存否またはその効力の有無が争われている場合」（行訴法45）です。不服申立前置主義はとられません。

◎裁判地の選択

　2004年の行政事件訴訟法の改正により、被告適格が簡明になり、国税訴訟はで「国」が、そして地方税訴訟では「東京都」など自治体そのものが被告となりました（行訴法11）。これにより、納税者が税金裁判を起こす場合に、法律の範囲内で、裁判地を選択できるようになりました。ポイントを図説すると、次のとおりです。

●裁判地選択のポイント

ポイント1《全国どこの税務署の処分であっても、東京地方裁判所で裁判できる》

　従来、課税処分取消訴訟では、納税者（X）が原告となる訴訟では、被告（Y）は、その処分をした課税庁（原処分庁）とされていました、これが改正され、被告（Y）は「国」になりました。これにより、納税者（X）は、税金の裁判を「東京地方裁判所」で起こせるようになりました。

　例えば、以前は、納税者が浦和税務署長がした更正処分の取消を求める裁判は、この処分をした行政庁である浦和税務署長を被告として、裁判を起こす場所はさいたま地裁に決まっ

741

ていました。これが、今は、"被告"は、その処分をした行政庁の所属する「国」になりました（行訴法11①）。これにより、この種の税金紛争は全国どこで起きたものであたっても裁判は、すべて東京地裁でも起こせるようになりました。

　法律（行政事件訴訟法）を読んでも、東京地裁で裁判を起こせるとの定めは見当たりません。法律では、「取消訴訟は、被告の普通裁判籍の所在地を管轄する裁判所〔中略〕の管轄に属する」（行訴法12①）と定めています。このパズルは、次のように解きます。「国」の普通裁判権は、国を代表する官庁の所在地によって決まることになっています（行訴法12、民訴法4①）。また、「国」を当事者とする裁判については、法務大臣が国を代表することになっています。こうしたことから、法務大臣の所在地を管轄する東京地裁でも、国税の課税処分の取消を求める裁判を起こせることになるわけです。

　これにより、税金裁判が東京地裁に一極集中することにつながるおそれがあります。ただ、税金の裁判はかなり専門的であり、各地の裁判官には、税金裁判を起こされると重荷になっているきらいがあります。現在、東京地裁には、税金裁判をはじめとして行政事件訴訟を専門に裁く部が3部あります。そこで、特殊専門的な作業を求められ、裁判官の悩みの種である税金裁判を東京地裁にできるだけ集中させることによって、人的資源を囲い込み、効率性を高めようとするねらいもあるものと思われます。

　税金裁判を信頼して頼める弁護士は東京に集中しています、地方に税金の裁判の分野で経験を積んだ弁護士は少ないのが実情です。地方で税金裁判を起こすとなると、どうしても東京の弁護士に頼まざるを得ません。となると、日当や旅費などだけでも納税者には負担が重いわけです。これが、全国どこで起きた税金紛争も東京で起こせることになったわけですから、訴訟コストの面での納税者の負担軽減が期待できるわけです。

ポイント2 《納税者を所轄する高等裁判所の所在する地方裁判所への提訴も可能》

　国を被告（Y）とする取消訴訟で、原告（X）である納税者を所轄する高裁の所在する地裁でも提訴ができます。例えば、原告である納税者の住所（個人）ないし主たる事務所（法人）が盛岡市であるとします。この場合、同市は、控訴審については仙台高裁の管轄ですから、仙台地裁に課税処分の取消を求める裁判を起こすことができます（行訴法12④）。もちろん、この場合、盛岡地裁に提訴することもできます（行訴法12①）

◎国側の代理人を務める法務省訟務局租税訟務課

　国税の賦課、徴収等に関連する事件が裁判所で争われる場合、国側の代理人を務める行政庁があります。法務省訟務局の「租税訟務課」です。この部署では、「国の利害に関係のある租税の賦課処分及び徴収に関する争訟に関する事務をつかさどる」（法務省組織令52）こととされています。

　国を当事者とする民事訴訟および行政訴訟などの争訟事件（訟務事件）は、法務省、法務局の訟務部門の職員が一元的にその処理を担当しており、重要な事件は検事（訟務検事）が訴訟を担当しています。また、地方団体、独立行政

法人その他政令で定める公法人の民事訴訟および行政訴訟についても、それが国の利害に関係があると認められるものについても担当しています。

（石村　耕治）

〔アドバンス文献〕豊田孝二編『税務調査から税務訴訟まで』（2011年、清文社）、日本税務会計学会訴訟部門編『税務争訟ガイドブック～納税者権利救済の手続と実務』（2008年、民事法研究会）、中尾巧・木山泰嗣『新・税務訴訟入門』（2023年、商事法務）、松沢智『租税争訟法〔改訂版〕』（1998、中央経済社）、今村隆ほか『課税訴訟の理論と実務』（1998年、税務経理協会）、南博方『租税争訟の理論と実際〔増補版〕』（1980年、弘文堂）

6.6　主な税務訴訟のあらまし

ポイント

> ひとくちに税務訴訟といっても、さまざまなものがあります。それらのうち、重要なのは、「課税処分の取消訴訟」、「課税処分の無効等確認訴訟」、「義務付け訴訟」、「仮救済」および「国家賠償請求訴訟（国賠訴訟）」です。

◎課税処分の取消訴訟

　税務訴訟の多くは、「取消訴訟」です（行訴法8以下・☛6.5）。専門用語でいうと、納税者による、課税庁の「処分その他公権力の行使に当たる行為」の取消しを求める訴訟です。訴えの対象としては、更正・決定・再更正（☛5.3.6）のような租税確定や滞納（☛5.4.2）などの「処分」があげられます。加えて、課税庁職員による権限濫用的な税務調査、課税庁の誤指導、課税庁からの通知内容の誤記載などの「事実行為」（☛6.1 Column）が考えられます。

　課税庁をはじめとした行政庁の行った処分等には「公定力」があるとされます。公定力とは、"課税庁を含む行政庁の処分等の行為は、仮に違法であったとしても、公式に取り消されるまでは一応有効であるとの推定を受ける"という行政法特有の理論です（☛6.1）。アメリカ法などでは、「presumption of correctness」ないし「presumption of lawfulness」理論とよばれます。この理

論のもと、税務署長が更正処分をした場合で、納税者がその処分に納得できない、違法ではないかと思ったとしても、一応有効なものとして取り扱われます。ただ、一応有効と"推定"されるということですから、法律に定める期間（出訴期間）内であれば納税者は裁判を起こし、そこで反論（主張/立証）をして覆す試みができます。

このように、取消訴訟、とりわけ租税確定処分の取消しを求める訴訟は、納税者が課税庁の処分に納得できないときに、裁判所に訴えてその処分に認められた公定力を排除してもらうことにあります。裁判所が、税務署長の処分は間違っている（違法）と認め、その処分を取り消せば、払い過ぎになった税金は、還付加算金までつけて納税者のもとに返されます。2,000億円も還付されたケースがありました。

(1) 租税確定処分の取消訴訟と不服申立前置主義

租税確定処分の取消訴訟では、不服申立前置主義を採っています（行訴法8①但書、国通法115、地税法19の12・☞6.2、6.3、6.4）。つまり、課税庁の処分に納得できない納税者は、裁判所に権利救済を求めるに先立ち行政レベルでの不服申立【国税ではその処分を行った課税庁（原処分庁）への再調査の請求（選択）、国税不服審判所への審査請求/地方税では課税庁への審査請求または固定資産税評価審査委員会への審査の申出】をするように求められます。国税では、不服申立てについて原処分庁が下す裁断を「再調査決定」とよびます。（☞6.2）、国税不服審判所が下す裁断を「裁決」とよびます（☞6.3）。一方、地方税では、審査請求があった場合に審査庁が行う裁断を「裁決」とよびます（☞6.4）。

このように、課税庁の租税確定処分に関して取消訴訟の方法で権利救済を求める納税者は、まず行政レベルでの不服申立てをして裁断（国税では再調査決定（選択）および裁決/地方税では再調査決定ないし裁決）を得る必要があります。ただし、例外として、不服申立ての後一定期間（国税/地方税では3か月。ただし固定資産税評価審査委員会への審査の申出については30日）を過ぎても裁断がないときには、却下の裁断があったものとみなされます（国通法115①一、行訴法8②一、地税法19の12・433⑫但書）。

ちなみに、憲法32条〔裁判を受ける権利〕では、「何人も、裁判所において裁判を受ける権利を奪はれない。」と定めています。不服申立前置主義は、裁判所の負担を減らし、国民・納税者が無償で簡便な行政レベルでの不服申立てで権利救済が受けられることから効率性や利便性が高いと評価する声があります。その一方で、国民・納税者の裁判を受ける権利に消極的に機能していると懸念する声もあります。

(2) 租税確定処分の取消訴訟の出訴期間

納税者は、理屈としては、租税確定処分の取消訴訟をする場合、①課税庁の「原処分の取消しを求める訴え」の形に加え、②「再調査決定の取消しを求める訴え」ないし③「裁決の取消しを求める訴え」の形も選択できます。しかし、現実には、②や③のタイプの訴えは少なく、①課税庁の原処分の取消しを求める訴えを起こすのが一般的です。

租税確定処分の取消訴訟は、訴えを起こせる期間（出訴期間）が法律で決まっています。原則として、処分または裁決があったことを知った日から6か月（国通法114、地税法19の11、行訴法14①）、あるいは、当事者に知る・知らない〔知・不知〕に関係なく、処分または裁決の日から1年です（行訴法14③）。いずれの場合も、その翌日から起算します。この出訴期間を過ぎれば、訴えを起こしても却下されます。ただし、正当な理由があるときには、考慮されることもあります（行訴法14②）。

(3) 租税確定処分の取消訴訟と立証責任

租税確定処分の取消訴訟では、課税要件事実について、納税者、課税庁のいずれが立証責任（挙証責任）を負うのかについては、議論のあるところです。いったん課税庁が確定した租税債権は通常の民事債権に等しいものであるとの視点から、民事訴訟における債務不存在確認訴訟の法理に即して、租税債権者である国または地方団体側が立証責任を負うべきであるとする見解があります。この考え方のもとでは、課税要件事実や課税標準などについては、原則として課税庁側が立証責任を負うこととされます（最判昭38.3.3・訟月9巻5号668頁）。一方、前に述べた"公定力"の考え方（☞6.1）を基礎に、処分が違法であることについての立証責任は、納税者側が負うべきであるとする意見があります。

立証責任の負担に関しては、訴訟における"主張"と"立証"の違いについての理論的検討を含め、争点が"正当な理由"のような不確定概念（☛1.5.4）や推計課税（☛5.3.9）関連の事項であるのかなどに着眼し、事例ごとに精査される必要があります。

　ただ、そもそも税務訴訟は、強大な権限を有する課税庁と対峙する弱い立場の納税者の権利を擁護し、救済をすることがねらいです。このことから、国民・納税者が司法に抱く期待をつなぎとめるためにも、あまりにも課税庁の権限擁護に傾斜する形で立証責任論を展開することには懸念の声もあります。

　ちなみに、納税者が取消訴訟を起こしたとしても、原則として課税処分の執行は停止しないルール（執行不停止原則）になっています（行訴法25）。

◎課税処分の無効等確認訴訟とは

　取消訴訟の出訴期間を過ぎてしまった場合を含め、課税庁の処分など、これに対する再調査決定ないし国税不服審判所の裁決について、その違法性が重大かつ明白であることを理由にあげる、あるいは処分などがそもそも存在しないことを理由にあげて、無効確認等を求める訴えができます。このタイプの訴えは、「無効等確認訴訟」とよばれます（行訴法36・☛6.5）。

　無効等確認訴訟は、課税処分などの効力を争うということでは、取消訴訟と同じです。ただ、無効等確認訴訟が、取消訴訟とは異なるのは、出訴期間の制限はなく、不服申立前置主義の適用もないことです（行訴法36）。このため、取消訴訟の出訴期間が過ぎてしまったときに、無効等確認訴訟が選ばれることも多々あります。処分に関する無効等確認訴訟は、実質的に取消訴訟の補完的な役割を担っている面も否定できません。無効等確認訴訟に関しては原告適格が認められにくいこと、権利救済を求める側の立証責任が重いなどハードルが高いのが実情です。

　なお、納税者は、原則として、取消訴訟を起こしたときに、同じ処分について無効等確認訴訟を起こすことは認められません（名古屋地判平6.10.28・訟月41巻6号1581頁）。納税者は、この訴訟をしている最中に全額納税したときには、訴える

資格（原告適格）を失います（最判昭57.3.4・訟月28巻5号1143頁）。他方、課税処分を受けていてもいまだ租税を納付していない者は、滞納処分を受けるおそれがあるため、無効等確認訴訟の原告適格を有すると判断されています（最判昭51.4.27・民集30巻3号384頁）。

　無効等確認訴訟では、取消訴訟の場合と同様に、理論的には、「処分」に加え、広く「事実行為」についても訴えの対象になると解されます。「更正処分の通知書に誤った記載があるという事実の確認を求める訴え」が一例です。ただ、納税者が同時に更正処分等の取消訴訟、無効等確認訴訟を起こしている場合には、訴えの利益はなく、こうした訴えは不適法として認められません（最決平19.1.26・Z257-10805〔上告棄却〕、原審：新潟地判平19.3.1・タインズZ257-10644〔却下・控訴〕、東京高判平19.6.28・タインズZ257-10739〔棄却・上告〕）。

◎義務付け訴訟とは

　義務付け訴訟は、1962（昭和37）年の行政事件訴訟法（行訴法）のもとでも、無名抗告訴訟（法定外抗告訴訟）として、法解釈上認められてきました。その適用要件なども法解釈を通じて定型化されてきました。2004（平成16）年の行訴法改正で、法定化されました。

(1)　非申請型義務付け訴訟

　「義務付け訴訟」とは、「行政庁がその処分又は裁決をすべき旨を命ずることを求める訴訟」をいいます（行訴法3⑥）。大きく①「非申請型義務付け訴訟」と②「申請型義務付け訴訟」に分かれます。

　このうち、「非申請型義務付け訴訟」は、申請権を前提とせず、課税庁に一定の処分等をすべきことを義務づける場合に提起できます（行訴法3⑥一）。「直接型義務付け訴訟」ともよばれます。訴訟を起こして原告適格が認められて、却下・棄却されないためには、次の要件を充たす必要があります。

●訴訟要件

①	損害の重大性	「一定の処分がなされないことにより重大な損害を生ずるおそれ」（行訴法37の2①）
②	補充性	「その損害を避けるために他に適当な方法がないとき」（行訴法37の2①）。
③	法律上の利益	「行政庁が一定の処分をすべき旨を命じることを求めるにつき法律上の利益を有する者」（行訴法37の2③）

●本案勝訴要件

①	裁量の余地のない場合	「行政庁がその処分をすべきであることがその処分の根拠となる法令の規定から明らかであると認められ」ること、または、
②	裁量権の逸脱・濫用の場合	「行政庁がその処分をしないことがその裁量権の範囲を超え若しくはその濫用となると認められ」ること（行訴法37の2⑤）。

(2) 申請型義務付け訴訟

「申請型義務付け訴訟」は、法令等に基づき課税庁に対して一定の処分等を求める申請をしたのにもかかわらず、それをしない場合に課税庁に一定の処分等をすべきことを義務づけるときに提起できます（行訴法3⑥二）。訴訟を起こして原告適格が認められて、却下・棄却されないためには、次の要件を充たす必要があります。

●訴訟要件

①	(a)	不作為型	「当該法令に基づく申請又は審査請求に対し相当の期限内に何らの処分又は裁決がないこと（行訴法37の3①一）、または、
	(b)	拒否処分型	「当該法令に基づく申請又は精査請求を却下する旨の処分又は裁決がされた場合において、当該処分又は裁決が取り消されるべきものであり、又は無効若しくは不存在であること」（行訴法37の3①二）。
②		模擬裁判でないこと	現実に「法令に基づく申請又は審査請求をした者」であること（行訴法37の3②）。
③	(a)	不作為型	不作為の違法確認訴訟を併合提起すること。
	(b)	拒否処分型	取消訴訟または無効等確認訴訟を併合提起すること（行訴法37の3③）。

PART6 租税救済法とは何か

●**本案勝訴要件**

①	**裁量の余地のない場合**	(a)併合提起された請求に理由があると認められること」、および、(b)「行政庁がその処分若しくは裁決すべきであることがその処分若しくは裁決の根拠となる法令の規定から明らかであると認められ」ること、または、
②	**裁量権の逸脱・濫用の場合**	「行政庁がその処分若しくは裁決をしないことがその裁量権の範囲を超え若しくはその濫用となると認められ」ること（行訴法37の3⑤）。

(3) 義務付け訴訟の実情

　とりわけ税務分野における義務付け訴訟については、久しく更正の請求の期間が1年であったこともあり、更正の請求の期間を徒過した場合の救済手段としての活用を通じて、議論が展開されてきました。しかし、裁判所は、訴えを却下・棄却してきました（例えば、大阪地判平11.8.24・税資224号378頁）。

　しかし、2004（平成16）年の義務付け訴訟の法定化後も、状況に大きな変化は見られません（例えば、更正すべき理由のない旨の通知処分の取消しを前提とした納税者の減額更正処分の義務づけ請求は、通知処分は適法であり、訴えはその前提を欠き不適法として、却下された事例（広島地判平19.10.26・訟月55巻7号2661頁〔却下・棄却〕、広島高判平20.6.20・訟月55巻7月2642頁〔棄却・上告〕、最決平20.12.16・税資258号247（順号11105）〔上告棄却・不受理〕；原審 東京地判平20.1.16・タインズZ258-10861〔一部却下・一部棄却・控訴〕、東京高判平20.6.11・Z258-10966〔控訴棄却、上告〕）があります）。

　更正の請求の期間徒過のケース以外でも、依然として、租税分野において義務付け訴訟を認めることについて、裁判所は極めて消極的です。適用要件が余りにも厳しいことも一因と考えられます。

　一般に、税務に関する義務付け訴訟では、更正の請求に関する事例が多いです。しかし、更正の請求関連以外の事例がないわけではありません。例えば、税務署長らの罷免請求にかかる義務付け訴訟が起こされています（静岡地判平19.3.15・税資257-47（順号10656・タインズZ257-10656〔却下・控訴〕、東京高判平19.8.29・税資257-159（順号10768）・タインズZ257-10768〔棄却・確定〕）。

　このケースでは、納税者X（原告・控訴人）が期限後申告をするにあたり、

749

税務署員Ｂが、申告すべき所得がないのにもかかわらず、一方的に所得税の税額等を計算、本来控除すべき費用や損失をまったく考慮しないまま申告書を提出させたとして、無申告加算税の賦課決定処分の取消し、ならびにＢおよびＢの監督責任者である署長の罷免を命じるように求めて訴えました。

裁判所は、次のように判断しました。「署長らの罷免を求める訴えは、法令に基づく申請に対する一定の処分等の義務付けを求めているものではない。Ｘ指摘の事実を理由として国に対して職権の発動を促すものである。このことから、非申請型義務付けの訴え（行訴法36⑴一）である。非申請型義務付けの訴えでは、①損害の重大性、②補充性、および③法律上の利益が訴訟要件とされている。本件では、国が署長らを罷免しないと納税者に重大な損害が生じるおそれがあるとはいえないことから、訴訟要件を充足せず、不適法」としました。一方、無申告加算税の賦課決定処分の取消しの訴えについては、不服申立てを経由しないで提起されていることから不適法としました。

◎仮救済制度

納税者は、本案訴訟を起こした場合に、同時に、次のような仮救済を請求できる制度があります。

(1) 仮義務付け訴訟・仮差止め訴訟

納税者は、義務づけ訴訟ないし差止め訴訟（本案訴訟）を起こした場合、同時に「仮の義務付けを求める訴訟」や「仮の差止めを求める訴訟」を起こすことが認められます。2004（平成16）年の法改正で導入されました。これにより、納税者が「処分前の仮救済制度」を利用することができるようになりました（行訴法37の5）。

しかし、こうした仮救済の申立てを認める法定要件は「償うことのできない損害」（引用者傍点）を避けるために緊急の必要性があること、とされています（行訴法37の5①）。実際にこの仮救済制度を利用するのはかなり難しいように見えます。なぜならば、後述の執行停止の申立てにより仮救済を受ける場合の「重大な損害」要件よりも厳しいからです。

(2) 取消訴訟時の執行停止申立てを認める要件の緩和

　納税者が、課税庁による処分が行われた後に、その処分等の取消訴訟を起こしたとします。訴訟を起こしても自動的にその処分等の執行は止まりません。これを「執行不停止の原則」といいます。納税者が、処分等が続くと「重大な損害」を被るためそれを避ける緊急の必要性があるとします。この場合、納税者は、処分等の取消訴訟と同時に処分等の執行停止の申立てをすることができます（行訴法25）。つまり、「処分後の仮救済制度」を利用できるわけです。

　ただ、執行停止申立てを認める法定要件が厳格であり、申立てをしても、実際には、ほとんど認められませんでした。この点について、2004（平成16）年の法改正で、申立てを認める場合の要件である「重大な損害」基準が緩和【損害に回復の困難の程度、損害の性質・程度や処分の内容・性質を考慮することと】されました。これにより、従来に比べると執行停止が認められる可能性が少し広がりました。

　こうした仮救済制度は、大きく「不処分等（不作為）をやめさせる裁判」にかかるものとかあるいは「処分等（作為）をやめさせる裁判」にかかるものか、また、「処分前の仮救済」にかかるものかあるいは「処分後の仮救済」にかかるものか、の視点から図説すると、次のようになります。

●仮救済制度の概要

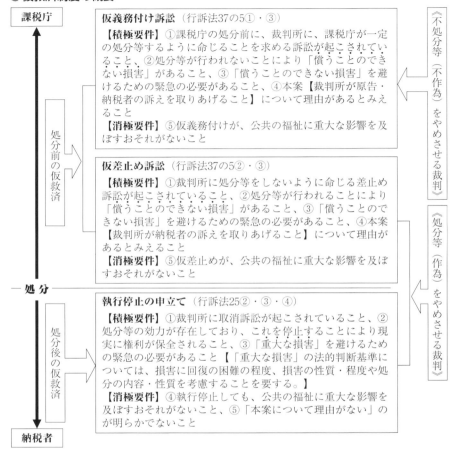

◎仮救済請求ケースの分析

　課税処分等に関し仮救済制度の活用は、いまだ積極的とはいえません。この背景には、司法がこの種の救済を認めることに消極的な姿勢を取っていることもあります。具体的に争われた事案としては、次のようなケースがあります。

PART6　租税救済法とは何か

(1)　更正処分等の仮差止め申立てのケース

　納税者（Ｘ）が、移転価格税制（措置法66の4）の更正処分の差止め訴訟を本案として、当該更正処分等の「仮差止め申立て」を求めたケースがあります（東京地決平17.12.20・税資255号-365（順号10246）・タインズZ255-10246〔却下・確定〕）。

　このケースにおいて、課税庁Ａは、納税者である申立人Ｘと国外関連者との間で行った国外関連取引について、支払対価が独立企業間価格を超えているとして、質問検査を実施し、独立企業間価格を推定し、Ｘに対して更正処分をしようとしました。これに対して、Ｘは、本件更正処分が新聞報道されると、①Ｘのブランドに対する信用の失墜といった回復不能な損害を被ることになること、および②本件更正処分により財務状態に深刻な悪影響を受けることになる旨の主張をしました。また、Ｘは、本案についての理由があるとみえるか否かについても、Ｘは、国外関連者との間での価格取引は独立企業間価格を超えておらず、更正処分は違法である旨の主張をしました。東京地裁は、次の理由をあげ、訴えを却下しました。いわく「業務停止等の命令などとは異なり、更正処分が行われた場合に、税務職員が当該事実を新聞各紙に公表する旨の規定は存しない。むしろ、税務職員には、守秘義務が課されている（法人税法（昭和40年法律第34号）163条）のであるから、本件更正処分の効力として（最決平15.3.11・判タ1119号156頁参照）当該事実を公表することはなく、また、守秘義務に違反して公表することが常態となっているとの疎明もない。したがって、新聞報道によって、仮に申立人の信用が失墜すると仮定したとしても、当該損害は本件更正処分による損害とはいえないものといわざるを得ない。また、更正処分に不服がある場合には、事後の争訟においてその取消しを求めることによって救済を受けることができ、その場合には当然、申立人が延滞税を負担することもなく、仮に更正処分に従って所定の税額を納付した後、事後の争訟において更正処分が取り消されれば当該税額は、還付加算金と共に申立人に還付されることになるのである。その納税資金の調達による損害は、このような還付制度による回復をもって満足することが当然に予定されているものというべきであり、また、たとえこれを納付しなくとも、所定の要件さえ満たせば執行停止制度を活用す

ることもできる。」との判断を示しました。

この判断については、"裁判所は仮救済制度の趣旨を的確に評価しようとしていないのではないか"との疑問を持たざるを得ないところがあります。

⑵　公売手続の執行停止申立てのケース

納税者（X）が、課税処分の取消し求めて本案訴訟を提起するとともに、課税庁が国税徴収法に従い差し押さえた物件に対する公売手続に関し、その続行の執行停止申立てを求め、執行停止が認められたケースがあります（横浜地判平19.4.25・タインズZ888-1290〔容認・確定〕）。

このケースでは、裁判所は、差し押さえられた物件が、Xおよびその家族が長年自宅として使用しているものであり、Xにとって強い愛着がある物件であることが認められ、これが公売され、その留守家族が転居を余儀なくされる（X本人は刑務所に収容中）ことになれば、事後的な金銭賠償だけでは償い切れない損害が発生するものと一応認められるから、行政事件訴訟法25条2項にいう「重大な損害」が生じるものと解される、と判断し、Xの執行停止の申立てを認めました。

◎国家賠償請求訴訟（国賠訴訟）とは

税務職員は、納税者の事務所や居宅などに伺って税務調査を行うことができます（☞5.3.4）。税務調査はおおむね、調査を受ける人たち（被調査者）の自発的な協力を得て平穏に実施されています。しかし、ときには被調査者の権利利益を無視する強引な調査が行われたとして、問題になることがあります。行き過ぎた税務調査は、たとえその職員が職務に熱心であったことが理由であったとしても、ゆるされないこともあります。法律に認められた調査権限を濫用した違法な調査について、納得できない被調査者はどのように争ったらよいのかが問題になります。

税務調査は、その法的な性格は、「処分」ではなく、「事実行為」です（☞6.1 Column）。こうした行為が行き過ぎ・違法であることを理由に取消訴訟や無効等確認訴訟を起こすのも一案です。しかし、すでに終わってしまった行為を問い

754

PART6　租税救済法とは何か

ただし、仮に勝訴したとしても、実益はありません。この場合、被調査者は、税務職員の権限を濫用した違法な税務調査によって損害を受けたことを理由に賠償請求をする訴えをすることで、実益を確保することになります。これが「国家賠償請求訴訟」（国賠訴訟）です。

国家賠償請求訴訟は、公務員などによる違法な公権力の行使によって損害を受けた場合、その被害者が、賠償を問題職員の雇い主である国または公共団体に求める訴訟です。国家賠償請求権については、憲法 (17) や、これを受けて定められた国家賠償法 (1①) に盛られています。

国家賠償請求訴訟は、違法な税務調査に加え、税務職員の誤指導（大阪地判平13.9.13・タインズZ251-8973〔棄却・確定〕）、誤通知（新潟地判平19.3.1・タインズZ257-1064ぅ〔棄却、控訴棄却、上告棄却〕など、さまざまな課税庁の事実行為により被害を受けた納税者が活用できる可能性を秘めています。もっとも、税務に関して国家賠償請求訴訟が認められるケースは少ないのが実情です（容認したケースとしては、例えば、大阪高判平10.3.19・判タ1014号183頁〔確定〕、原審：京都地判平7.3.27・判時1554号117頁。京都地判平12.2.25・訟月246号952頁。高松高判平13.4.27・タインズZ250-888〔原判決変更・一部容認・確定〕、原審：高松地判平11.1.22・タインズ240-8320〔控訴〕。名古屋地判平18.7.20・タインズZ256-10474〔調査時の器物損壊、一部容認〕ただし、名古屋高判平19.1.31・タインズZ257-10624〔国敗訴部分取消、上告〕、最判平19.4.17・タインズZ257-10690〔却下・確定〕）。

近年では、納税者が、固定資産税の登録価格（評価）の不服に関する権利救済制度の不備を補うために、国家賠償請求訴訟を活用し納め過ぎた税額を損害として請求する道も模索されています（☞6.4）。

（石村　耕治）

〔アドバンス文献〕伊藤滋夫編『租税法の要件事実』（2011年、日本評論社）、橋本博之『行政判例ノート〔第5版〕』（2023年、弘文堂）、宮田三郎『国家責任法』（2000年、信山社）

PART 7

租税制裁法とは何か

租税制裁法

　脱税など税金にかかわる事件をよく耳にすると思います。租税制裁法とは、税法に違反する行為（租税犯則事件）があれば、それを止めさせ、制裁を課すための法律の体系をさします。犯則行為に対しては、（1）租税犯として刑罰を加える場合と、（2）行政上の制裁を加える場合とがあります。

　（1）租税犯に対する制裁としては、懲役刑と罰金刑（または併科）があります。一方、（2）行政上の制裁としては、①申告義務者が申告義務を果たさなかった場合の加算税、②間接国税または関税の犯則事件に関する通告処分があります。

　なお、租税犯についての証拠を収集し、犯則事実の有無と犯則者を確定するために、課税庁の調査担当官による租税犯則調査・査察が行われます。調査により、犯則があるとされた場合には、直接国税の犯則事件については、検察官に告発の手続がとられます。一方、間接国税の犯則事件については、通告処分または告発の手続がとられます。

7.1 租税犯とは何か

ポイント

租税犯とは、税法がその違反行為に対して"刑事罰"で制裁を加える対象者をいいます。租税に関する犯罪は、「租税犯」と「租税関連犯」とに分けられます。租税犯の処罰独特な仕組みとして、罰金額の上限を脱税額にスライドさせる制度があります。

◎租税犯の種類

租税犯とは、税法がその違反行為に対して"刑事罰"で制裁を加える対象者をいいます。税金に関する犯罪は、(1)税金の賦課・徴収・納付に直接関係する「租税犯」と、(2)それ以外の「租税関連犯」とに分けられます。また、(1)の租税犯は、①国や地方（公共）団体（「課税権者」）の税金を請求する権利（「租税請求権」）を直接侵害する「脱税犯」と、②その租税請求権の行使を妨害する「租税秩序犯（租税危害犯)」とに分けられます。

なお、こうした租税犯を一般犯罪と区別（行政犯と刑事犯とに区別）して取り扱うべきかどうかが議論されてきました。最近では、租税犯を一般の犯罪とは区別せず、刑法総則の規定を適用するようになってきています。

上にあげた各種の租税犯と罰則の程度を図で示すと、次のとおりです。

●租税犯の類型と罰則

		・ほ脱犯	10年以下の懲役もしくは1,000万円以下の罰金または併科*（所税法238①など）
		・間接脱税犯	10年以下の懲役または100万円以下の罰金*（酒税法54①など）
	①脱税犯	・不納付犯	10年以下の懲役もしくは100万円以下の罰金または併科*（所税法239①など）
		・滞納処分免脱犯	3年以下の懲役もしくは250万円以下の罰金または併科*（徴収法187①）
		・不納付煽動犯	3年以下の懲役または20万円以下の罰金*（国通法126①、地税法21①など）

PART7 租税制裁法とは何か

(1)租税犯	①脱税犯	・納付妨害犯	3年以下の懲役または20万円以下の罰金*（国通法126②、地税法21②など）
		・故意の申告書不提出犯	5年以下の懲役もしくは500万円（情状により脱税額）以下の罰金またはこれらの併科*（所税法238③④、法税法159③④、相税法68③④、消税法64⑤など）
	②租税秩序犯	・虚偽申告犯	1年以下の懲役または50万円以下の罰金（消税法65、国通法128一など）
		・単純無申告犯	1年以下の懲役または50万円以下の罰金（所税法241、消税法66など）
		・不徴収犯	1年以下の懲役もしくは50万円以下の罰金または併科（所税法242三）
		・質問検査拒否犯	1年以下の懲役または50万円以下の罰金（国通法128二）
	③租税未遂犯	・消費税不正受還付未遂犯	10年以下の懲役もしくは1,000万円（情状により消費税額）以下の罰金またはこれらの併科（消税法64②③、刑法43、68）
(2)租税関連犯	・秘密漏示犯〔税務職員の守秘義務違反〕		2年以下の懲役または100万円以下の罰金（国通法127・☛1.3.5）

　なお、2025（令和7）年6月1日以降に起きた事件で起訴され、有罪になったものについては、各税法に定める「懲役」は、「拘禁刑」に変更になります。

◎主な租税犯のタイプごとの特徴

　さまざまなタイプの租税犯があります。そのうち、主なものの特徴は次のとおりです。

●脱税犯とは

① ほ脱犯

　納税義務者または源泉（特別）徴収義務者が、「偽りその他不正の行為」により、租税を免れまたは還付を受けたことを犯罪とするものです（所税法238①・239①、法税法159○、消税法64①、相税法68①など）。なお、ここでいう「偽りその他不正の行為」とは、帳簿書類への虚偽記入とか、二重帳簿の作成とか、積極的な行為をさします。したがって単に確定申告書を提出しない「単純無申告」の場合は、それにあたりません（最判昭24.7.9・刑集3巻8号1213頁）。なお、所得税の予定納税および法人税の中間申告による納付（☛5.3.3）に関しては、ほ脱犯としての処罰は定められていません。

759

② 間接脱税犯
酒類の密造犯（酒税法54①）や密輸犯（関税法111①）のように、当局から許可を受けずにその行為をすることにより、間接税を脱税することを犯罪とするものです。

③ 不納付犯
源泉（特別）徴収義務者が、税金を徴収して納付すべき租税を納付しないことを犯罪とするものです（所税法240①、地税法86①など）。

●租税秩序犯とは

① 虚偽申告犯
納税申告書に、虚偽の内容を書くことを犯罪とするものです（消税法65、酒税法56①三）。

② 単純無申告犯
正当な理由がないのに、納税申告書をその提出期限までに提出しなかったことを犯罪とするものです（所税法241、法税法160、相税法69など）。

③ 不徴収犯
源泉（特別）徴収義務者が、納税義務者から天引徴収すべき税金を徴収しなかったことを犯罪とするものです（所税法242三）。なお、不徴収のまま納期限が過ぎると、脱税犯である不納付犯（前表の③、所税法240①）が成立します。この場合、不納付犯は不徴収犯に吸収されます。

④ 質問検査拒否犯
税務調査（☞5.3.4）において、課税庁職員は、質問検査を実施します。その際に、それを受ける義務がある者などが、質問に答えず、また、検査を拒み、妨害もしくは忌避、または偽りの帳簿書類を提示する行為を犯罪とするものです（国通法74の2〜74の6、127二）。なお、拒否罪が成立するためには、質問検査自体が適法な理由に基づいて実施されていなければなりません。

⑤ 不正受還付未遂犯
消費税の不正受還付の未遂を処罰するものです（消税法64②、刑法43、68）。

◎租税犯の処罰の特色

脱税犯については、脱税額が罰金刑の上限を超える場合には、情状により、罰金額を脱税額にスライドさせて、脱税額以下にすることが認められています（所税法238②・239②、法税法159②、相税法68②、消税法64③など）。

（石村 耕治・益子 良一）

〔アドバンス文献〕板倉宏『租税刑法の基本問題〔増補版〕』（1965年、勁草書房）、佐藤英明『脱税と制裁〔増補版〕』（2018年、弘文堂）、松沢智『租税処罰法』（1999年、有斐閣）、木村弘之亮『租税過料法』（1991年、弘文堂）

PART7 租税制裁法とは何か

7.2 附帯税(1)：延滞税・利子税とは何か

ポイント

　「附帯税（ふたいぜい）」とは、①延滞税、②利子税、③加算税、④過怠税を総称したものをいいます。①延滞税は、税金を法定期限内までに納められないことを原因に、未納の税金に附帯して発生する税金です。一方、②利子税は、延納や納期の延長の手続を経た後で、延納する税金に附帯して発生する税金です。

◎附帯税とは何か

　租税に附帯して納付するように求められる一定の負担を、国税では附帯税、地方税では附帯金といいます。国税の場合、附帯税としては、延滞税、利子税および加算税 (国通法2四・60以下)、過怠税 (印税法20) があげられます。一方、地方税の場合には、延滞税および利子税に相当するものを延滞金 (地税法72の44、72の45の2)、そして加算税に相当するものを加算金とよんでいます (地税法72の46、72の47、1①十四)。

　附帯税は、税という名前はついていますが、本来の意味での租税ではありません。このような附帯税は、各賦課要件に基づいて算出された本税である国税の全部または一部に対して課税されます (国通法62②・65①・66①・67①・68①、所税法131③・136など)。また、本税と一緒に徴収されます (国通法60③・64①)。なお、附帯税のうち、各種加算税は賦課課税方式により税額が確定します。一方、延滞税や利子税は、自動確定方式により税額が確定します (☛5.2.1、5.2.2)。

761

●附帯税一覧

	内　容	本　則	特例【改正後】 （14.6％については、 特例の創設）	［参考］ 2024（令和6）年1月1日以降 2024（令和6）年12月31日
延　滞　税	法定納期限を徒過し履行遅滞となった納税者に課されるもの	14.6％	特例基準割合*1＋7.3％（早期納付を促す）	8.7％
2か月以内等	納期限後2か月以内等については、早期納付を促す観点から低い利率	7.3％	特例基準割合＋1％（早期納付を促す）	2.4％
納税の猶予等	事業廃止等による納税の猶予等の場合には、納税者の納付能力の減退といった状態に配慮し、軽減〔災害・病気等の場合には、全額免除〕	2分の1免除（7.3％）	特例基準割合	0.9％
利　子　税（主なもの）	所得税法・相続税法の規定による延納等、一定の手続を踏んだ納税者に課されるもの	7.3％	特例基準割合*2	0.9％
還付加算金	国から納税者への還付金等に付される利息	7.3％	特例基準割合	0.9％

＊1　2021（令和3）年1月1日後、
　　①　納期限までの期間及び納期限の翌日から2か月を経過する日までの期間については、年「7.3％」と「延滞税特例基準割合（※）＋1％」のいずれか低い割合を適用することとなります。
　　②　納期限の翌日から2月を経過する日の翌日以後については、年「14.6％」と「延滞税特例基準割合（※）＋7.3％」のいずれか低い割合を適用することとなります。
　　（※）　延滞税特例基準割合とは、各年の前々年の9月から前年の8月までの各月における銀行の新規の短期貸出約定平均金利の合計を12で除して得た割合として各年の前年の11月30日までに財務大臣が告示する割合に、年1％の割合を加算した割合をいいます。
＊2　利子税特例基準割合および還付加算金特例基準割合は、各年の前々年の9月から前年の8月までの各月における銀行の新規の短期貸出約定平均金利の合計を12で除して得た割合として各年の前年の11月30日までに財務大臣が告示する割合に、年0.5％の割合を加算した割合をいいます。

◎延滞税とは何か

　国税を法定納期限までに納付しない場合に、その未納税額に対して課される

附帯税が延滞税です。延滞税は、納期限までに国税を納めた人とそうでない人とのバランスをはかることをねらいに設けられた制度です。民事上の債務関係における遅延利息と同じ性格を有します。延滞税の額は、その国税の納期限の翌日から納付までの期間に応じて計算されます（国通法60②、措置法94）。*

延滞税は、一般に、次のような場合に課されます（国通法60①）。

> ① 納税申告をした後に確定した税額を法定納期限までに完納しないとき。
> ② 期限後申告書または修正申告書を提出した場合で、納付しなければならない税額があるとき。
> ③ 更正または決定の処分を受けた場合で、納付しなければならない税額があるとき。

ただし、脱税などの場合を除き、次の場合には一定の期間延滞税の計算期間に含めないという特例があります（国通法61①）。

> ① 期限内申告書が提出されていて、法定申告期限後1年を経過してから修正申告または更正があったとき。
> ② 期限後申告書が提出されていて、その申告書提出後1年を経過してから修正申告または更正があったとき。

なお、延滞税は、所得税または法人税の所得金額の計算上必要経費として控除または損金算入ができません。

＊相続税に関して減額更正がされた後に増額更正がされたとします。こうした場合に、最高裁は、増額更正により新たに納付すべきこととなった税額にかかる部分について、相続税の法定納期限の翌日からその新たに納付すべきこととなった税額の納期限までの期間にかかる延滞税は発生しないとし、納税者勝訴の判決をくだしました（最判平26.12.12 〔破棄自判〕・LEX/DB25446819）。この判決を受けて、相続税以外の税金を含め、同一論点で増額の再更正がされたケースには延滞税を課さない措置が設けられました（国通法61）。

◎利子税とは何か

所得税、相続税および贈与税の延納が認められたとします。あるいは、法人税申告書の提出期限の延長が認められたとします。この場合の延納税や期限延長にかかる確定申告税額に課される附帯税が利子税です*。約定利子の性格を有します。

利子税の額は、延納や期限延長が認められた期間の日数に応じて計算されます（国通法64、措置法70の11・93など）。

> 延納税額×特例基準割合×延納日数

　なお、利子税は、所得税または法人税の所得金額の計算上必要経費または損金算入ができます。

＊法人税の確定申告書の提出期限の延長の特例等の適用がある場合における利子税について、申告した後に減額更正がされ、その後更に増額更正等があった場合には、増額更正等により納付すべき税額（その申告により納付すべき税額に達するまでの部分に限ります。）のうち延長後の申告期限前に納付がされていた部分は、その納付がされていた期間を控除して計算します。

（石村　耕治・益子　良一）

7.3　附帯税⑵：加算税とは何か

ポイント

　加算税には、㈠過少申告加算税、㈡無申告加算税、㈢不納付加算税、㈣重加算税の４種類があります。

◎加算税とは何か

　所得税などについて申告と納付、給与などを支払う人には源泉所得税の徴収と納付（☛5.1.1）を義務づけています。こうした納税者（国通法2五）としての義務を果たさない場合に課される附帯税が、「加算税」です。加算税には、①過少申告加算税、②無申告加算税、③不納付加算税、④重加算税の４種類があります（国通法65以下）。

　申告納税方式による国税に関連して課されるのは、過少申告加算税、無申告加算税および重加算税です。また、源泉徴収等による国税に関連して課されるのは、不納付加算税および重加算税です。

　納税義務は、過少申告加算税、無申告加算税およびこれらに代わる重加算税については、その基礎となる国税の法定申告期限を経過したときに成立します

（国通法15②十三）。一方、不納付加算税およびこれに代わる重加算税の納税義務は、その基礎となる国税の法定納期限が経過したときに成立します（国通法15②十四）。加算税は、賦課課税方式による国税です。そのため納税義務は、賦課決定により確定します（国通法16①二・32）。

◎各種の加算税の適用要件と課税割合

各種の加算税を課す要件および割合は、図で示すと次のとおりです。

●各種の加算税の適用要件と課税割合

区分	加算税を課す要件		割合
過少申告加算税	① 期限内申告書の提出があった場合で、申告書記載の金額が過少で、修正申告書の提出または更正があったとき（国通法65①）。 ② 還付申告書の提出があった場合で、申告書記載の金額が過大で、修正申告書の提出または更正があったとき（国通法65①）。		10%
		ただし、期限内申告税額に相当する金額と50万円とのいずれか多い金額を超えるときの超過部分の金額（国通法65②）	超える部分については、上記10%の他、5%を加算
	過少申告したことについて正当な理由があると認められる場合（国通法65⑤）		不適用
	更正を予知してなされた申告でない場合（国通法65⑥）		不適用＊1
	提出された財産債務調書・国外財産調書（☞4.5）に修正申告等の基因となる財産または債務の記載があるとき。		通常課される額から5%軽減
	財産債務調書・国外財産調書の提出がない場合や修正申告等の基因となる財産または債務の記載がないとき。		通常課される額に5%加重
無申告加算税	① 期限後申告または決定により税額が確定した場合（国通法66①一） ② 期限後申告または決定があった後に修正申告または更正により増差税額が出た場合（国通法66①二）		15%＊2
		ただし、納付すべき税額が50万円を超えるときには、その超える部分（国通法66②）	超える部分については、20%＊3
	決定または更正を予知してなされた申告でない場合（国通法66⑧）		5%＊4
	① 申告しなかったことについて正当な理由があると認められる場合（国通法66①但書） ② 偶発的な申告遅延等があった場合（国通法66⑨）＊5		不適用

765

無申告加算税	提出された財産債務調書・国外財産調書に修正申告等の基因となる財産または債務の記載があるとき。		通常課される額から5％軽減
	財産債務調書・国外財産調書の提出がない場合や修正申告等の基因となる財産または債務の記載がないとき。		通常課される額に5％加重
不納付加算税	源泉徴収などにより徴収・納付すべき国税が法定納期限までに納付しないで、法的期限後に納付または納税の告知をする場合（国通法67①）		10％
	納税告知を予知してなされた申告でない場合（国通法67②）		5％
	① 納付しなかったことについて正当な理由があると認められる場合（国通法67①但書） ② 偶発的な納付遅延等があった場合（国通法67③）＊6		不適用
重加算税	① 過少申告加算税が課される場合に、国税の計算の基礎となる事実を隠ぺいまたは仮装したところに基づいて納税申告をしている場合（国通法68①）	過少申告加算税に代えて課す場合	35％
	② 無申告加算税が課される場合に、国税の計算の基礎となる事実に隠ぺいまたは仮装がある場合（国通法68②）	無申告加算税に代えて課す場合	40％
	③ 不納付加算税が課される場合に、国税の計算の基礎となる事実に隠ぺいまたは仮装がある場合（国通法68③）	不納付加算税に代えて課す場合	35％

＊1　調査通知・事前通知（☞5.3.5 Column）の後、そしてさらに、その調査により更正または決定がなされることを予知する前に修正申告があった場合の過少申告加算税の割合は、5％（期限内申告税額と50万円のいずれか多い額を超える部分は10％）となります。

＊2　過去5年以内に無申告加算税（予知された更正または決定に限ります。）または重加算税が課されたことがある場合、または、前年度および前々年度における国税について無申告加算税または無申告重加算税を課された者が、さらなる無申告行為を行った場合は、さらに10％加算されます（国通法66⑥）。

＊3　50万円までは15％、50万円を超える部分は20％、さらに300万円を超える部分は30％になります。ただし、調査通知・事前通知より前といった更正の予知をせずになされた場合の期限後申告または修正申告について、50万円までは10％、50万円を超える部分は15％、300万円を超える部分は25％です。

＊4　前記＊1の場合で期限後申告または修正申告に基づく無申告加算税の割合は10％（納付すべき金額が50万円を超える部分は15％）になります。

＊5　ただし、その申告書が法定申告期限から1か月以内に提出され、かつ、その申告書にかかる納付すべき税額の全額が法定納期限までに納付される等の期限内申告書を提出する意思があったと認められる一定の場合には、無申告加算税は課されません。

＊6　ただし、法定期限から1か月以内の納付がなされ、かつ、その納付前1年間において法定期限後に納付されたことがないこと等により法定納期限までに納付する意思があったと認められる場合には、不納付加算税は課されません。

◎仮装隠ぺい行為に基づく確定申告書等提出における簿外経費の取扱い

納税者が、二重帳簿の作成、帳簿書類の隠匿・虚偽記載、証明書類の改ざん

PART7 租税制裁法とは何か

のような仮装隠ぺい行為に基づいて確定申告書が提出している場合や確定申告書の提出がない（無申告）の場合には、帳簿書類や明らかな証拠書類等（エビデンス）がない限りは、その明らかなエビデンスを提出できない支出については必要経費の額に算入しないような措置がとられます(所税法45③、法税法55)。

　税務調査の現場において、証拠書類等（エビデンス）を提示せずに簿外経費を主張する納税者や仮装して簿外経費を主張する納税者との間で水掛け論になることを防ぐためにとられた措置と解されます。

●仮装隠ぺい行為に基づく確定申告書等における簿外経費取扱いのあらまし

	要件および理由
①対象者	❶(イ)不動産所得、事業所得もしくは山林所得を生ずべき業務を行う者、(ロ)雑所得を生ずべき業務を行う者で前々年の雑所得の収入金額が300万円を超える者 ❷法人 ❶(イ)(ロ)・❷に該当する者が、隠ぺい仮装行為に基づき確定申告書を提出している場合または無申告の場合
②否認される費用等	次の❶と❷掲げる費用の額等で、③にあたるものを除く。 ❶確定申告書にかかる事業年度の売上原価の額（ただし、販売した資産の取得に直接要した額等を除きます。） ❷確定申告書にかかる事業年度の販売費、一般管理費等の費用の額および損失の額
③適用除外	❶保存する帳簿書類等により前記②の費用等の額の起因となる取引があったこと、および、これらの額が明らかである場合（ただし、災害その他やむをえない事情があるときは除きます。） ❷保存する帳簿書類等により前記②の費用等の額の起因となる取引の相手方が明らかである場合その他当該取引があったことが明らかであるまたは推測できる場合であって、課税庁の反面調査等によりその取引がありかつそれらの額が生じたと認められるとき。
④取扱い	上記①対象者に掲げる者の ❶不動産所得、事業所得、山林所得または雑所得の金額の計算上、必要経費に算入しない。 ❷その法人の各事業年度の所得金額の計算上、損金の額に算入しない。

◎帳簿の提出がない場合等の加算税の加重措置

　帳簿を作成・保存する義務のある事業者が、税務調査において、売上（業務

767

に係る収入を含みます（☞3.2.10）。以下同じです。）に関する帳簿を保存していなかったことや、その帳簿の売上についての記載が不十分であると指摘されたとします。この場合、通常発生する過少申告加算税または無申告加算税の額が、5％または10％加重する措置が設けられました（国通法65④、66⑤）。この措置は、2024（令和6）年1月1日以後に法定申告期限等が到来する対象となる国税（申告所得税・法人税・消費税など）に適用されます。

●「この措置の対象となる帳簿」とは

「この措置の対象となる帳簿」とは、次に掲げる帳簿のうち、売上金額等の記載についての調査のために必要とされるものをさします。
・所得税または法人税の青色申告者（☞3.2.11）に保存が求められる仕訳帳と総勘定元帳
・所得税または法人税の白色申告者および青色申告者（簡易簿記または現金主義・☞3.2.11）に保存が求められる帳簿
・消費税の事業者（☞2.2.3）の保存が求められる帳簿

●帳簿の提出がない場合等の過少申告加算税等の加重措置

区分	売上金額等の帳簿への記載	加算税の加重割合
①不記載・不保存	すべてが記載されていない	10％
②記載不備	❶5割以上が記載されていない 　記載不備の程度が著しい 　この場合、①と同視する	10％
	❷1/3以上が記載されていない 　年間の所得計算をするには不十分	5％

●加算税の加重措置のイメージ

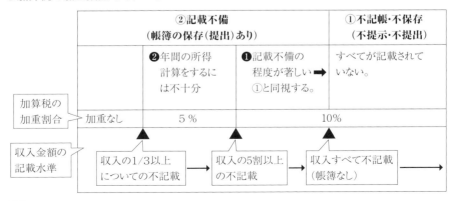

PART7　租税制裁法とは何か

◎仮装隠ぺいの事実に基づく更正の請求を重加算税の対象に

　重加算税は、納税者が、仮装または隠ぺいにより納税申告書を提出していることを要件としています（国通法68①）。このため、納税者が、仮装または隠ぺいした事実に基づき更正の請求をしていた場合には、重加算税を課すことができません。この点が改正されます。仮装または隠ぺいにより更正の請求書を提出している場合にも、一定の範囲で納税者に重加算税が課されます。

　この改正は、2025（令和7）年1月1日以後に法定申告期限等が到来する国税に適用されます（2024（令和7）年度税制改正大綱六3）。

◎国税通則法以外の法律（電帳法）による加算税の加重・軽減

　電子帳簿保存法（電帳法）の適用対象は、大きく❶電子的に作成した帳簿書類の電子保存、❷紙で授受した書類のスキャナ保存、❸電子取引で授受した電子データの保存の3つに区分されます（☛1.3.8）。このうち、❷や❸の場合で、その電子データに改ざんなどが見つかったときには、国税関係帳簿書類の保存義務者には、通常の重加算税に10％が加重されます（電帳法8⑤）。

●重加算税の10％加重要件

加算税を課す要件	割合
過少申告加算税に代えて重加算税（35％）が課される場合（電子データに記録された事実に事項にかかる事実以外のもの以外の事実があるときは、その電子データに記録された事項の基づく税額として計算した一定の金額）	通常課される額に10％加算
無申告加算税に代えて重加算税（40％）が課される場合（電子データに記録された事実に事項にかかる事実以外のものがあるときは、その電子データに記録された事項の基づく税額として計算した一定の金額）	通常課される額に10％加算
不納付加算税に代えて重加算税（35％）が課される場合（電子データに記録された事実に事項にかかる事実以外のもの以外の事実があるときは、その電子データに記録された事項の基づく税額として計算した一定の金額）	通常課される額に10％加算

　一方、国税関係帳簿書類の保存義務者が、一定の国税関係帳簿について、法定のシステム要件を満たす優良な電子帳簿として電子データによる備付けおよび保存を行っている場合で、あらかじめ所轄税務署長にその旨の届出をしているときには、優良な電子帳簿に記録された事項に関し申告漏れがあったとして

769

も（ただし仮装または隠ぺいがあった場合を除きます。）、その申告漏れ等に対して過少申告加算税が5％軽減される措置が適用されます（電帳法8④、電帳法規5①・⑤・（☞1.3.8））。

● 過少申告加算税の5％軽減要件

加算税を課す要件	割合
電帳法による保存に基づいて修正申告書等の提出等があった場合（電子データ等に記録された事項にかかるもの以外の事実があるときは、その部分を控除した金額）	通常課される額から5％軽減

過少申告加算税の軽減措置の対象となる優良な電子帳簿について、その範囲は次のとおりです。

● 過少申告加算税軽減措置適用対象の「優良な電子帳簿」の範囲

① 仕訳帳

② 総勘定元帳

③ 次に掲げる補助簿

・手形記入帳（手形上の債権債務に関する事項）

・売掛帳（売掛金その他債権に関する事項）

・買掛金（買掛金その他債権に関する事項）

・有価証券受払い帳（有価証券に関する事項）

・固定資産台帳（減価償却資産に関する事項）

・繰延資産台帳（繰延資産に関する事項）

・売上帳（売上げその他収入に関する事項）

・仕入帳（仕入れその他経費または費用に関する事項）

※ただし、法人税に係る優良な電子帳簿にあっては、賃金、給料手当、法定福利費および厚生費は除かれます。

◎過少申告加算税が課されない場合とは

各種加算税のうち、課税実務上納税者と関係が深いのは、過少申告加算税です。納税者が、期限内に確定申告書ないし還付申告書を提出していても、課税庁が税

務調査をした結果、税法が求めるよりも申告書記載の金額が少ないか還付を求めた税額が多すぎる場合には、納税者が自主的に修正申告書を提出あるいは課税庁が更正処分をしたとしても、過少申告加算税が課せられます。

過少申告加算税は、増差税額（追加納付税額）をベースに課されます。計算式は、(追加納付税額×10％)＋(期限内納付税額か50万円のいずれか多い金額)×５％です（国通法65①・②）。ただし、悪質な仮装・隠ぺいであれば、過少申告加算税に代えて原則35％の税率の重加算税が課されます（国通法68①）。

過少申告加算税は、次の場合には課されないことになっています（国通法65⑤・⑥）。

● **過少申告加算税が課されない場合**

・正当な理由がある場合（国通法65⑤）
・更正を予知せずに修正申告をした場合（国通法65⑥）
・申告指導〔行政指導〕に基づく納税者の自発的協力があった場合（手続通達1－2）

(1)　正当な理由がある場合とは

過少申告加算税が課されなくなる「正当な理由」という言葉は、典型的な不確定概念（☞1.5.4）の１つです。憲法の租税法律主義から派生する"課税要件明確主義"の要請の面からの精査も必要です。「正当な理由」のような不確定概念は、憲法31条には反しないと解することができるとしても（横浜地判昭51.11.26・訟月22巻12号2912頁）、課税庁に恣意的な適用・解釈を許したものとはいえません。

「正当な理由」がある場合とは、納税者が提出した納税申告書の金額が過少ないし還付申告書の金額が過大であるとしても、納税者の責任を問えないような事実があり、課税庁が過少申告加算税を課す（賦課）することが不当または酷となる場合をさします（最判小平18.4.20・民集60巻4号1611頁）。

「正当な理由」については、権利救済的な立法趣旨に照らし、申告義務を果たした人を大事にする法の適用・解釈が求められています。にもかかわらず、実際には、「正当な理由」を根拠に過少申告加算税を課さないとしたケースは非常にまれです。司法も、この点については課税権留保に資する適用・解釈に傾斜しており、「正当な理由」を認めることには消極的で、しかも「正当な理由」があることについての主張・立証責任は、納税者側にあるとする解釈もありま

す（横浜地判昭51.11.26・訟月22巻12号2912頁）。しかし、課税庁、納税者いずれの側が挙証するか（挙証の分担）は、ケースごとに考える必要があります。

「正当な理由」を認め過少申告加算税を課税庁が課さなかったケースと課税庁の賦課処分を裁判所が違法としたケース、また認めずに過少申告加算税を課すことを認めたケースに分けて例示すると、次のとおりです。

●「正当な理由」があるとしたケースとないとしたケース

「正当な理由」があるとし、過少申告加算税を課さなかったケース
① ストック・オプション【新株予約権＝会社に対して株式の交付を受ける権利】の権利行使益の所得区分が問題になったケースにおいて、課税庁は、かつて一時所得として取り扱っていたのを、その後給与所得に取扱いを変更しました。こうした課税取扱変更の一般への周知が不十分であることも一因で納税者の申告に増差税額が生じたことを考慮し、課税庁は、納税者が一時所得として申告したことに「正当な理由」があるとし、増差税額への過少申告加算税に賦課しませんでした（最判小平18.10.24・タインズZ888-1183・（☛3.2.9））。
② 課税庁職員が官職名で編集または監修した解説書に "個人から法人に対する無利息貸付については課税されないとの見解" が記されており、納税者が、この内容を当局の見解であると解したとしても無理がないとし、裁判所は、過少申告加算税を課すのは酷であるとし、「正当な理由」があるとしました（東京高判平11.5.31・タインズZ243-8416）。ただし、地裁（東京地判平9.4.25・タインズZ223-7906）および最高裁（最判平16.7.20・Z254-9700）は「正当な理由」にはあたらないとしました。いわゆる「平和パチンコ事件」
③ 在日アメリカ大使館に勤務する納税者が同大使館から支給を受けた給与のかなりの部分を自らの所得税の申告から除外したことについて、裁判所は、慣行に基づいたものであり、「正当な理由」にあたるとしました（東京地判平16.4.19・タインズZ254-9628）。ただし、高裁（東京高判平16.11.30・Z254-9841〔原判決変更〕）は「正当な理由」にはあたらないとしました。
「正当な理由」はないとし、過少申告加算税を課したケース
① 医療費控除に関し、従前から課税庁が修正申告の指導や更正処分をしなかったという事実は、納税者に過少申告を継続することを認める「正当な理由」にはあたらないとしました（最決小平17.7.15・タインズZ255-10083〔不受理〕、原審：横浜地判平16.10.20・タインズZ254-9785〔棄却・控訴〕、東京高判平17.3.22・タインズZ255-09964〔棄却・上告〕）。
② 税法の不知または誤解から、納税者が確定申告書の作成の際、誤って不動産の譲渡にかかる損失を他の所得と損益通算し、過少申告をするにいたったことについては、「正当な理由」にはあたらないとしました（東京地判平20.2.7・タインズZ258-10889〔棄却・控訴〕、東京高判平20.7.23・タインズZ258-10994〔棄却・上告〕、裁決小平20.11.28・タインズZ258-11094〔不受理〕）。

772

(2) 更正を予知せずに修正申告をした場合とは

　過少申告加算税が免除される場合として、「更正を予知せずに修正申告をした場合」があります（国通法65⑥）。納税者が、期限内にした所得税の申告（当初申告）に誤りがあるとして、自主的に修正申告をしたとします。その修正申告が、当初申告に関する税務調査があったことがヒントとなり、課税庁による更正処分があるべきことを「予知してなされたもの」でないときには、過少申告加算税は課されないことになっています（国通法65⑥）。

　ただし、調査を行う旨（調査通知）、調査対象税目および調査対象期間の通知（事前通知）（☜5.3.5 Column）以後、かつ、その調査があることにより更正または決定があるべきことを予知する前にされた修正申告等については加算税の対象となります。

　ちなみに、「更正の予知」のタイミングについては、次のように、裁判所の考え方が大きく3つに分かれています。

● 「更正の予知」のタイミングに関する考え方

①	調査着手時説	例）最判昭51.12.9・税資90号759頁
②	端緒把握時説	例）東京高判61.6.23・行集37巻6号908頁　《通説》
③	不足額発見時説	例）和歌山地判昭50.6.23・税資82号70頁

　当初申告書の提出後に実施される税務調査の手順からみて、「更正の予知」に関するこれら3つの考え方の立ち位置を探ると、おおよそ次のようになると考えられます。

● 当初申告後の税務調査手順からみた「更正の予知」のタイミングの所在

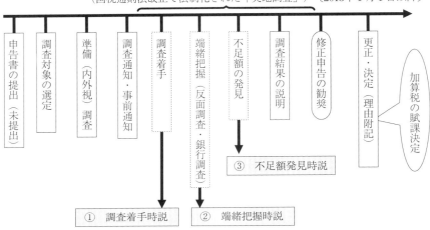

　「更正を予知してなされた申告でない場合」かどうかについての主張・立証責任は納税者側が負うとする解釈もあります（東京高判昭61.6.23・税資152号419頁）。しかし、申告後から調査結果がでるまでのプロセスに関する情報（調査情報）を納税者に十分に開示する、あるいは納税者が開示を求められる法制が整っていない現状では、納税者側に全面的に挙証の責任を転嫁するのは酷といえます。事例ごとに挙証の分担を考える必要があります。

(3) **申告指導〔行政指導〕に基づく納税者の自発的協力があった場合とは**

　税務調査手続に関する国税通則法の改正は、2013（平成25）年1月1日に施行されました（☞5.3.4）。これに先立ち、2012年（平成24）年9月に、国税庁は、「国税通則法第7章の2（国税の調査）関係通達の制定について」（以下「手続通達」といいます。）を出しました。この手続通達は、「調査に該当する行為」を定義する一方、「調査に該当しない行為（非調査行為/行政指導）」として5つの類型を列挙し、双方を峻別する基準を明示しました。そして、納税者が申告指導など「調査に該当しない行為（非調査行為/行政指導）」に自発的に協力し、修正申告に応じた場合には、過少申告加算税は課さないとしました。

　手続通達によると、「（税務）調査」とは、「国税〔中略〕に関する法律の規

定に基づき、特定の納税義務者の課税標準等又は税額等を認定する等の目的その他〔中略〕処分を行う目的で当該職員が行う行為をいう」としました。具体的には、「証拠資料の収集、要件事実の認定、法令の解釈適用など」をいうとされます（手続通達1−1(1)）。

　一方、「非調査行為（調査に該当しない行為/行政指導）」とは、「当該職員が行う行為であって〔中略〕特定の納税義務者の課税標準等又は税額等を認定する等の目的で行う行為に至らないもの」をいうとされます。具体的には、申告書の自発的な見直し要請、添付書類の要請、源泉徴収額の自主納付の要請など5つの類型を列挙しました（手続通達1−2、3−3）。

　この点について、国税庁が出した一般納税者向けの「税務調査手続に関するFAQ」では、次のように説明をしています。「調査は、特定の納税者の方の課税標準等又は税額等を認定する目的で、質問検査等を行い申告内容を確認するものですが、税務当局では、税務調査の他に、行政指導の一環として、例えば、提出された申告書に計算誤り、転記誤り、記載漏れ及び法令の適用誤り等の誤りがあるのではないかと思われる場合に、納税者の方に対して自発的な見直しを要請した上で、必要に応じて修正申告書の自発的な提出を要請する場合があります。このような行政指導に基づき、納税者の方が自主的に修正申告書を提出された場合には、延滞税は納付していただく場合がありますが、過少申告加算税は賦課されません（当初申告が期限後申告の場合は、無申告加算税が原則5％賦課されます）。なお、税務署の担当者は、納税者の方に調査又は行政指導を行う際には、具体的な手続に入る前に、いずれにあたるのかを納税者の方に明示することとしています。」。

　この手続通達の定めは、非調査行為にあてはまれば無申告加算税は課されないという基準を示したということでは、重い意味を持っています。しかし、租税法律主義の原則からみて、こうした重要な判断基準を、税務通達や一般納税者向けの「税務調査手続に関するFAQ」で示すことについては精査を要します（☛1.4.2）。なぜならば、こうした線引きの結果、非調査行為（調査に該当しない行為/行政指導）にあてはまると、納税者は「修正申告」で対応するように求められ、納税者と課税庁との間の力関係など状況によっては、納税者の権

775

利救済の途を狭めることにつながりかねないからです。

　ちなみに、手続通達では、課税庁が、自発的な修正申告の指導を行った後に実地調査に移行する場合などについては、具体的な言及がないことから、その取扱いについては不透明です。申告指導などの事実行為（行政指導）への諾否、応諾した場合の更正処分や加算税の適用除外（免除）に関する法定手続を税法（本法）に定め、納税者の手続上の権利を法的に保護する途を探る必要があるといえます。

（石村　耕治・益子　良一）

〔アドバンス文献〕落合秀行『加算税の免除条件〜納税者の権利保護との関係から』税大論叢68号、八ッ尾純一『事例からみる重加算税の研究〔第７版〕』（2022年、清文社）、黒坂昭一、佐藤謙一編著『図解 国税通則法〔令和５年版〕』（2023年、大蔵財務協会）、山下和博編著『国税通則法（税務調査手続関係）通達逐条解説〔平成30年度版〕』（2017年、大蔵財務協会）

7.4 　透明になってきた加算税の取扱い

ポイント

　かねてから、各種加算税、とりわけ重加算税の賦課基準や税額計算を含む取扱いについては、納税者から、その不透明さが指摘されていました。こうした批判に応えて、国税庁は、2000年から各種加算税の取扱いについての事務運営指針を公表し、透明化に努めています。しかし、実際の各種加算税の取扱いにあたっては、課税庁の裁量幅も広く、いまだ争いが絶えないところです。税界からは、課税庁が重加算税賦課決定をする際に、その理由を附記する制度の導入を求める声があがっています。

PART7 租税制裁法とは何か

◎国税庁が加算税取扱事務運営指針を出した背景

　従来から、加算税の賦課基準や税額計算を含む取扱い、とりわけ重加算税の取扱いをめぐり課税庁と納税者の間で争いが生じるケースが多々みられました。これは、加算税の取扱い全般について、明確な取扱いルールが明らかにされていなかったため、双方の見解がぶつかりやすかったためです。

　国税庁は、2000（平成12）年7月から、重加算税をはじめとした各種加算税の賦課基準や税額計算を含む取扱いを明確にした事務運営指針を順次公表しています。これらの事務運営指針は、国税庁が加算税の取扱いについて、従来、部外秘としてきた賦課基準や税額計算の原則などを、事務運営指針として、一般に公開したものです。この背景には、納税者との不要な争いを避け、透明な税務行政の確立をめざそうという姿勢があるように思われます。また、2001年4月1日から国の情報公開法（☞1.3.4）の施行もあり、いわゆる課税庁部内の"秘通達"の外部化が急がれていた事情もあったように思われます（☞1.4.6）。さらに、日本税理士会連合会（「日税連」）の諮問機関である税制審議会が「重加算税制度の問題点について」（2000（平成12）年2月14日）の答申（https://www.nichizeiren.or.jp/wp-content/upload/doc/nichizeiren/business/taxcouncil/toushin_H11.pdf）をしたことも影響していると思われます。この答申は、①隠ぺい・仮装の意義と執行上の問題、②現行法令上の問題および③重加算税の賦課基準等の開示と理由附記制度の創設、について提言したものです。

◎事務運営指針「法人税の重加算税の取扱い」を読む

　国税庁は、2000（平成12）年7月3日から、加算税取扱事務運営指針を順次公表してきています。

　これら国税庁加算税取扱事務運営指針のうち、「法人税の重加算税の取扱い」を例にみると、「隠ぺいまたは仮装」にあたる行為としては、具体的に次のような不正事実をあげています（同指針第1賦課基準1参照）。

777

> (1) いわゆる二重帳簿を作成していること。
> (2) 次に掲げる事実(以下「帳簿書類の隠匿、虚偽記載等」という。)があること。
> ① 帳簿、原始記録、証ひょう書類、貸借対照表、損益計算書、勘定科目内訳明細書、棚卸表その他決算に関係のある書類(以下「帳簿書類」という。)を、破棄又は隠匿していること。
> ② 帳簿書類の改ざん(偽造及び変造を含む。以下同じ。)、帳簿書類への虚偽記載、相手方との通謀による虚偽の証ひょう書類の作成、帳簿書類の意図的な集計違算その他の方法により仮装の経理を行っていること。
> ③ 帳簿書類の作成又は帳簿書類への記録をせず、売上げその他の収入(営業外の収入を含む。)の脱ろう又は棚卸資産の除外をしていること。
> (3) 特定の損金算入又は税額控除の要件とされる証明書その他の書類を改ざんし、又は虚偽の申請に基づき当該書類の交付を受けていること。
> (4) 簿外資産(確定した決算の基礎となった帳簿の資産勘定に計上されていない資産をいう。)に係る利息収入、賃貸料収入等の果実を計上していないこと。
> (5) 簿外資金(確定した決算の基礎となった帳簿に計上していない収入金又は当該帳簿に費用を過大若しくは架空に計上することにより当該帳簿から除外した資金をいう。)をもって役員賞与その他の費用を支出していること。
> (6) 同族会社であるにもかかわらず、その判定の基礎となる株主等の所有株式等を架空の者又は単なる名義人に分割する等により非同族会社としていること。

　また使途不明の支出金にかかる否認金につき、次のいずれかの事実がある場合には、当該事実は、不正事実に該当することに留意するとし、なお書きで、当該事実により使途秘匿金課税(☛2.1.7 Column)を行う場合の当該使途秘匿金にかかる税額に対しても重加算税を課すことに留意するとしています。

> (1) 帳簿書類の破棄、隠匿・改ざん等があること。
> (2) 取引の慣行・取引の形態等から勘案して通常その支出金の属する勘定科目として計上すべき勘定科目に計上されていないこと。

　不正に繰戻還付を受けた場合の取扱いとして、法人税法の規定により欠損金額につき繰戻還付(☛2.1.10)を受けた場合において、当該欠損金額の計算の基礎となった事実のうちに不正事実に該当するものがあるときは、重加算税を課すことになるとしています。

　さらに、隠ぺい仮装に基づく欠損金額の繰越しにかかる重加算税の課税年度について、前事業年度以前の事業年度において、不正事実に基づき欠損金額を

過大に申告し、その過大な欠損金額を基礎として欠損金額の繰越控除をしていた場合において、その繰越控除額を否認したときは、その繰越控除をした事業年度について重加算税を課すことになるとしています。

一方、「帳簿書類の隠匿、虚偽記載」にあてはまらない例としては、具体的に次のような事実をあげています（同指針第1賦課基準3参照）。

(1) 売上げ等の収入の計上を繰り延べている場合において、その売上げ等の収入が翌事業年度（その事業年度が連結事業年度に該当する場合には、翌連結事案年度。(2)において同じ。）の収益に計上されていることが確認されたとき。
(2) 経費（原価に算入される費用を含む。）の繰上計上をしている場合において、その経費がその翌事業年度に支出されたことが確認されたとき。
(3) 棚卸資産の評価換えにより過少評価をしている場合
(4) 確定した決算の基礎となった帳簿に、交際費等又は寄附金のように損金算入について制限のある費用を単に他の費用科目に計上している場合

このように、順次事務運営指針が公開されてきていることは、納税者にとって予測可能性・法的安定性（☞1.4.2）を確保する意味では一歩前進ともとれます。

しかし、課税庁の一方的な解釈・取扱基準が納税者に押し付けられることにもなりかねず、“通達課税”の問題（☞1.4.6）を含んでいることも否定できません。

◎重加算税賦課決定の際に理由附記をする制度の必要性

さきにふれた日税連税制審議会の「重加算税制度の問題点について」の答申では、調査があったことによる修正申告および更正または決定に際して、「隠ぺいまたは仮装」による重加算税の賦課決定（国通法68①、国通令28①）にあたっては、その賦課決定の理由を附記するように提言しています。たしかに、賦課基準は事務運営指針により形式的な賦課基準などは透明化されてきました。しかし、実際の重加算税の賦課決定に際し、その「隠ぺいまたは仮装」の認定ないし賦課基準の適用は、一方的に税務行政庁の裁量により行われています。また、その裁量の行使が合理的かどうかについては、必ずしも明確でないケースが多々あるのも事実です。とりわけ重加算税の場合、税率が高く、納税者の負担が重いことを考える必要があります。処分にあたり、課税庁に慎重さを求めるとと

もに、納税者の不服申立ての道を確保するためにも、重加算税の賦課決定にあたっては、その理由を附記するように求めることは優れた提案といえます。

（石村 耕治・益子 良一）

〔アドバンス文献〕田口渉『重加算税の実務入門』（2017年、税務経理協会）、佐藤善恵『判例裁決から見る加算税の実務〔第2版〕』（2018年、税務研究会）、谷口勝司ほか『詳解 加算税 通達と実務』（2019年、清文社）

7.5 租税犯則調査・査察の仕組み

ポイント

　「租税犯則調査」または「査察」とは、"脱税事件"など税法違反行為（犯則事件）の摘発を目的とした税務調査です。査察による租税犯則調査は、刑事告発または通告処分を行うための証拠集めの目的で行われます。「任意調査」と「強制調査」があります。

　査察による租税犯則調査手続は、2017（平成29）年度税制改正（以下「17年通則法改正」または「17年法改正」という。）で、電子データ（電磁的記録）の証拠収集手続の導入や、関税の犯則手続との調整を行うために大きく見直されました。見直された手続は、2018年4月1日に施行されました。

◎租税犯則調査・査察とは

　「租税犯則調査」または「査察」とは、いわゆる"脱税事件"などの摘発をねらいとした税務調査です。この調査は、税法違反行為（租税犯則事件）についての証拠を収集し、犯則（犯罪）の事実があるかないか、さらには犯則者（犯罪者）が誰であるかなどを確定するために行われます。調査対象は、租税犯罪（●7.1）を犯した疑いのある人（犯則嫌疑者）や参考人（以下「犯則嫌疑者等」または「調査対象納税者等」ともいいます。）です。

　この調査の結果、税法違反（犯則）があると確認されたとします。この場合、所得税や法人税など「直接国税」のケースでは、検察官に告発の手続がとられ

ます (国通法155)。一方、酒税や揮発油税など「間接国税」のケースでは、通告処分 (☛7.6) または告発の手続がとられます (国通法156①)。

租税犯則調査・査察よりももっと一般によく知られている税務調査があります。それは、「課税処分のための調査」です (国通法74の2～74の6ほか・☛5.3.4)。この種の調査は、納税者がした申告内容などが正しいのかどうかを確かめるために行われます。性格的には"間接強制の伴う任意調査"です (国通法127二)。つまり、納税者などが任意に協力しない場合には、処罰されるおそれがある行政調査です。行政調査ですから、この種の調査は、犯罪捜査（刑事調査）には利用できません (国通法74の8・☛5.3.4、5.3.5)。したがって、脱税などの刑事犯罪の摘発は、租税犯則調査・査察で行うことになるわけです。

なお、地方税の犯則調査は、地方税法の総則規定に基づいて行われます (地税法22の3～22の31)。

●租税犯則調査の構図

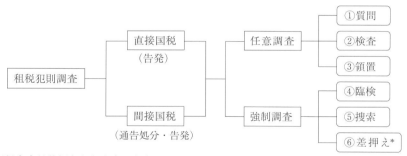

＊記録命令付差押えなどを含みます。

◎抜本的に見直された国税犯則調査手続

これまで、査察による租税犯則調査は、明治時代の1900（明治33）年に制定された国税犯則取締法（国犯法）という法律に基づいて実施されていました。国犯法は古い法律ですから、条文はカタカナ表記でした。国犯法は、租税犯則調査で取集できる証拠は紙媒体のものを想定していました (旧国犯法2①)。電子データ（電磁的記録）の証拠収集は想定しておらず、刑事訴訟法（刑訴法）に

あるような電子データ証拠収集についての明文の規定を置いていませんでした。また、国犯法は、改正を重ねてきた関税法〔1899（明治32）年法律45号〕の犯則調査手続との違いも大きくなってきました。

そこで、2017年通則法改正では、国犯法の規定を現代語化したうえで犯則調査手続を整備するための抜本的な見直しを行いました。しかも、国犯法を廃止し、国税の犯則調査手続規定を国税通則法（国通法）に編入しました。

1種の刑事手続である租税犯則調査手続を、租税手続法（課税のために行政手続法）の性格を有する国通法に編入することに対しては、税界などから強い異論もありました。

2017年通則法改正で新装された国税犯則調査手続は、2018（平成30）年4月1日から施行され、同日以後に行う国税犯則調査手続に適用されました。

◎国税犯則調査手続のあらまし

租税犯則調査・査察、つまり租税犯罪（☛7.1）を犯した疑いのある人（犯則嫌疑者）や参考人（「犯則嫌疑者等」または「調査対象納税者等」）に対する調査は、従来から課税庁によって行われてきました。この点は、司法警察・検察が行う一般の犯罪捜査とは異なる点です。

2018（平成30）年4月1日からは、査察による租税犯則調査は、国税通則法（国通法）に基づいて行われています。そのあらましは、次のとおりです。

(1) 調査の担当部局

犯則調査は、国税庁、国税局、税務署職員のうち租税犯則調査の権限が与えられた職員（当該職員）が担当します（国通法131①）。廃止された国犯法（旧法）では、犯則調査を担当する職員は、「収税官吏」と呼ばれていました（旧国犯法1①）。一般に、これらの職員は、「査察官」とよばれたりします。また、この担当セクションは、調査査察部、俗に「マルサ：㊒」（☛5.3.4 column）とよばれたりします。ここでは「当該職員」を、「犯則事件調査職員証票」が付与されていることから（国通規16、別紙10号書式）、「犯則事件調査職員」とよぶことにします。（なお、地方税法では、犯則調査を担当する職員を、法令上「当該徴税吏員」

とよびます（地税法22の3以下）。）

このように、査察による租税犯則調査は、司法警察や検察官ではなく、課税庁（国税庁等）の犯則事件調査職員が行うことになっています。これは、税法事件については、件数が多いことと調査に専門的な知識と経験が必要なためと説明されています。

(2) 直接国税と間接国税

租税犯則事件において、「直接国税」と「間接国税」とでは、その処理手続が異なります。また、ここでいう「直接国税」と「間接国税」とは、各種実定税法上の分類とも異なります。例えば、実体税法上、消費税（ただし課税貨物に課されるものを除きます。）は、間接国税に分類されます。ところが、租税犯則手続においては間接国税とされません。直接国税として取り扱われます。

租税犯則手続上「間接国税」として取り扱われる税金は、次のとおりです（国通令46など）。

---
①課税貨物に課される消費税、②酒税、③たばこ税（＋たばこ特別税）、④揮発油税、⑤地方揮発油税、⑥石油ガス税、⑦石油石炭税

これら以外の国税はすべて「直接国税」として取り扱われます。

(3) 任意調査と強制調査のちがい

査察のよる租税犯則調査は、大きく「任意調査」（国通法131）と「強制調査」（国通法132）に分けられます。

① 任意調査とは

任意調査は、課税庁の犯則事件調査職員が、犯則嫌疑者または参考人（犯則嫌疑者等、調査対象納税者等）に対し、本人の承諾を得て、質問・検査・領置などの方法によって行います（国通法131①・☞5.3.4）。課税庁の犯則事件調査職員は、任意調査を行う場合には、身分証明書を携帯し、関係人から請求があったときは提示しなければなりません（国通法140）。

② 強制調査とは

一方、強制調査は、相手方の承諾のあるなしにかかわらず、原則として裁判

所の許可を得ることを条件に、強制的な臨検・捜索・差押え・記録命令付差押えをする方法によって行われます（国通法132①以下）。強制調査には、(イ)地方裁判所・簡易裁判所の裁判官の許可状があることが前提、(ロ)犯則事件調査職員の身分証明書の携帯が必要、(ハ)原則として日没から日出までの調査の禁止、(ニ)犯則嫌疑者以外の第三者も調査対象にできる、(ホ)調査中の無許可の立入禁止措置を取ることができるといった特徴ないし条件があります。

　なお、課税庁の犯則事件調査職員は、強制的な臨検・捜索・差押え・記録命令付差押えをする場合のみならず、任意に調査対象納税者等に質問・検査・領置をする場合にも、身分証明書を必ず携帯し、関係人から請求があったときは提示しなければなりません（国通法140）。

　また、租税犯則調査をする場合、犯則事件調査職員が調査対象納税者等に対して憲法（38①）が保障する黙秘権/供述拒否権を告知する必要があるのかどうかが問題になります。この点について、課税庁の実務では、犯則調査は調査対象者の身体の拘束を伴わない調査なので、その告知をする必要はないとする考え方にたっているようです*。

＊租税犯則調査手続は、「刑事手続」か「行政手続」か、見解の分かれるところです。「国税の公平確実な賦課徴収という行政目的を実現するためのものであり、その性質は、一種の行政手続であって、刑事手続ではない」とする判例もあります（最決昭44.12.3・刑集23巻12号1525頁）。その一方で、「租税犯則査手続は、実質的に刑事手続に準ずる手続である」（金子宏『租税法〔第24版〕』（2021年、弘文堂）1157頁）とする見解もあります。租税犯則調査に先立つ調査対象納税者等に対する黙秘権/供述拒否権の告知について、判例は、犯則調査手続は行政手続か刑事手続かの議論があることを認めたうえで、「実質上刑事責任追及のための資料の取得収集に直接結びつく作用を一般的に有すること」に着目し、憲法38条１項（黙秘権/供述拒否権）の適用を認めることには肯定的です。しかし、犯則事件調査職員が調査対象納税者等への供述拒否権の告知の義務を負うかどうかは立法政策の問題であり、供述拒否権の告知をしなかったとしても違法とはいえないとしています（最判昭59.3.27・刑集38巻５号2037頁）。

③　租税犯則調査の方法は

　国通法には、さまざまな調査方法が定められています。2017年通則法改正で見直された点を含め、それぞれのあらましを説明すると、次のとおりです。

PART7 租税制裁法とは何か

●租税犯則調査の方法とそのあらまし

(a)	**任意調査** 犯則事件調査職員が、犯則嫌疑者等（調査対象納税者等）の任意の協力をえて行う調査です。任意調査では、質問・検査・領置のために調査対象納税者等に対して「出頭」を求めることができます（国通法131）。
・**質問**	犯則事件に関係する事項について証拠を収集するために、調査対象納税者等に質問し答えてもらうことです（国通法131①）。
・**検査**	調査対象納税者等が持っている犯則事件に関係ある帳簿、書類その他の物、または住居その他の場所について調べることです（国通法131①・②）。
・**領置**	調査対象納税者等に任意で出してもらった証拠となるような物、没収した物などを封鎖することや担当部署に持ち帰ることです（国通法131①）。また、調査対象納税者等が置き去った物（遺留物）についても、検査または領置できます（国通法131①）。さらに、遺留物を領置したときには、封印その他の方法によりその旨が明確にされます（国通令44）。
(b)	**強制調査** 犯則事件調査職員が、裁判所から許可状をもらって行う調査です。許可状の請求にあたっては、捜索や差押えの対象範囲、許可状請求時の資料提供手続などの根拠を示す必要があります（国通法132、国通令45・56）。文書に加え、電子データ（電磁的記録）についても、調査対象納税者等に対する強制調査や協力要請ができます（国通法132①・②、138など）。
・**臨検**	調査対象納税者等の事業所や住んでいる場所などに立ち入って、犯則事件に関係する帳簿・書類やその他の物を、本人の許可を得ないで強制的に調査することです（国通法132①）。
・**捜索**	犯罪（犯則）の事実を証明するため、調査対象納税者等の身体、帳簿・書類、その他の物を、本人の許可を得ないで強制的にさがすことです（国通法132①）。
・**差押え**	調査対象納税者等が持っている、犯則事件の証拠となる物、没収した物を、本人の承諾なしに、封鎖することや担当部署に持ち帰ることです（国通法132①）。

　加えて、犯則事件調査職員は、犯則調査にあたり、次のような手続をとることができます。

　臨検・捜査または差押えをするときには必要に応じて、鍵をはずして扉を開くことや、封鎖を解くことができます（国通法137①）。また、警察官の援助を求めることができます（国通法141）。住居や事務所などで強制調査を実施するときは、その所有者・管理者などで成年に達した人の立会いを求めなければなりません（国通法142）。物件・帳簿・書類等を領置、差押えまたは記録命令差押えしたときには、その目録をつくって、それぞれの処分を受けた人などにその謄本（コピー）を交付することとなっています（国通法143）。犯則事件調査職員は、任意調査で、調査対象納税者等に質問したときには、その調書をつくり、その人に

785

閲覧させるか読み聞かせ、誤りがないかどうかを聞く必要があります。また、質問を受けた人が内容の変更を求めたときには、その旨を調書に書いて、その人といっしょに署名押印をしなければなりません。ただし、その人が署名押印を拒否したときまたは書名押印ができないときは、調書にそのことを書いておくことになっています（国通法152①）。犯則事件調査職員は、任意調査で検査や領置をしたときも、その調書を作成し、これに署名押印をしなければなりません（国通法152②）。犯則事件調査職員は、強制調査で、臨検・捜査・差押え・記録命令付差押えをしたときには、その調書をつくり、これを立会人に示し、その立会人に署名押印を求めなければなりません（国通法152③）。ただし、立会人が署名押印を拒否したときまたは署名押印ができないときには、そのことを調書に書いておくことになります（国通法152③但書）。

　なお、2017（平成29）年に見直され、2018（平成30）年４月１日に施行された租税犯則調査手続に関する他の改正点については、あとでもう少し詳しく説明します。

⑷　国税犯則調査に必要事項の官公署等への協力要請

　課税庁の犯則事件調査職員は、犯則事件の調査について、官公署または公私の団体に照会して必要な事項の報告を求めることができます（国通法131②）。

　照会・協力を求められた官公署または団体は、照会事項について、個人情報保護法や自治体の個人情報保護条例、個人情報保護ポリシーなどに照らして、査察調査の必要性と守秘義務との内容を比較衡量したうえで、回答の要否を判断すべきものと解されます。否と判断した場合であっても、その旨を照会者に報告する必要があるものと解されます。

◎犯則事件調査後の処理手続

　犯則事件の調査を終えた後の処理は、直接国税のケースと間接国税のケースとでは、異なっています。

(1) 直接国税の犯則事件のケース

直接国税の犯則事件（申告納税方式による一定の間接国税の犯則事件を含みます。以下同じです。）では、課税庁の犯則事件調査職員は、まず調査をして収集した帳簿、書類などを検討します。その後の任意調査によっても証拠を固め、犯則（税法違反）の事実があるとみたときは、検察官に告発をすることとなっています（国通法155）。

直接国税の犯則事件の告発は書面で行うことになっており、事件は課税庁の犯則事件調査職員のもとを離れ、検察官に引き継がれて、刑事訴訟法（刑訴法247以下）のもとで処理されることになります（国通法159②）。この場合、調書とともに、領置された物や差押えられた物などは、領置目録、差押目録などとともに検察官に引き継がれ、検察官が刑事訴訟法（刑訴法218以下）に基づいて押収したものとされます（国通法159④）。

一方、直接国税の犯則の事実があるとは見られなかった場合は、その処理の仕方についての定めはありません。この場合、間接国税のケース（国通法130）に準じて処理されます。犯則の事実のなかったことを疑われた納税者などに通知し、その人に差押物や領置物などを返却しないといけません（国通法145①）。

(2) 間接国税の犯則事件のケース

間接国税の犯則事件（申告納税方式による一定の間接国税の犯則事件を除きます。以下同じです。）については、課税庁の犯則事件調査職員は、調査が終わった場合には、国税局長または税務署長に調査結果を報告することになっています（国通法156①）。ただし、犯罪嫌疑者等の居場所不明・逃亡のおそれ・証拠隠滅のおそれのあるときには、ただちに検察官に告発することになっています（国通法156①・②但書）。

報告をうけた長は、犯罪に事実があるとみたときには、通例、犯則をした人に対し、理由を示して、罰金・過料にあたる金額を決まられた場所に納めるように通告することになっています（国通法157①）。この手続を「通告処分」（☞7.6）といいます。ただし、犯則者に資力がない、あるいは手口が悪質で情状が懲役刑に値するとみたときには、通告処分をしないで、ただちに告発することになっています（国通法157②）。

787

間接国税の場合、納税者である事業者は、取引したときに、預り金のような形で、税の負担者（担税者）から税を徴収します。それにもかかわらす、その全部または一部納税しないことは、窃盗罪に近いものとして、国犯法により調査が行われます。しかし、悪質な場合はまれなので、告発にいたるケースは少なく、ほとんど通告処分で終わります。犯則者は、自由に、通告処分を受け容れるか否かを決められます。しかし、その処分から20日以内にこれを履行しないときは、告発されます（国通法158①）。なお、間接国税の犯則事件については、課税庁の長（国税局長または税務署長）の告発が訴訟条件となっています（国通法159①・⑤）。

ちなみに、告発する場合の課税庁側の処理は、さきに直接国税の犯則事件の告発のところでふれたとおりです（国通法159・160）。

◎経済活動のICT化に伴う電子データ査察手続の見直し

今日、経済活動のICT（Information and Communication Technology/情報通信技術）化は急速に進んでいます。多くの納税者等は、クラウドサービス、電子メールなどを頻繁に利用しています。そこで、刑事訴訟法（刑訴法）にならって、電子データに対する査察・租税犯則手続が導入されました。

例をあげると、犯則事件調査職員は、許可状（令状）を得て行う強制調査において、ネット上に保存されている電子データ（電磁的記録）や、電子メールなどの情報を押収して調査できる旨規定されました。また、犯則事件調査職員は、許可状なしに調査対象納税者等に任意でコンピュータ操作の協力要請ができる旨明文で規定されました。

これまでも査察調査においては、調査対象納税者等に対して「提出」をお願いする形で、事実上の"電子データ押収"などは可能でした。つまり、これまでも、犯則事件調査職員は、裁判官の許可状なしで調査対象納税者等に対して電子データの任意提出を求めてきたわけです。しかし、このために、当局による任意のデータ提出の法的根拠や限界が問われていたわけです。

したがって、2017年通則法改正による電子データ査察手続導入の狙いは、犯

PART7　租税制裁法とは何か

則事件調査職員が電子データ査察をする際の手続に法的後ろ盾、お墨付きを与えることにあります。

　関係法令に盛られたICT用語（日本語）には、日常用語（英語/カタカナ表記）とどう結びつくのか難しいものも少なくありません。そこで、参考までに、双方を比べて主な用語を表にしてみると、おおむね次のようになります。

●ICTに関する 法令用語 と日常用語・意味とを比べる

● 電子計算機 自動的な計算やデータ処理を行う電子装置をさします
　　　　　　　【例：パソコン、携帯電話など】。
● 電磁的記録 　電子データ
● 記録媒体 　サーバーなど
　　　　　　【例：リモートストレージサーバー、メールサーバー、クラウド、記録メディア(USB)など】
● 電気通信回線 　インターネット、携帯電話回線、LAN ネットワークなど
● 電気通信事業者 　プロバイダ（ISP）など
● 複写 　電子データ（電磁的記録）を記録媒体（USBなど）にコピーすること。
● 移転 　電子データを記録媒体（USBなど）に移すことをいい、この場合、元の記憶媒体の電子データは消去されます。
● 印刷 　電子データを紙媒体にプリントアウトすること。

(1)　新たな電子データ収集手続とその法的限界

　犯則事件調査職員が、電子データまたはそのコピーの収集をねらいに強制的な租税犯則調査（強制調査）を実施するとします（国通法132②）。この場合、課税庁の犯則事件調査職員は、裁判官から許可状をとる必要があります（国通法132①）。しかし、許可状をとるためには、調査の場所や対象を具体的に限定しなければなりません（国通令45・56）。

　例をあげると、犯則事件調査職員は、裁判官の許可状で、調査対象となっている納税者の事業所にあるパソコンを調べること、差し押さえることはできても、外部のサーバー上のデータの調査をすることはゆるされません。また、犯則事件調査職員が、裁判官の許可状を得て、サーバーを置いているプロバイダに調査をかけるとします。この場合、サーバーが国外にあるとすると、調査はできません（横浜地判平28.12.7・裁判所ホームページ参照）。この場合には、裁判官の許可状ではなく、国際司法共助によるべきものと解されます。

789

さらに、とりわけ、複数のサーバーが関係する場合に、税務当局は、電子デー
タ収集のための調査手続にかなりのテマとヒマを要します。

　このように、電子データ査察手続が整備されたとはいうものの、現実には、
厳しい法の縛りがあります。

　もっとも、サーバー上の電子データといっても、大半の査察では、調査対象納税者
等のアカウントに関わる部分だけでいいわけです。このことから、2017年通則法
改正による手続の整備は、調査対象納税者等のパソコンでアクセスする範囲で電
子データを調査できればいい、という税務当局の希望にそったものともいえます。

(2)　電子データ査察手続：国通法と刑訴法との対比

　2017年の法改正では、刑訴法にならい、国税通則法に、犯則調査で利用でき
る５つの新たな電子データ収集手続が盛られました。それらは、①記録命令付
差押え（国通法132①）、②リモートアクセス/接続サーバーからの複写（国通法132②）、
③任意調査としての電子データの保全要請（国通法134）、④差押えに代える複写
媒体の差押え（国通法136）、⑤コンピュータ操作の協力要請（国通法138）です。

　国通法と刑訴法に盛られた内容の条文で比べてみると、次のとおりです。

●国通法と刑訴法の対応関係

	国税通則法	刑事訴訟法
記録命令付差押え	132①	99の2、218②（関連：刑事訴訟規則155）
リモートアクセス	132②	99の2、218②
任意調査としての保全要請	134	197③〜⑤
差押えに代える複写媒体の差押え	136	110の2
コンピュータ操作の協力要請	138	111の2

　以上のように、通則法は、2017年法改正で刑訴法に加えられたと同様のリモー
ト捜索・データ差押えなどの調査方法を盛り込みました。この結果、犯則事件
調査職員の権限は格段に強化され、犯則調査は実質的に犯罪捜査と変わらなく
なったわけです。にもかかわらず、犯罪捜査の場合の準抗告（刑訴法429）のよう
な不服申立ての手続は整備されていません。憲法31条に定める適正手続の保障
に違反しているともいえます。

（3）　電子データの査察・強制調査権限の強化策のあらまし

　電子データに関する査察・強制調査強化策は5つです。そのあらましは、次のとおりです。

●電子データの査察・強制調査権限強化策のあらまし

①　記録命令付差押え【許可状が必要】(国通法132①)
犯則事件調査職員は、裁判官の許可状を得て、電子データ（「電磁的記録」）を保管する者らに命じて、必要な電子データを記録媒体（USBメモリなど）に記録または印刷させたうえ、その記録媒体を差し押さえることができます。
②　リモートアクセス/接続サーバーからの複写【許可状が必要】(国通法132②)
犯則事件調査職員は、差し押さえるべき物件がパソコンなどのコンピュータであるときは、裁判官の許可状を得て、そのパソコンにネットワーク（「電気通信回線」）で接続している記録媒体（サーバーなど）であって、そのパソコンで作成・変更する、または変更・消去できる電子データなどを保管するために使用されていると認められる状況にある者から、その電子データをそのパソコン、USBなどに複写（コピー）した（ただし、移転は許されません。）うえで、そのパソコン、USBなどを差し押さえることができます。
③　任意調査としての電子データの保全要請【許可状は不要】(国通法134)
犯則事件調査職員は、差押えなどをするため必要があるときは、裁判官の許可状を得ることなく、電気通信回線（インターネット）の設備を他人の通信の用に供する事業者（プロバイダー）などに対し、通信履歴（ただし、通信内容は含みません。）の電子データのうち必要なものを特定し、30日（とくに必要があれば60日まで延長できます。）を超えない期間を定めて、消去しないように求めることができます。
④　差押えに代える複写媒体の差押え【許可状が必要】(国通法136)
犯則事件調査職員は、裁判官の許可状（記録命令付差押えの許可状ではなく、従来の差押えの許可状）を得て、差し押さえるべき物件が、電子データに関係する記録媒体（社内サーバーやハードディスクを含むパソコンなど）であるときは、その差押えに代えて、その記録媒体に記録された電子データを他の記録媒体に複写、印刷または移転のうえ、その記録媒体を差し押さえることができます。
⑤　コンピュータ操作の協力要請【許可状は不要】(国通法138)
犯則事件調査職員は、臨検すべき物件などが電子データに関係する記録媒体であるときは、臨検などを受ける納税者等に対し、裁判官の許可状なしに、パソコンなどのコンピュータの操作その他の必要な協力を求めることができます。

◎関税法などとのバランスをとるための査察手続の見直し

　ここまで、刑事訴訟法（刑訴法）にならって導入された電子データ査察手続について説明しました。

これからは、関税法などの規定する犯則調査手続とのバランスをとるために、見直しされ国通法に盛られた主な租税犯則調査手続について説明します。

●関税法などとのバランスをとるための査察手続見直し点のあらまし

① 任意調査での調査対象納税者等への出頭要請
これまで、任意調査を行うにあたり、調査対象納税者等（犯則嫌疑者等）への出頭要請については、解釈上当然認められる行為であると解されてきました。しかし、関税法（119）にならって、犯則事件調査職員は、任意調査を行うにあたり、調査対象納税者等に出頭を求めることができる旨明文で規定されました（国通法131①）。
② 遺留物の検査・領置
関税法（119①）にならい、任意調査にあって、犯則事件調査職員は、調査対象納税者等が置き去った物件（遺留物）も検査・領置できるようになりました（国通法131①）。
③ 強制調査手続の整備
これまで、強制調査を行うにあたっては、裁判官の許可状を得ること（旧国犯法2①）と、許可状を請求するときは、その理由を明示すること（旧国犯法2③）が要件とされる程度でした。このため、許可状請求時の資料提供手続については、運用上の取扱いによるところが多かったわけです。しかし、関税法（121③・④）や刑訴法（99①、102、219①、222①など）にならい、捜索や差押えの対象範囲や許可状請求時の資料提供手続などの規定が整備されました（国通法132、国通令45・46）。
④ 郵便物等の差押え
関税法（122①）にならい、犯則事件調査職員は、裁判官の許可状の交付をうけて行う強制調査において、通信事務取扱者が保管する郵便物等の差押えができるようになりました（国通法133①・②）。また、郵便物等の差押えを行った場合には、犯則調査の妨げになるおそれがあるときを除き、その旨を発信人等に通知するように義務づけられました（国通法133③）。
⑤ 強制調査の夜間執行
犯則事件調査職員は、裁判官の許可状の交付をうけて行う強制調査において、これまでは、日没から日の出までの間は強制調査の手続を開始できませんでした（旧国犯法8①本文）しかし、関税法（124）にならい、許可状に夜間でも調査が執行できる旨の記載がある場合には、日没後においての臨検などを始めることができることになりました（国通法148）。
⑥ 現行犯事件にかかる臨検等の規定の整備
犯則事件調査職員は、強制調査を行うにあたり、裁判官の許可状の交付をうけて行うことが原則となっています。しかし、間接国税にかかる犯則事件に関し、緊急の場合には、従来から許可状を得ることなく、強制調査ができました（旧国犯法3①・②）。関税法（124）にならい、この規定が現代語化され、明文で現行犯事件についての許可状なしでの強制調査を法認しました（国通法135）。
⑦ 許可状の提示手続の整備
関税法（128）にならい、臨検・捜索・差押え・記録命令付差押えをするときは、これらの処分をうける者に裁判官の許可状を提示しなければならないこととされました（国通法139）。

⑧ 身分証明書の提示手続の整備

関税法（129）にならい、犯則事件調査職員は、任意調査および強制調査をするときには、その身分を示す証書を携帯し、関係人の求めがあったときには、これを提示しなければならないこととされました（国通法140）。

⑨ 臨検等の際の立会いの整備

従来から、犯則事件調査職員が捜索をする場合は、家宅の所有者等を立ち会わせなければならず、その者が不在または立会いを拒否したときには、捜索場所を管轄する警察官または市（区）町村の職員を立ち会わせなければならないこととされていました（旧国犯法6①・②）。しかし捜索のみならず、臨検または差押えにあたっても、明文規定がないまま家宅の所有者等に立会いを求めてきました。そこで、関税法（131）にならい、立会いを必要とする処分の範囲に、これまでの「捜索」に、「臨検」と「差押え」を追加しました（国通法142①）。また、代替的な立会人の範囲を地方公共団体職員とし、実質的に都道府県職員を加えました（国通法142②）。さらに、現行犯事件についての強制調査の場合には、例外的に、女子の身体捜索のとき（国通法142④）を含め、立会いは要しないことになりました（国通法142③・④）。

⑩ 領置・差押物件を還付できない場合の措置

犯則事件調査職員は、領置物件・差押物件・記録命令付差押物件について領置の必要がなくなったときには、返還しなければならないことになっています（旧国犯法7④、国通法145①）。加えて、関税法（134②・③）および関税法施行令（99）にならい、所有者が所在不明等のために還付できない場合には、公告したうえで6か月の経過期間を過ぎれば国庫に帰属させることができることになりました（国通法145②・③）。

⑪ 運搬または保管に不便な領置物・差押物・押収物等の処置

関税法（133）などにならい、領置物・差押物・押収物等の保管、公売手続規定が整備されました。運搬または保管に不便な領置物・差押物・押収物等については、その所有者または犯則事件調査職員が適当と認める者に保管証と交換に保管させることができることになりました（国通法144①）。保管した場合には、その所有者にその旨を通知すること こな ました（国通令48①）。また、領置物・差押物などが、腐敗・変質したときまたはそのお れがあるときには、公告のうえ公売し、その代金を供託できることになりました（国 144②、国通令48②・③）。

⑫ 鑑定、通訳または翻訳の嘱託の整備

関税法（136）および刑事訴訟法（223）にならい、犯則事件調査職員は、犯則事件 するため必要があるときは、学識経験者に差押物件または領置物件などについて 通訳・翻訳を嘱託することができます（国通法147①）。また、鑑定人は、裁判所の けて、鑑定物を破壊できます（国通法147②）。

⑬ 管轄区域外における職務執行

関税法（142）にならい、犯則事件調査職員は、必要があるときには、国税 署の管轄区域外での職務執行ができるようになりました（国通法154①）。

⑭ 通告処分の対象範囲

関税法（12の4）にならい、申告納税方式が適用される間接国税に関しては、仮装隠ぺいに基づく過少申告・無申告に対する重加算税を導入するとともに、そのほ脱や不正還付については通告処分の対象から除外し、通告処分の対象範囲が限定されました（国通法155～158）。

⑮ 間接国税の犯則事件にかかる告発が訴訟条件であることの明確化

これまで間接国税に関する犯則事件においては、運用上、判例（最判昭28.9.24・刑集7巻9号1825頁）を典拠に、国税局長等の告発が訴訟条件であると取り扱われてきました。関税法（148）にならい、この旨が法令上明文化されました（国通法159①・⑤）。

⑯ 犯則の心証を得ない場合の手続の整備

これまで、国税局長または税務署長は、間接国税に関する犯則調査を行い、犯則の心証を得ない場合で「差押物」があるときには、解除を命じ、その旨を犯則嫌疑者に通知することとされていました（旧国犯法19）。この解除命令の範囲に、これまでの「差押物」に「領置物」を追加しました（国通法160）。

⑰ 犯則事件にかかる検査拒否に対する罰則の廃止

罰則による間接強制は直接強制の手段を有する犯則調査にはなじまないことから、検査拒否の罪（旧国犯法19の2）が廃止されました。

⑱ 間接国税への重加算税の導入

申告納税方式の国税（☞5.2.1、5.2.2）については、行政制裁として、各種加算税の対象になっています（国通法65・66・68）（☞7.3）。ただし、これまで、消費税を除く、酒税等の間接国税、たばこ税、たばこ特別税、揮発油税、地方揮発油税、石油ガス税および石油石炭税については、重加算税を適用しないことになっていました（旧国通法2三・68⑤）。この点について見直しが行われ、2018（平成30）年4月1日以後に法定申告期限がくる申告酒税等の間接国税について、これを通告処分の対象から外すとともに、重加算税の対象とすることになりました（国通法68①・②・④）。

意調査と強制調査の性格

犯則調査では、初日に強制調査を行い、その後任意調査で……一般的です。

……犯則事件調査職員は、臨検・捜索・差押え・記録命……っています。その一方で、犯則嫌疑者等（調査……であってもまったく協力義務は課されていませ……事件調査職員には、帳簿や電子データが必要……、金庫を開ける必要があれば自らその金庫……が認められているからです（国通法132①）。

調査対象納税者等は、強制調査に際し調査等を物理的に妨害したり証拠隠滅を
はかったりしない限り、仮に質問に答えない、帳簿を提示しない、あるいは金
庫の鍵を開けないとしても、法令違反を問われることはありません。

　調査対象の納税者等に協力義務がないという点は、租税犯則事件の任意調査
においても同じです。　これは、課税処分のための任意調査（国通法74の2〜74の
11・☞5.3.4）は純然たる行政手続であるのに対して、査察による租税犯則調査が
刑事手続（あるいは刑事手続に準ずる手続）であることによります。いいかえ
ると、行政手続である課税処分のための任意調査への協力義務は、国民の納税
義務（憲法30）などから導かれます。これに対して、刑事手続である租税犯則調
査では、調査対象納税者等は単なる調査対象ではなく、刑事手続における対等
な当事者同士です。このことから、調査への協力を義務づけることや、非協力
を理由に処罰することはできないわけです。

　刑事事件の容疑者（被疑者）は、自らを有罪とする行為に協力する義務を課
されないわけです（憲法38①）。査察による犯則調査において調査対象納税者等
に協力義務が課されないのも、同じ理由です*。

　このように、査察による租税犯則調査において、調査対象納税者等に対する
任意調査は、文字どおり、完全な任意の調査となっています。　このため、仮
に調査対象納税者等が、犯則事件調査職員の調査の求めに応じない、法認され
た人以外の人を立ち合わせる、理由もなく調査を途中でやめる、または調査を
録音・録画したとしても、法令違反を問われることはないわけです。

　＊ちなみに、旧国税犯則取締法（2018年3月31日で廃止）では、間接国税に関する犯則事
　　件の任意調査を拒否した者に対し3万円以下の罰金を科すことにしていました（旧国犯
　　法19の2）。しかし、質問検査拒否があった場合に、調査職員は、裁判官から許可状を求
　　め、質問検査拒否者に対して強制調査を実施することができます。このことから、罰則
　　による間接強制は犯則事件にはなじまないわけで、罰則は廃止されました。

（石村　耕治）

〔アドバンス文献〕清水晴生・石村耕治「リモートアクセスによる租税犯則調査とは：国税犯
　　　　　　　　則調査手続の改正・国通法への編入」国民税制研究3号82頁、星野竜一「改
　　　　　　　　正国税関係法令詳解：改正国税通則法等」税理2017年7月号、指宿信「サ
　　　　　　　　イバースペースにおける証拠収集とデジタル証拠の確保」法律時報83巻7号

7.6 通告処分とは何か

ポイント

通告処分とは、間接国税、関税、間接国税扱いする地方税などの違反事件で、その違反が軽い場合に、課税庁が罰金などに相当する金額などを通告し、納税者がそれを履行すれば検察官に告発はしないとするものです。

◎通告処分とは何か

通告処分とは、間接国税の犯則事件（申告納税方式による一定の間接国税の犯則事件を除きます。以下同じです。）（☞7.5）で、情状が罰金以下の刑に相当する場合に、刑事手続に先行して行われる一種の行政処分です。つまり、通告処分は、行政処分ですが、刑事訴訟手続によらない行政上の科刑に代わる手続といえます。

この処分は、かつて国税犯則取締法に定められていましたが、現在は国税通則法（国通法）（2018（平成30）年4月1日施行）に定められています（国通法157以下）。関税法も同様の規定を置いています（146）。また、ゴルフ場利用税や軽油引取税など地方税法で「間接地方税」とされた地方税にも、この通告処分が適用になります（地税法22の28・22の29）。

国税局長・税務署長、地方団体の長または税関長は、これらの租税に関する犯則事件の調査により犯則の心証を得たときには、その理由を明示して、罰金もしくは科料に相当する金額、および書類送達ならびに差押物件に運搬・保管に要した費用を、指定の場所に納付すべき旨を通告しなければならないとされています（国通法157①、地税法22の28、関税法146①）。

通告処分を受けた犯則者は、それを履行するかどうかは自由に決められます。強制されることはありません。しかし、通告を受けた翌日から20日以内に履行しないときは、検察官に告発されます（例えば国通法158、地税法22の29①、関税法146④）。

また通告しても履行能力がないか、悪質な脱税など情状が拘禁刑（刑法等一部改正法施行日から施行）にあたると認められるときには、通告処分をせずに直ちに

796

告発されます（例えば国通法157②、地税法22の27、関税法145）。

なお、所得税や法人税など直接税の犯則事件（申告納税方式による一定の間接国税の犯則事件を含みます。以下同じです。）には通告処分が適用されません。したがって、直ちに検察官に告発されます（国通法155①・②、地税法22の28、関税法144）。

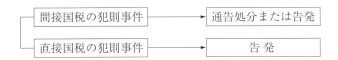

◎通告処分の手続

通告処分は、通告書を作成し、これを犯則者に送達することによって行います（例えば国通令54①、関税令101①）。通告書には犯則の理由、罰金相当額、没収物、追徴金相当額、書類の発送費、押収物等の運搬・保管費などを明示し、指定の場所に納付するように書面で通告することになっています（国通法157①、地税法22の28①、関税法146①）。通告処分は、通告書が犯則者に送達されたときに効力を生じます。犯則者が通告処分の内容を履行したときには、同一事件について公訴されることはありません（国通法157⑤、地税法22の28⑤、関税法146⑤）。

なお、2017（平成29）年度の改正で、申告納税方式の酒税等の間接国税【酒税、たばこ税、たばこ特別税、揮発油税、地方揮発油税、石油ガス税および石油石炭税】の犯則（仮装・隠ぺい）に対して重加算税が課されることになりました（☞7.5）。これに伴い、これらの間接国税は、通告処分の対象から外されました（国通法68⑤の削除）。通告処分の適用は、関税などを別すれば、内国税については縮小の方向にあることがうかがえます。

◎通告処分に対する指摘

通告処分に対し、次の3つの指摘がされています。

① どうして、直接国税と区別して、間接国税にだけ通告処分を認めるのか。
・間接国税の犯則事件は直接国税の場合と比べると、件数が多く、通常の刑事手続によるより、行政による簡便な手続による方が、犯則者の利益にかなうためです。

② 　行政権が、通告処分により、刑事訴訟手続によらない行政上の負担を課し、実質的に裁判を受ける権利（憲法31）を制限するのは問題ではないのか。

・通告処分の履行は犯則者の自由意思に任されており、履行を拒否して、犯則事実の有無を裁判所で争うことができます。したがって、裁判を受ける権利（憲法32）を侵害していません（最判昭47.4.20・民集26巻3号507頁）。

③ 　通告処分は、行政処分であるのに、取消訴訟の対象とされないのは、問題ではないのか。

・通告処分の対象となった犯則事件については、それに不服の犯則者は、履行を拒否して、刑事手続で争うのが法の趣旨であり、問題はありません（最判47.4.20・民集26巻3号507頁）。

・通告処分を受けた犯則者は、刑事裁判を回避するためには履行せざるを得ません。しかし、国民本位の課税制度の視点からは、通告処分に対する行政争訟を認める必要があるとの意見があります。

（石村　耕治・益子　良一）

〔アドバンス文献〕玉国文敏「租税通告処分の法的性質」〔北野弘久編〕『日本税法体系4』（1980年、学陽書房）所収、小早川光郎「通告処分の法律問題」租税法研究5号

Column 　共謀罪（テロ等準備罪）と税理士/納税者

　2017年7月11日に共謀罪（テロ等準備罪/正式名称は、組織犯罪処罰法6の2〔テロリズム集団その他の組織的な犯罪集団による実行準備行為を伴う重大犯罪遂行の計画〕）が成立し、直ちに施行されました。これにより、2人以上の者が、4年以上の懲役・禁錮の罪で、法別表（メニュー）で並べられている犯罪（277）については、その犯罪に合意・準備した段階で処罰できる仕組みが稼動しました。今後、当局は「犯罪の前の犯罪」を問えることになりました。税理士をはじめとした多くの税務専門職は、共謀罪（テロ等準備罪）は、組織犯罪集団の取り締まりが狙いで、"自分らには関係ない"と思ってきたのではないでしょうか。ところが、メニューに載っている277のうち「テロの実行」に関するものは110程度。残りは「等」で、この数の方が多いわけです。「等」には、所得税の脱税（所税法328①・③、239①）、源泉所得税の不納付犯（所税法240①）、法人税の脱税（159①・③）、消費税の脱税（64①・④）、地方税の脱税（地税法144の33①、144の41①～③）なども入っています。

　商売を営む夫婦、税理士と顧問先、会社の上司と部下等々、"2人以上の集団"は、当局に税逃れを疑われれば、その準備段階で犯罪を問われることも想定されます。政府は、共謀罪（テロ等準備罪）の運用には慎重を期すとしています。しかし、当局の運用次第では、税務専門職による顧問先への節税のアドバイスが「重大犯罪（脱税）の計画」とされかねません。また、そのアドバイスに納得した後に顧問先の納税者が行う日常の記帳事務が「犯罪の準備行為」とされかねません。共謀罪（テロ等準備罪）の導入により、当局には、税理士とその顧問先とが脱税相談に合意したとの判断に基づいて、実際に脱税しなくともその準備段階で一網打尽にできるルートが確保された

わけです。共謀罪（テロ等準備罪）は、納税者に寄り添う税務専門職を委縮させ牽制する機能を発揮するものと思われます。私たち納税者や税務専門職は、当局による違憲の疑いの濃い共謀罪（テロ等準備罪）の運用の監視を怠ってはなりません。

（石村　耕治）

〔**アドバンス文献**〕石村耕治・清水晴生「税理士も共謀罪を問われる」、同「日米比較：共謀罪（テロ等準備罪）と税務専門職」国民税制研究３号（2017年）http://jti-web.net/archives/category/kikanshi

索引

《あ》

青色事業専従者給与　449
青色申告　499
青色申告者と推計課税　676
青色申告特別控除　500
赤字法人と法人税　285
アドバンス・ルーリング　154
アトリビュータブル・メソッド　562
違憲訴訟　137
違憲立法審査権　139
遺産取得税　371
遺産税　371
遺産分割　396
遺産分割協議書　231
一時所得　487
一時所得となる例　488
一時所得の計算　489
一律源泉分離課税　446
一括比例配分方式　331
一般寄附金　277
一般に公正妥当と認められる会計処理の基準　250
偽りその他不正の行為　759
違法阻却事由の拡大　68
違法な税務調査にもとづく課税処分の効力　641
遺留分　377
医療費控除　528
印紙納付　678
インピューテッド・インカム　25
受取配当金益金不算入　205
受取配当控除　44
受取配当等　254
疑わしくは国家の利益に　359・360
疑わしくは納税者の利益に　359・360
打切支給の退職金　467
売上税額計算の特例措置　351

《か》

益金　247・252
益金算入　249
益金に関する別段の定め　254
益金不算入　249
エンタイア・インカム・メソッド　562
延滞税　762
延納　680
応能負担原則　175
大島サラリードワーカー課税違憲訴訟　27
オーストラリア国税庁（ATO）　216

会計参与　188・193
外形標準課税　166・168
外国貨物　315
外国税額控除　402
外国法人　237・245
概算経費控除　74・473
概算経費率の公開・公表　74
解釈通達　151
各事業年度の所得金額　242
各所得金額の計算式　443
確定申告書　282・283
閣法　127
過誤納金還付請求訴訟　741
加算税　764
家事関連費　455
家事消費等　329
過少申告加算税　764・765
過少申告加算税が課されなくなる「正当な理由」　771
課税価格の計算方法　395
課税期間　323
課税最低限　520
課税仕入れ　328
課税処分のための調査　616
課税処分の取消訴訟　743

課税庁の納税者サービス・スタンダード　76
課税標準　328
課税標準(所得)の計算　438
課税標準申告　599
課税ベース　13
課税要件法定主義　120
課税要件明確主義　120
家族単位主義　35
過大支払利子税制　575
寡婦控除　526
株式譲渡益　479
貨物割　169
仮義務付け訴訟　750・752
仮救済制度　750・752
仮差止め訴訟　750・752
換価　690
環境汚染原因者負担原則　48
環境税　47
環境保全策の選択　48
官製デジタルID　88・97
間接強制の伴う任意調査　617
間接国税の犯則事件　787
間接消費課税　17
間接脱税犯　758
間接的規制手段　48
還付申告　609
議員提案条例　136
企業会計論　4
期限内申告書　604
基準期間　322
机上調査　617
帰属主義　564
帰属所得　25
寄附金　276
基本通達　151
義務付け訴訟　740・747
逆進性　306
逆進税率　32
キャピタルフライト　578
給付(還付)つき税額控除　29

給与所得　449
給与所得者の確定申告　605
狭義の滞納処分　687
狭義の徴収手続　683
行政行為の効力　720
行政事件訴訟　739
行政指導　625
強制捜査　616
行政不服審査法　714
共通番号(マイナンバー)制度　89
共謀犯(テロ等準備罪)　798
虚偽申告犯　759
居住者　430・432
居住者と非居住者の判定　430
拒否処分型　748
記録命令付差押え　781
金銭納付　678
禁反言の法理　179
金融取引税　49
勤労学生　525
勤労学生控除　525
勤労所得　442
国の課税庁の仕組み　53
繰上請求　684
繰上保全差押決定　684
繰越控除　286
繰延資産の償却　260
繰戻還付　287
グループ通算制度　241
クロヨン　456
軽減税率　350
経済的観察法　177
経済的実質主義　179
経済的二重課税　43
経済的利益　271
形式　177
形式基準　183
形式秘説　67
継続的取引監視　359・360
結婚懲罰税　36

決算調整　283
欠損金　285
決定　644
決定通知書　647
限界税率　33
減額更正　646
減額再更正　648・649
減価償却　257
減価償却の方法　259
現況調査　618
原処分中心主義　718
建設PE　561
源泉所得税　427
源泉徴収　583
源泉徴収義務者　583
源泉徴収制度　583
源泉徴収票　587
源泉分離課税　445・446
源泉分離選択課税　446
限定承認　384
現物給与　450
権利確定主義　509
公益寄附金　277
公開通達　150
高額特定資産を取得　325
広義の滞納処分　687
公金受取口座の登録　93
交際費　274
口座振替納付　678
公社債　459
公社債投資信託　459
控除対象配偶者　523
更正　644
更正処分の差止め訴訟　753
更正通知書　647
更正の請求　649
更正の請求の特例　651
「更正の予知」のタイミング　773
公的年金等　492・493
公的年金等控除額　493

合同運用信託　459
合同会社　261
公認会計士　220
公認会計士試験　226
公認会計士の業務　224
公売　690
後発的事由による更正の請求　651
交付要求と参加差押え　690
合法性の原則　121
公務員の職権濫用罪　672
公務員法上の守秘義務　66
効率法　675
国外財産調書制度　576
国外証券移管等調書制度　577
国外送金等調書制度　577
国外転出時課税制度　487・576
国際観光旅客税　349
告示　145
国税審議会　56
国税庁　53
国税徴収法　685
国税庁通達　144
国税庁の使命　87
国税庁レポート　87
国税庁FAQ　148
国税庁Q&A　148
国税犯則調査　781
国税不服審判所　727
国内源泉所得　237
国内取引　311
国内二重課税　41
国民健康保険税　22
国民健康保険料　22
国民の納税義務　119
個人情報　638
個人情報保護条例　61
個人情報保護法　61
個人単位主義　38
個人番号関係事務実施者　99・100
個人番号利用事務実施者　99・100

国家賠償請求訴訟（国賠訴訟）　741・754
固定資産課税台帳　737・168
固定資産税　168
固定資産評価基準　146
個別消費税　306・328
個別対応方式　331
個別通達　151
雇用類似の働き方をする人　207
コンピュータ操作の協力要請　788

《さ》

災害減免法　528
災害損失金の繰越控除　286
災害等による延納・納税の猶予　681
裁決　728
再更正　644
財産移転税　370
財産債務調書制度　576
財産の調査　687
財産評価基本通達　389・390
再審査請求　714
財政学　5
再調査決定　724・744
再調査の請求　724
裁判地の選択　741
歳費　453
債務控除　388
財務省主税局　52・129・130
債務免除益　404
差押え　688
差押禁止財産　688・689
差押えに代える複写媒体の差押え　790
差押えの効力　689
差押えの対象となる財産　688
差止め訴訟　741
雑所得　492
雑損控除　527
雑損失の繰越控除　528
サラリードワーカー　449
三権分立　139

山林所得　472
仕入税額控除　363
仕入（前段階）税額控除　308
死因贈与　377
資格取得費　453
時間的な限界　639
事業者　312
事業所得　454
事業所得税　12
事業税　12・166
事業専従者控除額　449
事業として行う　312
事業年度　243・245
事後調査　617
資産所得合算課税制度　38
資産性所得　442
資産の譲渡等　311
資産プラス勤労所得　442
市場経済手段　48
地震保険料控除　532
事前確定届出給与　264
事前照会文書回答手続　154
事前調査　617・635
事前通知　629・635
事前通知と事前調査　635
自治体課税権　158
市町村たばこ税　12
実額課税　674
実効税率　33
執行通達　151
執行不停止原則　718
実質　177
実質課税の原則　177
実質秘説　67
実体税法　172
実地の調査　617
質的担税力　442
質問応答記録書　655
質問検査拒否犯　759
質問検査権　622

指定都市　58
支店PE　561
自動確定方式　599
自動車重量税　12
使途秘匿金　279
使途不明金　279
支払者　584
支払調書　587
資本的支出と修繕費　260
資本等取引　253
市民憲章　77
事務運営指針　148・153・776
仕向地課税主義　308・316
シャウプ勧告　8
社会保険料控除　530
借用概念　186
重加算税　764・766
修正申告の勧奨　633・670
修正申告の勧奨の法認と行政手続法の適用　670
収入金額　507
住民監査請求　6
受給者　584
主税局　52
受託者　99・100
出訴期間　745
受忍義務　623
守秘義務　638
準確定申告書　609
純資産増加説　24
純資産増減法　675
純粋な任意調査　617
純損失の繰越控除　504
障害者控除　402
小規模企業共済等掛金控除　531
証券口座への付番　93
譲渡所得　474
譲渡割　169・328
使用人兼務役員　268・298
消費税　306
消費税の中間申告　612

消費税の法定申告期限　605
消費地課税主義　308・316
情報公開法　61
条約　125
賞与　263
省令　124
所得源泉説　24
所得控除の順序　534
所得控除の目的　517
所得税額控除　281
所得税の課税最低限　520
所得税の計算　438
所得税の法定申告期限　605
所得税の予定納税　611
所得の平準化　34
所得割　163
処分前の仮救済　751・752
自力執行権　691
自力執行力　691
"白色"事業専従者控除　515
白色申告　499
人格のない社団等　244
新株予約権　490
信義誠実の原則　179
申告所得税　427
申告書の保管　590
申告納税方式　598
申告納付　598
申告分離課税　445・446
申請型義務付け訴訟　748
新設法人　323・324
親族が事業から受ける対価の特例　514
人的控除　518
推計課税　673
垂直的な公平　176
水平的な公平　176
スキャナ保存　106・107
ストックオプション　490
税額控除　439
税額票方式　350

税関　315
石油ガス税　12
税金徴収優先の原則　698
税金の「徴収」　682
税金の納付方法　678
制限的所得概念　24
税制調査会　129
正当な理由がある場合　771
税の負担を不当に減少　183
税負担公平の原則　175
税法学　5
税法上の守秘義務　66
税法の固有概念　186
税法の法源　123
税務援助　206
税務会計論　3
税務支援　206
税務署　53
税務書類の作成　189・190・193・208
税務相談　189・190・193
税務訴訟　743
税務代理　189・190・193
税務調整　249
税務通達　143
税務通達の読み方　152
生命保険料控除　532
税理士　188
税理士監理官　200・219
税理士試験　196・197・198
税理士の責任・懲戒　203
税理士の損害賠償責任　204
税理士の補佐人制度　231
税理士法人　201
税率　31
政令　124
施行　132・133
施行規則　124
施行令　124
接続サーバーからの複写　790
セルフメディケーション税制　529

ゼロ税率　317
全所得主義　563
全世界所得　237
増額再更正　648・649
総額主義　729
総額表示　339
総合課税　445・446
総合主義　563
総合所得課税　437
葬式費用　388
相次相続控除　402
総収入金額　455
総所得金額　438
相続　370
相続開始前7年以内の贈与財産の加算　395
相続財産の評価　389
相続時精算課税制度　414
相続税　370
相続税サービス　94
相続税財産評価関係通達　147
相続税の2割加算　400
相続税の延納　410
相続税の課税最低限　378
相続税の基礎控除　378
相続税の計算の仕方　394
相続税の申告義務初　409
相続税の申告と納税　409
相続税の性格　375
相続税の税率　397
相続税の納税期限　410
相続税法上の連帯納付義務　418・705
相続人の順位　380
相続の放棄　383
相続分　382
争点主義　729
争点訴訟　741
総務省自治税務局　57
総務省通達　144
贈与税　403
贈与税額控除　401

贈与税額の計算方法　406
贈与税の延納制度　413
贈与税の基礎控除　406
贈与税の計算の仕方　405
贈与税の申告義務者　412
贈与税の申告と納税　412
贈与税の税率　406
贈与税の納税期限　412
贈与税の配偶者控除　407
贈与税の非課税財産　405
遡及立法の禁止　121
訴訟要件　748
租税確定手続　597
租税関連犯　759
租税議員立法　126
租税義務説　6
租税歳出　33
租税条約　571
租税条例主義　157
租税政策学　5
租税政府立法　126
租税対価説　6
租税秩序犯　759
租税特別措置法　123・303
「租税」の法的な定義　26
租税犯　758
租税犯則調査　780
租税犯則調査の方法　784・785
租税犯の種類　758
租税法律関係　120
租税法律主義　152
租税立法　137
租特透明化法　303
その他の雑所得　496
贈与税の課税価格　406
損益通算　489・502
損益通算の順序　503
損金　247・253
損金算入　249
損金に関する別段の定め　254

損金不算入　249
損失の繰越控除　438

《た》

第三者の立会い　70
代襲相続　381
退職所得　465
退職所得控除額　468
退職所得に対する課税方法　470
第二次納税義務　701
第二次納税義務執行の手順　701
第二次納税義務者　702
第二次納税義務者の権利　704
滞納処分　685・690
滞納処分で配当を受ける順位　698
滞納処分の緩和　695
滞納処分のための調査　616
滞納処分免脱犯　758
タイムスタンプ　108
代理人PE　561
立退料　487
タックス・ミックス　13
タックスインボイス方式　350
脱税事件調査　616
脱税犯　758
単一税率課税　32・34
短期譲渡所得　478
短期退職手当等　443
単純無申告犯　759
単純累進税率課税　32
単身赴任帰宅旅費　453
担税力に応じた課税　442
地価税　12
地方消費税　329
地方税条例　23・29・61
地方税条例制定の仕組み　136
地方税の税務行政機構　57
地方税の手続税法　174
地方税法　158
地方の課税庁の仕組み　57

地方分権一括法　160
地方法人税　12・281
地方法人特別税　12
中間申告　283・610
抽象的違憲審査制　138
弔慰金　389
超過差押えの禁止　689
超過物納　412
超過累進税率　31
調査後手続　633
調査時手続　631
調査終了通知　639
調査対象物件　637
調査の客観的必要性　640
調査の事前通知等　629
調査前手続　629
調査理由　639
調査対象者　636
調査通知　630・635
徴収納付　583
調整対象固定資産　325
重複課税　41
帳簿書類等の提示・提出　631
帳簿書類の電子保存　106・110
直接国税の犯則事件　787
直接消費課税　17
直接的規制手段　48
直間比率　16
直系尊属からの住宅取得等資金の贈与　407
通貨取引税　49
通勤費　453
通告処分　786
通達　144
通達課税　152
通達と告示　145
通達に反する課税処分の効力　145
通達の拘束力　144
通達の読み方　152
通知処分　749
定額控除　450

低額譲受　404
低額譲渡　483
定期同額給与　264
訂正申告　644
適格請求書発行事業者登録制度　350
適用　132・133
適用違憲　137・641
適用額明細書　303
デジタル監視国家体制　92
デジタル庁　92
デジタル（電子）インボイス　352
デジタルID　88
手続税法　172・173
手続的保障原則　121
電気通信利用役務の提供　314・342・343
転居費　453
電子帳簿保存法（電帳法）　105
電子データのダウンロードの要求　113
電子データの保全要請　790
電子取引の電子保存の義務化　113
電子納税　679
ドイツ租税基本法　26
ドイツの税理士制度　195
同族会社　289
同族会社の課税の特例　288
同族会社の行為・計算の否認　293
同族関係者　288
統治行為論　142
登録国外事業者（申告納税）制度　347
トーゴーサンピン　456
トービン税　49
都区財政調整制度　171
特殊関係使用人　272
督促　683
特定役務の提供　314
特定課税仕入れ　329
特定期間　322・325
特定寄附金　533
特定口座　479
特定個人情報　98

特定仕入れ　314
特定支出控除　452
特定新規設立法人　323・325
特定扶養親族　522
特別障害者　525
特別徴収　583
特別徴収義務者　583
特別土地保有税　12
特別の更正の請求　651
特別法人事業税　168
都市計画税　12
土地の評価　391
留置き　632
取消訴訟　740

《な》

内閣法制局　128
内国歳入庁　216・217
内国歳入法典　627
内国法人　237
内部通達　150
内部通報者保護制度　72
二次的所得税　443
二重課税　39
日米租税条約　574
日本版LLC　261
日本版LLP　261
入湯税　12
任意組合　261
任意調査　617
年度　245
年分　245
年末調整　593
納税管理人　610
納税義務者　116・322
納税義務の承認　679
納税者　115
納税者権利章典　76
納税者支援調整官　722
納税者としてのあなたの権利　82

納税者番号制度　88
納税者保護のアプローチ　81
納税の告知　683
納税の猶予　680
納税を補充する制度　679
納入の告知　683
納付妨害犯　759
ノーアクション・レター　155

《は》

配偶者控除　522
配偶者特別控除　523
配偶者に対する税額軽減　401
配当　690
配当所得　460
配当所得に対する課税方法　463
パブリックコメント手続　133
犯則事件調査後の処理手続　786
犯則事件のための調査　616
反面調査　618
非課税財産　387
非課税所得　244
非課税取引　315・319
非居住者　430・432
非申請型義務付け訴訟　747
非調査行為　625
必要経費　511
必要な調査　638
秘密漏示犯　759
標準経費率　74
標準税率　33
表面税率　33
比率法　675
比例税率課税　32・34
夫婦単位主義　35
賦課課税方式　598
賦課課税方式により確定する税金　601
不確定概念　182
不課税取引　312・314
不均一課税　32

不作為型　748
不作為の違法確認訴訟　740
附従性　704
付随業務　193
付随的違憲審査制　138
負担金　18
負担付贈与　404
不徴収犯　759
普通徴収　601
普通法人　44
復興特別所得税　447
物的控除　518
物納　411・678
不動産所得　456
不納付加算税　764・766
不納付煽動犯　758
不納付犯　758
負の所得税　29
不服申立て　712
不服申立前置主義　717・744
扶養控除　521
扶養親族　521
プラットフォーム課税　348
ふるさと納税　162
不労所得　442
文書閲覧窓口制度　62
分類所得課税　437
平均課税　505
平均税率　32・33
ペポル式　353
弁護士と税務業務　231
変動所得　34
法案PC手続　133
包括的所得概念　23・24
俸給　453
法人実在説　34・44・235
法人税　235
（法人税）申告書　303
法人税の申告納税　282
法人税の税率　280

法人税の中間申告　612
法人税の法定申告期限　605
法人税割　163
法人組織再編にかかる行為・計算の否認　293
法人番号　88
法定外調査　617
法定外普通税　160
法定外目的税　160
法定申告期限　604
法定相続分　382
法定納期限　677
法的実質主義　178
法的二重課税　43
法務省訟務局租税訟務課　742
法令違憲　137
法令解釈通達　151
補佐人　231
補充性　703
保証債務をめぐる課税取扱い　419
保証人　679
保税地域　315
ほ脱犯　758
本人調査　618
本法　123
本来の相続財産　384
本来の贈与財産　403
本来の納税義務　703

《ま》

マージン課税制度　42
マイナポータル　103
マイナンバー　88
マイナンバー制度　88
マイナICカード　89
マルサ　621
未成年控除　402
みなし譲渡　329
みなし相続財産　385
みなし贈与財産　404
みなし退職手当等　468

みなし退職手当の例　468
みなし配当　462
みなし役員　268
民事執行と滞納処分との調整　700
民法上の組合　261
無益な差押えの禁止　689
無期限納税義務者　116
無効等確認訴訟　740・746
無償独占　190・193・194
無申告加算税　764・765・766
無予告調査　630
名称独占　190・191・193
免税事業者　322・350
免税所得　435
免税取引　315・320
納税義務者と納税者の違い　117
目的税　12
黙秘権の保障　623

《や》

役員　263
役員給与　263
役員退職給与　265
役員の認定　298
有価証券納付　678
有償独占　190
優良な電子帳簿　110
輸入取引　311・315・329
預金保険機構　95
予測可能性　121
預貯金口座への付番　93
予定納税　610
予定納税の減額承認申請　613

《ら》

リアルタイムレポーティング　359・360
利子所得　458
利子所得の非課税の取扱い　459・460
利子税　763
立証責任　745

立法裁量論　137
リバースチャージ方式　344・345
リモートアクセス　103・790
理由附記　500
留保金課税　298
領置　632
リョウチョウ　621
臨検・捜索・差押え等　616
臨時所得　35
隣接法学　7
累進税率　32
令状主義　623
連結決算の行為・計算の否認　293
連帯納税義務　706
連帯納付義務　679・705・706
老人扶養親族　522
路線価方式　391

《わ》

わが国が締結した租税条約　573

《数字・英字》

10種類の所得　443
5分の5乗方式　473
7年以内の贈与加算　387
AO　26
ATO　216
CTC　359・360
DRD　44・45
DX化　88
EUの付加価値税　363
IRS　216
LLC　261
LLP　261
NISA　464
PPP　48

編者・著者紹介 (50音順)

【編者・塾長略歴】

・石村　耕治 (いしむら・こうじ)

白鷗大学名誉教授、日本租税理論学会理事長、国民税制研究所代表

アメリカ・イリノイ大学ロースクール修了

〔主な著書〕『アメリカ連邦所得課税法の展開』〔財経詳報社〕、『日米の公益法人課税法の構造』〔成文堂〕

【塾頭略歴】

・阿部　徳幸 (あべ・のりゆき)

日本大学法学部教授・税理士

1962年生、日本大学法学部卒業

〔主な著書〕『詳解　会社の解散・清算をめぐる法務と税務』(編著)〔三協法規出版〕、『滞納処分の基本と対策』(編者)〔中央経済社〕

【著者略歴】

・浅野　洋 (あさの・ひろし)

税理士・名古屋経済大学大学院非常勤講師

1948年生、専修大学法学部卒業

〔主な著書〕『会社分割・合併の法律と税務』(共著)〔清文社〕、『図解 事業承継の実務ポイント―相談対応で使える説明シート付き―』(編集)〔新日本法規〕

・鎌倉　友一 (かまくら・ともかず)

愛知大学経営学部教授・税理士

1959年生、名古屋大学大学院法学研究科博士後期課程中退

・木村　幹雄 (きむら・みきお)

税理士・愛知大学経営学部非常勤講師

1969年生、愛知大学大学院経済学研究科修士課程修了

〔主な著書〕『現代日本租税論』(共著)〔税務経理協会〕、「相続税の性格の再検討―キャピタルゲイン課税との関係の視点から―」『税制改革の今日的課題』〔財経詳報社〕

・左海　英吾 (さかい・えいご)

税理士・名古屋経済大学大学院非常勤講師

1982年生、南山大学経営学部卒業

〔主な著書〕『農業・農地をめぐる税務上の特例』(共著)〔新日本法規〕、『これだけは知っておきたい 事業承継税制の実務ポイント』(共著)〔清文社〕

・辻村　祥造（つじむら・しょうぞう）
　　税理士
　　1951年生、横浜市立大学商学部卒業
　　〔主な著書〕『こうすれば税理士は生き残れる　税理士見聞録』（石村耕治・辻村祥造監修）
　　　　　　　〔日本コンピュータ税務研究機構〕、『争点相続税法』（共著）〔勁草書房〕

・長島　弘（ながしま・ひろし）
　　立正大学法学部教授・税理士
　　1962年生、横浜市立大学大学院経営学研究科修士課程修了
　　〔主な著書〕『東弁協叢書　租税訴訟ハンドブック』（共著）〔第一法規〕、『租税法判例実務
　　　　　　　解説（判例実務解説シリーズ）』（共著）〔信山社〕

・益子　良一（ますこ・りょういち）
　　税理士
　　神奈川大学法学部卒業
　　〔主な著書〕『新訂　民法と税法の接点』（編著）〔ぎょうせい〕、『4訂版　医療機関の税務相
　　　　　　　談事例集』（共著）〔大蔵財務協会〕

・本村　大輔（もとむら・だいすけ）
　　鹿児島大学法文学部准教授
　　1983年生、日本大学大学院法学研究科博士後期課程満期退学
　　〔主な著書〕『税理士・弁護士が知っておきたい　滞納処分の基本と対策』（共著）〔中央経
　　　　　　　済社〕、『詳解　会社の解散・清算をめぐる法務と税務』（共著）〔三協法規出版〕

・望月　爾（もちづき・ちか）
　　立命館大学法学部教授
　　1964年生、静岡大学大学院法学研究科修士課程修了
　　〔主な著書〕『よくわかる税法入門』（共著）〔有斐閣〕、『グローバル・タックスの理論と実
　　　　　　　践』（共著）〔日本評論社〕

・森　稔樹（もり・としき）
　　大東文化大学法学部教授
　　1968年生、早稲田大学大学院法学研究科博士後期課程中退
　　〔主な著書〕『財政法講座3　地方財政の変貌と法』（共著）〔勁草書房〕、『新基本コンメン
　　　　　　　タール地方自治法』（共著）〔日本評論社〕

税金のすべてがわかる 現代税法入門塾〔第12版〕

2024年4月30日　発行

編　者　　石村　耕治 ©

発行者　　小泉　定裕

発行所　　株式会社 清文社

東京都文京区小石川1丁目3−25(小石川大国ビル)
〒112-0002　電話 03(4332)1375　FAX 03(4332)1376
大阪市北区天神橋2丁目北2−6(大和南森町ビル)
〒530-0041　電話 06(6135)4050　FAX 06(6135)4059
URL https://www.skattsei.co.jp/

印刷：㈱広済堂ネクスト

■著作権法により無断複写複製は禁止されています。落丁本・乱丁本はお取り替えします。
■本書の内容に関するお問い合わせは編集部までFAX(03-4332-1378)またはメール(edit-e@skattsei.co.jp)でお願い
します。
■本書の追録情報等は、当社ホームページ(https://www.skattsei.co.jp/)をご覧ください。

ISBN978-4-433-73854-9